Alain d'Astous, HEC Montréal
Pierre Balloffet, HEC Montréal

Naoufel Daghfous, UQAM
Christèle Boulaire, Université Laval

Comportement du consommateur

3e édition

Achetez en ligne*
www.cheneliere.ca

* Résidants du Canada
seulement.

CHENELIÈRE
ÉDUCATION

Comportement du consommateur
3e édition

Alain d'Astous, Pierre Balloffet, Naoufel Daghfous
et Christèle Boulaire

© 2010, 2006, 2002 Chenelière Éducation inc.

Conception éditoriale : Sylvain Ménard
Édition : France Vandal
Coordination : Julie-Anne Richard
Recherche iconographique : Jocelyne Gervais et Stéphane Daneau
Révision linguistique : Diane Robertson
Correction d'épreuves : Maryse Quesnel
Conception graphique et infographie : Interscript
Conception de la couverture : Andrée Lauzon
Impression : Imprimeries Transcontinental

**Catalogage avant publication
de Bibliothèque et Archives nationales du Québec
et Bibliothèque et Archives Canada**

Vedette principale au titre :

Comportement du consommateur
3e éd.
Comprend des réf. bibliogr. et un index.

ISBN 978-2-7650-2540-5

1. Consommateurs – Comportement.   2. Consommateurs – Psychologie.   3. Consommateurs – Préférences.   4. Consommation (Économie politique).   5. Consommateurs – Comportement – Ressources Internet.   6. Consommateurs - Comportement - Problèmes et exercices.   I. Astous, Alain d', 1952-   .

HF5415.32.C65 2010   658.8'342   C2010-940934-5

7001, boul. Saint-Laurent
Montréal (Québec) Canada H2S 3E3
Téléphone : 514 273-1066
Télécopieur : 450 461-3834 / 1 888 460-3834
info@cheneliere.ca

ISBN 978-2-7650-2540-5

Dépôt légal : 2e trimestre 2010
Bibliothèque et Archives nationales du Québec
Bibliothèque et Archives Canada

Imprimé au Canada

1   2   3   4   5   ITG   14   13   12   11   10

Nous reconnaissons l'aide financière du gouvernement du Canada par l'entremise du Programme d'aide au développement de l'industrie de l'édition (PADIÉ) pour nos activités d'édition.

Gouvernement du Québec – Programme de crédit d'impôt pour l'édition de livres – Gestion SODEC.

Membre du CERC

Membre de
l'Association nationale
des éditeurs de livres

Avant-propos

Il faut l'admettre, les activités de consommation occupent une place importante dans notre vie quotidienne. De la dégustation d'un jus d'orange frais pressé le matin à la partie de billard disputée en fin de soirée, tous les jours, nous accomplissons des dizaines, voire des centaines d'actions qui s'inscrivent dans un contexte de consommation: achats, magasinage, marchandage, paiements, lèche-vitrine, pour n'en nommer que quelques-unes. Ne dit-on pas que nous vivons dans une société de consommation?

L'objectif de cet ouvrage est de faire une synthèse des connaissances actuelles sur le comportement des consommateurs, c'est-à-dire sur notre comportement à tous. Le sujet n'est pas nouveau, car il est enseigné dans les collèges et les universités nord-américains depuis quelques décennies déjà, notamment dans des programmes d'études en marketing. Ce livre aborde donc des thèmes habituellement enseignés dans les cours d'introduction au comportement des consommateurs. Après avoir circonscrit la discipline dans le premier chapitre, nous avons divisé ces thèmes en deux groupes, soit ceux qui touchent les influences internes correspondant aux divers processus de fonctionnement de la personne (la motivation, la personnalité, les styles de vie, la perception, l'apprentissage, les attitudes, les émotions, la prise de décision), et ceux qui se rapportent aux influences externes, c'est-à-dire aux différents contextes dans lesquels les consommateurs évoluent (les influences sociales, la culture, les sous-cultures, la diffusion des innovations, la famille, la situation). Le dernier chapitre quant à lui traite du thème du consumérisme et des aspects négatifs de la consommation.

Si le découpage de la matière demeure somme toute traditionnel, la facture de l'ouvrage est, quant à elle, résolument moderne puisque l'approche retenue mise sur la diversité. D'abord celle des auteurs, aux origines culturelles, à la formation et aux champs d'intérêt distincts, bien qu'ayant tous en commun une passion pour la discipline du comportement du consommateur. Ensuite, celle du matériel employé: des concepts «classiques» mais «incontournables» côtoient, dans un style que nous espérons harmonieux et dynamique, des notions nouvelles et avant-gardistes. De multiples exemples et un grand nombre de figures s'ajoutent aussi à la présentation ou à la citation de plusieurs études scientifiques, conformément à notre désir de rendre la matière vivante sans pour autant en sacrifier la rigueur.

L'approche choisie table également sur les nouvelles technologies de l'information et des communications. L'utilisation d'Internet en tant que support académique étant devenue une pratique inévitable de l'apprentissage moderne, des adresses de sites sont proposées tout au long du manuel. Elles servent à compléter une illustration, à suggérer des références supplémentaires en relation avec les thèmes abordés, ou encore, elles invitent le lecteur à approfondir ses connaissances sur le comportement du consommateur. Les objectifs ainsi visés sont de familiariser l'étudiant avec les ressources qu'offre Internet dans la recherche d'information sur des éléments de comportement du consommateur et de lui fournir l'occasion de mettre à jour des données statistiques sur les marchés.

Comme dans l'édition précédente, on trouve à la fin de chaque chapitre des cas qui permettent à l'étudiant de confronter les notions apprises à des mises en situation diverses, pour la plupart réelles. Outre ces cas et les nombreuses références à des sites Internet, le manuel s'agrémente d'un site qui héberge, entre autres, les publicités reproduites dans le livre, dans leur version couleur originale. Les auteurs ont aussi actualisé le guide de l'enseignement, lequel offre des conseils pratiques pour un cours en comportement du consommateur en plus des réponses à certaines des questions qui sont posées à la fin de chaque chapitre.

L'environnement actuel est caractérisé par plusieurs bouleversements profonds : mondialisation, expansion du commerce électronique, popularisation du Web 2.0, effervescence des nouveautés technologiques, importance des marchés émergents sur la scène internationale, création de blocs commerciaux, intensité de la concurrence, accroissement de la complexité dans la prise de décision. De ce fait, la connaissance du consommateur s'avère un sujet essentiel pour l'étudiant désireux d'occuper un emploi de chef de compte, de territoire, de marque ou de produit, de responsable d'une clientèle cible, de chef de rayon ou de magasin, de conseiller, de directeur de recherche ou encore d'analyste marketing. En se penchant sur les éléments qui influencent, affectent ou motivent le consommateur, ce livre représente donc un outil d'aide à la compréhension du comportement du consommateur afin de former des gestionnaires avisés et responsables. Mais il s'adresse aussi à tous ceux qui souhaitent simplement en savoir davantage sur leur propre comportement de consommation, pour le plaisir de mieux se connaître et de devenir ainsi des consommateurs avertis.

Écrire un livre est une entreprise exigeante. Heureusement, nous avons pu compter sur la compréhension et les encouragements de nos familles respectives. Nous les en remercions du fond du cœur. Nous remercions aussi les étudiants et les étudiantes qui ont utilisé les deux premières éditions de ce livre et qui nous ont fait des commentaires très utiles. Des remerciements sincères sont aussi adressés à Jean-Sébastien Marcoux, professeur de marketing à HEC Montréal, Suzanne Pelletier, professeure de marketing à l'Université du Québec à Rimouski, et Roy Toffoli, professeur de marketing à l'Université du Québec à Montréal, qui ont évalué de façon rigoureuse le contenu intégral de la première édition du livre. Plusieurs des changements apportés dans la présente édition découlent directement des commentaires qu'ils ont émis. Nous sommes aussi reconnaissants aux évaluateurs de la seconde édition dont les judicieuses observations ont permis de bonifier le livre une fois de plus. Enfin nous tenons à remercier tous les membres de l'équipe de Chenelière Éducation qui ont participé à l'une ou l'autre des étapes de production de cette troisième édition, pour avoir rendu possible cette nouvelle aventure et pour nous avoir permis de mener à terme ce projet.

Alain d'Astous, HEC Montréal
(alain.dastous@hec.ca)

Pierre Balloffet, HEC Montréal
(pierre.balloffet@hec.ca)

Naoufel Daghfous, Université du Québec à Montréal
(daghfous.naoufel@uqam.ca)

Christèle Boulaire, Université Laval
(Christele.Boulaire@mrk.ulaval.ca)

Table des matières

PARTIE 1

HOMO CONSOMMATUS

Une introduction au comportement du consommateur

Dans son petit livre intitulé *La vie extérieure*, la romancière Annie Ernaux décrit dans un style épuré le monde qui l'entoure. Sorte de journal de bord, le livre présente une série de vignettes, la plupart datées, qui composent sa vision très personnelle de la vie et des gens aux alentours de Paris, de 1993 à 1999. À sa lecture, on constate les nombreuses références à la consommation : les nouveaux magasins qui apparaissent, le comportement des gens lorsqu'ils attendent en ligne pour payer leurs achats, le souvenir d'un ami qui énumère fièrement les marques des vêtements qu'il porte (Cerruti, Dior, Saint-Laurent, Lanvin), des images des lieux de consommation (*le centre commercial est comme une église...*) et des consommateurs (*... où les gens cherchent un secours contre le temps et la mort*), la description d'un vol à l'étalage dans un grand magasin, etc. C'est un livre sur la vie, mais aussi un livre sur la consommation. Car – cela ne doit pas nous étonner – la consommation est une réalité tellement omniprésente que toute description honnête de la vie quotidienne en sera nécessairement empreinte.

> *Neuf heures du matin, Auchan, à l'ouverture, presque vide. À perte de vue des collines de tomates, de pêches, de raisins – des rayons parallèles, illuminés, de yaourts, fromages, charcuterie. Sensation étrange de beauté. Je suis au bord de l'Éden, premier matin du monde. Et TOUT SE MANGE, ou presque[1].*
>
> **Annie Ernaux**

Le livre d'Annie Ernaux offre un témoignage pertinent du caractère envahissant de la consommation dans la vie quotidienne. Cependant, malgré l'intérêt de ce que ce livre relate à propos de la consommation, cela ne constitue pas une description satisfaisante des activités de consommation ni des facteurs qui influent sur elles. Le comportement des consommateurs est un champ d'études auquel de nombreux chercheurs s'intéressent depuis plus d'un demi-siècle. Les connaissances accumulées au moyen des études réalisées par ces chercheurs permettent de tracer un portrait plus complet et plus « scientifique » du comportement des consommateurs que celui que nous propose Annie Ernaux. Dans cet ouvrage, nous vous invitons à découvrir le champ d'études du comportement du consommateur.

1.1 Le champ d'études du comportement du consommateur

Champ d'études du comportement du consommateur

Ensemble des activités mentales, émotives et physiques des consommateurs lorsqu'ils choisissent des biens et des services, les achètent, les consomment et en disposent à leur convenance dans le but de satisfaire leurs besoins, ainsi que les facteurs qui influent sur ces activités.

Commençons par définir le **champ d'études du comportement du consommateur**, afin d'en saisir les aspects essentiels. La plupart des définitions sont imparfaites, mais une définition a l'avantage de mettre en lumière les éléments fondamentaux de ce que l'on cherche à comprendre.

Cette définition contient cinq concepts importants, dont nous allons discuter en détail :

1. Les activités de consommation ;
2. Les actions de choisir, d'acheter, de consommer un produit et d'en disposer à sa convenance ;
3. Les biens et les services ;
4. Les besoins ;
5. Les influences.

Les activités de consommation

Les activités de consommation sont nombreuses et variées. Elles constituent le champ d'études du comportement du consommateur. Les recherches scientifiques portant sur les consommateurs ont débuté au cours des années 1950. En effet, après la Seconde Guerre mondiale, les sociétés occidentales ont vu s'accroître la demande pour les biens et les services. Les chercheurs se sont alors beaucoup intéressés à comprendre les mécanismes des marchés. Avec l'avènement du concept de marketing (énoncé en 1952 par la compagnie General Electric), selon lequel il fallait tenir compte des besoins des consommateurs dans la définition des actions commerciales de l'entreprise («Il ne faut pas vendre ce qu'on fabrique, mais plutôt fabriquer ce qu'on peut vendre »), les chercheurs ont senti le besoin de se pencher sur la question. Ils ont d'abord étudié les activités de consommation en lien avec le marketing : la définition des critères de choix, la formation des préférences envers les marques, les sources d'information consultées, la qualité perçue des produits, etc. Aujourd'hui, les chercheurs en comportement du consommateur s'intéressent à toutes les activités qui touchent de près ou de loin à la consommation.

C'est donc dire que le champ d'études du comportement du consommateur est vaste. Dans la définition proposée (*voir ci-haut, en marge*), on distingue les activités **mentales, émotives** et **physiques.** Ces distinctions peuvent être critiquées – on pleure **physiquement** parce qu'une chose à laquelle on a **pensé** déclenche une grande **tristesse –**, mais elles permettent d'établir une classification de départ utile.

Des exemples d'activités de consommation sont présentés dans le tableau 1.1. Toutes ces activités, et bien d'autres, constituent le champ d'études du comportement du consommateur. Afin de circonscrire davantage le champ d'études, la définition se limite au cadre de la consommation : choisir des biens et des services, les acheter, les consommer et en disposer à sa convenance. Prenez le temps d'examiner les exemples d'activités présentés dans ce tableau. Pouvez-vous fournir d'autres exemples ? Pouvez-vous citer des exemples d'activités de consommation qui ne font pas partie d'une des trois catégories ? Que pensez-vous des activités de consommation imaginaires, comme rêver de posséder un produit ou de faire un voyage (*voir la capsule 1.1*) ?

TABLEAU 1.1 Quelques exemples d'activités de consommation

Exemples d'activités mentales	Exemples d'activités émotives	Exemples d'activités physiques
• Imaginer que l'on possède un produit. • Réagir en pensée à une pub. • Réfléchir au prix d'un produit. • Calculer le coût total (approximatif) de ses achats. • Juger de la propreté d'une boutique. • Planifier les achats pour un repas. • Décider de la marque à acheter. • Évaluer si un achat en vaut la peine.	• Être exaspéré par un vendeur. • Apprécier l'écoute du dernier disque que l'on vient de s'offrir. • Être en colère parce que le produit acheté ne fonctionne pas. • Être heureux de l'achat que l'on vient de faire. • Être choqué par une pub sexiste. • Être amusé par un vendeur. • Être heureux à l'idée du cadeau que l'on achètera pour un ami.	• Se rendre au centre commercial. • Faire un essai routier (achat d'une nouvelle voiture). • Demander conseil à un ami à propos d'un achat à effectuer. • Consommer une glace au chocolat. • Remplir un formulaire pour un tirage. • Appeler un commerçant pour se plaindre. • Déconseiller l'achat d'un produit. • Aller porter ses bouteilles vides pour qu'elles soient recyclées.

Les actions de choisir, d'acheter, de consommer un produit et d'en disposer à sa convenance

Les activités de consommation des gens s'inscrivent souvent à l'intérieur d'un **processus.** Choisir un produit, l'acheter, le consommer et en disposer à sa convenance constituent les étapes fondamentales de ce que l'on appelle communément le processus de décision des consommateurs. Cette façon d'aborder l'étude du comportement des consommateurs a eu et continue d'avoir une grande influence sur la recherche. Nous verrons au chapitre 6 qu'il est souvent utile de tenir compte des activités de consommation comme celles qui précèdent l'achat, celles qui l'entourent et celles qui le suivent. Cependant, gardons à l'esprit que ce qui se passe dans la tête des consommateurs (leurs activités mentales) ainsi que dans leur corps (leurs activités émotives) est tout aussi important que ce qu'ils font concrètement (leurs activités physiques).

Les biens et les services

Les termes «biens» et «services», de nature générique, comprennent les produits **tangibles** (ceux que l'on peut voir et toucher) et les produits **intangibles** (comme les services, les idées). Retenons qu'un produit possède une valeur pour le consommateur et qu'il est susceptible d'être échangé, généralement contre de l'argent.

Les besoins

La définition proposée du champ d'études du comportement du consommateur précise que les activités de celui-ci sont motivées, qu'elles sont accomplies dans le but de satisfaire ses besoins et d'atteindre ses objectifs.

Il convient de faire deux observations à ce propos. La première consiste à distinguer les comportements de consommation **délibérés,** c'est-à-dire ceux qui sont accomplis dans un objectif précis lié à la consommation, des comportements de consommation **fortuits**[2], qui découlent d'autres activités et qui ne sont pas liés directement à la consommation. Marchander avec un vendeur, payer à la caisse dans une épicerie, boire un cola, consulter les critiques de cinéma afin de choisir un film sont des exemples de comportements de consommation délibérés. Par contre, être exposé à une publicité lorsque l'on consulte une page Web, voir une affiche en marchant sur le trottoir, entendre quelqu'un vanter les mérites d'un produit sont des exemples de comportements de consommation fortuits. Du point de vue de l'étude du comportement des consommateurs, les deux types de comportements sont importants.

La deuxième observation concerne les motivations sous-jacentes aux activités de consommation. Une distinction fondamentale doit être établie entre les motivations **fonctionnelles** (ou utilitaires) et **immatérielles** (ou symboliques) de la consommation. Ainsi, les produits et les services visent à satisfaire des besoins fonctionnels, liés à leurs fonctions primaires: dans le cas d'une automobile, le transport; dans le cas d'une montre, le temps; dans le cas d'un journal, l'information. Mais les produits et services visent aussi à satisfaire des besoins immatériels, comme s'accorder un plaisir, exprimer sa personnalité, ses valeurs et sa position sociale vis-à-vis des autres et de soi-même. Une voiture de marque Mercedes est un véhicule qui permet à un consommateur de se transporter d'un endroit à l'autre, mais c'est aussi une image, un symbole des valeurs que souhaite projeter son propriétaire. Dans une étude menée auprès d'étudiants, deux chercheurs américains leur ont demandé de dresser la liste de leurs objets préférés[3]. Une analyse de ces données a mis en évidence l'existence d'une dimension latente importante permettant de distinguer les objets sur un continuum allant de ceux qui se définissent en fonction de leur signification symbolique (par exemple, des photos, un journal intime) à ceux qui se définissent en fonction de leurs bénéfices directs (par exemple, un ordinateur, un vélo). Par ailleurs, des études ont montré que les gens se forment une idée sur les autres à partir de l'observation des produits que ces derniers consomment[4]. Par exemple, il est possible de savoir si une personne est matérialiste en observant la nature des objets qui lui sont chers[5].

La distinction entre l'aspect fonctionnel et l'aspect immatériel s'applique non seulement à l'achat de produits et de services, mais aussi à d'autres comportements de consommation, comme le magasinage. Par exemple, on magasine afin de se procurer des produits dont on a besoin (motivation fonctionnelle), mais aussi afin de rencontrer des gens, de montrer ses nouveaux vêtements, de partir à l'aventure ou de se détendre[6]. Dans un ouvrage portant sur le marché de Carpentras en France[7], La Pradelle montre que les consommateurs français fréquentent le marché surtout pour satisfaire des besoins immatériels : « [...] faire ses courses au marché n'est jamais indispensable : il n'est guère de produits qu'on ne puisse aussi bien trouver ailleurs ». Aller au marché, c'est perdre son temps avec bonheur. Cela ne signifie pas que l'on n'y achète rien, mais un marché est souvent un espace public où l'échange (vente-achat) est un prétexte.

La combinaison des types de comportements (délibérés versus fortuits) et des dimensions motivationnelles (fonctionnelles versus immatérielles) permet de dresser une typologie utile des activités de consommation. Celle-ci est présentée au tableau 1.2.

TABLEAU 1.2 Une typologie des activités de consommation

Dimension	Comportements	
	Délibérés	**Fortuits**
Fonctionnelle	Acheter un micro-ordinateur pour la rentrée scolaire.	Découvrir que son lecteur MP3 possède une fonction de connexion à un appareil photo, en utilisant ce dernier.
Immatérielle	Demander à ses parents des chaussures de sport Nike pour être comme ses amis.	Entendre ses amis dire qu'un polo Hard Rock Café, c'est vraiment *cool*.

Les influences

La recherche en comportement du consommateur ne se limite pas à observer les activités de consommation et à en rendre compte. Elle cherche aussi à **expliquer** ces activités en cernant les facteurs qui influent sur elles. Quels sont ces facteurs ?

Pour répondre à cette question, nous allons adopter une approche bien établie dans les sciences humaines : distinguer les facteurs **internes,** c'est-à-dire propres à la psychologie de la personne, des facteurs **externes,** soit ceux qui sont propres à l'environnement de la personne. Cette approche est à la base de la réflexion d'un psychologue américain de grande renommée, Kurt Lewin, auteur de la « théorie du champ » (*field theory*). Cette théorie repose sur une équation célèbre :

$$C = f(P, E)$$

dans laquelle le comportement (*C*) est fonction (*f*) de la personne (*P*) et de l'environnement (*E*). La personne et l'environnement constituent donc le **champ psychologique,** soit la totalité des forces qui agissent en tout temps sur la personne. Pour Lewin, l'environnement ne réfère pas à une réalité physique quelconque, mais plutôt à la réalité psychologique telle que perçue par la personne[8].

Il est possible de détailler l'équation de Kurt Lewin de façon à faire ressortir les diverses influences internes et externes qui influent sur le comportement des consommateurs. Le résultat est présenté à la figure 1.1, qui sert de cadre d'analyse dans cet ouvrage.

La figure 1.1 montre que les influences externes qui agissent sur les activités de consommation comprennent la famille, la situation, les groupes de référence, la culture, les sous-cultures ainsi que la classe sociale. Les influences internes, quant à elles, englobent la motivation, l'apprentissage, la perception, la personnalité et les styles de vie ainsi que les attitudes et les émotions. Ces divers thèmes seront abordés aux chapitres indiqués dans la figure. Le dernier chapitre fera l'objet d'une discussion de la consommation au regard de ses implications pour la société.

FIGURE 1.1 Un cadre d'analyse pour l'étude du comportement du consommateur

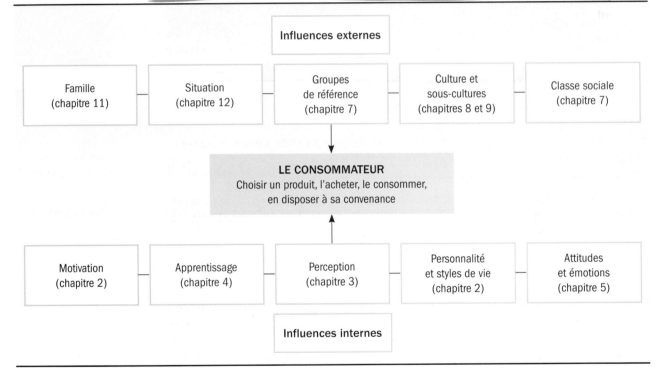

1.2 Le comportement du consommateur en tant que discipline

Nous avons vu au début de ce chapitre que le comportement du consommateur est un champ d'études auquel s'intéressent de nombreux chercheurs, mais il y a plus : le comportement du consommateur est devenu au fil des ans une discipline à part entière, comme le sont les mathématiques, la littérature ou la physique nucléaire. Plus qu'un simple sujet d'étude, le comportement du consommateur doit dorénavant être considéré comme une spécialité des sciences humaines dans laquelle des connaissances sont produites par la recherche, transmises par l'enseignement et appliquées par la pratique.

Les connaissances sur le comportement des consommateurs bénéficient en outre de l'apport d'autres disciplines. Les plus importantes sont la psychologie (l'étude des processus mentaux), la psychologie sociale (l'étude du fonctionnement des personnes en société), la sociologie (l'étude du comportement des collectivités), l'anthropologie (l'étude des gens dans le contexte de leur culture) et l'économie (l'étude de l'offre et de la demande des biens et des services). En ce sens, il est possible d'affirmer que l'étude du comportement des consommateurs est véritablement une entreprise interdisciplinaire.

Dans cette section, nous allons tracer brièvement l'évolution historique de la discipline du comportement du consommateur et indiquer les sources d'information les plus utiles pour quiconque désire approfondir ses connaissances[9].

Les balbutiements (les années 1950)

Nous avons mentionné qu'après la Seconde Guerre mondiale, les pays industrialisés ont connu une forte croissance de la demande de biens et de services. Par conséquent, on a voulu comprendre davantage les mécanismes qui régulent les marchés. Au cours des années 1950, ce sont les économistes qui, d'une certaine façon, détenaient le monopole du savoir en matière de comportement de consommation. La théorie économique reposait alors sur les axiomes suivants :

1. Les consommateurs connaissent leurs besoins de même que tout ce qui existe pour les satisfaire (l'information parfaite).
2. Les préférences des consommateurs sont indépendantes de l'environnement.
3. Les consommateurs cherchent à maximiser l'utilité de leurs achats en fonction des contraintes de leur budget ; c'est là leur seule motivation.
4. Le comportement des consommateurs est rationnel. Par exemple, si un consommateur préfère la marque A à la marque B, et la marque B à la marque C, alors il doit nécessairement préférer la marque A à la marque C.

Malgré l'intérêt de la théorie économique, la plupart des personnes qui souhaitaient comprendre le comportement des consommateurs – les responsables du marketing dans les entreprises, les enseignants – remettaient ses axiomes en question. Pour ces gens, les exemples contraires étaient trop nombreux pour que l'on puisse croire ces axiomes entièrement valides. Cependant, certains économistes pensaient que les théories économiques classiques pourraient être enrichies si l'on considérait les perceptions des consommateurs. L'économiste américain George Katona est sans doute la figure la plus importante associée à ce mouvement[10]. Lui et d'autres ont insisté sur l'importance d'étudier non pas les conditions économiques objectives, comme le faisaient (et le font toujours) les économistes traditionnels, mais bien les conditions économiques telles que **perçues** par les consommateurs. La **psychologie économique** était née[11], en même temps que l'intérêt pour des explications psychologiques aux comportements des consommateurs.

La psychologie ouvrait en fait une voie importante vers la compréhension du comportement des consommateurs. En simplifiant, on peut dire que durant les années 1950, les psychologues formaient deux groupes distincts : les behavioristes, qui étudiaient les lois régissant les réactions des êtres humains à leur environnement, et les psychologues cliniciens. Les behavioristes ne se souciaient pas de ce qui se passait dans la tête des gens ; leur seule préoccupation était de comprendre les incidences des changements dans l'environnement sur les comportements.

D'ailleurs, les événements mentaux avaient tellement peu d'importance pour eux que la plupart de leurs recherches portaient sur des animaux. Contrairement aux behavioristes, les psychologues cliniciens étaient fondamentalement préoccupés par l'esprit. Pour eux, la compréhension du comportement humain passait nécessairement par l'étude des événements mentaux. À cette époque, la psychologie clinique était dominée par les théories et les procédures mises de l'avant par Sigmund Freud. Les freudiens croyaient que le comportement d'une personne pouvait être influencé par des choses dont elle n'avait pas nécessairement conscience. Par exemple, des événements troublants ayant eu lieu durant l'enfance pouvaient avoir été refoulés (répression), leurs effets ne se manifestant que beaucoup plus tard. La psychanalyse était la méthode par excellence pour mettre au jour ces événements refoulés.

La perspective freudienne a eu une grande influence sur la recherche en comportement du consommateur au cours des années 1950. Un courant de recherche important s'en est inspiré, soit la **recherche motivationnelle.** Ce courant de recherche sera discuté plus en détail au chapitre 2. Pour le moment, notons simplement que la recherche motivationnelle était fondée sur l'idée que les motivations des consommateurs sont inconscientes et incontrôlables. En se servant de diverses techniques de recherche qualitative (par exemple, des entrevues en profondeur), les chercheurs en marketing des années 1950 essayaient de découvrir les motivations inconscientes des consommateurs afin d'élaborer des stratégies de marketing efficaces. En tant qu'outil de compréhension du comportement des consommateurs, la recherche motivationnelle s'est avérée décevante par son manque de rigueur, et elle a été rapidement écartée après avoir connu une certaine vogue. Néanmoins, son influence se fait toujours sentir dans les études qualitatives actuelles et imprègne la perspective « expérientielle » de la consommation, dont il sera question un peu plus loin.

La naissance (les années 1960)

Les années 1960 ont véritablement vu naître la discipline du comportement du consommateur, alors que les premiers cours sur le sujet sont apparus dans les programmes de formation en marketing. Comme les enseignants ne disposaient pas d'un matériel pédagogique très élaboré, les contenus de leurs cours empruntaient nombre de concepts et de théories à la psychologie et à la psychologie sociale. En fait, les cours offerts au début des années 1960 étaient plutôt des cours de psychologie sociale à saveur de marketing.

Deux événements importants ont eu lieu durant cette décennie. D'abord, en 1964 paraît le premier numéro de la revue *Journal of Marketing Research* (*JMR*) publié par l'American Marketing Association (AMA). Auparavant, la seule véritable revue s'intéressant aux consommateurs était le *Journal of Marketing* (*JM*) publié lui aussi par l'AMA. Avec la venue du *JMR,* les chercheurs et les praticiens en marketing allaient enfin avoir accès à des recherches rigoureuses sur les consommateurs par l'intermédiaire d'une véritable revue scientifique. Il faut noter toutefois que le *JMR* est d'abord une revue de marketing, ce qui veut dire que son contenu ne concerne pas uniquement l'étude des consommateurs. Le deuxième événement d'importance est la publication, en 1968, d'un premier ouvrage pédagogique consacré entièrement au comportement du consommateur. Écrit par trois chercheurs américains, James Engel, David Kollat et Roger Blackwell, *Consumer Behavior* constituait pour les enseignants le premier manuel destiné à être utilisé dans le cadre d'un cours de comportement du consommateur[12]. Ce livre a eu l'effet d'une bombe dans les milieux universitaires car, en plus de présenter les concepts, les théories et les résultats de recherche propres au comportement du consommateur, il offrait un cadre d'analyse intégrateur et novateur : le processus de prise de décision. Cette façon d'entrevoir les comportements du consommateur allait avoir une influence profonde sur la recherche et l'enseignement dans ce domaine. Nous parlerons de cette perspective importante dans le chapitre 6.

Les années 1960 sont aussi celles des essais élaborés de modélisation des comportements d'achat. Deux chercheurs américains, John Howard et Jagdish Sheth, publient en 1969 un ouvrage intitulé *The Theory of Buyer Behavior,* dans lequel ils proposent une théorie générale du comportement d'achat[13]. Cette théorie a eu beaucoup d'influence sur la pensée des chercheurs en comportement du consommateur. D'autres modèles intégrateurs du comportement d'achat ont été développés au cours des années 1960, mais ils n'ont pas eu autant d'impact que celui de Howard et Sheth[14].

La croissance (les années 1970)

La discipline prend son essor durant les années 1970. Le premier événement d'importance de cette décennie est la fondation (en 1969) aux États-Unis d'une association appelée Association for Consumer Research (ACR). Elle regroupe des chercheurs et des praticiens qui s'intéressent à l'avancement des connaissances sur les consommateurs. Au début, l'ACR ne réunit qu'une poignée de membres mais, très vite, elle attire de nombreuses personnes de plusieurs pays. Dès 1969, l'ACR organise un congrès annuel où les chercheurs sont invités à partager les résultats de leurs recherches. Les communications sont publiées dans des recueils intitulés *Advances in Consumer Research* et dont le premier volume paraît en 1973. Ces recueils constituent une source de référence très utile et contribuent considérablement à stimuler la recherche dans le domaine du comportement du consommateur.

Un deuxième événement d'importance est la parution en 1974 d'une revue consacrée exclusivement à la recherche sur les consommateurs, le *Journal of Consumer Research* (*JCR*). De nature interdisciplinaire, cette revue publie des articles décrivant le comportement des consommateurs selon différents points de vue : psychologique, sociologique, économique, anthropologique, etc. Le *JCR* devient rapidement la revue par excellence en comportement du consommateur, statut qu'elle a encore de nos jours.

Du point de vue de la recherche, on peut dire que la discipline du comportement du consommateur est fortement influencée par la psychologie. Dans ce domaine, la recherche des années 1970 est marquée par la **révolution cognitive.** Les processus mentaux deviennent ainsi la préoccupation fondamentale des psychologues. Le comportement du consommateur n'échappe pas à cette révolution. Par exemple, un courant de recherche très important à cette époque est celui de la modélisation multiattributs, dont nous parlerons de façon détaillée dans le chapitre 5. Les modèles multiattributs supposent que les consommateurs évaluent les objets de consommation (les produits, les marques, les publicités) en traitant dans leur esprit les diverses informations qu'ils recueillent à leur sujet. La façon dont est traitée l'information par les consommateurs (*consumer information processing*) devient un sujet de recherche de première importance durant les années 1970.

L'ACR et le *JCR* contribuent à donner à la discipline une certaine autonomie et, par conséquent, celle-ci commence à prendre ses distances vis-à-vis du marketing. Alors qu'auparavant, seuls les spécialistes du marketing s'intéressaient au comportement des consommateurs, dorénavant le champ d'études couvre tous les aspects de la consommation, si bien que tout le monde peut légitimement s'y intéresser. Ainsi, dans les écoles de gestion nord-américaines, il n'est pas rare que l'on recrute des personnes n'ayant pas de formation en marketing pour donner les cours de comportement du consommateur et faire de la recherche. Cela n'est pas sans créer des tensions entre ceux qui veulent que la recherche en comportement du consommateur serve d'abord les intérêts du marketing et ceux qui, au contraire, veulent en faire une discipline libre et autonome. Plusieurs commencent à critiquer le fait que la recherche en comportement du consommateur soit moins directement applicable au marketing.

Les conflits (les années 1980)

Les années 1980 confirment la scission entre le marketing et le comportement du consommateur, même si, dans les faits, la majorité des chercheurs en comportement du consommateur ont une formation en marketing. Du point de vue de la recherche, l'approche cognitive (ou de traitement de l'information) domine. Cela s'explique entre autres par des développements technologiques significatifs. Par exemple, les ordinateurs permettent aux chercheurs d'obtenir des mesures beaucoup plus précises et de réaliser des expériences plus complexes. Cependant, des chercheurs commencent à s'interroger sur la pertinence de la perspective cognitive, car les consommateurs y sont vus comme des êtres rationnels qui fondent leurs décisions de consommation sur des analyses logiques. Deux courants de recherche émergent alors en contrepoids. Premièrement, des chercheurs démontrent un intérêt marqué pour l'étude des processus affectifs tels que les émotions, l'humeur et les attitudes. Pour plusieurs d'entre eux, les modèles de traitement de l'information ignorent les processus affectifs, alors que ceux-ci jouent un rôle important dans la consommation. C'est ce que cherche à démontrer la perspective «expérientielle», qui insiste sur la multisensorialité de l'expérience de consommation. Deuxièmement, le modèle décisionnel, qui suppose l'existence d'une démarche analytique rigoureuse, est remis en question par certains chercheurs, qui font remarquer que la majorité des décisions de consommation sont banales (par exemple, acheter un tube de pâte dentifrice) et ne nécessitent pas une longue réflexion. Une variable très importante apparaît alors dans les articles et les livres portant sur le comportement du consommateur: l'implication personnelle. On découvre que les théories et les concepts élaborés par les chercheurs doivent parfois être modifiés pour tenir compte du niveau d'implication des consommateurs dans le processus d'achat. Nous reviendrons sur ce thème important dans le chapitre 2.

Les années 1980 seront aussi le théâtre d'un important débat entre les chercheurs sur la façon de produire les connaissances. Deux approches s'opposent: l'**empirisme logique** (ou positivisme) et l'**approche interprétative** (ou phénoménologie). Les tenants de l'empirisme logique adoptent des méthodes de recherche traditionnelles (l'enquête, l'expérimentation) et considèrent que l'objectif de la recherche est de mettre au jour les relations qui unissent les phénomènes objectifs entourant la consommation. Les tenants de l'approche interprétative, quant à eux, pensent que les méthodes traditionnelles de recherche ne sont pas appropriées, car elles supposent l'existence d'une réalité objective, tangible et unique. Ils croient au contraire que la réalité est construite socialement et que l'on ne peut l'appréhender que par des méthodes de recherche qualitatives, où l'interprétation joue un rôle dominant. Afin de montrer l'intérêt de cette approche (et d'en faire la promotion), quelques chercheurs américains en comportement du consommateur ont sillonné les routes durant tout un été à bord d'un véhicule récréatif. Ils souhaitaient étudier les consommateurs dans leur environnement naturel (par exemple, dans les marchés aux puces)[15]. Des approches nouvelles empruntées à l'ethnologie ont été utilisées et des matériaux de toutes sortes ont été accumulés et analysés (entrevues, films, objets, carnets de notes, photographies, etc.). Malgré son côté innovateur, cette odyssée (*consumer odyssey*) ne semble pas avoir eu un impact aussi considérable que ses promoteurs l'avaient souhaité. Cependant, il est certain que de telles approches novatrices ont enrichi la discipline. Les approches ethnographiques sont maintenant couramment utilisées dans plusieurs entreprises et agences de publicité.

Enfin, durant les années 1980 croît un intérêt réel pour l'étude de phénomènes de consommation qui ne sont pas directement en lien avec le marketing. Par exemple, on s'intéresse à l'achat compulsif (la tendance qu'ont certains consommateurs à acheter frénétiquement des produits), à l'écologie (incluant le recyclage, les produits verts, la pollution), à la consommation de musique, aux rituels de consommation et à bien d'autres sujets. On assiste en fait à une véritable affirmation de la diversité des thèmes de recherche propres à la consommation.

L'éclatement et la fragmentation (les années 1990)

Au cours des années 1990, la recherche sur le comportement des consommateurs est fortement influencée par l'approche interprétative. Pour les chercheurs qui adoptent cette perspective, la quête de lois générales concernant le comportement des consommateurs est futile ; selon eux, les faits, de nature relative, dépendent du contexte d'observation, de la personne qui observe et du sujet observé. Le débat « positivisme versus interprétativisme » s'envenime. Alors que certains souhaitent que ces approches soient complémentaires, d'autres prétendent qu'elles sont incompatibles parce qu'elles représentent des conceptions radicalement différentes de la réalité. La discipline se cherche à nouveau, et cette quête n'est pas étrangère au fait que l'on observe une baisse de la consommation dans les sociétés occidentales. Des sujets fondamentaux de recherche comme l'écologie, la conservation, le gaspillage, les déchets, la drogue et la surconsommation ne jouissent pas de l'importance qu'ils méritent.

La recherche en comportement du consommateur est touchée par le mouvement de mondialisation. À la suite des Américains, des chercheurs de différentes nationalités s'y consacrent et l'ACR tient aussi des congrès en Europe et en Asie. Les recherches qui portent sur des comparaisons interculturelles sont plus nombreuses, et on s'interroge sur l'extension des théories en comportement du consommateur à toutes les cultures.

Deux thèmes dominent la recherche des années 1990. Le premier est la « signification de la consommation ». Les chercheurs sont de plus en plus conscients que le consommateur n'achète pas uniquement les produits pour ce qu'ils font (perspective utilitaire), mais aussi – et parfois surtout – pour ce qu'ils signifient (perspective symbolique). Au-delà de l'achat du produit, on s'intéresse à la consommation en tant qu'expérience, moyen de socialiser et de s'intégrer à la société, moyen de définir son identité et source de plaisir. La perspective « expérientielle » s'affirme. Le deuxième thème de la recherche est fortement ciblé sur les marques. On s'intéresse, par exemple, au capital-marque (*brand equity*), c'est-à-dire à la valeur de la marque au-delà des bénéfices résultant de son utilisation. D'autres recherches essaient plutôt de mettre en lumière les relations entre les consommateurs et les marques en leur appliquant une perspective interpersonnelle, c'est-à-dire en considérant les marques comme des êtres chers, des amis avec qui on développe des relations. D'autres enfin voient les marques comme des entités qui possèdent une personnalité propre.

Une des conséquences de la maturation de la discipline est sa fragmentation en divers champs de recherche. Alors qu'autrefois, la majorité des chercheurs disaient s'intéresser au comportement du consommateur en général, beaucoup se préoccupent maintenant de thèmes particuliers comme la culture, la consommation en ligne, le consommateur global, le consommateur de sports, la consommation des arts, etc. On voit ainsi se multiplier les revues dans lesquelles sont publiés ces travaux de recherche. Par conséquent, il devient de plus en plus difficile de suivre l'évolution des connaissances et d'en faire la synthèse.

Internet et la conscience sociale (les années 2000)

Les années 2000 sont celles de l'affirmation marquée, à l'échelle planétaire, du mouvement écologique. La pollution de l'eau et de l'air et ses conséquences sur l'environnement, le climat et la santé sont des thèmes qui préoccupent grandement les chercheurs scientifiques, les responsables politiques et l'ensemble des consommateurs. Des organismes comme Greenpeace se donnent pour mission de sensibiliser les populations, les entreprises et les forces politiques aux problèmes environnementaux causés par l'industrialisation et la consommation excessive. Dans plusieurs pays, des partis politiques écologistes obtiennent une proportion significative des suffrages. Les nations elles-mêmes discutent de ces problèmes et élaborent des ententes de coopération, tel le protocole de Kyoto qui vise la réduction des gaz à effet de serre.

On assiste en parallèle à une prise de conscience des effets néfastes de l'industrialisation et de la consommation sur la société dans son ensemble. Plusieurs groupes de pression dénoncent les pratiques commerciales immorales de certaines entreprises, telles la mise en marché de produits nuisibles à l'environnement, la fabrication de produits par des enfants ou dans des conditions de travail inhumaines (*sweatshops*) et l'exploitation des petits producteurs. Les entreprises comprennent qu'elles doivent s'engager dans des pratiques de gestion socialement responsables. Elles sont nombreuses à adopter des codes de conduite pour leurs employés et leurs fournisseurs et à faire la promotion de leur image socialement responsable auprès des consommateurs.

Les consommateurs sont évidemment au cœur des problématiques environnementale et sociale. Qu'ils le veuillent ou non, leur consommation engendre et perpétue ces problèmes. Un thème de recherche nouveau apparaît donc dans la littérature scientifique en comportement du consommateur, soit celui de la consommation socialement responsable. Elle se définit comme une consommation qui n'est pas centrée sur les intérêts uniques de la personne, mais qui tient compte de ses conséquences potentiellement néfastes sur l'environnement et la société en général[16]. Les comportements de consommation socialement responsable sont multiples : le recyclage, le compostage des rebuts domestiques, l'usage de sacs réutilisables, le boycottage des produits non écologiques, l'achat de produits équitables (produits pour lesquels les producteurs reçoivent une juste rémunération), l'achat de produits fabriqués par des entreprises qui respectent les droits des travailleurs et l'achat de produits locaux. Les recherches dans ce domaine portent entre autres sur l'identification des facteurs qui expliquent la propension des consommateurs à adopter ces comportements.

Les années 2000 sont aussi caractérisées par un déploiement accru d'Internet et l'avènement d'un Web interactif, où règne un esprit communautaire qui soutient et encourage la créativité individuelle et collective, les créations artistiques et leur partage[17]. L'avènement du Web 2 interactif, participatif, et des technologies de réseau a une influence profonde sur la consommation et sur ses pratiques, par exemple dans la consommation de biens culturels comme la musique. Il incite les consommateurs à être de plus en plus coproducteurs, voire producteurs, comme en témoignent les nombreux clips vidéo créés par les internautes et mis en ligne sur des sites de partage comme YouTube. La possibilité de donner et de partager son avis sur tout en tant qu'« expert » est aussi de plus en plus utilisée par les internautes dans des sites tels que TripAdvisor. Le développement des technologies de réseau stimule également la formation de réseaux sociaux comme Facebook ou Twitter. Quant aux technologies de géolocalisation et du tout repérable, elles génèrent de nouveaux services en ligne et de nouvelles pratiques adoptées par le consommateur « branché ». Tous ces phénomènes intéressent bien évidemment les chercheurs en comportement du consommateur, alors que les revues scientifiques publient leurs travaux sur une base régulière.

Notre revue historique de la naissance et du développement de la discipline du comportement du consommateur a été brève. Aussi présentons-nous en annexe les principales sources de référence à partir desquelles il est possible de se documenter plus à fond sur les théories, les concepts et les applications en comportement du consommateur. Bien sûr, on trouvera dans les chapitres de ce livre une synthèse des connaissances dans le domaine, mais les étudiants sont invités à consulter les sources de référence mentionnées dans cette annexe afin de compléter leurs connaissances.

Nous avons appris que :

- le comportement des consommateurs est un champ d'études auquel de nombreux chercheurs s'intéressent.

- le champ d'études du comportement du consommateur englobe l'ensemble des activités mentales, émotives et physiques des consommateurs lorsqu'ils choisissent des biens et des services, les achètent, les consomment et en disposent à leur convenance en vue de satisfaire leurs besoins, ainsi que les facteurs qui influent sur ces activités.

- distinguer les activités de consommation selon qu'elles sont fondées sur des comportements délibérés ou fortuits, et découlant de motivations fonctionnelles ou immatérielles, est important.

- les facteurs qui influent sur le comportement des consommateurs peuvent être groupés en deux catégories : les influences externes et les influences internes, lesquelles constituent le champ psychologique du consommateur.

- l'étude du comportement du consommateur a beaucoup évolué depuis les années 1950. De sous-discipline rattachée au marketing, le comportement du consommateur est devenu une discipline à part entière qui, tout en conservant des liens étroits avec le marketing, s'intéresse à l'ensemble des phénomènes qui touchent de près ou de loin à la consommation.

- de nombreuses sources de référence existent et permettent à ceux qui s'intéressent sérieusement au comportement du consommateur d'avoir accès aux connaissances en continuel développement.

1. Qu'est-ce que le champ d'études du comportement du consommateur ?

2. L'adoption d'un enfant peut-elle être envisagée comme une activité de consommation ? Expliquez votre point de vue.

3. Un de vos amis va régulièrement à la messe. La pratique religieuse peut-elle être considérée comme une activité de consommation ? Argumentez sur le sujet.

4. Pensez à un achat récent que vous avez fait (par exemple, un vêtement, un outil). Décrivez la dimension motivationnelle sous-jacente : immatérielle, fonctionnelle ou les deux ? Qu'est-ce que cela implique pour le marketing de ce produit ou de ce service (distribution, communication, prix, emballage, service à la clientèle) ?

5. Voici les profils de consommation (partiels et fictifs) de deux personnes.

   - **Consommateur A :** Voiture familiale récente (2009) de marque Volvo. Habite avec sa famille (une épouse, deux enfants de 10 et 13 ans) dans une maison unifamiliale en banlieue de Montréal. Achète ses vêtements surtout dans des magasins à grande surface (La Baie). Possède une carte Price Costco et s'y rend régulièrement pour effectuer des achats de toutes sortes. Est membre d'un club sportif privé, où il s'entraîne deux soirs par semaine.

   - **Consommateur B :** Voiture sport (1999) de marque Chevrolet (Camaro). Habite avec sa famille (une épouse, deux enfants de 10 et 13 ans) dans un appartement en banlieue de Montréal. Achète ses vêtements surtout dans des boutiques (Tip Top, West Coast). Possède une carte du Club Z et se rend régulièrement chez Zellers pour effectuer des achats de toutes sortes. Est membre de la bibliothèque municipale, où il se rend deux fois par semaine pour emprunter des livres.

   Ces deux profils vous permettent-ils de vous faire une idée de chaque consommateur ? Jusqu'où pouvez-vous aller dans la construction de cette opinion ? De quels autres renseignements auriez-vous besoin sur la consommation de ces deux personnes pour conforter cette opinion ?

6. Qu'entend-on par les « influences externes » et les « influences internes » sur le comportement des consommateurs ?

7. Pensez à un achat important que vous avez fait récemment (une voiture, un ordinateur, un logement, des vêtements coûteux). Décrivez le rôle des influences internes et externes dans votre processus d'achat. Qu'est-ce que cela implique pour le marketing de ce produit ou de ce service (distribution, communication, prix, emballage, service à la clientèle) ?

8. On dit que le comportement du consommateur est un champ d'études interdisciplinaire. Qu'entend-on par là ?

9. Revoyez les axiomes de la théorie économique décrits dans la section intitulée « Les balbutiements (les années 1950) », page 7. Selon vous, pourquoi les responsables du marketing remettent-ils ces axiomes en question ? Pour chaque axiome, donnez un exemple vécu qui en montre l'inapplicabilité.

10. Allez à la bibliothèque et repérez la section où se trouve la revue *Journal of Consumer Research*. Sélectionnez au hasard trois numéros de chacune des décennies suivantes : 1970, 1980, 1990 et 2000. Parcourez rapidement le premier article de chaque numéro. Établissez ensuite un contraste entre les quatre décennies à partir des articles examinés. Vos conclusions correspondent-elles à l'évolution historique de la discipline présentée dans ce chapitre ?

11. À votre avis, la recherche sur le comportement des consommateurs doit-elle absolument trouver des applications pratiques en marketing ?

Serait-il approprié d'offrir dans une école d'administration un cours de comportement du consommateur où il n'y aurait aucune référence à la pratique du marketing?

12. À votre avis, les connaissances que nous possédons au sujet du comportement des consommateurs sont-elles applicables à toutes les cultures? Par exemple, les comportements des consommateurs québécois sont-ils différents de ceux des consommateurs français? des consommateurs canadiens-anglais? des consommateurs américains? Pourquoi?

13. Allez à la bibliothèque et prenez en main le dernier numéro de chacune des revues signalées dans l'annexe (ou du plus grand nombre possible, si la bibliothèque n'est pas abonnée à la totalité d'entre elles). Examinez les titres des articles et, si le cœur vous en dit, lisez le sommaire de quelques articles qui vous attirent. Quelles sont les différences majeures entre ces diverses revues? À votre avis, présentent-elles des aspects différents sur le comportement des consommateurs? Lesquels?

14. Allez à la bibliothèque et mettez la main sur quelques ouvrages récents en comportement du consommateur (la liste présentée en annexe de ce chapitre peut vous orienter). Comparez les tables des matières de ces ouvrages. Quels thèmes se trouvent systématiquement dans ces ouvrages? Le cadre d'analyse présenté dans ce chapitre couvre-t-il la plupart de ces thèmes? En examinant le nombre de pages consacrées à chaque thème, diriez-vous que certains sont plus importants que d'autres? Lesquels?

Les pions joyeux*

D'aussi loin qu'elle s'en souvienne, Erika Gendron a toujours eu la passion des jeux de société. Alors qu'elle n'était qu'une enfant, ses parents lui avaient acheté le jeu des serpents et des échelles, et Erika se rappelle avec émotion les heures de plaisir que ce jeu lui a procurées. Par la suite, elle est devenue une joueuse invétérée de jeux de société de toutes sortes, entraînant dans sa passion ses parents, ses amis et même son mari. Quel bonheur ce fut pour elle lorsque Les pions joyeux, une entreprise spécialisée dans la production et la mise en marché de jeux de société, lui offrait, il y a à peine un an, un poste d'analyste au sein de son service de marketing. Avec un diplôme de maîtrise en marketing en poche et sa passion pour les jeux de société, que souhaiter de mieux que ce travail ?

Erika a fait son nid dans l'entreprise. Le directeur du service auquel elle appartenait a rapidement noté sa vivacité, son ardeur au travail et le plaisir qu'elle prenait à accomplir les tâches qu'on lui assignait. C'est pourquoi il n'a pas hésité à lui confier un important mandat, soit celui de déterminer les facteurs de succès d'un jeu de société.

Les pions joyeux est une entreprise performante. En 10 ans d'existence, elle a mis sur le marché une vingtaine de jeux de société, dont la plupart ont été de véritables réussites commerciales. Cependant, les dirigeants de l'entreprise ne comprenaient pas bien pourquoi certains jeux étaient davantage appréciés que d'autres par les joueurs. Ils s'inquiétaient du fait que l'on ne puisse pas orienter *a priori* le processus de création de nouveaux jeux vers les quelques dimensions fondamentales pouvant assurer leur succès commercial. Si l'entreprise souhaitait devenir un jour un leader dans ce marché très concurrentiel, elle devait absolument faire en sorte que l'étape de la création soit mieux focalisée, et cela exigeait que l'on définisse les facteurs qui expliquent qu'un jeu est adoré par les joueurs et qu'un autre est moins apprécié.

Afin d'accomplir son mandat, Erika a décidé de passer des entrevues individuelles avec un petit échantillon d'amateurs de jeux de société. Il s'agissait de rencontres d'une durée moyenne de 30 minutes avec chaque joueur, au cours desquelles elle posait des questions portant sur la fréquence à laquelle il s'adonnait à un jeu, les raisons pour lesquelles il aimait ou n'aimait pas tel ou tel jeu, sa façon de percevoir certains jeux qui lui étaient familiers, son opinion à propos de divers aspects des jeux de société (durée de la partie, nombre de joueurs, etc.) ainsi que sa perception des traits des joueurs (compétitivité, sociabilité, par exemple). Elle a réussi à entrer en contact avec 12 personnes affichant une bonne variété de caractéristiques individuelles. Erika estimait qu'il était important d'interroger des joueurs qui soient le plus différents possible les uns des autres afin d'augmenter les chances de recueillir des renseignements intéressants. Son échantillon comprenait cinq hommes et sept femmes d'âges variés (de 14 à 52 ans), dont le niveau de scolarité allait du secondaire à l'université et qui jouaient à des fréquences différentes (d'une fois par année à deux fois par semaine). Au cours des entretiens, elle enregistrait les réponses aux questions qu'elle posait et prenait également des notes.

Les entrevues réalisées par Erika ont permis d'obtenir une très grande quantité d'informations. Pour pouvoir les analyser de façon rigoureuse et en faire la synthèse, elle les a compilées dans une matrice dont les colonnes représentent les questions, et les lignes, les participants à l'étude. Cette matrice est présentée à la page suivante.

* Les auteurs tiennent à remercier Karine Gagnon, conseillère stagiaire et expérience client, Banque Nationale, pour sa participation à la rédaction de ce cas.

QUESTIONS

1. Donnez des exemples d'activités mentales, émotionnelles et physiques liées à l'univers des jeux de société et associées à leur choix, leur achat, leur consommation ou leur disposition.

2. Pour chacun des domaines mentionnés, fournissez un exemple de problématique de recherche liée aux jeux de société qui touche à ce domaine et qui éclaire la «consommation» d'un jeu de société : a) la psychologie ; b) la psychologie sociale ; c) la sociologie ; d) l'anthropologie culturelle.

3. Que pensez-vous de la méthode de recherche choisie par Erika pour réaliser le mandat qui lui a été confié ?

4. Quelles conclusions tirez-vous à partir des informations recueillies par Erika ?

5. Erika devrait-elle recueillir d'autres informations ? Pourquoi ? Si oui, de quelle façon ?

MATRICE DES RÉPONSES

	Type de jeu préféré	Motifs pour jouer	Ce qui plaît dans les jeux	Ce qui déplaît dans les jeux	Durée idéale	Nombre idéal de joueurs	Trois caractéristiques d'un bon jeu
Homme, 24 ans, universitaire, joue fréquemment	Jeux de stratégie, de réflexion	Passer du temps entre amis, avoir du plaisir Développer des stratégies Activité à la maison	Déjouer la réalité Pas juste du hasard Jouer un rôle	Trop de temps perdu Aucun mérite (hasard seulement)	2 heures	4 à 5	Jeu avec stratégie Design attrayant Pas trop de contraintes
Femme, 24 ans, universitaire, joue fréquemment	Tous les types	Relations entre les joueurs, plaisir Stratégie avec le hasard	Aspect stratégique Mise en situation imaginaire	Aspect répétitif Lorsque c'est difficile de réaliser des performances	2 heures à 2 h 30	4 à 6	Plusieurs joueurs Jeu de réflexion Connaisance du jeu
Homme, 24 ans, universitaire, joue occasionnellement	Tous les types	Moment drôle Se retrouver entre amis	Faire ressortir la personnalité des gens Défi Créer des alliances	Trop de hasard Redondance	Cela dépend du nombre de joueurs	5 à 6	Jeu drôle Jeu complexe Jeu que tous aiment
Femme, 52 ans, collégial, joue rarement	Jeux de stratégie	Ne dit rien	Jeu intelligent Pas juste du hasard Pas de compétition Occasion de rire	Ne sait pas	Jamais plus d'une heure	4	Facilité Jeu interactif Intéresse tout le monde

MATRICE DES RÉPONSES (*suite*)

	Type de jeu préféré	Motifs pour jouer	Ce qui plaît dans les jeux	Ce qui déplaît dans les jeux	Durée idéale	Nombre idéal de joueurs	Trois caracté-ristiques d'un bon jeu
Homme, 32 ans, secondaire, joue occasion-nellement	Jeux de stratégie	Jouer en groupe Défi (stratégie, course contre la montre)	Se creuser la tête Imagination, créativité Hasard et stratégie	Routine Un jeu sans fin	Cela dépend	6	Jeu de stratégie Un peu de hasard
Homme, 28 ans, collégial	Jeux de questions Jeux de groupe	Passe le temps Crée de l'animation en groupe	La variété Un début, un milieu et une fin Interaction	Simplement le fait du hasard	Importe peu	6	Jeu de stra-tégie Un peu de hasard
Femme, 50 ans, collégial, joue fréquem-ment	Jeux de littérature Pas d'aspects financiers	Élargir ses connais-sances Passer le temps Avoir du plaisir	Des questions variées Une progres-sion dans la difficulté Un jeu esthétique Des choses inattendues	Monotonie Quand on est meilleure que les autres	Cela dépend	5 à 6	Répond à mes goûts On arrête quand on veut Un jeu nouveau, inconnu
Femme, 24 ans, universitaire, joue fréquem-ment	Jeux de savoir Jeux de réflexion	Passer le temps Partager un moment avec les autres	Le défi Apprendre Rythme soutenu	Quand c'est trop long Quand l'objectif n'est pas captivant Quand on ne décide rien	1 heure	2 à 3	Jeu de savoir Jeu de mots
Femme, 14 ans, début secondaire, joue fréquem-ment	Jeux représen-tant la réalité	Avoir du plaisir Passer le temps Être stimulée	Faire des choses qui représentent la réalité La compétition Du « suspense » Des règles faciles	Attendre son tour Partie trop courte Frustration des autres	45 minutes	2 à 3	Plaisir Réalité On peut jaser en même temps qu'on joue
Femme, 15 ans, début secondaire, joue fréquem-ment	Jeux en relation avec l'argent	Passer le temps Se détendre Rire, avoir du plaisir	Du défi, du mystère Des règles simples De la variété	Trop de hasard Trop long Quand on ne sait pas quand ça va finir	30 minutes	4 à 5	Amusant Drôle Court

 **MATRICE DES RÉPONSES (*suite*)**

	Type de jeu préféré	Motifs pour jouer	Ce qui plaît dans les jeux	Ce qui déplaît dans les jeux	Durée idéale	Nombre idéal de joueurs	Trois caractéristiques d'un bon jeu
Femme, 50 ans, collégial, joue occasionnellement	Jeux de lettres et de questions	Sortir de la routine Se détendre Rire en groupe La complicité L'apprentissage	Apprendre tout en se délassant La surprise, la nouveauté Des règles simples	La tricherie possible Des thèmes qui ne nous plaisent pas Trop long	30 à 60 minutes	Au moins 4	L'esthétique Des questions Variété des thèmes Nouveauté, originalité
Homme, 24 ans, universitaire, joue occasionnellement	Jeux comprenant un minimum de matériel	Entre amis Drôle, amusant Soirée animée	Des règles simples S'amuser, rire Voir les autres stresser Être surpris	La redondance Les questions Trop se creuser la tête	1 heure	Cela dépend du jeu	Design simple Facilité, légèreté Évolutif Pour tous les âges

Notes

1. A. ERNAUX, *La vie extérieure,* Paris, Gallimard, 2000.

2. Cette distinction est empruntée à l'ouvrage suivant : W.L. WILKIE, *Consumer Behavior,* 3e éd., New York, John Wiley & Sons, 1994.

3. D.A. PRENTICE et K.M. CARLSMITH, « Opinions and Personality : On the Psychological Functions of Attitudes and Other Valued Possessions », dans G.R. MAIO et J.M. OLSON, dir., *Why We Evaluate,* Mahwah, NJ , Lawrence Erlbaum Associates, 2000, p. 223-248.

4. Voir l'article suivant : R.W. BELK, K.D. BAHN et R.N MAYER, « Developmental Recognition of Consumption Symbolism », *Journal of Consumer Research,* no 9 (1982), p. 4-17.

5. M.L. RICHINS, « Special Possessions and the Expression of Material Values », *Journal of Consumer Research,* no 21 (1994), p. 522-533.

6. E.M. TAUBER, « Why Do People Shop ? », *Journal of Marketing,* no 36 (1972), p. 46-59. Voir aussi l'article suivant : M.J. ARNOLD et K.E. REYNOLDS, « Hedonic Shopping Motivations », *Journal of Retailing,* no 79 (2005), p. 77-95.

7. M. LA PRADELLE, *Les Vendredis de Carpentras,* Paris, Fayard, 1996, p. 91.

8. On trouvera une discussion de la théorie du champ psychologique et de son intérêt en comportement du consommateur dans l'article suivant : H.H. KASSARJIAN, « Field Theory in Consumer Behavior », dans S. WARD et T.S. ROBERTSON, dir., *Consumer Behavior : Theoretical Sources,* Englewood Cliffs, NJ, Prentice-Hall, 1973, p. 118-140.

9. Cette section s'inspire en partie de l'article suivant : R.J. LUTZ, « Consumer Psychology », dans E.M. ALTMAIER et M.E. MEYER, dir., *Applied Specialities in Psychology,* New York, Random House, 1985, p. 275-304.

   En complément, on trouvera dans l'article suivant une discussion sur la discipline du comportement du consommateur, ses objectifs, ses centres d'intérêt, ses conflits et son identité : I. SIMONSON, Z. CARMON, R. DHAR, A. DROLET et S.M. NOWLIS, « Consumer Research : In Search of Identity », dans S.T. FISKE, D.L. SCHACTER et C. ZAHN-WAXLER, dir., *Annual Review of Psychology,* no 52, Palo Alto, CA, Annual Reviews, 2001, p. 249-275. Le lecteur intéressé trouvera dans le premier chapitre de l'ouvrage suivant une conception historique différente de la discipline : M.B. HOLBROOK, *Consumer Research. Introspective Essays on the Study of Consumption,* Thousand Oaks, CA, Sage Publications, 1995.

10. Voir l'ouvrage suivant : G. KATONA, *Psychological Analysis of Economic Behavior,* New York, McGraw-Hill, 1951.

11. Pour en savoir davantage sur la psychologie économique, voir l'article suivant : W.F. VAN RAAIJ, « Economic Psychology », *Journal of Economic Psychology,* no 1 (1981), p. 1-24.

12. J.F. ENGEL, D.T. KOLLAT et R.D. BLACKWELL, *Consumer Behavior,* New York, Holt, Rinehart & Winston, 1968. Cet ouvrage en est actuellement à sa dixième édition : R.D. BLACKWELL, P.W. MINIARD et J.F. ENGEL, *Consumer Behavior,* 10e éd., Boston, MA, Houghton-Mifflin, 2006.

13. J.A. HOWARD et J.N. SHETH, *The Theory of Buyer Behavior,* New York, John Wiley & Sons, 1969.

14. Voir par exemple : A.R. ANDREASEN, « Attitudes and Customer Behavior : A Decision Model », dans L.E. PRESTON, dir., *New Research in Marketing,* Berkeley, CA, Institute of Business and Economic Research, 1965, p. 1-16 ; F.M. NICOSIA, *Consumer Decision Processes : Marketing and Advertising Implications,* Englewood Cliffs, NJ, Prentice-Hall, 1966.

15. R.W. BELK, *Highways and Buyway : Naturalistic Research from the Consumer Behavior Odyssey,* Provo, UT, Association for Consumer Research, 1991.

16. On trouvera dans l'article suivant une discussion du concept de consommation socialement responsable ainsi qu'une échelle visant à le mesurer : A. FRANÇOIS-LECOMPTE et P. VALETTE-FLORENCE, « Mieux connaître le consommateur responsable », *Décisions Marketing,* no 41 (2006), p. 67-79. Certains facteurs qui facilitent ou freinent l'adoption de comportements de consommation socialement responsables sont discutés dans l'article suivant : A. D'ASTOUS et A. LEGENDRE, « Une étude exploratoire de quelques antécédents de la consommation socialement responsable (CSR) », *Revue Française du Marketing,* no 223 (2009), p. 39-52.

17. H. JENKINS, *Fans, Bloggers, Gamers : Exploring Participatory Culture,* New York, New York University Press, 2006.

Annexe

Les principales sources de référence en comportement du consommateur

Le champ d'études du comportement du consommateur est vaste. Les ouvrages de référence sont nombreux et, pour la plupart, en langue anglaise. Les personnes qui ont à cœur l'étude du comportement du consommateur doivent d'abord connaître les revues scientifiques principales. Elles sont présentées ici en ordre d'importance.

Journal of Consumer Research (*JCR*) : La revue la plus prestigieuse consacrée exclusivement au comportement du consommateur. On peut consulter la version électronique du *JCR* (à condition d'être un abonné en règle) à l'adresse Web suivante : www.journals.uchicago.edu/toc/jcr/current.

Journal of Marketing Research (*JMR*) et *Journal of Marketing* (*JM*) : Revues de marketing très prestigieuses consacrées en partie au comportement du consommateur.

Journal of Consumer Psychology (*JCP*) : Une revue de très bon niveau qui aborde le comportement du consommateur sous l'angle de la psychologie.

Journal of the Academy of Marketing Science (*JAMS*) : Une revue de marketing de très bon niveau consacrée en partie au comportement du consommateur.

International Journal of Research in Marketing (*IJRM*) : Une revue internationale de marketing de très bon niveau consacrée en partie au comportement du consommateur.

Psychology & Marketing : Une bonne revue centrée sur le lien entre le marketing et la psychologie.

Journal of Consumer Marketing (*JCM*) : Une bonne revue centrée sur les applications en marketing de la recherche en comportement du consommateur.

Journal of Consumer Affairs (*JCA*) : Une bonne revue centrée sur la recherche en comportement du consommateur appliquée aux politiques publiques et à la protection des consommateurs.

Recherche et applications en marketing (*RAM*) : Une bonne revue de marketing en langue française, où l'on trouve plusieurs articles traitant du comportement du consommateur.

European Journal of Marketing (*EJM*) : Une bonne revue de marketing consacrée en partie au comportement du consommateur.

Journal of Consumer Behaviour (*JCB*) : Une revue de bon niveau qui publie des articles théoriques et des études sur le comportement du consommateur.

Journal of International Consumer Marketing (*JICM*) : Une revue centrée sur la recherche en comportement du consommateur dans un cadre international.

Une source de référence très importante est l'**Association for Consumer Research** (ACR) (www.acrwebsite.org). Cette association regroupe plus de 1 700 membres provenant de quelque 30 pays. Elle organise des congrès en Amérique du Nord (sur une base annuelle), en Europe et en Asie (tous les deux ans) et, depuis 2006, en Amérique latine. Les communications présentées dans ces congrès sont publiées dans des comptes rendus sous le titre ***Advances in Consumer Research.*** Ces communications sont accessibles à partir du site de l'ACR à l'aide d'un moteur de recherche très efficace.

Voici enfin, en ordre alphabétique, une liste sélective d'ouvrages en comportement du consommateur qui peuvent s'avérer utiles.

ANTONIDES, G., et W.F. VAN RAAIJ. *Consumer Behavior : A European Perspective,* Chichester, John Wiley & Sons, 1998.

BETTMAN, J.R. *An Information Processing Theory of Consumer Choice,* Reading, MA, Addison-Wesley, 1979.

DERBAIX, C., et J. BRÉE. *Le Comportement du consommateur: Présentation de textes choisis,* Paris, Économica, 2000.

FILIATRAULT, P., M. LAROCHE et J.-C. CHEBAT. *Le Comportement du consommateur,* 3ᵉ éd., Montréal, Gaëtan Morin, 2003.

HAUGTVEDT, C.P., P.M. HERR et F.R. KARDES. *Handbook of Consumer Psychology,* New York, Lawrence Erlbaum Associates, 2008.

HAWKINS, D.I., D.L. MOTHERSBAUGH et R.J. BEST. *Consumer Behavior: Building Marketing Strategy,* 10ᵉ éd., Boston, MA, McGraw-Hill/Irwin, 2010.

HOWARD, J.A., et J.N. SHETH. *The Theory of Buyer Behavior,* New York, John Wiley & Sons, 1969.

HOYER, W.D., et D.J. MACINNIS. *Consumer Behavior,* 5ᵉ éd., Boston, MA, Houghton Mifflin, 2010.

JOHNSON, M.D. *Customer Orientation and Market Action,* Upper Saddle River, NJ, Prentice-Hall, 1998.

KARDES, F.R., M.L. CRONLEY et T.W. CLINE. *Consumer Behavior,* Mason, OH, South-Western Cengage Learning, 2011.

LADWEIN, R. *Le Comportement du consommateur et de l'acheteur,* Paris, Économica, 1999.

PETER, J.P., et J.C. OLSON. *Consumer Behavior,* 9ᵉ éd., Boston, MA, McGraw-Hill/Irwin, 2010.

ROBERTSON, T.S., et H.H. KASSARJIAN. *Handbook of Consumer Behavior,* Englewood Cliffs, NJ, Prentice-Hall, 1991.

SOLOMON, M.R., J.L. ZAICHKOWSKY et R. POLEGATO. *Consumer Behavior,* 4ᵉ éd., Toronto, Ontario, Pearson Education Canada, 2008.

WILKIE, W.L. *Consumer Behavior,* 4ᵉ éd., New York, John Wiley & Sons, 1994.

PARTIE 2
LES INFLUENCES INTERNES

La motivation, la personnalité et les styles de vie

Introduction

Dans cet extrait de son roman intitulé *Amsterdam,* l'auteur anglais Ian McEwan nous fait prendre conscience que nous ne montrons aux autres qu'une part de nous-mêmes, souvent la plus avantageuse. Chaque personne est unique, par sa conception du monde, par ses valeurs, par son psychisme. Un événement fortuit peut nous faire découvrir une facette jusque-là inconnue d'une personne – comme dans le roman de McEwan où un personnage trouve une photo compromettante d'un homme politique –, mais le moi d'une personne ne nous est pas accessible dans sa totalité. Nous verrons dans ce chapitre que les chercheurs en comportement du consommateur ont tenté, de diverses façons, de cerner le psychisme des consommateurs afin de mieux expliquer leurs comportements. Ces tentatives n'ont pas toujours donné les résultats escomptés, mais elles ont montré l'importance d'étudier les variables qui définissent chaque consommateur de façon unique.

> *Nous savons si peu de choses les uns des autres. Tels des icebergs, nous ne donnons à voir que la surface, d'une apparente clarté à l'usage du monde, d'un moi dont l'essentiel reste immergé. Ici s'offrait une rare plongée sous les vagues, la découverte de l'intimité trouble d'un homme, de sa dignité chamboulée par la toute-puissance du fantasme et de l'imaginaire à l'état pur, par cet élément humain irréductible – le psychisme[1].*
>
> **Ian McEwan**

Ce chapitre est le premier de cinq portant sur les facteurs individuels. Nous y discuterons de trois de ces facteurs : la motivation, la personnalité et les styles de vie. Pourquoi débuter par ces thèmes ? Parce qu'ils constituent des variables très importantes et qu'ils renvoient à des courants de recherche qui ont marqué profondément la discipline du comportement du consommateur. Rappelons-nous l'équation célèbre du psychologue Kurt Lewin (*voir le chapitre 1*), selon laquelle le comportement est fonction de la personne et de l'environnement :

$$C = f\,(P,\ E)$$

Une des composantes de cette équation est *P,* la personne. Les chercheurs en psychologie et en comportement du consommateur se sont beaucoup intéressés à deux aspects essentiels de la personne :

1. Sa personnalité, c'est-à-dire l'ensemble des caractéristiques psychologiques relativement stables qui la définissent de façon globale et qui orientent ses comportements ;

2. Sa **motivation**, c'est-à-dire ce qui fournit et dirige l'énergie nécessaire à ses actions.

C'est sur ce deuxième aspect que nous allons d'abord nous concentrer. Commençons par deux illustrations visant à nous faire comprendre concrètement ce qu'est la motivation.

Motivation

Processus par lequel de l'énergie est mobilisée pour atteindre un but.

SOUFFRANCE DÉLIBÉRÉE

Partout dans le monde, des milliers de personnes participent de façon régulière à des marathons de course à pied. Par exemple, en 2009, plus de 15 000 participants au Marathon de Montréal (www.marathondemontreal.com) ont couru des distances variant de 5 à 42 kilomètres. Courir un marathon n'est pas une activité banale. La préparation physique est très exigeante ; des semaines, voire des mois d'entraînement avant la course sont requis si l'on veut réussir à terminer l'épreuve. Ce niveau d'entraînement est nettement plus important que ce qui est nécessaire pour maintenir une bonne condition physique. Ces efforts ne sont pas sans avoir des conséquences sur le travail, les loisirs et la vie familiale, sans compter la fatigue, les risques d'entorses et les possibles impacts physiologiques négatifs (déchirures musculaires, usure des genoux, maux de dos, accidents cardiaques). La course elle-même constitue une expérience souffrante qui mobilise des ressources physiques et psychologiques significatives. Pourtant, les marathons sont de plus en plus populaires, et le nombre de coureurs qui y participent ne cesse d'augmenter. Pourquoi ?

Des études ont montré que les marathoniens sont stimulés par des motivations diverses. Il y a d'abord les **motivations relatives à la santé** : avoir une bonne forme physique, augmenter son espérance de vie, perdre du poids. Les **motivations sociales** jouent aussi un rôle important : socialiser avec les autres coureurs, s'identifier à eux, se sentir respecté par les autres. Les marathoniens sont de plus animés par des **motifs d'accomplissement** : se mesurer aux autres, améliorer sa performance, se dépasser. Enfin, il y a les **motivations psychologiques,** comme être fier, donner un sens à sa vie et avoir une meilleure opinion de soi.

À votre avis, comment les fabricants de chaussures, de vêtements et d'accessoires pour la course (Adidas, Nike, Reebok, par exemple) peuvent-ils tirer profit de ces résultats de recherche[2] ?

HISTOIRE D'EAU

Un marché en forte croissance en Amérique du Nord est celui d'un aliment sans calories, sans matières grasses, sans colorants artificiels et incorporé au régime de plusieurs : l'eau embouteillée. Cela peut étonner dans des pays comme le Canada, où les ressources en eau potable sont abondantes. De fait, l'eau du robinet ne coûte presque rien aux municipalités et aux consommateurs nord-américains, mais les gens acceptent néanmoins de payer plus de 1 000 fois le prix de l'eau du robinet pour acheter de l'eau en bouteille. Pourquoi ? Il semble qu'il y ait plusieurs raisons à cela. D'abord, on consomme l'eau en bouteille pour des raisons de **santé** : les acheteurs veulent boire de l'eau pure, non traitée. Pour d'autres, c'est une question de **sécurité** : ils craignent la contamination des cours d'eau par le déversement de produits chimiques, les pluies acides, etc. Rappelons-nous la tragédie qui s'est produite au mois de mai 2000 dans la ville de Walkerton en Ontario, où six personnes sont décédées et près de 2 000 autres ont été malades après avoir consommé l'eau de la municipalité, infectée par la bactérie *E. coli*. Un troisième motif est le **snobisme** ou la recherche de statut : il est plus chic de mettre une bouteille d'Evian sur la table lorsque l'on reçoit des amis à manger ou encore de commander dans un bar une eau San Pellegrino plutôt qu'un banal verre d'eau. On peut citer aussi la recherche d'une **expérience gustative** positive. Un arrière-goût de chlore ne flatte guère votre palais alors que les bulles de San Benedetto qui pétillent dans votre bouche vous procurent sans doute un sentiment de plaisir.

À votre avis, quelles sont les implications en matière de marketing pour un distributeur d'eau embouteillée[3] ?

Comme on le constate, la motivation, c'est l'étude du **pourquoi**: pourquoi certains consommateurs attachent-ils plus d'importance à la marque d'un produit que d'autres ? Pourquoi achètent-ils parfois sous le coup de l'impulsion ? Pourquoi se laissent-ils séduire par telle publicité plutôt que par telle autre ? Pourquoi boivent-ils de l'eau embouteillée ? Pourquoi s'intéressent-ils au jardinage ? À la lecture de la capsule 2.1, nous saisissons que les motifs qui sous-tendent un comportement, outre le fait qu'ils sont généralement multiples, ne sont pas toujours conscients. Ajoutons que, bien souvent, les motifs sont d'ordre conflictuel. Le psychologue Kurt Lewin a développé l'idée que des forces nous attirent vers un objet ou nous éloignent de celui-ci, de même que nous pouvons tout autant être motivés à obtenir quelque chose de positif qu'à éviter quelque chose de négatif. À partir de cette idée, il a distingué trois types de conflits motivationnels, définis dans l'encadré intitulé *Histoire de conflits,* présenté à la page suivante.

CAPSULE 2.1

Mais qu'ont-ils tous à se salir les mains dans la terre comme cela ?

Les consommateurs s'adonnent de plus en plus au jardinage. Regardez autour de vous, dans votre voisinage, chez vos parents, vos amis : les chances sont grandes d'y découvrir des espaces remplis de fleurs et de végétaux de toutes sortes, oasis de détente et d'émerveillement. Selon Statistique Canada, environ 75 % des ménages canadiens dépensent chaque année pour des articles et des services de jardinage. Il s'agit d'un marché en forte croissance (10 % annuellement). Rosaire Pion, propriétaire des Serres Rosaire Pion et fils inc. (www.serrespion.com), dit servir annuellement 29 000 clients ! Et ceux-ci sont exigeants. Pour les satisfaire, il leur offre pas moins de 500 variétés d'annuelles, près de 500 variétés de plantes vivaces et 57 variétés de fines herbes. Pas mal pour un pays où la belle saison ne dure que trois mois ! La demande pour les végétaux est telle que les producteurs québécois ne peuvent y suffire. La moitié des végétaux vendus au Québec proviennent d'ailleurs de l'extérieur (surtout des États-Unis).

Qui sont ces passionnés de jardinage et comment expliquer leur engouement pour les activités pépiniéristes ? Les études montrent qu'ils ont de 25 à 49 ans, qu'une bonne partie d'entre eux ont fait des études universitaires et qu'il s'agit majoritairement de femmes (60 %). Selon le philosophe Jacques Dufresne, le jardinage n'est pas simplement une activité de détente. Bien des gens passent une partie de leur vie devant un écran cathodique ; ils ont besoin de savoir qu'ils existent, qu'ils ont un rôle à jouer dans l'univers. Comme jadis les rois qui entretenaient de somptueux jardins, ils veulent se sentir maîtres de leur vie et l'exprimer de façon visible. Le paradis terrestre n'était-il pas un jardin ? Le Dr G. Clotaire Rapaille, un anthropologue français, croit que le jardinage touche les gens profondément, qu'il leur permet de rejoindre les cycles de la nature. Selon lui, la société moderne met l'accent sur la rapidité et l'instantanéité (nourriture, communication, transport, etc.). Inconsciemment, les consommateurs ont besoin de ralentir les choses. Quoi de mieux que de planter quelques bulbes et d'attendre la floraison printanière[4] ?

Donc, nous avons besoin d'énergie pour agir, et plus le but visé nous importe, plus nous sommes enclins à mobiliser cette énergie pour l'atteindre. Nous verrons plus loin que notre implication personnelle conditionne la quantité d'énergie allouée à la réalisation d'un projet. Rappelons que le but peut être autant d'obtenir quelque chose que de l'éviter. La dimension d'**énergie** de la motivation renvoie à notre éveil, à notre stimulation, à notre excitation par rapport à l'atteinte d'un but. Nous pouvons être plus ou moins motivés, stimulés, éveillés, excités par un objet, un projet, etc. La dimension de **direction** de la motivation fait en sorte que l'énergie est canalisée, utilisée pour servir une finalité. Nous allons maintenant étudier ce processus de motivation de façon plus détaillée.

2.1 Le processus de motivation

Considérons l'exemple simple d'un consommateur qui se rend chez Pizza Hut pour son repas du midi. Comment pourrait-on décrire le processus qui le pousse à se rendre à cet endroit?

Son **objectif** est de manger. Cet objectif n'est pas fixé arbitrairement; il résulte d'un **besoin** physiologique ou encore d'un signal de l'**environnement** lui indiquant que c'est l'heure de manger. Pourquoi choisir Pizza Hut plutôt qu'un autre endroit? Les spécialistes de la motivation croient qu'une personne qui cherche à atteindre un objectif essaie généralement d'imaginer les différents moyens de l'atteindre et d'anticiper les **conséquences** de chaque moyen sur l'atteinte de l'objectif. Nous verrons plus loin que, dans certaines situations, une personne peut être moins impliquée dans la poursuite d'un objectif, et les moyens imaginés peuvent être peu nombreux. Dans notre exemple, plusieurs options s'offrent sans doute à la personne. L'option choisie, c'est-à-dire Pizza Hut, est celle qui permet d'atteindre l'objectif (manger) de la façon la plus satisfaisante. Le modèle de la figure 2.1 illustre le processus de motivation que nous venons de décrire. Examinons ses composantes plus en détail.

FIGURE 2.1 Le processus de motivation

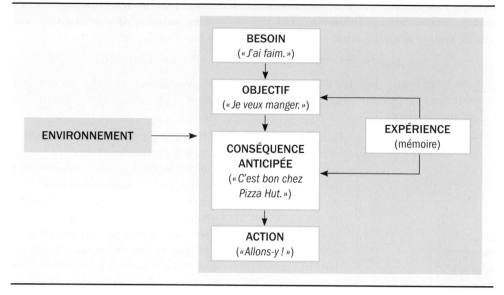

Les besoins

Tous les chercheurs qui s'intéressent à la motivation admettent l'importance des besoins. Un besoin peut se concevoir comme une force intérieure qui pousse une personne à entreprendre des actions visant à rendre une situation plus satisfaisante. Manger, aimer, jouer, se détendre sont des exemples de besoins.

Dans les années 1950, le psychologue américain Abraham Maslow[5] a proposé une théorie des besoins qui a eu une très grande importance en marketing. L'idée centrale de cette théorie est qu'il existe chez toute personne une **hiérarchie des besoins.** Selon Maslow, les besoins sont organisés de façon hiérarchique, comme une pyramide (*voir la figure 2.2*). Quand un besoin devient actif, la personne cherche à le satisfaire. L'environnement joue un rôle important dans l'activation des besoins. Par exemple, il suffit de humer l'odeur d'une pizza pour ressentir la faim ou encore de sentir l'arôme envoûtant d'un parfum pour éprouver de l'attirance envers une personne.

FIGURE 2.2 La théorie des besoins de Maslow

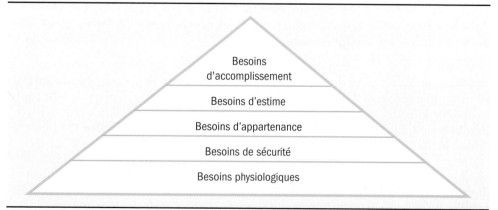

L'originalité de la théorie de Maslow réside dans la spécification des conditions de satisfaction des besoins. Selon cette conception, un besoin situé à un niveau hiérarchique donné ne peut être activé et satisfait que si les besoins situés à un niveau inférieur ont déjà été satisfaits.

Les niveaux de besoins établis par Maslow sont au nombre de cinq.

Premier niveau: les besoins physiologiques Manger, respirer, dormir, en somme tout ce qui permet de vivre et d'être en santé. Ce sont les besoins prioritaires à satisfaire.

Une publicité qui joue sur le besoin de sécurité.

Deuxième niveau: les besoins de sécurité La stabilité, le fait d'être familiarisé avec l'environnement, la possibilité de prévoir les événements. Ce sont des besoins qui permettent d'assurer notre fonctionnement en société. Dans notre société nord-américaine, le besoin de sécurité est très présent, se manifestant dans de nombreux domaines. De nouveaux produits, de nouveaux services sont sans cesse proposés aux consommateurs pour satisfaire ce besoin. Par exemple, la compagnie General Motors met de l'avant le système OnStar offert dans certains de ses véhicules par des publicités qui activent le besoin de sécurité des conducteurs. De même, la publicité de Crest ci-contre invite les consommateurs à se protéger contre la gingivite en employant le dentifrice Crest Pro-Santé.

Troisième niveau: les besoins d'amour et d'appartenance L'affection et l'affiliation; l'union avec une autre personne, la famille, les amis et les groupes constituent des moyens de satisfaire ces besoins.

Quatrième niveau: les besoins d'estime La nécessité d'avoir une image positive de soi, la recherche de prestige, de reconnaissance et d'appréciation, la confiance en soi.

Cinquième niveau: les besoins d'accomplissement L'actualisation de ses capacités en une réalisation totale de son potentiel.

La théorie de Maslow est élégante et surtout très ambitieuse, car elle vise à expliquer l'ensemble des comportements humains par l'effet d'un petit nombre de besoins. On peut cependant émettre plusieurs critiques à l'égard de cette théorie. Considérons-en quelques-unes.

D'abord, est-il vraiment nécessaire de satisfaire totalement un niveau de besoins avant de passer aux suivants? Vous connaissez sans doute plusieurs personnes qui cherchent à réaliser pleinement leur carrière aux dépens de leur santé et de leur vie affective et sociale. Aussi, comment peut-on vérifier cette théorie? Une théorie que l'on ne peut pas soumettre à des tests scientifiques est peu crédible. Malheureusement, il n'existe aucune manière rigoureuse de mettre à l'épreuve la théorie de Maslow. Ensuite, quel est l'horizon temporel considéré dans la théorie de Maslow? Aujourd'hui? Toute la vie? Par exemple, les besoins physiologiques sont généralement immédiats alors que les besoins d'accomplissement se définissent habituellement sur une longue période de la vie.

On peut aussi critiquer cette théorie à cause de sa simplicité. Par exemple, la théorie de Maslow s'accommode mal du besoin que l'on ressent parfois d'être seul. Elle ne dit rien du besoin de nouveauté, du besoin de comprendre. Il faut aussi considérer le fait que cette théorie se concentre sur les besoins fondamentaux de l'existence. Or, les gens sont-ils toujours occupés à satisfaire un ou des besoins? N'y a-t-il pas parfois des périodes de «vide existentiel», où aucun besoin ne semble vraiment se manifester? Au-delà des besoins de l'existence, il existe un besoin fondamental chez l'être humain, et chez les consommateurs en particulier: celui de vivre des expériences. La consommation est d'ailleurs un moyen d'y arriver[6].

La théorie de Maslow a aussi été critiquée parce qu'elle s'applique mieux aux sociétés occidentales. Ainsi, dans plusieurs pays asiatiques, les besoins d'appartenance au groupe sont plus importants que les besoins individuels comme l'estime de soi (ce thème sera traité plus en détail dans le chapitre 8). Enfin, il ne faut pas oublier que les besoins se traduisent généralement en désirs de consommation. La notion de désir ne serait-elle pas plus pertinente pour comprendre le comportement des consommateurs que celle des besoins? Un même besoin (sécurité) peut activer plusieurs désirs de consommation (systèmes d'alarme, armes à feu, investissements sans risque, aliments biologiques). En définitive, les consommateurs ne cherchent-ils pas d'abord et avant tout à satisfaire leurs désirs de consommation (*voir la capsule 2.2*)?

CAPSULE 2.2

Désirs sans fin

N'est-il pas parfois agréable de déambuler dans un centre commercial en reluquant les vitrines qui présentent des produits de toutes sortes? Pour un grand nombre de consommateurs, le monde est rempli de tentations qui n'attendent qu'un geste (sortir son porte-monnaie!) pour se transformer en expériences d'achat et de consommation. Une étude récente conduite au Québec a montré que les consommateurs n'ont pas tous la même propension à désirer des objets de consommation (produits, services, expériences). Alors que certains n'accordent que peu d'importance au fait de posséder des produits et de vivre des expériences, d'autres se complaisent dans la perspective de l'abondance. Cette étude a montré que les désirs de consommation donnent lieu à des émotions parfois contradictoires. Désirer un objet de consommation est source de **plaisir**, plaisir d'imaginer qu'on le possède et plaisir de l'expérience du désir comme telle. Mais les désirs peuvent aussi entraîner un sentiment d'**inconfort**, parce que l'on risque d'être déçu ou encore frustré par la perspective qu'ils ne soient pas assouvis. Certains consommateurs ressentent de la **culpabilité** du simple fait de désirer des objets de consommation ou parce qu'ils ont l'impression que leurs désirs sont trop nombreux (et ostentatoires). Souvent, il s'avère nécessaire d'établir des mécanismes de **contrôle** de ses désirs de consommation afin d'en limiter le nombre[7].

Pour conclure cette discussion sur les besoins, mentionnons que certains auteurs croient qu'il est futile d'essayer de dresser une liste des besoins, car ceux-ci sont trop nombreux. D'autres pensent qu'à la limite, il y a autant de besoins qu'il y a de moyens de les satisfaire. Autrement dit, l'approche consistant à dénombrer les besoins et les moyens de les satisfaire serait redondante: manger parce que l'on a faim, aimer parce que l'on a besoin d'affection, chercher la sécurité parce que l'on manque de confiance, etc. Les critiques visant l'explication de la motivation par les besoins sont en partie justifiées. Il est en effet illusoire de prétendre interpréter les comportements humains en général, et ceux qui touchent la consommation en particulier, en faisant seulement appel aux besoins. Toutefois, quiconque a déjà ressenti la faim ou souffert de la solitude sait que ces besoins sont réels et que des actions doivent être entreprises pour les satisfaire. Nous ne pouvons sans doute pas tout expliquer par la notion des besoins, mais il n'en demeure pas moins que ceux-ci jouent un rôle notable dans nombre de situations de consommation.

Les objectifs

Une publicité qui montre que les consommateurs développent des objectifs liés à la consommation.

La notion d'objectif est au centre de toute discussion sur la motivation. C'est en fait une représentation mentale d'une situation désirée qui peut être plus ou moins complexe. Dans la publicité de Special K ci-contre, une consommatrice s'est donné comme objectif d'atteindre un poids qui lui permettra d'enfiler son bikini. C'est un objectif qui renvoie à une représentation mentale simple, alors que celui qui consisterait à « réussir sa vie » présente une correspondance cognitive plus complexe. On s'accorde généralement pour dire que le comportement des gens est motivé par l'atteinte de plusieurs objectifs. Dans les exemples de la course à pied, de l'eau embouteillée et du jardinage, nous avons vu que plusieurs raisons se profilaient derrière les choix de consommation ou d'activités. Ces objectifs peuvent sembler indépendants à première vue, comme « sortir les poubelles » et « prendre le courrier », mais dans beaucoup de situations, ils permettent d'atteindre d'autres objectifs, comme « participer aux tâches familiales », et il est utile de les envisager dans le contexte d'une structure hiérarchique.

Un exemple (fictif) de structure d'objectifs est présenté à la figure 2.3[8]. Dans cet exemple, on a défini un objectif central, qui est de « perdre du poids ». Nous pouvons voir que l'atteinte de cet objectif est conditionnelle à la réalisation d'objectifs subordonnés (comment : suivre un régime, faire de l'exercice). Par ailleurs, cet objectif central permet d'atteindre des objectifs supérieurs (pourquoi : plaire aux autres, être bien dans sa peau, vivre longtemps et en santé).

Que doit-on penser du concept de structure d'objectifs? Sa définition claire pose un problème important. S'agit-il simplement d'une façon d'organiser un ensemble d'objectifs pour montrer comment l'atteinte d'un premier objectif peut à la fois dépendre de l'atteinte d'un second et conditionner l'atteinte d'un troisième? Ou s'agit-il plutôt de la représentation d'une organisation mentale réelle, c'est-à-dire une organisation d'objectifs – atteints ou à atteindre – relativement fixe qu'un consommateur pourrait avoir dans son esprit? La première option sous-entend qu'une structure d'objectifs est **construite** au fur et à mesure qu'une personne progresse vers la réalisation de ses buts. La deuxième option sous-entend que la structure est **déterminée,** et que le comportement d'une personne est guidé par cette structure.

Aucune de ces deux options n'est sans doute la bonne. Il est probable que le consommateur se fixe des objectifs en sachant que ceux-ci vont lui permettre d'en atteindre d'autres. Il serait toutefois étonnant qu'une structure d'objectifs

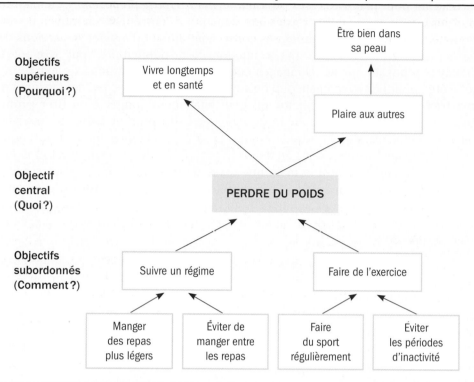

soit entièrement déterminée à l'avance. Il semble plus vraisemblable qu'elle combine en partie la façon dont le consommateur «construit» la démarche de réalisation de ses buts, et en partie les objectifs qu'il a préalablement déterminés. Il semble aussi probable que la structure d'objectifs varie en fonction de l'importance de ceux-ci. Ainsi, les objectifs plus importants sont sans doute mieux structurés que les objectifs moins importants. Rappelons aussi que, comme dans l'exemple du jardinage, les objectifs poursuivis ne sont pas forcément tous conscients. Ajoutons à cela qu'ils ne sont pas toujours avouables, à nos yeux.

L'exemple présenté à la figure 2.3 nous fait prendre conscience du fait que certaines des actions dans lesquelles les consommateurs s'engagent sont motivées par des objectifs d'ordre supérieur. De nombreux chercheurs en marketing croient que les décisions des consommateurs concernant les produits qu'ils achètent et consomment sont souvent guidées par des objectifs latents, plus fondamentaux. Par exemple, tel consommateur choisit d'étancher sa soif au moyen d'une boisson gazeuse «diète» (un attribut) afin de limiter sa consommation de calories (une conséquence) dans l'intention ultime de se sentir bien dans sa peau (une valeur). On aura noté dans ce dernier exemple qu'il est possible de lier les attributs d'un produit aux conséquences qu'il procure et, en dernière analyse, aux valeurs personnelles du consommateur. C'est ce que l'on appelle une analyse reposant sur les «chaînages cognitifs» (*laddering*). De façon générale, un chaînage cognitif est représenté ainsi :

attributs ⟶ conséquences ⟶ valeurs.

On l'aura compris, un même attribut peut donc évoquer des valeurs différentes ; tel consommateur fait de l'exercice pour être en meilleure santé alors que tel autre le fait pour plaire aux autres (*voir la figure 2.3, page précédente*). La mise au jour des chaînages cognitifs représente donc pour l'entreprise un moyen de différencier les motivations ultimes des consommateurs et d'ajuster ses actions de marketing en conséquence (sa communication publicitaire, par exemple). L'analyse reposant sur les chaînages cognitifs est une technique de marketing qui a été appliquée avec beaucoup de succès dans des contextes de consommation très différents[9]. En publicité, on peut également songer à en tirer profit. Prenons l'exemple de la publicité de lancement du produit Latte de Nescafé. Cette publicité, qui s'ouvre sur la formule « Les dix prochaines minutes sont pour vous », offre au consommateur un décor très douillet où une femme est étendue confortablement et tient à la main une tasse de café. La phrase « Tout confort chez vous » conclut le message. Cette publicité nous incite à utiliser le schéma cognitif suivant : quelques minutes pour soi (attribut du moment) ; détente (conséquence de ce genre de moment) ; respect de soi, harmonie intérieure (valeurs défendues).

Le processus de motivation illustré dans la figure 2.1, à la page 29, laisse entendre que les objectifs des consommateurs sont toujours conscients. Il n'en est rien. Des études ont montré que les consommateurs sont souvent influencés par des objectifs dont ils n'ont pas conscience. Par exemple, en vous rendant en voiture à l'épicerie pour acheter de quoi préparer votre repas, vous écoutez distraitement une émission d'informations dans laquelle on promeut une alimentation saine basée sur la consommation de fruits, de légumes, de produits céréaliers et d'aliments faibles en gras. Sans vous en rendre compte, à la fin de votre magasinage, vous avez placé dans votre panier d'épicerie plus de produits alimentaires de santé que si la radio avait été éteinte[10].

L'environnement

Nous pouvons voir dans la figure 2.1 que l'environnement a une influence importante sur le processus de motivation. Plus précisément :

1. Il contribue à l'éveil des besoins (une affiche qui annonce le dernier CD de Jean Leloup, une odeur de pain qui donne faim, un ami qui nous parle d'un film qu'il a vu, etc.) ;

2. Il oriente l'action (une publicité de la bière Stella Artois, un étal de sandwiches, un critique de cinéma qui recommande un film, etc.) ;

3. Il active des associations en mémoire (une annonce de la SAQ qui rappelle le plaisir de célébrer les événements avec du champagne, par exemple).

Les exemples que nous venons de présenter suggèrent une classification des types d'environnement.

L'environnement marketing Celui-ci inclut tous les stimuli associés aux actions de marketing. Par exemple, les stimuli qui touchent la **communication** (la publicité, les coupons, les vendeurs, les commandites, la promotion sur le lieu de vente, etc.), les **produits** (l'emballage, le nom de marque, la garantie, etc.), les **prix** (leur niveau, les escomptes, les conditions de paiement, etc.) et la **distribution** (le marchandisage, les machines distributrices, etc.).

L'environnement physique Il inclut tous les éléments physiques (non humains) qui constituent le champ d'action du consommateur. Cela inclut entre autres le **temps** (l'heure, le jour de la semaine, la saison), la **température** (une glace est bien meilleure lorsqu'il fait chaud) et la **musique** (dans une boutique de vêtements pour les jeunes, dans un restaurant).

L'environnement social Il est de deux types : **macro** (la culture, les sous-cultures, la classe sociale) et **micro** (les amis, les groupes de référence, la famille).

La mémoire et les conséquences anticipées

La mémoire joue un rôle important dans le processus de motivation. Nous verrons en détail au chapitre 4 les fonctions de la mémoire dans le cadre des activités d'apprentissage des consommateurs. Pour le moment, nous nous contenterons de noter que la mémoire d'un consommateur contient des souvenirs relatifs à ses expériences antérieures et aux renseignements qu'il y a accumulés. Le recouvrement de ces souvenirs facilite la construction des anticipations. Par exemple, le souvenir d'une mauvaise expérience dans un restaurant peut amener un consommateur à la conclusion qu'il est possible que cela se produise à nouveau. Il en irait de même du souvenir d'une expérience différente racontée par un ami.

Les conséquences anticipées permettent aux consommateurs de faire des choix quant aux actions à entreprendre pour servir au mieux leurs objectifs. Notons que ces objectifs ne sont pas seulement utilitaires (manger à sa faim). Ils peuvent aussi être hédonistes (manger des aliments appétissants), sociaux (manger dans un restaurant fréquenté par ses amis) ou psychologiques (manger dans un endroit où l'on se sent bien). Il est également probable que les consommateurs poursuivent plusieurs objectifs à la fois.

Outre les approches de la motivation qui ont abouti à une nomenclature de besoins ou à leur hiérarchisation, comme dans la théorie motivationnelle de Maslow, de nombreuses autres approches ont été proposées pour expliquer la motivation. Examinons-en quelques-unes.

De la réduction d'une tension à la recherche d'un niveau optimal d'éveil et de stimulation

Parmi les théories de la motivation figure la **théorie de la pulsion.** Selon cette théorie, l'être humain est essentiellement réactif à son environnement. Qu'est-ce qui le motive ? C'est le rétablissement de son équilibre perturbé par des besoins physiologiques (faim, soif, chaleur, etc.) produisant en lui des niveaux d'éveil inconfortables, non plaisants (des gargouillements dans son estomac, par exemple). Lorsque son équilibre physiologique est rompu, son organisme effectue des ajustements. On appelle « homéostasie » les mécanismes d'autorégulation du corps qui maintiennent ainsi l'harmonie entre ses différentes parties. Par ces mécanismes, un trouble crée une pulsion qui appelle l'accomplissement d'une activité pour rétablir l'équilibre et supprimer ainsi le trouble. Par exemple, si vous avez chaud, vous allez transpirer en réaction à l'élévation de la température de votre corps, ce qui ramènera votre température à un degré normal. La réduction de la tension est donc au cœur de cette approche de la motivation.

Même si elle trouve sa source dans le cadre de la psychologie expérimentale (et des besoins biologiques), la théorie de la pulsion est largement applicable au comportement du consommateur. En effet, l'idée d'une personne essayant de satisfaire des besoins par la consommation de biens est prépondérante, épousant la notion de manque à combler, de tension à réduire. Cela nous amène même au concept de problème à résoudre puisque, schématiquement, le consommateur passe d'une situation d'équilibre (imaginons un point zéro) à une situation de déséquilibre (se déplaçant vers un point négatif), pour revenir – par la tension supprimée, le manque comblé, le problème résolu – à l'équilibre (le point zéro).

Au lieu d'être réactif à son environnement et de chercher à limiter les stimulations qui, selon la théorie de la pulsion, bouleverseraient son équilibre, l'être humain semble, aux yeux de plusieurs chercheurs, vouloir être stimulé par son environnement et adopter conséquemment une attitude proactive (pour se rendre, schématiquement parlant, d'un point zéro à un point positif). Pour le psychologue américain Daniel Berlyne[11], toute nouveauté, parce qu'elle est surprenante, différente, attire l'attention et possède un effet stimulant. Il existe cependant un niveau optimal d'éveil et de stimulation pour chaque individu, optimal dans le sens où il donne lieu à un sentiment de confort et de bien-être. En fait, tout ce qui n'est pas assez surprenant l'ennuie, mais ce qui l'est trop le déroute ou l'inquiète, voire le fait paniquer. Les consommateurs chercheraient donc un niveau intermédiaire de stimulation. Outre la sphère des nouveaux produits, cette approche de la motivation trouve un écho dans une théorie qui prend de l'ampleur en matière de comportement du consommateur, soit la perspective « expérientielle » de la consommation.

En amalgamant ces deux approches de la motivation, l'être humain semble adopter deux types de comportement : un comportement de réduction de la tension, qui satisfait divers besoins et abaisse un niveau d'éveil trop élevé, et un autre de lutte contre l'ennui, qui amène la personne à rechercher une stimulation dans le but d'augmenter son niveau d'éveil trop faible.

De la théorie psychanalytique à la recherche motivationnelle

Dans le cadre de sa théorie psychanalytique, Sigmund Freud a présenté une conception intéressante de la motivation humaine. Après sa naissance, le bébé veut seulement boire, manger, dormir, être au chaud. Ces envies sont des pulsions primitives qu'il essaie de satisfaire au moyen de mécanismes tels que des mimiques ou des cris. Pour obtenir des gratifications immédiates, il réalisera rapidement qu'il doit utiliser des moyens plus subtils. Puis, lorsque son psychisme se développe, une partie de celui-ci devient le réservoir de ses pulsions primitives (la faim, la soif, la sexualité), le siège de son énergie psychique, de sa motivation, la source la plus importante de son comportement : il s'agit du « ça ». Le ça est infantile, illogique, déconnecté de la réalité, en quête de satisfactions immédiates. Il fonctionne au niveau inconscient. Une autre partie de son psychisme assure l'intégration des normes et des règles de la société dans laquelle il évolue : il s'agit du « surmoi ». Le surmoi devient sa conscience, son côté moralisateur qui a intériorisé les notions de bien et de mal. Mais il renferme aussi son moi idéal. Le surmoi entre en conflit avec le ça et l'empêche de rechercher des gratifications immédiates en faisant appel aux sentiments de culpabilité ou de honte et aux reproches. Ces sentiments mitigés à l'égard de ses désirs amèneront l'individu à refouler ces derniers hors de sa conscience. Enfin, la dernière partie de son psychisme devient le «moi»: gouverné par le principe de réalité, le moi sert de courtier entre les demandes du ça, guidées par le principe du plaisir, et les exigences du surmoi, imprégnées de conscience collective. Sous l'influence du surmoi, l'individu cherche à fournir aux demandes du ça des exutoires acceptables par le monde extérieur, la société, et à réprimer ses désirs inappropriés. Dans l'exercice de sa fonction de répression, le moi utilise souvent des mécanismes de défense tels que la sublimation ou la projection. Les conflits entre le ça, le moi et le surmoi s'opèrent à un niveau inconscient, de sorte que l'individu n'est pas nécessairement conscient des raisons de son comportement. D'autre part, le ça réussit à déjouer le moi et le surmoi dans les rêves, les lapsus et les fantasmes.

Freud a joué un rôle non négligeable dans la reconnaissance de la dimension symbolique des objets. C'est à travers l'analyse des rêves de ses patients qu'il a construit sa théorie, s'intéressant au sens caché, au contenu latent des rêves. En accord avec la théorie freudienne, pour satisfaire le ça sans choquer le surmoi, on utilise en publicité des symboles (sexuels), des sous-entendus, des éléments qui stimulent l'imagination, projettent le consommateur dans des rêves éveillés et alimentent ses divers fantasmes. Avec son slogan «vroum-vroum», Mazda tente sans doute d'interpeller votre «ça» infantile.

Appliquée au comportement du consommateur, la théorie de Sigmund Freud a suggéré aux chercheurs en marketing l'idée que les consommateurs pouvaient ne pas être conscients des raisons de leurs choix, donc, être incapables d'en faire part. Cela a donné naissance à la **recherche motivationnelle.** Au cours des années 1950, la recherche motivationnelle a constitué un champ majeur de recherche et de pratique aux États-Unis. La philosophie de base de cette approche peut être résumée comme suit: **le comportement d'achat des consommateurs est déterminé par des motivations incontrôlables et largement inconscientes.** Autrement dit:

- le comportement d'achat n'est pas réfléchi;
- le consommateur est à la merci de ses pulsions inconscientes.

On saisit immédiatement la portée de telles affirmations. Cela signifie que des individus peu scrupuleux pouvaient essayer de subjuguer l'inconscient des consommateurs dans le but de manipuler, voire de contrôler leurs comportements.

À l'époque, le plus connu des spécialistes de la recherche motivationnelle s'appelait Ernest Dichter. À l'aide de diverses techniques de recherche qualitative (nous y reviendrons plus loin), Dichter procédait à ce qu'il était convenu d'appeler l'**analyse des motivations inconscientes.** Dans ce type d'analyse, on essayait de déterminer les raisons profondes (ou latentes) du comportement des acheteurs. Dans un ouvrage controversé intitulé *La stratégie du désir*[12], Dichter donne plusieurs exemples d'explications latentes de divers comportements de consommation. Par exemple, le gâteau qu'une ménagère fait cuire est la représentation symbolique d'un enfant qu'elle met au monde, ou encore la voiture qu'un homme achète symbolise la maîtresse qu'il s'offre (*voir la capsule 2.3*). Farfelu, risible, direz-vous? Ça ne l'était certainement pas à ce moment-là. Le journaliste Vance Packard s'est rendu célèbre en publiant un *best-seller* intitulé *La persuasion clandestine*[13], dans lequel il dénonçait avec virulence Dichter et ses semblables qu'il appelait les chercheurs de fonds, les «persuadeurs» et les manipulateurs de symboles. Bien que son livre ait connu un grand succès, il n'a réussi à convaincre ni le grand public ni les gouvernements de l'époque.

La voiture, selon Ernest Dichter

Ernest Dichter est sans doute la personne la plus couramment associée à la recherche motivationnelle. Son livre intitulé *La stratégie du désir* peut paraître pour certains un catalogue de sornettes et de spéculations sans fondement, mais pour d'autres, il est une source utile d'enseignements sur les motivations cachées des consommateurs. À chacun de juger par lui-même, mais il est toujours intéressant de connaître l'opinion de Dichter sur les consommateurs. Considérons par exemple les résultats d'une étude sur la voiture de marque Plymouth, qu'il a réalisée vers la fin des années 1930. On y apprend que la voiture est un objet de consommation qui a force de symbole. Par exemple, la décapotable est le symbole de l'éternelle jeunesse. Alors que pour les consommateurs plus jeunes (moins de 35 ans) la voiture est associée à la vitesse et au contrôle, pour les plus âgés, elle est davantage associée à l'efficacité, à la sécurité et au confort. Dichter prétend que la voiture a une personnalité, et que le contact des mains sur le volant joue un rôle important dans la définition de celle-ci. Le consommateur s'attache à sa voiture comme à un ami, si bien que la décision d'en changer peut être difficile à prendre. La nouvelle voiture doit avoir une personnalité aussi forte et attachante que l'ancienne. La voiture est aussi source de sensations. Pour les consommateurs corpulents, conduire une voiture peut s'apparenter à une expérience de lévitation. La voiture donne le sentiment de «faire de la planche», elle permet au consommateur de retrouver sa jeunesse, elle lui donne confiance, elle est source de certitude. Par exemple, Dichter note qu'une personne qui a subi un échec personnel conduit plus vite afin de retrouver la certitude ébranlée.

Que pensez-vous de cette analyse? Y voyez-vous des implications pour la communication publicitaire? De nos jours, les motivations des acheteurs de voiture sont-elles différentes?

Source: E. DICHTER, *La stratégie du désir*, Paris, Fayard, 1961.

De nos jours, la recherche motivationnelle n'est plus considérée comme une approche valable pour comprendre le comportement des consommateurs. Même si plusieurs chercheurs admettent que des motivations inconscientes peuvent avoir un impact sur les décisions de consommation (*voir l'article cité à la note 10*), la plupart d'entre eux croient que les comportements de consommation dépendent surtout des motivations conscientes et des objectifs des consommateurs.

De la recherche motivationnelle à la recherche qualitative

L'apport le plus important de la recherche motivationnelle à l'étude du comportement des consommateurs a été sans contredit l'introduction d'un certain nombre de techniques de recherche qualitative destinées à l'exploration des motivations, superficielles ou profondes, des consommateurs. Encore de nos jours, ces techniques trouvent des applications pratiques en marketing[14].

L'entrevue de groupe On réunit autour d'une table un petit groupe de consommateurs (de 8 à 12) qui discutent ensemble de sujets de toutes sortes: nouveaux concepts, publicités, processus d'achat, etc. La discussion est dirigée par un animateur, et l'objectif de la rencontre est l'obtention de renseignements pouvant aider à la prise de décision en marketing.

L'entrevue individuelle semi-dirigée Il s'agit d'entretiens individuels non structurés pouvant durer de 30 minutes à une heure ou plus. L'intervieweur – généralement une personne hautement qualifiée – essaie d'établir un contact intime avec la personne interviewée dans le but de sonder ses motivations personnelles. Cela peut nécessiter plusieurs rencontres (on parle alors d'entrevues en profondeur).

Les techniques projectives Il s'agit d'un ensemble de techniques visant à obtenir des renseignements de façon indirecte. Ces techniques sont employées lorsqu'il y a des barrières psychologiques ou sociales, des blocages ou des concepts difficiles à exprimer. Leur objectif est d'amener la personne à «projeter» ses motivations, ses attitudes et ses croyances par l'intermédiaire de stimuli divers. L'une des techniques les plus populaires est l'incarnation (ou portrait chinois), où l'on demande à la personne de proposer une représentation humaine, animale ou physique de l'objet dont on cherche à définir l'image (*voir la capsule 2.4*); par exemple, on peut lui poser la question suivante: si cette marque de vêtements était un animal, de quel animal s'agirait-il?

CAPSULE 2.4

Voulez-vous jouer au portrait chinois?

Imaginez que, dans le cadre d'une étude sur le thème «Votre université et vous», on vous demande de participer à un jeu, le jeu du portrait chinois. Quel genre d'expérience allez-vous vivre en tant que personne interrogée? En fait, vous pourriez vous faire poser des questions du type: Si votre université était un animal, quel animal serait-ce? Ou encore: Si votre université était une musique, un groupe de musique ou encore un style de musique, qu'est-ce que ce serait? Puis vous seriez invité à répondre à chaque question et à justifier votre choix pour chacune d'elles. Vous pouvez jouer le jeu en lisant ces lignes et imaginer ce que vous répondriez. Le portrait chinois permet à la personne interrogée d'utiliser des domaines qui lui sont familiers, connus, comme la catégorie «animal» ou la catégorie «musique», pour lesquels elle dispose d'un répertoire privé de connaissances, de

sensations, d'émotions, d'images, d'expériences. Elle est alors invitée à puiser dans ce répertoire pour parler, par analogies, d'un objet qui lui est non familier, peu connu, ou encore pour être à même de livrer plus facilement, plus librement, les représentations qu'elle s'est fabriquées à propos d'un objet, comme son université. Par son côté ludique, le portrait chinois favorise chez le consommateur l'ouverture de son discours et son implication dans le jeu, entraînant donc des réponses authentiques de sa part. Ces réponses peuvent véhiculer elles aussi des émotions, des sensations, des images, des perceptions et donc indirectement des motivations ou des freins par rapport à un objet. Le portrait chinois invite ainsi la personne à entrer dans son jeu et lui laisse de l'espace pour s'exprimer.

Source: C. BOULAIRE, «Portrait chinois: le jeu de la métaphore en tant qu'expérience», *Décisions Marketing*, nᵒ 36, octobre-décembre 2004, p. 39-47.

La perspective expérientielle de la consommation et sa dimension hédoniste

On doit l'introduction de la perspective expérientielle de la consommation et de sa dimension hédoniste à deux chercheurs américains en marketing, Morris Holbrook et Elizabeth Hirschman[15]. Qu'est-ce qui motive le consommateur selon cette perspective? C'est la recherche du plaisir, de l'amusement (à l'exemple du «ça»), de stimulations sensorielles (ce qui nous ramène aux travaux sur le niveau optimal d'éveil et de stimulation), d'émotions. La dimension hédoniste de la consommation ne renvoie donc pas seulement à l'obtention du plaisir à travers les sens, mais à toute la variété d'émotions, de sensations, de sentiments liés à l'expérience d'un produit ou d'une marque. À titre d'illustration, la publicité ci-contre invite les consommateurs québécois à choisir la région du Bas-Saint-Laurent pour leurs vacances afin d'y vivre des expériences «qui comblent tous les sens».

La perspective expérientielle met aussi l'accent sur la dimension symbolique de la consommation, récupérant ainsi le symbolisme des objets sous-jacents à la théorie psychanalytique.

Une publicité qui illustre la dimension expérientielle de la consommation.

Une publicité qui illustre la dimension symbolique de la consommation.

Ainsi, nous n'achetons pas seulement les produits pour des raisons utilitaires, mais aussi pour la signification que nous leur donnons qui peut, en partie, résulter de la communication publicitaire à leur propos. La publicité de la crème glacée Breyers, par exemple, incite le consommateur à charger le produit « alimentaire » du sens supplémentaire de « rendez-vous amoureux » avec une papille fébrile.

Enfin, l'approche expérientielle reconnaît la dimension esthétique de la consommation. Contrairement à la pensée psychanalytique, la perspective expérientielle considère que les besoins sont préconscients, c'est-à-dire juste en dessous du niveau de la conscience, et non inconscients, et qu'ils peuvent être ramenés à la surface par des méthodes appropriées (par exemple, des méthodes projectives). En adoptant cette perspective, la recherche d'émotions, de (nouvelles) sensations, la création ou le soutien de fantasmes peuvent apparaître comme des sources de motivation à la consommation de produits et de services. Outre ses nombreuses répercussions sur la pratique du marketing, la perspective expérientielle et sa dimension hédoniste teintent le regard porté aujourd'hui sur le comportement du consommateur et les thèmes traités subséquemment dans cet ouvrage.

Une manifestation importante de la motivation : l'implication personnelle

Une discussion sur la motivation des consommateurs serait incomplète si l'on négligeait de parler d'une variable de très grande importance en marketing et en comportement du consommateur : l'implication personnelle. Avant les années 1970, les recherches sur le comportement des consommateurs s'appuyaient sur des modèles explicatifs très complexes incluant beaucoup de variables. Par exemple, des modèles élaborés du comportement des consommateurs ont été proposés par John Howard et Jagdish N. Sheth ainsi que par James Engel, David T. Kollat et Roger D. Blackwell[16], pour ne nommer que les plus connus. Dans ces modèles, on suppose que les consommateurs décortiquent en détail les informations provenant de l'environnement commercial afin de prendre des décisions optimales. Nous discuterons de cette conception analytique dans le chapitre 6. Pourquoi ces théories complexes ?

1. La discipline du comportement du consommateur est issue du marketing (*voir le chapitre 1*). Dans cette discipline, les actions s'inscrivent dans une optique décisionnelle, rationnelle, normative, du management, où l'on estime que de nombreuses variables doivent être prises en compte afin d'optimiser les décisions de gestion.

2. Les théories complexes sont plus intéressantes aux yeux des chercheurs. Elles sont plus respectables parce qu'elles traduisent l'orientation scientifique et nécessitent des procédures de recherche compliquées.

Au cours des années 1970, certains chercheurs ont commencé à remettre en question toute cette complexité. En fait, à bien y penser, on constate qu'un grand nombre de situations de consommation sont banales pour la plupart des gens (l'achat de pâte dentifrice, par exemple). Plusieurs chercheurs ont souligné que la majorité des produits de consommation importent peu pour les consommateurs. Des sujets comme la guerre, les sports ou la politique peuvent les allumer, mais ce n'est pas le cas de la plupart des produits de consommation.

Le point de départ : Krugman (1965)

En 1965, Herbert Krugman publiait un article qui allait avoir un impact considérable sur l'étude du comportement du consommateur[17]. Cet article portait sur les effets de la publicité télévisée. Selon Krugman, la télévision est un média à faible implication. Le consommateur qui regarde la télé est dans une situation d'apprentissage passif. Ainsi, ses défenses perceptuelles sont réduites, et l'information véhiculée est traitée de façon superficielle. L'information est donc emmagasinée telle quelle dans la mémoire, avec un minimum de traitement. À force de répétition, des changements graduels s'opèrent dans la structure cognitive des consommateurs (dans leurs croyances, leurs façons de penser), changements qui entraîneront des effets sur leurs comportements.

Selon Krugman, dans une situation de faible implication, les consommateurs sont peu motivés à traiter les informations qui parviennent à leurs sens. Ces informations, néanmoins enregistrées, influenceront éventuellement leurs choix de consommation (le choix d'une marque, par exemple). Ces choix ne seront pas fondés sur quelque procédure détaillée de traitement de l'information, comme le supposent les modèles complexes de prise de décision, mais seront effectués sur la base de mécanismes mentaux simples tels que la reconnaissance. Donc, dans une situation de faible implication, les modèles complexes qui proposent que les consommateurs analysent les informations de façon rigoureuse avant de faire leurs choix ne seraient simplement pas pertinents.

Les différents types d'implication

Krugman s'est intéressé à un type d'implication personnelle : l'implication par rapport à la publicité télévisée. En général, les chercheurs en comportement du consommateur distinguent trois types d'implication : par rapport à la publicité, par rapport au produit et par rapport à la décision d'achat. Chaque type d'implication est provoqué par des variables antécédentes particulières et donne lieu à des conséquences distinctes, comme l'illustre la figure 2.4[18], à la page suivante. Examinons brièvement chaque type d'implication.

Par rapport à la publicité Ce type d'implication se réfère à la conceptualisation de Krugman que nous avons évoquée. Les consommateurs fortement impliqués par rapport à la publicité seront davantage enclins à écouter attentivement le message publicitaire, à avancer des objections (contre-argumentation) et à faire des associations que les consommateurs moins impliqués.

Par rapport au produit On parle souvent en marketing de produits à faible ou à forte implication. L'implication par rapport au produit dépend bien sûr de chaque personne. Ainsi, telle personne sera fortement impliquée par rapport à une catégorie de produits comme les disques alors que telle autre ne le sera pas. Des caractéristiques comme la complexité des produits, leur coût ou le risque perçu entraînent une implication plus ou moins grande. L'implication par rapport au produit est parfois appelée « implication durable », car on suppose qu'elle se manifeste sur une base continue.

FIGURE 2.4 Une conception de l'implication personnelle

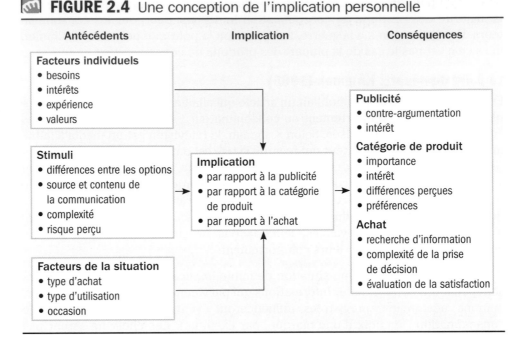

Antécédents   Implication   Conséquences

Facteurs individuels
- besoins
- intérêts
- expérience
- valeurs

Stimuli
- différences entre les options
- source et contenu de la communication
- complexité
- risque perçu

Facteurs de la situation
- type d'achat
- type d'utilisation
- occasion

Implication
- par rapport à la publicité
- par rapport à la catégorie de produit
- par rapport à l'achat

Publicité
- contre-argumentation
- intérêt

Catégorie de produit
- importance
- intérêt
- différences perçues
- préférences

Achat
- recherche d'information
- complexité de la prise de décision
- évaluation de la satisfaction

Par rapport à la décision d'achat Sans entrer dans les détails (nous discuterons du processus de décision dans le chapitre 6), on peut dire que, comparativement à un consommateur fortement impliqué par rapport à un achat (le désir d'offrir un cadeau à un être cher, par exemple), un consommateur faiblement impliqué aura tendance à chercher moins d'informations, à ne pas trop réfléchir et à faire peu de comparaisons entre les marques. On réfère parfois à ce type d'implication au moyen de l'expression «implication situationnelle», car elle se manifeste lors d'une occasion particulière, comme l'achat d'un produit qui représente un investissement personnel important.

Judith Zaichkowsky s'est intéressée au concept d'implication personnelle, qu'elle décrit comme étant l'importance, la pertinence d'un objet dans le cadre des besoins, des valeurs et des champs d'intérêt d'un consommateur. Elle a proposé et validé une échelle permettant de mesurer l'implication personnelle envers un produit, une marque, etc. Une version de cette échelle (appliquée au cinéma) est présentée dans le tableau 2.1[19].

Conclusion sur la motivation

Les chercheurs qui s'intéressent au marketing et à la consommation ne croient pas que les consommateurs soient totalement inconscients des motifs qui guident leurs comportements. Ils croient plutôt que le rôle des motifs inconscients est limité. Ils ne croient pas non plus que les comportements des consommateurs soient mécaniques, guidés uniquement par les besoins et l'habitude. Dans la conception moderne d'un comportement motivé, les consommateurs sont représentés comme des êtres orientés vers l'atteinte d'objectifs. Activés par les besoins et les signaux de l'environnement, les objectifs des consommateurs les conduisent à envisager des actions diverses. La décision d'entreprendre une action s'effectue sur la base d'une analyse des conséquences probables qui lui

TABLEAU 2.1 Une échelle de mesure de l'implication personnelle (appliquée au cinéma)

Pour moi, le cinéma est :								
Sans importance	1	2	3	4	5	6	7	Très important
Sans intérêt	1	2	3	4	5	6	7	Très intéressant
Non pertinent	1	2	3	4	5	6	7	Très pertinent
Ne signifie rien pour moi	1	2	3	4	5	6	7	Signifie beaucoup pour moi
N'occupe aucune place dans ma vie	1	2	3	4	5	6	7	Occupe une grande place dans ma vie
Ennuyeux	1	2	3	4	5	6	7	Excitant
Superflu	1	2	3	4	5	6	7	Vital
Pas nécessaire	1	2	3	4	5	6	7	Nécessaire
Non distrayant	1	2	3	4	5	6	7	Distrayant
Une perte de temps	1	2	3	4	5	6	7	Une activité essentielle

sont associées. De façon générale, les consommateurs sont motivés à adopter des comportements qui leur permettent d'atteindre leurs objectifs immédiats ou à plus long terme. Il est probable que les consommateurs s'assurent régulièrement que les actions dans lesquelles ils s'engagent leur permettront d'atteindre leurs objectifs. Ils modifient leurs comportements lorsqu'ils jugent que leurs objectifs seront mieux réalisés autrement.

2.2 La personnalité

Tout comme la motivation, la **personnalité** est un sujet d'étude qui a fasciné les psychologues depuis que cette science existe. Alors que l'étude de la motivation porte sur les processus qui déclenchent et font perdurer les comportements des personnes, l'étude de la personnalité porte sur la détermination des caractéristiques psychologiques qui conduisent ces personnes à se comporter de telle ou telle façon. Donc, on peut voir la motivation comme un **processus** et la personnalité comme un **ensemble de caractéristiques individuelles.**

Qu'est-ce que la personnalité et quel est son intérêt pour le marketing ? Avant de répondre à cette question, considérons brièvement le contexte historique. Nous avons dit qu'au cours des années 1950, plusieurs chercheurs en marketing croyaient que les motivations des acheteurs étaient en partie inconscientes. Pour eux, les produits de consommation étaient des moyens d'expression de l'individualité. Une citation d'Ernest Dichter est révélatrice à ce propos :

Personnalité

Ensemble des caractéristiques psychologiques relativement stables et permanentes qui conduisent une personne à afficher un comportement cohérent.

La chemise que l'on porte, la voiture que l'on conduit, l'alcool que l'on boit sont des éléments importants de la personnalité : ils situent d'emblée celui qui en fait usage. L'achat constitue une sorte d'appariement entre le consommateur et le produit. [...] si les gens préfèrent une marque à telle autre, c'est qu'elle leur convient et qu'elle rejoint leur personnalité[20].

La signification de cette affirmation est claire : à différentes personnalités correspondent différents choix de consommation. Cette idée assez simple a été à la source d'efforts de recherche considérables visant à étudier la relation entre la personnalité et le comportement d'achat.

L'existence probable d'une relation entre la personnalité et le choix de marque avait intrigué Franklin Evans, un célèbre chercheur en marketing[21]. Ce dernier avait décidé de tester l'hypothèse selon laquelle les acheteurs de Chevrolet et les acheteurs de Ford avaient des personnalités différentes. Dans l'esprit de beaucoup de praticiens et de chercheurs, cela allait de soi. Evans a donc fait passer différents tests de personnalité à un échantillon d'acheteurs de ces deux groupes. Ce qu'il a trouvé en a étonné plusieurs : les différences observées entre les deux groupes étaient généralement insignifiantes.

Ces résultats ont provoqué tout un émoi dans le milieu de la recherche, et plusieurs chercheurs se sont mis à critiquer Evans et même à refaire son étude. Cela a donné lieu à un courant de recherche très important en marketing, où l'on dénombre pas moins de 300 études publiées. Ce chiffre est d'autant plus impressionnant qu'il ne tient pas compte de toutes les études non publiées réalisées par des entreprises.

En général, les résultats de ces études ont été très décevants[22]. Certes, on a observé que les consommateurs qui achetaient certains types de produits avaient une personnalité différente de ceux qui ne les achetaient pas, mais comme l'étude pionnière d'Evans l'avait montré, ces différences étaient la plupart du temps insignifiantes.

Pourquoi ? Pour répondre à cette question, il nous faut définir ce qu'est la personnalité et examiner comment on étudiait alors la relation entre la personnalité et le comportement d'achat.

La théorie des traits et son impact en marketing

On peut adopter différentes approches pour étudier la personnalité. Une de celles-ci, l'**approche typologique,** vise à identifier des groupes de consommateurs qui partagent les mêmes caractéristiques psychologiques. Par exemple, la psychologue Karen Horney[23] soutient que les gens se divisent en trois groupes selon leur orientation interpersonnelle.

Les accommodants Ces personnes vont vers les autres. Elles sont caractérisées par la sympathie, l'amour, la générosité, l'hypersensibilité et l'humilité. Elles accordent une très grande importance à l'affection des autres.

Les agressifs Ces personnes agissent contre les autres. Elles recherchent le pouvoir et l'admiration et, pour ce faire, elles sont prêtes à exploiter les autres.

Les détachés Ces personnes s'éloignent des autres. Elles sont indépendantes et elles valorisent l'intelligence et le raisonnement.

Des travaux ont montré que la typologie de Horney permet d'expliquer certains comportements d'achat, même si les résultats sont peu convaincants[24].

L'approche typologique n'a pas eu beaucoup d'incidence en marketing. L'**approche des traits,** par contre, en a eu considérablement. Selon celle-ci, une personnalité comprend plusieurs traits qui sont organisés logiquement, formant une configuration stable qui contribue à assurer une continuité dans les comportements d'une personne. Un trait est une caractéristique psychologique comme l'indépendance, l'ouverture d'esprit, l'agressivité ou l'innovation. La personnalité d'un individu résulte de l'amalgame de plusieurs traits à divers degrés. Le tableau 2.2 présente quelques-uns des traits de personnalité qui ont fait l'objet de recherches en comportement du consommateur ainsi qu'une sélection de résultats d'études qui montrent des liens avec les comportements de consommation[25]. En examinant ce tableau, souvenez-vous qu'il s'agit dans la plupart des cas de résultats isolés qui n'ont pas été confirmés par d'autres études. De plus, une majorité de ces études ont été effectuées aux États-Unis, au cours des années 1950 et 1960.

TABLEAU 2.2 Quelques traits de personnalité ayant fait l'objet de recherches en marketing

Trait de personnalité	Comportements des consommateurs caractérisés par ce trait
Besoin d'accomplissement	Les fumeurs préfèrent des cigarettes sans filtre et fument en moyenne plus de cigarettes par jour.
Besoin d'affiliation	Ils préfèrent la marque d'automobile Chevrolet à la marque Ford.
Agressivité	Les hommes préfèrent la publicité qui met l'accent sur la masculinité et ils choisissent les rasoirs manuels plutôt que les rasoirs électriques.
Conservatisme	Ils ont une attitude plus favorable à l'égard de l'achat d'une petite voiture.
Dogmatisme (manque d'ouverture d'esprit)	Ils sont moins enclins à acheter un nouveau produit, une innovation, ou une nouvelle forme d'un produit existant.
Stabilité émotionnelle	Un usage réduit d'analgésiques et de vitamines ; une consommation élevée de gomme à mâcher.
Enthousiasme	Les femmes ont une attitude plus favorable à l'égard des marques privées de produits d'alimentation.
Hypocondrie	Ils consomment davantage d'antiacides.
Impulsivité	Ils préfèrent les voitures décapotables. Ils ont adopté le téléphone à clavier plus rapidement.
Sociabilité	Ils consomment moins de vitamines et sont plus enclins à adopter les nouveautés de la mode.

De nombreux chercheurs en psychologie ont proposé une liste de traits pouvant servir à mesurer quantitativement la personnalité. Il serait trop long de passer en revue toutes ces propositions[26]. Comment procède-t-on pour mesurer la personnalité selon l'approche des traits? Il faut d'abord définir un ensemble de traits qui constituent la base d'un test. Pour chaque trait déterminé, on construit une ou des questions visant à établir jusqu'à quel point une personne possède le trait. Par exemple, supposons que l'on veuille mesurer le trait d'indépendance, c'est-à-dire la tendance à faire les choses seul, à ne pas compter sur les autres. On pourrait mesurer le degré de possession de ce trait chez une personne au moyen d'affirmations de ce type:

- «Lorsqu'une chose doit être faite, je préfère la faire moi-même plutôt que de demander l'aide des autres.»
- «En général, j'aime accomplir les choses seul.»
- «J'ai tendance à ne pas trop compter sur les autres.»

La personne indique sur des échelles son accord avec ces affirmations. Ses réponses servent à établir sa position par rapport à ce trait. L'ensemble des réponses correspondant à la mesure des différents traits constitue un profil de sa personnalité.

Dans la majorité des recherches portant sur la personnalité réalisées par les chercheurs en comportement du consommateur, on a utilisé l'un ou l'autre des tests conçus par des psychologues. Dans ces recherches, il s'agissait de mettre en relation les résultats des mesures de personnalité et divers comportements de consommation (achat de produits, de marques, préférences, etc.). Nous avons dit précédemment que les conclusions de ces recherches ont été décevantes. On peut avancer trois raisons principales pour expliquer cela.

1. Bien d'autres facteurs que la personnalité influent sur les comportements de consommation. Même si deux personnes ont une personnalité identique, il est peu probable qu'elles aient les mêmes comportements d'achat à cause de leurs différences d'âge, de sexe, de classe sociale, de revenus, d'origine, etc. De même, deux personnes ayant des personnalités totalement opposées peuvent avoir les mêmes préférences en matière de consommation si elles ont en commun des caractéristiques déterminantes pour l'achat.

2. Il faut savoir que la personnalité est une variable globale qui rend compte des actions d'une personne en général. Les comportements de consommation qui intéressent les chercheurs en marketing sont cependant très précis: choix de marque, quantité achetée ou consommée, etc. Il ne faut donc pas s'étonner du fait que la personnalité n'explique que très partiellement les comportements des consommateurs.

3. Il faut se demander pourquoi la personnalité devrait influencer les comportements de consommation. En effet, les tenants de la recherche motivationnelle ne disent pas vraiment pourquoi on devrait observer des relations entre la personnalité et la consommation, sinon que cela va de soi. Pourquoi un consommateur ayant une personnalité autoritaire devrait-il acheter une marque de pois en conserve différente de celle d'un individu ayant une personnalité renfermée? Bien sûr, il s'agit d'une caricature, mais la question demeure.

La théorie des cinq facteurs

Bien que la recherche sur la personnalité soit devenue moins courante en comportement du consommateur, beaucoup d'auteurs restent convaincus que le sujet est important. Il semble que l'idée d'expliquer les choix de consommation d'une personne sur la base de ses traits de personnalité ne soit pas complètement abandonnée. Cela s'explique par le fait que la personnalité est toujours un thème de recherche central en psychologie. Une approche de la personnalité majeure en psychologie est connue comme celle de la théorie des cinq facteurs (*big five*). Selon cette théorie, la personnalité peut se décrire à partir de cinq dimensions fondamentales[27]:

- l'**extraversion**: le degré auquel la personne est tournée vers le monde extérieur ou vers le monde intérieur;
- la **conscience**: le degré auquel la personne fait preuve d'un sens critique par rapport à ce qui l'entoure ou se laisse guider par son instinct;
- l'**ouverture d'esprit**: le degré auquel la personne recherche la nouveauté ou ce qui lui est familier;
- la **stabilité émotionnelle**: le degré auquel la personne aborde les choses de façon réfléchie ou névrotique;
- l'**agréabilité**: le degré auquel la personne est altruiste ou combative dans ses relations avec les autres.

La théorie des cinq facteurs semble faire consensus au sein de la communauté des chercheurs en psychologie. Des études récentes témoignent de son intérêt en comportement du consommateur. On a montré ainsi que les dimensions de la personnalité définies par cette théorie ont une influence significative sur la préférence pour des marques qui se distinguent quant à leur image. Par exemple, il semble que les consommateurs dont la personnalité est davantage extrovertie et ouverte préfèrent les marques qui sont perçues comme sociables[28]. Il est vraisemblable que d'autres recherches utilisant cette théorie verront le jour en comportement du consommateur dans les prochaines années.

La personnalité des marques

Alors que les chercheurs en comportement du consommateur s'intéressent moins qu'auparavant à la personnalité des consommateurs, la personnalité des marques, quant à elle, est un sujet de recherche très populaire. Plusieurs pensent que les consommateurs attribuent naturellement des traits de personnalité aux marques. Ces inférences reposent en partie sur l'observation du comportement des marques. Par exemple, telle marque qui est distribuée de façon exclusive sera perçue comme étant snob et sophistiquée, telle autre qui utilise des matériaux recyclés (emballage) ou des contenant écologiques sera perçue comme étant affectueuse, généreuse. Par ailleurs, il faut noter que les stratégies de promotion des marques utilisent souvent la personnification (le grand Géant vert, le bonhomme Michelin, Monsieur Net, etc.), ce qui contribue à humaniser les marques. L'anthropomorphisation correspond à la tendance que nous avons d'attribuer des traits humains à des animaux ou à des choses (*voir la capsule 2.5, page suivante*).

Jennifer Aaker[29] a étudié le phénomène de la personnalité des marques. Elle a déterminé cinq dimensions générales (ou traits) de la personnalité des marques: la sincérité, l'enthousiasme, la compétence, la sophistication et la rudesse. Selon elle, il est possible de positionner toutes les marques par rapport à ces dimensions. On peut également appliquer le concept de personnalité à d'autres objets commerciaux. Par exemple, une étude de la firme québécoise de conseil en marketing Ipsos Descarie a porté sur la personnalité des quotidiens au Québec, soit *La Presse* et le *Journal de Montréal*[30]. Cette étude a montré que la personnalité de ces deux journaux est bien différenciée.

Une paille avec ça? Ou lorsqu'un éléphant, ça trompe énormément...

Aujourd'hui, grâce à l'évolution des technologies et plus précisément à celle des techniques d'animation, il est possible de donner rapidement et efficacement vie à des objets inanimés. L'animisme se révèle à divers degrés. L'un d'eux renvoie au fait d'attribuer des caractéristiques humaines à un objet ou à un animal; on parle alors d'anthropomorphisation. Une publicité télévisée du biscuit Oreo exploite ce processus pour faire valoir avec humour la nouveauté de la forme du produit : une paille. Un petit garçon et un éléphant, assis à une même table, font un concours à qui finira le premier son verre de lait : l'un utilise le biscuit en forme de paille Oreo et l'autre sa trompe. Le petit garçon aspire avec sonorité le fond de son verre, marquant ainsi sa victoire. L'éléphant renverse son verre et quitte la pièce, qualifié de mauvais joueur par le petit garçon. Un éléphant anthropomorphisé, une façon originale de mettre en scène un biscuit devenu paille et de faire perdurer son association au lait.

Michaël Jackson n'est plus...

Les admirateurs de James Dean, d'Elvis Presley ou de Michaël Jackson ont vécu difficilement la mort de leur idole. Comment perpétuer la présence de celle-ci malgré tout? Certains se tournent vers les objets ayant appartenu à la célébrité, des objets qui, selon eux, peuvent être investis de l'âme du disparu. Ce niveau d'animisme plus élaboré entretenu dans certaines cultures les conduit à acheter à prix d'or de tels objets.

Il faut prendre garde cependant de ne pas associer trop directement le concept de la personnalité d'une personne à celui de la personnalité d'une marque ou d'un magasin. Dans le cas d'une personne, on s'intéresse à cerner les caractéristiques psychologiques qui l'amènent à un comportement relativement cohérent. Exception faite des gens ayant des personnalités multiples, la personnalité est un concept unique à une personne. Dans le cas d'une marque ou d'un magasin, il s'agit de **perceptions** des consommateurs basées sur toutes sortes de renseignements relatifs à la marque (la publicité, le type de distribution, le prix, etc.). Ces perceptions sont susceptibles de varier selon les consommateurs et le contexte dans lequel elles sont mesurées. Par exemple, la personnalité de McDonald's est-elle la même pour les consommateurs adultes et pour les enfants? pour les hommes et pour les femmes? La personnalité de McDonald's est-elle la même quand on pense à sa présence à l'échelle mondiale (l'hégémonie américaine et le caractère de domination) ou au sympathique restaurant du coin? La capsule 2.6 présente une application du concept de personnalité à des magasins.

La personnalité des magasins

Si les consommateurs attribuent des traits de personnalité aux marques, pourquoi ne le feraient-ils pas aussi dans le cas des magasins? Certaines raisons laissent à penser que les consommateurs le font. D'abord, des magasins comme Sears, La Baie, Wal-Mart et Zellers utilisent à l'occasion dans leurs publicités des personnes qui représentent des employés et des clients types. Ces personnes sont souvent de vrais employés et de vrais clients. De plus, lorsqu'ils magasinent, les consommateurs côtoient les employés des magasins ainsi que les autres clients et ils peuvent transférer inconsciemment au magasin leurs impressions relatives à la personnalité de ces gens. Deux chercheurs se sont intéressés à découvrir les traits de personnalité de quatre magasins à grande surface au Québec. Une enquête réalisée auprès de 226 consommateurs adultes d'une ville du Québec a révélé l'existence de cinq traits de personnalité des magasins : le **raffinement** (chic, snob, élégant, haute classe, riche, sélectif, à la mode), la **solidité** (solide, robuste, *leader*, qui a du succès, reconnu, organisé, imposant), l'**authenticité** (sincère, honnête, vrai, digne de confiance, consciencieux, sûr, authentique), l'**enthousiasme** (amical, souriant, enthousiaste, plein d'entrain, sympathique, audacieux, dynamique) et le **caractère désagréable** (agaçant, criard, agressant, démodé, superficiel, rigide). Le tableau ci-dessous montre comment les quatre magasins mentionnés se positionnent par rapport à ces cinq traits (plus le nombre est élevé, plus le magasin est perçu comme ayant le trait en question – les nombres les plus grands sont en caractères gras).

Magasin	Trait de personnalité				
	Raffinement	Solidité	Authenticité	Enthousiasme	Caractère désagréable
La Baie	**1,04**	–0,16	–0,04	–0,28	–0,09
Sears	0,35	0,06	**0,33**	–0,23	–0,20
Wal-Mart	–0,72	**0,29**	–0,17	**0,80**	**0,21**
Zellers	–0,66	–0,57	0,18	–0,30	0,07

Cela correspond-il à l'idée que vous vous faites de la personnalité de ces magasins ? Quelles implications ces résultats ont-ils pour leur marketing ? À votre avis, les traits de personnalité établis par les deux chercheurs peuvent-ils être étendus à d'autres types de magasins comme des quincailleries, des magasins d'alimentation, des magasins de meubles, des librairies, etc. ? Si oui, lesquels et pourquoi ?

Source : A. D'ASTOUS et M. LÉVESQUE, « A Scale for Measuring Store Personality », *Psychology & Marketing,* vol. 20, n° 5, 2003, p. 455-469.

2.3 Le concept de soi

Les chercheurs en comportement du consommateur ne se sont pas laissé décourager par les résultats décevants obtenus dans les recherches sur la personnalité. Un courant de recherche important s'est développé par la suite autour du concept de soi. L'idée est la suivante : est-ce la personnalité qui influence les comportements de consommation ou est-ce plutôt l'idée qu'un consommateur se fait de sa propre personne ou de ce qu'il voudrait être ? Nous avons vu que la personnalité se mesure à l'aide de tests psychologiques. Il n'est pas sûr que ces mesures correspondent à ce qu'un consommateur pense de lui-même. Si l'on demande à quelqu'un de décrire sa personnalité, utilisera-t-il les traits proposés par les psychologues (extroversion, stabilité émotionnelle, par exemple) ? C'est peu probable.

Plusieurs chercheurs en psychologie et en marketing croient que chaque personne développe une image organisée d'elle-même, appelée le concept de soi. Cette image de nous se fonde sur différents éléments :

1. L'observation de notre propre comportement : par exemple, je note qu'en général, je me sens bien avec les autres et j'en conclus que je suis sociable ;

2. Le comportement des autres à notre égard : par exemple, les gens me parlent de musique classique, de théâtre, de littérature, et j'en conclus que je suis intellectuel et sophistiqué ;

3. Les comparaisons que nous faisons avec les autres : par exemple, je compare mes loisirs à ceux de mes amis et j'en conclus que je suis une personne dynamique ;

4. Ce que les autres nous disent directement : par exemple, un ami me dit que je ne suis qu'un égoïste et je pense que cela me décrit bien (ou mal).

En marketing, le concept de soi tire son intérêt du fait qu'il repose entre autres sur le postulat qu'une personne cherche généralement à **protéger** et à **renforcer** l'image qu'elle a d'elle-même (en supposant que cette image lui convienne). Par conséquent, elle sera portée à adopter des comportements qui sont congruents à ce concept. Elle devrait ainsi acheter des produits et des marques dont l'image est congruente à la sienne.

Plusieurs études réalisées dans ce domaine montrent que les consommateurs sont enclins à préférer, à acheter et à utiliser des produits et des marques qu'ils perçoivent comme étant congruents à leur concept de soi (réel ou idéal)[31]. Par exemple, les consommateurs qui se perçoivent comme étant plus féminins (ou masculins) ont tendance à utiliser des produits dont l'image est plus féminine (ou masculine).

La recherche dans ce domaine est difficile, car il se peut que les consommateurs attribuent aux produits de consommation qu'ils préfèrent des caractéristiques congruentes à leur concept de soi simplement pour justifier leurs préférences (« Puisque j'achète la marque X, celle-ci doit me ressembler » plutôt que « J'achète la marque X parce qu'elle me ressemble »). Il ne faut pas oublier non plus que d'autres variables ont un impact sur le comportement d'achat. Par exemple, même si la marque BMW correspond tout à fait à mon image, mon banquier n'est peut-être pas d'accord pour appuyer mon choix (!). Donc, la congruence entre l'image du produit et le concept de soi permet sans doute de mieux expliquer les **préférences** des consommateurs que leurs **achats.**

De multiples « soi »

Le concept de soi réfère en fait à de multiples « soi », multidimensionnalité que véhiculait déjà la théorie psychanalytique avec ses trois composantes, le ça, le moi et le surmoi. Les chercheurs en psychologie et en sociologie qui se sont penchés sur l'étude du concept de soi ont mis de l'avant plusieurs facettes du soi : l'image de soi (l'image que nous avons de nous-mêmes), l'image de soi idéale (ce que nous aimerions être), l'image de soi sociale (l'image que nous pensons que les autres ont de nous), l'image de soi sociale idéale (l'image que nous aimerions que les autres aient de nous). L'estime que nous avons de nous est liée à la largeur du fossé qui nous sépare de notre image idéale. Cette dernière est influencée par la culture dans laquelle nous évoluons. En marketing, bon nombre de produits nous sont offerts en tant que produits rehausseurs d'image, d'estime, par exemple les produits cosmétiques et la chirurgie esthétique. À titre d'illustration, dans une étude conduite auprès d'un échantillon de jeunes étudiantes américaines, on a montré que la propension au recours à la chirurgie esthétique était liée de façon significative à l'écart entre leur image de soi perçue et leur image de soi idéale[32].

La perspective dramaturgique ou la métaphore du théâtre

La perspective dramaturgique s'inscrit dans un horizon plus large, celui de la gestion des impressions : l'individu essaie de contrôler l'image que les autres se font de lui, les impressions qu'il leur laisse. Cette perspective révèle, elle aussi, de multiples soi : selon les situations et les gens avec qui nous sommes en interaction, nous privilégierons un certain « soi ». Appliquée au comportement du consommateur, la perspective dramaturgique développée par le sociologue Erving Goffman[33] nous fait considérer les consommateurs comme des acteurs tenant différents rôles. Chaque rôle comporte son script, ses costumes, ses accessoires, son cadre ou décor, son auditoire. Nous tenons tous différents rôles sociaux : nous pouvons être étudiant, parent, conjoint, président d'une association, membre d'un club sportif, etc. Pour chacun de ces rôles, les autres (l'auditoire) ont des attentes. Nous avons appris ce

moi réel → ce qui je suis objectivement

moi idéal → ce que j'aimerais être

moi projeté → croyance sur la perception des autres par rapport à moi.

qu'elles étaient (nous avons mémorisé le script) et développons les comportements nécessaires pour leur livrer la meilleure représentation ou performance.

Pour chacun de ces rôles, nous avons une image distincte de nous-mêmes. Vous pouvez ainsi vous voir comme étant très bon dans vos études et très moyen en tant que skieur. Comme au théâtre, il y a l'avant-plan (ou la scène), c'est-à-dire l'endroit où est livrée notre prestation d'acteur à l'auditoire, une performance qui nécessite un certain contrôle de soi. Et il y a l'arrière-plan (ou les coulisses), qui désigne les situations où l'on ne ressent aucun besoin de «gérer» sa présentation, c'est-à-dire son apparence physique et ses comportements. L'arrière-plan permet de nous préparer à revenir à l'avant-plan ou de relâcher notre contrôle après une représentation. Par exemple, quelqu'un qui s'habille et se coiffe en vue d'une entrevue pour un poste convoité est dans une phase d'arrière-plan. Il se prépare ainsi à livrer une performance qui, il l'espère, sera convaincante. Le fait de revêtir une tenue décontractée en revenant du bureau correspond à une phase d'arrière-plan qui nous permet de récupérer, de relaxer, de nous libérer du contrôle que nous exercions sur notre propre image à notre lieu de travail. L'importance accordée à la présentation de soi dépend des situations, des contextes et des individus impliqués. Dans certaines occasions, par exemple lors d'une première journée de travail, on y accordera de l'importance; dans d'autres, par exemple lorsque l'on prévoit travailler seul au bureau en fin de semaine, on y accordera beaucoup moins d'attention. Certains rôles sont néanmoins plus centraux que d'autres; vous pouvez prendre davantage au sérieux votre rôle de parent que votre identité de skieur. Le degré de centralité accordé à un rôle déterminera le sérieux avec lequel on l'interprétera.

Les vêtements et autres produits de consommation nous aident donc à étayer nos rôles et permettent également à nos interlocuteurs de mieux comprendre leurs significations. Ces éléments nous aident à mieux définir une situation donnée, ce qui nous permet de diriger plus efficacement nos interactions avec autrui. La perspective dramaturgique fait ressortir la dimension privée (les coulisses) et la dimension publique (la scène) des consommateurs. Les objets de consommation peuvent aussi bien être associés à leur dimension publique qu'à leur dimension privée. La perspective dramaturgique est aussi exploitée dans le cadre de la conception des espaces de service. La capsule 2.7, à la page suivante, offre une illustration de la perspective dramaturgique dans le contexte de la préparation d'une maison pour la vente (*home staging*).

Le soi étendu

Selon le chercheur en marketing américain Russel Belk[34], nos possessions jouent un rôle déterminant dans la formation et le reflet de notre identité. Plus précisément, ces possessions transmettent de l'information sur leur propriétaire; ce sont des symboles du soi. Nous attachons des émotions à certaines de nos possessions qui peuvent alors devenir une part de nous, un soi étendu. Ainsi, un objet souvenir peut faire partie de nous parce qu'il nous renvoie à notre passé et nous permet, en le regardant, de revivre certains souvenirs (le tee-shirt que vous avez ramené de Cape Cod vous transporte au bord de la mer et vous fait repenser à cet été-là…). Un objet peut devenir une part de nous en raison du contrôle ou de la maîtrise que nous en avons (si vous êtes devenu très habile dans la manipulation d'une planche à voile ou d'une raquette de tennis, il se peut que vous considériez ces objets comme une part de vous-même). Un objet peut faire partie de notre soi étendu parce qu'on lui a donné vie, on l'a créé, on y a investi de l'énergie psychique,

Bye-Bye Maison!

Bye-Bye Maison! Tel est le titre d'une émission sur Canal Vie. Dire «au revoir» à sa maison plus rapidement tout en récupérant un montant d'argent plus intéressant est l'objectif du «*home staging*» ou «mise en scène de la maison». L'Office de la langue française suggère comme traduction la «mise en valeur» ou «valorisation» de la propriété (www.olf.gouv.qc.ca/actualites). La valorisation de la propriété est une opération très «tendance» dans le processus de la mise en vente d'une maison, opération réalisée soit par les propriétaires eux-mêmes soit, comme dans l'émission *Bye-Bye Maison!,* par une équipe de professionnels de la décoration et de l'aménagement extérieur. L'objectif est de rendre la maison la plus accueillante et la plus attrayante possible. Disposer les meubles de façon adéquate, rafraîchir les peintures, harmoniser les pièces et les dégager de leurs éléments superflus ou trop personnalisés font partie des actions entreprises dans le cadre de cette valorisation. Terminer l'aménagement de toute pièce qui a l'air «en chantier» ou abandonnée et réparer tout bris s'ajoutent aux tâches envisagées. Au regard de la perspective dramaturgique, la mise en scène de la maison ainsi effectuée correspond au travail accompli «en coulisse» pour faire ressortir tout le potentiel de la maison aux yeux des futurs visiteurs et éventuels acheteurs. L'intérêt des propriétaires mais aussi des acheteurs pour cette mise en scène peut être considéré comme l'un des modes d'expression de l'engouement des Québécois pour la rénovation et la décoration, engouement qui ne se dément pas depuis quelques années déjà, comme l'atteste la multiplication des émissions télévisées qui leur sont consacrées (*La touche de Sarah, Debbie rénove, Maisons d'occasion, Maisons en otage, Décore ta vie, Changer de décor,* etc.). Cet engouement se traduit chez les consommateurs par une plus grande sensibilité à l'esthétisme dans le domaine immobilier.

il a émergé de nous (pensez à toutes ces créations artistiques plus ou moins réussies que vous avez fièrement offertes à votre mère, comme si c'était une part de vous, lorsque vous étiez tout petit). Le fait de bien connaître un objet, une personne ou un lieu, d'avoir créé un lien de familiarité ou d'intimité avec cette personne, cet objet ou ce lieu, peut aussi en faire éventuellement une part de nous[35].

Les collections (les cartes de hockey, les bibelots, les disques) constituent un cas particulier de soi étendu. Parce que nous y avons investi du temps, de l'énergie, parce qu'elles forment un petit monde que nous contrôlons, parce que, bien souvent, nous les avons créées pour nous distinguer, nous autodéfinir, nous mettre en valeur, nous les considérons comme faisant partie de nous (gare au petit frère qui s'approche de notre collection de disques compacts!). Les différentes parties du corps font aussi partie du soi étendu et figurent même parmi ses composantes les plus centrales, ce qui peut avoir des implications sur le don d'organes et permet de comprendre les soins maniaques accordés à telle ou telle partie du corps que l'on a investie d'une charge émotionnelle.

D'une façon générale, nous associons les possessions matérielles à notre quête du bonheur, pour nous rappeler notre passé, celui des autres, pour nous assurer d'un sentiment d'immortalité après notre mort (par l'héritage que nous laisserons), pour dire qui nous sommes, pour pouvoir faire des choses impossibles à envisager sans elles, pour leur pouvoir «magique».

Nous maintenons de multiples niveaux de soi. Certaines possessions sont plus centrales que d'autres – par exemple, les parties du corps. Mais une autre lecture de cette multiplicité de niveaux s'impose. Ainsi, nous pouvons définir au moins quatre niveaux de soi accompagnés de quatre niveaux de possessions :

- le **niveau individuel** comportant les possessions personnelles comme les vêtements, les bijoux, la voiture, etc. ;

- le **niveau familial** avec la résidence familiale, qui peut être vue comme le corps symbolique de la famille, les meubles qui « habillent » la maison, la voiture pour le transport et les loisirs, etc. ;
- le **niveau de la communauté** couvrant la région, la ville, le quartier d'où l'on vient ;
- le **niveau du groupe** avec des vêtements tels qu'un uniforme formel ou informel, des bijoux, un accent, etc., mais aussi avec des possessions non personnelles comme une équipe sportive, un monument public, etc. À titre d'illustration, une étude réalisée en France a montré que la voiture préférée par les consommateurs correspondait à l'image idéale de leur famille, ce que les auteurs ont appelé le Nous idéal (par extension au soi idéal)[36].

En terminant, mentionnons le fait que le consommateur, dans ses moments de loisir, au cours de vacances, peut souhaiter expérimenter un autre soi. Ce faisant, pendant cette période de temps, il peut décider de vivre un style de vie autre que celui qui lui est habituel. La capsule 2.8 présente une illustration de ce type de soi « situationnel ».

CAPSULE 2.8

Le *glamping* : épiphénomène ou davantage ?

Issu de la contraction des mots « glamour » et « camping », le néologisme « glamping » cherche à véhiculer l'image d'un style de vie particulier associé au camping de luxe, à une vie en contact avec la nature mais en préservant un niveau de confort élevé. Le *glamping* puise ses origines principalement en Afrique, sur fond de safaris organisés en pleine brousse, mais en version luxe, avec tentes sophistiquées préinstallées et repas soignés pour les participants. Au Québec, dans certains parcs de la

SEPAQ, il est possible de faire l'expérience du *glamping* en louant une tente Huttopia offrant un confort douillet sous la toile, car meublée de grands lits, d'une cuisinette, etc., au cœur d'une formule de « prêt-à-camper ». Dans le cadre d'une offre encore plus originale d'hébergement temporaire, écologique mais très confortable, on peut loger sous la yourte, soit l'habitation traditionnelle des nomades vivant dans les steppes de l'Asie centrale, par exemple au parc national du Bic ou à Carleton-sur-Mer, en version flottante.

Sources : http://fr.canoe.ca/voyages ; www.sepaq.com ; www.quebec-rando.com ; www.quebecmaritime.ca/fr

---

2.4 Les styles de vie

La recherche motivationnelle et les études sur la personnalité ont déçu les espoirs des chercheurs en marketing qui voulaient prédire les comportements d'achat. La recherche motivationnelle était considérée comme étant peu rigoureuse, se limitant à des petits échantillons. La recherche sur la personnalité, quant à elle, était jugée mal adaptée au comportement du consommateur et, somme toute, peu utile. De ces insatisfactions, et de la constatation que les variables démographiques (le sexe, l'âge) et socioéconomiques (l'éducation, les revenus) ne suffisaient pas pour comprendre la complexité du comportement des consommateurs, est né un courant de recherche important autour de la notion de **style de vie**.

Cette définition du style de vie comporte deux dimensions dont nous allons discuter à tour de rôle, puisqu'elles correspondent à deux approches différentes que les chercheurs en marketing ont adoptées pour étudier les styles de vie des consommateurs : les valeurs et les AIO (activités, intérêts et opinions). Dans l'encadré de la page suivante, la notion de style de vie est illustrée avec un exemple concret, celui de la simplicité volontaire.

Style de vie

Façon dont une personne exprime, pour elle-même et pour les autres, ses valeurs et sa personnalité. Cela englobe ses activités, ses champs d'intérêt et ses opinions, ainsi que les produits qu'elle achète et consomme.

Pour bien des gens, la consommation effrénée qui caractérise notre société est quelque chose de malsain. Ces gens croient qu'il vaut mieux adopter une vie simple, non axée sur l'acquisition de biens superflus, mais orientée plutôt vers les choses importantes de l'existence comme la famille, la nature, l'épanouissement personnel et la communauté. Même s'ils peuvent se permettre financièrement d'avoir une vie plus opulente, ils ont choisi un style de vie qui leur convient (qui leur ressemble, ou qui est en accord avec leurs valeurs), celui de la simplicité volontaire. Pour certains, c'est un engagement personnel alors que pour d'autres, il s'agit d'une entreprise collective dont l'objectif est de participer à la création d'un monde meilleur. C'est le cas par exemple des consommateurs qui font partie du Réseau québécois pour la simplicité volontaire (http://simplicitevolontaire.info). Les quelques recherches qui ont porté sur la simplicité volontaire indiquent que le style de vie de ces personnes est très différent de celui des consommateurs types. D'abord, ils choisissent délibérément de limiter leur consommation à ce qui est nécessaire, l'objectif n'étant pas d'atteindre la mortification, mais plutôt de consommer avec modération, sans excès. Les produits qu'ils achètent sont d'ailleurs davantage valorisés pour leurs aspects fonctionnels que pour leur image. Alors que pour les consommateurs types la marque d'un produit est un signal de statut et un mode d'expression de l'identité, ceux qui adhèrent à la simplicité volontaire y voient plutôt un indicateur de qualité et de valeur (en avoir pour son argent). Même s'ils sont attachés aux biens qu'ils possèdent, comme leur maison et leurs meubles, ils ne valorisent pas la possession de biens comme telle. Ils n'ont que peu de considération pour les produits de luxe, comme les parfums et les cosmétiques, préférant plutôt orienter leur consommation «extravagante» vers des produits et des expériences susceptibles de les enrichir personnellement, comme la lecture, la visite de musées et de galeries d'art.

Source : M. CRAIG-LEES et C. HILL, «Understanding Voluntary Simplifiers», *Psychology & Marketing*, vol. 19, n° 2, 2002, p. 187-210.

Les valeurs

L'approche par les valeurs s'est d'abord développée aux États-Unis avec les travaux du psychologue Milton Rokeach[37]. Celui-ci part du postulat que toute personne possède un système de valeurs. Une valeur est une croyance fondamentale ayant trait à la façon dont on doit agir afin d'atteindre les buts que l'on juge importants. Pour Rokeach, il y a deux types de valeurs : les valeurs **instrumentales** et les valeurs **terminales.** Les valeurs instrumentales sont celles qui permettent d'atteindre les objectifs que la personne considère comme importants, alors que les valeurs terminales correspondent aux objectifs poursuivis. Le tableau 2.3 présente les valeurs instrumentales et terminales selon Rokeach.

Des travaux de recherche ont montré la pertinence de la distinction entre les valeurs instrumentales et les valeurs terminales[38]. Dans les études conduites par Rokeach, les personnes interrogées doivent ordonner ces valeurs selon leur importance. Il a ainsi montré que les systèmes de valeurs sont différents selon la culture, le sexe et d'autres variables.

L'approche de Rokeach n'a pas eu beaucoup d'influence sur la recherche en marketing, principalement à cause de la difficulté à utiliser la méthode de collecte des données. En effet, la tâche qui consiste à ordonner 18 valeurs instrumentales et 18 valeurs terminales selon l'importance perçue est très exigeante (faites-en l'essai!). Dans les travaux de recherche, on se contente souvent d'utiliser uniquement les valeurs terminales de Rokeach.

Une autre approche plus populaire a été élaborée aux États-Unis par le Stanford Research Institute (SRI) : la méthode VALS (*values and lifestyles*). Introduite en 1978 et remaniée en 1989, cette méthode propose une classification de la société

TABLEAU 2.3 La liste des valeurs selon Milton Rokeach

Valeurs instrumentales	Valeurs terminales
L'ambition	Une vie confortable
L'ouverture d'esprit	Une existence passionnante
La compétence	Un sentiment d'accomplissement
L'enthousiasme	La paix dans le monde
La propreté	Un monde de beauté, d'esthétique
Le courage	L'égalité
La capacité de pardonner	La sécurité familiale
La capacité de venir en aide	La liberté
L'honnêteté	Le bonheur
L'imagination	L'harmonie intérieure
L'indépendance d'esprit	L'amour épanoui
L'intellect	La sécurité nationale
La logique	Le plaisir
L'amour	Le salut
L'obéissance	Le respect de soi
La politesse	La reconnaissance sociale
Le sens des responsabilités	L'amitié authentique
La maîtrise de soi	La sagesse

américaine en huit segments de valeurs et de styles de vie (www.sric-bi.com/VALS). Deux dimensions permettent de définir ces segments.

Les motivations premières Il s'agit des objectifs fondamentaux qui guident la personne. On distingue trois motivations primaires :

1. les **idéaux** : les consommateurs qui sont motivés par la poursuite d'idéaux sont guidés par des principes plutôt que par leur intuition ou leur désir d'approbation sociale ;

2. l'**accomplissement** : le comportement des consommateurs qui sont sensibles au besoin d'accomplissement est guidé par le désir d'être approuvé et reconnu par les autres ;

3. l'**expression de soi** : cette motivation caractérise les consommateurs qui aiment les activités physiques, le risque et la variété.

Les ressources Cette dimension renvoie aux ressources psychologiques, physiques et matérielles que les gens possèdent pour poursuivre leur orientation dominante. C'est une dimension continue allant de « ressources minimales » à « ressources abondantes ». Par ressources, on entend les ressources matérielles, physiques et psychologiques, notamment la capacité d'innover.

En combinant ces deux dimensions, on aboutit au système VALS. Le tableau 2.4, à la page suivante, présente les caractéristiques des groupes de consommateurs définis par ce système[39].

Que penser de l'approche par les valeurs pour segmenter les consommateurs ? Comme nous l'avons dit, les valeurs définies par Rokeach ne sont pratiquement pas utilisées en marketing. Par contre, le système VALS est très populaire aux États-Unis et en France. Une comparaison États-Unis/Europe montre que les caractéristiques des segments sont différentes selon les pays. En Europe, des approches similaires ont été proposées par diverses sociétés d'études, Sociovision (autrefois la société Cofremca), le CCA (Centre de communication avancée) et RISC international[40].

TABLEAU 2.4 🖾 Les caractéristiques sommaires des consommateurs des segments définis par le système VALS*

Motivations premières		
Idéaux	**Accomplissement**	**Expression de soi**
	Innovateurs (10 %) • Aiment les choses fines. • Recherchent les nouveaux produits. • Sont sceptiques par rapport à la pub. • Lisent beaucoup de magazines. • Regardent peu la télé.	
Penseurs (11,3 %) • Ont peu d'intérêt envers l'image et le prestige. • Consomment plus de produits pour la maison. • Aiment les émissions d'affaires publiques. • Lisent beaucoup et souvent.	*Performants* (14,2 %) • Recherchent les meilleurs produits. • Regardent la télé moyennement. • Lisent les magazines d'affaires et d'actualités, les guides.	*Pragmatiques* (12,7 %) • Suivent la mode. • Dépensent beaucoup d'argent pour les activités de socialisation. • Achètent de façon impulsive. • Sont attentifs à la pub. • Écoutent de la musique rock.
Conservateurs (16,5 %) • Achètent les produits domestiques. • Résistent au changement. • Recherchent les bonnes occasions. • Regardent la télé plus que la moyenne. • Lisent les magazines pour la maison et le jardin.	*Jeunes loups* (11,5 %) • Sont conscients de leur image. • Ont des revenus discrétionnaires limités. • Dépensent pour les vêtements et les produits de soins personnels. • Préfèrent la télé à la lecture.	*Réalisateurs* (11,8 %) • Recherchent le confort, la durabilité et la valeur. • Ne sont pas impressionnés par le luxe. • Achètent les produits essentiels. • Écoutent la radio. • Lisent les magazines automobiles, de chasse et pêche, de plein air.
	Laborieux (12 %) • Sont fidèles aux marques. • Utilisent les coupons et recherchent les aubaines. • Font confiance à la pub. • Lisent les magazines à sensation et les magazines pour femmes.	

Ressources abondantes ↑ (axe vertical gauche) ... *Ressources minimales*

* Les pourcentages qui sont présentés dans ce tableau s'appliquent à la population américaine et sont approximatifs.

Pour beaucoup de chercheurs, les valeurs constituent une base de segmentation très utile. Les valeurs sont des croyances fondamentales qui sont stables, bien qu'elles évoluent au fil du temps. Elles fournissent donc un cadre d'analyse cohérent et sont à la base de changements sociaux importants. Avant d'utiliser le système VALS (ou un autre système semblable), il faut tenir compte d'un certain nombre de faits. En premier lieu, les mesures obtenues par ces systèmes sont des mesures individuelles. Cependant, beaucoup de décisions d'achat sont prises par des ménages (*voir le chapitre 11*). Deuxièmement, les orientations qu'ils définissent ne sont pas « pures ». La plupart des consommateurs ont une orientation dominante, mais certaines personnes peuvent avoir des orientations multiples. Enfin, leurs prédictions touchant les comportements de consommation sont générales. Ces systèmes ne permettent pas une prédiction précise pour des produits et des services particuliers. En ce sens, on peut conclure que les styles de vie ne permettent pas de prédire le comportement d'achat avec plus de précision que la personnalité.

Les AIO (activités, intérêts et opinions)

Les AIO constituent une approche moins structurée que l'approche par les valeurs. En effet, lorsqu'un chercheur utilise les valeurs pour segmenter un marché, il s'en remet généralement à un système particulier, Rokeach, VALS ou un autre. Avec les AIO, le chercheur en marketing dispose d'une certaine latitude quant à la façon de procéder; il décide lui-même des dimensions psychologiques selon lesquelles il veut positionner les consommateurs.

L'approche AIO a été élaborée aux États-Unis au cours des années 1970. Elle part du postulat qu'en examinant les activités, les intérêts et les opinions des consommateurs, on peut cerner leur style de vie. Mais qu'entend-on par AIO? Le tableau 2.5 présente des catégories pertinentes d'activités, d'intérêts et d'opinions.

TABLEAU 2.5 Les catégories générales des AIO

Activités	Intérêts	Opinions
Travail	Famille	Soi-même
Passe-temps	Maison	Questions sociales
Activités sociales	Profession	Politique
Vacances	Vie sociale	Affaires
Distractions	Loisirs	Économie
Clubs	Mode	Éducation
Vie associative	Nourriture	Produits
Magasinage	Médias	Avenir
Sports	Réalisations	Culture

Ces catégories sont générales. En pratique, un chercheur voulant mener une étude des styles de vie par l'approche AIO devra définir des activités, intérêts et opinions précis et pertinents à l'étude qu'il veut faire. Examinons les étapes d'une telle étude, appelée **étude psychographique.**

Première étape: produire des AIO pertinents à l'étude. Cette étape est essentielle, car les résultats ultimes de l'étude en dépendent. Comment produit-on ces AIO? On peut procéder à un remue-méninges (*brainstorming*) ou encore utiliser une batterie d'items existante. En effet, de nombreuses études ont été réalisées sur les styles de vie, auxquelles on peut emprunter les AIO déjà sélectionnés. En général, on utilisera à cette étape une combinaison des deux méthodes.

Deuxième étape: transformer les AIO en énoncés courts et non ambigus. Par exemple, supposons que l'on ait opté pour les AIO suivants:

Activités	Intérêts	Opinions
• Jeux de hasard	• Politique internationale	• Femme à la maison
• Soirée entre amis	• Hockey	• Chômage chez les jeunes
• Lecture de journaux	• Vins	• Parti politique
• Cinéma	• Musique classique	• Divorce

Les énoncés éventuels pour quelques-uns de ces AIO pourraient être :

- « J'aime beaucoup les jeux de hasard. »
- « J'aime bien passer une soirée entre amis. »
- « La musique classique est une véritable passion pour moi. »
- « La place d'une femme est à la maison. »

Pour chaque énoncé, une échelle indique le degré d'accord ; par exemple, tout à fait d'accord, plutôt d'accord, plutôt en désaccord, pas du tout d'accord. On notera la similarité de cette procédure de mesure avec celle utilisée dans la mesure des traits de personnalité.

Troisième étape : construire et tester le questionnaire. Les énoncés sont rassemblés dans un questionnaire avec d'autres questions portant sur les variables démographiques et socioéconomiques, les comportements de consommation, les marques achetées, etc. On procède à un test préalable pour s'assurer que les participants auxquels on s'intéresse comprendront bien toutes les questions.

Quatrième étape : collecter les données. Il est important d'avoir un échantillon représentatif de la population visée. Cet échantillon doit être de taille suffisante pour permettre le regroupement des consommateurs en segments.

Cinquième étape : analyser les résultats. On essaie de regrouper les consommateurs interrogés en segments à l'aide de techniques statistiques diverses. On examine ensuite les relations entre les segments ainsi formés, de même que les préférences, les habitudes de consommation, les choix médiatiques, etc.

À titre d'illustration, la firme québécoise de conseil en marketing Zins Beauchesne et associés (www.zba.ca) a élaboré une typologie des consommateurs québécois à partir de leurs styles de vie[41]. Près de 5 000 Québécois et Québécoises ont répondu à une batterie de questions portant sur leurs intérêts, leurs valeurs, leurs attitudes, leurs comportements, etc. Sur la base des données collectées, la firme a identifié 16 groupes types de Québécois. Ces groupes sont décrits au tableau 2.6.

TABLEAU 2.6 Les « sociostyles » québécois

Groupe type	Définition
Les décideurs	Ce sont des dirigeants actifs aux revenus supérieurs, au grand train de vie, ouverts au monde et très informés. Ils sont de grands consommateurs de produits de luxe et de voyages.
Les stricts	Ces consommateurs sont élitistes, conservateurs, mais ouverts à la différence. Ce sont des gens de principe, des consommateurs suréquipés, peu influencés par la mode et très autonomes dans leurs décisions.
Les fortifiés	Leurs revenus sont assez élevés et leur scolarité plutôt moyenne. Ils sont amateurs de confort dans l'aménagement de la maison. Ils bricolent, aiment la culture populaire et les divertissements familiaux.
Les laborieux	Ces consommateurs sont parfois endettés pour le confort de la maison, ils recherchent des guides pratiques et des conseils. Ils valorisent l'acharnement au travail pour améliorer leur train de vie.

TABLEAU 2.6 Les « sociostyles » québécois (*suite*)

Groupe type	Définition
Les confortables	Ce sont surtout des banlieusards qui recherchent la réussite sociale et financière. Ils sont soucieux de leur intégration à la vie du quartier entre gens du même monde. Les confortables sont très équipés en matière de confort domestique.
Les traditionalistes	Ils sont d'ardents défenseurs de la vie traditionnelle québécoise et vivent dans une maison douillette et classique, un cadre naturel. Ils voyagent surtout au Québec et se méfient des médias. Ils consomment « québécois ».
Les enthousiastes	Ils ont des revenus modestes, mais un niveau d'éducation élevé. Ils sont ambitieux sur les plans professionnel et social. Innovateurs, ils croient à un travail passionnant, à une société juste et écologique. Ce sont des « touche à tout » de la culture, qui recherchent l'originalité dans les produits et les loisirs.
Les avant-gardistes	Ce sont des intellectuels bénéficiant de revenus allant de modestes à élevés. Avides de progrès et d'originalité, ce sont des aventuriers de la culture internationale et de grands lecteurs de médias écrits. Les avant-gardistes consomment par plaisir, ils aiment le nouveau et l'excentrique.
Les paroissiens	Ces consommateurs sont en fin de carrière ou retraités. Leurs revenus sont moyens. Ils sont très impliqués dans leur communauté. Sur le plan de la consommation, ils sont encore actifs ; ils voyagent et aiment les sorties. Ils sont prudents vis-à-vis des médias.
Les moralistes	Ce sont des personnes d'âge mûr qui croient aux valeurs familiales et religieuses. Ils sont en quête d'une vie tranquille. Les moralistes sont des consommateurs qui « se retiennent » et qui aiment l'information locale.
Les économes	Ce sont des consommateurs à petits moyens qui achètent des produits bon marché. Plutôt d'âge mûr, ils sont d'une nature inquiète, mais satisfaite. Ils sont discrets et respectueux des règles sociales. Ils préfèrent magasiner dans leur voisinage.
Les fatalistes	Ce sont des gens modestes, inactifs et seuls. Ils sont pessimistes et ont des moyens financiers limités. Sur le plan de la consommation, ils sont en général sous-équipés. Amateurs de culture populaire et de passe-temps, ils sont méfiants envers les médias.
Les disponibles	Ce sont des matérialistes à faibles revenus. Ils rêvent de plaisirs ostentatoires, mais consomment un minimum. Ils recherchent les médias divertissants.
Les durs	Ce sont de jeunes adultes aux revenus modestes. Ils sont individualistes, mais sensibles à la culture du sport et des copains. Amateurs de sensations fortes, ils recherchent plaisir, séduction, bon prix et apprécient la publicité et les films-chocs.
Les gourmands	En majorité, ce sont des jeunes individualistes, insouciants et libérés, qui sont en quête de sensations tous azimuts et consomment mode et divertissement.
Les bons vivants	Ils rêvent de consommation et sont endettés. Ce sont des acheteurs impulsifs au gré de leurs rentrées d'argent, avides de télévision et de distractions émotionnelles. Ils sont inquiets par rapport à leur avenir.

Conclusion sur les styles de vie

L'étude des styles de vie des consommateurs a été, au cours des années 1970 et 1980, une façon très populaire de décrire un marché, aussi bien auprès des praticiens qu'auprès des chercheurs en marketing. Ce courant de recherche est beaucoup moins en vogue de nos jours pour les raisons suivantes.

Premièrement, les espoirs des chercheurs en marketing quant à la prédiction des comportements de consommation (choix de marque, quantité achetée, etc.) à l'aide des styles de vie ont été frustrés. Il apparaît évident que les styles de vie ne sont pas plus «performants» que la personnalité ou les variables socioéconomiques pour prédire les préférences des consommateurs.

Deuxièmement, il faut dire qu'il s'est fait beaucoup de recherches peu rigoureuses dans ce domaine. Le choix des AIO et la construction des énoncés, l'échantillonnage et l'analyse statistique ont un impact crucial sur les résultats des études. Si l'on est peu rigoureux à l'une ou l'autre des étapes, on risque d'obtenir des résultats sans intérêt (et il y en a eu beaucoup!)[42].

Troisièmement, supposons que vous disposez des résultats d'une recherche établissant que votre marché comprend quatre segments, les dynamiques, les conservateurs, les amorphes et les enjoués, qu'allez-vous faire de ces résultats? Les styles de vie correspondent à différentes façons de considérer un marché. Pour que les groupes formés puissent être qualifiés de «segments», il faut qu'ils aient des réactions différentes par rapport à des instruments contrôlables de marketing, comme le prix, le réseau de distribution ou les fonctions du produit. Rien n'est moins sûr. En définitive, les résultats d'une étude de styles de vie ne servent la plupart du temps qu'à orienter la thématique publicitaire.

Au terme de ce chapitre, qu'avons-nous appris ?

Nous avons appris que :

- l'idée, développée au cours des années 1950, selon laquelle les consommateurs seraient mus par des motivations inconscientes et incontrôlables, n'est plus considérée aujourd'hui comme une approche valable pour comprendre le comportement d'achat.

- la conception moderne d'un comportement de consommation motivé considère les consommateurs comme orientés vers l'atteinte d'objectifs divers, lesquels sont stimulés par des besoins, des facteurs de l'environnement et des expériences recouvrées par la mémoire.

- dans le cadre de cette conception moderne, la perspective « expérientielle », avec sa dimension hédoniste, s'affirme de plus en plus.

- les consommateurs peuvent être impliqués à divers degrés par rapport à la publicité, à la catégorie de produits et à l'achat, et que leurs comportements à l'égard de ces différents aspects de la consommation sont susceptibles de varier en fonction de leur degré d'implication.

- chaque consommateur a une personnalité qui lui est propre et qui correspond à des traits psychologiques relativement stables le conduisant à adopter des comportements cohérents.

- la personnalité des consommateurs ne permet pas de prédire avec précision les comportements d'achat pour trois raisons principales : l'influence des autres variables, le caractère global de la personnalité par rapport au caractère particulier des comportements à prédire, et le manque de support théorique sous-jacent à la relation personnalité-comportement.

- chaque consommateur développe une image personnelle appelée le concept de soi, lequel englobe en réalité de multiples soi, et que plusieurs chercheurs pensent que les consommateurs préfèrent les produits et les services perçus comme étant congruents à cette image.

- c'est possible de concevoir un marché comme étant composé de groupes de consommateurs différenciés par rapport à leurs styles de vie, c'est-à-dire leurs activités, leurs opinions, leurs intérêts et leurs valeurs.

- l'utilité principale des styles de vie est de permettre d'orienter les thèmes à utiliser pour communiquer avec les consommateurs.

Questions de révision et de réflexion

1. Comment peut-on définir la motivation ?

2. Quels sont les trois types de conflits motivationnels ? En matière de vacances, vouloir l'aventure sans le risque correspond à quel type de conflit ? Quelles formules sont offertes au consommateur pour le résoudre ?

3. En vous inspirant du schéma présenté à la figure 2.1, page 29, expliquez le processus de motivation qu'aurait pu suivre une personne ayant décidé de s'abonner à sa bibliothèque municipale, puis celui d'une autre ayant choisi de faire une croisière en Alaska cet été. Dans chacun de ces deux cas, désignez plusieurs motifs potentiels – dont un commun aux deux –, dressez une structure hypothétique d'objectifs et expliquez les rôles que pourraient tenir la mémoire et l'environnement.

4. Quels besoins de la hiérarchie de Maslow le téléphone cellulaire peut-il combler ?

5. Que nous enseigne la théorie de la pulsion sur la motivation humaine ? En quoi cette théorie et celle sur la recherche d'un niveau optimal d'éveil et de stimulation se complètent-elles ? Selon laquelle de ces deux théories certains consommateurs recherchent-ils le risque ? Dans quel domaine de consommation peuvent-ils essayer de satisfaire ce besoin ?

6. Expliquez les trois composantes du psychisme humain selon Freud. À votre avis, le «ça» est-il toujours aussi brimé dans notre société d'aujourd'hui ?

7. Qu'entend-on par la dimension symbolique des objets ? Laquelle pourrait être associée à la possession d'un téléphone cellulaire par un adolescent ?

8. Quelles sont les techniques privilégiées par la recherche motivationnelle et pourquoi le sont-elles ?

9. Décrivez la perspective expérientielle de la consommation et sa dimension hédoniste à travers l'exemple du cinéma, puis d'une activité (sportive ou autre) qui vous tient à cœur.

10. Quel est l'apport de Krugman au chapitre de l'implication ?

11. Quels sont les trois objets d'implication auxquels s'intéressent les chercheurs en comportement du consommateur ?

12. Au regard de l'activité (sportive ou autre) de la question 9, répondez aux énoncés de l'échelle d'implication de Zaichkowsky. Qu'en concluez-vous ?

13. Expliquez l'approche de la personnalité par les traits et la façon dont on mesure un trait.

14. Qu'est-ce que l'animisme et quel intérêt présente-t-il dans la gestion des marques ?

15. Vos derniers achats sont-ils congruents à l'image que vous avez de vous ? à l'image que vous souhaitez projeter ? Commentez.

16. Lorsque vous recevez un cadeau qui ne vous plaît pas d'une personne qui vous est chère, comment réagissez-vous ? Diriez-vous que vous êtes une illustration vivante de la perspective dramaturgique (ou théâtrale) ?

17. Derrière la perspective dramaturgique se profile la différence entre le privé et le public. Si vous gériez un magasin tel que les Maillots San Francisco, comment pourriez-vous en tenir compte dans l'aménagement du magasin ?

18. Certaines émissions de télévision font reposer leur succès sur le fait de rendre public ce qui d'ordinaire reste privé. Pourquoi y a-t-il, selon vous, autant de téléspectateurs et de gens prêts à participer à ce genre d'émissions ?

19. Quels sont les objets auxquels vous tenez et pourquoi ? (Pour répondre à cette question, vous pouvez, par exemple, regarder le décor de votre chambre, faire le tour de vos placards, etc.) Les propos de Belk sur le rôle des possessions semblent-ils pertinents dans votre cas ? Y a-t-il une ville, une région, un pays que vous considérez être une part de vous ? une équipe sportive ? des gens ? Expliquez.

20. La société québécoise est-elle trop matérialiste? Le matérialisme est-il quelque chose de négatif?

21. La notion de désir de consommation est-elle incompatible avec la simplicité volontaire? Expliquez.

22. Expliquez l'intérêt des consommateurs pour les produits artisanaux en recourant au soi étendu.

23. Justifiez l'existence des droits d'auteur et des brevets à l'aide du concept du soi étendu.

24. Qu'entend-on par «valeurs instrumentales» et «valeurs terminales»? Quelles sont vos principales valeurs? Pour chaque valeur de la liste de Rokeach (*voir le tableau 2.3, p. 55*), désignez un produit, une marque, un service ou une compagnie qui l'exploite ou pourrait l'exploiter dans sa communication.

25. Quelles sont les deux dimensions qui sont combinées pour aboutir au système VALS? Y a-t-il un groupe de VALS auquel vous vous associez?

26. Que pensez-vous de la méthode des AIO pour cerner un style de vie?

27. À quel sociostyle vous associez-vous le plus (*voir le tableau 2.6, p. 58-59*)?

Cas

Fugues et découvertes

Le colis était arrivé par courrier le matin. Laurent Vigneault l'avait ouvert aussitôt, reportant à plus tard la lecture des dossiers courants. L'étude avait été commandée à une importante firme torontoise de conseil en marketing six mois plus tôt et, enfin, le rapport de recherche tant attendu était là.

Peu de temps après qu'il eut fondé à Ottawa son agence de voyages Fugues et découvertes – trois ans déjà dans quelques semaines –, Laurent Vigneault s'était juré qu'il réaliserait un jour une étude permettant de segmenter le lucratif marché des consommateurs de « destinations soleil ». Il aurait dû commander l'étude bien avant, songeait-il, car la part des voyages vers ce type de destinations organisés par son entreprise avait beaucoup augmenté. L'organisation des voyages à destination des pays chauds continuerait de prendre de l'importance dans son entreprise, il en était certain, car, avec le vieillissement de la population, les Canadiens seraient de plus en plus nombreux à vouloir prendre des vacances au soleil durant l'hiver. Il voulait que Fugues et découvertes augmente sa part de ce marché et, selon lui, la meilleure façon d'y arriver était de bien cerner les motivations des consommateurs de destinations soleil.

L'étude avait coûté cher, mais Laurent Vigneault ne s'en souciait pas; il avait appris qu'en affaires, l'information pertinente a une grande valeur. La firme de conseil avait interrogé 922 consommateurs ayant déjà effectué un court voyage dans le Sud durant l'hiver ou ayant l'intention d'en faire un tôt ou tard. On avait mesuré, à l'aide d'un questionnaire, l'importance que ces consommateurs accordaient à un ensemble de bénéfices pertinents. Laurent Vigneault avait appris de la bouche des responsables de l'étude qu'il s'agissait là d'une méthode courante de segmentation d'un marché basée sur les bénéfices recherchés par les consommateurs. La liste des bénéfices utilisée dans l'étude apparaît à la page suivante.

Les analyses statistiques effectuées à partir des réponses obtenues avaient permis d'établir quatre segments distincts, présentés ainsi dans le rapport:

Segment 1 : Les types « Club Med »

Ce segment représente 16 % du marché. Il comprend en majorité des hommes jeunes, sans enfant, plus scolarisés que la moyenne, et bilingues. Ces individus recherchent l'aventure bien organisée et ils sont influencés surtout par les dépliants publicitaires, les parents et les amis. Bien qu'ils aiment varier leurs destinations, ils préfèrent visiter des endroits prospères (Hawaii, par exemple).

Segment 2 : Les avides d'expériences variées

Ce segment représente 38 % du marché. Ce sont majoritairement des jeunes femmes, mariées ou non, sans enfant. Les personnes qui appartiennent à ce segment ont un grand besoin de variété (divertissements, cuisine exotique, festivals, etc.). Bien qu'elles utilisent plusieurs sources d'information pour choisir une destination soleil – entre autres, les clubs, les amis, les parents, les magazines et articles de journaux, les émissions de radio, les agences de tourisme, les agences de voyages et les guides touristiques –, elles s'intéressent particulièrement aux brochures et aux publicités.

Segment 3 : Les voyageurs sédentaires

Ce segment représente 37 % du marché. Il se compose en majorité de gens mariés, hommes ou femmes, de tous les âges. Les voyageurs sédentaires recherchent la tranquillité et le confort, et préfèrent les endroits qui leur sont familiers. Ils sont surtout influencés par les brochures et n'aiment pas les destinations où règnent un climat politique instable et la pauvreté (par exemple la Colombie, Cuba, Haïti, la République dominicaine et le Venezuela).

Segment 4 : Les aventuriers de la culture

Ce segment représente 9 % du marché. Il comprend des hommes et des femmes célibataires très scolarisés. Ceux-ci sont pour la plupart bilingues et plusieurs parlent une troisième langue. Ils recherchent surtout les attractions culturelles (paysages, gens, exotisme) et n'utilisent pas tellement les sources d'information courantes, sauf peut-être les articles de revues ou de journaux. Ils sont prêts à visiter les lieux les plus exotiques et, à leurs yeux, la Floride n'en fait certainement pas partie.

La liste des bénéfices considérés dans l'étude

1. Les sports aquatiques, y compris la pêche
2. La beauté des paysages
3. Les faibles risques politique et social
4. L'attitude des gens du pays envers les touristes
5. La propreté
6. La possibilité d'acheter un forfait peu coûteux
7. La possibilité de visiter les lieux
8. Les casinos
9. Le faible danger des maladies
10. Les attractions culturelles
11. L'occasion de se reposer
12. La plage
13. Le climat
14. Les types de restaurants disponibles
15. La vie nocturne
16. La possibilité de connaître de nouvelles personnes et leurs coutumes
17. La cuisine locale
18. Les types d'hôtels
19. L'environnement exotique
20. Le coût du voyage
21. L'assurance d'atteindre facilement la destination
22. La possibilité de connaître le pays visité
23. La langue parlée par les gens du pays visité
24. Le magasinage
25. L'assurance de bénéficier d'une protection contre les pauvres et les mendiants
26. Les festivals locaux
27. Les parcs d'attractions
28. Le faible taux de criminalité et de vol
29. L'assurance d'en avoir pour son argent
30. La tranquillité

QUESTIONS

1. Que pensez-vous de cette étude ? Aurait-on pu utiliser d'autres méthodes pour segmenter le marché des consommateurs de destinations soleil ?
2. Que devrait faire Fugues et découvertes avec les résultats de cette étude ?
3. Laurent Vigneault aurait-il besoin d'autres informations ?

Notes

1. I. McEWAN, *Amsterdam,* Paris, Gallimard, 2001.

2. Les résultats de recherche présentés dans cette illustration sont discutés dans l'article suivant: B.M. OGLES et K.S. MASTERS, «A Typology of Marathon Runners Based on Cluster Analysis of Motivations», *Journal of Sport Behavior,* vol. 26, n° 1, 2003, p. 69-85.

3. Cet exemple est tiré de D.I. HAWKINS, R.J. BEST et K.A. CONEY, *Consumer Behavior: Building Marketing Strategy,* 6e éd., Boston, MA, McGraw-Hill, 1994. À propos de la tragédie de Walkerton, voir l'article suivant: «La bactérie *E. coli* frappe en Ontario: quatre morts», La Presse, 25 mai 2000, A4.

4. Reportage sur l'engouement grandissant des citadins pour le jardinage, émission *Le Point,* Radio-Canada, 29 juin 2000, journaliste: Julie Miville-Dechêne. Voir aussi les diverses études qui décrivent le comportement des consommateurs québécois en matière d'horticulture ornementale sur le site Agri-Réseau (www.agrireseau.qc.ca).

5. A.H. MASLOW, *Motivation and Personality,* 2e éd., New York, Harper & Row, 1970.

6. Voir à ce sujet l'article de M. CSIKSZENTMIHALYI, «The Costs and Benefits of Consuming», *Journal of Consumer Research,* vol. 27, n° 2, 2000, p. 267-272.

7. L. BOUJBEL, «Never-Ending Desires: Assessing Consumers' Propensity to Desire Consumption Objects», dans S. BORGHINI, M.A. McGRATH et C. OTNESS (dir.), *European Advances in Consumer Research,* vol. 8, Duluth, MN, Association for Consumer Research, 2008, p. 319-324.

8. L'exemple de la figure 2.3 est tiré de l'article suivant: R. PIETERS, H. BAUMGARTNER et D. ALLEN, «A Means-End Chain Approach to Consumer Goal Structures», *International Journal of Research in Marketing,* vol. 12, n° 3, 1995, p. 227-244. Le concept de structure d'objectifs a été abordé initialement dans l'ouvrage suivant: G.A. MILLER, E. GALANTER et K.H. PRIBRAM, *Plans and the Structure of Behavior,* New York, Holt, Rinehart & Winston, 1960.

9. Pour en savoir davantage sur l'analyse des «chaînages cognitifs», le lecteur peut consulter l'article suivant: P. VALETTE-FLORENCE, J.-M. FERRANDI et G. ROEHRICH, «Apport des chaînages cognitifs à la segmentation des marchés», *Décisions Marketing,* n° 32, 2003, p. 31-43.

10. L'article suivant offre une discussion intéressante sur l'influence des objectifs inconscients sur le comportement de choix des consommateurs: T.L. CHARTRAND, J. HUBER, B. SHIV et R.J. TANNER, «Nonconscious Goals and Consumer Choice», *Journal of Consumer Research,* vol. 35, n° 2, 2008, p. 189-201.

11. D.E. BERLYNE, *Conflict, Arousal, and Curiosity,* New York, McGraw-Hill, 1960.

12. E. DICHTER, *La stratégie du désir,* Paris, Fayard, 1961.

13. V.O. PACKARD, *La persuasion clandestine,* Paris, Calmann-Lévy, 1958.

14. Une description plus détaillée de ces techniques est présentée dans l'ouvrage suivant: A. D'ASTOUS, *Le projet de recherche en marketing,* 4e éd., Montréal, Chenelière Éducation, 2010.

15. M.B. HOLBROOK et E.C. HIRSCHMAN, «The Experiential Aspects of Consumption: Consumer Fantasies, Feelings and Fun», *Journal of Consumer Research,* n° 9, septembre, 1982, p. 132-140.

16. J.A. HOWARD et J.N. SHETH, *The Theory of Buyer Behavior,* New York, John Wiley & Sons, 1969; J.F. ENGEL, D.T. KOLLAT et R.D. BLACKWELL, *Consumer Behavior,* New York, Holt, Rinehart & Winston, 1968.

17. Voir H.E. KRUGMAN, «The Impact of Television Advertising: Learning Without Involvement», *Public Opinion Quarterly,* n° 29, automne 1965, p. 349-356.

18. Cette figure est adaptée de l'ouvrage suivant: M.R. SOLOMON, J.L. ZAICHKOWSKY et R. POLEGATO, *Consumer Behaviour: Buying, Having, and Being,* 4e éd., Toronto, Ontario, Pearson Education Canada, 2008.

19. L'échelle originale d'implication personnelle a été présentée dans l'article suivant: J.L. ZAICHKOWSKY, «Measuring the Involvement Construct», *Journal of Consumer Research,* vol. 12, n° 3, 1985, p. 341-352. L'échelle présentée dans le tableau 2.1 a été utilisée dans une recherche menée auprès de cinéphiles autrichiens, canadiens, colombiens et italiens. Voir l'article suivant: A. D'ASTOUS, A. CARÙ, O. KOLL et S.P. SIGUÉ, «Moviegoers' Consultation of Film Reviews in the Search for Information: A Multi-Country Study», *International Journal of Arts Management,* n° 3, 2005, p. 32-45.

20. Voir l'ouvrage cité à la note 12.

21. F.B. EVANS, «Psychological and Objective Factors in the Prediction of Brand Choice», *Journal of Business,* n° 32, 2005, p. 340-369.

22. Voir à ce sujet l'article de H.H. KASSARJIAN et M.J. SHEFFET, «Personality and Consumer Behavior: An Update», dans H.H. KASSARJIAN et T.S. ROBERTSON (dir.), *Perspectives in Consumer Behavior,* 4e éd., Englewood Cliffs, NJ, Prentice-Hall, 1991, p. 282-303.

23. K. HORNEY, *Our Inner Conflict,* New York, W.W. Nortin, 1985.

24. Voir J.B. COHEN, «An Interpersonal Orientation to the Study of Consumer Behavior», *Journal of Marketing Research,* vol. 4, n° 3, 1967, p. 270-278.

25. Les renseignements contenus dans ce tableau sont tirés de l'article suivant: W.D. WELLS et A.D. BEARD, «Personality and Consumer Behavior», dans S. WARD et T.S. ROBERTSON (dir.), *Consumer Behavior: Theoretical Sources,* Englewood Cliffs, NJ, Prentice-Hall, 1973, p. 141-199.

26. Pour un aperçu de ces travaux, consulter les articles des notes 22 et 25.

27. On trouvera une discussion détaillée de la théorie des cinq facteurs dans l'ouvrage suivant : R.R. McCRAE et P.T. COSTA, *Personality in Adulthood, a Five-Theory Perspective,* 2e éd., New York, Guilfrod Press, 2003.

28. Voir l'article suivant : R.C. MULYANEGARA, Y. TSARENKO et A. ANDERSON, «The Big Five and Brand Personality : Investigating the Impact of Consumer Personality on Preferences towards Particular Brand Personality», *Journal of Brand Management,* vol. 16, no 4, 2007, p. 234-247.

29. J. L. AAKER, «Dimensions of Brand Personality», *Journal of Marketing Research,* vol. 34, no 3, 1997, p. 347-356.

30. «Question de personnalité», *InfoPresse,* juin 2008, p. 44.

31. Voir l'article suivant : M.J. SIRGY, «Self-Concept in Consumer Behavior : A Critical Review», *Journal of Consumer Research,* vol. 9, no 3, 1982, p. 287-300.

32. I. PENTINA, D.G. TAYLOR et T.A. VOELKER, «The Roles of Self-Discrepancy and Social Support in Young Females' Decisions to Undergo Cosmetic Procedures», *Journal of Consumer Behaviour,* vol. 8, no 4, 2000, p.149-165.

33. E. GOFFMAN, *The Presentation of Self in Everyday Life,* Garden City, NY, Doubleday, 1959.

34. R.W. BELK, «Possessions and the Extended Self», *Journal of Consumer Research,* no 15, septembre 1988, p. 139-168.

35. L'article suivant offre une excellente discussion sur l'importance des objets de tous les jours dans la définition de l'identité d'une personne : B. HEILBRUNN, «The Blandness and Delights of a Daily Object», dans A. CARÙ et B. COVA (dir.), *Consuming Experience,* Londres, Routledge, 2007, p. 79-91.

36. S. ZOUAGHI et D. DARPY, «La segmentation par le concept du Nous : exploration des liens entre le Nous idéal et l'image du produit préféré», *Recherche et Applications en Marketing,* vol. 21, no 2, 2006, p. 31-41.

37. M. ROKEACH, *The Nature of Human Values,* New York, Free Press, 1973.

38. D.E. VINSON, J.M. MUNSON et M. NAKANISHI, «An Investigation of the Rokeach Value Survey for Consumer Research Applications», dans J.R. PERREAULT (dir.), *Advances in Consumer Research,* IV, W.D. Atlanta, Association for Consumer Research, 1977, p. 247-252.

39. La version présentée dans le tableau 2.4 est la plus récente au moment de la rédaction de la troisième édition de cet ouvrage. Il faut noter que le système VALS est un produit vendu par une firme de conseil et dont les caractéristiques évoluent de façon régulière.

40. Ces approches sont présentées dans les ouvrages suivants : B. DUBOIS, *Comprendre le consommateur,* 2e éd., Paris, Dalloz, 1994 ; M.R. SOLOMON, E. TISSIER-DESBORDES et B. HEILBRUNN, *Comportement du consommateur,* 6e éd., Paris, Pearson Education, 2004.

41. ZINS, BEAUCHESNE ET ASSOCIÉS, *Les sociostyles québécois,* Montréal, août 1999.

42. Pour une discussion critique de l'approche des styles de vie, voir l'article suivant : W.D. WELLS, «Psychographics : A Critical Review», *Journal of Marketing Research,* vol. 12, no 2, 1975, p. 196-213. Voir aussi l'ouvrage suivant : P. VALETTE-FLORENCE, *Les styles de vie. Bilan critique et perspectives. Du mythe à la réalité,* Paris, Economica, 1994.

La perception

Introduction

La citation ci-contre est extraite d'une œuvre de jeunesse de Tolstoï intitulée *Un musicien déchu,* dans laquelle le célèbre écrivain décrit la manière dont la musique peut produire chez l'auditeur des impressions, des images et des émotions de toutes sortes. N'avez-vous pas vous aussi déjà été touché par un air mélancolique joué au violon ? N'êtes-vous pas souvent envahi par un sentiment de plaisir à l'écoute d'une chanson de votre artiste préféré ? N'est-ce pas un fascinant pouvoir que possède la musique de transformer ainsi ceux qui l'écoutent ? Mais, ne nous y trompons pas, quand nous écoutons de la musique, nous ne nous limitons pas à enregistrer des sons qui se succèdent,

> *Les notes, exprimant soit une triste tendresse, soit une bouffée de désespoir, s'entremêlaient en toute liberté, s'écoulaient, s'écoulaient l'une après l'autre si élégamment, d'une façon si puissante et si instinctive que ce n'étaient plus des sons que l'on percevait, mais le flux superbe d'une poésie depuis longtemps connue mais qui s'exprimait pour la première fois et emplissait naturellement l'âme[1].*
>
> **Léon Tolstoï**

nous allons au-delà de cette réalité directement perceptible en organisant les sons, en leur donnant une signification qui nous est propre. Cette signification peut relever d'une expérience personnelle : la musique sur laquelle nous avons dansé notre premier *slow* ou la musique d'un film qui nous a marqués. Tel air de musique comblera certains auditeurs, en laissera d'autres indifférents et en agressera peut-être quelques-uns. La perception est le résultat d'une interaction entre la personne et l'environnement : puisque chaque personne est unique, la perception, elle aussi, est unique.

La musique est un élément important de l'environnement des consommateurs, mais il n'est pas le seul. Dans ce chapitre, nous chercherons à comprendre les mécanismes qui permettent aux consommateurs de donner un sens, une signification à l'ensemble des éléments qui compose leur environnement. Ceux-ci sont multiples (personnes, événements, sons, images, etc.), mais notre attention se portera davantage sur ceux qui se rapportent aux activités de consommation, par exemple les produits, les services, les marques, les magasins, la publicité et les vendeurs.

On ne saurait trop insister sur l'importance de la perception en marketing. Bon nombre des activités de marketing visent à fournir de l'information aux consommateurs. On pense bien sûr à la publicité, mais il y a de nombreux autres exemples. Ainsi, l'emballage d'un produit ne sert pas uniquement à offrir un contenant physique pour le produit, c'est un moyen de communiquer à la fois de l'information concrète (le nom de la marque, le contenu) et de l'information symbolique (l'emballage d'un jeu vidéo, celui d'un parfum) sur le produit[2]. Les renseignements transmis par les responsables du marketing ne sont pas

nécessairement perçus de la même façon par tous les consommateurs. Comme dans le cas de la musique, pour un même ensemble de renseignements, les représentations mentales, les significations qui se forment chez les consommateurs peuvent être différentes. Aussi est-il important de comprendre comment celles-ci se construisent, puisque les réponses subséquentes des consommateurs (évaluation, achat) en dépendent.

3.1 Les mécanismes de la perception

Perception

Expérience et processus par lesquels les consommateurs sélectionnent, organisent et interprètent l'information qui parvient à leurs sens.

Définissons d'abord la **perception**, après quoi nous en présenterons les facettes importantes.

Ainsi que le suggère déjà notre exemple sur la musique, la perception est une expérience. Cette expérience est le produit conjoint des stimulations sensorielles et du processus qui les valorise par la construction de sens. Tout au long de la présentation du processus de la perception seront évoquées ses dimensions multisensorielle, cognitive, émotionnelle et esthétique. Notre définition fait ressortir trois mécanismes importants de ce processus. Nous allons les examiner à tour de rôle. Le processus de la perception n'est pas un processus linéaire. Pourtant, il est courant de présenter les mécanismes perceptuels comme étant une série d'étapes composant ce que l'on appelle le «processus perceptuel». Selon cette conception, plus le processus perceptuel progresse, plus notre système cognitif (ou mental) traite l'information en profondeur. Les nombreux renseignements sont d'abord triés et sélectionnés, puis ils sont organisés pour être finalement interprétés (*voir la figure 3.1*).

FIGURE 3.1 Un modèle traditionnel des mécanismes de la perception

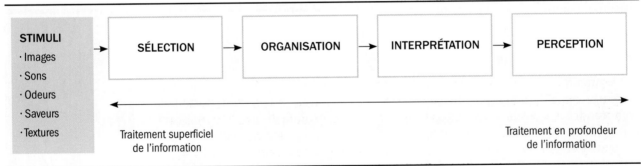

Ce modèle traditionnel tient pour acquis que la perception est l'aboutissement d'un ensemble d'opérations mentales où l'information extérieure est traitée de plus en plus profondément par la personne, pour aboutir finalement à l'«expérience» de la perception. Bien que cette conception puisse paraître intuitivement valable, il nous faut admettre qu'elle est insatisfaisante. En effet, cette façon de décrire le processus perceptuel explique mal le caractère immédiat de la perception et s'accommode mal des résultats de plusieurs études en psychologie selon lesquels, dès les premiers instants, le traitement mental de l'information est profond puisque des stimuli sont interprétés.

Nous proposerons plus loin une conception différente du processus de la perception, dans ce que nous appellerons le cycle perceptuel. Mais, restons-en là pour l'instant. Avant d'examiner tour à tour les différents mécanismes de la perception qui se définissent par rapport aux composantes du modèle traditionnel (sélection, organisation et interprétation), nous nous intéresserons aux cinq sens, fonctions essentielles au processus de perception.

Les sens

Au cours du processus perceptuel, l'un ou plusieurs des cinq sens que sont la vue, l'ouïe, le goût, l'odorat et le toucher sont activés. L'activation des sens par les stimuli de l'environnement participe grandement à l'expérience perceptuelle (*voir la figure 3.1*). Nous en aurons un premier aperçu en examinant brièvement chacun d'eux.

La vue Les consommateurs sont très sensibles aux couleurs, à la taille, aux formes (*voir la capsule 3.1*), à la luminosité des objets. Non seulement ces caractéristiques attirent-elles leur attention, comme nous le verrons plus loin, mais elles peuvent aussi provoquer en eux des réactions physiologiques accompagnées de réactions émotionnelles ou psychologiques. Ainsi en va-t-il des couleurs : le rouge nous stimule, le bleu nous apaise tandis que le vert nous sécurise. Les affaires de plusieurs entreprises (les fabricants de peinture, de cosmétiques) dépendent fondamentalement des réactions des consommateurs à l'égard des couleurs (*voir la capsule 3.2, page suivante*).

CAPSULE 3.1

Mince alors ! Le pouvoir des formes

Il existe un biais perceptuel bien documenté en psychologie, appelé le « biais d'élongation ». Si l'on montre à quelqu'un deux verres de même capacité remplis d'eau, l'un long et mince, et l'autre court et large, les probabilités sont fortes que le premier verre soit perçu comme contenant davantage de liquide. Des études ont montré que ce biais est surtout présent chez les enfants, car ces derniers ont tendance, plus que les adultes, à focaliser leur attention sur la dimension verticale.

Deux chercheurs en marketing américains ont dirigé une recherche visant à vérifier l'effet de la forme d'un contenant sur les perceptions et les quantités versées. Dans une première étude, on a donné un verre court (et large) ou un verre long (et mince) à des enfants fréquentant un camp de vacances et on leur a demandé de se verser du jus. Les chercheurs ont trouvé que les enfants au verre court et large ont consommé 74,3 % plus de jus que les autres. De plus, ces enfants ont estimé qu'ils avaient versé dans leur verre une quantité moindre de jus qu'ils ne l'avaient fait en réalité. Une deuxième étude auprès d'adultes a montré que le biais d'élongation était aussi présent, mais à un degré moindre (19,4 % de jus consommé en plus). Une troisième étude a montré que même les experts se font prendre ! Dans cette étude, on a demandé à des barmans d'expérience de verser une once et demie d'alcool dans un verre de 12 onces. En moyenne, les barmans ont versé 27,2 % de plus d'alcool dans les verres courts que dans les verres longs.

Source : B. WANSINK et K. VAN ITTERSUM, « Bottoms up ! The Influence of Elongation on Pouring and Consumption Volume », *Journal of Consumer Research*, vol. 30, n°3, 2003, p. 455-463.

L'ouïe Les consommateurs sont également sensibles aux sons, à la musique. En marketing, cette dernière est omniprésente: ritournelle en publicité, trame musicale d'un film, d'une série télévisée, musique d'ambiance d'un magasin, d'un restaurant, d'un bar, jusqu'aux cartes d'anniversaire qui fredonnent «Happy Birthday». Différentes combinaisons des caractéristiques musicales comme la modalité (mineure, majeure), la tonalité (do, ré…), le tempo, le rythme, l'harmonie et l'intensité du son sont susceptibles de produire des émotions diverses[3] (*voir la capsule 3.3*). Le tempo musical a aussi des effets significatifs sur le temps passé à magasiner.

CAPSULE 3.2

Rouge ou vermillon épiscopal?

La couleur joue un rôle capital dans la définition de plusieurs produits de consommation. Pensez par exemple à la peinture, au rouge à lèvres et aux teintures pour cheveux. Peut-être avez-vous noté que les noms de ces produits sont souvent fantaisistes. Considérez à titre d'illustration les noms de produits de peinture Sico suivants: cocktail à la menthe, nuit sans lune, queue de paon, encre de Chine et air littoral (*voir* www.sico.ca). Vaut-il mieux utiliser un nom fantaisiste pour vendre un produit basé sur la couleur ou plutôt un nom générique qui annonce directement la couleur? Des chercheurs américains se sont intéressés à cette question. Ils ont présenté à des consommateurs des serviettes de bain de différentes couleurs qui portaient un nom fantaisiste (par exemple, moka, océan) ou un nom générique (par exemple, brun, bleu). Les résultats de l'étude ont montré que pour une même serviette, les consommateurs préfèrent le produit avec un nom fantaisiste, qu'ils ont davantage l'intention de l'acheter et qu'ils sont prêts à payer plus cher pour l'obtenir. Les auteurs concluent sur la base de leurs résultats que la pratique d'utiliser des noms fantaisistes par les entreprises qui vendent des produits où la couleur est une caractéristique centrale est justifiée. Ils recommandent aux entreprises dont les produits basés sur la couleur se vendent mal de changer le nom du produit pour quelque chose qui attirera davantage l'attention des consommateurs et influencera leurs préférences.

Source: J.L. SKORINKO, S. KEMMER, M.R. HEBL et D.M. LANE, «A Rose by Any Other Name…: Color-Naming Influences on Decision Making», *Psychology & Marketing,* vol. 23, n°12, 2006, p. 975-993.

CAPSULE 3.3

Le pouvoir de la musique

On dit que la musique adoucit les mœurs. Oui, sans doute, mais la musique a bien d'autres effets! Ainsi, des études ont montré que des changements dans le rythme musical font varier les émotions ressenties par les consommateurs: les rythmes à deux temps (pensez à une marche militaire) créent une impression de rigidité et de contrôle alors que les rythmes à plusieurs temps (par exemple, une valse) donnent une impression de relaxation et d'abandon. Plus le tempo de la musique augmente et plus cela exprime de la joie et de l'animation. De même, la musique en mode majeur est généralement plus gaie que la musique en mode mineur. La plupart des compositeurs classiques (Schubert en est un bon exemple) ont bien compris ce principe et ont produit des œuvres musicales qui alternent entre les deux modes, de façon à produire chez les auditeurs des changements significatifs de sentiments. Les harmonies complexes (dans plusieurs des œuvres de Beethoven, par exemple) donnent une impression de tourment et de tristesse alors que les harmonies simples (dans la plupart des œuvres de Mozart) reflètent la sérénité et la gaieté. Les instruments de musique eux-mêmes ont des effets particuliers. Ainsi, les sons des cuivres (trompette, cor, trombone) produisent un sentiment de froideur alors que ceux des bois (clarinette, hautbois) laissent une impression de mélancolie et de solitude. Avant d'associer une musique à la promotion d'un produit ou d'un service, les différentes caractéristiques musicales et leurs effets sur les consommateurs doivent donc être analysés attentivement[4].

Source: G.C. BRUNER II, «Music, Mood and Marketing», *Journal of Marketing,* vol. 54, n°4, 1990, p. 94-104.

Le goût Le goût participe à l'expérience de nombreux produits, essentiellement dans le domaine alimentaire. Le goût étant une affaire personnelle, on comprend l'importance des dégustations de nouveaux produits alimentaires. Certains nous font sourire de contentement pendant que d'autres nous font grimacer. Trop ou pas assez sucré, salé, épicé, trop amer, etc., toutes ces préoccupations liées au goût importent au moment de la création d'un nouveau produit culinaire. Certains consommateurs cherchent à développer une plus grande sensibilité au goût de produits tels que le vin et s'inscrivent à cette fin à des cours spécialisés. Mais les consommateurs n'achètent pas un produit seulement pour son goût. C'est ce qui ressort de l'étude présentée dans la capsule 3.4. D'autre part, le goût serait intimement lié à l'odorat. Ainsi, quand on neutralise l'odorat, on altère le goût[5]. Avez-vous remarqué que, lorsque vous êtes enrhumé, vous perdez le sens du goût? De même, si vous vous bouchez le nez en mangeant, vous n'éprouverez la sensation du goût que d'une manière très imparfaite. Le goût est aussi influencé par la présence d'une information visuelle. Dans une étude réalisée par deux chercheurs américains, on a montré que des échantillons identiques de jus d'orange donnaient lieu à des perceptions gustatives plus différenciées que des échantillons différents quant à la teneur en sucre lorsqu'on altérait la couleur pour rendre un des jus légèrement plus foncé[6]. Dans une autre étude américaine, des enfants âgés de 3 à 5 ans ont jugé que des pépites de poulet, des frites, des carottes et du lait avaient meilleur goût lorsque ces aliments étaient présentés dans des sacs affichant le logo de McDonald's que lorsqu'ils étaient présentés dans des sacs sans logo[7].

CAPSULE 3.4

Au-delà du goût

Dans les années 1960, une étude intéressante fut réalisée par deux chercheurs américains en marketing[8]. Ceux-ci demandèrent à des amateurs de bière de participer à une recherche où trois marques de bière seraient comparées quant à l'arôme, le pétillement, etc., et quant à la qualité en général. La dégustation comparative fut étalée sur deux semaines. Les chercheurs firent en sorte qu'une des marques comparées soit systématiquement la bière préférée des consommateurs. Dans un premier temps, les étiquettes des bières comparées furent cachées. Les consommateurs furent alors incapables de distinguer leur marque préférée des autres marques. Ensuite, lorsque les étiquettes furent dévoilées, les évaluations des participants à l'étude furent directement influencées par leurs préférences initiales. Les chercheurs conclurent que «les distinctions entre les produits ou les différences, dans l'esprit des participants, résultent davantage de leur réceptivité aux efforts de marketing des firmes que des perceptions sensorielles des différences entre les produits».

Source: R.I. ALLISON et K.P. UHL, «Brand Identification and Perception», *Journal of Marketing Research*, n° 10, février 1964, p. 80-85.

L'odorat On sait depuis longtemps que les odeurs influencent les perceptions des consommateurs en suscitant diverses réactions émotives, négatives ou positives: une odeur de pain frais dans une épicerie peut stimuler l'appétit et favoriser l'achat d'autres produits; les odeurs émanant des parfums dans un magasin suffisent à créer une foule d'impressions agréables; une voiture neuve a une odeur bien particulière (*voir la capsule 3.5*). On commence à peine à entrevoir les possibilités d'influence des odeurs sur le comportement des consommateurs. Cependant, la recherche dans ce domaine s'annonce difficile du fait que l'odorat est un sens très complexe : les humains sont pourvus de millions de récepteurs olfactifs. Pour les besoins d'une étude menée il y a quelques années par deux chercheurs français, on avait diffusé des odeurs de lavande et de citron dans la salle à manger d'un petit restaurant. L'expérience a montré que le temps que passaient les clients dans cet établissement ainsi que l'argent qu'ils y dépensaient variaient de façon notable selon le type d'odeur diffusé. Ainsi, lorsque l'on répandait une odeur de lavande dans l'établissement, les clients restaient plus longtemps et dépensaient plus d'argent que lorsque l'on émettait une odeur de citron ou que l'on ne diffusait aucun parfum. Selon les chercheurs, ces résultats sont dus au fait que la lavande exerce généralement un effet relaxant. L'odeur de lavande les ayant détendus, les clients étaient restés plus longtemps dans le restaurant et avaient pu ainsi y consommer davantage[9].

CAPSULE 3.5

L'odo-maître

Plusieurs constructeurs automobiles ayant compris l'importance des odeurs à l'intérieur de la voiture investissent argent, temps et efforts pour s'assurer qu'elles sont appropriées. Ainsi, chez Rolls-Royce, on a engagé un spécialiste afin de confectionner un parfum artificiel qui recrée les odeurs types de la Rolls-Royce des années 1960, car les propriétaires se plaignaient de ne pas retrouver dans les nouvelles voitures (dont l'intérieur est davantage constitué de mousse, de polymère et de plastique) les odeurs de cuir, de laine et de bois qu'ils associaient à la marque. Le parfum miracle est dorénavant aspergé dans les Rolls-Royce au moment de l'entretien au garage. Chez Audi, des analyses sensorielles sont régulièrement effectuées par des renifleurs (appelés des « nez »), qui notent de façon systématique des échantillons de matériaux entrant dans la construction de l'habitacle des voitures. Les résultats permettent de contrôler les odeurs qui se dégagent dans des conditions climatiques diverses.

Source : E. LEFRANÇOIS, « Quand l'auto nous mène par le bout du nez », *La Presse,* cahier L'Auto, 2009, p. 3.

Le toucher Le sens tactile des consommateurs se trouve particulièrement sollicité et exploité lorsqu'il est question de produits textiles tels que les vêtements et la literie (*voir la capsule 3.6*), ou de produits assouplissants pour le linge. Il n'est pas négligé non plus lorsque l'on propose aux consommateurs des produits de soin du corps tels que des lotions hydratantes et adoucissantes. Mais saviez-vous que, dans une étude, on a démontré qu'un serveur de restaurant qui touchait ses clients se voyait gratifié d'un plus gros pourboire[10]? Saviez-vous aussi que le simple fait de toucher un objet augmente significativement la perception que cet objet nous appartient[11]? Il semble que les consommateurs n'éprouvent pas tous le même besoin de toucher les objets qu'ils convoitent, certains ayant davantage besoin que d'autres de toucher les objets pour construire leur jugement[12].

Comment améliorer l'expérience du toucher

Les consommateurs basent fréquemment leurs décisions d'achats, en tout ou en partie, sur des attributs sensoriels comme le goût (par exemple, l'achat d'un parfum), le son (par exemple, l'achat d'un système audio) ou la texture (par exemple, l'achat d'une serviette). L'information sensorielle est cependant complexe et, contrairement à l'information verbale, elle est souvent difficile à interpréter correctement. On peut cependant améliorer l'expérience sensorielle en l'accompagnant d'information verbale pertinente, ce que l'on appelle un « vocabulaire de consommation ». Deux chercheurs québécois ont testé cette idée dans une étude portant sur le toucher. On a demandé à des consommateurs d'examiner visuellement et de toucher deux échantillons de tissu de même couleur et de même apparence, donc difficiles à différencier. L'un (la version A) était fait de soie pure alors que l'autre (la version B) était une très bonne imitation de la soie. La moitié des participants a fait l'expérience sans information additionnelle alors que l'autre moitié a d'abord lu un feuillet d'information présentant les attributs essentiels de la soie (la douceur, la brillance, le lustre et la trame). Par la suite, on a demandé aux participants d'évaluer chaque échantillon et d'indiquer jusqu'à quel point ils avaient confiance dans leur évaluation. Un peu plus tard, on leur a montré l'échantillon B (l'imitation) en leur demandant d'indiquer de quelle version il s'agissait (A ou B) ainsi que leur degré de confiance en leur choix. Les résultats de l'étude ont montré que la mémoire des participants, leur niveau de confiance dans leur évaluation ainsi que leur niveau de confiance dans leur mémoire étaient significativement plus élevés lorsqu'on leur fournissait un vocabulaire de consommation. Les auteurs concluent que la disponibilité d'information verbale pertinente lors d'une expérience d'achat fondée sur des attributs sensoriels peut améliorer la réception, la rétention et le recouvrement de la mémoire de l'expérience sensorielle, et contribuer ainsi à améliorer la formation des préférences.

Source : A. D'ASTOUS et E. KAMAU, « Consumer Product Evaluation Based on Tactile Sensory Information », *Journal of Consumer Behaviour*, 2010.

Les capacités sensorielles du consommateur ne sont toutefois pas illimitées, allant d'ailleurs en s'amenuisant avec l'âge. Les lunettes, les prothèses acoustiques sont des exemples de produits offerts aux consommateurs en guise de « béquilles » sensorielles. Cette observation nous amène à aborder la notion de seuil de perception.

Les seuils sensoriels

La psychophysique, qui s'intéresse au lien entre les stimulations sensorielles et les sensations résultantes, propose pour chaque sens un seuil absolu inférieur, un seuil absolu supérieur et un seuil différentiel. La notion de seuil absolu inférieur correspond au niveau minimal d'intensité requis pour qu'une personne puisse détecter un stimulus. La notion de seuil absolu supérieur correspond au niveau auquel une augmentation d'intensité ne provoque plus de sensation supplémentaire. Enfin, la notion de seuil différentiel renvoie à la variation minimale d'intensité d'un stimulus qu'un individu peut percevoir. Notre capacité à déceler une différence d'intensité dépend de l'intensité initiale du stimulus. Plus le niveau initial du stimulus est élevé, plus le changement d'intensité dans ce stimulus doit être important pour être remarqué. C'est ce que l'on appelle la loi de Weber. Par exemple, on notera facilement l'addition d'un gramme de sucre dans une boisson qui en contient très peu, alors qu'elle passera inaperçue dans une boisson fortement sucrée.

La notion de seuil différentiel et la loi de Weber trouvent diverses applications en marketing. Ainsi, on doit s'assurer qu'une diminution de prix ou une amélioration de produit seront perçues comme telles par le consommateur. À l'inverse, on pourra procéder au rajeunissement d'un logo ou d'un emballage de manière imperceptible afin de préserver le capital de marque accumulé[13].

La sélection et l'attention

La première étape du processus de perception est la sélection des informations. On dit de la perception qu'elle est sélective. Qu'entend-on par là? Les consommateurs sont exposés à une quantité incalculable d'informations, et la simple logique nous amène à conclure que, pour fonctionner adéquatement dans leur environnement, ils doivent être sélectifs dans l'acquisition de celles-ci. La sélection de ces informations peut-être **volontaire.** C'est le cas par exemple du téléspectateur qui change de chaîne pour éviter les publicités (*zapping*). Elle peut aussi être **involontaire,** par exemple lorsqu'un bruit nous fait sursauter ou qu'une publicité humoristique attire notre attention. Dans beaucoup de cas, la sélection est **automatique.** On entend par là que les informations qui sont sélectionnées servent les objectifs immédiats de la personne. Autrement dit, les consommateurs sélectionnent automatiquement l'information qui leur permet d'atteindre les objectifs qu'ils poursuivent.

Un grand principe de la perception est qu'elle dépend à la fois de **facteurs structurels** et de **facteurs motivationnels.** Il importe donc de bien faire cette distinction fondamentale[14].

Les facteurs structurels

Par facteurs structurels, on entend les caractéristiques de l'environnement: la couleur, la taille, les sons, les odeurs, la musique, etc., dont nous avons parlé précédemment. Certaines propriétés des stimuli agissent directement sur l'attention des consommateurs. C'est à celles-là que nous allons nous attarder plus particulièrement. Parmi ces propriétés, quelques-unes sont particulièrement importantes pour le marketing: la taille et l'intensité, la couleur, la position, le contraste, le caractère concret et le caractère négatif de l'information, l'ordre de présentation et l'ambiguïté.

La taille et l'intensité Plus les stimuli sont gros, meilleures sont les chances qu'ils soient remarqués par les consommateurs. Des études ont démontré qu'une page entière de publicité imprimée a presque deux fois plus d'incidence (attention, rappel) qu'une publicité d'une demi-page. L'intensité d'un stimulus semble avoir les mêmes effets. Avez-vous observé par exemple que, dans certaines publicités télévisées, le son est significativement plus élevé?

La couleur Les annonces en couleurs reçoivent généralement plus d'attention que celles en noir et blanc. Dans une étude réalisée aux États-Unis sur l'efficacité de l'utilisation de la couleur dans les annonces imprimées dans les journaux, on a noté que les ventes moyennes des produits en solde augmentaient d'environ 40 %

simplement par l'ajout d'une couleur à une publicité en noir et blanc[15]. De même, un emballage arborant des couleurs brillantes recevra plus d'attention qu'un emballage de couleur terne.

La position La position fait référence à la place occupée par un stimulus dans le champ visuel de la personne. Les objets placés dans le centre du champ visuel ont une plus grande probabilité d'être remarqués que les objets situés à la périphérie. C'est d'ailleurs pourquoi les fabricants de produits de consommation se font une vive concurrence pour que leurs produits occupent dans les épiceries une tablette située à la hauteur des yeux. Dans un journal, vaut-il mieux positionner une annonce sur la page de gauche ou sur celle de droite (*voir la capsule 3.7*) ?

CAPSULE 3.7

Les mythes publicitaires

Pour être persuasive, la publicité imprimée doit d'abord être lue. Aussi est-il important de placer une annonce de façon optimale. Vous avez sans doute une idée de la meilleure façon d'attirer l'attention des consommateurs sur une annonce dans un journal. Beaucoup pensent qu'il vaut mieux placer l'annonce sur la page de droite parce que la plupart des lecteurs sont droitiers et qu'ils ont tendance à regarder d'abord les pages de droite. C'est pourtant tout à fait faux. De nombreuses études ont montré que les annonces sur les pages de gauche sont aussi efficaces que celles sur les pages de droite. On pense aussi qu'une annonce placée au début d'un magazine aura plus d'impact. Cela n'est vrai qu'en partie, car les annonces imprimées sur la page 2 et sur l'avant-dernière page d'un magazine sont lues en moyenne par 30 % plus de gens. Cependant, celles qui sont placées au dos du magazine reçoivent 64 % plus d'attention. Enfin, vaut-il mieux placer une publicité à côté d'un article ou la placer seule ? Certains pensent qu'un article fait concurrence à la publicité pour attirer l'attention des lecteurs. Faux. Les études montrent que, plus les articles qui entourent une publicité sont intéressants, plus cette publicité est susceptible d'en bénéficier.

Source : L. DUPONT, « Page de gauche ou page de droite ? », *Finance et Investissement*, juillet-août 2000, p. 31.

Le contraste Le contraste a fait l'objet d'une théorie très importante en psychologie : la **théorie de l'adaptation** développée par le psychologue américain Harry Helson. Selon cette théorie, les individus tendent à s'adapter à des niveaux constants de stimuli et à y accorder moins d'attention au fil du temps. Par exemple, lorsque nous entrons dans une boutique climatisée, l'été, nous remarquons immédiatement la différence de température. Après un certain temps, notre système s'adapte à cette température, et nous l'oublions. On peut appliquer cette théorie à toutes sortes de situations. Lorsqu'il y a une rupture dans les conditions de l'environnement, notre système perceptuel est alerté. Ainsi, même si l'on a dit plus haut qu'une annonce en couleurs attire plus l'attention des consommateurs, une annonce en noir et blanc dans un magazine ne présentant que des annonces en couleurs a une plus grande probabilité d'être remarquée. Un des défis majeurs d'un responsable du marketing est de faire en sorte que ses produits et ses marques sortent du lot. Le contraste est un moyen efficace d'y arriver (*voir la capsule 3.8, page suivante*).

Les effets bénéfiques de la publicité

Les consommateurs ne sont pas conscients des effets de l'adaptation. Ainsi, lorsqu'ils regardent la télévision, en général leur intérêt diminue graduellement. Une interruption peut alors être bénéfique en stoppant le processus d'adaptation et en restaurant le niveau d'intérêt. Trois chercheurs américains ont montré que même si les gens disent ne pas apprécier la présence de publicités lorsqu'ils regardent la télé, des interruptions publicitaires sont susceptibles de rehausser leur intérêt pour le programme qu'ils regardent. Dans une étude, des participants ont regardé un épisode de l'émission *Taxi* entrecoupé de publicités alors que d'autres ont vu la même émission sans publicités. Contrairement à ce à quoi l'on pourrait s'attendre, les consommateurs ayant regardé l'émission avec les publicités ont affiché un niveau d'appréciation de celle-ci supérieur. Les auteurs ont montré de plus que ces résultats ne dépendent pas de la qualité des publicités.

Source: L.D. NELSON, T. MERVIS et J. GALAK, « Enhancing the Television-Viewing Experience through Commercial Interruptions », *Journal of Consumer Research*, vol. 36, n°2, 2009, p. 160-172.

Le caractère concret De façon générale, il semble que l'information concrète ait plus d'impact que l'information abstraite. Par exemple, une recommandation d'achat par un ami est plus vivante, plus intense qu'un tableau de chiffres qui compare des marques entre elles. Un slogan publicitaire qui utilise des images et des termes concrets (par exemple: «Pour le soulagement de la douleur, trois médecins sur quatre recommandent Advil») a plus de probabilités d'être remarqué et gardé en mémoire qu'un slogan employant des concepts abstraits (par exemple: «Pour le soulagement de la douleur, les médecins recommandent Advil»)[16]. Plusieurs études en psychologie ont montré que les mots concrets facilitent la formation d'images mentales et sont plus faciles à se remémorer.

Le caractère négatif L'information négative a généralement plus d'impact que l'information positive[17]. Des études montrent que le fait de communiquer des renseignements négatifs à propos d'un objet (par exemple, une marque) est perçu comme reflétant davantage les vrais sentiments de la personne qui communique ces renseignements que s'ils étaient positifs. À titre d'illustration, on a trouvé dans une étude que la réputation d'un critique de cinéma n'a d'impact sur les évaluations *a priori* d'un film par les consommateurs que lorsque la critique qu'il en fait est négative. Lorsque cette critique est positive, la réputation du critique n'est pas une information utile parce que ce type d'évaluation n'est pas assez distinctif[18].

L'ordre de présentation Beaucoup d'études ont montré que l'ordre de présentation des stimuli a un impact significatif sur l'attention et la mémorisation. De façon générale, les personnes auxquelles on présente un ensemble de stimuli se rappellent davantage des premiers (**effet de primauté**) et des derniers (**effet de récence**) (*voir aussi la capsule 3.7, page précédente*). On explique ces résultats par l'attention plus grande qui est accordée aux premiers stimuli et par le fait qu'il est plus facile de se rappeler les dernières choses que l'on a vues ou entendues. Les implications de ces effets pour la communication publicitaire apparaissent claires: les arguments principaux d'un message devraient être présentés au début ou à la fin.

L'ambiguïté La plupart des objets qui nous entourent nous sont familiers. Cependant, il arrive que des stimuli ne correspondent pas à nos attentes ou à une forme immédiatement reconnue, ce qui peut causer de l'ambiguïté. Par exemple, une boisson gazeuse composée d'ingrédients naturels est un objet de consommation ambigu. De même, la première fois que vous avez aperçu une vache au sourire aguichant affublée de grandes boucles d'oreilles sur une boîte de fromage «La vache qui rit» (www.lavachequirit.com), vous avez sans doute été surpris, comme lorsque vous avez découvert la prise de courant d'Hydro-Québec qui parle et «cligne de l'œil». Les études montrent que les stimuli ambigus entraînent un certain degré de stimulation interne (*arousal*): plus l'ambiguïté est grande, plus la stimulation est élevée. À des niveaux d'ambiguïté faibles (c'est-à-dire dans une situation familière), la stimulation est minime et l'intérêt envers les stimuli est faible. À des niveaux d'ambiguïté intermédiaires, la stimulation est plus forte et l'intérêt est grand. Par contre, si l'ambiguïté est très grande, la stimulation est trop forte pour être confortable et l'intérêt est à nouveau faible[19]. Il semble donc qu'un certain niveau d'ambiguïté soit nécessaire pour éveiller l'intérêt des consommateurs. Avec l'utilisation de la métaphore du couteau suisse, la publicité du sirop Vicks contre la toux, présentée ci-contre, joue sur l'ambiguïté pour attirer notre attention. Le «couteau-cuillers» nous surprend, nous intrigue, nous stimule, nous amuse. C'est avec peu de difficulté que nous comprenons l'analogie employée et levons l'ambiguïté apparente.

Une publicité qui joue sur l'ambiguïté.

La perception non consciente: le cas de la publicité subliminale

Nous avons vu que les propriétés des stimuli extérieurs peuvent avoir un impact sur l'attention des consommateurs. Mais les consommateurs doivent-ils nécessairement être conscients des stimuli pour que ceux-ci les influencent? La publicité subliminale est l'un des grands sujets de controverse associée à la perception. Lorsque des glaçons dans un verre sont utilisés pour vendre une marque de spiritueux, s'agit-il d'une technique subliminale, celle des messages enchâssés, ou bien d'innocents morceaux de glace que seule l'imagination fertile de certains consommateurs aura transformés en image érotique?

La perception subliminale représente un cas intéressant de perception inconsciente. Aux États-Unis, au cours des années 1950, un cinéma a projeté sur ses écrans durant une période de six semaines des messages subliminaux, c'est-à-dire des messages transmis si rapidement qu'ils ne pouvaient être perçus consciemment, incitant les gens à acheter du maïs soufflé («*Eat popcorn*») et à boire du Coca-Cola («*Drink Coca-Cola*»). On rapporte que les ventes de maïs soufflé augmentèrent de 58% et celles de Coca-Cola, de 18%. Bien qu'ils n'aient jamais été véritablement corroborés de façon scientifique, les résultats de cette expérience alertèrent les critiques et les chercheurs. Plusieurs études furent conduites par la suite[20]. Même si ces études ont posé des problèmes méthodologiques importants – par exemple, à cause du fait que le seuil de perception consciente varie d'une personne à l'autre –, elles ont montré que la perception subliminale est possible: de l'information non perçue consciemment peut être enregistrée en mémoire. Cependant, plusieurs doutent que ces perceptions puissent influencer le comportement des gens. L'emploi présumé par certaines compagnies de techniques subliminales continue néanmoins d'alimenter des rumeurs parmi les consommateurs. Nombre de consommateurs, croyant au pouvoir de l'approche subliminale, achètent des cassettes «subliminales» pour tenter d'arrêter de fumer, d'améliorer leur mémoire, d'augmenter leur estime de soi, etc. Et vous, y croyez-vous (*voir la capsule 3.9, page suivante*)?

L'efficacité des cassettes subliminales

Les cassettes subliminales visant à améliorer la mémoire ou à augmenter l'estime de soi sont-elles efficaces? Des chercheurs américains ont mené une étude afin de le déterminer. Après avoir pris des mesures de leur mémoire et de leur estime de soi, les chercheurs ont demandé à des personnes d'écouter pendant un mois une cassette commerciale étiquetée «mémoire» ou «estime de soi». Pour la moitié des participants, l'étiquette placée sur la cassette était erronée: elle indiquait «mémoire» alors qu'il s'agissait en fait d'une cassette sur l'estime de soi et vice-versa. Les chercheurs ont trouvé que l'étiquette avait un effet sur l'amélioration perçue par les participants de leur mémoire et de leur estime de soi. Ceux qui avaient reçu la cassette portant l'étiquette «mémoire» croyaient que leur mémoire s'était améliorée, même si l'étiquette était fausse. Il en a été de même chez ceux ayant reçu la cassette sur l'estime de soi. Cependant, ces croyances ne se sont pas vérifiées de façon objective. Les chercheurs ont trouvé en effet que la mémoire et l'estime de soi des participants s'étaient toutes deux améliorées de façon significative, indépendamment de la cassette reçue! Cette étude ne démontre pas que les cassettes subliminales n'ont pas d'effet, mais elle jette de sérieux doutes sur les allégations de ceux qui en font la promotion.

Source: A.G. GREENWALD, E.R. SPANGENBERG, A.R. PRATKANIS et J. ESKANAZI, «Double-Blind Tests of Subliminal Self-Help Audiotapes», *Psychological Science*, n°2, 1991, p. 119-122.

Les facteurs motivationnels

La perception ne dépend pas uniquement des stimuli extérieurs, elle est le résultat d'une interaction entre la personne et ce qui se trouve dans son champ perceptuel. Alors que les facteurs structurels se rapportent aux stimuli de l'environnement, les facteurs motivationnels font référence aux caractéristiques de la personne.

Quatre catégories de facteurs motivationnels jouent un rôle très important dans le processus de sélection et d'attention: les besoins, les préférences, l'état affectif et l'accessibilité cognitive.

Les besoins Les exemples des effets des besoins sur l'attention abondent. On remarque davantage les annonces de nourriture lorsque l'on a faim, et les aliments semblent alors plus appétissants. Les personnes de l'autre sexe (ou de même sexe) paraissent plus attirantes en présence de désir sexuel.

Les préférences L'étude sur les buveurs de bière décrite précédemment (*voir la capsule 3.4, page 73*) est un exemple de l'impact des préférences sur la perception. Demandez à un amateur de hockey de décrire le dernier match opposant son équipe préférée à celle qu'il aime le moins. Demandez ensuite à un partisan de l'équipe adverse de faire de même. Vous obtiendrez probablement deux versions différentes du match[21]. Vous pouvez aussi tenter l'expérience avec des partisans de partis politiques après un débat des chefs.

L'état affectif L'humeur oriente l'attention. Lorsque nous sommes de mauvaise humeur, nous avons tendance à «voir les choses en noir»; lorsque nous sommes heureux, tout nous paraît beau et intéressant. Un homme donne de l'argent de poche à ses enfants pour qu'ils puissent s'acheter des bonbons et, du coup, il est le meilleur des pères!

L'accessibilité cognitive Avez-vous déjà vécu l'expérience de vous arrêter sur un mot nouveau qui retient votre attention, puis de le voir ensuite partout ? On a l'impression qu'il s'agit de coïncidences et pourtant, c'est simplement dû au fait que notre système perceptuel est plus sensible à la détection de ce mot : ce mot est maintenant plus accessible. Lorsque l'on vient d'acheter une voiture ou que l'on prévoit en acheter une, on a tendance à remarquer sur la route les voitures de même marque et à porter attention aux annonces publicitaires de cette marque.

L'organisation perceptuelle

Le deuxième aspect de notre définition de la perception est l'organisation perceptuelle. À l'état brut, les informations qui parviennent à nos sens sont désordonnées et chaotiques : il nous faut les organiser. Par exemple, considérons la lecture d'un livre. Les caractères imprimés qui apparaissent sur une page sont d'abord des lettres qui se suivent et forment des groupes distincts. Bien sûr, ce que l'on perçoit, ce sont des mots, des phrases, des idées, et pas seulement des lettres. C'est par l'organisation perceptuelle que ces symboles typographiques, *a priori* incohérents, se transforment en un texte structuré. Cet exemple montre que la perception peut être très superficielle (je vois des symboles typographiques) ou plus profonde (symboles ⟶ mots ⟶ idées). Deux courants de recherche importants s'inscrivent dans toute discussion de l'organisation perceptuelle : l'école de la Gestalt et la catégorisation.

L'école de la Gestalt

Les principes de l'organisation perceptuelle ont été développés au cours des années 1920 par les chercheurs de l'école de la Gestalt (terme qui signifie « configuration, tout ») en Allemagne. Cette école de psychologie était fondée sur le principe que la perception est entière, globale plutôt que fragmentée. Autrement dit, les gens ne perçoivent pas les parties séparées d'un objet, mais l'objet comme un tout organisé : l'objet est plus que la somme de ses parties. Selon l'école de la Gestalt, le système perceptuel fonctionne de façon à fournir une perception concrète, simple et entière. Pour ce faire, il est guidé par des principes fondamentaux qui sont, entre autres, la figure et le fond, la proximité et la similarité, la fermeture, le contexte.

La figure et le fond Notre perception s'organise naturellement en fonction de deux plans : la figure, c'est-à-dire l'objet sur lequel notre attention est focalisée, et le fond, ce qui est en retrait de la figure. Dans notre exemple de publicité *sexy,* présenté dans la capsule 3.10 de la page suivante, la jolie fille est, pour plusieurs, la figure, et le produit, soit le téléviseur, est le fond, alors que ce devrait être l'inverse. En examinant la publicité ci-contre, vous constaterez que l'étiquette du drapeau canadien est mise en évidence (elle en constitue la figure) grâce à un arrière-plan rouge (qui constitue le fond). Ce procédé met le porc canadien au premier plan par rapport au porc d'autres pays.

Une publicité qui illustre le principe de figure-fond.

Comment se faire voler la vedette

En publicité, on utilise souvent des modèles *sexy* pour attirer l'attention, particulièrement dans les publicités qui s'adressent aux hommes. Cette stratégie est-elle efficace ? Une étude de la compagnie RCA aux États-Unis est particulièrement révélatrice à ce sujet. Dans cette étude, on a comparé deux publicités vantant les mérites du système Colortrak des téléviseurs RCA. Dans l'une, une jolie fille dans une robe assez provocante apparaissait aux côtés du téléviseur ; dans l'autre, la même fille portait une robe très sobre. Pour mesurer l'efficacité publicitaire, on a utilisé un appareil permettant de suivre les mouvements des yeux (*eye-tracking device*) ainsi que des mesures de rappel du nom de la marque. L'examen des mouvements des yeux des participants à l'étude a montré que la deuxième publicité réussissait à focaliser l'attention sur le produit, alors que dans le cas de la publicité *sexy*, l'attention des consommateurs était centrée sur la fille. Trois jours plus tard, 36 % des sujets ayant vu la deuxième publicité se rappelaient le nom de la marque alors que dans l'autre cas, seulement 9 % des personnes en étaient capables[22].

La proximité et la similarité Nous avons tendance à regrouper des stimuli *a priori* distincts selon la proximité dans le temps et l'espace, et selon la similarité. Dans l'exemple de la figure 3.2, la proximité des points dans le schéma de gauche fait en sorte qu'il est plus facile de voir des colonnes que des lignes. L'insertion de « x » dans le schéma de droite nous conduit à percevoir des lignes plutôt que des colonnes.

FIGURE 3.2 La proximité et la similarité

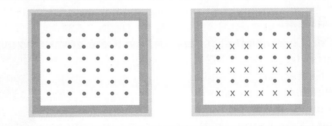

Une publicité qui illustre les principes de proximité et de similarité.

L'application au marketing du principe de similarité renvoie, entre autres, à l'exploitation de « marques ombrelles », telles que Kraft ou Michelin, pour accentuer le caractère familial des produits portant ces noms de marque. Il en va de même avec l'utilisation de noms de marque tels que Nesquick, Nescafé, pour souligner l'appartenance des produits à une même famille (dans ce cas-ci Nescafé). Jetez un coup d'œil à la publicité de la lotion Olay Quench, ci-contre. Le nouveau produit affiche d'emblée par son nom son affiliation à la famille des produits Olay, tablant ainsi sur le principe de similarité. Ce qui n'empêchera pas cette lotion d'avoir sa vie propre en tant que lotion qui vient à la rescousse des peaux qui en ont besoin, d'où l'analogie avec la bouteille de sérum.

La fermeture Nous organisons nos perceptions de façon qu'elles forment des figures achevées. Si le stimulus auquel nous sommes exposés est incomplet, nous aurons tendance, malgré tout, à le percevoir au complet en ajoutant mentalement, consciemment ou non, les pièces manquantes. Dans la figure 3.3, nous voyons bien la lettre A, même si elle n'est pas complète.

FIGURE 3.3 Une illustration du principe de la fermeture

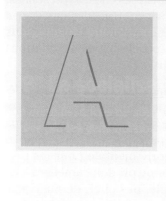

En marketing, on fait parfois usage de ce principe en proposant des publicités «incomplètes». C'est une façon de créer de l'ambiguïté et donc, nous l'avons vu précédemment, d'attirer l'attention, d'éveiller l'intérêt du consommateur. Par l'implication active de ce dernier dans la fermeture d'une publicité inachevée, on espère de sa part un traitement plus extensif de la publicité, une réponse affective positive à son égard grâce au plaisir de l'«énigme résolue», et qui devrait se transférer au produit. Mais encore faut-il que le consommateur soit motivé à percer l'énigme et que l'exercice de fermeture ne l'amène pas à développer des associations ou des images négatives[23].

Le contexte Les psychologues de l'école de la Gestalt ont aussi montré toute l'importance du contexte sur le plan de l'organisation perceptuelle. Par exemple, dans la figure 3.4, la ligne du dessous semble plus petite que la ligne du dessus, même si elles ont la même longueur : c'est le contexte qui fausse notre perception. De même, on lira le chiffre 13 ou la lettre B, selon le contexte dans lequel le caractère est présenté.

FIGURE 3.4 Deux illustrations de l'importance du contexte

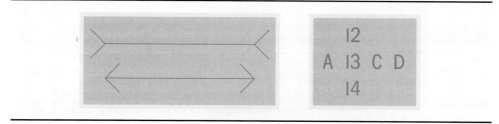

Sans doute avez-vous noté qu'à l'occasion, le moteur de recherche Google transforme les lettres de son logo pour souligner un événement important, comme l'anniversaire de la mort d'un personnage célèbre ou la pluie annuelle de perséides (étoiles filantes). Nous arrivons à déchiffrer les lettres du logo parce que le contexte dans lequel l'image se trouve, c'est-à-dire le site du moteur de recherche, active notre anticipation et facilite notre perception.

Les principes de l'organisation perceptuelle établis par les chercheurs de l'école de la Gestalt sont intéressants. Cependant, ces derniers se sont contentés d'établir des principes sans chercher à les expliquer, ce qui constitue la limite principale de cette approche.

La catégorisation

Une fonction essentielle de l'organisation perceptuelle est la catégorisation. Les consommateurs ne perçoivent pas chaque élément de leur environnement comme étant unique. Si c'était le cas, ils seraient vite dépassés par la diversité des informations extérieures. Si chaque objet avait un nom distinct, notre langage serait d'une incroyable complexité, rendant toute communication virtuellement impossible. Les consommateurs regroupent de façon naturelle les choses (personnes, marques, événements, etc.) qui se ressemblent, et ils forment ainsi des catégories mentales. Ces catégories, aussi appelées **concepts,** leur permettent d'être plus efficaces en les aidant à grouper les objets semblables (processus d'**assimilation**) et à distinguer les objets différents (processus de **contraste**).

La catégorisation d'un objet est utile parce qu'elle facilite le processus d'**inférence.** Ainsi, en plaçant tel objet dans une catégorie perceptuelle (en le catégorisant), on lui attribue automatiquement les qualités de la catégorie. Ce processus est à la base de ce que l'on appelle le **stéréotype** en psychologie. Par exemple, supposons qu'une personne ait développé une catégorie mentale pour les produits fabriqués en Chine; la mention «*Made in China*» sur un produit l'amènera à lui attribuer les traits propres à la catégorie (par exemple, pas cher, de mauvaise qualité). Beaucoup d'études portant sur le pays d'origine des produits s'appuient sur ce principe de «stéréotypage[24]». Lorsqu'un stéréotype est formé, il est très difficile de le changer. Par exemple, il aura fallu 20 ans à l'industrie automobile japonaise pour percer le marché nord-américain, car les produits japonais étaient mal perçus. L'industrie automobile coréenne est aux prises avec un problème semblable en ce moment.

Comment fonctionne la catégorisation ? Comment peut-on dire, par exemple, que tel objet est une chaise et non une chaîne stéréo ? La question n'est pas banale, et la réponse ne va pas de soi. Pour en savoir plus, nous vous invitons à lire la capsule 3.11.

CAPSULE 3.11

La catégorisation

Trois grandes théories ont été proposées pour expliquer la catégorisation.

La théorie classique Cette théorie propose que la catégorisation s'effectue sur la base des caractéristiques des objets. Ainsi, nous savons que tel objet est une chaise parce qu'il a quatre pattes et qu'il est possible de s'asseoir dessus. Autrement dit, selon cette théorie, nous aurions en mémoire un ensemble de caractéristiques et de règles qui nous permettraient de catégoriser tous les objets de notre environnement, qu'ils soient connus ou nouveaux.

Cette théorie présente deux problèmes majeurs. En premier lieu, elle explique mal le fait que la catégorisation soit généralement immédiate : appliquer des règles pour classifier chacun des objets qui nous entourent serait par trop inefficace. Le deuxième problème est la difficulté, voire l'impossibilité, de définir des caractéristiques suffisantes pour catégoriser les objets. Quelles sont les caractéristiques d'une chaise ? Quatre pattes ? Les chaises berçantes n'en ont pas. Le fait de pouvoir s'asseoir ? On peut s'asseoir sur beaucoup de choses. Avoir un dossier ? Les fauteuils en ont aussi. Comme on le voit, il est difficile de définir des règles de classification, même pour un objet aussi simple qu'une chaise.

La théorie probabiliste (ou théorie des prototypes)
Cette théorie soutient qu'il n'existe pas de caractéristiques suffisantes pour catégoriser les objets. Il y aurait plutôt une distribution probabiliste de caractéristiques qui nous permettrait de catégoriser les objets. Ainsi, une chaise n'a pas nécessairement de pattes, mais la probabilité qu'elle en ait est grande. La connaissance de la distribution probabiliste des caractéristiques des objets nous permettrait d'arriver à les catégoriser avec précision. Dans cette théorie, on suppose que les gens comparent les objets avec le **prototype** d'une catégorie, c'est-à-dire avec une représentation «moyenne» de la catégorie. Si la distance perceptuelle entre l'objet à catégoriser et le prototype n'est pas grande, on catégorise l'objet dans la catégorie représentée par le prototype.

Cette théorie est intéressante, mais elle ne dit pas grand-chose sur la nature des prototypes. Quel est le prototype d'une chaise ? Celui-ci varie-t-il selon la situation ?

La théorie des exemplaires Cette troisième théorie avance que, pour catégoriser, nous comparons l'objet avec une représentation mentale des meilleurs exemples de la catégorie. Par exemple, nous avons vu beaucoup de chaises durant notre existence, donc nous en avons différents exemplaires à l'esprit. En comparant ces exemplaires avec l'objet à catégoriser, nous pouvons prendre une décision.

Cette théorie offre une explication raisonnable du caractère immédiat de la catégorisation. Cependant, les critiques de cette théorie prétendent que le processus de comparaison avec des exemplaires est inefficace d'un point de vue cognitif : pourquoi garder en mémoire des exemplaires alors que des représentations plus abstraites (par exemple,

des règles, des prototypes) sont moins encombrantes ?

Quelle est la bonne théorie ? Sans doute aucune des trois. Il est probable que la catégorisation résulte d'une combinaison de mécanismes cognitifs. Par exemple, si l'on rencontre un objet, on peut dans un premier temps essayer de le catégoriser grossièrement en le comparant avec des exemplaires. Par la suite, on peut procéder de façon plus analytique en examinant ses caractéristiques pour voir si elles correspondent à celles de la catégorie.

Source : E.E. SMITH et D.L. MEDIN, *Categories and Concepts*, Cambridge, MA, Harvard University Press, 1981.

La catégorisation, nous l'avons dit, est un processus mental fondamental. Des études en psychologie ont montré que les gens catégorisent naturellement les objets de leur environnement à des niveaux de spécificité différents. Par exemple, un animal dans une cage peut être catégorisé comme un animal sauvage, un félin, une panthère ou une panthère tachetée (un léopard). Dans beaucoup d'études, on a trouvé que les gens ont un niveau de spécificité préféré pour catégoriser les objets, appelé le **niveau de base**[25]. Ce niveau de catégorisation est intermédiaire, ni trop abstrait ni trop concret. Par exemple, si l'on demande à des gens de décrire un aspirateur à partir d'une photo, ils seront plus enclins à dire qu'il s'agit d'un aspirateur (niveau de base) que d'un appareil ménager (niveau supérieur) ou d'un aspirateur de marque Sunbeam (niveau subordonné). À des niveaux de catégorisation supérieurs, les concepts sont très distincts – par exemple, un appareil ménager est très différent d'un véhicule –, mais ils ne sont pas très bien définis (il y a plusieurs sortes d'appareils ménagers). À des niveaux de catégorisation inférieurs, les concepts sont très bien définis – par exemple, un aspirateur de marque Sunbeam n'est pas un aspirateur de marque Hoover –, mais ils ne sont pas très distincts (les aspirateurs de marque Sunbeam et de marque Hoover se ressemblent). L'avantage du niveau de base est que les concepts qui se situent à ce niveau ne sont ni très distincts ni très définis, mais le sont suffisamment. On peut donc dire que le niveau de base est très efficace d'un point de vue cognitif. La figure 3.5, à la page suivante, présente l'exemple d'une structure hiérarchique de catégories pour des boissons[26].

La catégorisation trouve des applications importantes en marketing. Examinons-en quelques-unes.

L'ensemble évoqué Les études montrent que, pour simplifier leur environnement commercial, les consommateurs procèdent naturellement à la catégorisation des différentes marques de produits sur le marché. On appelle « ensemble évoqué » la catégorie perceptuelle des marques qu'un consommateur juge acceptables pour un achat éventuel[27]. Il semble que la taille de l'ensemble évoqué varie selon le type de produits, mais qu'elle est généralement petite (de trois à cinq marques dans le cas des produits de consommation courante). En limitant ainsi le nombre de marques à considérer au moment d'un achat, les consommateurs facilitent grandement leur tâche pour décider de l'option à choisir. Un des objectifs d'un responsable du marketing est de faire en sorte que sa marque soit incluse dans l'ensemble évoqué des consommateurs de son marché cible.

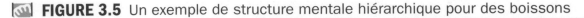

FIGURE 3.5 Un exemple de structure mentale hiérarchique pour des boissons

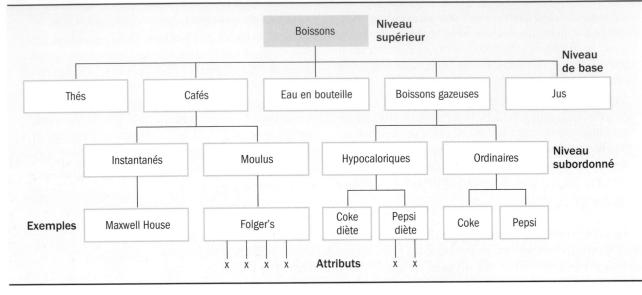

L'imitation Une stratégie intéressante pour un nouveau produit est d'adopter un emballage qui ressemble à celui d'une marque connue[28]. Cette stratégie d'imitation est suivie avec succès par certaines chaînes de distribution alimentaire qui offrent aux consommateurs des produits maison. L'objectif est de faire en sorte que les clients perçoivent la marque imitative comme faisant partie de la catégorie des marques acceptables. Dans certains cas, l'imitation est tellement réussie que les consommateurs sont bernés. À titre d'illustration, au printemps 2009 sont apparues sur les tablettes des magasins Provigo et Loblaws des conserves de sirop de table « à saveur d'érable » vendues à 3,99 $. De nombreux consommateurs ont acheté ce produit en pensant qu'il s'agissait de vrai sirop d'érable (une véritable aubaine à ce prix !). Il faut dire que l'emballage portait à confusion à cause de sa ressemblance (taille, couleur) avec les conserves bien connues de sirop d'érable vendues au Québec et de la présence d'une feuille d'érable sur la boîte[29]. L'imitation peut aussi être involontaire. Un exemple intéressant est celui de la marque de savon à vaisselle Sunlight. Lors de l'introduction du produit aux États-Unis, la compagnie a décidé de distribuer des échantillons. L'emballage de la marque était d'un jaune très brillant pour faire ressortir le fait que le savon contenait du citron. Après quelques jours, on s'est aperçu que plusieurs consommateurs avaient confondu l'échantillon avec du jus de citron et l'avaient tout bonnement ingurgité[30] !

Le nom de marque Le nom d'une marque permet de suggérer des associations, des qualités, des caractéristiques propres au produit ou au consommateur. Le nom du parfum Eternity ne conduit pas aux mêmes inférences que le nom Escape. Dans une étude réalisée aux États-Unis, on a trouvé que l'utilisation d'un nom de marque à connotation française induisait des perceptions plus accentuées de la dimension hédoniste (plaisir des sens, satisfaction, esthétique) des produits[31]. Dans une autre étude, on a montré qu'une marque est mieux perçue par les consommateurs sur les attributs que son nom évoque spontanément[32].

Le nom de marque peut donc être vu comme un stimulus permettant d'activer une ou plusieurs catégories mentales[33]. À la suite de cette activation, les propriétés des catégories sont transférées automatiquement au produit ou à l'acheteur. Cela donne parfois de bons résultats : Ultra Brite, Monsieur Muffler, Beignes Bec, Fitness (céréales faibles en matières grasses), Ziploc (sacs pour aliments), etc. Mais cela peut aussi donner de mauvais résultats. Par exemple, la compagnie américaine Gillette n'a pas pu vendre ses rasoirs à deux lames sous le nom Trac II en France, parce que ce nom suggérait le «trac» (ce qui est assez mauvais lorsque vient le temps de se raser...). Toyota a eu des problèmes en France auprès de quelques acheteurs potentiels avec son modèle MR2 («merdeux»).

Comment choisir un nom de marque approprié? Il y a essentiellement quatre points à considérer :

1. Idéalement, le nom de marque doit communiquer le ou les bénéfices clés du produit (par exemple, Monsieur Net, Audi Quattro, Head & Shoulders, Easy-Off) ;

2. Le nom doit être différent de celui des concurrents, à moins qu'il s'agisse d'un produit d'imitation (par exemple, Spritz Up) ;

3. Le nom doit être facile à prononcer et à retenir (par exemple, Acura) ;

4. La signification du nom dans la société où le produit est commercialisé doit être appropriée (*voir les exemples ci-dessus*).

La catégorisation des produits radicalement nouveaux Les progrès technologiques encouragent la prolifération de nouveaux produits innovateurs. Lorsqu'un produit est radicalement nouveau, les consommateurs peuvent avoir de la difficulté à l'associer à une catégorie mentale donnée. Par exemple, Febreze est un produit antibactérien que l'on vaporise sur les meubles, les rideaux, les tapis, les vêtements pour en éliminer les mauvaises odeurs. À quelle catégorie mentale ce produit appartient-il? Celle des désodorisants ou celle des nettoyants? Il est important que les consommateurs catégorisent correctement les produits de façon qu'ils puissent les repérer aisément en magasin. Un moyen d'y arriver est de leur donner un nom permettant d'activer une catégorie mentale donnée. La première catégorisation d'un produit radicalement nouveau est cruciale, car on a montré que celle-ci tend à être maintenue, de même que les inférences et les préférences s'y rattachant[34].

Il ressort de l'ensemble des applications en marketing présentées jusqu'à présent que le choix des indices à privilégier pour permettre une catégorisation adéquate par les consommateurs est une question cruciale.

La vente adaptative On trouve une application intéressante de la catégorisation dans le domaine de la vente personnelle. Des chercheurs en marketing pensent que les vendeurs efficaces sont ceux qui savent s'adapter aux nouvelles situations qu'ils rencontrent : ce sont des vendeurs adaptatifs[35]. Lorsqu'un vendeur fait face à une situation nouvelle (par exemple, un nouveau client), il cherche, à partir des indices dans l'environnement, à associer cette situation à une catégorie mentale donnée (par exemple, il s'agit d'un client bien informé). Les vendeurs expérimentés ont développé des structures cognitives riches et organisées en fonction des différentes situations de vente. Ces catégories contiennent de l'information à propos des stratégies de vente à utiliser (par exemple, avec les clients bien informés, il vaut mieux ne pas prendre d'initiatives). À la suite de la catégorisation, ces stratégies sont déterminées, mises en œuvre et, éventuellement, modifiées si elles s'avèrent inappropriées. La catégorisation, la détermination et la mise en œuvre des stratégies ainsi que leur modification au cours de l'interaction de vente ou au cours de plusieurs interactions constituent les aspects essentiels d'un processus de vente adaptatif.

Les cartes perceptuelles et le positionnement

L'organisation perceptuelle, c'est aussi la simplification des stimuli. Les produits de consommation sont caractérisés par un ensemble d'éléments (ou attributs) qui peut être très étendu. Par exemple, une marque de voiture peut être évaluée par rapport au prix, à la performance, à la consommation d'essence, à la tenue de route, à la fiabilité, au plaisir de conduire, etc. Il semble raisonnable de penser que les perceptions des consommateurs sont générales, fondées sur une combinaison de l'ensemble des attributs permettant la formation d'une image globale, plutôt que sur la prise en considération de chaque attribut pris individuellement.

Il est primordial pour une entreprise de connaître l'image qu'elle projette auprès des consommateurs, ainsi que celle de ses concurrents. La cartographie perceptuelle est une technique de recherche en marketing qui vise à établir une carte des perceptions que les consommateurs peuvent avoir des différents produits en concurrence sur un marché. Cette technique de recherche constitue une application importante du concept de perception.

À titre d'illustration, la figure 3.6 représente une carte perceptuelle des marques d'analgésiques aux États-Unis. On constate que la carte indique la manière dont chaque marque est perçue par rapport à chaque attribut. Ainsi, la marque Tylenol est perçue comme étant douce, alors que la marque Anacin est plutôt perçue comme étant efficace. Dans cet exemple, plus le vecteur qui représente un attribut est long, plus l'attribut est important. Ainsi, les attributs « douceur » et « efficacité » sont plus importants que l'attribut « difficile à avaler ». On note que les marques se différencient davantage par rapport aux attributs les plus importants. La carte montre que les marques Anacin et Excedrin occupent des positions très rapprochées dans l'esprit des consommateurs. Cela peut signifier que les consommateurs pourraient éventuellement substituer une marque à l'autre. Pour les fabricants de la marque Anacin, cela signifie qu'ils devraient revoir le positionnement de la marque afin de la distinguer davantage de son plus proche concurrent. On peut observer que la marque Panadol se trouve au centre de la carte, ce qui indique que cette marque n'a pas de caractéristiques distinctives, pas de personnalité forte ou d'attributs particuliers incitant les consommateurs à l'acheter. Enfin, il semble que les marques privées et Bayer n'ont pas de réelle concurrence. Il est donc clair qu'une carte perceptuelle comme celle-ci offre une représentation synthétique très utile des perceptions des consommateurs.

La construction d'une carte perceptuelle

Comment procède-t-on pour construire une carte perceptuelle comme celle de la figure 3.6 ? Voyons brièvement les étapes usuelles de la construction d'une carte perceptuelle[36].

Étape 1 : l'étude préliminaire On accomplit cette première étape à l'aide d'entrevues de groupe ou d'entretiens individuels avec des consommateurs. Cette étape poursuit deux objectifs. Premièrement, repérer les marques en concurrence : étant donné que la carte perceptuelle permet de positionner différentes marques, y compris la marque d'intérêt pour l'étude, il est important de bien choisir les marques à comparer. Deuxièmement, établir quels sont les attributs déterminants pour la catégorie de produit. Il est important alors de s'assurer que le langage utilisé pour décrire ces attributs est le même que celui des consommateurs.

FIGURE 3.6 Une carte perceptuelle des marques
d'analgésiques aux États-Unis

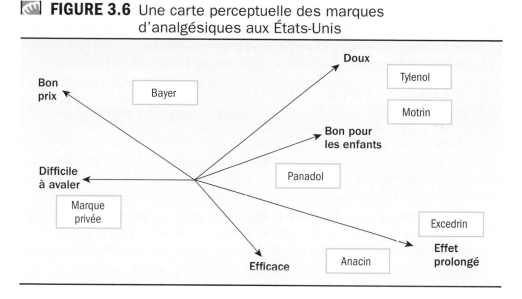

Étape 2 : l'élaboration et le test du questionnaire Le questionnaire sera utilisé dans une enquête auprès d'un échantillon de consommateurs. La partie la plus importante du questionnaire est celle où les marques sont comparées. Cette section est difficile à élaborer, particulièrement s'il y a beaucoup d'attributs et de marques. On peut employer deux approches : la première consiste à faire évaluer individuellement chaque marque par rapport à chaque attribut. Par exemple, dans une étude visant à positionner des marques de voiture, on pourrait rencontrer des échelles comme celle du tableau 3.1.

TABLEAU 3.1 L'évaluation d'une marque par rapport
à deux attributs

Selon vous, la Ford Focus est une voiture :							
Pas du tout confortable	1	2	3	4	5	6	7	Très confortable
De mauvaise qualité	1	2	3	4	5	6	7	De bonne qualité

Deux problèmes se posent avec cette façon de procéder. Premièrement, la tâche des participants à l'enquête risque d'être longue. Par exemple, si l'on veut comparer 10 marques par rapport à 20 attributs, on aura besoin de 200 échelles. Deuxièmement, cette méthode n'encourage pas les consommateurs à distinguer les marques entre elles. Ce problème sera d'autant plus important que le nombre d'échelles dans le questionnaire sera élevé.

La deuxième méthode consiste à demander aux participants de classer les marques par rapport à chaque attribut déterminant. Cette procédure a l'avantage de forcer les consommateurs à bien distinguer les marques. On obtient généralement des résultats plus nets avec cette méthode. Il faut cependant fournir aux participants des instructions très claires et tenir compte du fait qu'il est difficile de classer un grand nombre de marques. Le tableau 3.2, à la page suivante, propose une façon de procéder dans une étude portant sur des automobiles.

TABLEAU 3.2 Le classement des marques par rapport à des attributs déterminants

Veuillez classer les voitures suivantes par rapport à chaque caractéristique (confort et qualité), en leur attribuant des notes de 1 à 5 (1 étant la meilleure note).					
Confort	Ford Focus ☐	Nissan Sentra ☐	Honda Civic ☐	Hyundai Accent ☐	Volkswagen Golf ☐
Qualité	Ford Focus ☐	Nissan Sentra ☐	Honda Civic ☐	Hyundai Accent ☐	Volkswagen Golf ☐

Le questionnaire contient en général plusieurs questions additionnelles. On mesurera les préférences pour les marques, les habitudes d'achat, les caractéristiques des consommateurs (styles de vie, variables sociodémographiques, etc.).

Étape 3: la collecte des données Il importe à cette étape de s'assurer que l'échantillon est de qualité et de taille suffisante. Il ne sert à rien d'analyser les perceptions de consommateurs qui ne font pas partie du marché cible. Le travail de terrain doit être contrôlé de façon rigoureuse.

Étape 4: l'analyse Il existe deux méthodes courantes d'analyse des données: l'analyse factorielle et l'analyse discriminante. La carte présentée à la figure 3.6 de la page précédente a été produite à l'aide d'une analyse discriminante. Ces deux méthodes donnent souvent des résultats similaires. Il serait trop long de présenter ces méthodes ici (*voir l'ouvrage cité à la note 36*). Retenons simplement que l'analyse poursuit deux objectifs. Premièrement, elle vise à combiner les attributs de façon à mettre en lumière les dimensions principales retenues par les consommateurs pour juger les marques. On cherche à établir un espace géométrique comportant un nombre limité de dimensions. Deuxièmement, elle vise à positionner les marques dans cet espace géométrique. Cela consiste simplement à calculer la moyenne obtenue par chaque marque par rapport aux dimensions retenues.

L'interprétation

Le troisième et dernier aspect de notre définition de la perception est l'interprétation. Notons tout de suite que la distinction entre catégorisation et interprétation est quelque peu futile: quand on a catégorisé un objet, on l'a généralement interprété. Mais nous allons quand même maintenir la distinction à des fins de simplification.

L'interprétation est le processus par lequel nous donnons une signification aux stimuli extérieurs. Pour comprendre ce processus, nous ferons d'abord référence à l'un des concepts les plus importants en psychologie et en comportement du consommateur: le concept de schéma.

Les schémas

Un schéma est une structure mentale qui regroupe les connaissances, les croyances et les sentiments d'une personne à propos d'un objet ou d'un événement. Ce concept a été proposé au cours des années 1930 par un psychologue anglais du nom de Bartlett, dans un livre intitulé *Remembering*[37]. Bartlett s'intéressait à la mémoire des faits. Son approche était la suivante: il racontait à des sujets une histoire assez complexe, en général une légende indienne comportant plusieurs personnages et plusieurs actions; il demandait ensuite aux sujets de se rappeler intégralement l'histoire.

Bartlett a constaté que les gens ne se rappellent pas les faits de façon très précise, particulièrement si ces faits sont complexes. Ils ont une mémoire approximative, où l'essentiel des informations semble préservé. Bartlett a émis l'hypothèse que l'interprétation des informations par les sujets était influencée par l'activation de schémas. Selon la nature du schéma activé, on peut arriver à des interprétations et à des souvenirs différents. Un schéma peut contenir différents types d'information interreliés : images, informations factuelles, sons, etc.[38]

Pour bien comprendre le rôle des schémas dans le processus d'interprétation, considérons une étude réalisée au cours des années 1970 par deux chercheurs américains, Srull et Wyer[39]. Ces derniers voulaient montrer que l'interprétation d'un événement dépend du type de schéma qui est activé. Dans un premier temps, les participants à l'expérience devaient apprendre une liste de mots en sachant qu'ils seraient interrogés par la suite. Plusieurs des mots présentés à un premier groupe de sujets faisaient référence au schéma d'honnêteté (vol, tricherie, malhonnêteté, etc.), tandis que plusieurs mots proposés à un second groupe faisaient référence au schéma de camaraderie (aide, amitié, etc.). Après avoir appris la liste des mots, on présenta aux sujets une histoire dans laquelle un étudiant donnait à un ami la réponse à une question d'examen. Les sujets devaient par la suite se rappeler l'histoire. Les chercheurs notèrent que les sujets du groupe du schéma «honnêteté» avaient significativement plus tendance à déformer l'histoire en y incluant des remarques portant sur le caractère malhonnête de l'acte, alors que les sujets du groupe du schéma «camaraderie» avaient tendance à inclure des souvenirs soulignant l'attitude bienveillante de l'étudiant à l'égard de son camarade. Ces tendances s'accentuaient au fil du temps.

Cette étude montre qu'un schéma agit sur le processus perceptuel de trois façons :

1. en orientant la sélection des informations extérieures ;
2. en favorisant certains types d'inférence ;
3. en déterminant la nature de l'information dont il faut se rappeler.

Les différents types de schémas

Les chercheurs en psychologie et en comportement du consommateur distinguent trois types de schémas.

1. Les **schémas de personnes,** aussi appelés **stéréotypes.** En voici quelques exemples :

   - l'inspecteur de police (imper beige, carnet à la main, etc.) ;
   - le professeur d'université (regard distrait, veston rapiécé aux coudes, etc.) ;
   - l'homme d'affaires (jolie secrétaire, mallette, tenue soignée, téléphone cellulaire, etc.) ;
   - le touriste japonais (petite taille, appareil photo, etc.).

Nous avons vu au chapitre 2 que les consommateurs se font d'eux-mêmes une image réelle ou idéalisée, que nous avons appelée le concept de soi. Ce dernier correspond à un type particulier de schéma de personne : un schéma qui s'applique à soi-même.

2. Les **schémas d'événements,** aussi appelés **scripts.** Il s'agit de la représentation mentale d'une séquence organisée d'événements, un peu comme une bande dessinée ou un film. Par exemple, le script type d'une sortie au restaurant comprend les vignettes (ou capsules) suivantes :

– entrer dans le restaurant ;
– faire part de la réservation au serveur ;
– se faire conduire à sa table ;
– s'asseoir et commander des apéritifs ;
– lire le menu et faire son choix ;
– passer la commande au serveur ;
– terminer les apéritifs avant que le repas soit servi ;
– manger l'entrée ;
– manger le plat principal ;
– manger le dessert ;
– parler en attendant l'addition ;
– examiner celle-ci ;
– payer avec la carte de crédit ;
– laisser un pourboire si le service a été bon ;
– quitter le restaurant.

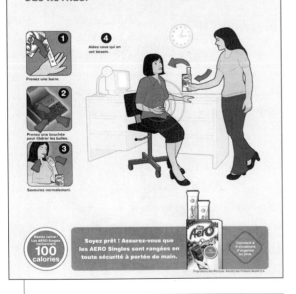

Une publicité fondée sur un script.

La publicité pour les Aero Singles ci-contre offre une illustration intéressante de « détournement » d'un script au profit d'une marque. Dans cette publicité, le script des consignes de sécurité en avion lié à l'utilisation du masque à oxygène est appliqué à l'apaisement d'une rage de chocolat (notez aussi les multiples références au schéma de la sécurité en avion : « Restez calme », « Convient à six situations d'urgence ou plus », « … rangées en toute sécurité »).

Les scripts sont des schémas utiles pour planifier des actions et savoir quoi faire à tout moment. Considérez par exemple le cas des touristes québécois qui visitent la France pour la première fois. Dans bien des situations, ils sont pris au dépourvu, car ils ne possèdent pas les scripts appropriés : payer pour aller aux toilettes, accorder la priorité à droite sur la route, serrer la main des gens rencontrés, choisir les bons ustensiles lors d'un repas, etc.

Certains chercheurs croient que les informations importantes que nous conservons en mémoire sont représentées comme des histoires, des scripts prenant une forme narrative[40]. Il semble de plus que les gens préfèrent traiter des informations nouvelles présentées sous une forme narrative plutôt que celles qui sont présentées sans organisation temporelle. Dans une étude, on a montré qu'une brochure d'information touristique présentée sous une forme narrative (« Vous visiterez d'abord Delhi, la capitale de l'Inde, avant de voir le Taj Mahal… ») avait plus d'influence sur l'évaluation de la destination qu'une brochure se limitant à présenter la liste des endroits à visiter (« Visite de Delhi, la capitale, visite du Taj Mahal, etc.[41] »).

3. Les **autres schémas**: les concepts, les idées, les objets physiques, les marques, etc. En fait, tous les concepts donnent lieu à des schémas plus ou moins élaborés. Le schéma (fictif) d'un magasin Archambault que pourrait établir un consommateur est illustré dans la figure 3.7. On constate que le schéma peut être vu comme un ensemble de concepts interreliés. Ceux-ci peuvent être des sensations (le son des violons), des images (le vendeur intimidant du rayon de musique classique), des concepts abstraits ou des sentiments (se sentir oppressé), des faits (un prix de 29,95 $ pour le dernier roman de Michel Tremblay), des slogans publicitaires, des souvenirs, etc. Dans cet exemple, les concepts associés au rayon de la musique populaire sont plus nombreux et mieux développés, probablement à cause des préférences de ce consommateur particulier. Cet exemple montre que les schémas de marques ou d'entreprises correspondent à des sommaires d'information très variée.

FIGURE 3.7 Un schéma fictif d'un magasin Archambault

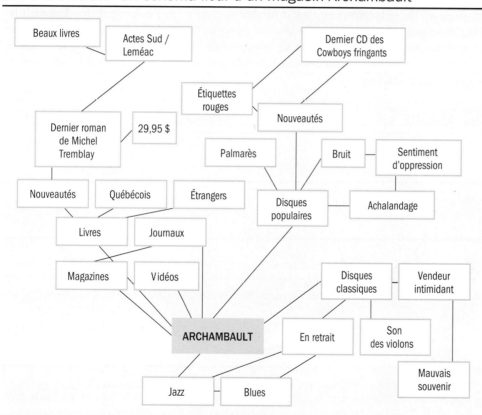

3.2 Une conception améliorée du processus de perception : le cycle perceptuel

« Le problème, c'est que nous sommes tous aveugles, tous dépendants des représentations préconçues, de ce que nous pensons que nous allons voir. La plupart du temps, c'est comme ça. Nous ne faisons pas l'expérience du monde. Nous faisons l'expérience de ce que nous attendons du monde[42]. » Cette citation de l'écrivaine Siri Hustvedt introduit bien cette section dans laquelle nous allons présenter un modèle de la perception plus approprié que le modèle linéaire présenté au début du présent chapitre (sélection ⟶ organisation ⟶ interprétation). Siri Hustvedt décrit la perception comme le résultat d'anticipations. Celles-ci dépendent en fait des schémas qui sont activés au moment où une personne tente de donner un sens à l'information qui arrive à ses sens. Le psychologue américain Ulric Neisser, considéré comme le père de la psychologie cognitive, a proposé une conception théorique de ce processus, qu'il a appelé le cycle perceptuel. Neisser conçoit le processus perceptuel dans la perspective de tests d'hypothèses successifs. Le schéma est le concept central de ce modèle[43].

Le modèle de Neisser est présenté à la figure 3.8. Neisser insiste sur l'importance du schéma en tant que structure d'anticipation : nous voyons d'abord ce que nous cherchons ou, comme le dit Siri Hustvedt, nous « faisons l'expérience de ce que nous attendons du monde ». Le schéma **dirige** le processus d'**exploration** et permet de **sélectionner** des données à partir de l'**information disponible.** Comme dans un test d'hypothèses, on cherche la cohérence entre l'information et le schéma : plus l'information se combine de façon cohérente avec le schéma, plus l'interprétation est facilitée. L'incohérence conduit à modifier le schéma, et le processus recommence.

FIGURE 3.8 Le cycle perceptuel de Neisser

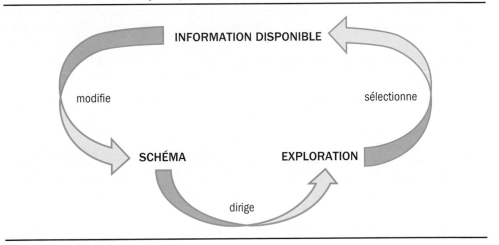

La publicité télévisée « La minute verte » peut servir d'illustration au cycle perceptuel de Neisser. Alors qu'une main dessine, un à un, divers éléments sous nos yeux, une voix hors champ pose sans arrêt la question « Qu'est-ce que c'est ? » pour nous interpeller, attirer et maintenir notre attention. Ainsi encouragé, le téléspectateur se sert des premiers indices qui lui sont donnés par la figure qui prend forme sous ses yeux et du schéma alors activé dans son cerveau pour tenter de répondre à la question. Alors qu'il pense être sur la bonne voie, d'autres indices lui font comprendre qu'il est sur la mauvaise piste, qu'il y a incohérence avec le schéma qu'il emploie et qu'il doit en conséquence changer de schéma d'exploration. Le jeu d'interprétation se poursuit avec plusieurs schémas éveillés successivement chez le téléspectateur, jusqu'à la réponse fournie en fait par la voix hors champ et qui prend la forme d'un message «vert».

Lorsque le schéma dirige l'exploration, on parle d'un processus de perception **conceptuel** (*top down*). Lorsque l'information modifie le schéma, on parle plutôt d'un processus **inductif** (*bottom up*). Le cycle perceptuel est une représentation intéressante du phénomène de la perception. C'est cependant une vision simplifiée dans la mesure où la perception implique sans doute un ensemble de schémas organisés de façon hiérarchique.

Pour enrichir encore notre compréhension du schéma et du processus d'interprétation de la perception, nous nous intéresserons maintenant à la représentation symbolique des objets et à leur signification.

La représentation symbolique des objets

Nous achetons un produit en fonction de la perception que nous en avons, de la représentation que nous nous en faisons et de la signification que nous lui donnons. Pour s'intéresser à l'interprétation des stimuli reçus par nos sens, il faut se pencher sur la façon dont nous chargeons ces stimuli d'une certaine valeur. Cette valeur peut résulter d'une signification symbolique individuelle déterminée par une expérience personnelle (rappelez-vous l'exemple, évoqué dans l'introduction du chapitre, de la musique sur laquelle vous avez dansé votre premier *slow*) ou bien elle peut reposer sur une signification partagée, car transmise par l'entremise de la culture lors du processus de socialisation de ses membres (pensez au sens de la musique reggae pour les Jamaïcains). Le schéma évoqué par une musique pourra comporter des éléments renvoyant à la signification symbolique de cette musique pour soi et pour sa culture. Il pourra également contenir des émotions liées à ces significations.

Pour le sémioticien Charles Sanders Peirce, qui propose une théorie de la sémiose, c'est-à-dire de la communication par les signes, trois formes de signes guident notre interprétation d'un objet:

1. Les icônes qui véhiculent des idées sur un objet par leur ressemblance avec l'objet, telle l'icône sur votre écran d'ordinateur qui vous renseigne sur l'objet «imprimante» auquel vous pouvez avoir accès au moyen de l'image d'une imprimante miniature;

2. L'indice ou l'indication qui fournit une information sur l'objet en partageant avec lui une propriété, comme des feuilles de menthe sur l'emballage d'une boîte de tisane en sachets pour en indiquer le parfum;

3. Le symbole qui n'est pas lié naturellement à l'objet, mais dont le lien découle d'une convention, celle de la communauté d'interprétation à laquelle vous appartenez[44]. Les couleurs, les animaux, les fleurs, par exemple, sont ainsi associés à différentes significations symboliques culturelles. À cet effet, nous vous invitons à lire la capsule 3.12, à la page suivante, qui nous fait comprendre l'importance des représentations symboliques dans des domaines comme l'emballage, la conception des produits, le choix des logos, des noms de marque ou d'un contenu publicitaire.

De symbole en symbole

Pourquoi utiliser des chatons dans une annonce publicitaire de papier de toilette ? Parce que les chatons symbolisent la douceur dans la culture nord-américaine. Pourquoi utiliser le cheval dans une publicité de montre TAG Heuer ou de Polo ? Parce qu'il symbolise la classe, le raffinement. Que symbolise le blanc ? Dans plusieurs cultures, il représente la pureté (ne dit-on pas « être blanc comme neige »), la virginité (pensons à la robe de la mariée). Sa connotation symbolique peut néanmoins changer en fonction du contexte. Il peut ainsi devenir suspect (on parle d'ailleurs de blancheur maladive), angoissant (la page blanche de l'écrivain, de l'étudiant lors d'un examen). Que représente le rouge ? À part le fait de le catégoriser affectivement comme une couleur que nous aimons ou que nous n'aimons pas, qui nous va bien ou pas, nous l'associons, entre autres, à la passion. La fête de la Saint-Valentin en fait abondamment usage et le bouquet de roses rouges a plus la cote que le bouquet de pissenlits (d'autant plus qu'au Québec, bon nombre de gens traquent le pissenlit, symbole de la pelouse mal entretenue). Mais le rouge peut aussi devenir sanguinolent, comme dans le cas de l'annonce publicitaire de la Société de l'assurance automobile du Québec exploitant le slogan « La vitesse tue » écrit en lettres rouges qui dégouttent, en lettres de sang.

Pour compléter notre tour des symboles, voici un petit code de signification des couleurs :

- bleu : le respect, l'autorité ;
- jaune : la prudence, la nouveauté, la chaleur ;
- vert : la sécurité, la nature, les choses vivantes ;
- rouge : l'excitation, la chaleur, la passion, la force ;
- orange : la puissance, l'accessibilité ;
- blanc : la bonté, la pureté, le dévouement, le raffinement, le formalisme ;
- noir : la sophistication, le pouvoir, l'autorité, le mystère ;
- argent, or, platine : la richesse, le statut.

Attention ! Ces significations sont valables en Amérique du Nord, mais pas forcément dans d'autres cultures.

Source : B. KANNER, «Color Schemes», *New York Magazine,* avril 1989, p. 22-23.

Une publicité qui utilise la représentation symbolique.

Selon Charles Sanders Peirce, l'interprétation est la résultante d'un processus appelé «triangle sémiotique», comprenant les trois éléments suivants : le signe, l'objet et l'interprétant. La publicité de hydraSense ci-contre permet d'illustrer la dynamique entre ces éléments. Le signe «jaillissement d'eau de mer qui sort d'une boîte de papiers-mouchoirs» représente l'objet du signe qu'est l'hydrateur pour le nez hydraSense. L'effet du signe sur l'esprit qui l'interprète, soit l'interprétant du signe, est le suivant : par ce geyser d'eau de mer émanant d'une boîte censée contenir des papiers-mouchoirs, on vous invite à associer hydraSense à une expérience nasale hautement rafraîchissante et à percevoir ce produit comme offrant un soulagement efficace de la congestion nasale.

3.3 La perception et l'inférence

La perception, nous l'avons vu, est un phénomène complexe. Jusqu'à maintenant, notre discussion s'est limitée aux facteurs internes et externes qui influent sur le processus par lequel les consommateurs construisent des représentations mentales (c'est-à-dire des perceptions) des objets de leur environnement. Dans la présente section, nous allons élargir cette discussion en considérant la perception sous l'angle des inférences qui se produisent lorsque des informations plus ou moins complexes ou complètes, plus ou moins disponibles ou accessibles, parviennent à nos sens. Une inférence est une construction de sens dépassant la stricte information explicite. Cinq sujets vont retenir notre attention : la perception des causes, la perception du risque, les perceptions relatives à la variable prix, la perception de la qualité et, enfin, les inférences pragmatiques.

La perception des causes

Les consommateurs ne sont pas des observateurs passifs de leur environnement. Ils cherchent naturellement à lui donner un sens en déterminant les causes probables des événements qui le définissent. Par exemple, les consommateurs savent que les entreprises cherchent à les convaincre d'acheter leurs produits et leurs services. Il est probable que ces tentatives de persuasion font l'objet d'analyses plus ou moins détaillées de leur part (par exemple, « Je pense que ce vendeur me dit que c'est le dernier produit qu'il lui reste afin de m'inciter à l'acheter[45] »). Des chercheurs pensent en effet que la plupart des consommateurs ont développé des structures mentales (des schémas) qui leur permettent de détecter les tentatives d'influence qui leur sont adressées[46].

Les inférences causales des consommateurs (« Qu'est-ce qui cause cette situation ? ») sont produites de façon naturelle. Une théorie intéressante sur la façon dont les gens forment des inférences causales à propos des événements s'appelle la **théorie de l'attribution.** Parmi les différentes versions de cette théorie, la plus influente, sans doute, a été proposée par Harold Kelley, un psychologue américain de très grande réputation[47].

Selon Kelley, nous sommes naturellement portés à chercher les causes des événements extérieurs à partir des informations qui sont disponibles. Considérons l'exemple suivant, qui porte sur les critiques de cinéma[48] : qu'est-ce qui explique le jugement que porte un critique (la personne ou l'entité, dans la terminologie attributionnelle) sur un film (l'objet) ? En principe, ce jugement est censé dépendre des qualités intrinsèques du film. Cependant, il est probablement influencé aussi par les partis pris personnels et le style du critique. La connaissance des partis pris et du style du critique permet d'interpréter le jugement qu'il porte. Ainsi, si un critique réputé comme étant sévère (style) encense un film, il y a fort à parier que l'on inférera que ce film est bon. Dans ce cas précis, l'information qui est communiquée est **distinctive,** c'est-à-dire qu'elle ne correspond pas à ce que l'on attend habituellement de ce critique. Selon Kelley, plus l'information est distinctive, plus on a tendance à attribuer un effet (dans ce cas-ci, la critique positive d'un film) à l'objet (le film) plutôt qu'à la personne ou à l'entité (le critique). Par ailleurs, un critique ayant un parti pris pour un réalisateur (biais) aura tendance à évaluer systématiquement les films de ce réalisateur de façon positive. Si ce critique fait une évaluation positive d'un film du réalisateur, il est probable que cette évaluation sera peu crédible. Dans ce cas, l'information qui est communiquée est **cohérente,** c'est-à-dire qu'elle correspond à un comportement logique du critique, étant donné son préjugé favorable envers le réalisateur. En général, plus l'information est cohérente, plus on a tendance à attribuer un effet à la personne plutôt qu'à l'objet. Finalement, Kelley propose que les attributions que nous faisons à l'égard d'un événement dépendent des jugements d'autres personnes. Ainsi, si la majorité des autres critiques de cinéma portent un jugement positif sur le film et que ce jugement est semblable à celui du critique, on aura tendance à croire que c'est effectivement un bon film. Dans ce cas, l'information est **consensuelle**, c'est-à-dire qu'elle est partagée par plusieurs autres personnes. En général, plus l'information est consensuelle, plus on a tendance à attribuer un effet à l'objet plutôt qu'à la personne.

La théorie de l'attribution trouve une application intéressante dans le domaine de la satisfaction des consommateurs. Considérons, à titre d'illustration, le cas d'un consommateur qui, faisant affaire avec une firme de conseil en planification financière, constate que les rendements attendus de ses investissements ne se sont pas concrétisés. Il y a deux grandes causes possibles de l'effet observé : la firme lui a donné de mauvais conseils (attribution à la firme) ou des événements incontrôlables sont survenus (attribution à la situation). Selon le type d'attribution faite par le consommateur, la satisfaction envers les services rendus ne sera pas la même. Pouvez-vous appliquer les critères de Kelley (caractère distinctif, cohérence, consensus) à cet exemple[49] ?

La commandite (ou *sponsoring*) d'événements offre une autre illustration des mécanismes de l'attribution. La commandite consiste pour une entreprise à offrir un soutien financier à un événement (par exemple, un festival) ou à une personne (par exemple, un athlète). L'entreprise retire des bénéfices de cette association sur le plan de son image et éventuellement sur le plan de la vente de ses produits. Bien que la commandite soit une stratégie de communication de marketing au même titre que la publicité ou la promotion des ventes, des études montrent que les consommateurs ont tendance à attribuer des motifs altruistes aux commanditaires plutôt que des motifs commerciaux, car l'entreprise commanditaire est perçue comme agissant dans l'intérêt de l'entité commanditée[50].

La perception du risque

Une grande majorité des situations de consommation sont banales : acheter un sandwich, aller voir un film, écouter une publicité télévisée, etc. Mais il arrive parfois qu'une situation de consommation présente des risques. Supposons, par exemple, que vous ayez décidé de poursuivre des études supérieures après avoir obtenu votre diplôme et que vous en soyez à l'étape du choix d'un programme universitaire. Si vous ne disposez pas de toute l'information sur les options qui s'offrent à vous, la situation comporte un certain niveau de risque. Le programme sera-t-il à la hauteur de vos attentes ? Serez-vous capable de réussir les cours ? Aimerez-vous l'environnement social et universitaire ? Le diplôme sera-t-il reconnu par des employeurs éventuels ?

Une situation est risquée lorsque le consommateur perçoit que des conséquences négatives peuvent survenir et que la probabilité est grande que ce soit le cas, ou encore que la probabilité est faible que des conséquences positives se produisent[51]. Le risque associé à une situation ne peut être évalué de façon objective, car telle situation apparaîtra risquée pour un consommateur et anodine pour un autre. C'est pourquoi on parle généralement de risque perçu.

Le risque perçu se définit à partir de plusieurs dimensions[52]. La **performance** est une dimension du risque qui renvoie à l'efficacité d'un produit ou d'un service. Par exemple, la formation reçue dans ce programme d'études sera-t-elle de qualité ? Le **risque financier** concerne les conséquences pécuniaires découlant de la situation de consommation. Par exemple, le risque financier associé à l'achat d'un micro-ordinateur est plus grand que le risque associé à l'achat d'une tablette de chocolat. La **sécurité** est une dimension du risque relative aux conséquences physiques négatives qui peuvent survenir. Par exemple, un grand nombre de consommateurs souffrant de myopie hésitent à faire appel à la chirurgie au laser parce qu'ils craignent des conséquences négatives sur leur vision. Le **risque social** renvoie aux conséquences sur l'image projetée auprès des personnes qui ont de l'importance pour le consommateur. Par exemple, acheter des vêtements portant la griffe de Tommy Hilfiger est une option risquée pour un adolescent si cette griffe est considérée par ses amis comme étant démodée. Le **risque psychologique** concerne les conséquences qui ont trait à l'image de soi. Par exemple, le fait de consommer de l'alcool peut être perçu comme un comportement risqué si la personne croit que les effets sur sa personnalité seront malsains.

Une étude réalisée par deux chercheurs québécois a appliqué ces différentes dimensions du risque perçu au choix d'une destination touristique[53]. Dans cette étude, le risque de performance était illustré par la possibilité d'une grève des employés de la ligne aérienne, le risque financier par la possibilité d'une augmentation de prix, le risque de sécurité par la présence de maladies tropicales, le risque social par la présence de compagnons de voyage désagréables et le risque psychologique par l'observation éventuelle de la misère des habitants du pays visité. L'étude a montré que l'importance relative de ces dimensions variait selon plusieurs facteurs : le fait que de jeunes enfants fassent ou non partie du voyage, l'âge et le sexe de la personne.

Pour atténuer le risque perçu, les consommateurs peuvent employer diverses stratégies : chercher des informations additionnelles, consulter des experts ou des amis, acheter des produits de marques réputées, comparer les marques en concurrence ou être fidèles aux marques qui leur ont donné satisfaction par le passé[54].

Les perceptions relatives à la variable prix

Le prix est une information capitale pour un grand nombre de consommateurs. Dans beaucoup de décisions d'achat, c'est un élément clé pour faire un choix. Il est donc normal que les chercheurs en marketing s'y soient intéressés. Les recherches dans ce domaine montrent que les consommateurs accordent au prix une signification étendue. Par exemple, un prix de 13,99 $ ne représente pas simplement une somme d'argent, il peut donner lieu à diverses inférences telles que «c'est une aubaine», «c'est trop cher pour ce que ça vaut», etc. (*voir la capsule 3.13, page suivante*).

Ainsi, il semble que les consommateurs développent des attentes à propos de ce que devrait être une étendue de prix raisonnable pour différentes catégories de produits ou de services (par exemple, «un disque compact devrait coûter entre 15 $ et 23 $»). Ces zones d'acceptation[55] permettent de réduire l'ensemble des options disponibles à celles qui sont acceptables du point de vue du prix à payer. D'autres études ont montré que la tactique qui consiste à fixer le prix de vente des produits légèrement en deçà du prix «rond» (par exemple, 4,99 $ au lieu de 5,00 $) est justifiée, car les consommateurs perçoivent ces produits comme étant significativement moins chers[56]. Il existe par ailleurs des différences entre

Quoi? Combien?!

Tout le monde a vécu l'expérience d'être surpris en voyant le prix élevé d'un produit convoité. Par exemple, le prix d'une bouteille de vin dans un restaurant nous incite parfois à conclure spontanément que c'est trop cher. Des études ont montré que les consommateurs portent naturellement des jugements sur le fait qu'un prix soit juste ou non. En principe, de tels jugements devraient être fondés sur de l'information objective. Ainsi, on devrait conclure qu'un prix est juste s'il reflète une marge de profit raisonnable, et on devrait évaluer une augmentation du prix d'un produit en tenant compte de l'inflation. Il semble cependant que les inférences des consommateurs concernant un juste prix soient systématiquement déformées. Ainsi, lorsqu'on leur demande si le prix d'un produit est juste, les consommateurs sous-estiment systématiquement les effets de l'inflation et ont une tendance marquée à associer un prix élevé à la recherche de profit plutôt qu'aux coûts ou à la qualité. De façon générale, il semble donc que les consommateurs croient que les profits des entreprises sont trop élevés, même si on leur fournit de l'information objective concernant les différents coûts qui entrent dans la composition du prix final.

Source: L.E. BOLTON, L. WARLOP et J.W. ALBA, «Consumer Perceptions of Price (Un)Fairness», *Journal of Consumer Research*, vol. 29, n°4, 2003, p. 474-491.

les pays en ce qui a trait à la façon dont se terminent ces prix. Alors qu'en Amérique et en Europe, il est courant que les prix se terminent par le chiffre 9, dans plusieurs pays asiatiques, c'est le chiffre 8 – signifiant la chance en Chine et à Taïwan et associé par sa forme au mont Fuji pour les Japonais – qui a la faveur des commerçants[57]. Le prix peut aussi agir à titre de signal de qualité: plus le prix d'un produit est élevé, plus grande est la qualité perçue. À titre d'illustration, dans une étude conduite aux États-Unis auprès d'un échantillon d'amateurs de vin, on a montré que l'augmentation du prix d'un vin avait une influence positive sur le goût perçu, aussi bien pour ce qui est des opinions émises que pour ce qui est des réactions cérébrales des dégustateurs[58]. Les nombreuses recherches sur la relation prix-qualité ont montré que les consommateurs peuvent utiliser le prix en guise d'indice de la qualité d'un produit ou d'un service. Il semble cependant que cela se produise surtout lorsqu'ils ne connaissent pas les marques ou qu'il n'y a pas d'autre critère permettant de les distinguer entre elles[59]. On croit aussi que certains consommateurs ont assimilé un schéma de la relation prix-qualité alors que d'autres n'en ont pas.

La perception de la qualité

Comment les consommateurs forment-ils leurs perceptions de la qualité des produits et des services? Il s'agit d'une question importante, car les décisions d'achat sont très souvent basées sur ces perceptions. Commençons par noter que la qualité peut se définir de façon objective ou subjective. C'est la qualité subjective, ou qualité perçue, qui nous intéresse ici. On la définit comme un jugement personnel sur l'excellence ou la supériorité d'un produit ou d'un service[60]. Ce jugement est la plupart du temps contextuel, c'est-à-dire qu'il se fait dans le cadre d'une comparaison entre différentes marques ou différentes options. Il correspond à une perception synthétique et abstraite.

Une conception généralement admise du processus de formation d'un jugement de qualité est présentée à la figure 3.9. Dans ce modèle, la perception de la qualité résulte d'un processus séquentiel où des informations de plus en plus abstraites sont combinées. À la base, les informations sont bien concrètes, ce sont des attributs. On distingue deux types d'attributs : les attributs **intrinsèques** et les attributs **extrinsèques**[61]. Les attributs intrinsèques sont ceux qui caractérisent le produit physique comme tel ; par exemple, dans le cas d'une automobile, le type de cylindrée, le nombre de portières, le design, etc. Les attributs extrinsèques sont ceux qui sont associés au produit, mais qui ne font pas partie du produit physique comme tel ; par exemple, dans le cas d'une automobile, le nom de marque, le prix, le pays où la voiture a été fabriquée, la garantie, etc. Lorsqu'il est difficile d'évaluer les attributs intrinsèques d'un produit (par exemple, lors d'un premier achat ou quand l'effort requis est trop grand), les consommateurs se basent sur des indices extrinsèques pour juger de la qualité. La publicité les encourage d'ailleurs à procéder ainsi (« Si c'est Maple Leaf, alors on sait que c'est bon »). Nous avons vu précédemment que la qualité d'un produit peut être inférée à partir de son prix. Des études montrent qu'il en va de même pour d'autres attributs extrinsèques comme le pays de fabrication[62], les dépenses publicitaires[63], la marque et l'emballage[64], la garantie et la réputation de l'entreprise[65].

FIGURE 3.9 Un modèle de la formation d'un jugement de qualité

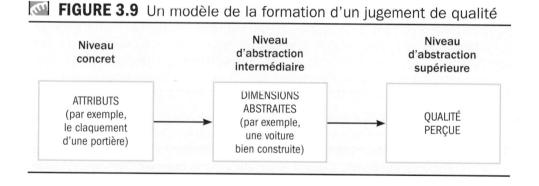

Les attributs intrinsèques et extrinsèques sont propres à la catégorie de produit. Par exemple, les attributs d'une voiture sont différents de ceux d'un service de location de costumes. Cependant, les attributs donnent lieu à des inférences par rapport à des dimensions abstraites qui elles, sont assez comparables d'une catégorie de produit à l'autre, comme la performance, la fiabilité, la durabilité, l'esthétique, etc. Par exemple, dans le domaine des services (les banques, les hôtels, la poste, les transports, la restauration, etc.), on a défini les dimensions de qualité de service suivantes[66] : la tangibilité (l'adéquation perçue des éléments tangibles associés au service – par exemple, la propreté du restaurant), la fiabilité (la capacité perçue de livrer le service de façon efficace), la serviabilité (le désir de servir les clients et l'empressement à le faire), la confiance (les connaissances et la courtoisie des employés et la confiance qu'ils inspirent) et l'empathie (la perception du fait que les employés ont à cœur la satisfaction des clients). Des chercheurs ont trouvé que la qualité des biens durables (par exemple, les ordinateurs, les automobiles, les tondeuses) était inférée à partir de six dimensions : la facilité d'utilisation, la versatilité, la durabilité, le service, la performance et le prestige[67]. La qualité perçue est donc un attribut d'un produit ou d'un service qui se trouve à un niveau d'abstraction supérieur, même si les signaux que les consommateurs utilisent pour inférer cet attribut sont souvent très concrets et pas nécessairement diagnostiques.

Les inférences pragmatiques

Nous avons vu l'importance des schémas dans le processus de perception. Les schémas, rappelons-le, favorisent les inférences. Considérons à titre d'illustration la phrase suivante : « Hier soir, nous sommes allés chez Sam Fung, et le service était lent. » Bien que cela ne soit pas dit explicitement, lorsqu'on lit cette phrase, on fait l'inférence que Sam Fung est le nom d'un restaurant chinois, et sans doute que les personnes décrites étaient assises. Ce sont les schémas qui permettent de combler ainsi les cases vides, en favorisant la production automatique d'inférences qui facilitent la compréhension. Il peut arriver cependant que les inférences conduisent à une compréhension erronée. Considérons le cas réel d'une publicité télévisée pour Zantac 75, un produit conçu pour soulager les brûlements d'estomac. Dans cette publicité, un homme raconte qu'il a eu un jour des brûlements d'estomac dans un avion (on le voit dans un avion, assis sur son siège, visiblement dérangé). Un passager voisin lui refile du Zantac 75, et il est soulagé. La publicité mentionne que Zantac 75 contient le médicament qui est le plus prescrit par les médecins. Le téléspectateur a de bonnes chances de faire l'inférence que c'est Zantac 75 qui est le médicament le plus prescrit. L'homme demande à son voisin s'il ne devrait pas consulter un médecin. Ce dernier lui répond qu'il vient juste de le faire (son voisin est médecin). Cette fois, le téléspectateur fera peut-être l'inférence que l'homme a obtenu une consultation où Zantac 75 a été prescrit afin de soulager ses brûlements d'estomac.

Les inférences erronées produites à partir d'informations littéralement exactes sont appelées des **inférences pragmatiques.** Des chercheurs en comportement du consommateur se sont intéressés à ce type d'inférences et en ont montré quelques applications usuelles[68]. L'une d'entre elles est la **comparaison manquante.** Par exemple, la phrase suivante (inventée) : « Burger King vous en donne plus pour votre argent » est littéralement vraie dans la mesure où l'on n'a pas de base de comparaison. En d'autres termes, il y a vraisemblablement une « chose » qui en donne moins pour son argent que Burger King. Cependant, bien des consommateurs qui entendent cette phrase feront naturellement l'inférence que Burger King en donne plus pour son argent que d'autres marques de *burgers,* même si cela n'est pas mentionné explicitement. Une autre application courante est l'**affirmation de la conséquence.** Par exemple, les personnes qui entendent la phrase suivante : « Les femmes d'apparence jeune utilisent Oil of Olay » peuvent faire l'inférence que l'utilisation de la marque Oil of Olay permettra d'avoir une apparence jeune, même si ce n'est pas ce qui est dit réellement. Dans cette phrase, on ne dit pas que les femmes qui ont une apparence moins jeune n'utilisent pas Oil of Olay. On ne dit pas non plus que c'est parce que les femmes utilisent le produit qu'elles obtiennent une apparence jeune. Une troisième application est l'utilisation d'**informations fragmentées.** Par exemple, l'affirmation suivante :

«La Toyota Camry offre plus d'espace intérieur que la Honda Accord, plus de puissance que la Mazda 6 et plus d'options de série que la Nissan Altima» laisse entendre que la Toyota Camry est meilleure en général que toutes les marques concurrentes, même si cela n'est pas dit de façon explicite.

Les schémas sont des structures mentales d'une grande utilité pour les consommateurs. Sans eux, la perception serait difficile. Nous avons vu dans le cadre de notre discussion sur le cycle perceptuel qu'il faut concevoir la perception comme un processus où les schémas interagissent avec l'information extérieure dans le but de produire des interprétations utiles. Il est clair que les schémas rendent la perception plus efficace, mais nous venons de voir dans cette brève discussion sur les inférences pragmatiques que cette efficacité a un coût. En facilitant la perception, les schémas endorment en quelque sorte la personne et peuvent l'amener à faire des inférences erronées. Cela est particulièrement vrai dans les situations où la personne n'est pas motivée à examiner de façon attentive les implications réelles des informations qui lui sont soumises. L'exposition à la publicité télévisée correspond à ce type de situation.

Nous avons appris que:

- les consommateurs évoluent dans un environnement commercial complexe et que les actions dans lesquelles ils s'engagent et les décisions qu'ils prennent dépendent non seulement des objectifs qu'ils veulent atteindre, mais aussi de la façon dont ils perçoivent cet environnement. Par conséquent, le fait de comprendre la manière dont se forment les perceptions est un thème central de toute discussion sur le comportement des consommateurs.

- l'approche traditionnelle, qui présente le processus de perception des consommateurs comme étant une série d'opérations séquentielles où l'information extérieure est d'abord sélectionnée, ensuite organisée et enfin interprétée, est insatisfaisante.

- l'approche considérant la perception comme un phénomène évolutif résultant d'une interaction continue entre le monde extérieur (l'information) et le monde intérieur (les schémas), que nous avons appelée le cycle perceptuel, est plus juste.

- la perception est aussi une expérience, non seulement cognitive, mais également multisensorielle, émotionnelle, esthétique.

- les perceptions des consommateurs se limitent rarement aux aspects superficiels d'une situation. Dans la plupart des cas, les consommateurs vont au-delà des aspects superficiels et donnent une signification étendue à l'information extérieure, y compris une signification symbolique.

- les consommateurs s'efforcent de définir les raisons sous-jacentes aux phénomènes qui se produisent dans leur environnement et essaient de trouver dans l'information extérieure des signaux qui leur permettront de former des perceptions synthétiques, plus abstraites et plus utiles.

- parfois, comme dans le cas de facteurs environnementaux tels que la musique et les odeurs, les consommateurs développent automatiquement des inférences qui peuvent avoir des effets sur leurs comportements, alors que, dans d'autres situations, ils peuvent faire des interprétations erronées sur la base d'une information incomplète ou ambiguë.

1. Qu'est-ce qu'un seuil différentiel? Donnez une application en marketing.

2. Qu'entend-on par «perception subliminale»?

3. La publicité subliminale est-elle efficace? Soulève-t-elle des problèmes d'éthique?

4. À quel type de sélection de l'information correspond, pour le spectateur consommateur, le placement de produit dans les films, au cinéma? Quelle est votre perception de cette technique?

5. À quel type de sélection de l'information correspond, pour l'étudiant, la publicité dans les toilettes de sa faculté? Comment percevez-vous cette pratique?

6. Citez quelques stratégies que certaines compagnies utilisent pour abaisser les barrières perceptuelles des consommateurs et tromper leur vigilance. Problème d'éthique ou techniques commerciales qui font partie du jeu? Quel est votre point de vue?

7. Pourquoi plusieurs agents immobiliers nous suggèrent-ils de faire cuire de la pâtisserie juste avant que des acheteurs éventuels visitent notre maison?

8. Qu'est-ce qu'un stimulus ambigu? Quel est l'intérêt de son exploitation dans une publicité? Trouvez un exemple.

9. Comment peut-on lier l'ambiguïté d'un stimulus:
   - au cycle perceptuel de Neisser?
   - aux techniques projectives?

10. Après avoir feuilleté un magazine, indiquez la publicité qui a le plus retenu votre attention et analysez les raisons de ce choix.

11. Établissez la carte perceptuelle des programmes que vous avez considérés lors de votre entrée à l'université, en fonction des principaux critères sur lesquels vous avez basé votre choix.

12. Qu'est-ce qu'un schéma? Quelles fonctions les schémas remplissent-ils?

13. Dressez le schéma que vous associez à la marque de téléphones cellulaires Koodo. En quoi peut-il être important pour une compagnie de saisir le schéma des consommateurs au regard de leur marque ou d'un nom de marque potentiel? Les techniques projectives ou associatives peuvent-elles être utiles pour cerner la teneur des schémas?

14. Quel est le script associé à votre usage quotidien de l'ordinateur?

15. À la lumière de la notion de script, quelle explication donneriez-vous au fait que de nombreuses personnes âgées n'apprécient pas le guichet bancaire automatique?

16. Trouvez trois publicités sur les parfums qui exploitent la dimension symbolique des couleurs, des formes et des mots, et faites-en l'analyse.

17. Dans un grand magasin, rendez-vous au comptoir des parfums. Examinez attentivement les flacons. Quelles sont, d'après vous, les marques qui semblent exploiter le plus le symbolisme des formes dans le design de leur flacon?

18. Qu'est-ce qu'une inférence ? Qu'est-ce qu'une inférence pragmatique ? Citez deux types d'inférence pragmatique.

19. Vous venez de recevoir une carte de vœux d'une compagnie pour votre anniversaire. Expliquez votre réaction au moyen de la théorie de l'attribution.

20. Quelles sont les différentes dimensions du risque perçu ?

21. Depuis son entrée sur le marché, à quels risques perçus le téléphone cellulaire s'est-il trouvé associé ?

22. Quels risques les consommateurs peuvent-ils percevoir, selon vous, dans les aliments génétiquement modifiés ? À partir du vocabulaire que vous avez acquis sur la catégorisation, comment pourrait-on qualifier le maïs ou la tomate transgénique ?

23. À la suite de la lecture attentive du présent chapitre, construisez votre schéma de la perception. Est-il suffisamment riche à votre goût ? Ou une petite relecture s'imposerait-elle ?

Montréal festif*

Depuis plusieurs années, des festivals de toutes sortes ont lieu à Montréal. Ces fêtes populaires s'organisent autour de thèmes variés comme la musique (le Festival de jazz), le cinéma (le Festival des films du monde), ou l'humour (le festival Juste pour rire). Ces événements occupent une place importante dans l'industrie touristique de la ville. C'est pourquoi une recherche a été commandée afin de dégager les principales dimensions utilisées par les consommateurs pour se représenter un festival, ainsi que la position des festivals montréalais les plus importants par rapport à ces dimensions perceptuelles.

La firme de conseil québécoise chargée du projet a d'abord réalisé des entrevues individuelles avec des consommateurs adultes habitant Montréal ou ses environs. L'objectif principal de ces entrevues était de découvrir les qualificatifs habituellement employés par les consommateurs pour décrire un festival. La question suivante leur était posée : « Quand vous pensez à un festival comme... [plusieurs festivals montréalais étaient cités en exemple], quels sont les mots qui vous viennent à l'esprit ? »

Une trentaine d'entrevues ont été menées et plus de 200 qualificatifs ont ainsi pu être trouvés. Afin de réduire leur nombre, on a par la suite interviewé une centaine de consommateurs adultes habitant la ville ou ses environs et on leur a demandé jusqu'à quel point chaque qualificatif était pertinent pour décrire un festival, à l'aide de l'échelle suivante :

— Pas du tout pertinent (1)
— Assez peu pertinent (2)
— Assez pertinent (3)
— Très pertinent (4)

En calculant la moyenne, on obtenait une mesure de la pertinence de chaque adjectif. En fixant arbitrairement la valeur minimale de pertinence à 3,5, les responsables de la recherche ont pu réduire la

liste originale à 26 adjectifs. Ceux-ci apparaissent dans le tableau présenté au haut de la page suivante.

Une enquête a par la suite été réalisée auprès d'un échantillon représentatif de 300 consommateurs habitant à Montréal ou dans les environs. Une section du questionnaire utilisé dans cette enquête servait à mesurer jusqu'à quel point les participants croyaient que quatre festivals montréalais très connus pouvaient être décrits par chacun des 26 adjectifs. Les festivals utilisés dans l'enquête étaient le Festival de jazz de Montréal, le festival Juste pour rire, les FrancoFolies et le Festival des films du monde. L'échelle ayant servi à mesurer les perceptions était la suivante :

Ne décrit **pas du tout** le festival	1	2	3	4	5	Décrit **tout à fait** le festival

Les données de l'enquête ont été analysées au moyen d'une technique statistique appelée « analyse factorielle ». Cette technique permet de regrouper des variables qui sont fortement associées. Le résultat de ce regroupement est une nouvelle variable appelée « dimension » ou « facteur ». Le tableau présentant les 26 adjectifs montre les résultats (partiels) de cette analyse. Ce tableau contient les corrélations de chaque adjectif avec les dimensions que la technique a dégagées. Dans ce cas-ci, cinq dimensions ont permis de regrouper de façon adéquate les 26 adjectifs. En examinant les corrélations les plus fortes entre les adjectifs et les facteurs, on peut attribuer une signification à chaque facteur. Dans le tableau, ces corrélations sont présentées en caractères gras.

Les responsables de l'étude ont ensuite calculé la moyenne de chaque festival sur chaque dimension estimée par l'analyse factorielle. Ces moyennes apparaissent (en caractères gras) dans le tableau au bas de la page suivante. Plus la moyenne est élevée, plus la position du festival au regard de la dimension est perçue comme forte.

*Les auteurs tiennent à remercier Estelle D'Astous et François Colbert pour leur participation à la rédaction de ce cas.

	Dimension (ou facteur)						Dimension (ou facteur)				
	1	2	3	4	5		1	2	3	4	5
Sympathique	**,818**	-,107	-,146	,162	,113	Raffiné	-,031	,163	**,790**	,057	,117
Accueillant	**,754**	-,065	-,035	,227	,080	Cultivé	-,017	,305	**,789**	,116	,097
Dynamique	**,747**	-,049	-,073	,184	,263	Huppé	-,287	,201	**,720**	,090	-,026
Énergique	**,730**	-,113	-,197	,210	,288	Reconnu	,130	,091	,042	**,791**	,278
Plaisant	**,723**	-,030	,112	,153	,250	Réputé	,103	,224	,223	**,691**	,255
Plein d'entrain	**,694**	-,197	-,224	,246	,308	A du succès	,355	,057	,007	**,689**	,228
Francophone	,166	**-,832**	-,104	,075	-,189	Touristique	,298	,167	-,041	**,631**	-,163
Québécois	,201	**-,832**	-,202	,149	,012	Populaire	,358	-,095	-,297	**,595**	,187
Local	,171	**-,731**	-,159	-,080	-,023	Imposant	,128	-,090	,260	**,592**	-,062
International	,038	**,665**	,343	,268	,072	Original	,315	,071	,102	,089	**,761**
Multiculturel	,055	**,591**	,422	,277	,141	Audacieux	,109	,073	,125	,128	**,761**
Cosmopolite	,139	**,518**	,330	,256	,277	Créatif	,247	,157	,094	,101	**,691**
Intellectuel	-,152	,276	**,816**	-,061	,032	Imaginatif	,360	,130	-,095	,092	**,689**

Festival		Dimension 1	Dimension 2	Dimension 3	Dimension 4	Dimension 5
Festival de jazz	Moyenne	**,3023383**	**,7563721**	**,0856348**	**,5251598**	**,0607186**
	N	300	300	300	300	300
	Écart type	,85958957	,79952404	,72980995	,79329414	,82634174
Juste pour rire	Moyenne	**,2475060**	**-,4727546**	**-1,0046159**	**-,0722635**	**,4303511**
	N	300	300	300	300	300
	Écart type	,86755470	,67631137	,83172834	,96593667	,85046560
Les FrancoFolies	Moyenne	**,0917809**	**-,9272475**	**,2011169**	**-,0519712**	**-,6530854**
	N	300	300	300	300	300
	Écart type	,87702851	,62951806	,84994817	,87021426	,96517343
Festival des films du monde	Moyenne	**-,6707577**	**,6196416**	**,7577345**	**-,4290423**	**,1391213**
	N	300	300	300	300	300
	Écart type	**1,08775387**	**,69568954**	**,66238488**	**1,12227854**	**1,04237152**

QUESTIONS

1. Que pensez-vous de l'étude menée par la firme de conseil québécoise?

2. Quelle interprétation donnez-vous aux dimensions perceptuelles produites par l'analyse factorielle? Comment pourrait-on valider cette interprétation?

3. À partir des résultats obtenus, que peut-on dire à propos des festivals étudiés dans cette recherche?

4. Devrait-on effectuer d'autres analyses? Lesquelles?

5. Consultez le site Web des différents festivals étudiés, puis procédez à une analyse sémiotique de leur contenu (recherche de triades signe-objet-interprétant). Les résultats de votre analyse vous amènent-ils aux mêmes conclusions que l'étude précédente?

Notes

1. L. TOLSTOÏ, *Un musicien déchu,* Paris, Mille et une nuits, 2000.

2. Voir à ce sujet l'article suivant: G. PANTIN-SOHIER, «L'influence du packaging sur les associations fonctionnelles et symboliques de l'image de marque», *Recherche et Applications en Marketing,* vol. 24, n° 2, 2009, p. 53-72.

3. Voir G.C. BRUNER II, «Music, Mood and Marketing», *Journal of Marketing Research,* vol. 54, n° 4, 1990, p. 94-104. L'évaluation de plusieurs produits de consommation passe par l'expérience auditive (chaînes haute fidélité, concerts, cinéma, etc.). L'article suivant présente une discussion intéressante sur la façon dont les attributs sensoriels auditifs interviennent dans le processus de choix des consommateurs: S. SHAPIRO et M.T. SPENCE, «Factors Affecting Encoding, Retrieval, and Alignment of Sensory Attributes in a Memory-Based Choice Task», *Journal of Consumer Research,* n° 28, mars 2002, p. 603-617.

4. Pour en savoir davantage sur les effets de la musique sur les consommateurs, voir l'article suivant: J.J. KELLARIS, «Music and Consumers», dans C.P. HAUGTVEDT, P.M. HERR et F.R. KARDES (dir.), *Handbook of Consumer Psychology,* New York, Lawrence Erlbaum Associates, 2008, p. 837-856.

5. A. GULLINO, *Odeurs et saveurs,* Paris, Dominos Flammarion, 1997.

6. Voir J. HOEGG et J.W. ALBA, «Taste Perception: More than Meets the Tongue», *Journal of Consumer Research,* vol. 33, n° 4, 2007, p. 490-498.

7. L'étude réalisée par le docteur Thomas Robinson est décrite sur le site du Centre médical de l'Université Standford: http://med.stanford.edu. Voir «Old McDonald's Has a Hold on Kids' Taste Buds, Stanford/Packard Study Finds», n° 6, août 2007.

8. Voir l'article suivant: R.I. ALLISON et K.P. UHL, «Brand Identification and Perception», *Journal of Marketing Research,* n° 10, février 1964, p. 80-85.

9. Voir l'article suivant: N. GUÉGUEN et C. PETR, «Odors and Consumer Behavior in a Restaurant», *International Journal of Hospitality Management,* vol. 25, n° 2, 2006, p. 335-339. Le lecteur trouvera dans l'ouvrage suivant une excellente présentation de travaux de recherche en psychologie qui portent sur l'odorat: R. HERZ, *The Scent of Desire,* New York, Harper Perennial, 2007.

10. Voir l'article de J. HORNIK, «Tactile Stimulation and Consumer Response», *Journal of Consumer Research,* n° 19, décembre 1992, p. 449-458.

11. Voir l'article de J. PECK et S.B. SHU, «The Effect of Mere Touch on Perceived Ownership», *Journal of Consumer Research,* n° 36, octobre 2009, p. 434-447.

12. L'article suivant présente une échelle de mesure du besoin de toucher et une discussion du concept: J. PECK et T.L. CHILDERS, «Individual Differences in Haptic Information Processing: The Need for Touch' Scale», *Journal of Consumer Research,* vol. 30, n° 3, 2003, p. 430-442.

13. On trouvera des applications intéressantes (mais parfois farfelues) de la loi de Weber en marketing dans l'article suivant: S.H. BRITT, «How Weber's Law Can Be Applied to Marketing», *Business Horizons,* février 1975, p. 21-29.

14. Cette distinction est élaborée en détail dans l'article suivant: D. KRECH et R.S. CRUTCHFIELD, «Perceiving the World», dans J.B. COHEN (dir.), *Behavioral Science Foundations of Consumer Behavior,* Englewood Cliffs, NJ, Prentice-Hall, 1972, p. 147-160.

15. N. SPARKMAN et L.M. AUSTIN, «The Effect on Sales of Color in Newspaper Advertisement», *Journal of Advertising,* n° 4, 1980, p. 42.

16. S. MACKENZIE, «The Role of Attention in Mediating the Effect of Advertising on Attribute Importance», *Journal of Consumer Research,* n° 13, 1986, p. 174-195.

17. L'article suivant présente une revue des études qui ont été menées sur ce sujet: R.W. MIZERSKI, «An Attribution Explanation of the Disproportionate Influence of Unfavorable Information», *Journal of Consumer Research,* n° 9, 1982, p. 301-310.

18. A. D'ASTOUS et N. TOUIL, «Consumer Evaluations of Movies on the Basis of Critics' Judgments», *Psychology & Marketing,* vol. 16, n° 8, 2000, p. 677-694.

19. Voir l'article de J. MEYERS-LEVY et A.M. TYBOUT, «Schema Congruity as a Basis for Product Evaluation», *Journal of Consumer Research,* n° 16, 1989, p. 39-54.

20. Voir par exemple D.L. ROSEN et S.N. SINGH, «An Investigation of Subliminal Embed Effect on Multiple Measures of Advertising Effectiveness», *Psychology & Marketing,* vol. 9, n° 2, 1992, p. 157-173, ainsi que K.T. THEUS, «Subliminal Advertising and the Psychology of Processing Unconscious Stimuli: A Review of Research», *Psychology & Marketing,* vol. 11, n° 3, 1994, p. 271-290.

21. Pour une démonstration convaincante, voir les résultats de l'étude classique suivante: A.H. HASTORF et H. CANTRIL, «A Case Study of Differential Perception», *Journal of Abnormal and Social Psychology,* n° 49, 1954, p. 73-79.

22. Cet exemple est tiré de D.I. HAWKINS, R.J. BEST et K.A. CONEY, *Consumer Behavior: Building Marketing Strategy,* 9e éd., Boston, MA, McGraw-Hill, 2004.

23. L.A. PERACCHIO et J. MEYERS-LEVY, «How Ambiguous Cropped Objects in Ad Photos Can Affect Product Evaluations», *Journal of Consumer Research,* vol. 21, n° 1, 1994, p. 190-204.

24. Le lecteur trouvera une revue des principaux résultats des études sur le pays d'origine dans l'article suivant : K.I. AL-SULAITI et M.J. BAKER, « Country-of-Origin Effects : A Literature Review », dans K.I. AL-SULAITI (dir.), *Country-of-Origin Effects on Consumer Behavior,* Qatar, Institute of Administrative Development, 2007, p. 27-155.

25. Voir E. ROSCH, « Principles of Categorization », dans E. ROSCH et B.B. LLOYD (dir.), *Cognition and Categorization,* Hillsdale, NJ, Erlbaum, 1978, p. 27-48.

26. Cette figure est adaptée de W.D. HOYER et D.J. MACINNIS, *Consumer Behavior,* 2e éd., Boston, Houghton Mifflin, 2000, p. 111.

27. La notion d'ensemble évoqué a été proposée par le chercheur américain John Howard. Voir J.A. HOWARD et J.N. SHETH, *The Theory of Buyer Behavior,* New York, John Wiley & Sons, 1969.

28. Voir l'article suivant : A. D'ASTOUS et E. GARGOURI, « Consumer Evaluations of Brand Imitations », *European Journal of Marketing,* vol. 35, no 1-2, 2001, p. 153-167.

29. S. BÉRUBÉ, « Un sirop à saveur d'érable suscite la controverse », *La Presse,* 10 mars 2009, A14.

30. Cet exemple est tiré de W.L. WILKIE, *Consumer Behavior,* 3e éd., New York, John Wiley & Sons, 1994.

31. F. LECLERC, B.H. SCHMITT et L. DUBÉ, « Foreign Branding and Its Effects on Product Perceptions and Attitudes », *Journal of Marketing Research,* no 31, 1994, p. 263-270.

32. Voir l'article suivant : M. WÄNKE, A. HERMANN et D. SCHAFFNER, « Brand Name Influence on Brand Perception », *Psychology & Marketing,* vol. 24, no 1, 2007, p. 1-24.

33. Voir l'article suivant : K.L. KELLER, « Conceptualizing, Measuring, and Managing Customer-Based Brand Equity », *Journal of Marketing Research,* no 1, 1993, p. 1-29.

34. Voir l'article suivant : C. MOREAU, PAGE, A.B. MARKMAM et D.R. LEHMANN, « What Is It ? Categorization Flexibility and Consumers' Responses to Really New Products », *Journal of Consumer Research,* vol. 27, no 4, 2001, p. 489-498.

35. Voir les articles suivants : A. D'ASTOUS, « L'adaptation stratégique des vendeurs aux situations de vente », *Recherche et applications en marketing,* vol. 12, no 3, 1997, p. 65-76 ; B. WEITZ, H. SUJAN et M. SUJAN, « Knowledge, Motivation and Adaptive Behavior : A Framework for Improving Selling Effectiveness », *Journal of Marketing Research,* vol. 50, no 4, 1986, p. 174-191.

36. La procédure décrite dans cette section correspond à ce que l'on appelle une approche directe. Il est possible aussi de construire une carte perceptuelle à l'aide d'une approche indirecte en utilisant une technique appelée « analyse multidimensionnelle des similarités ». Pour en savoir plus sur la cartographie perceptuelle, voir l'ouvrage suivant : A. D'ASTOUS, *Le projet de recherche en marketing,* 4e éd., Montréal, Chenelière Éducation, 2010.

37. F.C. BARTLETT, *Remembering,* Cambridge, Angleterre, Cambridge University Press, 1932.

38. Pour une discussion détaillée des schémas, voir l'article de D.E. RUMELHART, « Schemata and the Cognitive System », dans R.S. WYER Jr. et T.K. SRULL (dir.), *Handbook of Social Cognition,* 1, Hillsdale, NJ, Erlbaum, 1984, p. 161-188.

39. T.K. SRULL et R.S. WYER Jr., « The Role of Category Accessibility in the Interpretation of Information about Persons : Some Determinants and Implications », *Journal of Personality and Social Psychology,* no 38, 1979, p. 1660-1662.

40. Voir à ce sujet l'ouvrage suivant (en particulier le chapitre 6) : R.S. WYER Jr., *Social Comprehension and Judgment,* Mahwah, NJ, Lawrence Erlbaum Associates, 2004.

41. R. ADAVAL et R.S. WYER Jr., « The Role of Narratives in Consumer Information Processing », *Journal of Consumer Psychology,* vol. 7, no 3, 1998, p. 207-245.

42. S. HUSTVEDT, *Élégie pour un Américain,* Paris, Actes Sud, 2008, p. 177.

43. U. NEISSER, *Cognition and Reality,* San Francisco, CA, Freeman, 1976.

44. C.S. PEIRCE, *Écrits sur le signe,* trad. Gérard Deledalle, Paris, Éditions du Seuil, 1978.

45. Voir les articles suivants : A. D'ASTOUS et L. FRANCOEUR, « Consumers' Intuitive Theories about Marketing and the Marketplace », dans J. LIEFELD (dir.), *Rapport du congrès annuel de la section marketing de l'Association des sciences administratives du Canada,* Whistler, Colombie-Britannique, 1990, p. 92-99 ; P.L. WRIGHT, « Schemer Schema : Consumers' Intuitive Theories about Marketers' Influence Tactics », dans R.J. LUTZ (dir.), *Advances in Consumer Research,* no 13, Provo, UT, Association for Consumer Research, 1986, p. 1-3.

46. Voir l'article suivant : M. FRIESTAD et P.L. WRIGHT, « The Persuasion Knowledge Model : How People Cope with Persuasion Attempt », *Journal of Consumer Research,* vol. 21, no 1, 1994, p. 1-31.

47. Pour une discussion détaillée de la théorie de l'attribution et de son intérêt en comportement du consommateur, voir l'article suivant : R.W. MIZERSKI, L.L. GOLDEN et J.B. KERNAN, « The Attribution Process in Consumer Decision Making », *Journal of Consumer Research,* no 6, 1979, p. 123-140.

48. Voir l'article cité à la note 18.

49. Une attribution à la situation est probable si l'effet est distinctif (par exemple, cette firme obtient généralement des rendements intéressants pour ses clients) et consensuel (par exemple, les clients d'autres firmes ont aussi obtenu des rendements insatisfaisants). Une attribution à la firme

est probable si l'effet est cohérent (par exemple, le client a été mal servi par cette firme en d'autres occasions).

50. Voir l'article suivant : N. RIFON, S.M. CHOI, C.S. TRIMBLE et H. LI, « Congruence Effects in Sponsorships », *Journal of Advertising,* vol. 33, n° 1, 2004, p. 29-42.

51. Cette conception est détaillée dans l'article suivant : R.A. BAUER, « Consumer Behavior as Risk Taking », dans R.S. HANCOCK (dir.), *Dynamic Marketing for a Changing World,* Chicago, American Marketing Association, 1960, p. 389-398.

52. J. JACOBY et L. KAPLAN, « The Components of Perceived Risk », dans M. VENKATESAN (dir.), *Advances in Consumer Research,* n° 3, Provo, UT, Association for Consumer Research, 1972, p.1-3. Une revue de la littérature portant sur le risque perçu est offerte dans l'article suivant : V.-W. MITCHELL, « Consumer Perceived Risk : Conceptualisations and Models », *European Journal of Marketing,* vol. 33, n° 1-2, 1999, p. 163-195.

53. P. BALLOFFET et B. RIGAUX-BRICMONT, « L'importance du risque perçu dans le choix des voyages touristiques », *Gestion 2000,* n° 6, novembre-décembre 1998, p. 37-51.

54. Pour une discussion des différentes stratégies de réduction de risque, voir T. ROSELIUS, « Consumer Rankings of Risk Reduction Methods », *Journal of Marketing Research,* n° 35, 1971, p. 56-61.

55. L'article suivant présente une discussion de la notion de zone d'acceptation ainsi qu'une revue de la recherche portant sur les perceptions des prix par les consommateurs : K.B. MONROE et S.M. PETROSHIUS, « Buyers' Perception of Price : An Update of the Evidence », dans H.H. KASSARJIAN et T.S. ROBERTSON (dir.), *Perspectives in Consumer Behavior,* 3e éd., Dallas, TX, Scott, Foresman & Co., 1981, p. 43-55.

56. Voir à ce propos l'article de Z.V. LAMBERT, « Perceived Prices as Related to Odd and Even Price Endings », *Journal of Retailing,* n° 51, 1975, p. 13-22, ainsi que celui de G.Y. BIZER et R.M. SCHINDLER, « Direct Evidence of Ending-Digit Drop-Off in Price Information Processing », *Psychology & Marketing,* n° 22, 2005, p. 771-783.

57. Voir l'article suivant : R.M. SCHINDLER, « Patterns of Price Endings Used in US and Japanese Price Advertising », *International Marketing Review,* vol. 26, n° 1, 2009, p. 17-29.

58. H. PLASSMANN, J. O'DOHERTY, B. SHIV et A. RANGEL, « Marketing Actions Can Modulate Neural Representations of Experienced Pleasantness », *PNAS,* vol. 105, n° 3, 2008, p. 1050-1054.

59. Voir l'article suivant : K.B. MONROE et R. KRISHNAN, « The Effects of Price on Subjective Product Evaluations », dans J. JACOBY et J.C. OLSON (dir.), *Perceived Quality: How Consumers View Stores and Merchandise,* Lexington, MA, Lexington Books, 1985, p. 511-519. Pour une synthèse dans ce domaine, voir l'article suivant : K.B. MONROE et A.Y. LEE, « Remembering Versus Knowing : Issues in Buyers' Processing of Price Information », *Journal of the Academy of Marketing Science,* n° 27, 1999, p. 207-225.

60. Cette définition apparaît dans l'article suivant : V.A. ZEITHAML, « Consumer Perceptions of Price, Quality, and Value: A Means-End Model and Synthesis of Evidence », *Journal of Marketing Research,* vol. 52, n° 3, 1988, p. 2-22. Cette section du chapitre s'inspire en partie du contenu de cet article important.

61. Cette distinction est détaillée dans l'article suivant : J.C. OLSON, « Price as an Informational Cue : Effects on Product Evaluations », dans A.G. WOODSIDE, J.N. SHETH et P.D. BENNETT (dir.), *Consumer and Industrial Buying Behavior,* New York, North-Holland, 1977, p. 267-286.

62. A. D'ASTOUS, S.A. AHMED et M. El ADRAOUI, « L'influence du pays d'origine des produits sur les évaluations des consommateurs », *Gestion,* vol. 18, n° 2, 1993, p. 14-21.

63. A. KIRMANI, « The Effect of Perceived Advertising Costs on Brand Perceptions », *Journal of Consumer Research,* vol. 17, n° 2, 1990, p. 160-171.

64. B. RIGAUX-BRICMONT, « Influences of Brand Name and Packaging on Perceived Quality », dans A.A. MITCHELL (dir.) *Advances in Consumer Research,* n° 9, Ann Arbor, MI, Association for Consumer Research, 1982, p. 472-477.

65. T.A. SHIMP et W.O. BEARDEN, « Warranty and Other Extrinsic Cue Effects on Consumers' Risk Perceptions », *Journal of Consumer Research,* vol. 9, n° 1, 1982, p. 38-46.

66. Voir l'ouvrage suivant : V.A. ZEITHAML, A. PARASURAMAN et L.L. BERRY, *Delivering Quality Service,* New York, The Free Press, 1990.

67. M. BRUCKS, V. ZEITHAML et G. NAYLOR, « Price and Brand Name as Indicators of Quality Dimensions for Consumer Durables », *Journal of the Academy of Marketing Science,* vol. 28, n° 3, 2000, p. 359-374.

68. Voir la référence suivante : F.R. KARDES, M.L. CRONLEY et T.W. CLINE, *Consumer Behavior,* Mason, OH, South-Western Cengage Learning, 2010.

L'apprentissage et la socialisation

Introduction

C'est avec un brin d'humour que Stéphane Laporte, auteur humoriste québécois très connu, nous présente «un être humain automate» (ce sont ses mots) qui se laisse guider aveuglément par les choses, les gestes qu'il a appris. Bien sûr, il s'agit d'une caricature, mais il est vrai qu'un grand nombre de nos comportements sont machinaux parce qu'ils ont été accomplis maintes et maintes fois. Cela comporte des avantages dans toutes les situations où il n'est ni nécessaire ni sensé d'avoir à réapprendre ce que l'on a déjà appris (par exemple, conduire une voiture). Mais cela comporte aussi des inconvénients, car, comme le fait remarquer Stéphane Laporte, les comportements «surappris» ne sont pas efficients lorsque des situations nouvelles se présentent.

> On ne pense pas par nous-même. On est sur le pilote automatique. Vingt-quatre heures par jour. On n'agit pas, On réagit. Chacun de nos gestes est répété. Appris. Toute notre vie est organisée pour que l'on réfléchisse le moins possible. [...] Et dès qu'une situation imprévue survient, on est perdu[1].
>
> **Stéphane Laporte**

Les consommateurs sont-ils des automates? Achètent-ils leurs marques de façon automatique? Comment apprennent-ils à négocier avec l'environnement commercial? Voilà quelques questions auxquelles s'intéresse ce chapitre. Nous ne naissons pas avec un penchant pour telle marque de dentifrice ou tel magazine, pour les hamburgers ou les sushis, les croustilles ou le maïs soufflé, la bière ou le café, le vélo ou le golf. Pas plus que nous ne sommes programmés dès la naissance pour utiliser un guichet bancaire automatique ou un ordinateur. Nous avons appris au fil de nos expériences ce que nous aimons ou n'aimons pas, ce qui se fait et ne se fait pas, comment le faire et ne pas le faire, et nous continuons à apprendre beaucoup de choses au cours de notre vie.

Dans ce chapitre, nous examinerons les processus par lesquels les gens acquièrent les connaissances dont ils se servent tous les jours dans leurs activités de consommation. C'est ce que l'on appelle l'**apprentissage.** Il s'agit là d'un thème d'une grande importance en marketing, car les connaissances que nous possédons ont une influence sur nos comportements de consommation (préférences, choix de marque, etc.). Ainsi, notre connaissance des différentes marques d'une catégorie de produits facilite nos évaluations et nos choix. De même, une annonce publicitaire nous apprendra l'existence d'un nouveau produit pour lequel nous chercherons peut-être à obtenir plus d'information, qui apportera elle-même de nouvelles connaissances. Le consommateur est un être qui apprend.

Nous pouvons apprendre de façon délibérée ou de façon fortuite, par curiosité, plaisir ou obligation, de nos expériences ou de celles des autres, ou encore parce qu'une récompense est promise ou anticipée. Bref, le thème de l'apprentissage des consommateurs est un sujet vaste et passionnant. Nous vous invitons à explorer les trois grandes approches utilisées pour décrire le processus d'apprentissage du consommateur. La première, appelée l'**approche behavioriste,** est fondée principalement sur le rôle de l'expérience dans l'acquisition des connaissances. La deuxième, l'**approche cognitive,** est centrée sur les processus mentaux par lesquels les individus perçoivent, transforment, mémorisent et se rappellent l'information présente dans leur environnement. Enfin, la troisième approche, la **socialisation,** consiste à jeter un regard plus large sur l'apprentissage par l'examen des processus sociaux qui le régissent.

Il est important de comprendre qu'aucune approche n'est préférable aux autres ; elles représentent plutôt trois perspectives différentes du même phénomène et sont, d'une certaine façon, complémentaires les unes des autres. Le tableau 4.1 présente une synthèse de ces trois approches, dont chacune fera l'objet d'une discussion.

TABLEAU 4.1 L'apprentissage des consommateurs : une synthèse

Approche	Processus d'apprentissage	Description du processus	Exemple
Behavioriste *acquisition des connaissances.*	Conditionnement classique *vision passive*	Les consommateurs apprennent en faisant des associations : une réponse entraînée automatiquement par un stimulus sera entraînée par un stimulus différent si les deux stimuli sont présentés de façon répétée et contiguë.	La Banque TD utilise un fauteuil pour créer l'association « TD-services bancaires confortables ».
	Conditionnement instrumental *vision dynamique*	Les consommateurs apprennent à s'engager dans des actions qui ont des conséquences générales positives et à éviter les actions qui ont des conséquences générales négatives.	Afin de favoriser le rachat, Dunkin Donuts offre un café gratuit après l'achat de quatre cafés.
Cognitive	Traitement de l'information	Les consommateurs apprennent à partir de l'acquisition, de la rétention et du recouvrement de l'information qui parvient à leurs sens.	Les consommateurs sont invités à apprendre à cuisiner au moyen des cours offerts par l'Atelier Loblaws.
Socialisation	Modelage	Les consommateurs apprennent en observant le comportement des agents de socialisation.	Un enfant observe sa maman qui demande à un employé d'une épicerie où elle peut trouver les pâtes alimentaires de marque Lancia.
	Renforcement	Les consommateurs apprennent à s'engager dans des actions ayant des conséquences sociales positives et à éviter les actions ayant des conséquences sociales négatives.	Après avoir entendu ses amis faire des remarques négatives sur la marque Nike, un adolescent déclare à ses parents qu'il veut avoir de nouvelles chaussures de sport.
	Interaction sociale	Les consommateurs apprennent en tenant compte des valeurs, des attitudes et des normes des personnes et des groupes qui sont importants à leurs yeux.	Pour faire bonne impression sur un ami mélomane, un consommateur demande à un employé du magasin Archambault de l'informer sur les nouveautés en matière de disques.

4.1 L'apprentissage selon l'approche behavioriste

Les behavioristes doutent de la capacité des chercheurs à étudier et à comprendre les événements qui se produisent dans l'esprit des gens. Par exemple, ils font remarquer que, selon la manière dont on pose une question à une personne, on peut obtenir des réponses différentes. Étant donné cette difficulté d'accéder aux processus mentaux, les behavioristes ont choisi d'étudier uniquement les effets des facteurs de l'environnement (les stimuli) sur les comportements (les réponses) des personnes. L'approche behavioriste est d'ailleurs souvent appelée l'approche «stimulus-réponse».

Il y a deux grandes théories behavioristes de l'apprentissage: le conditionnement classique et le conditionnement instrumental. Examinons-les à tour de rôle.

Le conditionnement classique

L'idée centrale du conditionnement classique est qu'une personne apprend surtout en faisant des associations. Par exemple, le très jeune enfant apprend rapidement que, lorsqu'il pleure, quelqu'un s'occupe de lui et le soulage (le berce, lui donne à manger, change sa couche, etc.). Plus ce comportement se répétera, plus l'association sera forte et plus l'enfant aura «appris» qu'il suffit de pleurer pour obtenir la conséquence désirée. Ce qui est intéressant avec les associations de ce type, c'est qu'elles peuvent s'appliquer à des stimuli neutres. Que voulons-nous dire par là? Considérons le cas du bébé qui a appris naturellement qu'une bouteille de lait entraîne le soulagement de sa faim. On peut schématiser cette association ainsi:

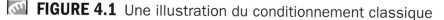

Bouteille ⟶ soulagement à venir

Supposons qu'au moment où la bouteille lui est présentée, un stimulus neutre survienne, par exemple sa maman qui lui chante une chanson. Notons qu'il s'agit d'un stimulus neutre puisque le fait d'entendre quelqu'un fredonner une chanson ne provoque pas automatiquement l'impression d'un soulagement à venir de la faim. Cependant, si le bébé entend la chanson chaque fois que la bouteille de lait est présentée, il est probable qu'avec le temps, il associera aussi le stimulus neutre (la chanson) au soulagement à venir. À la longue, le seul fait d'entendre sa maman fredonner une chanson suffira à provoquer l'impression d'un soulagement à venir. Ce processus est illustré à la figure 4.1.

FIGURE 4.1 Une illustration du conditionnement classique

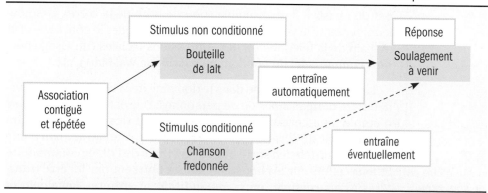

Une publicité qui exploite le conditionnement classique.

Une publicité qui associe le bonheur d'être en famille au fait de prendre soin de son corps.

Dans l'exemple illustré à la figure 4.1, la bouteille correspond à un **stimulus non conditionné.** Ce type de stimulus entraîne une réponse automatique. En revanche, la chanson fredonnée est un **stimulus conditionné,** car il s'agit d'un événement neutre qui, parce qu'il apparaît de façon répétée (répétition) en même temps (contiguïté) que le stimulus non conditionné, finira par occasionner la même réponse que ce dernier.

La **répétition** et l'**association contiguë** entre le stimulus conditionné et le stimulus non conditionné sont les deux mécanismes de base du conditionnement classique. Un stimulus conditionné entraînera les réponses souhaitées seulement s'il a été associé au stimulus non conditionné de façon rapprochée et répétée. En fait, les études réalisées par des chercheurs en psychologie montrent que le conditionnement classique fonctionne mieux lorsque la présentation du stimulus conditionné précède légèrement celle du stimulus non conditionné et que les deux types de stimulus sont saillants, c'est-à-dire qu'ils ressortent clairement dans l'environnement immédiat. Ces conditions semblent nécessaires afin que le stimulus conditionné devienne avec le temps une source d'information pour la personne.

Le conditionnement classique trouve des applications en publicité, où il est courant d'associer un produit ou un service à des stimuli qui entraînent automatiquement les réponses souhaitées. Par exemple, la publicité ci-contre de la tisane Délice boréal évoque la chaleur bienfaisante de la tisane tout en associant la vapeur du breuvage céleste à une aurore boréale. Des figurants et des figurantes ayant un physique agréable peuvent susciter naturellement du désir chez le consommateur, désir qui, avec le temps (et la répétition publicitaire), sera, on l'espère, transféré au produit. En fait, par l'intermédiaire d'images appropriées, on essaie de créer des liens entre des sensations plaisantes, des sentiments divers, des atmosphères particulières, des moments agréables, la séduction, et des produits ou des marques: on utilisera par exemple des personnages attrayants (comme Drew Barrymore pour Covergirl, Charlize Theron pour Dior, Eva Longoria Parker pour L'Oréal), mais aussi des paysages grandioses (comme ceux qui sont exploités par la marque de rhum Bacardi), des couples enlacés et des familles unies (comme dans la publicité de Néolia présentée ci-contre), des enfants (par exemple, pour vous inciter à donner du sang), des groupes qui ont du plaisir à être ensemble (pour vendre de la bière), des couleurs (comme le vert de Telus pour communiquer le côté naturel et humain de la téléphonie), des expressions faciales (un visage heureux comme celui du bonhomme sourire de Wal-Mart), etc.

La logique est la même dans le domaine de la commandite d'événements, d'organismes ou de personnes. Une entreprise soucieuse d'établir une certaine image dans l'esprit des consommateurs peut choisir de s'associer à un événement, à un athlète ou à une cause afin de faire en sorte que les attributs de l'objet commandité et leurs effets sur les consommateurs finissent par lui être transférés[2]. Par exemple, en commanditant le sprinter jamaïcain et détenteur du record mondial au 100 mètres Usain Bolt (www.usainbolt.com), la marque de chaussures de sport Puma souhaite améliorer son image globale et la perception de la performance de ses produits (*voir la figure 4.2*). De même, McDonald's commandite le plongeur Alexandre Despatie, triple champion du monde et médaillé olympique, qui agit à titre d'ambassadeur de la marque.

FIGURE 4.2 Le conditionnement classique appliqué à la commandite

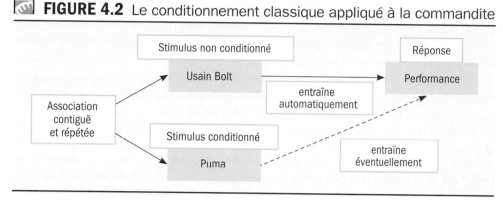

Il importe de retenir de cette discussion que, par le conditionnement classique, des stimuli qui ne sont pas essentiels pour comprendre le contenu d'un message publicitaire ou pour faire des inférences à propos des caractéristiques d'un produit ou d'un service peuvent avoir des effets importants sur les réponses (émotions, désir, attirance, etc.) des consommateurs.

La généralisation et la discrimination de stimuli

La généralisation correspond à la tendance qu'a l'individu à réagir à un stimulus différent du stimulus conditionné initial, mais qui lui ressemble néanmoins, comme s'il s'agissait de celui associé à l'origine à l'expérience donnée. Dans l'expérience du physiologiste Ivan Petrovitch Pavlov, le chien, après avoir été conditionné à saliver au son de la cloche, répondait de façon identique au son d'une sirène (pas celle qui évolue dans la mer, bien sûr!). La généralisation de stimuli trouve plusieurs applications en marketing. Les extensions de lignes de produits, les noms de famille de plusieurs produits, les produits d'imitation (produits similaires, du moins en apparence, emballages semblables sur les plans de la forme, des couleurs utilisées, etc.), les licences accordées, jouent tous sur ce principe.

En revanche, la discrimination représente la tendance de l'individu à réagir de façon différente à des stimuli qui sont perçus comme différents, même s'ils se ressemblent. Les responsables en marketing cherchent souvent à exploiter le potentiel de discrimination du consommateur en différenciant dans son esprit leurs produits et leurs marques de ceux de la concurrence. Vous connaissez sans doute ce slogan utilisé par l'Association des producteurs de lait pour souligner la distinction entre le beurre et la margarine : « Parce que du beurre, c'est du beurre. » Peut-être avez-vous aussi remarqué, dans une publicité pour la vodka Smirnoff, le slogan « Il y a des vodkas et il y a Smirnoff », visant à placer Smirnoff dans une catégorie à part, les autres vodkas étant alors présentées comme un tout anonyme. Les termes « l'unique », « l'incomparable », « le seul » sont également employés pour créer une distinction entre une marque et les marques concurrentes. Le constructeur de véhicules utilitaires Jeep utilise ce principe dans ses publicités en rappelant aux consommateurs que Jeep est l'original, le pionnier, le seul et l'unique.

Le conditionnement instrumental

Le conditionnement classique présente une vision passive de l'apprentissage, les consommateurs y étant représentés comme des machines à faire des associations. Or, une bonne partie de l'acquisition des connaissances consiste à accomplir des gestes, à observer les résultats et à en tirer des conclusions, en quelque sorte par essais et erreurs. Le conditionnement instrumental est une théorie behavioriste différente de la théorie classique, qui adopte une perspective dynamique de l'apprentissage. Essentiellement, selon cette théorie, les consommateurs apprennent à s'engager dans des actions qui ont des conséquences positives et à éviter celles qui ont des conséquences négatives.

Le concept central du conditionnement instrumental est le **renforcement.** Si les conséquences qui découlent d'un comportement sont positives, on dit que le comportement est renforcé positivement, et il en résulte une augmentation de la probabilité que la personne s'engage de nouveau dans ce comportement. Si, au contraire, les conséquences sont négatives, il y a renforcement négatif, et la probabilité de récidive diminue. Par exemple, si vous avez vécu une expérience heureuse (et pas seulement pour vos papilles gustatives!) la première fois où vous avez mangé dans un restaurant donné, il est probable que vous souhaiterez y retourner. À l'inverse, si vous avez eu du mal à digérer la sauce bizarre qui accompagnait votre viande ou que la personne qui vous a servi ce jour-là s'est montrée peu aimable, il est possible que vous hésitiez sérieusement à y retourner.

Autre exemple: dans les enquêtes d'opinion, on recommande aux intervieweurs de donner une rétroaction positive aux participants («merci de nous aider», «votre opinion est importante») afin de renforcer positivement leur participation à l'enquête. Des études ont montré que cette manière d'agir a pour effet d'augmenter de façon notable la qualité des réponses obtenues[3]. De même, on croit qu'il est important de s'assurer que les clients sont satisfaits après un achat, afin qu'ils achètent de nouveau. Nous verrons dans une prochaine section que les consommateurs satisfaits d'un achat peuvent développer une **fidélité à la marque** ou à l'entreprise.

Les responsables en marketing recourent à de nombreuses stratégies de renforcement fondées sur la théorie de l'apprentissage par le conditionnement instrumental. Le fait de remettre des cadeaux divers aux consommateurs au moment de l'achat d'un produit ou de l'abonnement à un magazine est une pratique courante. Comment composer la bonne promotion, choisir le «bon cadeau» à offrir? Tels sont les défis que doivent relever les responsables du marketing. La capsule 4.1 présente un exemple de choix promotionnel, qui doit être fait de façon éclairée. Les stratégies de renforcement que nous venons d'exposer nous conduisent tout naturellement à la notion suivante: le façonnage.

Le façonnage

En marketing, nous avons vu que le renforcement est un concept fondamental du fait que l'on cherche à inciter le consommateur au rachat de produits et de services. Cependant, lorsqu'un comportement est complexe (comme c'est souvent le cas de l'achat de biens et de services), le concept de **façonnage** (*shaping*) devient utile. Un comportement ne peut être renforcé que s'il s'est déjà produit. Ainsi, le rachat d'un produit suppose que celui-ci a été acheté auparavant. Or, dans le cas de comportements complexes, la probabilité est faible que l'acte de rachat se produise simplement par hasard. Le but du façonnage est de renforcer d'abord des comportements simples, de façon à arriver graduellement à renforcer le

Quelle prime?

Une stratégie courante de promotion d'un produit consiste à offrir une prime au moment de l'achat, qui a pour but d'inciter à l'achat au même titre qu'un coupon. Imaginez que l'on vous demande d'organiser une campagne de promotion pour un produit, par exemple des biscuits, en utilisant une prime. Comment allez-vous procéder? La prime devrait-elle être incluse dans l'emballage? Devrait-elle plutôt être remise par la poste à la réception d'une ou de plusieurs preuves d'achat? Quel type de prime allez-vous offrir? Une quantité additionnelle de biscuits au prix courant ou un autre article? Peut-être devriez-vous considérer la possibilité d'utiliser un emballage spécial, comme une jolie boîte en métal, et de l'offrir en cadeau à l'acheteur? Que devriez-vous faire? Ce sont là des questions de gestion importantes pour les responsables de la promotion. Des chercheurs québécois ont réalisé une étude visant à mesurer les réactions de 182 consommateurs adultes à différents types d'offres promotionnelles comportant une prime. Les chercheurs ont noté deux types de réaction des consommateurs : ils apprécient l'offre qui leur est faite ou ils pensent que l'offre de prime est un stratagème visant à les manipuler. L'étude a montré que les promotions où la prime est envoyée par la poste sont les moins appréciées et qu'elles amènent davantage les consommateurs à croire à une tentative de manipulation. Trois options de promotion qui plaisent aux consommateurs ressortent clairement des résultats de l'étude : 1) le fait que la prime soit disponible immédiatement avec le produit ou auprès d'un vendeur; 2) l'obtention d'une quantité additionnelle du produit au même prix; 3) la possibilité de transformer l'emballage en un contenant réutilisable.

Source : A. d'ASTOUS et I. JACOB, « Understanding Consumer Reactions to Premium-Based Promotional Offers », *European Journal of Marketing*, vol. 36, nos 11/12, 2002, p. 1270-1286.

---

comportement complexe ultime, c'est-à-dire celui que l'on souhaite voir adopté. Ainsi, une façon d'inciter un consommateur à racheter un produit est de procéder par approximations successives. Par exemple, on l'incite d'abord à essayer le produit grâce à un échantillon gratuit (produit de consommation courante), auquel on ajoute un coupon donnant droit à un rabais appréciable sur un achat subséquent. Lors du premier achat, le consommateur obtient un autre coupon donnant droit à un deuxième rabais moins élevé. Au fur et à mesure que les achats progressent, on fait en sorte que les incitatifs artificiels de renforcement (dans ce cas-ci, les coupons) soient éliminés graduellement, de façon à transférer progressivement le renforcement à la performance du produit. Cet exemple d'utilisation du conditionnement instrumental en marketing promotionnel est synthétisé à la figure 4.3[4].

FIGURE 4.3 L'application du façonnage du comportement à la promotion des ventes

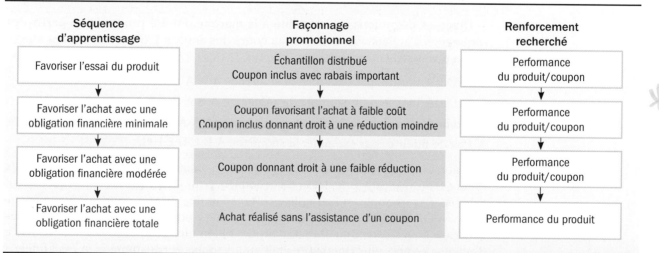

La logique du façonnage peut aussi être appliquée à un service. À titre d'illustration, des efforts importants sont déployés pour inciter les consommateurs à utiliser les transports en commun plutôt que leur automobile pour se rendre au travail. Changer une habitude aussi solidement ancrée que celle-ci en faveur de l'utilisation du transport en commun – un comportement qui apparaît passablement complexe *a priori*: se rendre à la gare, stationner la voiture, connaître les horaires des trains ou des autobus, etc. – représente un cas intéressant auquel les principes du façonnage peuvent être appliqués. Dans un premier temps, on offre aux consommateurs ciblés des laissez-passer gratuits pour une période donnée. Ensuite, on leur propose une réduction appréciable sur l'achat de billets, suivie d'une série de réductions qui iront graduellement en diminuant, jusqu'à ce que l'usager paye le plein prix pour l'utilisation du service.

La fidélité à la marque

Le rachat répété d'une marque par un consommateur nous amène naturellement à discuter d'un phénomène intéressant en marketing, le fait non seulement que des consommateurs préfèrent une marque aux autres, mais qu'ils y sont fidèles. Du point de vue du marketing, la compréhension de ce phénomène est cruciale: si on sait l'expliquer, on pourra peut-être arriver à fidéliser les consommateurs et s'assurer ainsi une prédominance sur le marché.

Pour mieux comprendre le concept de fidélité à la marque, il est bon de voir la manière dont a évolué la conception qu'en ont les chercheurs en comportement du consommateur. En effet, la définition de la fidélité à la marque a créé beaucoup de confusion et de controverses au cours des années. Dans les premières études réalisées pour définir la fidélité, les chercheurs ont utilisé les séquences d'achats telles qu'elles sont mesurées chez un groupe de consommateurs (généralement un panel). Par exemple, supposons que l'on a observé les achats successifs d'un consommateur dans une catégorie de produits donnée. La séquence d'achats observée pourrait être la suivante:

A A B A C B C

où A, B et C sont des marques. À l'aide de cette séquence, on pourrait essayer de qualifier la fidélité de ce consommateur. Cette approche est cohérente avec la perspective behavioriste: un consommateur est fidèle lorsqu'il achète la même marque sur une base régulière. On ne se préoccupe alors que du comportement d'achat.

Diverses définitions de la fidélité à la marque ont été proposées à partir des séquences d'achats. Par exemple, au cours des années 1950, un chercheur américain a proposé la classification suivante[5]:

1. Fidélité unique: par exemple, la séquence **A A A A A A A**;
2. Fidélité divisée: par exemple, la séquence **A B A B A B A**;
3. Fidélité instable: par exemple, la séquence **A A A B B B A**;
4. Pas de fidélité: par exemple, la séquence **A B C D E F G.**

D'autres chercheurs ont estimé la fidélité en calculant la proportion des achats totaux, dans une catégorie de produits donnée, pour la marque la plus fréquemment achetée. Par exemple, si l'on utilise cette façon de mesurer dans la séquence suivante: **A C B A C B B**, la fidélité envers la marque **B** serait égale à 3/7 = 0,43. D'autres encore ont considéré le nombre de marques différentes achetées dans une séquence d'achats donnée: plus ce nombre était grand, moins le consommateur était fidèle.

Le fait d'avoir plusieurs définitions du concept de fidélité a occasionné des problèmes importants, dont la difficulté de comparer les résultats des études entre eux. À titre d'illustration, supposons que l'on a observé les séquences d'achats suivantes chez deux consommateurs :

Consommateur 1 : **A B C A B C**

Consommateur 2 : **A B C C C C**

Si l'on définit la fidélité selon le nombre de marques différentes achetées durant la période d'observation, les deux consommateurs sont semblables. Mais si l'on considère plutôt la séquence d'achats dans son ensemble, par exemple en employant la classification présentée auparavant, ils seraient sans doute classifiés différemment.

Comme on peut s'en douter, le problème de la mesure de la fidélité des consommateurs à l'aide des séquences d'achats était important. Mais la difficulté n'était pas simplement de nature méthodologique, mais aussi de nature conceptuelle. En effet, le fait de se limiter aux séquences d'achats pour comprendre le concept de fidélité, au moyen d'une approche fondamentalement behavioriste, était inadéquat. Pour mieux comprendre, examinons la séquence d'achats du consommateur 2 : **A B C C C C**. Pourquoi ce consommateur a-t-il opté pour la marque **C** lors des quatre derniers achats ? Parce qu'il a développé une fidélité à cette marque ? Ou est-ce plutôt parce que les autres marques ne sont plus en vente ? On l'aura compris, l'examen des séquences d'achats ne suffit pas toujours à cerner le concept de fidélité à la marque. Ainsi, si le consommateur n'a pas le choix, on ne peut pas dire que le rachat d'une marque signifie qu'il est fidèle à cette marque. De même, il peut s'agir de **fidélité factice** (*spurious loyalty*) si un consommateur achète régulièrement la marque que sa conjointe ou ses enfants réclament[6]. Il ressort de cet exposé qu'une définition adéquate du concept de fidélité à la marque doit inclure à la fois les achats et les préférences des consommateurs : un consommateur est fidèle à une marque lorsqu'il l'achète régulièrement et qu'il a développé une préférence à son égard[7].

Entretenir la fidélité des consommateurs

La majorité des entreprises ont compris qu'il est plus facile et plus payant de retenir leurs clients actuels que de tenter d'en attirer de nouveaux. Non seulement les clients fidèles sont-ils relativement insensibles aux offres des concurrents, mais ils sont aussi une source d'information positive auprès des autres consommateurs. En d'autres mots, ils agissent à titre d'ambassadeurs de la marque. On comprendra alors l'importance que les entreprises accordent aux stratégies visant à augmenter la fidélité de leurs clients. Une stratégie usuelle de fidélisation est de «récompenser» les clients en leur faisant profiter de différents avantages. Par exemple, lorsqu'ils font le plein d'essence, les clients de Petro-Canada obtiennent des Petro-Points qu'ils peuvent échanger contre des produits divers (www.petro-canada.ca). De même, la plupart des compagnies aériennes offrent à leurs meilleurs clients des «points de voyage» qu'ils peuvent utiliser pour acheter des billets d'avion. La publicité des hôtels Days Inn, ci-contre, fait la promotion des points Wyndham Rewards, grâce

Une publicité qui fait la promotion d'un programme de fidélisation.

auxquels les clients de cet établissement peuvent s'offrir de petits extras, comme le spa. Plusieurs entreprises ont créé des programmes de fidélisation similaires, et, contrairement à ce que l'on peut penser, ces programmes existent depuis longtemps. Dans les années 1960, par exemple, la défunte chaîne d'épiceries Steinberg offrait à ses clients des timbres à collectionner dans des livrets spécialement conçus à cet effet (on trouve d'ailleurs une référence caricaturale à cette pratique dans la célèbre pièce de théâtre de Michel Tremblay, *Les belles-sœurs*) ; de même, la marque de cigarettes Mark Ten offrait sur ses paquets des points détachables.

Malgré l'engouement des entreprises pour les programmes de fidélisation, certains croient qu'ils ont une incidence uniquement sur le rachat répété et qu'ils ne réussissent pas à augmenter véritablement l'engagement des clients envers une marque. Plusieurs stratégies additionnelles existent donc pour favoriser cet engagement, comme la personnalisation de l'offre (par exemple, Amazon envoie à ses clients des offres personnalisées construites sur la base de leurs achats récents), la mise en œuvre rigoureuse de programmes de contrôle de la qualité, des programmes d'information à la clientèle, le déploiement de mesures efficaces et rapides pour répondre aux plaintes, la possibilité d'échange et de remboursement ainsi que la sollicitation de rétroaction auprès des consommateurs[8].

La fidélité à la marque : un trait de personnalité ?

Des études ont montré que certains consommateurs ont tendance à être fidèles aux marques, de manière générale ou dans le cas de catégories particulières de produits. En effet, selon une enquête réalisée auprès de 1 500 consommateurs adultes québécois, on a trouvé que 74 % d'entre eux sont fidèles à une seule marque de bière[9]. Les études montrent aussi que les consommateurs fidèles ont une plus grande confiance dans leur jugement et qu'ils ont tendance à être fidèles à un ou à des magasins[10]. La fidélité est souvent un moyen de réduire le risque associé à un achat.

Comment mesure-t-on la fidélité aux marques ? Une échelle a été mise au point par des chercheurs en marketing dans le cadre d'une étude réalisée au Québec[11]. Les énoncés de cette échelle de mesure sont présentés dans l'encadré ci-dessous. La personne interrogée indique son degré d'accord avec chaque énoncé, et la somme des résultats (après l'application des inversions prescrites) constitue une mesure de sa fidélité aux marques.

UNE ÉCHELLE DE MESURE DE LA FIDÉLITÉ D'UN CONSOMMATEUR AUX MARQUES

1. En général, je suis fidèle à une seule marque de produit.

Tout à fait en désaccord **1   2   3   4   5   6   7** Tout à fait en accord

2. Si ma marque préférée n'est pas offerte en magasin, cela ne fera pas une grande différence à mes yeux*.

Tout à fait en désaccord **1   2   3   4   5   6   7** Tout à fait en accord

3. Quand une marque est en promotion, je l'achète généralement à la place de ma marque habituelle*.

Tout à fait en désaccord **1   2   3   4   5   6   7** Tout à fait en accord

* La codification de cet énoncé doit être inversée.

4.2 L'apprentissage selon l'approche cognitive

Les théories behavioristes offrent des explications utiles sur la façon dont les consommateurs développent leurs connaissances, mais ces théories sont incomplètes. Les consommateurs ne sont pas simplement des machines à faire des associations (conditionnement classique), pas plus qu'ils ne se contentent de s'engager mécaniquement dans des actions menant à des conséquences positives, ou d'éviter celles qui donnent lieu à des conséquences négatives (conditionnement instrumental). Bien sûr, une bonne part de leur apprentissage consiste à faire des associations et à observer les conséquences de leurs actes; cependant, ces processus (associations, observations), généralement conscients, sont alimentés par les informations qui sont traitées par leur cerveau. L'approche cognitive offre une vision de l'apprentissage différente de celle de l'approche behavioriste. Ainsi, selon cette approche de «traitement de l'information» (*information processing*), les processus mentaux occupent une place prépondérante. On passe donc d'un modèle de type «stimulus-réponse» à un modèle de type «stimulus-organisme-réponse». On reconnaît le rôle de la créativité, de l'imagination, de l'intuition et de l'intelligence dans le processus d'apprentissage.

On admet par exemple que l'individu est capable de raisonner par analogie. On met l'accent sur l'influence de la perception, de la motivation, de l'implication et des processus mentaux dans la production d'une réponse désirée. Cette réponse correspond d'ailleurs au plus caractéristique des apprentissages humains, soit la résolution de problème, considérée comme un moyen d'avoir un certain contrôle sur son environnement. La reconnaissance et l'exploitation de cette approche aboutissent à une communication qui s'adresse à des consommateurs en tant qu'êtres pensants, avides d'obtenir des explications, de se voir présenter des renseignements, des arguments pour alimenter leur réflexion. À titre d'illustration, la publicité de la marque de thé Nestea, présentée ci-contre, invite le consommateur à trouver dans l'hydratation à l'aide des thés Nestea une façon simple de se procurer des antioxydants. Les publicités de ce type, les publireportages au contenu informatif substantiel ainsi que les rubriques des questions les plus fréquemment posées dans les sites Web s'inscrivent tous dans l'approche cognitive. En effet, alors que l'approche du conditionnement classique en communication marketing favorise l'utilisation d'images visuelles ou sonores pour provoquer des associations spontanées, l'approche cognitive tend à utiliser davantage les mots, du matériel verbal. Mais elle n'invite pas pour autant à délaisser les images, puisque celles-ci peuvent servir, par exemple, à favoriser le raisonnement par analogie.

Une publicité qui transmet de l'information devant être traitée par les consommateurs.

Une théorie du traitement de l'information par les consommateurs

Pour comprendre la manière dont un consommateur traite l'information que lui transmet son environnement, nous devons faire appel à une théorie cognitive, c'est-à-dire à une explication des processus mentaux d'**acquisition,** de **rétention** et de **recouvrement** des informations, comme l'illustre la figure 4.4, à la page suivante. Dans cette théorie, on fait la distinction entre les processus internes du consommateur, représentés par les différents types de mémoires, et les données externes (auditives, visuelles, etc.). On peut voir dans cette figure que les informations externes sont d'abord captées par la mémoire sensorielle. Après ce premier traitement, certaines d'entre elles sont transférées à la mémoire à court terme, alors que les autres sont oubliées. Enfin, une partie des informations dans la mémoire à court terme est transférée dans la mémoire à long terme. Examinons brièvement chacune de ces mémoires.

FIGURE 4.4 Le traitement mental des informations

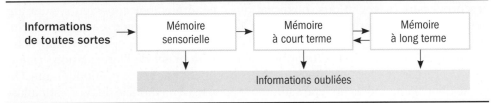

La mémoire sensorielle

La mémoire sensorielle peut contenir une très grande quantité d'informations, mais seulement durant une très courte période. Par exemple, elle emmagasine beaucoup d'informations visuelles (on voit beaucoup de choses), mais à moins d'être traitées de manière ininterrompue (en fixant l'attention), celles-ci ne seront retenues qu'une fraction de seconde. Il en va de même des informations auditives : la mémoire sensorielle ne retient les sons que pendant une fraction de seconde avant de les transférer dans la mémoire à court terme. Peut-être avez-vous déjà vécu l'expérience d'avoir mal compris un mot, de demander à la personne de répéter et, avant qu'elle n'ait pu le faire, d'avoir soudainement l'impression de vous rejouer l'épisode d'écoute (un peu comme une reprise à la télévision) et de comprendre finalement le mot ? On croit que des expériences de ce type s'expliquent par l'existence d'une mémoire sensorielle auditive[12].

La mémoire à court terme

Une grande partie des informations qui transitent par la mémoire sensorielle sont donc oubliées (*voir la figure 4.4*). Les autres sont transférées dans la mémoire à court terme. Cette mémoire possède des caractéristiques particulières. D'abord, elle a une capacité limitée, ne permettant d'y entreposer que quelques données. Une personne normale peut retenir environ sept éléments d'information (plus ou moins deux) dans sa mémoire à court terme, par exemple, sept lettres différentes. À titre d'illustration, faites l'exercice suivant : essayez de mémoriser (bloc-notes interdit !) les neuf lettres présentées ci-après (en supposant que vous ayez à les reproduire plus tard) :

K M Q I A S P F B

Si vous faites l'exercice sérieusement, vous allez constater une chose importante : la seule façon de retenir ces lettres est de les répéter mentalement. La répétition interne (*rehearsal*) est une stratégie automatique que nous employons lorsque nous voulons nous rappeler une information (par exemple, un numéro de téléphone – *voir l'exemple du numéro des petites annonces dans l'encadré de la page suivante*). Cette stratégie vise à faciliter le transfert de la mémoire à court terme dans la mémoire à long terme. Si la répétition interne n'est pas pratiquée, l'information est oubliée dans un délai d'environ 15 secondes.

Nous avons dit que la mémoire à court terme permet de traiter environ sept éléments d'information, comme les lettres de l'exemple précédent. Mais, attention! Des lettres peuvent se grouper en des ensembles cohérents constituant des éléments uniques. Par exemple, réorganisons les mêmes neuf lettres de la façon suivante:

I B M S A Q P F K

Ces neuf lettres constituent maintenant trois éléments distincts: IBM, SAQ et PFK, et leur rétention s'en trouve grandement facilitée. Donc, et il s'agit là d'un point important, lorsqu'il est question de la capacité limitée de la mémoire à court terme, on fait référence à des éléments d'information distincts. Ceux-ci peuvent être constitués à partir d'autres éléments *a priori* distincts (comme dans l'exemple ci-dessus). Ce processus d'amalgamation (*chunking*) permet d'augmenter la capacité de la mémoire à court terme.

Il est intéressant de concevoir la mémoire à court terme comme une sorte de «comptoir de travail» (*working memory*), sur lequel on traite les renseignements provenant de l'extérieur (par l'entremise de la mémoire sensorielle) et de l'intérieur (par l'entremise de la mémoire à long terme). Plusieurs chercheurs croient que ce comptoir de travail est à prédominance acoustique (donnant l'impression d'«entendre» intérieurement les informations). Cependant, la mémoire à court terme est aussi un comptoir de travail où l'on peut construire des images mentales. Nous nous rappelons et manipulons mentalement des images sensorielles: des odeurs, des parfums qui nous ont marqués, des sons particuliers, des musiques, des couleurs, des luminosités, des textures, des touchers, des saveurs. L'imagerie mentale peut être une expérience sensorielle et émotionnelle gratifiante pouvant d'une certaine façon se substituer à la consommation réelle (par exemple, s'imaginer en train de déguster une crème glacée quand on meurt de chaleur) ou en augmenter l'intensité (par exemple, imaginer le goût de la vanille lorsqu'on boit un verre de vin)[13].

ENVOYE, ENVOYE, LES P'TITES ANNONCES

Lorsque des consommateurs désirent publier une annonce dans un journal pour vendre une voiture, une roulotte ou un mobilier de salon, comment faire en sorte qu'ils pensent spontanément au numéro de téléphone de vos petites annonces et le composent? Comment leur faire retenir ce numéro? Une solution: la répétition dans le message publicitaire. N'est-ce pas ce que vous faites d'ailleurs lorsque vous cherchez un numéro de téléphone dans le bottin téléphonique et que vous tentez de ne pas l'oublier avant de le composer? Va pour la répétition, mais n'oublions pas la mise en situation, «Lorsqu'on a quelque chose à vendre: 688-1950», pour créer l'association. Cependant, répéter un numéro de téléphone durant un message radiophonique de quelques secondes peut vite

devenir irritant pour l'auditoire. Qu'à cela ne tienne, on le mettra en musique. Et pourquoi ne pas y ajouter des paroles rappelant une chanson du folklore québécois? C'est ainsi que, dans une publicité pour les petites annonces du *Journal de Québec,* les paroles «Envoye, envoye, la p'tite p'tite p'tite, envoye, envoye la p'tite jument» ont été transformées en «Envoye, envoye, les p'tites, p'tites, p'tites, envoye, envoye les p'tites annonces». Cela a permis d'enrichir le contexte d'encodage du numéro de téléphone et de faciliter ainsi sa mémorisation, mais également sa récupération en temps opportun. Ayant sept chiffres à se rappeler, la mémoire pourrait faire défaut; pour l'aider, on présentera les chiffres en deux parties: d'abord les trois premiers, puis les quatre derniers, et le tour sera joué!

La mémoire à long terme

La mémoire à long terme est un entrepôt de l'information dont la capacité est quasi illimitée. Elle constitue le lieu de résidence permanent des connaissances. Il en existe deux types : la **mémoire sémantique** (ou générique) et la **mémoire épisodique** (ou autobiographique). La mémoire sémantique conserve l'information générale qui n'est liée à aucun contexte précis. Par exemple, la plupart des gens connaissent leur nom et leur prénom. Pourtant, ils ne peuvent lier ces connaissances à un contexte d'apprentissage donné (vous rappelez-vous les circonstances dans lesquelles vous avez appris vos nom et prénom ?). Par contre, la mémoire épisodique contient des souvenirs qui sont liés à un contexte (ou à un épisode) précis. Par exemple, demain, vous vous rappellerez (espérons-le !) cette distinction entre la mémoire sémantique et la mémoire épisodique, et ce souvenir sera lié à un contexte particulier, soit celui de la lecture de ce chapitre à l'instant même. Comme vous, les auteurs de ce livre connaissent eux aussi cette distinction, mais ils ne peuvent plus l'associer à un contexte d'apprentissage donné ; elle fait partie de leur mémoire sémantique. Donc, on peut penser que toute l'information dans la mémoire à long terme est d'abord contenue dans la mémoire épisodique. Avec le temps, une partie de cette information est transférée dans la mémoire sémantique. Il est probable que certains épisodes de la vie (une première voiture, un mariage, la mort d'un être cher, etc.) soient si importants qu'une partie des connaissances qui leur sont associées demeure dans la mémoire épisodique. On associe à la mémoire épisodique un sentiment particulier, celui de la nostalgie. De nombreux messages publicitaires, de nombreux produits exploitent ce sentiment (*voir la capsule 4.2*).

CAPSULE 4.2

Que de souvenirs !

Notre mémoire épisodique conserve la trace plus ou moins véridique des événements de notre passé. Les études montrent que des faits importants comme l'achat d'une première voiture, un premier amour, un accident, etc., sont souvent très bien mémorisés. Nous enregistrons les événements passés ainsi que les émotions qui y sont rattachées. Ainsi, à la vue d'une photographie de la première voiture que nous avons achetée, nous revoyons en esprit les divers épisodes qui se sont produits et nous revivons, l'espace d'un moment, les émotions intenses qui les accompagnaient. De façon générale, des objets de notre environnement évoquent constamment notre passé. Non seulement les objets stimulent-ils notre mémoire, mais ils entraînent souvent un sentiment de nostalgie, une sorte de regret de nos activités passées. Par exemple, à l'écoute d'une mélodie populaire au temps de notre jeunesse, nous voilà transportés en esprit au moment de nos premières amours, à l'époque où tout était encore à faire. Ces souvenirs, souvent idéalisés, éveillent le désir plus ou

moins conscient de revivre ces moments passés. Il semble que la tendance à la nostalgie varie selon les consommateurs. Les plus enclins à être nostalgiques développent des préférences de consommation particulières. Les responsables du marketing cherchent à profiter du sentiment de nostalgie en offrant aux consommateurs des produits et des services qui rappellent leur passé, comme des voitures (la New Beetle de Volkswagen, la Mini Cooper) ou des lieux de restauration (Nickel's). La nostalgie peut aussi être un axe de communication très efficace, comme en témoigne le succès des campagnes de publicité ayant employé cette stratégie (par exemple, la campagne de publicité québécoise sur le lait, la publicité pour le nettoyant Hertel). Une étude réalisée par deux chercheurs américains a montré que, comparativement à une publicité conventionnelle, une publicité utilisant la nostalgie comme axe de communication encourage les auditeurs à réfléchir au passé, ce qui suscite chez eux des pensées nostalgiques et donne lieu à des attitudes plus favorables envers la publicité et envers la marque[14].

Le réseau mnémonique

Comment les informations contenues dans la mémoire à long terme sont-elles recouvrées et comment sont-elles oubliées? Cette question est très importante, car nous avons vu que les comportements des consommateurs sont influencés par leurs connaissances. Nous allons donc nous y attarder un peu. La conception la plus populaire de la structure de la mémoire à long terme est celle d'un réseau d'associations appelé un **réseau mnémonique** (*memory network*). Un exemple simplifié d'un tel réseau est présenté à la figure 4.5. Dans cet exemple, on a reproduit une partie du réseau mnémonique fictif d'un consommateur en isolant quelques concepts associés à l'entreprise GM. On y voit que ces concepts (GM, voitures, États-Unis, etc.) sont associés entre eux d'une manière plus ou moins forte. Ainsi, le trait qui unit «GM» et «Voitures» est plus marqué que celui qui unit «GM» et «Camions», afin de montrer que la première association est plus forte. Comme pour les associations de type behavioriste, on peut dire que la force d'une association dans un réseau mnémonique dépend du nombre de fois que les concepts apparaissent en même temps, qu'ils ont été expérimentés ensemble. Il faut noter cependant que ces «apparitions» peuvent être internes, c'est-à-dire se produire en pensée: plus le consommateur pense souvent à GM et aux automobiles en même temps, plus les deux concepts seront fortement associés. La notion de réseau mnémonique vous rappellera sans doute celle de schéma, présentée au chapitre 3 sur la perception, comme étant un ensemble de concepts interreliés. Nous vous invitons à revoir l'exemple du schéma fictif d'un magasin Archambault présenté à la figure 3.7, page 93.

FIGURE 4.5 Un réseau mnémonique fictif autour du concept GM

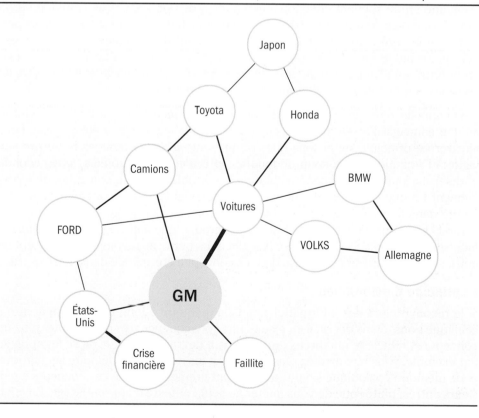

Une caractéristique importante d'un réseau mnémonique est la **diffusion de l'activation** dans le réseau (*spreading activation*). Ainsi, l'activation d'un concept (par exemple, entendre le nom de GM ou y penser) se diffuse aux autres concepts auxquels il est associé (dans ce cas-ci, faillite, voitures, camions, États-Unis, etc.). La vitesse de diffusion dépend directement de la force de l'association. À titre d'illustration, dans notre exemple, le concept de «voitures» serait activé plus rapidement que celui de «faillite». Une bonne façon d'entrevoir le phénomène est d'imaginer que les associations qui relient les concepts sont comme des tuyaux dans lesquels on fait circuler de l'eau. La vitesse avec laquelle l'eau se répand jusqu'au concept dépend de la grosseur du tuyau. Si l'activation est trop faible (s'il n'y a pas assez d'eau), les concepts les plus faiblement associés ne seront jamais activés. Il est intéressant de noter que, selon cette conception, nous ne contrôlons pas totalement notre pensée. Ainsi, quand nous pensons à quelque chose, des concepts sont activés automatiquement, sans que nous puissions maîtriser le processus.

La diffusion de l'activation est une façon générale de concevoir le processus de recouvrement de l'information dans la mémoire à long terme. Lorsqu'une personne essaie de retrouver une donnée, il lui suffit de penser à des concepts qui lui sont associés pour activer éventuellement l'information désirée. Des stratégies de recouvrement utiles s'inspirent de ce processus général. Ainsi, si l'on cherche le nom d'une personne, il s'avère souvent efficace de procéder à un examen systématique des lettres de l'alphabet, qui agissent alors comme des indices de recouvrement (*retrieval cues*). De même, plusieurs études ont montré que les informations sont généralement emmagasinées en mémoire avec le contexte dans lequel elles sont présentées. L'activation de ce contexte permet d'en faciliter le recouvrement. Dans une étude souvent citée, on a demandé à des personnes se trouvant sur la terre ferme d'apprendre une liste de mots et on a fait de même avec d'autres personnes immergées sous l'eau (avec un équipement de plongée). Par la suite, ces personnes ont été testées respectivement sur la terre ou sous l'eau. Les résultats ont montré que l'appariement entre le contexte d'apprentissage et le contexte de recouvrement exerçait un effet important sur la mémoire[15].

On appelle «encodage spécifique» (*encoding specificity*[16]) le fait de lier une information emmagasinée en mémoire au contexte dans lequel elle a été acquise. Pour illustrer ce principe, supposons que l'on présente à des personnes la phrase suivante: «L'homme a eu le coup de foudre», et à d'autres personnes cette seconde phrase: «La foudre est tombée sur l'homme». Il semble évident qu'un indice de recouvrement tel que «tomber en amour» facilitera davantage le recouvrement du mot foudre dans le premier groupe que dans le deuxième, alors que l'indice «accident naturel» sera plus efficace dans le deuxième groupe que dans le premier. Comme le montre cet exemple, la facilité avec laquelle nous pouvons recouvrer un concept de notre mémoire dépend de la façon dont ce concept a été encodé dans notre esprit.

Le principe d'élaboration

Si le recouvrement des informations dans la mémoire à long terme s'apparente à celui que nous avons décrit, il en résulte une conséquence très importante: plus un concept est relié à de nombreux autres, plus il devrait être facile de se le rappeler. Par exemple, vous retrouverez plus facilement les notions de mémoire sémantique et de mémoire épisodique si vous avez volontairement associé ces concepts à plusieurs autres, plutôt que de vous limiter au seul contexte d'apprentissage. En effet, plus les associations sont nombreuses, meilleures seront les chances d'activer le concept cherché. De cette affirmation découle un autre principe important de la mémoire que l'on appelle le **principe d'élaboration.** Plusieurs études ont montré que plus une personne crée d'interrelations entre les différents concepts dont elle veut se rappeler (autrement dit, plus elle «élabore» autour de ces concepts), plus elle aura de la facilité à se les rappeler. Cette élaboration peut être plus ou moins profonde. Par exemple, s'il s'agit de mots, une élaboration superficielle consisterait à associer ces mots à d'autres, qui riment. Une élaboration plus profonde consisterait, par exemple, à associer ces mots à des concepts de sa vie personnelle. Plusieurs études ont montré que plus l'élaboration est profonde, plus le recouvrement des informations s'avère efficace[17]. Le principe d'élaboration implique le fait que les informations que nous retenons dans notre mémoire à long terme dépendent du traitement mental que nous leur appliquons, et non de notre motivation à vouloir apprendre (une bonne chose à savoir au moment de préparer un examen!).

Une théorie de l'oubli : l'interférence

Nous avons beaucoup insisté jusqu'à maintenant sur le recouvrement des informations dans la mémoire à long terme, en négligeant de parler de toutes celles qu'on oublie. L'oubli est important et nécessaire. En effet, si nous nous rappelions tout ce qui nous est présenté, notre vie serait impossible. Deux théories expliquent le processus par lequel les informations sont perdues. La première suppose que ces dernières s'effacent naturellement avec le temps (*decay*), mais cette théorie n'obtient pas l'assentiment de la majorité des spécialistes de la mémoire. La seconde, plus populaire auprès des chercheurs, est fondée sur la notion d'**interférence,** selon laquelle ce sont les autres données en mémoire qui en bloquent l'accès en créant de l'interférence[18]. L'information est toujours là : on ne peut simplement pas y accéder, car il y a trop de «bruit» autour. Par exemple, beaucoup de gens ne peuvent se rappeler le nom de leur première enseignante. Cependant, si on leur demande de retrouver ce nom dans une liste, ils peuvent souvent le faire, ce qui démontre bien qu'il n'est pas effacé, comme la première théorie le suppose, mais simplement enfoui parmi tous les renseignements que contient la mémoire à long terme.

La notion d'interférence est intéressante, car elle implique le fait que d'autres données, acquises avant ou après celles dont il faut se rappeler, auront peut-être un impact négatif sur la mémorisation. Cela doit toutefois être différencié du processus d'élaboration, qui consiste justement à faire des associations d'idées. Dans ce dernier cas, les autres données facilitent le recouvrement de la mémoire, si elles ne se contentent pas d'être en périphérie des données recherchées, mais les enrichissent plutôt en leur ajoutant davantage de signification et de structure. En d'autres mots, les associations qui résultent de l'élaboration ouvrent différentes voies, tandis que l'interférence multiplie les voies inutiles.

La mémoire implicite

La théorie du traitement de l'information illustrée à la figure 4.4, page 124, est centrée sur l'acquisition, la rétention et le recouvrement d'informations dont la personne a conscience. Or, des études ont montré que les gens n'ont pas toujours conscience du fait que des données sont enregistrées dans leur mémoire[19]. Il ressort que des souvenirs en apparence perdus ont des effets significatifs sur le comportement subséquent des personnes. De nombreux chercheurs croient qu'il existe une mémoire implicite, dans laquelle sont contenues des données dont nous n'avons pas conscience et qui peuvent avoir des effets sur notre comportement (choix de marque, préférences, etc.). Ainsi, bien qu'une personne sache que Levi's est une marque de vêtements *cool,* elle n'a pas nécessairement accès dans sa mémoire à ce qui l'a amenée à se former un tel jugement. Par conséquent, évaluer l'efficacité d'une publicité en mesurant jusqu'à quel point les consommateurs se rappellent le contenu qu'elle transmet (une forme de mémorisation explicite) n'est peut-être pas la façon de faire idéale lorsque la publicité a pour objectif de créer une image de marque. La mémoire implicite des consommateurs est un domaine de recherche encore embryonnaire, et il est permis de penser que des découvertes intéressantes verront le jour dans un avenir prochain[20].

Les implications pour le marketing

La théorie du traitement de l'information par les différents types de mémoires a des implications importantes pour le marketing. Examinons-en les principales.

- Nous avons appris que la mémoire à court terme des consommateurs a une capacité limitée. Par conséquent, il ne faut pas surcharger le système de traitement. Par exemple, dans le cas d'une publicité télévisée de courte durée, il faut tenir compte de la capacité limitée des consommateurs à absorber du contenu.

- Nous avons également vu que la répétition interne favorise le transfert de données dans la mémoire à long terme. Pour augmenter la probabilité que les consommateurs retiennent ce qui leur est communiqué, il est donc utile de répéter le message. La répétition est une stratégie courante pour augmenter le rappel de l'information transmise par la publicité. Cependant, ce qui importe, ce n'est pas la répétition comme telle, mais plutôt le travail mental effectué par les consommateurs à partir des informations qu'on leur fournit (l'élaboration). La répétition publicitaire offre simplement aux consommateurs un plus grand nombre d'occasions d'élaboration.

Une publicité qui stimule l'élaboration.

- Parce que les informations à propos desquelles les consommateurs vont élaborer ont de meilleures chances d'être emmagasinées dans la mémoire à long terme et recouvrées par la suite, les actions visant à stimuler l'élaboration des consommateurs sont donc susceptibles d'avoir des effets bénéfiques sur la mémoire. Examinez la publicité ci-contre pour les serviettes antibactériennes Wet Ones. Les bactéries et la saleté auxquelles on donne une représentation humaine attirent l'attention et encouragent l'élaboration du lecteur. Ainsi, la publicité ne devrait pas se limiter à présenter de l'information sur un produit et ses attributs, mais tenter également de stimuler chez ceux qui l'écoutent ou la regardent la création d'associations diverses permettant d'enrichir le contexte d'encodage de cette information.

- Comme nous l'avons vu, le recouvrement des informations dans la mémoire à long terme peut être entravé par l'interférence créée par des informations concurrentes. Par exemple, dans le contexte de la communication publicitaire, on a montré que des effets d'interférence peuvent se produire entre une publicité pour un produit et d'autres messages publicitaires pour des produits de même catégorie[21]. Afin de favoriser le rappel des informations, il faut donc faire en sorte que ce qui est communiqué soit le plus distinct possible.

- Enfin, les responsables du marketing doivent s'assurer que les consommateurs recouvreront dans leur mémoire les informations qui ont trait à leurs produits et à leurs marques au moment où cela est le plus pertinent. Ainsi, si l'on veut que les consommateurs se rappellent les bénéfices du produit au moment de l'achat et qu'ils fassent ainsi le choix approprié, il peut être intéressant de leur fournir des indices facilitant le recouvrement. Par exemple, une étude a montré que le fait de fournir, sur l'emballage du produit, une photo représentant le personnage central d'une publicité a un effet positif sur le recouvrement des arguments publicitaires et l'évaluation de la marque[22].

4.3 La socialisation des consommateurs

Nos connaissances ne sont pas acquises en vase clos ; elles sont la plupart du temps filtrées par les gens qui nous entourent. Par exemple, ce qui est beau ou laid, ce qui est bon ou mauvais est davantage une question de consensus social que d'évidences fondées sur une quelconque réalité objective. Telle marque de vêtements est la favorite des adolescents au semestre d'automne et elle est rejetée par ces mêmes ados au semestre suivant. Les modèles d'apprentissage behavioriste (conditionnements classique et instrumental) et cognitif (traitement de l'information) que nous avons présentés se concentrent sur les processus individuels d'apprentissage et supposent de façon plus ou moins explicite l'existence d'une réalité objective que l'on peut appréhender. Cependant, il nous faut admettre notre dépendance à autrui pour acquérir de l'information et lui donner un sens. Les autres servent de points de référence pour définir «notre» réalité. L'information qui parvient à nos sens est généralement filtrée par des «gardiens» de l'information comme les médias, l'école, les parents et les amis, qui s'engagent dans des actions délibérées pour nous influencer, ou pour influencer notre conception de la réalité. Il ne faut pas considérer cette influence de façon négative (bien qu'elle puisse l'être parfois), car il est important d'établir des comparaisons avec les autres afin de valider nos opinions et nos valeurs. Même dans les gestes les plus banals, les autres nous fournissent de l'information très utile. Tel adolescent invité à dîner pour la première fois chez les parents de sa copine prendra soin de noter comment les autres mangent leurs gambas, un mets nouveau pour lui, et de les imiter.

Plusieurs chercheurs croient que, si l'on veut comprendre les comportements des consommateurs, il faut connaître leur origine sociale et les processus par lesquels ces comportements sont appris et maintenus. C'est ce que l'on appelle la **socialisation des consommateurs**.

La socialisation est donc une forme d'apprentissage, mais qui s'étend sur toute une vie, à l'inverse de l'apprentissage de connaissances très précises effectué pendant une période donnée. D'ailleurs, les formes de socialisation évoluent au fur et à mesure que la personne progresse dans son cycle de vie. Le modèle de la figure 4.6 présente les différentes variables intervenant dans la socialisation des consommateurs[23]. Ces variables seront abordées à tour de rôle.

Socialisation des consommateurs

Processus par lequel les personnes acquièrent les compétences, les connaissances et les attitudes nécessaires à leur développement en tant que consommateurs dans une société.

FIGURE 4.6 Un modèle de la socialisation des consommateurs

L'apprentissage

L'apprentissage est la variable ultime, celle que l'on cherche à expliquer. Il concerne les connaissances nécessaires à l'accomplissement d'un rôle social donné, lesquelles sont emmagasinées dans notre mémoire à long terme. Comparez vos valeurs et vos attitudes d'aujourd'hui avec celles d'il y a quelques années à peine. Qu'est-ce qui a changé? Vous êtes toujours la même personne, pourtant il est probable que vous agissez différemment parce que votre situation sociale a changé. Peut-être êtes-vous un étudiant dans une école de gestion ou une faculté d'administration? Si oui, vous aurez appris à vous adapter à cet environnement en vous appropriant ses modèles (par exemple, les gens qui ont réussi dans les affaires), ses valeurs (l'économie de marché, la concurrence), ses codes vestimentaires (veston et cravate), etc. Sans ces connaissances, votre rôle social sera mal défini, et vous ne ferez pas vraiment partie de cette communauté bien distincte.

Il est important de distinguer les **connaissances de procédure** (*procedural knowledge*) et les **connaissances déclaratives** (*declarative knowledge*). Les premières sont implicites, elles nous permettent d'accomplir des tâches et de résoudre des problèmes. Conduire une voiture, par exemple, requiert beaucoup de connaissances de procédure. Nul besoin de «déclarer» ces connaissances pour pouvoir les utiliser. Elles sont en nous et sont employées de façon implicite, généralement sans que l'on y pense. En fait, parce qu'elles sont souvent utilisées mécaniquement, il est parfois difficile de les décrire. Pourriez-vous, par exemple, décrire les mouvements que vous faites pour garder votre équilibre sur une bicyclette? Les connaissances de procédure des consommateurs sont multiples: la façon de choisir une pièce de viande à l'épicerie, de lire l'étiquette d'un produit, de négocier avec un vendeur, de magasiner un produit dans Internet, de choisir un vêtement approprié, voire de déguster une bière (*voir la capsule 4.3*). On peut voir une ressemblance entre la notion de connaissances de procédure et la notion de script ou de schéma d'événement, que nous avons présentée au chapitre 3 portant sur la perception.

CAPSULE 4.3

Un rite bien particulier: la consommation de bière

Rien de plus simple que de boire une bière, direz-vous. Pas si sûr, en tout cas pas si vous êtes véritablement passionné par cette boisson. La consommation d'une bière obéit pour plusieurs à un rite bien défini qu'il ne faut surtout pas trahir. On parle ici des bières dites de spécialité (Leffe, Beck's, Chimay, etc.) et non pas des bières populaires (Labatt, Molson, Budweiser, etc.). D'abord, il convient de verser la bière dans le verre approprié. Pour chaque bière de spécialité, il y a un verre conçu dans le but de préserver ses arômes. Idéalement, on lavera ce verre juste avant la dégustation de façon à ce qu'aucune tache ne vienne gâcher le plaisir. Avec un décapsuleur (n'espérez pas un bouchon qui dévisse), on ouvre la bouteille et on verse le précieux liquide dans le verre incliné à 45°. Évitez à tout prix le sacrilège qui consisterait à toucher le verre avec la bouteille! Lorsque le verre est rempli à moitié, on le redresse et on le laisse déborder d'une belle mousse blanche. On coupe celle-ci avec une spatule de façon à ne garder que les petites bulles qui protégeront la bière de l'air. Avant de boire la bière, il est important d'admirer sa couleur et de humer son bouquet. Si le cœur vous en dit, prenez une gorgée et décrivez votre expérience de consommation à votre entourage en employant les termes les plus originaux.

Source: N. FILION, «Les bières de spécialité pour s'éclater les bulles», *La Presse*, 21 mai 2000, C5.

À l'opposé, les connaissances déclaratives sont celles dont nous sommes conscients et qui peuvent être déclarées. Ainsi, tel consommateur sait qu'il y a deux magasins d'alimentation dans son quartier. Cette connaissance peut être recouvrée dans sa mémoire à long terme et déclarée, par exemple, à une personne qui s'enquiert des lieux où elle peut faire son épicerie.

Une autre distinction utile concerne les connaissances qui se définissent selon leur pertinence pour la société (par exemple, les connaissances liées à l'accomplissement de son travail) et celles qui se définissent selon leur pertinence pour la personne (par exemple, les connaissances en matière de loisirs). Bien sûr, beaucoup des connaissances des consommateurs sont pertinentes à la fois pour la société et pour les personnes elles-mêmes.

Enfin, il est courant aussi de distinguer les connaissances objectives et les connaissances subjectives. Les premières font référence aux informations réelles contenues dans notre mémoire à propos d'un concept, d'une marque, d'une catégorie de produit, etc. Les connaissances subjectives, quant à elles, font plutôt référence à une auto-évaluation de nos connaissances. À titre d'illustration, l'encadré qui suit contient des énoncés qui visent à mesurer les connaissances subjectives d'une personne à propos du cinéma[24]. Comme on le voit, il s'agit essentiellement de porter une évaluation personnelle du degré de connaissances que l'on possède. Il n'est pas dit que cette évaluation corresponde aux connaissances véritables possédées par la personne. On pourrait par exemple mesurer les connaissances objectives d'une personne en ce qui a trait au cinéma en lui proposant un jeu-questionnaire, où des questions diverses concernant les films, les réalisateurs et les acteurs lui seraient posées. Comment les chercheurs en comportement du consommateur doivent-ils mesurer les connaissances des consommateurs? Vaut-il mieux utiliser une mesure objective (ce que l'on sait vraiment) ou une mesure subjective (ce que l'on pense savoir)? Une étude récente, dans laquelle on a fait la synthèse de plusieurs recherches sur la relation entre les deux types de connaissances, conclut que, de façon générale, ils sont corrélés de façon positive[25]. En d'autres termes, plus les consommateurs affirment avoir des connaissances à propos de la consommation, plus ils en possèdent effectivement. Ce résultat est tout à fait intéressant, car il conforte les nombreux chercheurs et praticiens qui utilisent des mesures subjectives (comme celle présentée dans l'encadré ci-dessous), car elles sont beaucoup plus faciles à construire et à administrer.

UNE ÉCHELLE DE MESURE DE LA CONNAISSANCE DU CINÉMA

1. Je me considère comme un vrai cinéphile.

Tout à fait en désaccord   **1**   **2**   **3**   **4**   **5**   **6**   **7**   Tout à fait en accord

2. J'ai vu en moyenne plus de films que la plupart des autres personnes.

Tout à fait en désaccord   **1**   **2**   **3**   **4**   **5**   **6**   **7**   Tout à fait en accord

3. Je possède plus de connaissances sur les films que les autres.

Tout à fait en désaccord   **1**   **2**   **3**   **4**   **5**   **6**   **7**   Tout à fait en accord

4. Je suis continuellement à l'affût des nouveautés au cinéma.

Tout à fait en désaccord   **1**   **2**   **3**   **4**   **5**   **6**   **7**   Tout à fait en accord

5. Je suis une mine d'information en ce qui concerne le cinéma.

Tout à fait en désaccord   **1**   **2**   **3**   **4**   **5**   **6**   **7**   Tout à fait en accord

Les variables sociales structurelles

Les variables sociales structurelles (*voir la figure 4.6, page 131*) concernent l'environnement social dans lequel l'apprentissage des consommateurs s'effectue. Des variables telles que le sexe, la classe sociale et la race permettent de situer une personne dans un groupe relativement homogène en ce qui a trait aux comportements. Ces variables ont une influence à la fois sur la façon dont se font les apprentissages et sur leur contenu. Par exemple, un consommateur qui a grandi dans un milieu défavorisé apprendra des notions différentes d'un autre qui vient d'un milieu aisé. Quoi que l'on en dise, les apprentissages des garçons sont différents à bien des égards de ceux des filles. Ils touchent tous les aspects d'une personne: ses valeurs, son langage, ses schémas (*voir le chapitre 3*), ses modes de prise de décision, etc. Si des personnes issues de milieux sociaux différents ont de la difficulté à communiquer, c'est parce que leurs apprentissages ne coïncident ni dans la forme, ni dans le contenu.

L'âge ou la position dans le cycle de vie

Il est certain que le contenu de l'apprentissage et la façon dont on apprend dépendent de l'âge de la personne et, plus généralement, du moment de sa vie où les apprentissages ont lieu. Ainsi, les jeunes enfants apprennent beaucoup de leurs parents alors que les adolescents sont surtout influencés par leurs pairs. Les adultes subissent d'autres formes d'influence, comme celle des collègues, des conjoints et des médias.

Au cours de la période qui va de la naissance à l'adolescence, des changements très importants ont lieu sur le plan des opérations mentales et sur celui des interactions sociales. Le tableau 4.2 fait une synthèse de ces changements en divisant cette période de la vie en trois étapes: l'étape perceptuelle (3 à 7 ans), l'étape analytique (7 à 11 ans) et l'étape stratégique (11 à 16 ans)[26].

Les jeunes enfants sont centrés sur leur environnement immédiat, et leur perception est généralement unidimensionnelle (par exemple, un jeune enfant croira qu'un verre long et mince contient davantage de jus qu'un verre court et large de même capacité – *voir la capsule 3.1, à la page 71, sur le pouvoir des formes*) et fondée sur des détails concrets (par exemple, la taille des objets, leur couleur). Bien qu'ils soient familiarisés avec les concepts de consommation usuels comme les produits et les magasins, leurs connaissances à leur égard sont superficielles. Les décisions qu'ils prennent sont opportunistes et égocentriques, basées sur des données limitées. À mesure qu'ils vieillissent, les habiletés cognitives des enfants se développent de façon remarquable. Durant la période analytique, la compréhension du monde de la consommation devient plus raffinée et plus complexe. Les objets sont analysés à partir de plus d'une dimension et leur interprétation va au-delà des attributs perceptuels directs pour s'étendre à leurs caractéristiques latentes (par exemple, une barre de chocolat à deux dollars est perçue comme étant «trop chère»). Le raisonnement devient plus abstrait et les décisions de consommation montrent un certain degré d'adaptation en fonction du contexte dans lequel elles se prennent. L'enfant au stade analytique a la capacité de penser selon la perspective des autres (par exemple, ses parents), ce qui lui permet entre autres choses de mettre en œuvre diverses stratégies d'influence (*voir le chapitre 11 sur ce thème*). Enfin, à l'étape stratégique, les capacités cognitives de l'enfant sont largement développées, lui permettant de prendre davantage conscience de la signification sociale de la consommation. Il choisit les produits et les marques en fonction des bénéfices qu'ils procurent, tout en tenant compte des attentes des autres et de l'image associée à leur consommation.

TABLEAU 4.2 Les étapes de la socialisation des enfants consommateurs

Caractéristiques	Étape perceptuelle (3-7 ans)	Étape analytique (7-11 ans)	Étape stratégique (11-16 ans)
Structure des connaissances :			
Orientation	Concrète	Abstraite	Abstraite
Focalisation	Éléments perceptuels	Fonctionnelle/éléments sous-jacents	Fonctionnelle/éléments sous-jacents
Complexité	Unidimensionnelle Simple	Deux dimensions ou plus Conditionnelle (« cela dépend »)	Multidimensionnelle Conditionnelle (« cela dépend »)
Perspective	Égocentrique	Double (moi et les autres)	Double, dans un contexte social
Prise de décision et stratégie d'influence :			
Orientation	Opportuniste	Réfléchie	Stratégique
Focalisation	Éléments perceptuels Éléments saillants	Fonctionnelle/éléments sous-jacents Éléments pertinents	Fonctionnelle/éléments sous-jacents Éléments pertinents
Complexité	Un seul attribut Un répertoire de stratégies limité	Deux attributs ou plus Un répertoire de stratégies plus étendu	Plusieurs attributs Un répertoire de stratégies complet
Adaptation	En émergence	Modérée	Complète
Perspective	Égocentrique	Double (moi et les autres)	Double, dans un contexte social

Source : John D. ROEDDER, « Consumer Socialization of Children : A Retrospective Look at Twenty-Five Years of Research », *Journal of Consumer Research,* vol. 26, 1999, p. 183-213.

Les agents de socialisation

Un agent de socialisation est une personne ou une organisation qui participe à la socialisation de la personne parce qu'elle entretient une relation régulière avec cette dernière (par exemple, un ami, un collègue de travail, un membre de la famille) ou parce qu'elle exerce un contrôle sur les récompenses et les punitions (l'école). Un agent de socialisation peut être une organisation formelle (l'école) ou informelle (un cercle d'amis), et son rôle peut être clairement défini (la famille) ou non (les médias). Les études montrent que les médias, la famille, les pairs et l'école sont des agents de socialisation très importants chez les jeunes enfants et chez les adolescents, tandis que les médias et les sources personnelles (les collègues, les amis) le sont pour tous. L'influence des agents de socialisation varie donc en fonction de la position de la personne dans son cycle de vie : enfant (famille), adolescent (amis), adulte (collègues, conjoint), aînés (conjoint, enfants, soignants). La capsule 4.4, à la page suivante, illustre jusqu'où peut aller l'influence des amis dans le processus de socialisation des adolescents consommateurs.

Boire jusqu'à la mort

Les pairs (les amis, les membres du groupe d'appartenance) sont les agents de socialisation les plus influents durant l'adolescence. Une démonstration convaincante est offerte par l'histoire tragique d'Alexandre Vaillancourt, un Québécois de 18 ans mort à la suite de l'absorption d'une quantité excessive d'alcool en un temps très court. Le «jeu» s'appelle le *binge drinking* et il consiste pour les participants à ingurgiter la plus grande quantité possible d'alcool en 10 secondes. L'alcool (par exemple, du whisky) est versé directement dans la bouche des joueurs qui basculent la tête. Le premier qui arrête de boire a perdu la partie. Alexandre Vaillancourt a gagné le concours de *binge drinking* ce soir-là, mais il a aussi perdu la vie à la suite d'un coma éthylique. Les abus en matière de consommation d'alcool sont monnaie courante chez les ados (pensez à vos soirées au collège ou à l'université, aux rites d'initiation), et il faut comprendre que ces comportements excessifs ont une dimension sociale importante : on ne s'amuse pas à jouer au *binge drinking* lorsqu'on est seul à la maison. Les pairs jouent un rôle déterminant dans ce type de socialisation de consommation pour le moins dangereuse.

Source : H. DUMAS, « Le *binge drinking* : un jeu dangereux », *La Presse*, 2 mars 2001, B5.

Le processus de socialisation

Les consommateurs acquièrent les compétences qui leur sont utiles de trois façons différentes : par le modelage, par le renforcement et par l'interaction sociale (*voir la figure 4.6, page 131*).

Le **modelage** consiste à imiter le comportement d'un agent de socialisation, de façon consciente ou non. Par exemple, les enfants agissent comme leurs parents parce qu'ils veulent leur ressembler. Les préférences envers certaines marques de produits peuvent se manifester très tôt dans la vie par l'intermédiaire du modelage. Les attitudes envers la consommation, le gaspillage ou la publicité sont souvent apprises par imitation des agents de socialisation.

Concept principalement associé au psychologue américain Albert Bandura[27], l'apprentissage par modelage est basé sur l'observation du comportement des autres. Comme son nom l'indique, il implique un modèle. Plus nous jugeons le modèle attrayant, compétent, crédible, à succès, nous ressemblant, plus il risque de nous marquer et de provoquer en nous une émulation.

Nous pouvons apprendre par procuration, sans avoir besoin de vivre les événements nous-mêmes, en observant un modèle et les conséquences de ses actions. Nous pouvons ainsi être tentés de copier des comportements qui semblent engendrer des conséquences positives, et éviter ou abandonner des comportements qui semblent porteurs d'effets négatifs, qui génèrent des punitions. Les publicités pour cosmétiques font un usage intensif du modèle attrayant qui, grâce à l'utilisation de telle crème, de tel shampoing ou de tel parfum, maintient sa peau lisse et saine, arbore des cheveux lumineux et abondants, et voit même son pouvoir de séduction faire subitement des ravages en raison des effluves laissés dans son sillage. En marketing social, de nombreuses publicités ont été élaborées pour décourager les jeunes de prendre des drogues. Sont exploités à cette fin des slogans tels que «T'es-tu vu quand t'as bu», mettant en scène un modèle de leur âge en état d'ivresse, qui ne fait pas vraiment bonne impression par son rire bruyant qui rappelle étrangement le braiment de l'âne. D'autres slogans frappent plus fort : «Janis Joplin n'est plus» rappelle la mort tragique de la chanteuse héroïnomane.

Le **renforcement** implique des mécanismes de récompense et de punition. Les consommateurs apprennent à s'engager dans des comportements qui ont été récompensés par le passé et à éviter ceux qui ont donné lieu à des punitions. Par exemple, les adolescents apprennent à favoriser certaines marques de vêtements parce qu'elles sont approuvées par leurs amis ou par les groupes auxquels ils s'identifient le plus. Certaines publicités présentent parfois un personnage qui, du fait qu'il a utilisé tel produit dans la confection de son menu, reçoit des compliments (par exemple, «Félicitations, tu es un vrai cordon bleu!») de son conjoint ou de sa conjointe, de ses enfants ou de ses amis venus partager le repas.

L'**interaction sociale** est une forme de socialisation moins définie, qui peut inclure à la fois des mécanismes de modelage ou de renforcement. Il s'agit du processus par lequel les consommateurs apprennent à gérer leurs relations personnelles. Ce faisant, ils doivent tenir compte des normes du groupe auquel ils souhaitent appartenir et adopter des valeurs et des attitudes qui soient cohérentes avec celles des personnes et des groupes qui leur importent.

Le cadre conceptuel présenté à la figure 4.6 est une façon simple et synthétique de concevoir la socialisation des consommateurs. Il met en lumière l'importance de plusieurs thèmes de recherche importants en marketing et en comportement du consommateur : l'influence des agents de socialisation sur l'apprentissage des compétences en matière de consommation, l'influence des membres de la famille dans la prise de décisions économiques (*voir le chapitre 11*), l'influence des différences socioéconomiques et culturelles dans le processus de socialisation (*voir le chapitre 9*), ainsi que l'influence relative des agents de socialisation selon l'âge, la classe sociale, les revenus et l'éducation (*voir la capsule 4.4, page 136*).

Nous avons appris que :

- comprendre comment les connaissances se développent et se perpétuent est important parce que les comportements des consommateurs (préférences, choix de marque, etc.) sont influencés par leurs connaissances.

- trois grandes approches sont utilisées pour décrire la façon dont les consommateurs acquièrent leurs connaissances : l'approche behavioriste, qui insiste sur le rôle de l'expérience ; l'approche cognitive, qui est centrée sur le traitement mental des informations ; la socialisation, qui situe l'apprentissage dans le contexte du développement social de la personne.

- deux théories de l'apprentissage s'inscrivent dans l'approche behavioriste : le conditionnement classique, où le consommateur est vu comme une machine à faire des associations, et le conditionnement instrumental, où l'on conçoit l'apprentissage comme le résultat d'un renforcement faisant suite à l'accomplissement d'un comportement.

- la manière dont les informations sont acquises, retenues et recouvrées par les consommateurs est expliquée par une théorie cognitive de l'apprentissage. Cette théorie postule l'existence de trois types de mémoires : la mémoire sensorielle, dans laquelle une grande quantité d'informations est retenue pendant une très courte période ; la mémoire à court terme, dans laquelle une quantité limitée d'informations est retenue pendant une courte période ; la mémoire à long terme, qui constitue un entrepôt de capacité quasi illimitée, dans lequel sont contenues toutes les connaissances des consommateurs.

- l'apprentissage des consommateurs s'étend sur toute leur vie et dépend d'un ensemble de variables, dont les principales sont les variables sociales structurelles (le sexe, la classe sociale, la race, etc.), l'âge ou la position dans le cycle de vie et les relations entre les consommateurs et les agents de socialisation (les amis, la famille, les médias).

Questions de révision et de réflexion

1. Quelles sont les trois grandes approches utiles à la compréhension de l'apprentissage des consommateurs? Sont-elles complémentaires? Justifiez votre réponse.

2. Expliquez ce qu'est le conditionnement classique et illustrez son emploi dans le cas d'une marque d'eau embouteillée souhaitant que l'on associe son produit à la pureté. (Vous pouvez utiliser un exemple connu.)

3. Une musique peut-elle servir de stimulus non conditionné? Si oui, expliquez de quelle façon.

4. En vous référant au conditionnement classique, en quoi diriez-vous que la commandite relève de choix stratégiques?

5. «Lorsqu'on crée un produit d'imitation, on cherche à profiter du principe de généralisation.» Commentez.

6. Si l'on considère les produits d'imitation, le consommateur ressort-il gagnant de l'exploitation de cette stratégie?

7. Le slogan «Toujours imité, jamais égalé» fait-il référence à la généralisation ou à la discrimination?

8. Qu'est-ce que le conditionnement instrumental? Expliquez la citation de B.F. Skinner: «Nous sommes ce que nous avons été récompensés d'avoir été.»

9. La carte Passion Beauté était offerte au comptoir des cosmétiques Jean Coutu. Il fallait accumuler 200$ d'achats pour pouvoir obtenir des produits d'une valeur de 20$. Sachant que le Groupe Jean Coutu a mis fin au programme et n'a laissé aux consommateurs que l'option d'utiliser un programme Air Miles, quels commentaires feriez-vous *a posteriori* au groupe PJC?

10. Qu'est-ce que le façonnage? Comment pourrait-on l'appliquer à la fréquentation d'une nouvelle salle de conditionnement physique?

11. «Il suffit qu'un consommateur achète plusieurs fois la même marque pour que l'on parle de fidélité à la marque.» Commentez cette affirmation.

12. Au fil du temps, comment a-t-on essayé de mesurer la fidélité à la marque?

13. En quoi l'approche cognitive de l'apprentissage se distingue-t-elle de l'approche behavioriste? Vous devez faire la promotion d'une marque d'analgésique contre la migraine. Décrivez en quelques lignes deux publicités, l'une qui exploiterait le conditionnement classique et l'autre, l'approche cognitive.

14. En faisant du jogging, vous passez devant une boulangerie: une odeur de pain frais parvient à vos narines. Vous humez cet arôme avec plaisir, puis continuez votre course sans plus vous en soucier. Quel type de mémoire s'est trouvé sollicité? Même cas de figure au départ, mais cette fois-ci, tout en courant, vous pensez que vous devriez acheter du pain frais plus souvent, que vous pouvez même vous permettre du pain blanc à l'occasion, puisque vous faites de l'exercice intensif; vous vous remémorez aussi le dernier souper chez vos amis, qui vous ont fait goûter un pain, nouveau pour vous, et qu'ils ont nommé «pain alpin». Voilà que le goût de ce pain vous revient lui aussi en mémoire, ainsi que tout ce que vous avez mangé ce soir-là, puis c'est toute cette soirée qui défile dans votre tête. Quels types de mémoires sont alors sollicités? Expliquez.

15. Lorsque la compagnie Volkswagen utilisait la chanson de l'émission pour enfants Passe-Partout en tant que ritournelle (*jingle*) dans sa publicité pour la Golf, à quel type de mémoire s'adressait-elle et sur quel sentiment jouait-elle?

16. Qu'entend-on par réseau mnémonique de la mémoire à long terme? Dressez un réseau mnémonique fictif pour notre joggeur de la question 14 (considéré dans le deuxième cas de figure) et illustrez, par la même occasion, la diffusion de l'activation et le principe d'élaboration.

17. Quelles sont les deux théories sur l'oubli? Que faire pour ne pas oublier des éléments importants le jour d'un examen?

18. En quoi le manque de connaissances de procédure peut-il nuire à l'introduction d'un nouveau produit ou service?

19. Qu'est-ce que la socialisation apporte de plus à la compréhension de l'apprentissage humain?

20. Quels sont les principaux agents de socialisation des consommateurs? Changent-ils avec l'âge?

21. Comment l'Opération Nez rouge, qui permet aux gens d'être raccompagnés à la fin de soirées bien arrosées pendant la période des Fêtes, pourrait-elle utiliser le modelage dans un message publicitaire? Expliquez.

22. Dressez un bilan de la façon dont vous apprenez en tant qu'étudiant. À cet effet, quelles sont les approches étudiées dans ce chapitre qui vous sont utiles?

Cas

BMW contre Nissan (ou M pour « mnémonique »)*

Lorsque la marque d'automobile Infiniti (www.infiniti.ca) a introduit en 2005 les modèles M35 et M45 dans sa gamme de véhicules, cela n'a pas causé d'émoi outre mesure chez son concurrent, le constructeur d'automobiles BMW (www.bmw.ca). Cependant, lorsqu'Infiniti a décidé de faire la promotion de ces deux modèles au Canada au moyen d'une campagne publicitaire annonçant l'arrivée de la « M » (*The M is coming*), la réaction de BMW ne s'est pas fait attendre. Le constructeur allemand a porté immédiatement la cause devant les tribunaux en arguant que Nissan (la compagnie mère d'Infiniti) avait enfreint la loi relative aux marques de commerce en s'appropriant illégalement la lettre M.

Chez BMW, la lettre M correspond en effet à des versions hautement améliorées de ses modèles standards (les séries 3 et 5). Ainsi, les modèles BMW M3 et M5 sont des voitures de luxe de haute performance qui disposent d'équipements distinctifs. Ces voitures sont très bien connues des amateurs de voitures performantes. Selon BMW, l'initiative commerciale d'Infiniti mettait en péril les investissements importants qui avaient été consentis depuis plusieurs années pour promouvoir la marque M auprès de ses clients et des acheteurs potentiels d'automobiles de luxe.

Un des arguments employés par BMW était que la campagne publicitaire orchestrée autour de la lettre M par Infiniti provoquait une confusion dans l'esprit des consommateurs, de telle sorte que les associations positives avec la marque M de BMW étaient rendues possibles chez les acheteurs de voitures de luxe et les leaders d'opinion qui étaient exposés aux publicités de cette campagne. BMW prétendait que ces associations positives étaient transférées à la marque Infiniti grâce à l'utilisation d'une lettre fortement liée à la marque allemande.

Pour appuyer cette thèse, le constructeur allemand a fait appel à un expert en comportement du consommateur. Celui-ci a fondé son argumentation sur le concept de réseau mnémonique. Dans la figure 4.7, à la page suivante, on trouve une représentation simplifiée du réseau mnémonique supposément élaboré dans l'esprit des consommateurs. Selon l'expert engagé par BMW, la publicité créait d'abord une association entre la marque Infiniti et la lettre M (le côté droit du réseau mnémonique). Cependant, comme cette lettre étant fortement associée à la marque BMW chez les amateurs de voitures de luxe et les leaders d'opinion, il en résultait une confusion dans leur esprit (la zone contenant les deux lettres M). Par conséquent, la diffusion de l'activation aidant, les attributs positifs liés à la marque allemande (haute performance, grande qualité, etc.) étaient transférés à la M d'Infiniti.

Selon l'expert, non seulement l'image de la marque Infiniti bénéficiait-elle directement et à moindre coût des associations positives liées à BMW, mais l'image de la marque allemande, quant à elle, risquait d'écoper par son association avec une marque d'automobile japonaise.

---

* Bien qu'elle soit inspirée d'un cas réel (voir entre autres « *M-battled BMW loses court battle to Nissan* » sur le site www.worldcarfans.com), la situation décrite dans le cas présent est fictive.

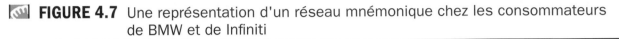

FIGURE 4.7 Une représentation d'un réseau mnémonique chez les consommateurs de BMW et de Infiniti

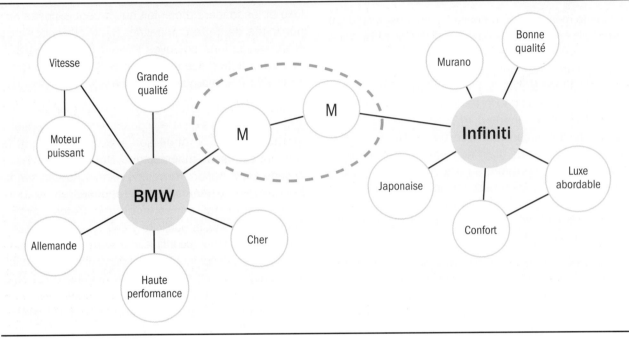

QUESTIONS

1. Pourquoi le constructeur d'automobiles BMW ne s'est-il pas inquiété lors de l'introduction des modèles M35 et M45 d'Infiniti, alors que la campagne publicitaire autour de la lettre M l'a amené à faire appel aux tribunaux?

2. Que pensez-vous de l'argumentation construite par l'expert en comportement du consommateur? Peut-elle convaincre un juge que la marque Infiniti bénéficiera des investissements que BMW a déployés au cours des ans pour construire son image de marque?

3. Que pensez-vous de l'hypothèse selon laquelle l'image de la marque BMW souffrira des effets de la campagne publicitaire d'Infiniti?

4. On vous a invité à agir à titre de contre-expert dans la cause «BMW c. Nissan». Préparez votre contre-argumentation en vous appuyant sur les concepts présentés dans ce chapitre.

Notes

1. S. LAPORTE, « Quel jour on est ? », *La Presse,* 20 mai 2001, p. A5.

2. Voir à ce sujet l'article suivant : S. GANASSALI et L. DIDELLON, « Le transfert comme principe central du parrainage », *Recherche et applications en marketing,* vol. 11, 1996, p. 37-48. Le lecteur trouvera sur le site Web du Conseil canadien sur la commandite (www.sponsorshipmarketing.ca) des exemples de programmes canadiens de commandites qui ont gagné des prix pour leur efficacité.

3. C.F. CANNELL, L. OKSENBERG et J.-M. CONVERSE, « Striving for Response Accuracy : Experiments in New Interviewing Techniques », *Journal of Marketing Research,* vol. 14, n° 3, 1977, p. 306-315.

4. Voir l'article suivant : M.L. ROTHSCHILD et W.C. GAIDIS, « Behavioral Learning Theory : Its Relevance to Marketing and Promotions », *Journal of Marketing,* vol. 45, n° 2, 1981, p. 70-78.

5. G.H. BROWN, « Brand Loyalty : Fact or Fiction ? », *Advertising Age,* vol. 23, 26 janvier 1953, p. 75.

6. A.S. DICK et K. BASU, « Customer Loyalty », *Journal of the Academy of Marketing Science,* vol. 22, n° 2, 1994, p. 99-113.

7. J. JACOBY et D.B. KYNER, « Brand Loyalty *vs* Repeat Purchasing Behavior », *Journal of Marketing Research,* vol. 10, n° 1, 1973, p. 1-9. Pour une discussion détaillée du concept de fidélité, le lecteur peut consulter l'article suivant : M.-C. LICHTLÉ et V. PLICHON, « Mieux comprendre la fidélité des consommateurs », *Recherche et applications en marketing,* vol. 23, n° 4, 2008, p. 121-141.

8. Le lecteur trouvera de l'information additionnelle sur les programmes de fidélisation dans le cahier journalistique suivant : « Les programmes de fidélisation », *La Presse,* 14 juin 2005, cahier Affaires.

9. Voir l'article suivant : D. SCHOLZ et J.-M. LÉGER, « The Fickle Beer Consumer », *Marketing,* vol. 109, n° 17, 2004, p. 22.

10. G.S. DAY, « A Two-Dimensional Concept of Brand Loyalty », *Journal of Advertising Research,* vol. 6, mai 1969, p. 29-36 ; J.-M. CARMAN, « Correlates of Brand Loyalty : Some Positive Results », *Journal of Marketing Research,* vol. 7, n° 1, 1970, p. 67-76.

11. Voir l'article suivant : A. D'ASTOUS et E. GARGOURI, « Consumer Evaluations of Brand Imitations », *European Journal of Marketing,* vol. 35, n°s 1/2, 2001, p. 153-167.

12. Pour une discussion, voir A. BADDELEY, M.W. EYSENCK et M.C. ANDERSON, *Memory,* New York, Psychology Press, 2009, p. 8-9.

13. Le lecteur trouvera une discussion détaillée de l'imagerie mentale et de son intérêt pour le comportement du consommateur dans l'article suivant : D.J. MACINNIS et L.L. PRICE, « The Role of Imagery in Information Processing : Review and Extensions », *Journal of Consumer Research,* vol. 13, n° 4, 1987, p. 473-491.

14. On trouvera dans l'article suivant une discussion intéressante du concept de nostalgie : M.B. HOLBROOK, « Nostalgia and Consumption Preferences : Some Emerging Patterns of Consumer Tastes », *Journal of Consumer Research,* vol. 20, n° 2, 1993, p. 245-256. L'étude dont il est question dans cette capsule est décrite dans l'article suivant : D.D. MUEHLING et D.E. SPROTT, « The Power of Reflection : An Empirical Examination of Nostalgia Advertising Effects », *Journal of Advertising,* vol. 33, n° 3, 2004, p. 25-35.

15. D. GODDEN et A. BADDELEY, « Context-Dependent Memory in Two Natural Environments : On Land and Underwater », *British Journal of Psychology,* vol. 66, 1975, p. 325-331.

16. Ce principe a été proposé par le psychologue Endel Tulving. Voir : E. TULVING et D.M. THOMSON, « Encoding Specificity and Retrieval Processes in Episodic Memory », *Psychological Review,* vol. 80, n° 5, 1973, p. 352-373.

17. Ces études ont été stimulées par deux chercheurs américains : F.I.M. CRAIK et R.S. LOCKHART, « Levels of Processing : A Framework for Memory Research », *Journal of Verbal Learning and Verbal Behavior,* vol. 11, 1972, p. 671-684. Les prétentions de ces chercheurs selon lesquelles des informations traitées plus en profondeur sont mieux mémorisées ont cependant été critiquées par plusieurs. Pour un sommaire, voir l'article suivant : M.J. WATKINS, « Limits and Province of Levels of Processing : Considerations of a Construct », *Memory,* vol. 10, 2002, p. 339-343. Une application du principe d'élaboration dans le contexte de l'évaluation d'un produit de consommation est présentée dans l'article suivant : A. D'ASTOUS et M. DUBUC, « Retrieval Processes in Consumer Evaluative Judgment Making : The Role of Elaborative Processing, Context and Retrieval Goals », dans R.J. LUTZ, dir., *Advances in Consumer Research,* vol. 13, Ann Arbor, Mich., Association for Consumer Research, 1986, p. 132-137.

18. B.B. MURDOCK, « Serial-Order Effects in a Distributed Memory Model », dans D.S. GORFEIN et R.R. HOFFMAN, dir., *Memory and Learning,* Hillsdale, N.J., Erlbaum, 1987, p. 277-310.

19. Voir l'article suivant : L.L. JACOBY et D. WITHERSPOON, « Remembering Without Awareness », *Canadian Journal of Psychology,* vol. 36, 1982, p. 300-324.

20. L'article suivant présente une discussion plus détaillée de la mémoire implicite : K.H. SHANKER et C.V. TRAPPEY, « Nonconscious Memory Processes in Marketing : A Historical Perspective and Future Directions », *Psychology & Marketing,* vol. 16, n° 6, 1999, p. 451-457.

21. R. BURKE et T.K. SRULL, « Competitive Interference and Consumer Memory for Advertisements », *Journal of Consumer Research,* vol. 15, n° 1, 1988, p. 55-68.

22. K.L. KELLER, « Memory Factors in Advertising : The Effect of Advertising Retrieval Cues on Brand Evaluations », *Journal of Consumer Research,* vol. 14, n° 3, 1987, p. 316-333.

23. Ce modèle a été proposé par G.P. MOSCHIS, *Consumer Socialization,* Lexington, Mass., D.C. Heath, 1987.

24. Cette échelle de mesure a été utilisée dans la recherche présentée dans l'article suivant: A. D'ASTOUS, «A Study of Individual Factors Explaining Movie Goers' Consultation of Film Critics», dans B. DUBOIS, T.M. LOWREY, L.J. SHRUM et M. VANHUELE, dir., *European Advances in Consumer Research,* vol. 4, Provo, Utah, Association for Consumer Research, 1999, p. 201-207.

25. Voir l'article de J.P. CARSON, L.H. VINCENT, D.M. HARDESTY et W.O. BEARDEN, «Objective and Subjective Knowledge Relationships: A Quantitative Analysis of Consumer Research Findings», *Journal of Consumer Research,* vol. 35, n° 5, 2009, p. 864-876.

26. Ce tableau provient de l'article suivant: J.D. ROEDDER, «Consumer Socialization of Children: A Retrospective Look at Twenty-Five Years of Research», *Journal of Consumer Research,* vol. 26, 1999, p. 183-213. Le lecteur trouvera dans cet article une description des principaux résultats des recherches qui ont été menées sur le développement des enfants consommateurs. La présente discussion reprend quelques-unes des observations faites dans cet article.

27. Voir A. BANDURA, *Social Learning Theory,* Englewood Cliffs, N.J., Prentice-Hall, 1977.

Les attitudes et les émotions

Introduction

C'est ainsi que Berlioz, célèbre compositeur français (1803-1869), décrit la façon dont il a réagi vers 1829 à sa première écoute d'un quatuor à cordes de Beethoven. L'écoute de la musique n'entraîne pas des réactions émotives si marquées chez tous les gens, mais on sait tout de même que la musique a le pouvoir d'éveiller divers sentiments comme la peur (pensez à la musique d'un film d'horreur), la fierté («♪♪♩ Halte là, halte là, halte là, les Canadiens, les Canadiens…»), la joie («Y'a d'la joie» de Charles Trenet) ou l'amour (la musique du film *Titanic*). De la même façon, les consommateurs ont souvent des réactions affectives plus ou moins intenses à l'égard des objets de consommation, par exemple de la joie (à l'achat de leur première voiture), de la peine (lorsque leur nouvelle voiture vient d'être abîmée) ou même de la peur (en voyant l'image d'un poumon malade sur un paquet de cigarettes). Dans ce chapitre, nous tenterons de comprendre comment se forment de telles émotions et quels sont leurs effets sur le comportement des consommateurs.

> *Peu à peu je sentis un poids affreux oppresser ma poitrine, comme un horrible cauchemar, je sentis mes cheveux se hérisser, mes dents se serrer avec force, tous mes muscles se contracter et enfin à l'apparition d'une phrase du finale, rendue avec la dernière violence par l'archet énergique de Baillot, des larmes froides, des larmes de l'angoisse et de la terreur, se firent péniblement jour à travers mes paupières et vinrent mettre le comble à cette cruelle émotion[1].*
>
> **Hector Berlioz**

Par ailleurs, une réaction affective est généralement accompagnée d'une évaluation positive ou négative (Berlioz ne parle-t-il pas d'une «cruelle» émotion?). De telles évaluations, appelées attitudes, sont très importantes en marketing. Nous verrons dans ce chapitre qu'une attitude est une réponse évaluative («j'aime» ou «je n'aime pas») d'une personne à l'égard d'un objet, par exemple une marque, une publicité, un produit, un magasin. Puisque les responsables du marketing cherchent à faire en sorte que les consommateurs préfèrent leur marque à celle des concurrents, donc qu'ils l'évaluent de façon plus positive, il est crucial de comprendre la manière dont se forment les attitudes, afin de pouvoir les créer et les modifier au besoin. C'est aussi ce à quoi s'attardera ce chapitre.

5.1 Les attitudes

Dans cette section, nous chercherons d'abord à définir la notion d'attitude, puis nous en examinerons les fonctions dans une optique de consommation.

Une définition de l'attitude

Attitude

Prédisposition apprise à réagir de façon favorable ou défavorable à un objet ou à une classe d'objets[2].

La définition ci-contre d'une **attitude** que nous allons adopter nous permettra, en premier lieu, d'en examiner les facettes importantes. Voyons quelques aspects importants de cette définition.

Une prédisposition à réagir Une attitude est la **position mentale** d'une personne à propos d'un objet ; elle n'est donc pas directement observable. On peut déduire qu'une personne a une attitude positive ou négative envers un objet :

- en observant cette personne dans diverses situations (par exemple, Julien évite systématiquement de se trouver en présence de Bernard) ;

- en lui posant la question (Julien me dit qu'il n'aime pas Bernard). Une opinion est l'expression verbale d'une attitude ;

- en s'informant auprès d'une tierce personne (Henri me dit que Julien n'aime pas Bernard).

Un objet Ce terme doit être pris au sens large. Il y a toutes sortes d'objets d'attitude : il peut s'agir d'une personne (une célébrité ou le professeur de marketing), d'un concept (la restauration rapide ou le recyclage), d'un événement (le Salon de l'auto de Montréal, le Festival international de jazz de Montréal ou le Carnaval de Québec), d'une institution (la Société des alcools du Québec, Héma-Québec ou Mira), d'un comportement (faire un don à Centraide), d'une idée (la souveraineté du Québec ou le réchauffement de la planète), etc.

En marketing, les objets qui nous intéressent plus particulièrement sont les marques, les produits, les entreprises, les publicités ainsi que les divers comportements à l'égard de ceux-ci.

Une prédisposition apprise On ne naît pas avec des attitudes ; elles sont apprises[3], c'est-à-dire qu'elles se forment par l'intermédiaire des **informations** qui parviennent à nos sens (par exemple, on me dit que le professeur de marketing est « cool » et je développe une attitude positive envers lui) et par nos **expériences** (après l'avoir observé pendant quelques cours, je m'aperçois que j'aime bien le professeur de marketing).

De façon favorable ou défavorable Une attitude possède une **direction** (positive ou négative) et une **intensité** (un degré faible, moyen, élevé). Par exemple, je peux avoir envers le professeur une attitude négative d'intensité moyenne ou positive de grande intensité.

Les fonctions des attitudes

Pourquoi développons-nous des attitudes envers les objets qui nous entourent ? Cette question, qui peut sembler banale, ne l'est pas. En fait, les attitudes remplissent des **fonctions.** Dans la littérature portant sur le sujet, on fait référence à l'**approche fonctionnelle**[4] pour justifier leur utilité et on leur attribue quatre fonctions principales.

La fonction utilitaire

Les attitudes aident les gens à fonctionner dans leur environnement. Par exemple, je développe une attitude positive envers les vins d'appellation contrôlée, car cela facilite mon choix lorsque vient le temps d'acheter une bouteille.

De façon générale, les consommateurs n'aiment pas l'incertitude. Ils aiment adopter des orientations de comportement sans équivoque en toutes circonstances. Les attitudes permettent de diriger la personne vers des comportements appropriés.

La fonction d'expression des valeurs

Les attitudes permettent d'exprimer ses valeurs aux autres. Par exemple, mon attitude positive envers les vêtements de marque Polo Ralph Lauren indique aux autres (et à moi-même) que je suis une personne qui a de la classe; envers les produits Bio-Vert (www.bio-vert.ca), elle montre que je respecte la nature et la protection de l'environnement; envers le fait d'acheter une boîte de céréales Shredded Wheat, elle sert à exprimer mon soutien à l'aide alimentaire, selon la publicité que l'on peut voir ici.

La fonction de protection de l'ego

Parfois, nous adoptons des attitudes afin de protéger l'image que nous avons de nous-mêmes. Prenons l'exemple d'une personne ne voulant pas admettre qu'elle a des tendances homosexuelles. Pour protéger son image hétéro-sexuelle, cette personne peut développer des attitudes positives envers des objets (par exemple, la revue *Playboy*), des personnes (les filles) ou des comportements (draguer) qui sont cohérents avec cette image. Plusieurs baby-boomers acceptent mal l'idée de vieillir. Pour se protéger de cette image qu'ils ne veulent pas admettre (n'être plus dans la prime jeunesse), ils peuvent se montrer favorables à un style de vêtements, à la pratique de certains sports comme le surf des neiges, à un type de voiture (un cabriolet) ou à une façon de s'exprimer qu'affectionnent particulièrement les jeunes.

Une publicité qui illustre la fonction d'expression des valeurs.

La fonction de connaissance

Une attitude correspond à une façon de voir le monde. C'est une sorte de sommaire, de synthèse de ce que je sais et de ce que je pense au sujet de différentes choses. C'est aussi un filtre à travers lequel j'organise ma perception. Par exemple, mon attitude positive envers le marketing m'incite à m'y intéresser, à en comprendre les diverses facettes et à organiser ma pensée au regard de cet objet d'étude et d'application; mon intérêt envers le cours de comportement du consommateur m'incite à en suivre attentivement les leçons, à lire les textes recommandés; ma vision de ce cours diffère de celle d'une personne ayant une attitude négative. En ce sens, une attitude joue le même rôle qu'un schéma (*voir le chapitre 3*).

Certains chercheurs croient qu'il est possible de changer les attitudes d'une personne si l'on s'assure que l'information qui lui est communiquée est cohérente avec la ou les fonctions qui les sous-tendent. Par exemple, une approche logique serait plus efficace dans le cas où l'attitude est liée à une fonction utilitaire, alors que celle qui est liée à un besoin d'expression des valeurs devrait faire l'objet d'une approche symbolique[5]. Notons en terminant qu'il est possible qu'une attitude soit motivée par des raisons multiples, qu'elle remplisse diverses fonctions.

5.2 Comprendre les attitudes

Différentes perspectives ont été adoptées par les chercheurs afin de cerner la notion d'attitude. C'est ce que nous verrons dans les sections qui suivent.

La perspective tridimensionnelle

Les premiers chercheurs qui se sont intéressés aux attitudes ont tenté d'en comprendre la **structure,** d'en déterminer la composition. Pour ce faire, une approche possible consiste à interroger une personne sur une de ses attitudes et à en inférer les facettes à partir de ses propos.

À titre d'illustration, on a demandé à un consommateur d'exprimer ce qu'il pense du magasin Wal-Mart. Au moyen d'un entretien non structuré (*voir le chapitre 2*), on a obtenu les commentaires suivants[6] :

> «Wal-Mart représente beaucoup de produits, une gamme de produits très complète et variée, des étagères jusqu'au plafond qui étouffent le consommateur. [...]»

> «Il y a trop de monde chez Wal-Mart, je n'aime pas ça! C'est actif, c'est criard dans le sens que les employés sont toujours en train de communiquer avec un autre par les intercoms; c'est agaçant à la fin! Wal-Mart est très américain.»

> «Le personnel est trop gentil: moi, me faire donner un panier par un employé de Wal-Mart tout souriant et qui te dit "bonjour et bon magasinage, madame" ne me fait pas acheter davantage. Cette attitude envers le client ne pèse pas dans la balance! Cependant, les employés encadrent bien les clients; ils tournent autour de nous comme des abeilles, toujours prêts à répondre à nos questions.»

Lorsqu'on interroge ainsi les gens sur leurs attitudes (faites-en l'expérience), on obtient généralement trois types de commentaires:

1. **Des croyances:** c'est-à-dire des connaissances relatives à l'objet d'attitude (par exemple, «c'est actif, le personnel est trop gentil»);

2. **Des évaluations:** c'est-à-dire des opinions positives ou négatives à l'égard de l'objet d'attitude (par exemple, «je n'aime pas ça»);

3. **Des intentions et des comportements:** c'est-à-dire des intentions ou des souvenirs relatifs à l'objet d'attitude (par exemple, «me faire donner un panier... ne me fait pas acheter davantage»).

Ces trois types de commentaires renvoient à trois dimensions considérées par beaucoup de chercheurs comme étant les composantes de base des attitudes, soit:

- la dimension **cognitive:** les croyances à propos de l'objet d'attitude;
- la dimension **affective:** les sentiments envers l'objet d'attitude;
- la dimension **conative:** les intentions et les comportements par rapport à l'objet d'attitude.

Selon la perspective tridimensionnelle, une attitude est composée de ces trois composantes (*voir la figure 5.1*). Les tenants de cette approche prétendent que si l'on veut connaître l'attitude d'une personne envers un objet, il faut examiner à la fois ses croyances à l'égard de l'objet (la dimension cognitive), ses sentiments envers celui-ci (la dimension affective) et les intentions ou les comportements s'y rapportant (la dimension conative). Par conséquent, si l'on admet cette approche, une mesure appropriée de l'attitude devrait en toute logique tenir compte de ces trois dimensions.

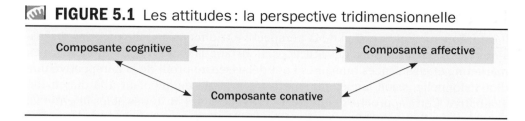

FIGURE 5.1 Les attitudes : la perspective tridimensionnelle

La perspective tridimensionnelle repose sur un postulat très important, même s'il n'est pas toujours exprimé par ceux qui l'adoptent : si les dimensions cognitive, affective et conative représentent les composantes de base de l'attitude, on devrait observer de la **cohérence** entre elles. Ainsi, selon cette conception, une attitude positive se traduit par des croyances, des sentiments et des intentions également positifs. La connaissance d'une des trois composantes devrait permettre de prédire les deux autres. Or, dans les faits, cela n'est pas toujours le cas. Par exemple, il est possible d'avoir des sentiments négatifs envers un lieu de restauration (par exemple, la cafétéria d'une université) et de continuer à le fréquenter pour des raisons de proximité ou de contraintes budgétaires. On peut avoir des sentiments positifs envers un produit (par exemple, le lait) sans en consommer pour autant. Il est donc permis de critiquer la perspective tridimensionnelle du fait qu'elle suppose l'existence de cohérence entre les dimensions sur lesquelles est fondée l'attitude, mais que, dans les faits, cette cohérence n'est pas toujours observée.

Par contre, sur le plan de la commercialisation des produits ou des marques, la perspective tridimensionnelle peut être considérée comme une incitation à gérer de façon harmonieuse les croyances et les connaissances, les sentiments et les comportements vis-à-vis d'un produit, d'une marque ou d'une compagnie. Examinez la publicité pour le yogourt Silhouette de Danone présentée ci-contre. Y sont prises en compte la dimension cognitive, par des informations telles que le fait qu'il ne contient aucune matière grasse, la dimension affective, notamment par l'intermédiaire de l'image et par les références au plaisir associé à sa dégustation (goût exquis), et la dimension conative, par l'invitation à se faire du bien et à manger. La perspective tridimensionnelle nous sensibilise à l'importance :

- de détecter d'éventuels préjugés ou fausses croyances ;

- de sélectionner les connaissances, sur un produit ou une marque, que l'on veut transmettre au consommateur et qui sont susceptibles de l'intéresser ;

- de mettre à jour d'éventuels sentiments négatifs liés à un produit ou à une marque ;

- de comprendre les émotions et les sentiments que l'on peut ou pourrait facilement associer à son produit ou à sa marque.

Une publicité qui exploite les composantes cognitive, affective et conative de l'attitude.

Enfin, la gestion des comportements invite à se poser la question suivante : quels comportements liés au produit ou à la marque doit-on encourager ou, au contraire, décourager ?

La perspective unidimensionnelle

Il est fréquemment question de la perspective tridimensionnelle dans les discussions théoriques à propos des attitudes. Pourtant, la majorité des chercheurs en marketing et en sciences humaines l'ont délaissée au profit de la perspective unidimensionnelle, selon laquelle une attitude renvoie uniquement à la dimension évaluative. Cette approche distingue les croyances, les attitudes et les intentions, comme nous l'avons schématisé à la figure 5.2.

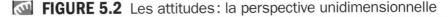

FIGURE 5.2 Les attitudes : la perspective unidimensionnelle

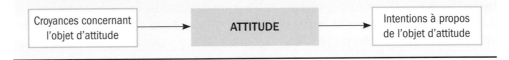

La perspective unidimensionnelle est différente de l'approche tridimensionnelle (composantes multiples) à deux égards :

1. L'attitude est dorénavant considérée comme une variable distincte des croyances et des intentions ; elle correspond essentiellement à une variable affective ;

2. On suppose une **direction causale** entre les trois concepts : croyances $\longrightarrow$ attitude $\longrightarrow$ intentions.

La perspective unidimensionnelle a eu un impact énorme sur la recherche en comportement du consommateur et en marketing. Elle a donné lieu à un courant de recherche fort important, celui de la modélisation multiattributs, que nous allons exposer en détail. Mais en guise d'introduction à ce concept, nous allons d'abord présenter une théorie, basée sur la perspective unidimensionnelle, qui a influencé de façon significative les chercheurs qui se sont penchés sur le concept d'attitude : la **théorie de la balance** (*balance theory*), proposée en 1946 par le psychologue américain Fritz Heider[7].

La théorie de la balance de Heider

Fritz Heider s'intéressait aux relations interpersonnelles. Il cherchait à comprendre la manière dont les personnes forment des sentiments envers les autres et envers les objets. Sa théorie repose sur le postulat fondamental selon lequel l'être humain est motivé à maintenir de la cohérence entre ses sentiments. La théorie de la balance de Heider s'inscrit en fait dans le cadre des théories de la cohérence cognitive[8], qui ont guidé pendant longtemps (de 1945 à 1975 environ) la pensée en psychologie.

Selon Heider, on peut modéliser sous forme de **triades** les relations interpersonnelles et les sentiments qui se développent entre les personnes et les objets. Considérons, à titre d'illustration, la première triade présentée à la figure 5.3. Dans cet exemple, on s'attache à expliquer et à prédire le sentiment d'une personne à l'égard de la marque Adidas.

De façon générale, une triade comporte trois éléments : la personne (P), l'objet d'attitude (O) et un autre objet (X). Dans le premier exemple, nous avons P = personne ; O = la marque Adidas ; X = le joueur de tennis Andy Murray. Une triade vise à prédire le sentiment d'une personne à l'égard d'un objet (ou son attitude envers O) à l'aide des relations observées entre cette personne et X, et entre X et O.

D'après cette théorie, les relations peuvent être positives (+) ou négatives (−). Dans l'exemple examiné, la relation entre P (la personne) et X (Andy Murray) est positive («elle aime Andy Murray»); celle entre X et O (Adidas) l'est aussi («Andy Murray aime la marque Adidas»).

Selon Heider, les personnes sont motivées à maintenir des relations balancées (ou cohérentes) entre les éléments de la triade. Une triade est **balancée** lorsque le résultat de la multiplication du signe de la relation existant entre P et X par celui qui unit X et O est égal à celui entre P et O. Dans l'exemple, on voit que la triade est balancée, car (+) × (+) = (+). Autrement, elle est **non balancée.** Selon le chercheur, une triade non balancée est inconfortable, de sorte que la personne cherchera généralement à obtenir une situation balancée. La théorie de Heider est en fait une théorie de la motivation humaine fondée sur le seul besoin de cohérence. Dans le premier exemple de la figure 5.3, l'attitude de la personne envers Adidas est positive (+), car Andy Murray – un «objet» positif pour cette personne – aime cette marque.

Examinez les deux autres triades présentées à la figure 5.3 et vérifiez si elles sont balancées.

La théorie de la balance de Heider s'accorde avec la perspective unidimensionnelle. En effet, on note que la relation entre P et O qui en résulte est essentiellement évaluative (il s'agit d'une attitude), donc unidimensionnelle. En outre, l'attitude (le sentiment) repose sur des croyances (direction causale), exprimées selon les relations entre des personnes et des objets. Ces croyances sont elles-mêmes issues d'informations de toutes sortes (publicité, expérience, etc.).

FIGURE 5.3 Trois triades illustrant la théorie de la balance de Heider

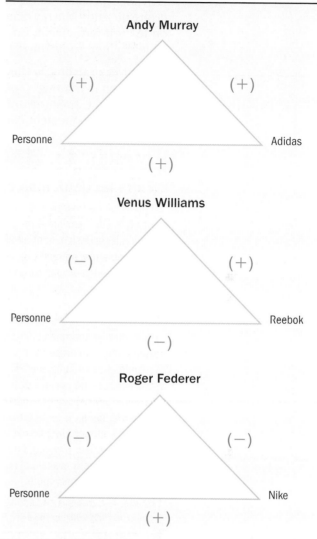

On peut cependant soulever trois critiques par rapport à cette théorie.

Le besoin de cohérence Heider suppose que la motivation première de la personne est de maintenir de la cohérence dans ses sentiments. On peut remettre ce postulat en question, car une certaine incohérence entre des sentiments semble possible (par exemple, j'aime la marque Reebok en dépit du fait qu'elle soit endossée par Venus Williams – que je n'aime pas). En outre, l'idée que les attitudes des gens reposent sur ce seul besoin n'est pas plausible.

Les croyances Selon cette théorie, le sentiment résultant (l'attitude) est issu de deux croyances, soit celle portant sur la relation entre X et O, et celle portant sur la relation entre P et X. Cela apparaît simpliste, puisqu'on peut supposer qu'une attitude est sans doute formée à partir de plusieurs croyances. Par exemple, le fait que Roger Federer ne soit pas associé à la marque Nike est une information parmi tant d'autres qui influent sur mon évaluation de cette marque.

Les relations Pour Heider, une croyance est une relation pouvant être soit positive, soit négative. Cela apparaît également réducteur, car on suppose qu'une croyance possède deux dimensions: la direction et l'intensité. Ainsi, on peut croire qu'Andy Murray aime (+) la marque Adidas de façon plus ou moins intense: on le croit fermement, on le croit sans en être certain, etc. De même, il est possible d'aimer Andy Murray un peu, beaucoup, passionnément…

Pour ces raisons, la théorie de la balance de Heider n'a pas eu beaucoup d'incidence en marketing[9] (*voir cependant la capsule 5.1*). Néanmoins, elle est considérée comme précurseure d'une théorie plus intéressante et plus utile, fondée sur le conditionnement classique: la théorie behavioriste de Fishbein.

CAPSULE 5.1

Entre les deux, mon cœur balance…

L'imitation de marque est une stratégie de marketing courante pour introduire un nouveau produit. Elle consiste à faire en sorte que le nouveau produit ressemble dans sa forme (emballage, design, nom de marque, etc.) à une marque originale réputée. Du fait de cette ressemblance, on croit que les consommateurs attribuent (inconsciemment) à la marque d'imitation les propriétés de la marque originale (performance, qualité, fiabilité, etc.). Bien que la confusion soit possible, la majorité d'entre eux savent bien reconnaître les marques d'imitation. Les informations sur le lieu de vente sont d'ailleurs souvent explicites à cet égard («Comparez et économisez!»). Les études montrent que les consommateurs pensent que les marques d'imitation sont généralement inférieures aux marques originales. Cependant, qu'arrive-t-il si la marque d'imitation est distribuée dans un magasin de grande réputation? Selon la théorie de la balance de Heider, cette association à un objet évalué de façon positive devrait entraîner une augmentation de l'évaluation de la marque d'imitation (dessinez la triade appropriée pour vous en convaincre). Dans une étude menée auprès de 160 consommateurs québécois, on a comparé les évaluations de marques d'imitation de polos et de lunettes de soleil offertes dans un magasin réputé (Eaton) et moins réputé (Zellers). En accord avec les prédictions de la théorie de la balance, celles-ci ont été mieux évaluées lorsqu'elles étaient offertes dans un magasin réputé que dans un magasin moins réputé.

Source: A. D'ASTOUS et E. GARGOURI, «Consumer Evaluations of Brand Imitations», *European Journal of Marketing,* vol. 35, n°s 1/2, 2001, p. 153-167.

La théorie behavioriste de Fishbein

Le psychologue américain Martin Fishbein a été l'une des figures les plus importantes de la littérature portant sur les attitudes. En 1963, il proposait une théorie des attitudes fondée sur les notions behavioristes de l'apprentissage[10]. Cette théorie, ainsi que le modèle algébrique qui l'accompagne, allaient devenir, durant les années 1970, le yin et le yang de nombreux chercheurs en comportement du consommateur.

Selon Fishbein, nos attitudes reposent sur des croyances. Par exemple, je crois que la voiture de marque Volvo est sécuritaire. Puisque la sécurité est un attribut positif, mon attitude envers la marque est positive. Cela ressemble à la théorie de la balance, mais nous verrons plus loin qu'il y a des différences notables.

Une croyance à l'égard d'un objet d'attitude est définie comme étant la probabilité perçue que l'objet possède un attribut quelconque (par exemple, la probabilité que la voiture de marque Volvo soit sécuritaire). Une croyance est donc la représentation mentale d'une **association** entre un objet et un attribut. Pour Fishbein, cette association résulte d'un processus de conditionnement classique, théorie dont nous avons discuté au chapitre 4. Voyons comme elle s'applique dans ce cas-ci.

Selon Fishbein, les attributs évoquent de façon automatique des réponses évaluatives. Par exemple, l'attribut « sécurité » amène une réponse évaluative positive :

SÉCURITÉ ⟶ RÉPONSE ÉVALUATIVE POSITIVE

Dans cet exemple, l'attribut « sécurité » est un **stimulus non conditionné.** En associant la voiture de marque Volvo à cet attribut, on crée une situation de conditionnement classique, de telle sorte que la seule marque Volvo conduira éventuellement à une réponse évaluative positive, ce qui est illustré ainsi :

SÉCURITÉ ⟶ RÉPONSE ÉVALUATIVE POSITIVE
VOLVO ⇠ (entraîne éventuellement)

Plus l'association entre l'attribut (sécurité) et l'objet d'attitude (Volvo) est forte, plus l'objet d'attitude seul entraînera éventuellement la réponse évaluative évoquée par l'attribut. Nous avons vu dans le cadre de notre discussion sur le conditionnement classique que la force de l'association entre l'objet d'attitude et l'attribut dépend essentiellement de la contiguïté et de la répétition. Contrairement à la théorie de la balance, donc, la croyance peut être plus ou moins forte selon l'efficacité du processus de conditionnement classique.

D'après Fishbein, l'attitude envers un objet dépend d'un petit nombre d'attributs, appelés **attributs déterminants.** Par exemple, dans le cas de l'évaluation d'une voiture, il pourrait s'agir de la sécurité, de la performance, de l'économie et du prix. L'établissement des attributs déterminants est un problème empirique, comme nous le verrons plus loin dans ce chapitre. Ceux-ci sont propres à chaque individu et ils renvoient à des **croyances déterminantes.**

Le processus de conditionnement classique est réputé s'appliquer à tous les attributs déterminants. Par exemple, pour l'attribut « prix élevé » :

PRIX ÉLEVÉ ⟶ RÉPONSE ÉVALUATIVE NÉGATIVE
VOLVO ⇠ (entraîne éventuellement)

Selon Fishbein, l'attitude globale envers l'objet est une **synthèse,** un **amalgame** de toutes les réponses évaluatives associées à l'objet, provenant des attributs déterminants et découlant du processus de conditionnement classique. Donc, contrairement à la théorie de la balance, l'attitude (ou le sentiment) dépend de plusieurs croyances.

L'approche de Fishbein est intéressante, car elle permet de dépasser les trois limites de la théorie de la balance :

- on ne suppose plus que la personne est guidée uniquement par un besoin de cohérence ;
- la relation entre l'objet d'attitude et les attributs ne se limite plus à une association binaire de type (+) ou (−) ;
- il peut y avoir plus d'un attribut et plus d'une croyance.

Toutefois, ce n'est pas pour cela que la théorie de Fishbein est devenue si populaire, mais plutôt parce que son auteur a eu la bonne idée d'y associer un **modèle algébrique** visant à la rendre opérationnelle. Nous verrons plus loin qu'il s'agit d'une théorie conceptuelle et algébrique, en plus d'être une théorie de la mesure.

Le modèle algébrique de Fishbein, aussi appelé **modèle multiattributs,** est le suivant :

$$A_o = \sum_{i=1}^{n} b_i e_i \quad \text{où}$$

A_o : l'attitude envers l'objet o (au sens large) ;
b_i : la croyance que l'objet o possède l'attribut i ;
e_i : l'évaluation de l'attribut i ;
n : le nombre d'attributs déterminants.

Ce modèle algébrique conçoit l'attitude d'une personne envers un objet o (A_o) comme la résultante d'une sommation (Σ) du produit des croyances déterminantes à l'égard de l'objet o (b_i) et des évaluations des attributs déterminants (e_i). Cette somme est établie pour l'ensemble des attributs déterminants (n). La partie droite de l'équation est parfois appelée « structure cognitive ».

Il importe de comprendre que cette représentation algébrique proposée par Fishbein est en lien direct avec la théorie du conditionnement classique sous-jacente. Ainsi, dans cette équation, le résultat de l'association contiguë entre l'objet d'attitude et les attributs est représenté par la composante b_i, les réponses évaluatives par e_i, le nombre d'attributs déterminants par n et le processus d'amalgamation par le signe de sommation (Σ) (ayez soin de bien saisir cela avant de poursuivre votre lecture).

L'établissement des attributs déterminants Les attributs déterminants sont exclusifs à la personne. Pour les découvrir, Fishbein recommande l'utilisation d'une **procédure d'évocation spontanée.** Autrement dit, on demande à la personne dont on cherche à comprendre l'attitude de dire spontanément ce qui lui vient à l'esprit lorsqu'elle pense à l'objet d'attitude. Par exemple : « Quelles sont les choses qui vous viennent à l'esprit lorsque vous pensez à la marque de lessive Tide ? »

Bien que certains chercheurs utilisent la technique de l'entrevue de groupe pour établir la liste des attributs déterminants, cette méthode n'est pas recommandée, car les résultats issus de discussions entre des personnes peuvent être très différents de ceux que l'on obtient au moyen d'entrevues individuelles[11]. Généralement, en marketing, on s'intéresse aux attitudes d'un grand nombre d'acheteurs (un marché). Il ne serait pas pratique de procéder à l'établissement des attributs déterminants chez chaque consommateur. C'est pourquoi Fishbein recommande dans ce cas d'appliquer la procédure d'évocation spontanée à un échantillon de consommateurs et d'utiliser l'ensemble des attributs déterminants évoqués, de façon à les circonscrire pour tout le marché (*voir l'encadré ci-après*).

UNE ILLUSTRATION DU MODÈLE MULTIATTRIBUTS

Illustrons la logique du modèle multiattributs à l'aide d'un exemple, soit l'attitude d'un consommateur envers le savon de lessive Tide (*voir le tableau 5.1*).

Selon Fishbein, l'attitude d'un individu est fondée sur des croyances et des attributs déterminants. Ce sont eux exclusivement qui participent à la formation de l'attitude, même si une personne possède plusieurs croyances associées à l'objet d'attitude.

Le tableau 5.1 exprime cette idée simple (mais combien importante !) dans le cadre de cet exemple fictif. Dans ce cas de figure, nous supposons qu'il y a cinq attributs déterminants : propreté/efficacité, prix, environnement, confiance/qualité et sécurité.

TABLEAU 5.1 Le rôle exclusif des croyances déterminantes dans la formation d'une attitude

Toutes les croyances à propos de la marque Tide	Les croyances déterminantes à propos de la marque Tide	L'attitude envers la marque Tide
Tide est en vente partout. Tide est une marque réputée. Tide a un bel emballage. Tide est un produit américain. Tide sent bon. Tide ne mousse pas beaucoup. Tide garantit la satisfaction. Tide coûte cher. Tide a un emballage recyclable. Les pubs de Tide m'ennuient. Tide protège les couleurs. Tide est un joli nom de marque. Tide rend le linge propre, etc.	Tide est efficace. Tide coûte cher. Tide a un emballage recyclable. Tide est une marque réputée. Tide protège les couleurs.	ATTITUDE

La mesure des croyances Lorsque les attributs déterminants ont été trouvés, on doit mesurer les composantes du modèle. La composante b_i correspond à la croyance que l'objet o possède l'attribut i. Fishbein recommande de mesurer cette composante à l'aide d'échelles bipolaires à sept niveaux, dont les scores vont de -3 à $+3$. Un exemple est présenté au tableau 5.2.

TABLEAU 5.2 La mesure des croyances dans le modèle de Fishbein

Attribut	Tide...	b_i						
		Pas du tout						Tout à fait
Propreté/efficacité	rend le linge propre.	☐	☐	☐	☐	☐	☐	☐
Prix	m'en donne pour mon argent.	☐	☐	☐	☐	☐	☐	☐
Sécurité	protège les couleurs de mes vêtements.	☐	☐	☐	☐	☐	☐	☐
Environnement	est un produit écologique.	☐	☐	☐	☐	☐	☐	☐
Confiance/qualité	est une marque réputée.	☐	☐	☐	☐	☐	☐	☐

Note : Les scores attribués aux échelons vont de -3 (pas du tout) à $+3$ (tout à fait).

La mesure des évaluations La composante e_i correspond à l'évaluation de l'attribut i. Fishbein recommande aussi de mesurer cette composante à l'aide d'échelles bipolaires à sept niveaux, dont les scores vont de -3 à $+3$. Un exemple est présenté au tableau 5.3, à la page suivante.

TABLEAU 5.3 🐚 La mesure des évaluations dans le modèle de Fishbein

Tide est un détersif qui...	b_i
	Très mauvais **Très bon**
rend le linge propre.	☐ ☐ ☐ ☐ ☐ ☐ ☐
m'en donne pour mon argent.	☐ ☐ ☐ ☐ ☐ ☐ ☐
protège les couleurs des vêtements.	☐ ☐ ☐ ☐ ☐ ☐ ☐
est un produit écologique.	☐ ☐ ☐ ☐ ☐ ☐ ☐
est une marque réputée.	☐ ☐ ☐ ☐ ☐ ☐ ☐

Note : Les scores attribués aux échelons vont de -3 (très mauvais) à $+3$ (très bon).

Une application numérique du modèle algébrique Pour illustrer l'utilisation du modèle algébrique, nous allons supposer que deux consommateurs (C_1 et C_2) ont rempli les échelles concernant le savon de lessive Tide. Leurs scores apparaissent au tableau 5.4. Pour bien comprendre la mécanique du modèle, le lecteur est invité à produire les résultats (le total) pour chaque consommateur.

TABLEAU 5.4 🐚 Une application numérique du modèle de Fishbein

Attribut	Consommateur C_1			Consommateur C_2		
	b_i	e_i	$b_i e_i$	b_i	e_i	$b_i e_i$
Propreté/efficacité	+1	+3	+3	+3	+2	+6
Prix	−1	+2	−2	+1	+3	+3
Sécurité	0	0	0	−3	+2	−6
Environnement	+2	−1	−2	−1	+3	−3
Confiance/qualité	+2	+2	+4	+1	+3	+3
Total			+3			+3

Cet exemple numérique a été conçu de façon à faire ressortir le fait que deux personnes peuvent avoir la même attitude (en supposant que le modèle en donne une représentation juste) même si leur **structure cognitive** est différente. Ainsi, dans notre exemple, on note que le consommateur C_1 accorde plus de poids à l'attribut propreté/efficacité ($e_1 = +3$) et moins de poids à l'attribut environnement ($e_4 = -1$), alors que le consommateur C_2 octroie des évaluations positives à tous les attributs. De même, C_1 juge que Tide est un produit écologique ($b_4 = +2$) alors que C_2 en doute ($b_4 = -1$).

Il est à noter aussi que Fishbein recommande d'associer des scores propres aux sept échelons qui définissent les échelles, soit $-3, -2, -1, 0, +1, +2$ et $+3$. Si l'on utilise d'autres scores, les résultats changent. À titre d'illustration, dans notre application numérique, en utilisant les scores $+1, +2, +3, +4, +5, +6$ et $+7$, on obtient les résultats présentés au tableau 5.5 (les scores d'attitude des deux consommateurs n'étant plus égaux).

TABLEAU 5.5 L'influence de la méthode d'établissement des scores des échelles dans le modèle de Fishbein

Attribut	Consommateur C_1			Consommateur C_2		
	b_i	e_i	b_ie_i	b_i	e_i	b_ie_i
Propreté/efficacité	+5	+7	+35	+7	+6	+42
Prix	+3	+6	+18	+5	+7	+35
Sécurité	+4	+4	+16	+1	+6	+6
Environnement	+6	+3	+18	+3	+7	+21
Confiance/qualité	+6	+6	+36	+5	+7	+35
Total			+123			+139

Il est donc important de se rappeler qu'une théorie de la mesure bien distincte est associée au modèle algébrique proposé par Fishbein pour rendre compte de la façon dont les gens forment des attitudes.

La validité du modèle de Fishbein

Le modèle de Fishbein est une représentation algébrique de la façon dont les consommateurs développent des attitudes envers des marques, des produits, des entreprises. Ce modèle offre-t-il une représentation valable? Plusieurs études conduites par des chercheurs en psychologie et en marketing tendent à montrer qu'il possède une certaine validité[12]. Une façon usuelle de le valider consiste à calculer la corrélation entre les prédictions issues du modèle et d'autres mesures plus directes de l'attitude.

Par exemple, supposons que, dans une enquête pour la marque Tide auprès d'un échantillon de 10 consommateurs, on ait observé les scores présentés au tableau 5.6. Dans cet exemple fictif, on a obtenu des scores b_ie_i de la façon habituelle et on a en outre mesuré la composante A_o à l'aide d'une échelle comme celle-ci:

Que pensez-vous de la marque de lessive Tide?

Je ne l'aime pas du tout  *Je l'aime beaucoup*

Si le modèle de Fishbein est une représentation adéquate de l'attitude, on devrait observer une corrélation positive entre les deux variables[13], c'est-à-dire qu'à une augmentation de b_ie_i devrait correspondre une augmentation de A_o, et vice versa. Ici, la corrélation est égale à +0,93, positive et forte.

Cet exemple montre la manière dont les chercheurs procèdent pour vérifier la validité empirique de ce modèle. En général, si l'on suit correctement les recommandations de Fishbein en ce qui a trait à l'établissement des attributs déterminants et à la mesure des composantes, on obtient des corrélations positives et relativement fortes.

TABLEAU 5.6 Un exemple montrant les prédictions du modèle de Fishbein et les attitudes de 10 consommateurs

Consommateur	b_ie_i	A_o
1	+5	+1
2	−2	−1
3	+8	+3
4	+2	0
5	−4	−2
6	0	+1
7	+1	+1
8	−3	−2
9	+11	+3
10	+7	+3

D'autres modèles algébriques

Il faut savoir que le modèle de Fishbein n'est pas le seul modèle multiattributs utilisé par les chercheurs en marketing. Il existe des formulations algébriques différentes, bien qu'elles aient toutes plus ou moins la même structure. Ceux qui veulent en savoir davantage sur ce sujet peuvent consulter les références appropriées[14].

Pourquoi alors présenter le modèle de Fishbein plutôt qu'un autre même s'il est difficile de prétendre qu'il est le meilleur? Bien que la théorie behavioriste de Fishbein puisse être critiquée, comme nous le verrons plus loin, de nombreux chercheurs en marketing préfèrent son modèle algébrique **principalement parce qu'il est issu d'une théorie** et qu'il n'est pas une proposition intuitive des mécanismes qui guident la formation des attitudes. Par exemple, d'autres modèles multiattributs proposent une composante d'**importance** de l'attribut, au lieu de la composante évaluative de Fishbein (e_i). En fait, plusieurs auteurs confondent réponse évaluative et importance, même à propos du modèle de Fishbein. Ce dernier n'inclut pas de composante d'importance parce que ce type de composante n'a pas sa place dans la théorie sous-jacente. Comme nous l'avons vu, Fishbein soutient que l'attitude est fondée sur un petit nombre de croyances déterminantes. Il est donc inutile de mesurer l'importance des attributs, ainsi que les travaux de recherche sur ce sujet l'ont montré[15].

5.3 La modélisation multiattributs et les considérations stratégiques

Le modèle de Fishbein constitue un cadre d'analyse utile pour étudier les préférences des consommateurs. Beaucoup de chercheurs en marketing croient que les consommateurs forment leurs préférences envers les marques en quatre étapes (*voir la figure 5.4*): la définition des attributs déterminants, l'évaluation des attributs déterminants (la composante e_i), l'évaluation de la position des marques sur les attributs (la composante b_i) et l'établissement de la préférence.

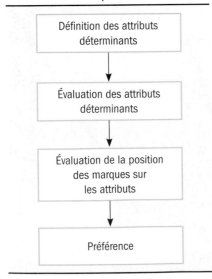

FIGURE 5.4 La manière dont les consommateurs forment leurs préférences

Afin d'illustrer le processus, considérons à nouveau le cas de la marque de lessive Tide. Supposons qu'une étude préliminaire ait montré que les attributs déterminants des consommateurs sont les suivants: propreté/efficacité, prix, environnement, confiance/qualité et sécurité. Une enquête est réalisée auprès d'un échantillon de 1 000 consommateurs. On utilise le modèle de Fishbein afin de comparer Tide à trois de ses principaux concurrents: Arctic Power, Cheer et ABC. Les résultats de l'enquête sont présentés au tableau 5.7 (les nombres ne servent qu'à illustrer).

Avant de discuter de cet exemple, notons que la situation présentée est celle où les mêmes attributs sont déterminants pour toutes les marques. Dans un marché où les marques sont relativement homogènes – comme celui des savons pour la lessive –, cette situation est sans doute réaliste. Cependant, il faut savoir que des options en concurrence sur un marché peuvent être associées à des attributs déterminants différents. Par exemple, on peut dire que, dans les banques, les guichets automatiques sont en concurrence avec le service personnalisé à la caisse. Un attribut déterminant pour

TABLEAU 5.7 Les résultats d'une enquête sur les marques de lessive

Attribut	e_i	b_i			
		Tide	**Arctic Power**	**Cheer**	**ABC**
Propreté/efficacité	+3	+2	+1	+2	+1
Prix	+1	−3	+1	0	+3
Sécurité	−1	+1	+3	−1	−2
Environnement	+2	+3	+1	0	+1
Confiance/qualité	+2	+2	+2	+3	−1
Total		+12	+7	+13	+8

l'évaluation d'un guichet est sans contredit la facilité d'utilisation, alors que, dans le cas du service à la caisse, on peut penser à l'amabilité du personnel. De toute évidence, ces deux attributs ne sont pas pertinents pour les deux options à la fois.

Revenons à l'exemple présenté au tableau 5.7. Selon les résultats de l'enquête, la marque préférée des consommateurs est Cheer. Viennent ensuite dans l'ordre Tide, ABC et Arctic Power (afin de bien saisir la mécanique du modèle algébrique, le lecteur devrait calculer les scores).

Le tableau 5.7 permet de poser un diagnostic sur les préférences des consommateurs. Supposons que l'on présente ce tableau au chef de produit de la marque Tide : comment pourrait-il améliorer la position de sa marque sur le marché ? Cinq stratégies s'offrent à lui.

Améliorer la position de sa marque par rapport à un ou à des attributs évalués de façon positive ou diminuer la position de sa marque par rapport à un ou à des attributs évalués de façon négative. Par exemple, si le score de Tide par rapport à l'attribut propreté/efficacité passe de +2 à +3, son score total sera égal à +15, le plus élevé de tous. Pour atteindre cet objectif, on pourrait concevoir une campagne publicitaire où l'efficacité de Tide serait particulièrement mise en évidence. L'utilisation de cette stratégie de communication est illustrée dans la publicité pour la pomme de terre présentée ci-contre. Si vous êtes comme la majorité des gens, vous croyez sans doute que la pomme de terre est un aliment qui fait engraisser. Votre attitude envers ce tubercule est peut-être même négative. Afin de changer cette attitude, il faut vous démontrer le contraire. C'est l'objectif poursuivi par cette publicité en tentant de modifier la position de la pomme de terre sur un attribut déterminant évalué de façon négative (le potentiel calorifique).

Augmenter l'évaluation d'un ou de plusieurs attributs à propos desquels sa marque est en position avantageuse ou diminuer celle où elle est en mauvaise position. Par exemple, si l'évaluation de l'attribut environnement passe de +2 à +3, le score total de Tide sera égal à +15, celui d'Arctic Power à +8, celui de Cheer restera égal à +13 et celui d'ABC augmentera à +9. De même, si l'évaluation de l'attribut

Une publicité qui illustre la stratégie qui consiste à diminuer la position d'un produit sur un attribut négatif.

prix diminue à 0, le score de Tide sera égal à +15, celui d'Arctic Power à +6, celui d'ABC à +5, alors que celui de Cheer restera inchangé.

Les dentistes vérifient, Crest Pro-Santé protège.

Dentifrice anticarie ordinaire

Crest Pro-Santé

☑ COMBAT LA CARIE
☑ COMBAT L'ACCUMULATION DE TARTRE‡
☑ BLANCHIT
☑ RAFRAÎCHIT L'HALEINE
☑ COMBAT LA PLAQUE‡

☑ COMBAT LA CARIE
☑ COMBAT L'ACCUMULATION DE TARTRE
☑ BLANCHIT
☑ RAFRAÎCHIT L'HALEINE
☑ COMBAT LA SENSIBILITÉ
☑ COMBAT LA GINGIVITE
☑ COMBAT LA PLAQUE

Le dentifrice **Crest Pro-Santé**® a obtenu le sceau de reconnaissance de l'Association dentaire canadienne dans plus de catégories que tout autre dentifrice.** Alors si vous voulez cocher toutes ces cases, vous savez quelle boîte choisir.

Crest Des sourires radieux, d'apparence saine, pour la vie.

Une publicité qui continue d'exploiter la stratégie d'introduction d'un nouvel attribut.

Introduire un attribut nouveau à propos duquel sa marque est en position avantageuse et le rendre déterminant. Dans notre exemple, supposons que le chef de produit ait réussi à obtenir l'appui et la reconnaissance d'une association de consommateurs, le score d'attitude de Tide augmenterait par rapport à celui des autres marques. Un autre exemple de cette stratégie est offert par la marque de dentifrice Crest. Il y a plus d'un demi-siècle, Crest était approuvé par l'Association dentaire américaine. Le fait de le publiciser a fait passer sa part de marché de 10 % à plus de 33 %[16]. Examinez la publicité ci-contre pour le dentifrice Crest Pro-Santé. On y mentionne que Crest Pro-Santé reçoit la reconnaissance de l'Association dentaire canadienne dans plus de catégories que les autres marques de dentifrice. Comme on peut le constater, aujourd'hui encore, la marque Crest continue de miser sur cet attribut déterminant pour favoriser des attitudes positives chez les consommateurs.

Influencer les scores de performance des marques concurrentes. Par exemple, si le score de Cheer par rapport à l'attribut propreté/efficacité baisse d'un point, Tide devient alors la marque la mieux évaluée. La publicité comparative permet de réaliser ce type de stratégie. La campagne de la compagnie GM du Canada, dont le slogan est «Que le meilleur gagne», en offre d'ailleurs un exemple. Dans les publicités associées à cette campagne, le manufacturier automobile tente de démontrer que les voitures concurrentes (japonaises surtout) sont moins performantes que les voitures GM en ce qui a trait au rendement écoénergétique.

Attaquer directement l'attitude plutôt que de tenter de modifier des croyances ou des évaluations. Cette stratégie peut être utile dans le cas de produits homogènes où il est difficile de différencier une marque. Par exemple, le slogan «Moi, j'aime McDonald's» correspond à une tentative de créer une attitude positive directement, sans passer par la structure cognitive des consommateurs.

Les études qui portent sur le changement des attitudes au moyen d'une modification de la structure cognitive ont montré qu'il est plus facile de le réaliser en modifiant les croyances (b_i) qu'en modifiant les évaluations (e_i), sans doute parce que les évaluations sont elles-mêmes des attitudes fondées sur des croyances issues d'un apprentissage plus ou moins long. Par exemple, il apparaît plus facile de convaincre les consommateurs qu'un téléphone cellulaire d'une telle marque est lourd ou léger que de les convaincre qu'un téléphone cellulaire lourd est une bonne chose.

Par ailleurs, il est important de comprendre qu'un changement d'attitude peut résulter d'une modification directe ou indirecte de la structure cognitive. Ainsi, la modification d'une croyance peut entraîner un changement d'attitude par la modification d'autres croyances. À titre d'illustration, supposons qu'un message publicitaire mette l'accent sur la puissance de nettoyage de Tide, le changement de croyance qui en résulte peut mener à des changements d'autres croyances susceptibles d'avoir une influence sur l'attitude (par exemple, Tide est un produit de lessive plus fort, moins sécuritaire pour les vêtements). Les stratégies de changement des attitudes que nous avons présentées doivent donc être envisagées en considérant la difficulté relative de leur utilisation ainsi que leurs effets potentiels multiples sur l'ensemble des croyances des consommateurs ciblées.

Quelques observations sur la modélisation multiattributs

Avant de poursuivre notre discussion sur les attitudes, nous devons faire trois observations importantes à propos des modèles multiattributs (celui de Fishbein ou les autres). Elles concernent leur objectif premier, leur utilité et leurs limites ainsi que la formation des attitudes par la route périphérique.

L'objectif premier du modèle multiattributs

Beaucoup de chercheurs et de praticiens en marketing s'imaginent que le modèle multiattributs est une méthode pour mesurer les attitudes des consommateurs. Bien sûr, on peut l'utiliser à cette fin, mais telle n'est pas son utilisation première. Il est d'abord et avant tout un **outil de diagnostic.** Il vise à décrire la structure cognitive qui sous-tend les attitudes des consommateurs, à la suite de quoi il est possible d'établir des stratégies afin de les modifier.

Cependant, la mesure des attitudes est une notion très importante en marketing et il est bon de s'y attarder un peu. Une méthode fréquemment utilisée pour mesurer ces attitudes consiste à construire une échelle additive. La procédure de construction comprend quatre étapes :

Étape 1 : Déterminer les facettes de l'attitude. Par exemple, supposons que l'on s'intéresse à mesurer l'attitude des consommateurs envers la publicité télévisée. Une étude préliminaire (entrevues de groupe, entrevues individuelles) fait apparaître trois facettes importantes : le caractère irritant des publicités, la tromperie et le nombre de publicités.

Étape 2 : Produire des énoncés visant à concrétiser les facettes de l'attitude.
Par exemple, pour la facette « irritation » :

La plupart des publicités à la télévision sont irritantes.
Lorsque je regarde une pub à la télévision, je suis généralement irrité.

Par exemple, pour la facette « tromperie » :
J'ai la conviction que la plupart des pubs à la télévision cherchent à me tromper.
La plupart des publicités à la télévision sont mensongères.

Par exemple, pour la facette « nombre de publicités » :
Je trouve désagréable qu'il y ait beaucoup de publicités à la télévision.
Si on éliminait les publicités à la télévision, les consommateurs s'en porteraient mieux.

Étape 3 : Tester l'instrument. On construit un questionnaire dans lequel se trouvent les énoncés, accompagnés d'échelles visant à mesurer le degré d'accord des participants (par exemple, pas d'accord, plus ou moins d'accord, d'accord). On teste préalablement le questionnaire auprès d'un échantillon pertinent de la population. On élimine les énoncés ambigus et ceux qui ne permettent pas de distinguer les consommateurs (par exemple, un énoncé suscitant un accord unanime).

1. La plupart des publicités à la télévision sont irritantes.

Tout à fait en désaccord   **1**   **2**   **3**   **4**   **5**   **6**   **7**   Tout à fait en accord

2. La plupart des publicités à la télévision sont mensongères.

Tout à fait en désaccord   **1**   **2**   **3**   **4**   **5**   **6**   **7**   Tout à fait en accord

3. Si on éliminait les publicités à la télévision, les consommateurs s'en porteraient mieux.

Tout à fait en désaccord   **1**   **2**   **3**   **4**   **5**   **6**   **7**   Tout à fait en accord

4. Je trouve agréable qu'il y ait beaucoup de publicités à la télévision*.

Tout à fait en désaccord   **1**   **2**   **3**   **4**   **5**   **6**   **7**   Tout à fait en accord

5. Un grand nombre de publicités à la télévision cherchent à tromper plutôt qu'à informer.

Tout à fait en désaccord   **1**   **2**   **3**   **4**   **5**   **6**   **7**   Tout à fait en accord

* La codification de cet énoncé doit être inversée.

Étape 4: Construire l'instrument final. Un exemple (réel) d'une échelle additive d'attitude (aussi appelée échelle Likert) envers la publicité télévisée est présenté dans l'encadré ci-dessus[17]. **La mesure d'attitude correspond à la somme ou à la moyenne des scores associés à chaque énoncé** (en prenant soin d'inverser les scores des énoncés négatifs).

L'utilité et les limites du modèle multiattributs

Même si l'on admet l'utilité directoriale du modèle multiattributs en gestion, il faut également en voir les limites. Il s'avère en effet une représentation contestable de la façon dont les consommateurs développent leurs attitudes et portent des jugements évaluatifs.

En premier lieu, le modèle suppose que les attitudes des consommateurs sont fondées sur des informations cognitives. Ainsi, il est possible de déterminer les éléments cognitifs (attributs, croyances, évaluations) qui sous-tendent les attitudes, et éventuellement d'influencer celles-ci. Pourtant, il semble que nous ayons des attitudes bien définies pour lesquelles il nous est difficile de trouver des raisons cognitives. Par exemple, une personne qui aime profondément ses enfants est parfois incapable de dire quels sont les aspects de leur personne qui sous-tendent ses sentiments. Telle personne aime le caviar, mais elle ne peut expliquer pourquoi. Donc, il semble possible d'avoir des attitudes dont la base est purement affective. Nous reviendrons brièvement sur ce point dans la section suivante. Par ailleurs, il peut arriver qu'une attitude soit fondée sur autre chose qu'une croyance. Par exemple, notre attitude envers la guerre est sans doute influencée par les images concrètes (destruction, morts, bombardements, etc.) qui viennent à notre esprit.

Deuxièmement, le modèle multiattributs est une représentation **analytique** du processus d'évaluation, selon laquelle nos évaluations des objets sont **toujours** basées sur notre analyse des attributs de l'objet et des évaluations de ces attributs. Cela semble une façon fort peu efficace de fonctionner. D'abord, faut-il procéder ainsi tout le temps, même pour les objets que nous avons évalués auparavant? Dans un tel cas, la logique nous dit qu'il est plus simple de se remémorer l'évaluation antérieure et de l'appliquer[18]. Ensuite, même pour des objets nouveaux, faut-il absolument procéder de façon analytique? Qu'arrive-t-il si nous sommes pressés ? Ou encore si nous ne disposons pas de suffisamment d'informations pour analyser la situation ?

Des chercheurs en comportement du consommateur croient qu'il existe une autre façon d'évaluer un objet, au moyen de la catégorisation, processus par lequel nous plaçons les objets qui nous entourent dans des catégories mentales (*voir le chapitre 3*). L'objet catégorisé retient ensuite les propriétés de la catégorie mentale. Puisque ces propriétés sont aussi de nature évaluative, cela suggère une façon différente d'entrevoir la manière dont s'élaborent les évaluations. Par exemple, un consommateur voit un objet nouveau : comme il ressemble à un exemplaire d'une catégorie mentale donnée, il le place (temporairement) dans cette catégorie. Puisque les objets de cette catégorie sont évalués de façon positive, il transfère cette évaluation positive à l'objet nouveau. Rien ne l'empêche, par la suite, de procéder à une réévaluation analytique[19] (*voir la capsule 5.2*).

CAPSULE 5.2

Des évaluations toujours bien réfléchies ?

Selon les modèles multiattributs, une personne en arrive à évaluer un objet à la suite d'un processus analytique et raisonné. Certains chercheurs en psychologie pensent cependant que les jugements des gens découlent souvent d'associations plus ou moins valides et plus ou moins conscientes entre l'objet à évaluer et d'autres objets. On peut concevoir que le processus d'évaluation comporte deux étapes. D'abord, la personne a une réaction initiale, immédiate et spontanée, fondée uniquement sur des associations automatiques entre l'objet à évaluer et divers concepts. Par la suite, si le temps le permet et si la personne est suffisamment motivée, elle peut procéder à un ajustement de la réaction initiale en examinant de façon plus détaillée les attributs de l'objet. Deux chercheurs américains ont appliqué cette conception au cas de l'attitude envers les personnes atteintes du sida. Ils ont montré que le seul fait de penser à une personne sidéenne active automatiquement des associations diverses comme la contagion, les préférences sexuelles ou les comportements à risque. Ces associations produisent une évaluation immédiate, souvent négative. Par la suite, l'évaluation peut changer si la personne prend le temps d'élaborer un jugement plus réfléchi.

De la même façon, une évaluation peut se modifier lorsqu'une personne apprend une nouvelle information qui suscite chez elle de nouvelles associations. Par exemple, dans une étude, on a demandé à des personnes de décrire leur attitude envers l'éventualité d'un séjour dans un hôtel de San Francisco. Par la suite, ces mêmes personnes étaient significativement moins enclines à vouloir séjourner dans cet hôtel quand on leur disait qu'il allait être converti l'année suivante en hôpital pour patients sidéens. Dans une autre étude, on a montré que certains étudiants, qui avaient des attitudes négatives à l'égard des homosexuels, étaient plus favorables au transfert d'un professeur dans un autre cours que les étudiants qui avaient des attitudes positives, après qu'ils eurent appris que ce professeur avait contracté le virus du sida lors d'une transfusion sanguine. Comme ces études (et d'autres) le montrent, les simples associations ont parfois une influence importante sur nos attitudes.

Source : G.D. REEDER et J.-B. PRYOR, «Attitudes Toward Persons With HIV/AIDS : Linking a Functional Approach With Underlying Process», dans G.R. MAIO et J.-M. OLSON, dir., Why We Evaluate : Functions of Attitudes, Wahwah, N.J., Lawrence Erlbaum Associates, 2000, p. 295-323.

La formation des attitudes par la route périphérique

Le modèle de Fishbein (et autres analogues) présente une conception rationnelle, raisonnée, consciente, analytique de la façon dont les consommateurs construisent leur évaluation des objets qui les entourent. L'entreprise d'évaluation dans laquelle s'engagent les consommateurs est délibérée et consciente. De plus, les informations qui servent à former les croyances sont de nature verbale.

Pourtant, la simple observation de notre comportement nous amène à penser que cette conception est incomplète. Il nous arrive d'être influencés par des éléments de l'environnement dont nous n'avons pas nécessairement conscience et qui ne sont pas faciles à décrire verbalement. Par exemple, une œuvre d'art est sans doute mieux perçue lorsqu'on est dans un endroit tranquille, bercé par une agréable musique ambiante. Notre attitude envers un produit annoncé dans une publicité est vraisemblablement influencée par la qualité de l'annonce, le contexte (par exemple, l'humour), les personnages (par exemple, les sympathiques animaux qui apparaissent dans les annonces de Telus), etc.

Les chercheurs en comportement du consommateur distinguent deux façons de former des attitudes : la **route centrale** et la **route périphérique**[20]. La route centrale est raisonnée et consciente, et c'est elle qui nous amène à former des croyances. La route périphérique est une voie inconsciente : elle exclut la réflexion, étant activée par des éléments environnementaux sans rapport direct avec l'objet d'attitude (*voir la figure 5.5*).

L'une des variables qui permet de prédire laquelle des routes aura le plus d'impact sur la formation des attitudes est l'implication personnelle du consommateur envers l'objet d'attitude (*voir le chapitre 2*). Lorsque le consommateur est fortement impliqué, il adopte un comportement plus réfléchi et conscient. Dans ce cas, l'attitude dépend principalement des croyances qui se forment. Lorsque son implication est faible, les éléments périphériques (musique, ambiance, couleur, etc.) risquent d'avoir un impact sur l'attitude par simple association[21].

FIGURE 5.5 Deux routes pour la formation et le changement des attitudes

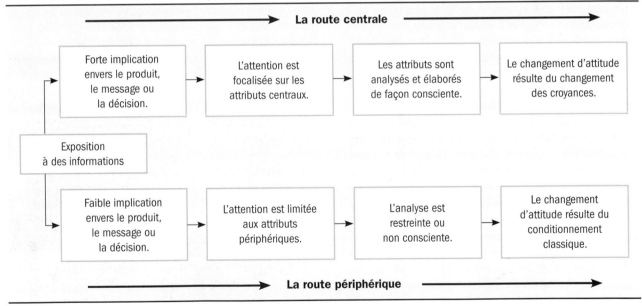

5.4 Une synthèse intéressante : le modèle de Zanna et Rempel

Deux chercheurs américains, Mark Zanna et John Rempel, ont proposé un modèle d'attitude intéressant qui s'inspire des travaux de plusieurs chercheurs[22]. Les deux hommes notent d'abord que la perspective tridimensionnelle, qui suppose qu'une attitude est composée de trois dimensions – cognitive, affective et conative –, n'est pas appropriée à cause du manque de cohérence entre les composantes. Selon eux, une attitude correspond à la catégorisation d'un objet par rapport à une dimension évaluative. Donc, une attitude est un jugement d'évaluation (j'aime, je n'aime pas, c'est bon, c'est mauvais, etc.).

De plus, Zanna et Rempel avancent qu'une attitude est produite à partir de trois catégories d'informations : cognitives, affectives ou émotionnelles, et behaviorales, c'est-à-dire liées à des comportements passés et à des intentions, comme l'illustre la figure 5.6. Nous examinerons chaque catégorie à tour de rôle.

FIGURE 5.6 Le modèle de Zanna et Rempel

Informations cognitives

Informations affectives → **ATTITUDE**

Informations behaviorales

Les informations cognitives

Les informations cognitives correspondent à la perspective unidimensionnelle et, plus particulièrement, au modèle algébrique de Fishbein. Selon Zanna et Rempel, une attitude est quelquefois formée à partir de croyances à propos de l'objet d'attitude. Plus l'information est concrète, plus l'attitude est résistante. Par exemple, dans la publicité pour le dentifrice Crest Pro-Santé présentée à la page 160, on essaie d'influencer l'attitude envers la marque en exposant les consommateurs à des informations cognitives multiples (combat la carie, l'accumulation de tartre, etc.).

Les informations affectives et émotionnelles

Dans le modèle proposé par Zanna et Rempel, une attitude peut se former à partir d'informations affectives uniquement. Lorsqu'une publicité, par le recours au conditionnement classique, nous fait associer une marque ou un produit à certaines émotions, ces dernières peuvent, à leur tour, influencer l'attitude que nous formons à l'égard de cette marque ou de ce produit. Cette approche apparaît particulièrement pertinente pour les (nouveaux) produits offrant un plaisir sensoriel plutôt que des bénéfices utilitaires : un nouveau café, un centre de ski (de glisse), des produits pour le bain, etc. De même, si une personne nous semble sympathique, nous avons tendance à lui attribuer des qualités diverses (intelligence, entregent, etc.) et à l'évaluer favorablement de façon générale. Des études ont montré que l'on peut former une attitude sans qu'il y ait une quelconque médiation cognitive[23]. Pour influencer l'attitude des consommateurs envers le Texas comme destination touristique, la publicité ci-contre de l'Office de développement économique et de tourisme de cet État présente des images qui expriment des situations de bien-être et de plaisir.

Une publicité pour une destination touristique qui joue sur l'information émotionnelle.

Les informations concernant les comportements passés et les intentions

Des études en psychologie ont montré que les personnes évaluent leurs propres attitudes en examinant leurs comportements passés : « Si je l'ai acheté, c'est parce que je l'aime[24]. » Outre le fait de chercher à modeler nos attitudes sur nos comportements à des fins de cohérence interne, force est de reconnaître que nous tirons profit de nos expériences et ajustons nos attitudes en conséquence. C'est pourquoi le modèle de Zanna et Rempel propose que les attitudes d'une personne puissent se former au moyen des souvenirs d'expériences passées avec un objet. Par exemple, lorsqu'on me demande d'évaluer une marque, je pense à mes expériences antérieures d'utilisation de cette marque et je construis une évaluation à partir de ces souvenirs. Ainsi, votre attitude par rapport à un groupe musical peut reposer sur le souvenir des émotions ressenties lors de l'écoute de leurs disques ou de votre présence à quelques-uns de leurs spectacles. De même, votre attitude envers le cinéma en trois dimensions peut provenir des émotions que vous y avez vécues et mémorisées. D'une façon générale, on peut s'attendre à ce que votre attitude à l'égard des produits soit modulée par la qualité de votre expérience passée et actuelle reliée à ces produits.

Ainsi, le modèle de Zanna et Rempel est une intégration intéressante de divers courants de recherche portant sur la formation et le changement des attitudes. Plutôt que d'adopter une approche théorique unique, les auteurs proposent que les attitudes des gens puissent se définir à partir de multiples sources. Comme dans le cas de l'approche tridimensionnelle, ce modèle invite les responsables du marketing à une gestion des connaissances, des croyances, des sentiments et des comportements des consommateurs par rapport à un produit, à une marque, à une compagnie.

5.5 La relation entre l'attitude et le comportement

Jusqu'à maintenant, nous nous sommes limités à discuter des attitudes et des facteurs cognitifs qui les sous-tendent. Cela est cohérent avec la perspective unidimensionnelle, qui distingue les attitudes des croyances et suppose un lien causal direct entre les deux. Cependant, les chercheurs en psychologie et en marketing s'intéressent aux attitudes d'abord et avant tout parce qu'ils croient qu'elles orientent les comportements des gens. À quoi cela sert-il de changer les attitudes des consommateurs envers la marque de lessive Tide si cela n'a pas éventuellement d'effet sur son achat et sa consommation ?

Intuitivement, on pourrait croire que la relation entre les attitudes et le comportement est forte. Par exemple, si mon attitude envers la lessive Tide est très positive, la probabilité que j'achète cette marque devrait être élevée. Qu'en est-il en réalité ? Les études de marketing montrent généralement une relation positive entre les attitudes et le comportement d'achat. Cependant, cette relation n'est pas parfaite. Examinons-en les raisons.

- **Une attitude favorable envers une marque n'est pas nécessairement liée à un achat.** Par exemple, mon attitude envers les montres de marque Rolex, les voitures de marque BMW et les chaînes de haute fidélité Bang & Olufsen est favorable, mais je n'ai pas nécessairement envie d'acheter ces produits.

- **Les consommateurs ont des attitudes favorables envers plusieurs marques.** Dans la catégorie de produit «shampoing», mon ensemble évoqué (*voir le chapitre 3*) comprend quelques marques, ce qui m'amène à changer régulièrement de shampoing.

- **L'intervalle de temps entre la mesure d'attitude et l'achat est important.** Plus cet intervalle est long, plus il y a de risques que le comportement d'achat ne corresponde pas à l'attitude.

- **La situation est un élément non négligeable.** Je préfère la marque Tide, mais aujourd'hui une marque concurrente est en solde. Ou encore, il n'y a plus de Tide sur les tablettes.

- **Certains facteurs économiques et personnels entrent en ligne de compte.** Je mange des aliments sains même si je ne les aime pas (c'est bon pour la santé). J'achète des vêtements ordinaires parce que je n'ai pas les moyens d'acheter ceux que j'aime vraiment.

- **Des facteurs sociaux exercent souvent une influence.** Pour beaucoup de produits, l'opinion des autres est plus importante que ses propres attitudes. Un consommateur peut acheter une marque parce qu'elle est plus socialement acceptable, même s'il préfère une autre marque.

- **L'attitude doit être accessible.** Plusieurs études montrent que la relation attitude-comportement est renforcée lorsque l'attitude est activée au moment de l'acte. Plus l'accessibilité d'une attitude est grande, plus la relation attitude-comportement est forte[25]. Par exemple, si une affiche rend active mon attitude positive envers la revue *L'actualité,* je serai davantage porté à acheter cette revue au magasin. Les attitudes qui sont fondées sur l'expérience avec l'objet (par exemple, j'ai assisté au concert de l'OSM et j'ai beaucoup aimé) plutôt que sur une simple information à propos de l'objet (par exemple, j'ai lu que le concert de l'OSM était très bon) sont plus claires, mieux intégrées et plus accessibles, ce qui fait que leur force est plus grande. Elles sont alors présumées être plus accessibles et, par conséquent, plus susceptibles d'agir sur les comportements. Nous avons vu au début de ce chapitre que les attitudes remplissent une fonction utilitaire, c'est-à-dire qu'elles servent à évaluer les objets dans l'environnement, facilitant ainsi la prise de décision. Cependant, cela est vrai dans la mesure où les attitudes sont assez fortes pour être activées au moment où la personne en a besoin.

Le modèle d'attitude envers le comportement de Fishbein

Fishbein s'est intéressé au problème de la relation attitude-comportement[26]. Selon lui, celle-ci n'est pas parfaite du fait qu'une attitude est une **prédisposition générale** envers un objet et qu'elle n'est pas nécessairement liée à des comportements particuliers. Pour Fishbein, une attitude donne lieu à un ensemble d'intentions et de comportements, comme l'illustre la figure 5.7. Dans cette figure, une intention relative à un comportement i est symbolisée par I_i.

Fishbein a montré que la somme des intentions (mesurées) d'une personne à l'égard d'un objet est corrélée de façon positive avec son attitude envers cet objet. Il propose que, pour prédire un comportement précis, on utilise une attitude tout aussi précise en

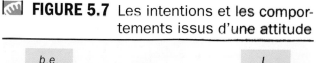

FIGURE 5.7 Les intentions et les comportements issus d'une attitude

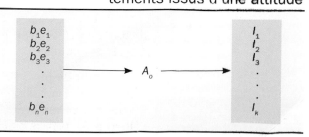

tant que variable prédictive. Il définit donc le concept d'**attitude envers un comportement** (noté A_b); par exemple, une attitude envers l'achat d'une marque, envers le fait d'aller manger chez Pizza Hut, envers le fait de ne pas assister à un cours, etc.

Comme dans le cas envers un objet, Fishbein soutient que l'attitude envers un comportement résulte d'une structure cognitive donnée. On peut exprimer le tout à l'aide du modèle algébrique suivant:

$$A_b = \sum_{i=1}^{n} b_i e_i \quad \text{où}$$

A_b : l'attitude envers le comportement b;
b_i : la croyance que le comportement amènera la conséquence i;
e_i : l'évaluation de la conséquence i;
n : le nombre de conséquences déterminantes.

Le modèle d'attitude envers le comportement de Fishbein s'inspire d'un modèle antérieur proposé par le psychologue américain Ward Edwards. Ce dernier tentait de prédire l'**utilité subjective espérée** (*subjective expected utility*) associée à une option décisionnelle donnée. À titre d'illustration, considérons le cas (fictif) d'un viticulteur québécois qui veut comprendre ce qui amène les consommateurs à acheter ou non des vins québécois. Une étude préliminaire a permis de définir trois conséquences déterminantes associées à ce comportement: l'image sociale qui en résulte, l'appréciation du vin et la valeur de l'achat. On conduit alors une enquête auprès d'un échantillon d'amateurs de vin, où les composantes du modèle sont mesurées. Le tableau 5.8 montre la façon dont on peut mesurer les composantes du modèle et le tableau 5.9 présente les résultats éventuellement obtenus par un participant à l'enquête.

TABLEAU 5.8 La mesure des croyances et des évaluations dans le modèle algébrique d'attitude envers un comportement de Fishbein

Conséquence	b_i		
	Acheter un vin québécois...	**Pas du tout**	**Tout à fait**
Image sociale	aura une incidence positive sur mon image sociale.	☐ ☐ ☐ ☐ ☐ ☐ ☐	
Appréciation	me conduira à une expérience de dégustation positive.	☐ ☐ ☐ ☐ ☐ ☐ ☐	
Valeur de l'achat	m'en donnera pour mon argent.	☐ ☐ ☐ ☐ ☐ ☐ ☐	

Note: Les scores attribués aux échelons vont de -3 (pas du tout) à $+3$ (tout à fait).

e_i		
Si la conséquence suivante se produit:	**Très mauvais**	**Très bon**
Une incidence positive sur mon image sociale	☐ ☐ ☐ ☐ ☐ ☐ ☐	
Une expérience positive de dégustation	☐ ☐ ☐ ☐ ☐ ☐ ☐	
En avoir pour mon argent	☐ ☐ ☐ ☐ ☐ ☐ ☐	

Note: Les scores attribués aux échelons vont de -3 (très mauvais) à $+3$ (très bon).

Dans cet exemple, on note que l'attitude de ce consommateur envers l'achat de vins québécois est négative (− 4) (*voir le tableau 5.9*). Cette attitude s'explique par le fait que le consommateur ne croit pas que l'image sociale qui en résultera sera positive ($b_1 = -2$) ni que cela conduira à une expérience de dégustation positive ($b_2 = -2$), ces deux conséquences étant évaluées favorablement ($e_1 = +1$ et $e_2 = +3$). Même s'il croit qu'il en aura pour son argent ($b_3 = +2$) et qu'il évalue cette conséquence favorablement ($e_3 = +2$), cela ne suffit pas à compenser les aspects négatifs résultant de l'achat.

Dans un modèle plus élaboré appelé la « théorie de l'action raisonnée », Fishbein distingue les **conséquences personnelles** résultant de l'accomplissement d'un comportement (composante attitudinale) des **conséquences sociales** (composante normative). Ce modèle est représenté à la figure 5.8. Il a fait l'objet de plusieurs tests empiriques auprès des consommateurs, et les résultats semblent en démontrer une certaine validité[27].

TABLEAU 5.9 Une application numérique du modèle algébrique d'attitude envers un comportement, de Fishbein : le cas de l'intention d'acheter des vins québécois

Conséquence	Consommateur		
	b_i	e_i	$b_i e_i$
Image sociale	−2	+1	−2
Appréciation	−2	+3	−6
Valeur de l'achat	+2	+2	+4
Total			−4

Retenons que le modèle de prédiction du comportement de Fishbein, dans sa forme simplifiée ou plus élaborée, est approprié lorsqu'il s'agit de prédire des comportements simples, qui demeurent sous le contrôle de la personne et qui répondent à des objectifs ni trop abstraits ni trop éloignés dans le temps. Cette méthode ne conviendrait pas pour prédire l'intention d'une personne de réussir sa carrière, par exemple. Heureusement, beaucoup de comportements des consommateurs correspondent à des objectifs simples, comme acheter un produit.

FIGURE 5.8 La théorie de l'action raisonnée

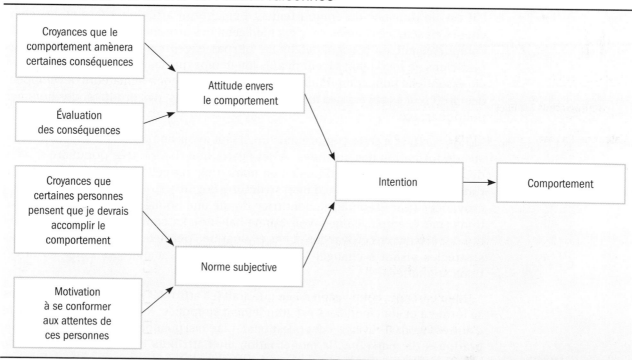

Par ailleurs, il faut noter aussi que les intentions et les comportements dépendent bien souvent des habiletés de la personne. Par exemple, le téléchargement de musique sur Internet repose en bonne partie sur les connaissances informatiques de la personne. À cet effet, le psychologue américain Icek Ajzen a proposé un modèle de prédiction du comportement qu'il appelle la «théorie du comportement planifié», où les habiletés de la personne sont prises en compte de façon explicite[28].

En guise de conclusion à cette discussion sur la relation entre les attitudes et le comportement, il est intéressant de s'interroger sur les facteurs essentiels qui amènent une personne à adopter un comportement. La question ayant été posée à un groupe de psychologues américains de grand renom, ces derniers ont conclu qu'au moins une des conditions suivantes devait être présente[29] :

- la personne a développé une attitude positive envers le comportement ;
- la personne a l'intention de le faire ;
- il n'y a pas de contraintes environnementales qui rendent impossible l'accomplissement du comportement ;
- la personne possède les capacités nécessaires ;
- la personne perçoit que les pressions sociales sont davantage favorables au comportement ;
- la personne perçoit que le fait d'accomplir le comportement est cohérent avec l'image qu'elle a d'elle-même ;
- les réactions émotives associées à l'accomplissement du comportement sont plus positives que négatives.

Conclusion sur les attitudes

S'il est un domaine du comportement humain qui a toujours fasciné les chercheurs en sciences humaines, c'est bien celui des attitudes. Le champ d'étude du comportement du consommateur ne fait pas exception. Les chercheurs et les praticiens en marketing savent depuis longtemps que la notion d'attitude est une clé essentielle pour comprendre la manière dont les consommateurs développent des préférences envers des marques, des entreprises, des produits, des hommes politiques, etc.

Pour arriver à cette compréhension, il faut avoir une vision claire des processus de formation des attitudes. À cet égard, une théorie très populaire auprès des chercheurs et des praticiens en marketing est celle qui présente une attitude comme étant issue d'une structure cognitive où sont combinées des croyances (par exemple, ce dentifrice donne une bonne haleine) et des évaluations (par exemple, j'aime avoir bonne haleine). La connaissance des attributs qui définissent ces croyances et ces évaluations permet de mettre en œuvre des stratégies visant à changer les attitudes des consommateurs dans les directions souhaitées.

Bien entendu, cette vision de ce que sont les attitudes et de la façon dont elles se forment et sont modifiées est grandement simplifiée. Nous avons vu qu'il existe d'autres façons d'envisager ces questions. Toutefois, pour bon nombre de problèmes pratiques de marketing, la modélisation multiattributs constitue une approche utile et pertinente[30].

5.6 Les émotions

Le thème des émotions, que nous abordons maintenant, est revenu de façon récurrente au fil des chapitres. Comme nous l'avons vu dans la section précédente, la synthèse offerte par le modèle de Zanna et Rempel a fait ressortir que les attitudes pouvaient reposer sur des croyances, des connaissances, des comportements passés, mais aussi sur des sentiments et des émotions. Cela souligne le rôle crucial que peuvent jouer ces dernières dans la compréhension des attitudes et du comportement du consommateur en général. Parler d'émotions, c'est s'intéresser aux réactions (réponses) affectives d'une personne. Nous verrons dans cette section que les émotions sont généralement passagères, intenses, accompagnées d'un niveau d'éveil physiologique élevé et, de plus, associées à un stimulus particulier à chacune d'elles. À un autre niveau figurent les humeurs, que nous étudierons par la suite.

Alors qu'il existe une certaine entente entre les auteurs en psychologie et en marketing sur ce que sont les attitudes, les émotions font l'objet de conceptions des plus diverses, et il ne semble pas possible de proposer une façon simple et unique de les définir.

Une émotion est communément associée à des sentiments (ou *feelings*) (par exemple, l'euphorie) accompagnés de sensations physiologiques (par exemple, l'accélération des battements du cœur) et d'une expérience subjective. Elle n'est donc pas composée uniquement de sentiments, mais comporte aussi des réactions expressives (par exemple, froncer les sourcils), des réactions physiologiques (par exemple, des larmes), des comportements d'adaptation (par exemple, se frotter les mains) et des réponses cognitives. Toutes ces composantes font partie des émotions, mais il est difficile de préciser le rôle de chacune, leur importance et même leur nécessité.

Plusieurs dimensions de l'environnement sont susceptibles de provoquer des réactions émotionnelles :

- ce qui est nouveau (l'inquiétude, la peur, l'intérêt) ;
- ce qui est plaisant ou déplaisant (la joie, l'envie, la colère) ;
- ce qui est contraignant (l'irritation) ;
- ce qui est compatible avec son concept de soi ;
- ce qui est certain ;
- ce qui est contrôlable ;
- ce que l'on attribue à nos actions ou à celles des autres ; etc.

Outre l'environnement, des processus internes tels que l'imagerie mentale peuvent déclencher en nous des émotions (par exemple, se représenter mentalement en train de boire un verre avec ses amis – la joie).

Pourquoi éprouvons-nous des émotions ? Selon la perspective de l'adaptation, elles sont des réponses adaptatives permettant à la personne de mieux se préparer à répondre à une demande de l'environnement. Par exemple, la peur est une émotion qui permet à la personne d'éviter les dangers. La colère permet de contrer un obstacle. La perspective de l'adaptation semble crédible dans la mesure où plusieurs études ont montré que les émotions de base (ou fondamentales – la joie, la tristesse, la colère, la peur, le dégoût, la surprise et la méprise) sont universelles et que leur interprétation, au moyen des expressions faciales, par exemple, semble partagée par diverses cultures.

Du point de vue de la théorie, différentes approches ont tenté d'expliquer les émotions. La plus importante est l'approche cognitive.

Les émotions selon l'approche cognitive

Plusieurs chercheurs pensent que les émotions sont le résultat d'une appréhension (ou évaluation) de l'environnement, autrement dit, qu'elles sont précédées par la cognition. La figure 5.9 présente une façon courante de les envisager sous l'angle cognitif.

FIGURE 5.9 Les émotions selon l'approche cognitive

Événement pertinent	Évaluation/interprétation	Émotion
« Gain à la loto »	Affect positif	Joie

Une théorie cognitive très populaire, la théorie des deux facteurs, a été proposée au début des années 1960 par deux psychologues américains, Schachter et Singer[31]. Selon eux, une émotion découle simplement d'une étiquette cognitive accolée à une réaction physiologique. Dans les études qu'ils ont réalisées, Schachter et Singer produisaient une réaction physiologique en injectant à des personnes une substance provoquant des sensations d'excitation (par exemple, des battements de cœur accélérés). Par la suite, ils manipulaient le contexte de façon à offrir aux participants une explication cognitive des réactions physiologiques ressenties. Ils ont montré que les émotions ressenties par les personnes étaient liées au contexte cognitif. Autrement dit, d'après les deux psychologues, c'est l'interprétation cognitive qu'une personne fait d'une situation qui définit l'émotion (émotion = stimulation + interprétation).

La perspective cognitive s'intéresse donc aux dimensions de l'environnement qui donnent lieu à des émotions diverses. Bien que beaucoup de chercheurs y adhèrent, cette approche a été critiquée. Le psychologue Robert Zajonc[32] prétend que les réactions affectives ne sont pas toujours issues d'une évaluation cognitive. Par exemple, il est possible de provoquer des sentiments simplement en manœuvrant les mouvements du corps. Pour Zajonc et d'autres chercheurs, l'affect et le cognitif ne sont pas nécessairement liés de façon causale.

La recherche sur les émotions

Pour étudier les émotions, il faut savoir les mesurer. Il existe trois grandes approches pour aborder ce problème, qu'il peut être intéressant de combiner. Mentionnons auparavant l'importance de se préoccuper non seulement du contenu des émotions, mais aussi de leur intensité, de leur direction et de la conscience que l'on a d'elles[33].

D'abord, des études ont montré que plusieurs émotions peuvent être mesurées adéquatement à partir de leurs réactions expressives en examinant les **expressions faciales**[34]. Cependant, il est certain que l'on peut ressentir une émotion sans manifester d'expression faciale (pensez aux joueurs de poker!). De même, le pouvoir de discrimination de l'expression faciale est limité. Enfin, on présume que l'émotion exprimée par le visage reflète ce qui est ressenti par la personne.

Également, pour appréhender les **sensations physiologiques** des émotions, on peut essayer de les mesurer physiologiquement (pression artérielle, résistance de la peau, battements du cœur, ondes cérébrales). Les études dans ce domaine n'ont pas eu beaucoup de succès. En effet, une même réaction physiologique peut signifier des émotions très différentes.

Enfin, pour tenir compte de l'expérience subjective des émotions, il est nécessaire d'interroger les personnes. Par exemple, on peut les questionner en profondeur, dans le cadre d'un entretien non structuré, à propos d'une expérience vécue, comme la fréquentation d'un magasin, pour connaître les émotions qu'elles ont alors ressenties au cours de cette expérience et les éléments qui les ont déclenchées (*relire, à titre d'illustration, l'extrait de l'entretien réalisé avec un consommateur à propos de son expérience de Wal-Mart, page 148*). Cette démarche s'inscrit dans ce que l'on appelle une approche **phénoménologique.** On peut également se servir de méthodes projectives telles que le portrait chinois pour établir le registre des émotions positives ou négatives liées à un objet (*revoir la capsule 2.4, page 39*). Ou encore, on peut demander aux consommateurs de décrire leurs émotions en se positionnant par rapport à des termes associés à des émotions diverses. Cette méthode de recherche est la plus courante.

Distinguer les émotions

Un problème fondamental de recherche consiste à établir la liste des émotions. Les chercheurs dans ce domaine ont emprunté deux voies différentes : l'approche typologique et l'approche dimensionnelle.

L'approche typologique

Des chercheurs ont proposé une typologie des émotions fondée sur l'existence de différentes expressions faciales. Selon eux, les émotions comme la joie, la tristesse, la peur, la colère, le dégoût, la surprise, l'intérêt et la honte sont différenciées et reconnaissables.

En comportement du consommateur, il faut signaler les travaux de Batra et Holbrook[35], qui ont mis au point une typologie de 34 émotions permettant d'évaluer 12 types différents de réactions affectives par rapport à la publicité. Une typologie plus générale a été proposée par Richins[36], dont l'objectif est de rassembler ce qu'elle appelle l'ensemble des émotions relatives à la consommation (*consumption emotions set*). Cette typologie est présentée dans l'encadré qui suit.

L'ENSEMBLE DES ÉMOTIONS RELATIVES À LA CONSOMMATION SELON RICHINS

Colère (frustré, fâché, irrité, agacé, exaspéré, furieux)

Mécontentement (insatisfait, mécontent)

Inquiétude (nerveux, inquiet, tendu, soucieux)

Tristesse (déprimé, triste, mal en point)

Peur (effrayé, affolé, menacé)

Honte (gêné, confus, honteux, humilié, offensé)

Envie (envieux, jaloux)

Solitude (seul, nostalgique)

Amour romantique (*sexy*, romantique, passionné)

Amour (affectueux, sentimental, chaleureux, aimant, compatissant)

Paix (calme, serein)

Contentement (contenté, satisfait)

Optimisme (optimiste, encouragé, plein d'espoir)

Joie (content, heureux, ravi, enchanté, enjoué, joyeux)

Excitation (excité, enthousiaste)

Surprise (surpris, ébahi, stupéfait, étonné, ahuri)

Autres (coupable, fier, soulagé, empressé)

FIGURE 5.10 La taxinomie des émotions de Mehrabian et Russell

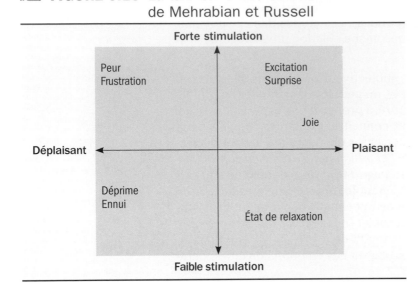

D'autres chercheurs ont préféré étudier les relations entre les émotions au moyen d'analyses statistiques permettant de découvrir les dimensions fondamentales sous-jacentes aux émotions. Les travaux les plus importants dans ce domaine ont été réalisés par les psychologues Mehrabian et Russell[37]. Les études de ces chercheurs tendent à montrer l'existence de deux dimensions primaires sous-jacentes aux émotions : le plaisir (un continuum plaisant-déplaisant) et le degré de stimulation. En croisant ces deux dimensions, on obtient une taxinomie des émotions (*voir la figure 5.10*). On peut formuler quatre critiques relativement à cette approche[38] : 1) contrairement à l'approche cognitive, la taxinomie ne précise pas les conditions qui conduisent aux émotions ; 2) si deux émotions sont près l'une de l'autre dans l'espace (*circumplex*), cela ne signifie pas nécessairement qu'elles coexistent ; 3) certaines catégories affectives de cette taxinomie n'appartiennent pas au domaine des émotions (par exemple, « état de relaxation ») ; 4) la taxinomie n'inclut pas certaines émotions importantes (la fierté, la culpabilité).

Les travaux de Mehrabian et Russell ont eu beaucoup d'influence en psychologie et en marketing. Cependant, il faut savoir que ces chercheurs n'ont pas essayé de dresser un inventaire général des émotions. Leur intérêt était centré sur la psychologie de l'environnement. Autrement dit, ils voulaient surtout comprendre comment l'environnement agissait sur les émotions des gens. L'influence de leurs travaux a d'ailleurs été plus importante dans les études de marketing portant sur l'influence de l'environnement commercial (par exemple, l'atmosphère d'un magasin) sur les comportements des acheteurs[39].

Le rôle de l'humeur

Alors que les émotions sont généralement intenses, passagères et associées à un objet particulier, l'humeur est un état d'esprit moins intense, plus durable, qui n'est pas nécessairement associé à quelque chose de précis. Même si elle influe sur notre comportement, elle risque peu de le perturber, comme une émotion peut le faire. Certains auteurs voient l'humeur comme une sorte de résidu affectif découlant d'émotions diverses[40].

L'humeur peut à la fois influencer les activités de consommation et être influencée par elles. Par exemple, une publicité peut agir sur notre humeur en nous amusant ou en nous irritant. Par ailleurs, la façon dont nous allons traiter l'information dépend en partie de notre humeur ; telle publicité nous paraîtra plus drôle si nous sommes de bonne humeur.

De nombreuses études se sont intéressées aux effets de l'humeur sur le comportement des consommateurs. Les résultats de ces études permettent de distinguer les effets de l'humeur positive de ceux de l'humeur négative. Ainsi, les gens de bonne humeur:

- ont davantage tendance à aider les autres et à se faire plaisir;
- magasinent plus longtemps et dépensent davantage[41];
- ont des perceptions plus positives du temps et de la qualité du service[42];
- font preuve d'une organisation cognitive plus flexible et d'une plus grande créativité[43];
- traitent les informations sur les marques d'une autre façon que ceux qui sont d'humeur neutre: ils ont tendance à mieux associer les marques aux catégories de produits auxquelles elles appartiennent[44];
- ont tendance à employer des règles de décision simplifiées (des «heuristiques») alors que, lorsqu'ils sont de mauvaise humeur, les décisions sont prises de façon plus systématique[45].

Une personne peut aussi utiliser son humeur en tant qu'indice informationnel pour porter une évaluation. À ce moment, elle se demande: «Comment est-ce que je me sens à propos de cela?» et l'humeur ressentie sert alors d'indice pour apporter une réponse. Ainsi, on a noté que les gens s'estiment plus satisfaits de la vie quand il fait beau que lorsqu'il pleut[46]. Cette différence disparaît lorsqu'on leur parle du temps qu'il fait.

On a aussi observé des effets de l'humeur négative sur les comportements. Elle entraîne généralement les personnes à voir les choses en noir. Entre autres, on a parfois noté des effets opposés à ceux qui sont associés à l'humeur positive (par exemple, la réduction de l'aide à autrui). Cependant, ces effets sont moins cohérents[47]. Une raison souvent invoquée est qu'un tel état d'esprit est généralement déplaisant. Aussi les consommateurs s'engagent-ils naturellement dans un processus de réhabilitation de l'humeur, par exemple en pensant à des choses positives. Pour cette raison, les résultats qui concernent l'humeur négative sont moins généralisés.

Certains chercheurs[48] ont proposé que l'humeur soit envisagée comme un concept dans un réseau mnémonique (*voir le chapitre 4*), au même titre que d'autres concepts. Les recherches montrent qu'une information apprise dans un contexte d'humeur positive a plus de probabilités d'être recouvrée dans un contexte positif que dans un contexte négatif. Lors d'une étude portant sur l'emballage des cadeaux, on a montré qu'un emballage de cadeau rappelle des situations joyeuses (anniversaires, Noël), ce qui rend automatiquement la personne de bonne humeur et l'amène à évaluer de façon plus positive le cadeau reçu[49].

Conclusion sur les émotions

L'étude des émotions et de l'humeur nous a permis d'approfondir notre compréhension des réactions affectives ou émotionnelles des consommateurs. Les émotions sont omniprésentes dans la vie des gens et, de façon plus précise, dans celle de consommateurs. Comme nous l'avons vu, les études montrent de façon non équivoque qu'elles exercent une influence significative sur le traitement de l'information et les comportements des consommateurs. Bien que la recherche dans le domaine soit abondante, nos connaissances sur les mécanismes qui donnent lieu aux émotions, sur les émotions elles-mêmes et sur leurs effets en consommation sont encore limitées. Il ne fait aucun doute, cependant, qu'il s'agit d'un sujet d'une grande importance en marketing, auquel les chercheurs continueront de s'intéresser[50].

Nous avons appris que :

- les consommateurs développent des attitudes envers différents objets de leur environnement tels que des marques, des publicités, des magasins, des vendeurs, et que, pour pouvoir éventuellement changer ces attitudes, les chercheurs en comportement du consommateur doivent d'abord comprendre la manière dont elles se forment.

- plusieurs chercheurs conçoivent l'attitude d'un consommateur envers un objet comme une prédisposition affective («j'aime», «je n'aime pas») reposant sur des croyances à propos de cet objet, et qu'il est possible de concrétiser cette idée algébriquement au moyen d'un modèle multiattributs.

- le modèle multiattributs offre un cadre utile pour étudier les préférences des consommateurs, parce qu'il permet de définir des stratégies pour mieux positionner une marque par rapport à des marques concurrentes.

- le modèle multiattributs offre une représentation utile, mais contestable, de la façon dont les consommateurs développent leurs attitudes, car, dans certains cas, il est possible qu'une attitude soit basée sur des informations affectives ou behaviorales, des images ou même des associations automatiques plus ou moins pertinentes.

- l'attitude envers un objet donne lieu à plusieurs intentions de comportement par rapport à cet objet et que, pour prédire un comportement particulier, il vaut mieux considérer l'attitude envers celui-ci.

- les consommateurs ont des émotions diverses dans le cadre de leurs activités de consommation, et qu'il est possible de les étudier en examinant leurs expressions faciales, en prenant diverses mesures physiologiques ou en les interrogeant.

- comparativement aux émotions, l'humeur est un état d'esprit moins intense, plus durable, qui n'est pas nécessairement associé à un événement précis, et que ses effets sur les comportements de consommation sont multiples, qu'il s'agisse des activités de magasinage, des perceptions de la qualité ou de la prise de décision.

Questions de révision et de réflexion

1. Qu'est-ce qu'une attitude?

2. Quelles sont les quatre fonctions de l'attitude? Expliquez chacune d'elles au moyen d'un exemple pertinent.

3. Trouvez une publicité, autre que celles qui sont présentées dans ce chapitre, exploitant la fonction d'expression des valeurs des attitudes. Expliquez votre choix.

4. Expliquez la perspective tridimensionnelle. Trouvez une publicité qui exploite les trois composantes de cette perspective.

5. Quel est le postulat sur lequel repose la perspective tridimensionnelle? Comment en fait-on usage dans la publicité retenue à la question précédente?

6. Expliquez la perspective unidimensionnelle de l'attitude. Quel très important courant de recherche en est issu?

7. Qu'est-ce que la théorie de la balance de Heider? Comment pourrait-on convaincre les jeunes d'arrêter de fumer, selon cette théorie? Utilisez cet exemple pour discuter des limites de la théorie.

8. Expliquez le modèle d'attitude de Zanna et Rempel. Cette conception vous semble-t-elle appropriée? Pourquoi?

9. Dressez une liste des émotions que vous rattachez aux objets ou aux comportements suivants: le soleil, le bronzage, le fait de vous faire bronzer, le fait de vous enduire de crème solaire. Ces émotions se retrouvent-elles dans la taxinomie des émotions de Mehrabian et Russel? dans l'ensemble des émotions relatives à la consommation proposé par Richins?

10. Quelles expressions faciales arborez-vous lorsque vous pensez au soleil, au bronzage, au fait de vous faire bronzer, au fait de vous enduire de crème solaire? Décrivez-les le mieux possible, en utilisant un miroir si nécessaire. Outre le recours aux expressions faciales, quelles autres approches permettraient de mesurer vos émotions?

11. Ces thèmes du soleil, du bronzage, etc., vous mettent-ils dans une humeur particulière? Si oui, laquelle?

12. Quelle différence faites-vous entre une humeur et une émotion? Quels sont les effets de l'humeur sur les comportements de consommation?

13. Vos croyances envers le soleil, le bronzage et le fait de vous enduire de crème avant de prendre un bain de soleil ont-elles évolué? Quelles étaient-elles initialement et quelles sont-elles aujourd'hui? Les gens autour de vous pensent-ils comme vous? Interrogez-les. Croyez-vous que les adolescents et les parents de jeunes enfants pensent la même chose? Pourquoi?

14. Quelles sont vos attitudes par rapport au soleil, au bronzage, au fait de vous enduire de crème solaire? Sur quoi reposent-elles: des images mentales? des associations automatiques? des émotions? des croyances? Dressez un bilan et énoncez la théorie, présentée dans ce chapitre, qui se rapproche le plus de la formation de ces attitudes dans votre cas.

15. Les lotions solaires ont évolué elles aussi. À l'heure actuelle, quels sont les critères (attributs) mis de l'avant dans les publicités s'y rapportant? En feuilletant de vieux magazines, trouvez les éléments successifs que l'on a introduits dans la publicité et sur lesquels on a mis l'accent.

16. Qu'entend-on par «route centrale» et «route périphérique» dans la formation des attitudes? En examinant les publicités retenues dans le cadre de la question précédente, déterminez la route dominante mise de l'avant par chacune d'entre elles.

17. Poursuivez encore l'examen de ces mêmes publicités. Comment la publicité a-t-elle fait (a-t-elle cherché ou cherche-t-elle à faire) évoluer les croyances, les images mentales, les associations, les émotions liées au soleil, au corps bronzé, au fait de se faire bronzer, au fait de s'enduire de crème avant de prendre un bain de soleil? Expliquez.

18. Expliquez la théorie de Fishbein. Pourquoi est-elle qualifiée de « behavioriste » ?

19. Interrogez à nouveau quelques personnes autour de vous pour définir les attributs déterminants dans le choix d'une lotion ou crème solaire. Créez ensuite un ensemble d'échelles bipolaires pour mesurer les évaluations selon le modèle de Fishbein. Préparez alors un ensemble d'échelles bipolaires pour mesurer les croyances par rapport à la marque Ombrelle. Complétez vous-même les deux tableaux ainsi créés afin de pouvoir calculer un score total, selon le modèle de Fishbein.

20. Quel est l'objectif premier du modèle multiattributs ?

21. Les résultats d'une enquête fictive portant sur des marques tout aussi fictives sont présentés dans le tableau ci-dessous. Imaginez que vous êtes le chef de produit de la marque Sun-Fun et que vous proposez différentes stratégies en fonction du diagnostic que vous venez de poser pour la marque. Quel est ce diagnostic ? Quelles sont ces stratégies ?

22. Discutez de la relation entre attitude et comportement. Le comportement adopté par un consommateur est-il toujours cohérent avec son attitude ? Qu'est-ce qui pourrait empêcher une personne ayant une attitude positive par rapport au fait de s'enduire de crème solaire d'en mettre avant de s'exposer au soleil ?

23. En reprenant le modèle d'attitude envers un comportement de Fishbein, créez deux ensembles d'échelles pour mesurer les croyances et les évaluations des consommateurs envers le fait de s'enduire de crème solaire avant de s'exposer au soleil.

	e_i	b_i		
		Sun-Fun	Biosoleil	Tropicsol
Prix	+2	+1	−2	+2
Protection solaire	+3	+2	+3	+2
Facilité d'étalement	+2	+3	+2	+1
Peau douce	+1	+2	+3	+1
Peau non collante	+2	+3	+2	+1

Cas

Mon type de magasin

Une recherche portant sur la personnalité des grands magasins a été réalisée par des chercheurs québécois (*voir la capsule 2.6, page 48*). Dans cette étude, on a mesuré la perception que 226 consommateurs adultes avaient de la personnalité de quatre magasins : La Baie, Sears, Wal-Mart et Zellers. En combinant de façon appropriée des adjectifs, on a pu dégager cinq traits de personnalité ainsi que la position moyenne de chaque magasin par rapport à chaque trait. La liste des adjectifs associés à chaque trait de personnalité apparaît dans le premier tableau de la page suivante (*voir le tableau 5.10*).

Le deuxième tableau (*voir le tableau 5.11*) contient la position moyenne de chaque magasin par rapport aux traits de personnalité. Cette position a été estimée à l'aide d'une technique statistique appelée l'analyse factorielle. Plus la moyenne est positive, plus le magasin est perçu comme possédant ce trait de personnalité.

Outre la personnalité des magasins, les chercheurs ont mesuré l'attitude des consommateurs envers chaque magasin. Ils ont employé à cet effet les deux échelles suivantes :

Échelle n° 1

Veuillez indiquer votre **appréciation** de chacun des magasins suivants en encerclant le chiffre qui correspond le mieux à votre opinion.

	Je n'aime pas du tout ce magasin			J'aime beaucoup ce magasin	
La Baie	1	2	3	4	5
Sears	1	2	3	4	5
Wal-Mart	1	2	3	4	5
Zellers	1	2	3	4	5

Échelle n° 2

Mon impression générale de chacun des magasins suivants est :

	Défavorable				Favorable
La Baie	1	2	3	4	5
Sears	1	2	3	4	5
Wal-Mart	1	2	3	4	5
Zellers	1	2	3	4	5

La mesure finale d'attitude envers chaque magasin a été calculée en faisant la moyenne des scores obtenus sur ces deux échelles.

Par la suite, les chercheurs ont mis en relation cette mesure d'attitude avec la position des magasins par rapport aux traits de personnalité dans le but d'estimer l'effet de chaque trait sur l'attitude. Pour ce faire, ils ont utilisé une technique statistique appelée la **régression linéaire multiple.**

Le troisième tableau (*voir le tableau 5.12*) présente les résultats des analyses de régression. Il contient les estimations des coefficients de régression standardisés. L'ordre de grandeur de chaque coefficient indique l'importance du trait de personnalité dans la formation de l'attitude des consommateurs, et le signe du coefficient indique la direction de la relation. Ainsi, si un coefficient est positif, cela signifie qu'une augmentation de la perception des consommateurs voulant que le magasin possède ce trait de personnalité résulte en une augmentation de l'attitude envers le magasin. L'importance de cette augmentation (ou diminution, si le signe est négatif) est liée directement à l'ordre de grandeur du coefficient. L'analyse de régression a été faite pour chaque magasin séparément ainsi que pour l'ensemble de ceux-ci. Le tableau ne montre que les coefficients statistiquement significatifs.

TABLEAU 5.10 🐾 La liste des adjectifs et leur correspondance avec des traits de personnalité

Enthousiasme (trait 1)	Raffinement (trait 2)	Authenticité (trait 3)	Solidité (trait 4)	Caractère désagréable (trait 5)
Souriant	Chic	Honnête	Robuste	Agressant
Enthousiaste	Haute classe	Digne de confiance	Solide	Agaçant
Plein d'entrain	Élégant	Sincère	Reconnu	Criard
Dynamique	À la mode	Vrai	A du succès	Superficiel
Amical	Snob	Authentique	*Leader*	Démodé
Sympathique	Riche	Sûr	Imposant	Rigide
Audacieux	Sélectif	Consciencieux	Organisé	

TABLEAU 5.11 🐾 La position moyenne des magasins par rapport aux traits de personnalité

Magasin	Enthousiasme (trait 1)	Raffinement (trait 2)	Authenticité (trait 3)	Solidité (trait 4)	Caractère désagréable (trait 5)
La Baie	−0,28	1,04	−0,04	−0,16	−0,09
Sears	−0,23	0,35	0,33	0,06	−0,20
Wal-Mart	0,80	−0,72	−0,17	0,29	0,21
Zellers	−0,30	−0,66	0,18	−0,57	0,07

TABLEAU 5.12 🐾 Les coefficients de régression standardisés

Magasin	Enthousiasme (trait 1)	Raffinement (trait 2)	Authenticité (trait 3)	Solidité (trait 4)	Caractère désagréable (trait 5)
La Baie	0,32	—	0,20	0,23	−0,17
Sears	0,40	0,11	0,36	0,22	−0,22
Wal-Mart	0,20	0,21	0,50	0,15	−0,23
Zellers	0,29	0,22	0,37	0,22	−0,26
Tous	0,33	0,15	0,40	0,24	−0,23

QUESTIONS

1. Quelle est votre interprétation des résultats de cette étude ?

2. Que suggèrent ces résultats en ce qui a trait aux actions de marketing des magasins étudiés ?

3. Quelle est l'utilité de ce type de recherche pour un responsable du marketing d'un grand magasin au Québec ?

Notes

1. H. BERLIOZ, «Biographie étrangère: Beethoven», *Le Correspondant*, 6 octobre 1829. Le texte cité est reproduit R. STRICKER, *Le dernier Beethoven*, Paris, Gallimard, 2001, p. 317.

2. M. FISHBEIN et I. AJZEN, *Beliefs, Attitude, Intention, and Behavior: An Introduction to Theory and Research*, Reading, Mass., Addison-Wesley, 1975.

3. Même si des chercheurs maintiennent que certaines attitudes peuvent avoir une origine biologique, on s'entend sur le fait que la grande majorité des attitudes sont apprises.

4. Voir l'article classique de D. KATZ, «The Functional Approach to the Study of Attitudes», *Public Opinion Quarterly*, vol. 24, 1960, p. 163-204. On trouvera plusieurs articles intéressants sur l'approche fonctionnelle dans l'ouvrage suivant: G.R. MAIO et J.-M. OLSON, dir., *Why We Evaluate: Functions of Attitude*, Mahwah, N.J., Lawrence Erlbaum Associates, 2000.

5. Voir, par exemple, l'article suivant: H. LAVINE et M. SNYDER, «Cognitive Processes and the Functional Matching Effect in Persuasion: Studies in Personality and Political Behavior», dans G.R. MAIO et J.-M. OLSON, dir., *Why We Evaluate: Functions of Attitude*, Mahwah, N.J., Lawrence Erlbaum Associates, 2000, p. 97-131.

6. Cet extrait d'entretien nous a été fourni aimablement par Mélanie Lévesque. Il a été transcrit tel quel.

7. F. HEIDER, «Attitudes and Cognitive Organization», *Journal of Psychology*, vol. 21, 1946, p. 107-112. Une discussion synthétique intéressante de cette théorie est présentée dans l'ouvrage suivant: A.H. EAGLY et S. CHAIKEN, *The Psychology of Attitudes*, Fort Worth, Tex., Harcourt Brace Jovanovich, 1993, p. 133-144.

8. Voir l'article de W.J. McGUIRE, «The Current Status of Cognitive Consistency Theories», dans S. FELDMAN, dir., *Cognitive Consistency: Motivational Antecedents and Behavioral Consequences*, New York, Academic Press, 1966, p. 1-46.

9. L'article suivant offre un exemple d'application de la théorie de la balance en marketing: J. JACOBY et D. MAZURSKY, «Linking Brand and Retailer Images – Do the Potential Risks Outweigh the Potential Benefits?», *Journal of Retailing*, vol. 60, 1984, p. 105-122.

10. Voir l'article suivant: M. FISHBEIN, «An Investigation of the Relationship Between Beliefs About an Object and the Attitude Toward That Object», *Human Relations*, vol. 16, 1963, p. 233-240; voir aussi l'ouvrage cité à la note 2.

11. Voir à ce sujet M. FISHBEIN et I. AJZEN, *Predicting and Changing Behavior: The Reasoned Action Approach*, New York, Psychology Press, 2010, chapitre 3.

12. Voir l'article suivant: R.J. LUTZ, «Changing Attitudes Through Modification of Cognitive Structure», *Journal of Consumer Research*, vol. 1, 1975, p. 49-59; voir aussi l'ouvrage cité à la note 11.

13. Une corrélation est une statistique qui prend des valeurs comprises entre –1 (relation négative parfaite) et +1 (relation positive parfaite). Voir l'ouvrage de A. D'ASTOUS, *Le projet de recherche en marketing*, 4e éd., Montréal, Chenelière Éducation, 2010.

14. Voir, par exemple, l'article suivant: R.J. LUTZ et J.R. BETTMAN, «Multiattribute Models in Marketing: A Bicentennial Review», dans A.G. WOODSIDE, J.N. SHETH et P.D. BENNETT, dir., *Consumer and Industrial Buying Behavior*, New York, North-Holland, 1977, p. 137-149.

15. Voir l'ouvrage cité à la note 2, p. 228, et celui cité à la note 11, p. 110-113.

16. Voir l'ouvrage de W.L. WILKIE, *Consumer Behavior*, 3e éd., New York, John Wiley & Sons, 1994, p. 292.

17. Cette échelle additive a été mise au point par Alain d'Astous et Nathalie Séguin. Voir A. D'ASTOUS et N. SÉGUIN, «Consumer Reactions to Product Placement Strategies in Television Sponsorship», *European Journal of Marketing*, vol. 33, 1999, p. 896-910.

18. Voir l'article suivant: P.L. WRIGHT, «An Adaptive Consumer's View of Attitudes and Other Choice Mechanisms, as Viewed by an Equally Adaptive Advertiser», dans D. JOHNSON et W.D. WELLS, dir., *Attitude Research at Bay*, Chicago, American Marketing Association, 1976, p. 113-131.

19. Voir l'article suivant: A. D'ASTOUS, «Category-Based Evaluation in Consumer Behavior», *Proceedings of the 1986 Conference of the Consumer Psychology Division of the American Psychological Association*, Washington, D.C, 1987.

20. R.E. PETTY et J.T. CACIOPPO, *Communication and Persuasion: Central and Peripheral Routes to Attitude Change*, New York, Springer-Verlag, 1986.

21. Voir l'article suivant: C.W. PARK et S.M. YOUNG, «Types and Levels of Involvement and Brand Attitude Formation», dans R.P. BAGOZZI et A.M. TYBOUT, dir., *Advances in Consumer Research*, 10, Ann Arbor, Mich., Association for Consumer Research, 1983, p. 320-324.

22. M.P. ZANNA et J.K. REMPEL, «Attitudes: A New Look at an Old Concept», dans A. BAR-TAL et A. KRUGLANSKI, dir., *The Social Psychology of Knowledge*, Cambridge, Angleterre, Cambridge University Press, 1988, p. 315-334.

23. Voir l'article de R.B. ZAJONC et H. MARKUS, «Affective and Cognitive Factors in Preferences», *Journal of Consumer Research*, vol. 9, 1982, p. 123-131.

24. D.J. BEM, «Self-perception Theory», dans L. BERKOWITZ, dir., *Advances in Experimental Social Psychology*, vol. 6, New York, Academic Press, 1972, p. 2-57.

25. Voir l'article suivant: R.H. FAZIO, M.C. POWELL et C.J. WILLIAMS, «The Role of Attitude Accessibility in the Attitude-to-Behavior Process», *Journal of Consumer Research,* vol. 16, 1989, p. 280-288.

26. Voir les ouvrages cités à la note 2 et à la note 11 ainsi que le chapitre 4 de l'ouvrage suivant: A.H. EAGLY et S. CHAIKEN, *The Psychology of Attitudes,* Fort Worth, Tex., Harcourt Brace Jovanovich, 1993. Dans ce chapitre, on trouvera une discussion très détaillée des facteurs qui ont un impact sur la relation attitude-comportement. L'article suivant présente une excellente synthèse de l'influence des attitudes sur le comportement: I. AJZEN et M. FISHBEIN, «The Influence of Attitudes on Behavior», dans D. ALBARRACÍN, B.T. JOHNSON et M.P. ZANNA, dir., *The Handbook of Attitudes,* Mahwah, N.J., Lawrence Erlbaum Associates, 2005, p. 173-221.

27. B.H. SHEPPARD, J. HARTWICK et P.R. WARSHAW, «The Theory of Reasoned Action: A Meta-Analysis of Past Research with Recommendations for Modifications and Future Research», *Journal of Consumer Research,* vol. 15, 1988, p. 325-343.

28. I. AJZEN, «The Theory of Planned Behaviour», *Organizational Behavior and Human Decision Processes,* vol. 50, 1991, p. 179-211. Une application de ce modèle au téléchargement de musique sur Internet est présentée dans l'article suivant: A. D'ASTOUS, F. COLBERT et D. MONTPETIT, «Music Piracy on the Web – How Effective are Anti-Piracy Arguments? Evidence from the Theory of Planned Behaviour», *Journal of Consumer Policy,* vol. 28, n⁰ 3, 2005, p. 289-301. La théorie de l'action raisonnée et la théorie du comportement planifié ont été récemment réunies par Fishbein et Ajzen dans un modèle intégrateur combinant les effets de l'attitude envers le comportement, la norme subjective et le contrôle perçu du comportement (voir l'ouvrage cité à la note 11).

29. Voir l'ouvrage cité à la note 11, p. 19.

30. En plus des références nombreuses présentées dans ce chapitre, le lecteur qui s'intéresse aux attitudes trouvera dans l'ouvrage suivant une présentation lucide des approches classiques et contemporaines adoptées dans ce domaine: D. ALBARRACÍN, B.T. JOHNSON et M.P. ZANNA, *The Handbook of Attitudes,* Mahwah, N.J., Lawrence Erlbaum Associates, 2005.

31. S. SCHACHTER et J.E. SINGER, «Cognitive, Social, and Physiological Determinants of Emotional State», *Psychological Review,* vol. 69, 1962, p. 379-399.

32. R.B. ZAJONC, «Basic Mechanisms of Preference Formation», dans R.A. PETERSON, W.D. HOYER et W.R. WILSON, dir., *The Role of Affect in Consumer Behavior,* Lexington, Mass., Lexington Books, 1986, p. 1-16. Voir aussi l'article suivant, qui montre que l'on peut avoir développé une attitude plus favorable envers une marque même si l'on ne se rappelle pas l'information communiquée à son propos:

C. JANISZEWSKI, «Preattentive Mere Exposure Effects», *Journal of Consumer Research,* vol. 20, 1993, p. 376-392.

33. L'article suivant offre une discussion très détaillée des différentes méthodes employées pour mesurer les émotions dans le contexte de la recherche en publicité: K. POELS et S. DEWITTE, «How to Capture the Heart? Reviewing 20 Years of Emotion Measurement in Advertising», *Journal of Advertising Research,* vol. 46, n⁰ 1, 2006, p. 18-37.

34. Voir, par exemple, C.E. IZARD, *The Psychology of Emotions,* New York, Plenum Press, 1991. Pour un exemple de l'utilisation des expression faciales pour mesurer les réactions affectives des consommateurs, voir l'article suivant: C. DERBAIX, «L'impact des réactions affectives induites par les messages publicitaires: une analyse tenant compte de l'implication», *Recherche et applications en marketing,* vol. 10, n⁰ 2, 1995, p. 3-30.

35. R. BATRA et M.B. HOLBROOK, «Developing a Typology of Affective Responses to Advertising», *Psychology & Marketing,* vol. 7, printemps 1990, p. 11-25.

36. M.L. RICHINS, «Measuring Emotions in the Consumption Experience», *Journal of Consumer Research,* vol. 24, 1997, p. 127-146.

37. A. MEHRABIAN et J.A. RUSSELL, *An Approach to Environmental Psychology,* Cambridge, Mass., MIT Press, 1974.

38. Voir R.P. BAGOZZI, M. GOPINATH et P.U. NYER, «The Role of Emotions in Marketing», *Journal of the Academy of Marketing Science,* vol. 27, n⁰ 2, 1999, p. 184-206.

39. Voir, par exemple, R.J. DONOVAN et J.-R. ROSSITER, «Store Atmosphere: An Environmental Psychology Approach», *Journal of Retailing,* vol. 58, 1982, p. 34-56.

40. Voir l'article cité à la note 38.

41. R.B. SMITH et E. SHERMAN, «Effects of Store Image and Mood on Consumer Behavior: A Theoretical and Empirical Analysis», dans L. McALISTER et M.L. ROTHSCHILD, dir., *Advances in Consumer Research,* 20, Provo, Utah, Association for Consumer Research, 1993, p. 631.

42. J.-C. CHEBAT, P. FILIATRAULT, C. GÉLINAS-CHEBAT et A. VANINSKY, «Impact of Waiting Attribution and Consumer's Mood on Perceived Quality», *Journal of Business Research,* vol. 34, n⁰ 3, 1995, p. 191-196.

43. Ces études sont revues par A.M. ISEN, «Toward Understanding the Role of Affect in Cognition», dans R.S. WYER Jr et T.K. SRULL, dir., *Handbook of Social Cognition,* 3, Hillsdale, N.J., Erlbaum, 1984, p. 179-236.

44. A.Y. LEE et B. STERNTHAL, «The Effects of Positive Mood on Memory», *Journal of Consumer Research,* vol. 26, n⁰ 2, 1999, p. 115-127.

45. H. BLESS, G. BOHNER, N. SCHWARZ et F. STRACK, «Mood and Persuasion: A Cognitive Response Analysis», *Personality and Social Psychology Bulletin,* vol. 16, n⁰ 2, 1990, p. 331-345.

46. N. SCHWARZ, «Feelings as Information: Informational and Motivational Functions of Affective States», dans E.T. HIGGINS et R.M. SORRENTINO, dir., *Handbook of Motivation & Cognition,* New York, The Guilford Press, 1990, p. 527-561.

47. Voir à ce sujet l'article suivant: H.T. LUOMALA et M. LAAKSONEN, «Contributions from Mood Research», *Psychology & Marketing,* vol. 17, nº 3, 2000, p. 195-233.

48. G.H. BOWER, «Mood and Memory», *American Psychologist,* vol. 36, nº 2, 1981, p. 129-148.

49. D.J. HOWARD, «Gift-Wrapping Effects on Product Attitudes: A Mood-Biasing Explanation», *Journal of Consumer Psychology,* vol. 1, nº 3, 1992, p. 197-223.

50. L'article suivant présente une approche permettant d'intégrer les expériences émotionnelles des consommateurs au modèle multiattributs: C.T. ALLEN, K.A. MACHLEIT, S. SCHULTZ KLEINE et A.S. NOTANI, «A Place for Emotion in Attitude Models», *Journal of Business Research,* vol. 58, 2003, p. 494-499.

Le processus de décision et la satisfaction

Introduction

Les chercheurs en marketing et en comportement du consommateur s'intéressent à comprendre et à expliquer les comportements qui sont liés à l'acquisition, à la consommation et à la disposition des biens et des services (*voir le chapitre 1*). Dans les chapitres précédents, nous avons vu que ces comportements sont influencés par le psychisme (motivation, personnalité, concept de soi et style de vie), les perceptions, les connaissances, ainsi que par les attitudes et les émotions. Les comportements des consommateurs entraînent de multiples décisions à prendre : quels produits faut-il acheter ? Quelle quantité ? Quand ? Où ?

> *Les rouages du cerveau humain sont pour le moins surprenants. Comment se fait-il que nous soyons si ingénieux dans l'accomplissement de certaines tâches et tellement inefficaces pour d'autres ? Beethoven était sourd quand il a écrit son incroyable neuvième symphonie, mais nous ne serions pas surpris d'apprendre qu'il égarait fréquemment les clés de sa maison. Comment les gens peuvent-ils être à la fois aussi brillants et aussi bêtes*[1].
>
> **Richard H. Thaler**
> **et Cass R. Sunstein**

Quelle marque ? À quel prix ? Comptant ou à crédit ? Dans ce chapitre, nous essayerons de rendre compte des processus par lesquels les consommateurs prennent leurs décisions, des plus banales aux plus importantes.

La voie classique qu'ont empruntée un grand nombre de chercheurs pour comprendre comment sont prises les décisions liées à la consommation est celle de la rationalité. Nous allons donc examiner les processus décisionnels des consommateurs à travers cette perspective. Mais, comme le laissent entendre Thaler et Sunstein dans cette citation extraite de leur ouvrage consacré à l'amélioration des décisions, il s'agit d'une vision réductrice. En effet, en matière de décision, tout n'est pas seulement affaire de réflexion mais aussi d'émotions, à divers degrés. Par une belle journée d'été, votre décision d'acheter de la crème glacée répond-elle uniquement à une logique rationnelle ? En fait, les dimensions cognitives et affectives (ou émotionnelles) de la décision s'entremêlent, comme nous avons été à même de le constater lorsque nous avons vu comment l'humeur peut influer sur la façon dont les consommateurs traitent les informations (*voir le chapitre 5*). Nous verrons que les émotions, mais aussi les anticipations et les forces de l'environnement social agissent sur les consommateurs, souvent de manière subtile, pour les amener à se comporter de façon irrationnelle.

L'objectif de ce chapitre est aussi de montrer la multiplicité des décisions que doit assumer le consommateur. Ce dernier n'étant pas seulement un acheteur, il existe pour lui un « après-achat ». S'il a baigné dans la culture occidentale, selon laquelle la procédure la plus noble pour témoigner de l'intelligence d'un choix

demeure le processus rationnel, l'une des stratégies auxquelles il pourra avoir recours sera la reconstitution avantageuse *a posteriori* du processus suivi, afin de se sentir plus à l'aise avec ses choix ou de convaincre les autres de leur pertinence. C'est à cet aspect que nous nous intéresserons également dans ce chapitre.

6.1 Un modèle logico-rationnel du processus de décision du consommateur

Certaines perspectives ou approches ont marqué de façon importante la discipline du comportement du consommateur. La recherche motivationnelle, la personnalité (*voir le chapitre 2*) et la modélisation multiattributs (*voir le chapitre 5*) en sont des exemples pertinents. Cependant, la plupart des personnes qui s'intéressent au comportement du consommateur seraient sans doute d'accord pour dire que c'est l'approche décisionnelle fondée sur la perspective logico-rationnelle[2] qui a eu le plus grand impact sur la pensée, la recherche et l'enseignement en comportement du consommateur.

Les premiers chercheurs qui ont étudié le processus de décision du consommateur étaient, ne l'oublions pas, des gens de marketing. Ils détenaient souvent une formation en économie, discipline marquée par l'*homo economicus,* être hautement rationnel, très au fait de ses préférences, ayant accès à toute l'information nécessaire et doté d'une grande cohérence interne. Il était donc normal que leur pensée ait été empreinte d'une bonne dose de logique et de rationalité. En effet, une façon simple d'apporter une réponse à la question «Comment les consommateurs prennent-ils leurs décisions de consommation?» est de transformer cette question de la manière suivante: «Comment les consommateurs **devraient-ils** prendre leurs décisions de consommation?», c'est-à-dire de passer d'une approche descriptive (ce qui est) à une approche normative (ce qui doit être). D'une part, l'approche normative s'accorde bien avec la représentation d'un choix intelligent, cartésien. D'autre part, il existe des modèles normatifs de prise de décision qui peuvent servir de fondements conceptuels à une réflexion sur le processus de décision du consommateur.

Sous l'influence de l'école «cognitiviste» et avec l'avènement de l'ordinateur s'est dessinée la perspective du consommateur analytique, où celui-ci est vu un peu comme une mécanique qui traite les informations sur le modèle d'un ordinateur (*information processing*[3]). Comme nous l'avons vu, l'école cognitive exerce encore une influence très forte sur la discipline du comportement du consommateur.

La figure 6.1 présente un modèle du processus de décision du consommateur issu de cette perspective logico-rationnelle, comprenant cinq étapes organisées de façon séquentielle: la reconnaissance d'un problème, la recherche de l'information, l'évaluation des options et le choix, la consommation et l'utilisation, et l'évaluation après l'achat. La vision sous-jacente du consommateur est celle d'un être rationnel, qui cherche à maximiser son utilité et à minimiser son risque perçu dans l'achat. Aujourd'hui, on associe ce type de processus au cadre particulier de la forte implication personnelle, notion dont nous avons traité au chapitre 2. En général, dans cette situation, le consommateur est déterminé à investir temps et énergie pour faire le meilleur choix, ce qui signifie qu'il est prêt à suivre un processus long et complexe, représenté par les cinq étapes mentionnées précédemment.

FIGURE 6.1 Le processus de décision du consommateur sous l'angle de l'approche logico-rationnelle

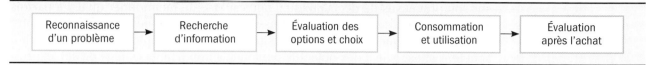

| Reconnaissance d'un problème | → | Recherche d'information | → | Évaluation des options et choix | → | Consommation et utilisation | → | Évaluation après l'achat |

Dans le reste de ce chapitre, nous examinerons chaque étape de ce processus de décision en présentant un sommaire des principaux résultats de la recherche, dont nous montrerons les implications pour le marketing. Mais, auparavant, notons quelques observations importantes sur le processus de décision des consommateurs.

De multiples processus de décision

Le processus suivi par un consommateur pour arrêter son choix n'est pas unique, pouvant s'éloigner à des degrés divers du processus de décision présenté à la figure 6.1. Examinons quelques-uns des facteurs qui entrent en ligne de compte.

Une question d'implication

La lourdeur du processus que suit (ou qu'est prêt à suivre) le consommateur dépend, entre autres choses, de son niveau d'implication personnelle : plus son implication est forte, plus il se livre (ou est prêt à se livrer) à une activité cognitive importante, par exemple visiter un site Web ou consulter des vendeurs. En situation de faible implication, le consommateur se contente d'un choix acceptable, davantage mû par une logique de minimisation des problèmes que de maximisation de l'utilité. Dans ce cas, les enjeux sont faibles, l'erreur peu pénalisante, le domaine de peu d'intérêt et ne méritant pas que l'on y consacre énergie et temps. Pensez à l'achat d'un baladeur audionumérique, puis d'un dentifrice. Croyez-vous suivre le même processus, être aussi impliqué dans un cas que dans l'autre ? Lorsque vous achetez du vin, vous sentez-vous fortement impliqué et appliqué à faire le meilleur choix ? En fait, cela peut être une question de situation. À l'idée d'amener une bouteille de vin chez un hôte très connaisseur, vous pourriez soudain être moins désinvolte que d'habitude et juger la situation suffisamment importante pour prendre davantage de temps et de réflexion dans le choix de cette bouteille.

Une question de produits

Les décisions des consommateurs n'ont pas toutes la même complexité. Par exemple, choisir un journal au dépanneur est une décision beaucoup plus facile à prendre que choisir un ordinateur pour la famille. Habituellement, le consommateur consacre plus d'efforts à l'achat de produits techniquement complexes dont le prix est élevé, dont l'utilisation présente des risques, et qui sont fortement connotés socialement ou encore, associés au concept de soi (à fort contenu symbolique). Repensez au choix d'un baladeur et d'un dentifrice. Cet exemple nous renvoie au lien entre les caractéristiques du produit et le niveau d'implication du consommateur à son égard, dont nous avons discuté au chapitre 2. Quant à l'exemple précédent sur le vin, il nous rappelle qu'au-delà des caractéristiques du produit, la situation elle-même peut générer plus ou moins d'implication.

Une question de situation

Pour illustrer l'influence de la situation dans laquelle se trouve le consommateur sur son processus de décision, qu'il nous suffise de mentionner qu'il y a parfois urgence, que le temps peut lui manquer et, qu'en conséquence, il doit alors faire un choix rapidement. Dans d'autres situations, par exemple lorsque le produit à acheter est associé à des objectifs personnels importants (image de soi, expression des valeurs, etc.), le processus de décision sera sans doute plus analytique.

Une question d'expérience

Le chercheur américain John Howard[4] a proposé il y a plusieurs années une classification intéressante des décisions d'achat. On y distingue trois types de décision d'achat, selon l'expérience des consommateurs.

Les achats routiniers Il s'agit de décisions d'achat que les consommateurs ont appliquées à plusieurs reprises. Ils connaissent bien la catégorie de produit, et procèdent donc à une recherche d'information minimale. Le choix de marque est presque automatique, effectué sur la base de l'ensemble évoqué (ce concept a été abordé au chapitre 3).

Les achats de difficulté modérée Il s'agit de décisions d'achat un peu plus difficiles à prendre. Les consommateurs ont une assez bonne connaissance de la catégorie de produit. Par exemple, ils savent distinguer les critères de choix déterminants, mais ils ne connaissent pas toutes les options sur le marché. L'ensemble évoqué n'est donc pas encore bien défini. Avant d'acheter, ils doivent procéder à une recherche d'information afin de choisir l'option la plus satisfaisante.

Les achats complexes Il s'agit de décisions d'achat où les consommateurs n'ont pas d'expérience. Ils ne savent que peu de choses sur la catégorie de produit et ne connaissent pas les différentes options offertes sur le marché. Ils doivent définir les critères de choix et positionner les marques par rapport à ces critères. Cela nécessite donc de collecter des informations en quantité suffisante.

La classification de Howard est fondée sur le rôle de l'expérience. Plus les consommateurs accumulent de l'expérience avec les produits et les marques, plus le processus d'achat tend à se simplifier. De façon dynamique, on peut voir derrière cette classification un processus d'apprentissage séquentiel. Les premiers achats d'un produit sont éventuellement complexes. Avec le temps, le consommateur acquiert des connaissances sur les critères de choix et les marques. L'expérience aidant, les achats futurs deviennent routiniers :

ACHAT COMPLEXE ⟶ ACHAT DE DIFFICULTÉ MODÉRÉE ⟶ ACHAT ROUTINIER

Il faut prendre garde de ne pas associer les types d'achats définis par Howard au type de produit (par exemple, achat d'une tablette de chocolat *versus* achat d'une automobile), perspective que nous avons abordée plus tôt. C'est l'**expérience** du consommateur envers la catégorie de produit et les marques qui est le facteur central de cette classification. Ainsi, en reprenant certains des exemples déjà utilisés selon la perspective, cette fois-ci, de l'expérience cumulée, nous pouvons dire que, pour tel consommateur expérimenté, l'achat d'une voiture sera un achat (presque) routinier, tandis que pour tel autre, l'achat d'une bouteille de vin sera un achat complexe.

L'influence des facteurs affectifs

On a beaucoup remis en question le côté logico-rationnel du processus de décision du consommateur et le manque de relativisation des facteurs cognitifs par rapport aux facteurs affectifs dans la décision. Dans le chapitre 2, nous avons abordé la perspective expérientielle de la consommation. Dans un article très cité auquel nous référions alors (publié en 1982 dans le *Journal of Consumer Research*), deux chercheurs américains, Morris Holbrook et Elizabeth Hirschman, ont vivement critiqué le modèle traditionnel présenté à la figure 6.1[5], page 187. Leur perspective expérientielle de la consommation campe un consommateur parfois bien éloigné de l'être rationnel en quête d'informations, les analysant, les pesant et les soupesant pour arriver à résoudre des problèmes et à effectuer des choix, comme le présente la perspective logico-rationnelle ; cet être est plutôt mû par un processus primaire de la pensée visant la recherche du plaisir et la gratification immédiate. Plutôt que de recourir à des critères de décision essentiellement utilitaires liés aux bénéfices économiques fournis par les produits ou les services, le consommateur, animé par une mentalité ludique, utilise des critères essentiellement esthétiques. Pour lui, l'utilité fonctionnelle est moins pertinente. Ses activités cognitives, au lieu de découler d'un travail logique basé sur un réseau de croyances mémorisées (un réseau sémantique) à l'intérieur de son processus de pensée, se rapportent à des processus plus subconscients et intimes, à un travail de l'imagination : la rêverie, les fantasmes, les images mentales.

Une publicité qui exploite la perspective expérientielle.

Examinez la publicité ci-haut qui exploite cette perspective. On vous invite à savourer une boisson Nestea tout en vous faisant miroiter la possibilité de gagner un voyage au Costa Rica. Notez comment on essaie de faire travailler votre imagination au moyen des images (la chute d'eau impressionnante) et des mots («Goûtez l'exotisme»). Appréciez maintenant le contraste avec la publicité ci-contre pour les vitamines Jamieson. Dans celle-ci, on cherche à activer vos capacités analytiques en tentant de vous démontrer la supériorité du produit.

La consommation n'est pas simplement affaire d'optimisation – choisir le produit ou le service qui satisfera le mieux ses besoins. Les consommateurs s'engagent dans des activités de consommation pour différents motifs : avoir du plaisir, socialiser, se détendre. En insistant sur les aspects logico-rationnels ou cognitifs de la décision d'achat, le modèle traditionnel de prise de décision délaisse des facettes importantes de la consommation qui ont trait, entre autres, aux sentiments de joie, d'excitation («ma première voiture!») ou de frustration qui accompagnent – et parfois dirigent – le processus d'achat. Autrement dit, il faut admettre que la perspective logico-rationnelle du processus de décision est une vision systématique et raisonnée de la façon dont les consommateurs s'engagent dans des activités de

Une publicité qui exploite la perspective analytique.

consommation. Cette vision est incomplète, car elle ignore les aspects sensoriels, imaginaires et émotionnels associés à la consommation.

La perspective expérientielle ne prétend pas remplacer l'approche cognitive et la perspective du traitement de l'information, mais se propose plutôt d'enrichir la compréhension du comportement du consommateur. À titre d'illustration, dans une étude réalisée par un chercheur américain, on a demandé à des consommateurs de choisir parmi un ensemble d'options payantes (par exemple, un aileron arrière, un système antivol) celles qu'ils achèteraient avec la voiture. La moitié d'entre eux ont été incités à accomplir cette tâche de façon rationnelle alors que les autres ont été encouragés à adopter un mode expérientiel («Mettez de côté votre raisonnement logique et décidez sur la base de vos émotions»). Les résultats ont montré que c'est dans le groupe rationnel que les efforts déployés ont été les plus grands. De même, les participants du groupe rationnel ont davantage pris en considération l'aspect monétaire des options proposées. Enfin, le nombre d'options choisies a été plus élevé en moyenne dans le groupe des consommateurs en mode expérientiel[6].

L'un des cas où l'on constate une influence prédominante des facteurs affectifs sur les facteurs cognitifs est celui des achats impulsifs. Nous vous invitons à consulter la capsule 6.1 pour prendre connaissance de ce phénomène particulier, mais qui représente cependant un pourcentage non négligeable des achats effectués par les consommateurs[7]. On s'intéresse maintenant de plus en plus à l'interaction entre les facteurs cognitifs et les facteurs affectifs dans la prise de décision. Lisez en ce sens la capsule 6.2, où il est question de choix entre du gâteau au chocolat et de la salade de fruits.

CAPSULE 6.1

Irrésistible!

Qui d'entre nous n'a senti un jour le besoin impérieux de s'offrir un produit dont l'achat n'avait pas été prévu? Pensez par exemple à ces produits dits «d'impulsion» qui se trouvent près des comptoirs-caisses des magasins. Même si les résultats des études sur le sujet varient de façon importante – le pourcentage estimé des achats non planifiés des consommateurs allant de 20% à 60% –, il est certain que les achats impulsifs représentent une proportion significative des ventes des magasins. Bien qu'il soit difficile de définir un achat impulsif, les chercheurs en comportement du consommateur s'entendent sur le fait qu'il s'agit de l'achat rapide, plus ou moins réfléchi, non planifié, d'un produit dont la personne n'avait pas préalablement besoin. Il se caractérise, entre autres, par une force soudaine qui pousse à acheter, une compulsion puissante et intense, une excitation et une stimulation, une sensation d'être bien ou mal, une absence de prise en compte des conséquences.

Pourquoi achète-t-on de façon impulsive? Il semble que certains consommateurs planifient davantage que d'autres l'achat des produits et des marques. Les premiers seraient moins portés à chercher des sensations, à apprécier le côté hédoniste du magasinage et à valoriser la possession matérielle. L'environnement physique joue aussi un rôle important, puisque les produits d'impulsion sont souvent localisés dans des endroits propices. Enfin, l'environnement social doit aussi être pris en compte, car on a montré que l'achat impulsif est plus probable lorsque les consommateurs pensent que les autres considèrent ce type de comportement comme acceptable.

Source: D.W. ROOK, «The Buying Impulse», *Journal of Consumer Research,* vol. 14, 1978, p. 189-199.

Le cœur et la raison

Les modèles traditionnels de prise de décision présupposent que les consommateurs sont des êtres rationnels qui cherchent à maximiser l'utilité de leurs décisions en les fondant sur la raison. Mais, pensez-y un peu : cela correspond-il à la façon dont vous faites généralement vos choix de consommation ? N'y a-t-il pas des situations où le cœur semble l'emporter sur la raison ? Comment le cœur et la raison interagissent-ils dans la prise de décision de consommation ? Deux chercheurs américains ont entrepris d'étudier la question. Selon eux, dans des situations où les ressources cognitives sont limitées, les réactions affectives devraient avoir un effet plus important sur la décision. Dans cette étude, on a demandé à des consommateurs de choisir entre un morceau de gâteau au chocolat (une option

supérieure sur le plan de la dimension affective – « une petite folie ») et une salade de fruits (une option supérieure par rapport à la dimension cognitive – « un choix raisonnable »). Dans une situation expérimentale où les ressources cognitives étaient limitées (les consommateurs devaient effectuer une tâche de mémorisation), 63 % des participants ont choisi le gâteau, comparativement à 41 % lorsqu'il n'y avait pas de contraintes cognitives.

Pouvez-vous proposer d'autres variables qui peuvent influer sur le type de processus de décision des consommateurs (cognitif *versus* affectif) ? Quelles sont les implications pour le marketing ?

Source : B. SHIV et A. FEDORIKHIN, « Heart and Mind in Conflict : The Interplay of Affect and Cognition in Consumer Decision Making », *Journal of Consumer Research,* vol. 26, 1999, p. 278-292.

Une question de stratégies

En économie, le concept de rationalité s'est vu remplacé par celui de rationalité limitée. Le consommateur est limité par ses connaissances, ses habiletés, ses valeurs, etc., et évolue dans un monde imparfait. Plutôt que de chercher à faire des choix optimaux, de toute façon illusoires, il se contente de solutions « satisfaisantes ». Au-delà même des situations de faible implication, il utilise, dans de nombreuses situations, des règles diverses de simplification de la décision, par exemple lorsqu'il subit une surcharge d'information (*information overload*). Nous exposerons quelques-unes de ces règles dans une section ultérieure.

D'une décision à de multiples décisions

Le processus de décision présenté à la figure 6.1 de la page 187 met l'accent sur le choix entre différentes marques d'un bien ou d'un service. Cela s'explique par le fait que ses concepteurs étaient des chercheurs en marketing préoccupés par la performance des marques dans un marché offrant plusieurs options en concurrence. Cependant, les décisions de consommation ne se limitent pas au seul choix de marques. Elles suscitent bien d'autres interrogations :

1. Quoi acheter ?
2. Quelle quantité acheter ?
3. Où acheter ?
4. Quand acheter ?
5. Comment acheter ?

Examinons brièvement chaque type de décision.

Quoi acheter ? Cette décision est fondamentale. On aborde généralement ce type de décision sous l'angle de la marque ; par exemple, décider quelle marque de téléviseur ou de bière on achètera. Cependant, cela correspond aussi à une décision de **répartition du budget disponible** entre différents postes de dépense.

Le tableau 6.1, à la page suivante, montre l'évolution, de 1969 à 2007, de la structure de consommation des ménages canadiens selon différents postes de dépense.

TABLEAU 6.1 L'évolution de la structure de consommation des ménages canadiens de 1969 à 2007 (en pourcentage)

Poste de dépense	1969	1978	1982	1986	1992	1996	2000	2003	2007
Alimentation	18,9	17,0	15,3	14,3	12,6	12,2	11,1	11,1	10,4
Logement	15,8	16,5	17,5	16,1	17,9	17,3	18,8	18,9	19,5
Entretien ménager, ameublement	7,9	8,3	7,9	7,9	7,4	7,2	7,3	7,6	7,5
Habillement	8,8	7,2	6,1	6,3	4,9	4,3	4,2	4,0	4,2
Transport	12,5	13,0	12,1	13,2	12,5	12,3	13,6	13,7	13,4
Soins personnels et de santé	5,5	3,7	3,7	3,7	3,8	3,8	3,7	4,0	4,4
Loisirs, lecture	4,7	5,7	5,3	5,6	5,6	5,9	6,2	6,4	6,0
Éducation	0,9	0,6	0,7	0,8	1,0	1,1	1,5	1,6	1,5
Tabac et alcool	3,8	3,3	3,3	3,2	3,1	2,3	2,2	2,4	2,2
Divers	1,6	2,5	2,9	2,6	2,9	2,9	2,0	1,9	2,0
TOTAL DES DÉPENSES	**80,4**	**77,7**	**74,8**	**73,9**	**71,7**	**69,4**	**70,6**	**71,6**	**71,1**
Impôts personnels	12,6	15,5	17,9	18,5	20,1	21,8	21,5	20,2	20,7
Sécurité, assurances	4,4	4,2	4,3	4,5	5,1	5,3	5,6	5,7	5,6
Dons et contributions	2,7	2,5	3,0	3,2	3,2	3,5	2,3	2,5	2,6
	100,0	100,0	100,0	100,0	100,0	100,0	100,0	100,0	

Source: Statistique Canada.

Il est intéressant de noter quelques changements importants dans certains postes. Ainsi, on remarque que la part des dépenses attribuée à l'habillement a diminué de façon significative au cours des dernières décennies. Cela s'explique en partie par le fait que les familles sont moins nombreuses, mais cela reflète aussi certains changements sociaux significatifs, tels que l'importance moins grande attachée à l'apparence au profit de l'authenticité et l'influence croissante des loisirs. La part des dépenses attribuée au logement a par contre augmenté significativement, passant de 15,8 % en 1969 à 19,5 % en 2007. Un plus grand nombre de familles canadiennes possèdent une maison de nos jours, et les dépenses associées à la propriété sont plus élevées que dans le cas d'une location. Quels autres changements dans les postes de dépense affichés dans le tableau 6.1 vous semblent significatifs ? Comment pouvez-vous les expliquer ?

Le processus par lequel les consommateurs répartissent leurs dépenses entre les différents postes n'a pas été beaucoup étudié[8]. Il est probable que la répartition finale ne résulte pas d'une décision globale de répartition mais d'un ensemble de choix de consommation effectués de façon continue. Les consommateurs n'ont pas tous la même marge de manœuvre financière. Pour certains, les contraintes de budget ne sont jamais considérées alors que pour d'autres, c'est une préoccupation constante.

Quelle quantité acheter? La décision de la quantité à acheter est courante. Elle s'applique bien sûr aux biens d'usage courant comme les produits alimentaires et les vêtements, mais aussi aux biens plus importants comme la voiture (devrions-nous en avoir une ou deux? peut-être trois?) et au logement (un appartement à Montréal et une maison en banlieue? une deuxième résidence à la campagne?). La décision de la quantité à acheter dépend de plusieurs facteurs.

1. **La rareté:** par exemple, en 1999 au Québec, on a noté une augmentation significative du nombre moyen de bouteilles de champagne achetées par les consommateurs, parce que ces derniers avaient peur d'en manquer pour célébrer le nouveau millénaire.

2. **Le prix, les économies, les rabais:** par exemple, les magasins SAQ Dépôt de la Société des alcools du Québec offrent une remise de 15% à l'achat de 12 bouteilles et plus.

3. **Les circonstances diverses:** par exemple, des amis viennent vous rendre visite, et vous les invitez à partager un repas.

4. **Le style de l'acheteur:** certaines personnes aiment faire provision d'un même produit.

5. **Le lieu de l'achat:** par exemple, dans certains magasins entrepôts tels que Costco, les consommateurs sont forcés d'acheter en grande quantité.

Où acheter? Une autre décision importante concerne l'endroit où l'achat sera effectué. Cette décision est indissociable du choix d'une marque. Notons d'abord que deux produits identiques ne seront pas nécessairement perçus de la même façon s'ils proviennent d'endroits différents. Par exemple, un système de cinéma maison acheté à la suite des explications du vendeur et installé par ses soins à domicile n'est pas le même produit que le même système acheté dans un magasin à escompte. Par ailleurs, le lieu d'achat est associé à une expérience particulière qui peut représenter une valeur ajoutée aux yeux du consommateur. Par exemple, un catalogue acheté sur les lieux d'une exposition revêt une plus grande valeur (sentimentale) que le même catalogue acheté en librairie ou commandé par la poste.

Ce qu'un consommateur achète est donc étroitement lié à l'endroit où il décide d'acheter. Pour certains types de produits, par exemple des vêtements, le consommateur décidera d'abord du lieu d'achat et ensuite de la marque, alors que pour d'autres, par exemple un appareil photographique, il pourra faire l'inverse. Certains lieux d'achat sont naturellement associés dans l'esprit des consommateurs à des catégories de produits en particulier et parviennent difficilement à s'imposer comme des endroits où on peut s'en procurer d'autres types. Par exemple, pour la plupart des consommateurs, les magasins Future Shop sont synonymes de «produits électroniques»

Une publicité qui informe le consommateur de la disponibilité de certains produits dans des magasins.

uniquement. Pourtant, on y vend aussi des appareils électroménagers, comme la publicité de la page précédente s'empresse de l'annoncer.

Quand acheter? La décision relative au moment de l'achat est courante, elle aussi. Le moment choisi dépend de plusieurs facteurs.

1. **L'urgence:** par exemple, le lave-vaisselle ne fonctionne plus.

2. **La disponibilité, l'offre, la saisonnalité:** certains consommateurs changent toujours leur voiture à l'automne, lorsque les nouveaux modèles arrivent.

3. **Les rabais:** les ensembles de ski coûtent moins cher en fin de saison.

4. **Les contraintes diverses:** elles sont multiples: heures d'ouverture, disponibilité d'un moyen de transport, présence du conjoint ou des enfants, etc.

5. **Le style de l'acheteur:** certains consommateurs sont impulsifs alors que d'autres sont réfléchis.

Comment acheter? Enfin, il faut noter que les consommateurs ont l'embarras du choix quant à la façon dont ils peuvent se procurer des produits: en magasin, par catalogue, à la télévision ou dans Internet. En outre, ils peuvent payer comptant ou en utilisant une carte de débit, porter les montants dépensés au compte de leur carte de crédit ou encore payer par versements.

En conclusion, le processus de décision du consommateur présenté à la figure 6.1 de la page 187 est une représentation grandement simplifiée des étapes et des événements qui se produisent lors d'une décision d'achat. Par sa construction, ce processus met l'accent sur le choix de la marque, mais il est certain que la consommation implique de multiples décisions à différents niveaux.

Dans le reste du chapitre, nous examinerons chaque étape du processus de décision décrit à la figure 6.1, mais en conservant présents en mémoire les éléments que nous venons de mentionner.

6.2 La reconnaissance d'un problème

La première étape du processus de décision est celle de la reconnaissance d'un problème (*voir la figure 6.1, page 187*). C'est à cette étape que le consommateur perçoit un besoin qu'il entreprend de satisfaire. Il est intéressant de noter que l'on parle d'un «problème», comme si l'être humain ne faisait que réagir à ce qui lui arrive. Or, nous l'avons vu, si les consommateurs cherchent parfois à combler des manques ou à résoudre des problèmes, ils peuvent aussi prendre les devants et chercher des stimulations dans leur environnement. C'est pourquoi certains auteurs en comportement du consommateur préfèrent définir cette étape comme celle de l'éveil d'un besoin. Par exemple, la fin de session arrive, les cours sont terminés, vous avez le goût de vous acheter un roman à lire durant la fin de semaine. Ce désir émane-t-il d'un problème? Ou ne serait-ce pas plutôt un prétexte pour vous récompenser, pour vous offrir un petit plaisir, un petit luxe? À moins que ce ne soit pour vous un rite de passage à autre chose. Vous pourriez même avoir décidé que, dans les circonstances, vous méritiez de vous offrir un grand luxe, un grand plaisir. De la tasse de café à la barre de chocolat, du roman au concert, du voyage en Europe à la voiture, de nombreux produits vous sont offerts sur le marché à titre de petits ou grands luxes, de petits ou grands plaisirs, de petites ou grandes émotions... que vous méritez bien (slogan destiné à faire taire votre éventuel sentiment de culpabilité)[9].

Nous allons néanmoins parler de reconnaissance d'un problème, en retenant que ces termes sont empreints de rationalité et même d'un certain négativisme. Le mot important ici est «reconnaissance». Qu'il y ait problème ou non, le consommateur reconnaît qu'il a un objectif à atteindre.

Les chercheurs en comportement du consommateur ont tenté de cerner les déterminants de la reconnaissance d'un problème pour mieux comprendre cette étape et éventuellement l'influencer[10]. La conception la plus courante propose que la reconnaissance d'un problème résulte de la perception d'un écart entre un état actuel et un état désiré :

ÉTAT DÉSIRÉ > ÉTAT ACTUEL ⟶ RECONNAISSANCE D'UN PROBLÈME

Ainsi, lorsque le consommateur perçoit un écart entre un état désiré (par exemple, avoir du plaisir) et l'état actuel (par exemple, être stressé), un problème est reconnu et une solution est envisagée (par exemple, sortir en ville). La reconnaissance d'un problème est toutefois de nature personnelle. Telle personne percevra un problème dans une situation alors que telle autre ne le verra pas ainsi. Et même si, à première vue, certains problèmes semblent plus petits, plus légers, plus superficiels que d'autres, il n'en reste pas moins que c'est le consommateur qui juge de leur degré de gravité, d'importance, de sérieux et les ressent comme tels.

La reconnaissance d'un problème est stimulée par plusieurs facteurs individuels et circonstanciels. Parmi les variables individuelles, on peut citer la sensibilité à l'influence sociale et le besoin de variété. Plus on est sensible à l'influence des autres, plus la probabilité est grande de se rallier à leur avis et de vouloir les imiter en matière de consommation. Par conséquent, plus les besoins risquent d'être nombreux. De même, certains consommateurs sont davantage tentés par les expériences nouvelles que d'autres. Le besoin de variété motive les consommateurs à acheter des produits et des marques différentes, donc à reconnaître des problèmes à résoudre. Notons cependant que la recherche de variété peut aussi être associée à la reconnaissance d'occasions à saisir dans l'environnement, à un comportement d'exploration et à un esprit de découverte. Ce qui nous ramène alors à la perspective expérientielle. Encourager l'exploration et la découverte d'un nouveau produit, n'est-ce pas le genre d'invitation que lancent souvent les spécialistes en marketing aux acheteurs potentiels ?

Quant aux facteurs circonstanciels, plusieurs agissent sur la reconnaissance d'un problème : les **achats antérieurs** (par exemple, l'achat d'une première voiture entraîne la reconnaissance d'une série de besoins : assurances, pneus d'hiver, entretien, etc.), l'**épuisement des stocks** (ne plus avoir de dentifrice), le **bris d'un produit** (la tondeuse ne fonctionne plus), la **mode** (la couleur grise est à la mode cet automne), l'**anticipation de revenus** (jour de paie, jour de magasinage) et **différents événements** tels que les anniversaires, les naissances, les déménagements, etc.

Une des tâches essentielles du marketing consiste à découvrir les problèmes des consommateurs et à concevoir des produits et des services pour les résoudre. Vous voilà aux prises avec les premiers symptômes de la grippe : pourquoi ne pas utiliser Oscillo (comme l'expose l'encadré à la page suivante) ? Vous avez la peau sèche ? La lotion hydratante Curel pourrait faire l'affaire. À moins que ce ne soient des pellicules ? Le shampooing antipelliculaire Nizoral sera alors conseillé. De nombreux produits sont offerts sur le marché sous le couvert de représenter la solution (plus ou moins efficace, plus ou moins surfaite) aux problèmes des consommateurs. L'une des stratégies employées par certaines compagnies est de dramatiser les problèmes que vous éprouvez afin de les rendre plus importants à vos yeux et de vous impliquer davantage à leur sujet.

AUSSITÔT OSCILLO !

Une publicité qui montre une solution à un problème saisonnier.

Les besoins des consommateurs sont multiples et dépendent d'un grand nombre de facteurs. L'objectif de la publicité est souvent de contribuer à l'éveil des besoins et de proposer des produits pour les satisfaire. La publicité ci-dessus est un exemple de cette stratégie de communication appliquée à l'étape de reconnaissance d'un besoin. Elle s'inscrit dans le cadre d'un problème récurrent et saisonnier (et très québécois): la grippe. Plutôt que d'essayer de convaincre le consommateur qu'il a un besoin, la publicité d'Oscillo constate l'existence d'un problème et propose une solution qui donne des résultats. Cette illustration montre toute l'importance qu'il y a pour une firme de savoir à quel moment il convient de proposer au consommateur le produit approprié.

La conception de nouveaux produits ne passe pas toujours par une analyse systématique des problèmes des consommateurs. Certains produits à succès ont été créés grâce à l'intuition d'une personne (par exemple, les aliments en pot pour bébés) ou par hasard (par exemple, les *post-it* de la compagnie 3M), alors que d'autres découlent de développements technologiques (par exemple, la fibre optique et Internet). Il existe cependant des approches rigoureuses qu'utilisent les responsables du marketing afin de découvrir les problèmes potentiels des consommateurs.

L'analyse des activités À l'aide d'entrevues de groupe (*voir le chapitre 2*) ou d'entrevues individuelles, on procède à l'analyse d'une ou de plusieurs activités afin de déceler des occasions de créer des nouveaux produits.

À titre d'illustration, considérons l'activité qui consiste à transporter divers objets dans le coffre arrière d'une voiture. L'analyse détaillée de cette activité peut faire ressortir un ou des problèmes importants. Ainsi, la taille des objets transportés peut empêcher le coffre de fermer complètement. Dans ce cas, les consommateurs utilisent divers stratagèmes pour éviter que la porte du coffre ne vienne endommager l'objet ou que la porte elle-même ne soit abîmée : corde ou ficelle, ruban, élastique à crochets, etc. Une solution à ce problème serait une sorte de colonne en plastique léger et solide, munie de pinces à chaque extrémité pour tenir la porte du coffre bien en place. Ce produit (qui n'est pas encore commercialisé, avis aux entrepreneurs !) est illustré à la figure 6.2. Cet exemple montre la façon dont on peut concevoir des produits utiles en examinant simplement les activités courantes des consommateurs.

L'analyse des produits Dans ce type d'étude, on demande à des consommateurs de décrire en détail la manière dont ils utilisent divers produits et on essaie de trouver des problèmes susceptibles d'être résolus.

D'autres méthodes permettant d'élaborer de nouveaux produits sont abordées au chapitre 10, qui traite, entre autres choses, de l'innovation.

FIGURE 6.2 Une invention destinée à maintenir en place la porte du coffre arrière d'une voiture

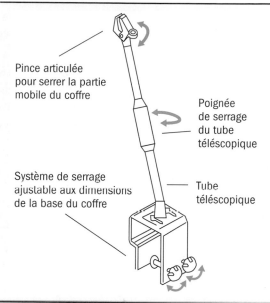

Pince articulée pour serrer la partie mobile du coffre

Poignée de serrage du tube téléscopique

Système de serrage ajustable aux dimensions de la base du coffre

Tube téléscopique

6.3 La recherche de l'information

Vous vous inquiétez à propos de la santé des enfants ? Examinez la publicité ci-contre. Elle vous invite à consulter le site Web *À mon meilleur* (www.eps-canada.ca/amonmeilleur) pour vous permettre d'en savoir davantage sur la façon de maintenir les enfants en bonne santé. Le réseau Internet représente pour les consommateurs une bibliothèque extraordinaire, bien que la qualité et la crédibilité de l'information y soient parfois remises en question. Cette publicité montre l'importance que la recherche d'information peut jouer dans le processus de décision des consommateurs. Dans la perspective logico-rationnelle, une décision devrait normalement être fondée sur des informations. Nous allons examiner quatre aspects fondamentaux de cette étape du processus de décision : les différents types de recherche, la nature de l'information recherchée par les consommateurs, les sources d'information utilisées et le degré de recherche.

Les différents types de recherche de l'information

Pendant longtemps, les chercheurs en comportement du consommateur se sont limités à l'étude de la recherche de l'information externe, c'est-à-dire celle obtenue auprès

Une publicité qui invite à s'informer davantage.

de différentes sources telles que les amis, les vendeurs, les revues spécialisées et, de nos jours, Internet. La recherche externe est une activité essentielle du processus de décision, mais comme nous l'avons appris dans le chapitre 4, les consommateurs font aussi appel aux informations stockées dans leur mémoire à long terme. C'est ce que l'on appelle la recherche interne. Ainsi, dans le cas d'un achat routinier, le consommateur n'a qu'à se rappeler sa marque préférée avant de faire l'achat.

La figure 6.3 montre la manière dont les deux types de recherche (interne et externe) sont mis en œuvre et se complètent[11]. Selon cette conception, les consommateurs procèdent d'abord à une recherche interne. Si les informations en mémoire ne sont pas suffisantes, s'il y a des informations pertinentes dans l'environnement et, enfin, si les bénéfices attendus excèdent les coûts, les consommateurs procèdent ensuite à une recherche externe.

FIGURE 6.3 La mise en œuvre de la recherche interne et externe de l'information

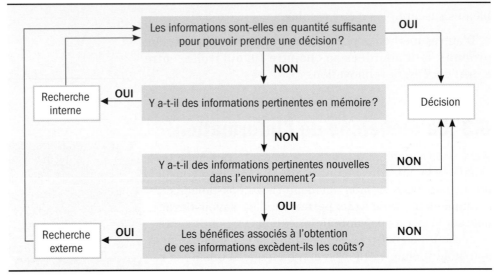

D'après cette approche, les informations utilisées par le consommateur peuvent provenir de la mémoire ou de sources diverses. Ainsi, le fait que ce dernier n'ait pas consulté de sources externes ne signifie pas obligatoirement qu'il ait pris sa décision d'achat sans analyser des informations. Il est possible qu'une recherche interne ait été suffisante. Notons que la séquence présumée «RECHERCHE INTERNE ⟶ RECHERCHE EXTERNE» est une façon simplifiée de voir les choses. En réalité, il y a sans doute un va-et-vient entre les deux types.

Les premières études qui ont porté sur la recherche externe de l'information par les consommateurs se sont concentrées sur les situations dans lesquelles la recherche est effectuée en vue d'un achat précis. Par exemple, on a voulu savoir combien de sources d'information différentes étaient consultées avant l'achat d'une voiture, d'une maison, d'un appareil ménager, etc. Cependant, cette vision des choses est restrictive, car les consommateurs peuvent faire l'acquisition d'informations externes alors qu'ils ne sont pas engagés dans un processus de décision. Ainsi, ils peuvent rassembler des données à propos d'un produit même s'ils ne songent pas à ce moment-là à faire un achat (il s'agit alors d'un apprentissage latent). Par exemple, même si un consommateur ne souhaite pas acheter un livre électronique (*wireless reading device*) dans l'immédiat, il peut néanmoins accumuler des informations sur ce type de produit au cas où il déciderait un jour d'en acheter un, ou tout simplement parce qu'il s'intéresse beaucoup à ce genre de produit et aime être au courant des dernières nouveautés en la matière.

Il est donc important de distinguer deux types de recherche externe d'information, dont les motifs sous-jacents sont différents : la recherche en vue d'un achat **précis** et la recherche **continue**[12]. L'objectif le plus important de celui qui cherche de l'information en vue d'un achat est de faire un meilleur achat. Dans le cas de la recherche continue, il s'agit d'accumuler des données utiles ou encore d'avoir du plaisir. Plus l'achat est important, plus la recherche externe sera grande. Le degré de recherche continue sera plutôt influencé par l'intérêt envers la catégorie de produit. Ajoutons que, si les informations accumulées peuvent résulter d'un **apprentissage délibéré,** elles peuvent aussi être le fruit d'un **apprentissage fortuit (**par exemple, un consommateur qui capterait une conversation entre un client et un vendeur à propos d'un produit).

La nature de l'information recherchée

Les informations recherchées par les consommateurs peuvent être de toutes sortes : le prix, la garantie, la performance, etc. En général, il importe de distinguer celles qui concernent les critères de choix (quels critères dois-je utiliser pour faire un choix ?), les options disponibles (quelles sont les marques disponibles sur le marché ?) ainsi que la position des options par rapport à ces critères de choix.

Illustrons cela à l'aide d'un exemple fictif. Supposons qu'un consommateur veuille s'acheter une minichaîne stéréo et qu'il ne connaisse à peu près rien de cette catégorie de produit. Afin de prendre une décision éclairée, il doit établir les critères de choix importants. Dans le cas de ce type de produit, il y a plusieurs possibilités : le prix, la garantie, la présence d'une platine cassette, la portabilité, le type d'alimentation, la présence d'une radio, le nombre de disques audionumériques que la chaîne peut contenir, les fonctions du lecteur de disques, le poids, la présence d'un réveil, etc. Le consommateur apprendra aussi qu'il existe plusieurs marques : Panasonic, Samsung, Philips, JVC, etc., et que chacune se positionne différemment par rapport aux critères de choix. Certaines marques offrent un dongle Wi-Fi, d'autres non, certaines peuvent contenir trois disques, d'autres un seul, les prix sont différents, etc.

Le tableau 6.2, à la page suivante, montre la position de six marques de minichaînes stéréo par rapport à cinq critères de choix. Il offre un sommaire des informations que le consommateur pourrait avoir recueillies en prévision de sa décision d'achat.

Notons que cet exemple est grandement simplifié. En effet, les informations ne se présentent habituellement pas sous cette forme matricielle et de façon si immédiate. Elles peuvent être plus nombreuses et dispersées, concerner à la fois des critères objectifs et subjectifs (par exemple, le design), ne pas être facilement disponibles, être déformées (par exemple, influencées par l'opinion d'un vendeur) et être plus ou moins abstraites (par exemple, « cette chaîne coûte cher »). Notons aussi que les informations contenues dans le tableau 6.2 font référence à des attributs dont l'interprétation ne nécessite pas une expérience de consommation.

TABLEAU 6.2 La position de six marques de minichaînes stéréo par rapport à cinq critères de choix

Marque	Prix	Nombre de disques	Dongle Wi-Fi	Platine cassette	Poids (kilos)
Panasonic	375 $	3	Oui	Simple	5,0
Venturer	250 $	1	Non	Simple	3,0
RCA	300 $	1	Oui	Double	5,0
Sharp	325 $	1	Oui	Double	6,0
JVC	350 $	3	Non	Simple	6,0
Sony	400 $	1	Oui	Double	4,0

Dans le cas de nombreux produits de consommation, cependant, l'expérience sensorielle est cruciale. Par exemple, l'odeur est un attribut sensoriel de première importance au moment de l'achat d'un parfum. Dans le cas des minichaînes stéréo, la qualité du son est certainement un attribut important pour les acheteurs potentiels. Les consommateurs accordent généralement une grande valeur aux attributs sensoriels comme le goût et le son, même si ceux-ci sont souvent ambigus. Cependant, comme nous l'avons vu dans le chapitre 3, ils ne sont pas toujours capables de bien évaluer un attribut sensoriel comme la qualité du son d'un système audio. Pour qu'un attribut sensoriel soit utile dans un processus de choix, il faut qu'il soit bien interprété (qu'est-ce qu'un son de bonne qualité?) et bien encodé dans la mémoire. Ensuite, si des comparaisons doivent être faites entre différents systèmes, il faut que l'expérience sensorielle puisse être correctement recouvrée dans la mémoire. La qualité du son d'un système audio est cependant un attribut complexe, difficile à encoder, et dont le recouvrement dans la mémoire est sujet à des distorsions. Cela peut avoir des conséquences négatives sur la décision finale.

Enfin, il faut noter que, dans l'exemple du tableau 6.2, les marques sont comparées par rapport aux mêmes critères de choix. Or, en réalité, il n'est pas toujours possible d'établir ces comparaisons. Certains critères de choix peuvent être associés à une seule marque ou à un sous-ensemble de marques, ce qui rend les comparaisons difficiles. À titre d'illustration, il est très difficile de comparer les offres des fournisseurs de téléphonie cellulaire, car leurs forfaits sont établis différemment. Nous reviendrons sur l'exemple des minichaînes stéréo un peu plus loin dans ce chapitre, lorsque nous discuterons des règles de décision des consommateurs.

Les différentes sources d'information

Nous savons que la recherche d'information est à la fois interne et externe. La mémoire des achats précédents, des expériences personnelles et des apprentissages fortuits constitue la source interne, tandis qu'en matière de recherche externe, on distingue quatre sources importantes d'information:

1. **Les sources personnelles non commerciales:** par exemple, les amis, les collègues, la famille, les internautes (*voir l'encadré intitulé* «meilleursprix.ca»).

2. **Les sources indépendantes :** par exemple, les agences gouvernementales, les associations de consommateurs, plusieurs sites Web dans Internet (*voir l'encadré intitulé* «Les avis des "authentiques voyageurs" sur le Net»).

3. **Les sources commerciales :** par exemple, les vendeurs, la publicité, plusieurs sites Web dans Internet.

4. **Les sources «expérientielles» :** par exemple, les essais (réels ou virtuels) de produits, l'inspection en magasin.

MEILLEURSPRIX.CA

Beaucoup de décisions de consommation sont prises de façon quasi automatique, avec un minimum d'informations. Certaines sont cependant plus difficiles à prendre, car elles impliquent des risques financiers et psychologiques plus grands. Dans ces situations, le consommateur cherche à réduire l'incertitude en recueillant des renseignements qui faciliteront son choix.

Les sources d'information sont multiples : publicité, vendeurs, revues spécialisées, amis, etc. En fait, la recherche d'information constitue souvent un problème en soi : où commencer ? Qui croire ? Comment distinguer ce qui est utile de ce qui ne l'est pas ? Parfois, on a la chance de trouver des analyses synthétiques, des tableaux sommaires (par exemple, dans une revue ou un journal), mais bien souvent, on ne sait pas trop comment s'y prendre.

L'avènement du réseau Internet a transformé radicalement les choses. Le site meilleursprix.ca (www.meilleursprix.ca) en est un exemple intéressant. Ce site vise à aider les acheteurs à trouver les meilleurs prix possible en mettant à leur disposition des données objectives sur les produits et les marques. Prenez quelques instants dès à présent pour parcourir ce site et procéder à des essais (par exemple, essayez de trouver un ordinateur portatif qui vous convienne).

Comparativement à d'autres moyens de rassembler des données sur les produits et les services, les principaux avantages d'un tel site sont les suivants :

1. Toutes les informations sont disponibles en un seul lieu.

2. L'internaute décide lui-même des critères d'inclusion et d'exclusion pour acquérir ces informations (par exemple, par marque, par intervalle de prix).

3. Il n'y a pas de pression pour favoriser certaines marques ou certains marchands aux dépens des autres (le site contient cependant des publicités).

LES AVIS DES «AUTHENTIQUES VOYAGEURS» SUR LE NET

Avec le Web 2.0 interactif, participatif et qui favorise le partage de l'information et de divers types de matériaux (vidéos, photos, cartes, etc.), le contenu généré par les utilisateurs, les consommateurs ou les clients est devenu de plus en plus abondant et employé par les internautes pour éclairer leurs choix. Vous avez décidé de partir au soleil des Caraïbes, mais vous hésitez sur le choix de votre destination ou de votre hôtel. Comme de nombreux voyageurs, vous irez peut-être sur le site de Tripadvisor. com pour obtenir l'avis d'«authentiques voyageurs» (expression utilisée sur le site), une source non commerciale qui apparaît donc pour beaucoup comme plus crédible parce que désintéressée. Sur ce site, ces authentiques voyageurs racontent, en quelques lignes ou avec de multiples détails, leur expérience de clients d'un hôtel. Leurs récits, parfois très éloquents, parfois illustrés par des photos, peuvent toucher le voyageur potentiel qui les consulte. En effet, ces voyageurs décrivent de façon imagée des aspects très concrets, exprimant une déception, formulant une plainte, faisant part d'une surprise désagréable (une plage «mangée par les ouragans» ; un «service à la plage et autour de la piscine épouvantable. Pour une chambre dite supérieure, la chaise longue était plus confortable que le matelas du lit. Les fourmis abondantes partout dans la chambre»), ou exprimant la satisfaction, témoignant d'une agréable surprise, d'une particularité très appréciée (l'hôtel «situé à 7 minutes de l'aéroport» ; «pas besoin de marcher longtemps pour arriver aux chambres» ; «les chambres sont toujours propres et aucun problème d'eau chaude. Maintenant la plage... que dire sinon qu'elle est fantastique» ; «il est possible de s'avancer tout doucement dans l'eau, graduellement sans crainte»). De plus, le site Tripadvisor. com affiche l'évaluation globale de satisfaction des voyageurs sur une échelle de mesure en 5 points et un classement de l'hôtel.

Un grand nombre d'études en marketing ont porté sur la recherche de l'information. Ces études ont généralement examiné l'achat de biens durables tels que les automobiles, les meubles et les appareils ménagers, c'est-à-dire des catégories de produits où l'on s'attend à ce que les consommateurs recherchent des informations avant d'acheter. Dans une étude souvent citée, deux chercheurs américains, Westbrook et Fornell, ont défini quatre groupes types de consommateurs au moment de l'achat d'appareils ménagers[13]. Le premier groupe (environ 20 % des consommateurs) est constitué de ceux qui consultent leur entourage. Avant d'acheter, ils en parlent à leurs amis et aux membres de leur famille, et visitent en moyenne un ou deux magasins. Le deuxième groupe (30 %) comprend les consommateurs qui magasinent de façon intensive (quatre ou cinq magasins) avant d'acheter. Le troisième groupe (20 %) comprend les consommateurs qui recherchent des informations objectives. Plutôt que de s'informer auprès des amis ou de la famille, ils lisent des dépliants spécialisés (comme le magazine *Protégez-vous*) et font passablement de magasinage (trois ou quatre magasins en moyenne). Le dernier groupe (30 %) est formé des consommateurs qui font très peu de recherche. Ils ne s'informent pas auprès de leur entourage, visitent en moyenne un seul magasin et font une recherche limitée d'informations objectives.

Quelles sont les caractéristiques des consommateurs qui recherchent de l'information ? Dans une étude impliquant des consommateurs allemands, norvégiens et américains, on a trouvé que la recherche d'information est associée de façon positive aux revenus, à l'éducation, à la lecture de revues et de journaux et aux exigences de performance. Elle est associée de façon négative à l'attitude envers la publicité et l'innovation[14]. Dans une étude réalisée auprès d'un échantillon d'amateurs de cinéma au Québec, on a trouvé que la consultation des critiques de films (une forme de recherche d'information) est associée positivement à la sensibilité à l'influence sociale et négativement à l'estime de soi et à l'implication personnelle envers le cinéma[15]. Nous verrons dans la section suivante que plusieurs variables influencent la recherche d'information.

Le degré de recherche

La plupart des achats que nous faisons sont routiniers ou de difficulté modérée. Dans ces situations, la recherche d'information est limitée, voire nulle. C'est pourquoi les études réalisées par les chercheurs en marketing se sont surtout centrées sur des achats importants tels que l'automobile, les appareils ménagers ou les services professionnels. Dans ces études, on mesure le degré de recherche d'information à l'aide de différents indices comme le nombre de magasins visités, d'options considérées ou de sources consultées. On peut employer aussi une combinaison de ces indices.

Les deux principaux résultats de ces études sont les suivants : premièrement, la recherche d'information varie grandement d'un consommateur à l'autre ; deuxièmement, la recherche tend à être limitée, puisque la plus grande proportion de consommateurs fait très peu de recherche avant l'achat.

Le tableau 6.3 présente un sommaire de huit études importantes réalisées au cours des six dernières décennies[16]. On constate qu'à l'exception des travaux de Kiel et Layton (automobiles), Urbany, Dickson et Wilkie (appareils ménagers) et Klein et Ford (automobiles), les études ont montré que plus de 50 % des consommateurs ne font pas de recherche d'information avant l'achat. En moyenne, près

TABLEAU 6.3 Le degré de recherche d'information : résultats de huit études

Chercheurs	Année	Pays	Type de produit	Pourcentage de consommateurs selon le degré de recherche		
				Aucune recherche	Recherche limitée	Recherche extensive
Katona /Mueller	1955	États-Unis	App. ménagers	65 %	25 %	10 %
Newman /Staelin	1972	États-Unis	App. ménagers	49 %	38 %	13 %
Claxton /Fry /Portis	1974	États-Unis	App. ménagers	65 %	27 %	8 %
Kiel /Layton	1981	Australie	Automobiles	24 %	58 %	18 %
Urbany /Dickson /Wilkie	1989	États-Unis	App. ménagers	31 %	57 %	12 %
Freiden /Goldsmith	1989	États-Unis	Serv. professionnels	55 %	38 %	7 %
Soutar /McNeil	1995	Australie	Serv. Professionnels	53 %	35 %	12 %
Klein/Ford	2003	États-Unis	Automobiles	40 %	40 %	20 %
Moyenne				47,8 %	39,7 %	12,4 %

de 40 % des consommateurs font une recherche limitée et seulement 12 % procèdent à une recherche extensive.

Ces résultats nous amènent à nuancer nos propos sur le lien entre le degré d'implication par rapport à un produit et le temps et l'énergie consacrés à faire un choix. Pourquoi les consommateurs font-ils si peu de recherche d'information même lorsqu'ils sont engagés dans le processus d'achat de produits importants tels qu'une automobile ou un réfrigérateur ? On peut avancer plusieurs raisons. Ainsi, certains consommateurs font confiance à un magasin ou à un vendeur, et ne voient pas l'intérêt d'aller voir ailleurs. Parfois, le temps manque pour entreprendre une recherche rigoureuse. Il se peut aussi que les informations soient difficiles à rassembler. Les chercheurs qui ont travaillé dans ce domaine croient que l'explication la plus générale est que les consommateurs qui font peu de recherche d'information ou qui n'en font pas du tout perçoivent que ça n'en vaut pas la peine. Autrement dit, les consommateurs procéderaient à une comparaison des coûts et des bénéfices afin de savoir si les coûts de la recherche (temps, argent et investissement psychologique) sont compensés par les avantages possibles qu'ils retireront des efforts déployés en vue d'acquérir des informations. Comme on le voit, il semble que, pour la majorité des consommateurs, ce ne soit pas le cas.

L'hypothèse de l'analyse coûts-bénéfices est séduisante par sa simplicité, mais elle ne doit pas nous faire oublier qu'un grand nombre de variables influencent le degré de recherche d'information. Le tableau 6.4, à la page suivante, en présente une liste non exhaustive. Ces variables peuvent être divisées en deux groupes : celles qui sont relatives à la personne (habiletés, traits personnels et caractéristiques sociodémographiques) et celles qui sont reliées à l'environnement (tâche et situation). Pour chaque variable, on propose une relation positive (+) ou négative (−) avec le degré de recherche d'information.

TABLEAU 6.4 Quelques déterminants du degré de recherche externe

Variables personelles	Variables de l'environnement
Habiletés et expériences Facilité à traiter les informations (+) Expérience du consommateur (−)	**Tâche** Nombre d'options sur le marché (+) Différences entre les options (+) Nombre de critères de choix à considérer (+) Accessibilité des informations (+)
Attitudes et préférences Fidélité (marques, magasins) (−) Exigences de performance (+) Attitude envers le magasinage (+)	**Situation** Temps disponible (+) Importance de l'achat (+) Risque perçu (+)
Traits de personnalité Confiance en soi (−) Ouverture d'esprit (+) Sensibilité à l'influence sociale (+) Caractère innovateur (+)	
Caractéristiques sociodémographiques Âge (−) Revenus (+) Éducation (+)	

Concluons cette discussion par deux observations importantes. Premièrement, beaucoup d'études ont cherché à expliquer le « degré » de recherche d'information par les consommateurs. Ces études ont adopté une approche quantitative, le degré de recherche étant mesuré à l'aide d'indices tels que le nombre de magasins visités, de personnes consultées, d'options évaluées, etc. Or, la recherche d'information n'est pas une activité que l'on peut comprendre strictement sur un plan quantitatif, certaines activités de recherche d'information étant plus efficaces que d'autres. Considérons le cas réel d'un consommateur qui voulait acheter un système audio de haute fidélité. Sa recherche d'information a été on ne peut plus sommaire : il a consulté un expert dans le domaine et a suivi ses conseils. D'un point de vue quantitatif, on peut dire que le processus suivi par ce consommateur se caractérise par une recherche d'information très limitée. Mais d'un point de vue qualitatif, on peut arguer que cette façon de procéder est très efficace. Si nous voulons comprendre l'étape de la recherche de l'information par les consommateurs, vaut-il mieux utiliser des mesures quantitatives ou qualitatives ?

Deuxièmement, les exemples des sites meilleursprix.ca et Tripadvisor.com présentés auparavant montrent que le réseau Internet a d'importantes conséquences non seulement sur la commercialisation des produits, mais aussi sur la façon dont les consommateurs prennent leurs décisions. Ainsi, en ce qui concerne la recherche de l'information, il est certain que les coûts associés à la recherche (temps, efforts, déplacements) sont nettement atténués par une recherche en ligne. Dans l'environnement d'Internet, les commerçants peuvent de plus créer des interfaces interactives très efficaces qui facilitent la recherche d'information et la prise de décision.

Deux outils interactifs d'aide à la décision ont un impact significatif sur la façon dont les consommateurs magasinent. D'abord, les **agents de recommandation** utilisent les critères choisis par les consommateurs (leur importance, les seuils acceptables) pour générer des listes d'options à partir desquelles les consommateurs internautes finalisent leurs choix. Les **matrices de comparaison,** quant à elles, permettent aux consommateurs d'organiser efficacement les informations essentielles (marques, attributs) pour la prise de décision (*voir l'exemple du tableau 6.2, page 200*). Une étude réalisée par des chercheurs canadiens a montré que l'utilisation de ces outils non seulement réduit de façon significative les efforts déployés par les consommateurs pour faire leurs choix, mais améliore aussi la qualité de leurs décisions[17].

La recherche d'information et le marketing

Les entreprises doivent porter une attention spéciale au processus de recherche d'information par les consommateurs de façon à élaborer des stratégies de marketing efficaces. Les questions principales qu'ils doivent se poser sont les suivantes :

- Quelles sources d'information les consommateurs consultent-ils ?
- Avec l'évolution des technologies, quelles nouvelles sources sont ou seront consultables et par quel mode ? (N'oublions pas, par exemple, le rôle que joue et que pourrait jouer le téléphone portable «intelligent», de type iPhone, à l'avenir.)
- Quelles est l'information recherchée par les consommateurs ?
- Quelle importance les consommateurs accordent-ils à la recherche d'information ?
- Qui est responsable de la recherche de l'information dans la famille ?

En apportant des réponses satisfaisantes à ces questions, il est possible de cibler correctement les consommateurs qui sont impliqués dans cette recherche et de leur transmettre l'information la plus pertinente. Dès lors surgit une question très importante : comment peut-on nourrir la recherche d'information des consommateurs ? En voici quelques suggestions :

1. Faire en sorte que les consommateurs puissent s'informer à partir de différentes sources (publicité, site Web, etc.), différents modes ou différents types d'écran (ordinateur, iPhone), tout en offrant une communication intégrée, c'est-à-dire en s'assurant d'une cohérence dans l'information véhiculée d'une source à l'autre.

2. Offrir aux consommateurs la possibilité d'accéder à différents niveaux de recherche d'information tout en évitant la surcharge (par exemple, dans le site Web de l'entreprise, mettre à leur disposition des outils interactifs d'aide à la décision pour les guider dans leur recherche).

3. Permettre aux consommateurs d'utiliser différents types d'information : des connaissances présentées sous forme de mots, mais aussi d'images, de vidéos, de témoignages, etc.

4. Permettre aux consommateurs d'effectuer aussi bien une recherche précise qu'une recherche continue (par exemple, proposer dans le site Web de l'entreprise un processus facile à suivre pour effectuer des achats en ligne et comprenant le niveau d'information souhaité, mais aussi faire en sorte que les consommateurs puissent se renseigner sur la marque, sur un produit en particulier, etc.).

Étant donné que le réseau Internet est un lieu et un espace d'information à la fois pour les consommateurs et pour l'entreprise, et compte tenu des caractéristiques évolutives du Web, il convient de remarquer qu'à la question «Comment nourrir la recherche d'information des consommateurs ?» se juxtapose la question

«Comment nourrir la recherche d'information de l'entreprise sur les consommateurs?». Si l'entreprise doit offrir aux consommateurs des lieux divers où trouver de l'information sur ses produits ou ses services, elle peut utiliser ces mêmes lieux, ou d'autres, pour leur permettre de l'informer en retour afin d'éclairer ses décisions de gestion. Notons aussi que l'entreprise peut s'inscrire dans une démarche très proactive d'exploitation d'une information qui va en continu vers le consommateur; par exemple, des bulletins de nouvelles arrivant directement dans sa boîte de courriels. Mais elle doit alors s'assurer que sa stratégie ne sera pas perçue comme un envahissement de l'espace privé du consommateur (pourriel).

6.4 L'évaluation des options et le choix

Bien qu'en pédagogie et en recherche, on distingue les étapes de la recherche d'information et de la prise de décision, en réalité, elles se déroulent généralement en parallèle. Au fur et à mesure que les informations s'accumulent, les options sont évaluées et comparées, les critères de choix et les règles de décision se précisent. Comme le montre la figure 6.4, ces deux étapes du processus de décision doivent être vues comme un ensemble d'itérations.

FIGURE 6.4 Le déroulement parallèle de la recherche d'information et de la prise de décision

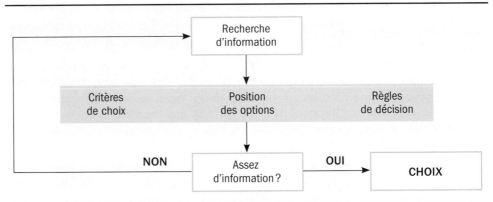

Pour simplifier la discussion, nous allons cependant considérer l'évaluation des options et le choix comme une étape distincte de celle de la recherche d'information. À ce stade du processus de décision, le consommateur combine les renseignements accumulés afin de faire un choix approprié. Une bonne partie de la recherche sur l'évaluation des options a porté sur les règles de décision qu'utilisent les consommateurs pour faire un choix. Nous verrons plus loin quelles méthodes sont employées pour étudier ces règles. Pour l'instant, nous illustrerons l'utilisation des cinq règles de décision les plus connues à l'aide de l'exemple des minichaînes stéréo[18] (*voir le tableau 6.2, page 200*).

La règle conjonctive

Cette règle propose que le consommateur établisse d'abord un seuil minimal d'acceptation pour chaque critère de choix considéré. Une option est acceptable si – et seulement si – elle satisfait à ce seuil au regard de tous les critères. Par exemple, supposons qu'il ait établi les seuils suivants pour le choix d'une minichaîne :

Prix	Pas plus de 325 $
Nombre de disques	Un seul suffit
Dongle Wi-Fi	Oui, nécessaire
Platine cassette	Double
Poids	Pas plus de 5 kilos

En examinant les informations présentées dans le tableau 6.2, à la page 200, on constate que seule la marque RCA satisfait à tous les seuils d'acceptation. Notons que la règle conjonctive ne permet pas toujours de définir une seule option acceptable. Il se peut que plusieurs options satisfassent à ces seuils. Dans ce cas, le consommateur devra utiliser une deuxième règle de décision pour faire un choix. L'autre possibilité serait de procéder à une modification des seuils ou à une sélection différente des critères de choix. Notons aussi que la règle conjonctive met l'accent sur l'information négative : dès qu'une option ne satisfait pas à un seuil, elle est éliminée.

La règle disjonctive

Cette règle propose que le consommateur établisse un seuil minimal pour chaque critère de choix. Une option est jugée acceptable si elle satisfait à au moins un seuil fixé par le consommateur. Par exemple, supposons les seuils d'acceptation suivants :

Prix	Pas plus de 300 $
Nombre de disques	Au moins 3
Dongle Wi-Fi	Oui, nécessaire
Platine cassette	Double
Poids	Pas plus de 4 kilos

Dans cet exemple, les seuils sont plus exigeants que précédemment. Néanmoins, à l'examen des informations présentées dans le tableau 6.2, à la page 200, on constate que toutes les marques sont acceptables, car elles satisfont toutes au moins à un seuil d'acceptation. La règle disjonctive est plus laxiste que la règle conjonctive ; elle met l'accent sur l'information positive pour établir l'acceptabilité d'une option.

La règle d'élimination par critère

Cette règle a été proposée par le psychologue Amos Tversky[19]. Elle suppose que le consommateur ordonne les critères du plus important au moins important, et établit un seuil d'acceptation pour chacun. Pour faire un choix, il commence par le critère le plus important et élimine les options qui ne satisfont pas au seuil fixé.

Il continue avec le critère suivant en ordre d'importance et ainsi de suite, jusqu'à ce qu'une seule option subsiste. Par exemple, supposons l'ordre d'importance et les seuils suivants :

Critère	Seuil	Ordre d'importance
Prix	Pas plus de 375 $	1
Dongle Wi-Fi	Oui, nécessaire	2
Poids	Pas plus de 5 kilos	3
Platine cassette	Double	4
Nombre de disques	Un seul suffit	5

Toujours dans le tableau 6.2, page 200, l'information fournie permet de définir le processus du choix. Sur la base du critère le plus important, soit le prix, la marque Sony est éliminée. Le critère suivant en importance, la présence d'un dongle Wi-Fi, mène à l'élimination des marques Venturer et JVC. Le critère suivant, le poids, conduit à l'élimination de la marque Sharp. Finalement, avec le critère de la platine, la marque Panasonic est éliminée, de telle sorte que seule la marque RCA demeure acceptable. Dans ce cas-ci, l'application de la règle d'élimination par critère a permis de réduire le nombre de marques acceptables à une seule. Cependant, ce n'est pas toujours le cas, et les commentaires que nous avons faits au sujet de la règle conjonctive s'appliquent de nouveau.

La règle lexicographique

Pour utiliser cette règle, le consommateur ordonne les critères de décision, du plus important au moins important, et choisit l'option la mieux positionnée par rapport au critère le plus important. S'il y a des options *ex æquo,* il passe au critère suivant en ordre d'importance et ainsi de suite, jusqu'à ce qu'il ne reste qu'une option. Considérons à nouveau les données du tableau 6.2, page 200, et supposons que le consommateur ordonne les critères de la façon suivante : dongle Wi-Fi, poids, prix, platine cassette et nombre de disques. Avec le dongle Wi-Fi comme premier critère, les marques Panasonic, RCA, Sharp et Sony sont *ex æquo.* Le poids, deuxième critère en importance, détermine le choix de la marque Sony.

La règle linéaire compensatoire

Les règles que nous avons examinées jusqu'à maintenant sont non compensatoires, c'est-à-dire que la position défavorable d'une option par rapport à un critère n'est pas compensée par une position plus favorable au regard d'un autre critère. La dernière règle que nous allons examiner est compensatoire : une faiblesse en ce qui concerne un critère donné peut être compensée par une force à l'égard d'un autre. Cette règle s'apparente dans sa structure au modèle multiattributs de Fishbein, dont nous avons parlé au chapitre 5, mais elle diffère du fait qu'il s'agit d'une règle de décision et non d'une représentation de la façon dont les consommateurs forment leurs attitudes.

En utilisant cette règle, le consommateur attribue des scores de performance à chacune des options comparées au regard de tous les critères (1 = mauvais [...] 5 = excellent). Il attribue aussi des scores d'importance à tous les critères (1 = pas important [...] 5 = très important). Il calcule un score total pour chaque option en multipliant le score de performance et le score d'importance pour chaque critère, et en faisant la somme pour tous les critères. L'option choisie est celle qui obtient le score total le plus élevé. Algébriquement, cela consiste à calculer pour chaque option un score total représenté par l'expression suivante :

$$ST = \sum_{i=1}^{k} I_i P_i \quad \text{où}$$

ST : le score total de l'option ;
I_i : l'importance du critère i ;
P_i : le score de performance de l'option au regard du critère i ;
k : le nombre de critères.

Afin d'illustrer l'utilisation de cette règle, le tableau 6.5 reprend les informations présentées dans le tableau 6.2 en attribuant des scores de performance aux marques comparées et des scores d'importance aux critères. En appliquant la formule algébrique présentée auparavant, on obtient un score total pour chaque option. Par exemple, dans le cas de la marque RCA, on a :

$$ST_{RCA} = (5 \times 4) + (2 \times 1) + (4 \times 5) + (1 \times 5) + (3 \times 2) = 53$$

RCA est d'ailleurs la marque qui obtient le score le plus élevé de telle sorte que, selon la règle, elle serait l'option choisie par le consommateur.

TABLEAU 6.5 Les scores de performance et l'importance des critères dans le cas du choix d'une minichaîne stéréo

Marque	Prix	Nombre de disques	Dongle Wi-Fi	Platine cassette	Poids (kilos)	Score total
Panasonic	2	5	5	1	2	**47**
Venturer	5	1	1	1	4	**44**
RCA	4	1	5	5	2	**53**
Sharp	3	1	5	5	1	**45**
JVC	3	5	1	1	1	**33**
Sony	1	1	5	5	3	**41**
Importance	5	2	4	1	3	

Nous allons maintenant faire quelques observations importantes à propos des règles de décision employées par les consommateurs lors d'une décision d'achat.

Les règles en tant que représentations

Il est certain que les règles que nous avons présentées ne sont pas appliquées de façon stricte par les consommateurs lorsqu'ils doivent faire un choix. Elles constituent un ensemble d'algorithmes formels qui sont des **représentations** des mécanismes mentaux que les consommateurs peuvent mettre en œuvre lorsqu'ils doivent choisir une option. Des études ont montré que ceux-ci utilisent des règles de décision s'apparentant à celles que nous avons décrites.

Les règles de simplification (heuristiques) et les biais systématiques

Pour simplifier sa prise de décision, le consommateur recourt aussi à divers raccourcis apparaissant comme autant de stratégies de sa part. Par exemple, il peut acheter la même marque soit parce qu'il y est attaché (fidélité), soit parce qu'il ne veut pas se compliquer l'existence (inertie). Il peut également s'en remettre à l'origine des produits : des souliers fabriqués en Italie, des oranges de la Floride, des ananas de la Martinique, du café de Colombie, du vin de France, de grands espaces canadiens (pour faciliter son choix de vacances dans la nature). Il a appris dans le passé le rapport entre une catégorie de produit et un pays, et il s'en sert. Nous avons mentionné au chapitre 3 que le consommateur peut faire des inférences, soit des constructions de sens au-delà de l'information disponible : se servir du pays d'origine ou du prix pour inférer la qualité d'un produit ou encore de la couleur pour inférer la maturité d'un fruit, et utiliser de multiples autres signaux pour compléter, à sa façon, les données manquantes. Ainsi, pour simplifier sa décision, il peut employer principalement le critère du pays d'origine, mais aussi celui du prix, de la couleur, etc., selon les produits et les situations.

De nombreux travaux de recherche en psychologie ont porté sur les raccourcis, ou **heuristiques,** que les gens utilisent dans leur vie quotidienne pour établir des prédictions et prendre des décisions. Ces règles de simplification (*rules of thumb*) sont très utiles, car elles permettent de gagner du temps. Mais elles sont susceptibles de donner lieu à des biais systématiques. Examinons quelques-unes de ces heuristiques[20].

L'heuristique de la **disponibilité** (*availability*) fait référence à notre tendance naturelle à utiliser les exemples qui nous viennent à l'esprit pour estimer la probabilité d'un événement. Par exemple, un consommateur à qui on demande d'estimer la probabilité de recevoir un bon service lors de sa prochaine visite dans un établissement de restauration rapide risque plus de dire qu'il sera mauvais si ses expériences récentes dans cet établissement ont été négatives. À cause de leur récence, ces expériences sont en effet plus susceptibles d'être recouvrées dans sa mémoire et de servir ainsi à construire son jugement.

L'heuristique de l'**ancrage** (*anchoring*) fait référence à notre tendance naturelle à être influencés par la première estimation qui nous est offerte et à ajuster notre jugement par la suite. Par exemple, un consommateur à qui on demande d'estimer le prix d'une toute nouvelle voiture qui n'est pas encore sur le marché risque de suggérer un prix plus élevé si on l'informe auparavant qu'en moyenne le prix des voitures est de 40 000 $ qu'un autre consommateur à qui on aura dit qu'en moyenne il est de 30 000 $. Dans ces deux situations, l'information sur le prix moyen sert de point d'ancrage pour construire le jugement. Ce qui est intéressant (et troublant !) avec cette heuristique, c'est que le point d'ancrage n'a pas besoin d'être pertinent pour la tâche à effectuer. Par exemple, dans une étude conduite par trois chercheurs américains, on a montré que le simple fait d'écrire les deux derniers chiffres de son numéro d'assurance sociale a une incidence sur le montant d'argent que l'on est prêt à débourser pour acquérir un produit dans un contexte d'enchères ; plus le nombre correspondant est élevé, plus la mise l'est aussi[21].

L'heuristique de la **représentativité** (*representativeness*) fait référence à notre propension à utiliser la similarité pour associer un objet à une catégorie générale : plus les caractéristiques de l'objet s'apparentent à celles de la catégorie générale, plus nous avons tendance à l'y associer. À titre d'illustration, considérez la description suivante :

> « Linda est une jeune femme de 33 ans, célibataire, dynamique et très intelligente. Elle a fait des études universitaires en philosophie. Lorsqu'elle était étudiante, elle était très engagée en matière de justice sociale et de lutte à la discrimination et elle a participé à plusieurs manifestations antinucléaires. »

À votre avis, qu'est-ce que Linda est devenue ? Vous avez le choix entre les deux options suivantes :

- Option n° 1 : caissière dans une banque ;
- Option n° 2 : caissière dans une banque et active au sein du mouvement féministe.

Si vous êtes comme la majorité des gens, la deuxième option vous apparaît sans doute plus vraisemblable. Cela est dû au fait que la description de Linda a été faite avec l'objectif de la rendre davantage représentative d'une féministe active que d'une caissière dans une banque. Pourtant, c'est la première option qui est logiquement plus probable, car il n'est pas possible que la probabilité d'observer deux événements combinés (caissière et active) soit plus grande que celle d'observer un seul événement (caissière)[22]. L'heuristique de la représentativité peut être invoquée pour expliquer le fait qu'un produit dont l'emballage ressemble à celui que l'on associe à des produits de qualité soit perçu comme étant de meilleure qualité. Par exemple, seriez-vous enclin à acheter une bouteille de vin dont la forme est entièrement cylindrique (comme une bouteille de mousse pour le bain) ?

Les méthodes de recherche

Comment étudie-t-on les règles de décision des consommateurs ? Les chercheurs en marketing qui s'intéressent à ce sujet ont mis au point des méthodes de recherche particulières. Les trois principales sont la méthode des protocoles, celle des tables d'information et celle des scénarios.

La méthode des protocoles

La méthode des protocoles est fondée sur la collecte et l'analyse des verbalisations (appelées **protocoles**) produites par un consommateur pendant qu'il prend une décision. On lui demande de réfléchir à voix haute (« Dites tout ce qui vous passe par l'esprit ») en même temps qu'il accomplit une tâche (par exemple, faire un choix de marque, visiter un site Web). L'objectif est d'obtenir une trace continue de la pensée et des processus mentaux qui ont lieu durant cette tâche. Les protocoles recueillis peuvent être simultanés (obtenus durant la tâche) ou rétrospectifs (récoltés par la suite). On croit que les protocoles simultanés sont préférables, car ils sont moins susceptibles d'être déformés par l'imagination. Leur analyse permet de faire ressortir les règles que les consommateurs utilisent[23].

La méthode des protocoles comporte trois limites principales. Premièrement, la quantité d'informations à analyser est habituellement très importante, ce qui force à utiliser de petits échantillons. Le problème qui se pose alors est d'appliquer les résultats à l'ensemble des consommateurs. Deuxièmement, il n'est pas sûr que les protocoles reflètent toutes les pensées des consommateurs ni que ces derniers soient capables d'exposer verbalement ces pensées. Troisièmement, la tâche elle-même peut inciter les consommateurs à procéder de façon plus réfléchie qu'ils ne le feraient dans un contexte naturel.

La méthode des tables d'information

Les premières recherches sur les règles de décision utilisaient des tables d'information (*information display board*). Une table d'information est un arrangement matriciel où apparaissent sur des lignes et des colonnes des marques et des critères de choix. Les cellules de la matrice contiennent des informations qui sont accessibles sans être immédiatement visibles. On demande au consommateur de faire un choix parmi les marques disponibles en examinant les informations contenues dans les cellules de la matrice. On étudie la séquence d'acquisition des informations pour inférer les règles que les consommateurs utilisent. Dans les recherches actuelles, les tables d'information physiques ont été remplacées par des tables virtuelles sur ordinateur[24].

Cette méthode présente elle aussi des limites. Ainsi, il est possible que, parce qu'ils se savent observés, les consommateurs se comportent différemment. En outre, cette méthode étudie seulement l'acquisition des informations, sans tenir compte des processus internes, qui peuvent ne pas être révélés par la séquence d'acquisition. Enfin, le format matriciel n'est pas représentatif de l'environnement naturel des consommateurs. Des études ont montré que le format de présentation de l'information influence les stratégies d'acquisition de celle-ci[25].

L'étude du mouvement des yeux (aussi appelée « oculométrie ») est une variante de la précédente méthode. Il s'agit d'observer, à l'aide d'instruments très perfectionnés, le mouvement des yeux durant une tâche de choix. La configuration de ces mouvements est un indicateur de la séquence d'acquisition des informations[26].

La méthode des scénarios

La méthode des scénarios est une méthode de recherche couramment employée pour étudier les effets des heuristiques sur les jugements des personnes. Elle a été popularisée par deux chercheurs américains, Amos Tversky et Daniel Kahneman (*voir l'ouvrage cité à la note 20*). Il s'agit de fournir une courte description d'une situation, d'une personne ou d'un problème à des participants et de leur poser ensuite une ou des questions. Les réponses obtenues permettent de constater dans quelle mesure les jugements des participants sont biaisés par des règles intuitives. La description de Linda présentée à la page précédente offre un exemple de cette méthode, dans ce cas-ci, pour mettre au jour l'utilisation de l'heuristique de la représentativité. L'inconvénient principal de cette méthode est que les processus de réflexion des consommateurs doivent être inférés à partir des réponses obtenues.

En conclusion, chaque méthode comporte des avantages et des inconvénients. Par conséquent, les chercheurs qui s'intéressent au processus de décision ne se limitent habituellement pas à une seule[27].

Les processus en séquence

Nous avons vu que les règles de décision ne permettent pas toujours de définir un choix unique. Il est donc courant de voir les consommateurs employer plusieurs règles. Les études ont montré que, pour des problèmes de choix complexes, des processus en séquence sont mis en œuvre. Dans un premier temps, les consommateurs utilisent une règle non compensatoire afin d'éliminer efficacement des options. Par la suite, une analyse plus fine, possiblement compensatoire, est appliquée pour départager les options qui restent[28].

Le choix d'une règle de décision

Qu'est-ce qui fait que telle règle sera employée plutôt que telle autre? Il semble que quatre facteurs aient une influence déterminante.

L'implication personnelle Lorsque l'implication du consommateur est faible, des règles non compensatoires sont plus faciles à mettre en œuvre qu'une règle compensatoire.

L'expérience antérieure Si un consommateur a déjà employé une règle qui a donné de bons résultats, les probabilités sont grandes qu'il l'utilisera encore dans une situation nouvelle.

Le format de présentation des informations Les règles non compensatoires supposent que les informations seront traitées par critère, alors que la règle linéaire compensatoire implique un traitement par marque. Si les informations sont présentées par critère, par marque ou de façon matricielle, la mise en œuvre des règles n'aura pas le même niveau de difficulté. Par conséquent, un consommateur optera pour une règle qui s'accommode bien au format de présentation de l'information.

Le temps disponible La règle linéaire compensatoire est la plus longue à appliquer. Si le temps disponible est limité, une règle lexicographique, par exemple, est d'une redoutable efficacité.

Les processus constructifs et l'adaptation du consommateur

Lorsqu'on parle de règles de décision, il est courant d'opposer deux mécanismes décisionnels[29]:

- Les règles en mémoire, que l'on suppose être sauvegardées dans la mémoire à long terme et recouvrées lors d'une décision;
- La construction, qui suppose que le consommateur construise plutôt sa stratégie durant l'accomplissement d'une tâche et l'adapte à l'environnement du choix. La construction s'opère à partir de « fragments » de règles recouvrés en mémoire.

Il s'agit là de deux mécanismes radicalement opposés qui ne sont pas sans rappeler la distinction que nous avons faite au chapitre 3 entre les processus de perception conceptuel et inductif. La perspective la plus populaire auprès des chercheurs est celle de la construction[30]. La plupart des chercheurs en marketing croient en effet que les consommateurs ne recouvrent pas de règles de décision dans leur mémoire afin de les appliquer dans le contexte d'un choix à effectuer. Ils croient plutôt que ceux-ci construisent des règles de décision à partir de fragments de règles mémorisés, et que la sélection de ces fragments dépend du problème et de son évolution.

La perspective constructive sous-entend que les décisions des consommateurs sont fortement contrôlées par l'environnement. C'est une approche intéressante, car elle implique que les consommateurs modifient leurs comportements selon les contingences environnementales présentes. Mais elle tend à ignorer une variable cruciale, soit l'expérience du consommateur. En effet, quand ce dernier se trouve confronté à une décision, il n'est pas en terrain totalement inconnu. Il a déjà vécu des situations de choix auparavant, et ses expériences passées peuvent lui servir.

Un modèle décrivant les caractéristiques essentielles d'une situation de prise de décision est présenté à la figure 6.5[31]. À la base, ce modèle suppose que le consommateur est orienté vers l'atteinte d'objectifs. Par exemple, un objectif possible serait de «choisir une marque satisfaisante». Des chercheurs ont proposé que les consommateurs poursuivent quatre types d'objectifs: maximiser la précision de la décision, minimiser l'effort cognitif, éviter les émotions négatives et maximiser la facilité de justifier la décision[32]. Pour atteindre ses objectifs, le consommateur cherche dans sa mémoire des indications sur la façon de procéder. Si des tâches semblables ont été effectuées dans le passé, il devrait avoir en mémoire des associations objectif-stratégie. Le recouvrement de ces associations donne lieu à la mise en œuvre d'une première stratégie. Cette mise en œuvre est cependant influencée par les contraintes de l'environnement, comme le format de présentation de l'information. Le modèle suppose que le consommateur procède à l'évaluation de la mise en œuvre et révise sa stratégie au besoin.

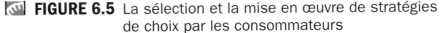

FIGURE 6.5 La sélection et la mise en œuvre de stratégies de choix par les consommateurs

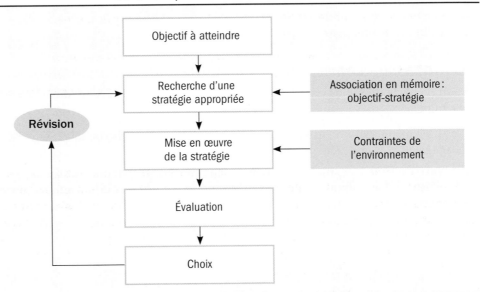

Cette approche dynamique n'est pas totalement opposée à la perspective constructive, puisque les contraintes de l'environnement y sont incorporées. Mais elle en diffère par le fait qu'elle insiste sur l'importance de l'interaction entre l'expérience passée et l'environnement dans le choix d'une stratégie de traitement des informations. En ce sens, elle s'apparente par analogie au cycle perceptuel de Neisser, dont nous avons discuté au chapitre 3. La capsule 6.3 présente une illustration de la manière dont le modèle de la figure 6.5 peut expliquer des différences de stratégies de choix entre des consommateurs qui n'ont pas la même expérience.

Une différence marquée

Dans une étude conduite au cours des années 1970, deux chercheurs en marketing, James Bettman et Pradeep Kakkar, se sont intéressés à l'influence du format de présentation sur les stratégies d'acquisition d'information des consommateurs. Comme on pouvait s'y attendre, ils ont constaté que, lorsque l'information était présentée par marques (marque A: attribut 1, attribut 2, etc.; marque B: attribut 1, attribut 2, etc.), les consommateurs avaient tendance à employer des règles de décision compatibles avec un traitement par marques (par exemple, une règle linéaire compensatoire); lorsque l'information était présentée par attributs (attribut 1: marque A, marque B, etc.; attribut 2: marque A, marque B, etc.), ils employaient plutôt des règles compatibles avec un traitement par attributs (par exemple, une quelconque règle non compensatoire). Dans le cas où l'information était présentée sous forme matricielle, les deux types de traitements ont été observés. Cependant, les chercheurs ont noté que l'utilisation du traitement par marques était plus importante dans leur étude, dont les participants étaient des consommatrices adultes, que dans les études antérieures ayant fait appel à des étudiants. Comment expliquer cette différence? Si l'on y réfléchit un peu, ce résultat est cohérent avec le modèle présenté à la figure 6.5, à la page précédente, du fait que les consommatrices adultes ont davantage d'expérience pratique en matière de choix de marque que les étudiants. De plus, l'environnement commercial dans lequel elles ont appris à faire ces choix est organisé par marques (par exemple, dans une épicerie). Donc, on peut présumer qu'à l'objectif « choisir la meilleure marque », les consommatrices ont associé avec le temps une stratégie de choix par marques. Cette association objectif-stratégie (*voir la figure 6.5*) était donc plus susceptible d'être activée dans ce groupe que chez des étudiants.

Source: J.R. BETTMAN et P. KAKKAR, «Effects of Information Presentation Format on Consumer Information Acquisition Strategies», *Journal of Consumer Research,* vol. 3, 1977, p. 233-240.

L'importance des caractéristiques de la tâche sur la rationalité des comportements

Les règles de décision ne touchent qu'un aspect de la problématique de la prise de décision: le traitement de l'information. Rappelons-nous l'équation de Lewin selon laquelle le comportement est fonction de la personne et de l'environnement (*voir le chapitre 1*). Plusieurs études réalisées en comportement du consommateur ont montré que les caractéristiques de la tâche ont un impact important sur les décisions des consommateurs, à un point tel que les comportements qu'ils adoptent ne sont pas rationnels. Examinons quelques exemples[33].

1. Si l'on ajoute une option à un ensemble d'options, les préférences des consommateurs peuvent changer. Donc, la valeur attribuée à une option ne dépend pas uniquement des caractéristiques de l'option, elle dépend aussi du contexte dans lequel celle-ci se trouve. Cela s'explique par le fait que les jugements des consommateurs sont habituellement relatifs, c'est-à-dire qu'ils dépendent des comparaisons attribuables à un environnement de choix donné. À titre d'illustration, on a demandé à un groupe d'étudiants américains en gestion de choisir entre trois options d'abonnement à un journal (les pourcentages de choix apparaissent entre parenthèses): un abonnement dans Internet seulement à 59 $ (16 %), un abonnement en format papier à 125 $ (0 %) et un abonnement combinant Internet et format papier à 125 $ (84 %). Lorsqu'on a présenté

à un groupe différent d'étudiants uniquement la première et la troisième de ces options, 32 % d'entre eux ont choisi l'abonnement dans Internet seulement et 68 % ont choisi l'abonnement combinant Internet et format papier.

2. Le simple fait d'attirer l'attention sur une option augmente son attrait. Dans une étude, des consommateurs à qui on avait présenté deux desserts, un yogourt glacé et une salade de fruits, ont choisi dans une plus grande proportion le yogourt quand on leur demandait, juste avant qu'ils effectuent leur choix, de répondre à la question suivante : « Jusqu'à quel point appréciez-vous, plus ou moins, le yogourt glacé ? » Lorsque la question était centrée sur la salade de fruits, cette dernière était alors choisie dans une plus grande proportion.

3. La façon dont une option est décrite (*framing*) a une incidence sur son évaluation. Par exemple, les consommateurs choisissent davantage d'acheter de la viande hachée « maigre à 75 % » que de la viande hachée contenant « 25 % de matières grasses ».

4. Lorsqu'une des options présentées est gratuite, les choix des consommateurs ne correspondent plus à un processus rationnel. Par exemple, lorsqu'on a offert à des consommateurs dans un centre commercial le choix entre deux options : un chèque-cadeau gratuit d'une valeur de 10 $ sur Amazon.com et un chèque-cadeau d'une valeur de 20 $ au coût de 7 $, une majorité d'entre eux ont choisi la première option, en dépit du fait que le profit généré par la deuxième option (soit 13 $) était supérieur. En revanche, quand on a offert à des consommateurs le choix entre un chèque-cadeau d'une valeur de 10 $ au coût de 1 $ et un chèque-cadeau d'une valeur de 20 $ au coût de 8 $ (même différence de profit entre les options que dans la situation précédente), ils ont alors choisi la deuxième option en majorité.

6.5 Les processus qui suivent l'achat

On pourrait penser que le moment ultime du processus de décision du consommateur est l'achat. Il n'en est rien. Ce qui se produit après l'achat est souvent bien plus important. Pour vous en convaincre, lisez l'encadré ci-dessous qui présente une histoire vécue. Du point de vue du consommateur, c'est après l'achat, lors de l'utilisation du produit, que l'évaluation de la décision sera faite. Du point de vue du marketing, ce qui se passe après l'achat est donc crucial, car cela aura un impact sur les profits à long terme : les consommateurs rachèteront-ils la marque ?

APRÈS L'ACHAT

Voici une histoire vraie. Un ami des auteurs de cet ouvrage, résidant dans une ville de la province, est amateur de musique classique. Il s'est rendu à Montréal pour un congrès il y a quelques années, et en a profité pour faire des achats chez un disquaire très connu. De retour chez lui, il s'est aperçu qu'un des disques était défectueux. Il est donc allé dans un magasin de la même bannière dans sa ville de résidence afin de l'échanger. Le choix y étant moins grand qu'à Montréal, il n'a pas trouvé le disque en question. Plutôt que de le commander et de subir un délai d'attente, il a décidé de l'échanger pour un autre. Il a trouvé un disque qui lui plaisait et qu'il avait renoncé à acheter à Montréal en raison de son budget limité. Étant donné que le prix affiché à Montréal était inférieur de quelques dollars, il a demandé à la préposée au comptoir de service s'il pouvait profiter du prix le plus bas. Il n'avait pas de scrupules à formuler cette demande, puisqu'une politique de la compagnie était d'offrir le même prix que les concurrents. D'ailleurs, dans ce cas-ci, il ne s'agissait pas d'un concurrent, mais d'une autre succursale de la même compagnie. La jeune fille lui a répondu qu'il n'y avait pas de problème.

C'est alors qu'un autre employé qui se trouvait au comptoir s'est mêlé de l'affaire. Il a fait remarquer à notre ami que le prix était inférieur à Montréal en raison d'un volume de ventes plus important. Notre client a répliqué (d'un ton assez sec) qu'une politique est une politique et qu'elle est censée s'appliquer à tous les types de magasin. L'employé a alors fait montre d'une impolitesse incroyable en disant (textuellement): «Tu comprends pas...», ce qui a mis notre ami dans tous ses états. La pauvre préposée, qui assistait, impuissante, à cet échange, ne savait plus où donner de la tête, répétant: «C'est rien, c'est rien, on va arranger ça!» Elle commençait à préparer l'échange lorsque l'autre employé est revenu à la charge: «De toute façon, ça nous prend une preuve que le prix est plus bas à Montréal.» «Vous n'avez qu'à appeler!» a répondu notre ami. «C'est pas à nous de faire ça!» lui a rétorqué l'autre. Au comble de la frustration, notre ami a quitté le magasin en furie, laissant derrière lui le disque défectueux.

Le lendemain, l'ami en question a écrit à la maison mère de la compagnie une lettre dans laquelle il racontait l'histoire en détail. Il y a inséré sa carte de fidélité en jurant qu'il ne remettrait plus jamais les pieds dans un de leurs magasins.

Quelques semaines plus tard, notre ami recevait une lettre de la directrice du marketing de la compagnie, dans laquelle elle s'excusait à propos de cet incident. Elle disait que l'employé avait été sévèrement réprimandé. Pour prouver sa bonne foi, elle incluait des bons d'achat d'une valeur de 60 $. Le mois suivant, la carte de crédit de notre ami était créditée d'un montant égal à la somme dépensée pour le disque défectueux.

Cet épisode dans la vie d'un client frustré illustre toute l'importance du service à la clientèle avant, pendant et après l'achat. Lorsqu'un consommateur est insatisfait du service qu'il a reçu, il peut prendre différentes décisions:

1. **Ne pas réagir.** Notre ami aurait pu payer la différence et oublier tout ça. Après tout, la vie est trop courte!

2. **Éviter ce magasin à l'avenir.** Oui, mais où aurait-il acheté ses disques?

3. **Ne pas réagir sur le coup, mais en parler aux personnes de son entourage.** Cela les aurait-il découragées d'acheter à cet endroit?

4. **Se plaindre.** C'est l'option qu'il a choisie.

Ces quatre options représentent des niveaux croissants de sévérité dans les actions qui sont entreprises à la suite d'une insatisfaction. Les études menées en marketing montrent que différents facteurs influencent la décision d'opter pour une action donnée[34]:

1. **Le niveau d'insatisfaction.** Plus l'insatisfaction est grande, plus la sévérité de l'action entreprise a des probabilités d'être grande.

2. **L'importance de l'achat.** Plus le produit ou le service compte pour le consommateur, plus la probabilité est élevée qu'une plainte soit déposée.

3. **L'effort requis par rapport aux bénéfices escomptés.** Plus les bénéfices attendus d'une plainte sont grands par rapport aux coûts, plus la décision de se plaindre est probable.

4. **Les caractéristiques personnelles.** Les personnes ayant un niveau d'éducation plus élevé sont davantage portées à se plaindre. Certains traits de personnalité comme l'agressivité peuvent aussi avoir une influence.

La consommation et l'utilisation du produit acheté constituent des expériences concrètes qui augmentent les connaissances du consommateur à propos du produit et du processus de décision. La question « Ai-je pris la bonne décision ? » que tout consommateur se pose renvoie à une évaluation de sa satisfaction et à une éventuelle remise en question de son choix. Nous allons examiner cette question sous l'angle de deux processus importants qui se produisent après l'achat : l'évaluation de la satisfaction et la dissonance cognitive.

La satisfaction et l'insatisfaction des consommateurs

La satisfaction est une réponse évaluative positive à la suite d'une expérience de consommation. L'insatisfaction en est une négative. Une théorie populaire auprès des chercheurs en marketing désireux de comprendre les mécanismes expliquant la satisfaction propose que celle-ci résulte d'une comparaison entre les attentes du consommateur et la performance perçue du produit ou du service. La figure 6.6 illustre cette théorie[35].

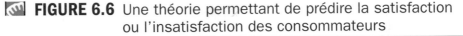

FIGURE 6.6 Une théorie permettant de prédire la satisfaction ou l'insatisfaction des consommateurs

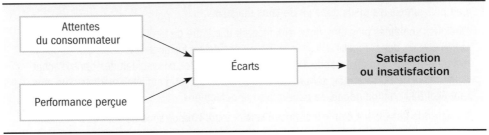

Selon cette théorie, plus l'écart entre les attentes et la performance perçue est grand, plus la satisfaction ou l'insatisfaction sera grande. Un écart positif (performance > attentes) donne lieu à un sentiment de satisfaction, alors qu'un écart négatif (performance < attentes) conduit à de l'insatisfaction. À titre d'illustration, nous avons tous vécu l'expérience d'avoir été déçus par un film que nous avait vanté un ami. Une explication cohérente avec la théorie est que la recommandation a eu pour effet d'augmenter nos attentes.

La théorie présentée à la figure 6.6 a fait l'objet de plusieurs études empiriques et, dans l'ensemble, elle semble constituer une représentation valable du processus d'établissement de la satisfaction[36]. Cependant, il faut en voir les limites principales.

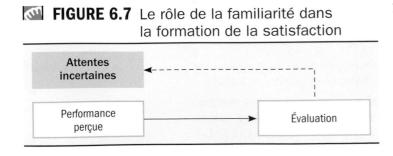

FIGURE 6.7 Le rôle de la familiarité dans la formation de la satisfaction

1. Dans le cas où un consommateur n'est pas familiarisé avec la catégorie de produit, ses attentes sont plus ou moins bien établies. La satisfaction reposera alors davantage sur la performance perçue. La perception de la performance amènera éventuellement le consommateur à réviser ses attentes à la hausse ou à la baisse (*voir la figure 6.7*).

Par exemple, dans le cas des produits où la satisfaction est évaluée sur la base de l'expérience (hôtels, cinéma, spectacles, etc.), les attentes sont souvent très vagues (être confortable, avoir du plaisir) et se définissent souvent après ou pendant la consommation. Le consommateur peut croire qu'il avait des attentes précises («Vraiment, je m'attendais à...») alors qu'en réalité, il n'en avait pas[37].

2. La théorie présentée à la figure 6.6 propose une vision simpliste de la performance. Nous avons vu qu'un produit permet de satisfaire des besoins fonctionnels (ou utilitaires) et immatériels (ou symboliques). Par exemple, un vêtement permet de se protéger du froid (besoin fonctionnel), mais aussi d'indiquer son statut, de se sentir bien (besoin immatériel). Donc, on peut penser que l'évaluation de la performance est basée sur des dimensions fonctionnelle et immatérielle.

   Ces deux dimensions sont-elles utilisées de la même façon? Il semble que non. Des études réalisées dans le domaine des achats de vêtements ont montré que les causes d'insatisfaction des consommateurs touchent principalement la dimension fonctionnelle, alors que la satisfaction repose davantage sur la performance immatérielle[38]. L'évaluation de la satisfaction et celle de l'insatisfaction seraient donc liées à des conséquences qualitativement différentes.

3. La théorie des attentes s'applique à l'individu, mais il est certain que l'évaluation de la satisfaction s'inscrit habituellement dans un contexte social. Par exemple, une minichaîne stéréo peut être satisfaisante pour un consommateur, mais fera-t-elle l'affaire de sa femme et de ses enfants? Les attentes et les perceptions relatives aux produits et aux services sont grandement influencées par l'opinion des autres.

4. La théorie des attentes propose que la satisfaction résulte de l'écart entre les attentes et les perceptions. Cependant, la performance absolue par rapport aux éléments clés du produit et du service peut parfois être plus pertinente. À titre d'illustration, comparons un produit X associé à des attentes minimales (disons 1 sur une échelle de 1 à 4) et dont les performances sont très bonnes (disons 3 sur une échelle de 1 à 4) avec un produit Y associé à des attentes et à des performances élevées (4 dans les deux cas). Même si l'écart est plus élevé pour le produit X que pour le produit Y, il est probable que le consommateur sera davantage satisfait par le produit Y, qui lui en donne davantage.

Un modèle de la formation de la satisfaction

La figure 6.8, à la page suivante, présente une conception utile de la satisfaction des consommateurs, dans un exemple appliqué à une ligne aérienne[39]. Selon cette conception, la satisfaction est directement fonction des bénéfices associés à la consommation du produit. Ceux-ci correspondent à des dimensions relativement abstraites, produites à partir d'attributs concrets. Ainsi, dans l'exemple présenté, l'environnement de la cabine est un bénéfice qui découle d'attributs comme la propreté, la température, le confort des sièges et l'espace pour les jambes. Les attributs correspondent à des éléments concrets de l'offre que l'entreprise contrôle. Par contre, les bénéfices correspondent à ce que le client consomme. Par exemple, son expérience de consommation d'une ligne aérienne inclut l'enregistrement, et le bénéfice découle d'attributs concrets tels que la facilité à localiser le guichet d'enregistrement et l'efficacité du personnel qui en a la responsabilité.

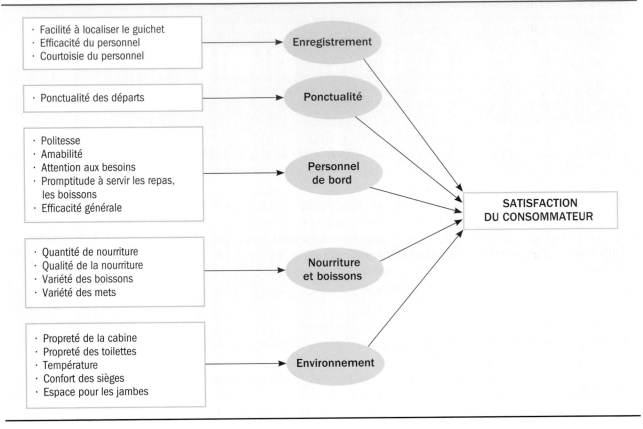

Le modèle de la figure 6.8 peut servir de cadre directif pour conduire une recherche sur la satisfaction de la clientèle. Dans un premier temps, une étude exploratoire est réalisée auprès d'un nombre limité de clients afin de découvrir les bénéfices les plus pertinents et les attributs qui leur sont associés. Cette première étape est cruciale. Les résultats de l'étude exploratoire peuvent être validés auprès des gestionnaires de l'entreprise. Par la suite, une enquête est conduite auprès d'un échantillon représentatif de la clientèle. On mesure alors le degré auquel les attentes des clients sont satisfaites au regard des attributs et des bénéfices, ainsi que la satisfaction globale.

En général, si l'on veut obtenir de bons résultats, il vaut mieux employer des échelles qui permettent de préciser au maximum le degré de satisfaction. Par exemple : nettement en deçà des attentes, passablement en deçà des attentes, un peu en deçà des attentes, attentes comblées, attentes un peu dépassées, attentes passablement dépassées, attentes nettement dépassées[40].

Une fois les données collectées, on est en mesure d'estimer l'impact relatif des attributs sur les bénéfices et l'impact relatif des bénéfices sur la satisfaction[41], et de déduire ainsi les actions qui doivent être entreprises pour augmenter la satisfaction. Généralement, les actions les plus pertinentes sont celles qui sont ancrées dans des valeurs et des besoins fondamentaux. Notons que l'objectif n'est pas de maximiser la satisfaction des clients dans l'absolu, car les ressources de l'entreprise sont habituellement limitées. Il s'agit plutôt d'**optimiser** la satisfaction en établissant des priorités sur la base de l'importance des répercussions occasionnées par les améliorations aux attributs.

Beaucoup d'entreprises ont compris l'importance de mesurer la satisfaction de leurs clients de façon régulière. Pour la plupart, la mesure de la satisfaction constitue un moyen efficace d'ajuster l'offre aux attentes des clients et de s'assurer ainsi que ces derniers seront fidèles. Il existe cependant d'autres motivations à la conduite des études de satisfaction. Par exemple, les résultats de telles études auprès des clients des concessionnaires d'automobiles permettent aux fabricants de porter un jugement sur les efforts de leurs concessionnaires en ce qui a trait au service à la clientèle. Peut-être avez-vous remarqué, lors de votre dernière visite chez un concessionnaire, que celui-ci avait affiché une attestation de qualité fournie par le fabricant (par exemple, «Meilleur concessionnaire Ford pour l'année 2010»)? Les concessionnaires d'automobiles sont donc grandement motivés à obtenir de bons résultats dans ces études et ils n'hésitent pas à informer les clients qu'ils seront bientôt contactés afin de répondre à une enquête visant à mesurer leur satisfaction (certains vont même jusqu'à leur suggérer les «bonnes» réponses). Que faut-il penser de cette pratique? La capsule 6.4 traite des dangers que comporte ce type de préavis.

CAPSULE 6.4

Faut-il annoncer aux clients que leur satisfaction sera mesurée?

Il n'est pas rare que les clients d'une entreprise soient informés qu'ils participeront incessamment à une enquête visant à mesurer leur satisfaction. À la suite d'un nombre impressionnant d'études réalisées dans le contexte d'industries diverses (hôtellerie, services d'utilité publique, musées, secteur informatique, etc.), deux chercheurs en marketing ont démontré de façon décisive que cette pratique entraîne des jugements moins favorables de la part des consommateurs. Selon les auteurs, lorsque des clients apprennent que l'on évaluera leur satisfaction par rapport à des services rendus, ils ont tendance à se focaliser sur les aspects négatifs de leur expérience, ce qui entraîne des jugements plus sévères à l'endroit de l'entreprise. Nous avons vu au chapitre 3 que les informations négatives sont plus distinctives et reçoivent par le fait même plus d'attention. Les chercheurs concluent que les résultats des études de satisfaction doivent être interprétés en tenant compte de la possibilité que les consommateurs aient été informés préalablement que l'on mesurerait leur satisfaction.

Source: C. OFIR et I. SIMONSON, «In Search of Negative Customer Feedback: The Effect of Expecting to Evaluate on Satisfaction Evaluation», *Journal of Marketing Research,* vol. 38, 2001, p. 170-182.

Une typologie des attributs qui sous-tendent la satisfaction

Selon le modèle présenté à la figure 6.8, la satisfaction du consommateur découle de la réalisation de ses attentes au regard d'un ensemble d'attributs qui engendrent des bénéfices. La détermination des attributs sur lesquels l'entreprise peut agir est une étape cruciale. À cet égard, il est utile d'établir certaines distinctions relativement à ces attributs[42].

- Les **attributs de base** sont très rarement mentionnés lorsqu'on interroge les consommateurs. Ce sont des aspects du produit (au sens large) qui sont nécessaires sans être une source de satisfaction. Cependant, leur absence est une source de grande insatisfaction (par exemple, un espace de stationnement pour un restaurant).

- Les **attributs de performance** sont les plus fréquemment évoqués dans les entrevues avec les consommateurs. Comme ils sont une source de satisfaction, les consommateurs se sont créé des attentes à leur égard (par exemple, des toilettes propres dans un restaurant).

- Les **attributs d'enchantement** correspondent à ce «petit quelque chose» qui fait toute la différence. Bien qu'ils soient rarement cités dans les entrevues, ils sont non seulement une source de satisfaction, mais aussi d'accroissement de la satisfaction (par exemple, des serviettes propres pour s'essuyer les mains dans les toilettes d'un restaurant).

Avec le temps, les attributs d'enchantement deviendront des attributs de performance et enfin, des attributs de base (par exemple, le système GPS d'une voiture).

Le modèle de la figure 6.8, à la page 220, semble discutable au regard du troisième type d'attribut (d'enchantement), dans la mesure où la satisfaction est vue comme le résultat de l'impact relatif d'actions sur des attributs existants. Plusieurs chercheurs dans ce domaine croient que la mise au jour des attributs d'enchantement est le défi le plus important de ceux qui se préoccupent de la satisfaction des consommateurs.

Avant de terminer cette discussion, il est bon de mentionner que, dans l'approche expérientielle, si l'on reconnaît que la satisfaction est une composante expérientielle importante, il n'en demeure pas moins que le courant d'associations survenant durant la consommation (images mentales, rêveries, émotions ressenties) est jugé tout aussi important.

La dissonance cognitive

Après avoir fait un choix difficile, il est fréquent d'avoir des doutes quant à la décision qui a été prise. L'état d'inconfort dans lequel se trouve une personne après avoir pris une décision résulte d'un phénomène appelé la dissonance cognitive, concept central d'une théorie très célèbre proposée au cours des années 1950 par le psychologue américain Leon Festinger[43]. Selon ce chercheur, à la suite d'une décision, une personne développe un ensemble de croyances. Certaines d'entre elles sont consonantes, c'est-à-dire qu'elles sont liées de façon logique; d'autres sont dissonantes, c'est-à-dire qu'elles ne sont pas intégrées de façon logique, par exemple: «J'ai acheté une minichaîne stéréo de marque Venturer» et «Les minichaînes laser de marque Venturer sont de mauvaise qualité». Plus il y a de croyances dissonantes, plus la situation est inconfortable et plus la personne est motivée à réduire la dissonance. La théorie de la dissonance cognitive, basée sur la motivation humaine, s'inscrit dans le courant des théories de cohérence cognitive, à l'exemple de celle de Heider, dont nous avons parlé au chapitre 5 (théorie de la balance).

La figure 6.9 montre que la probabilité qu'un consommateur connaisse un état de dissonance cognitive dépend de quatre facteurs:

- **L'irrévocabilité de la décision.** Si la décision est irrévocable, la probabilité d'éprouver un état de dissonance cognitive augmente.

- **La difficulté du choix.** Plus le choix est difficile, plus le consommateur aura des doutes quant à la décision qu'il a prise. La difficulté du choix est fonction du nombre d'options, du nombre de critères et de la comparabilité des options.

- **L'importance de la décision pour le consommateur.** Les décisions importantes sont plus susceptibles de provoquer de la dissonance.

- **L'anxiété générale du consommateur.** Certains consommateurs ont tendance à éprouver de l'anxiété de façon plus importante que d'autres et, par conséquent, à ressentir davantage de dissonance cognitive à la suite d'une décision.

FIGURE 6.9 La dissonance cognitive après l'achat

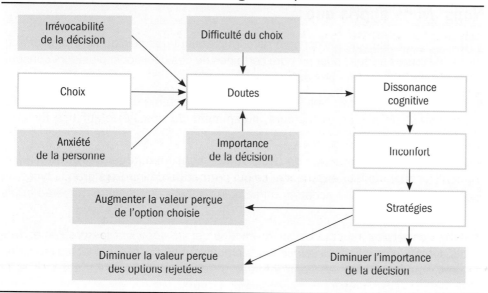

Comme nous l'avons dit, Festinger avance que la dissonance cognitive est un état inconfortable qui motive la personne à trouver des moyens de ramener son équilibre intérieur. Pour ce faire, trois stratégies sont possibles :

1. Augmenter la valeur perçue de l'option choisie. Par exemple, un consommateur essaiera de se convaincre qu'il a fait le bon choix afin de réduire la dissonance existant entre ses croyances.

2. Diminuer la valeur perçue des options rejetées. Par exemple, un consommateur tentera de découvrir les défauts des marques qu'il n'a pas achetées, de manière à augmenter la valeur relative de l'option choisie.

3. Diminuer l'importance de la décision. Par exemple, un consommateur cherchera à réduire l'importance de la décision qu'il a prise dans le but d'atténuer ses doutes.

Les implications de la théorie de la dissonance cognitive en marketing sont claires. Dans la mesure du possible, il faut chercher à rassurer les consommateurs, à les convaincre qu'ils ont fait le bon choix. Par exemple, certaines publicités orientées vers les acheteurs récents ont pour but d'éliminer les doutes éventuels quant à la qualité de leur décision. Des manufacturiers d'automobiles envoient par exemple à leurs clients des extraits d'articles vantant les mérites de leur produit.

Nous avons appris que :

- durant leur existence, les consommateurs prennent des décisions de consommation de toutes sortes ; pour prendre certaines de ces décisions, plusieurs consommateurs adoptent une procédure.

- les processus de décision suivis par les consommateurs sont multiples et dépendent de nombreux facteurs, notamment du dosage relatif des facteurs cognitifs et affectifs.

- la complexité du processus de décision des consommateurs est aussi directement fonction de leur expérience, ce qui permet de définir trois grands types de décisions d'achat : les achats routiniers, les achats de difficulté modérée et les achats complexes.

- l'une des tâches importantes en marketing est de découvrir les problèmes des consommateurs afin de développer des produits et des services pour les résoudre, mais aussi de définir les liens à forger entre les produits et les services et la recherche d'expériences par les consommateurs.

- les consommateurs peuvent rechercher des informations de façon continue ou précise et celles-ci peuvent être recouvrées dans leur mémoire (recherche interne) ou obtenues à l'aide de diverses sources telles que les amis, les associations de consommateurs, les sites Internet, la publicité, les essais de produits, etc. (recherche externe).

- les études ont montré que la recherche externe d'information par les consommateurs est généralement limitée, même dans le cas de produits qui représentent des déboursés importants – tels des automobiles ou des meubles ; cela s'explique, entre autres, par le fait que les consommateurs procèdent à une analyse des coûts et des bénéfices résultant de la recherche d'information.

- les consommateurs utilisent diverses règles de décision pour effectuer leurs choix ; l'utilisation d'une règle en particulier dépend de leur implication personnelle, de leur expérience, du format de présentation des informations et du temps disponible.

- les règles de décision des consommateurs correspondent souvent à des raccourcis qui permettent de gagner du temps et de limiter les efforts, mais qui sont susceptibles de donner lieu à des biais systématiques.

- les processus qui se produisent après l'achat sont tout aussi importants que ceux qui le précèdent ; aussi, les responsables du marketing doivent se préoccuper de la satisfaction des consommateurs (mais aussi des autres sentiments et émotions associés à l'expérience de consommation) et de l'éventuelle dissonance qu'ils peuvent éprouver à la suite d'une décision de consommation.

Questions de révision et de réflexion

1. Le consommateur fait appel à de multiples processus de décision. Commentez. S'il en est ainsi, cela vaut-il la peine d'étudier la façon dont il prend ses décisions?

2. Comment avez-vous choisi le dernier film que vous êtes allé voir au cinéma? Comment avez-vous choisi le dernier disque, la dernière boîte de mouchoirs, la dernière paire de chaussures, le dernier équipement sportif important (patins à roues alignées, bicyclette, planche à neige, etc.) que vous avez achetés? Essayez de vous remémorer le processus que vous avez suivi pour chacun des produits cités et de le comprendre, avec le recul.

3. Lors de l'achat de votre dernière paire de chaussures, quelles sont toutes les décisions secondaires que cette décision principale a entraînées? Et pour l'achat de votre dernier équipement sportif?

4. Qu'est-ce qui distingue la recherche interne de la recherche externe? La recherche précédant l'achat de la recherche continue? Quels types de recherche avez-vous effectués pour chacun des produits cités à la question 2? Quelles sources avez-vous consultées? Comment qualifieriez-vous votre degré de recherche? Examinez de nouveau le tableau 6.4, à la page 204, et commentez-le en fonction de ce que vous avez expérimenté dans le cas des produits cités à la question 2.

5. Avez-vous suivi, pour l'un des produits cités à la question 2, un processus qui s'apparenterait à celui de la figure 6.1, à la page 187? À quel type de situation ce processus est-il principalement associé?

6. Qu'est-ce que la perspective expérientielle nous apprend sur le processus de décision des consommateurs? Cette perspective serait-elle plus appropriée pour décrire la démarche que vous avez suivie pour choisir l'un des produits énumérés à la question 2? Pourquoi?

7. Comment les caractéristiques d'un produit peuvent-elles influencer le processus de décision suivi par un consommateur? Quelles sont les caractéristiques des produits «boîte de mouchoirs» et «paire de chaussures»? Le processus que vous avez suivi pour chacun de ces produits est-il en accord avec le type d'influence attendu?

8. Quels sont les trois types de décision d'achat présentés par Howard et basés sur le niveau d'expérience des consommateurs? Évaluez votre expérience par rapport à l'achat de boîtes de mouchoirs, de paires de chaussures et d'équipement sportif (du dernier type d'équipement important que vous avez acheté). À quel type de décision le processus d'achat que vous avez suivi dans chacun des cas s'apparente-t-il? Est-ce conforme à la classification de Howard?

9. Expliquez les règles suivantes: règle conjonctive, règle disjonctive, règle d'élimination par critères, règle lexicographique, règle linéaire compensatoire. Pour choisir votre dernière paire de chaussures et votre dernier équipement sportif important, avez-vous suivi l'une de ces règles? Ou une combinaison de ces règles?

10. Citez les quatre facteurs qui semblent avoir une influence déterminante sur la règle suivie. Commentez-les en fonction de votre expérience de choix des produits cités à la question précédente.

11. Citez d'autres règles que peut utiliser le consommateur pour abréger son processus de décision. Quelles règles avez-vous suivies pour simplifier votre processus de choix des produits cités à la question 2?

12. Expliquez les règles de simplification (heuristiques) suivantes: disponibilité, représentativité et ancrage. Pour chacune d'elles, donnez un exemple pertinent en marketing.

13. Jugez de la pertinence du modèle présenté à la figure 6.5 de la page 214 en fonction de vos expériences de choix des produits cités à la question 2.

14. Considérez la citation suivante du professeur d'économie béhaviorale Dan Ariely : « Selon la perspective économique traditionnelle, la présomption de rationalité signifie que dans la vie de tous les jours, nous calculons la valeur des options auxquelles nous sommes confrontés et choisissons la meilleure action à prendre. [...] Mais [...], nous sommes beaucoup moins rationnels que la théorie économique traditionnelle présume. De plus, nos comportements irrationnels ne sont ni aléatoires ni insensés. Ils sont systématiques et, puisque nous les répétons continuellement, prévisibles. » (*Voir l'ouvrage cité à la note 33, page xxx.*) Commentez en fournissant des exemples appropriés au comportement du consommateur.

15. Quelles sont les limites de la théorie de la satisfaction, selon laquelle celle-ci serait le résultat d'une comparaison entre les attentes du consommateur et la performance perçue du produit ou du service ?

16. Qu'entend-on par attributs d'enchantement ? Peuvent-ils s'appliquer autant à un produit qu'à un service ?

17. Êtes-vous satisfait de vos choix de produits cités à la question 2 ? Énumérez les éléments qui ont contribué à la formation du niveau de satisfaction que vous ressentez (ou avez ressenti) dans chacun des cas. Diriez-vous que vous êtes même enchanté de l'un d'eux ? Si oui, quelle est la source de cet enchantement ?

18. Est-il plus probable que vous ressentiez de la dissonance cognitive après l'achat d'une boîte de mouchoirs ou d'une paire de chaussures ? Expliquez.

19. Si vous êtes un agent immobilier, que pouvez-vous faire pour diminuer l'éventuelle dissonance cognitive de vos clients ?

NONAC

La compagnie NONAC est spécialisée dans la fabrication et la vente de caméras numériques destinées aux photographes amateurs. Elle jouit d'une excellente réputation auprès des détaillants et des consommateurs.

Les responsables du marketing chez NONAC s'inquiètent de la baisse récente de la part de marché d'un de leurs produits, la caméra NONAC DS200. Cette caméra a toujours occupé une position dominante dans le marché très concurrentiel des caméras numériques de trois millions de pixels ou moins. Les gestionnaires de NONAC pensent que le déclin de la part de marché s'explique par l'arrivée récente sur le marché de YNOS, un concurrent très actif. Selon eux, la caméra fabriquée par YNOS est supérieure à la NONAC DS200 sous plusieurs aspects. Ils mentionnent entre autres sa grande polyvalence (carte mémoire, téléobjectif, vidéo, etc.) qui lui confère un avantage concurrentiel certain.

NONAC a embauché une firme-conseil afin de définir les critères de choix d'une caméra numérique ainsi que leur importance relative, d'établir les seuils minimaux d'acceptation des consommateurs au regard de chaque critère et de positionner NONAC par rapport à ses différents concurrents quant à ces critères.

Le président de la firme-conseil, Flash Lapose, présente lui-même les résultats de l'étude aux responsables du marketing. Sa présentation s'appuie sur les informations contenues dans les annexes 1 à 4. Le ton de sa présentation est plutôt pessimiste. Lapose croit en effet que les consommateurs ont une meilleure perception de la caméra offerte par YNOS. Voici la manière dont il présente les choses :

« Mesdames et Messieurs, examinez attentivement les informations contenues dans l'annexe 3. Comme vous pouvez le constater, YNOS occupe une bien meilleure position que NONAC. Ainsi, si l'on additionne les scores de performance de la caméra YNOS par rapport aux différents critères de choix, on obtient un total de 20, alors que le même calcul pour NONAC

donne un score total de 15. De plus, seule la caméra ACINOK obtient un score total inférieur à 15. Si l'on croit que les consommateurs utilisent ce type de règle de décision pour évaluer les marques et faire leur choix, il apparaît évident que la caméra NONAC DS200 occupe une bien mauvaise position dans ce marché. »

Flash Lapose communique aux gens de NONAC les recommandations que son équipe d'analystes et lui ont élaborées sur la base des résultats de l'étude. Selon eux, NONAC doit changer son positionnement au regard des critères de choix qui sont déterminants pour les consommateurs. Cela implique que des modifications techniques soient apportées à la caméra. Il mentionne la taille de la caméra, la garantie et la polyvalence. Il conclut ainsi :

« Je suis conscient du fait que ces modifications représentent des coûts importants. Cependant, il est urgent que NONAC entreprenne les actions nécessaires pour demeurer concurrentielle dans ce marché. »

À la suite de ces remarques, Jean Prandèbonne, un jeune diplômé en marketing récemment embauché par NONAC, regarde Flash Lapose d'un air dubitatif et dit :

« Ces recommandations m'apparaissent franchement draconiennes. D'abord, elles sont fondées sur l'hypothèse non vérifiée que les consommateurs utilisent une règle linéaire compensatoire sans pondération pour faire leur choix. Allons-nous obtenir des résultats différents si l'on suppose que les critères de choix sont pondérés par leur importance relative ? Deuxièmement, plutôt que de changer les caractéristiques techniques du produit, ne pourrions-nous pas essayer plutôt d'influencer la façon dont les consommateurs font leur choix ? Il existe peut-être une règle de décision faisant en sorte que la caméra NONAC DS200 devient la meilleure option. Si nous pouvions orienter notre communication publicitaire vers la mise en application de cette règle par les consommateurs, peut-être pourrions-nous éviter, du moins à court terme, les coûts importants associés aux changements que vous proposez. »

Se tournant vers son interlocuteur et prenant un ton condescendant, Flash Lapose dit alors :

« Facile à dire, jeune homme. Il vous faudra cependant découvrir cette merveilleuse règle de décision dont vous rêvez. Sa logique devra être sans faille si vous voulez convaincre les consommateurs. »

Retenant difficilement un sourire de contentement et regardant son bloc-notes plein de gribouillages, Jean Prandèbonne attend quelques secondes avant de répondre : « J'ai peut-être une idée. »

* * *

Annexe 1

Résultats des entrevues de groupe relatives à la détermination des critères de choix (50 participants)

Les critères utilisés pour choisir une caméra numérique sont le prix, la taille, le nombre de pixels, la garantie et la polyvalence.

Annexe 2

Résultats de l'enquête visant à estimer l'importance relative des critères de choix (364 participants)

L'ordre d'importance (du plus important au moins important) est celui-ci : le nombre de pixels, le prix, la polyvalence, la garantie et la taille.

Annexe 3

Position des marques par rapport aux critères de choix (score modal : 1 = mauvais, 5 = excellent — 364 participants)

Marque	Prix	Taille	Nombre de pixels	Garantie	Polyva-lence
NOKIN	2	3	4	3	4
YNOS	3	5	5	2	5
ACINOK	3	1	3	3	2
KADOK	4	2	3	4	3
NONAC	3	1	5	3	3

Annexe 4

Seuils de performance minimaux requis pour chaque critère de choix (score modal — 364 participants)

Prix : 3

Taille : 2

Nombre de pixels : 4

Garantie : 3

Polyvalence : 3

QUESTIONS

1. Quelle est la règle de décision à laquelle se réfère Jean Prandèbonne ?

2. Donnez un exemple concret d'une publicité télévisée visant à mettre en œuvre cette règle de décision auprès des consommateurs. Montrez les aspects audio et vidéo de cette pub.

3. Si un fabricant de caméras numériques voulait nourrir les processus décisionnels des consommateurs reposant sur la perspective expérientielle, quelle rubrique pourrait-il proposer dans son site Web ?

1. R.H. THALER et C.R. SUNSTEIN, *Nudge – Improving Decision about Health, Wealth, and Happiness,* New York, Penguin Books, 2009.

2. Parmi les chercheurs qui ont marqué le développement de la pensée et de la recherche portant sur le processus de décision du consommateur, le nom de James Engel est sans doute l'un des plus importants. Voir l'ouvrage suivant : R.D. BLACKWELL, P.W. MINIARD et J.F. ENGEL, *Consumer Behavior,* 10e éd., Mason, Ohio, South-Western Cengage Learning, 2006.

3. L'image du consommateur rationnel constitue une des approches que les chercheurs en marketing ont utilisées pour étudier les comportements des consommateurs. D'autres approches sont décrites dans l'article suivant : P. BALLOFFET, « Les images du consommateur : un essai de relecture chronologique », *Revue canadienne des sciences de l'administration,* vol. 30, 2003, p. 234-245.

4. Voir l'ouvrage suivant : J.A. HOWARD et J.N. SHETH, *The Theory of Buyer Behavior,* New York, John Wiley and Sons, 1969.

5. Voir l'article suivant : M.B. HOLBROOK et E.C. HIRSCHMAN, « The Experiential Aspects of Consumption : Consumer Fantaisies, Feelings, and Fun », *Journal of Consumer Research,* vol. 9, 1982, p. 132-140. La consommation expérientielle est discutée dans l'article de Richard VÉZINA, « Pour comprendre et analyser l'expérience du consommateur », *Gestion,* vol. 24, no 2, 1999, p. 59-65, ainsi que dans l'ouvrage suivant : P. HETZEL, *Planète conso – Marketing expérientiel et nouveaux univers de consommation,* Paris, Éditions d'Organisation, 2002.

6. D. BISWAS, « The Effects of Option Framing on Consumer Choices : Making Decisions in Rational versus Experiential Processing Modes », *Journal of Consumer Behaviour,* vol. 8, no 5, 2009, p. 284-299.

7. L'article suivant offre une réflexion théorique sur l'achat impulsif en montrant l'importance du contrôle de soi pour expliquer ce phénomène : R.F. BAUMEISTER, « Yielding to Temptation : Self-Control Failure, Impulsive Purchasing, and Consumer Behavior », *Journal of Consumer Research,* vol. 28, 2002, p. 670-676.

8. Des études ont montré que les consommateurs procèdent à une budgétisation mentale. Cependant, des événements imprévus peuvent avoir des effets significatifs sur la répartition finale du budget. Pour plus d'informations, voir l'article suivant : C. HEATH et J.B. SOLL, « Mental Budgeting and Consumer Decision », *Journal of Consumer Research,* vol. 23, 1996, p. 40-52.

9. Le lecteur intéressé par le thème du cadeau que l'on se fait (le cadeau à soi) en trouvera une discussion intéressante dans l'article suivant : D.G. MICK, M. DEMOSS et R.J. FABER, « A Projective Study of Motivations and Meanings of Self-Gifts : Implications for Retail Management », *Journal of Retailing,* vol. 68, no 2, 1992, p. 122-144.

10. Voir à ce sujet l'article suivant : G.C. BRUNER II et R.J. POMAZAL, « Problem Recognition : The Crucial First Stage of the Consumer Decision Process », *Journal of Consumer Marketing,* vol. 5, 1988, p. 53-63.

11. Cette conception est inspirée de l'ouvrage suivant : J.R. BETTMAN, *An Information Processing Theory of Consumer Choice,* Reading, Mass., Addison-Wesley, 1979.

12. Cette distinction a été mise de l'avant dans l'article suivant : P.H. BLOCH, D.L. SHERRELL et N.M. RIDGWAY, « Consumer Search : An Extended Framework », *Journal of Consumer Research,* vol. 13, no 1, 1986, p. 119-126.

13. Voir R.A. WESTBROOK et C. FORNELI, « Patterns of Information Source Usage among Durable Goods Buyers », *Journal of Marketing Research,* vol. 16, no 3, 1979, p. 303-312.

14. H.B. THORELLI, H. BECKER et J. ENGLEDOW, *The Information Seekers,* Cambridge, Mass., Ballinger, 1975.

15. Voir A. D'ASTOUS et F. COLBERT, « Moviegoers' Consultation of Critical Reviews : Psychological Antecedents and Consequences », *International Journal of Arts Management,* vol. 5, 2002, p. 24-35.

16. Le tableau a été construit à partir d'un sommaire présenté dans l'ouvrage suivant : D.I. HAWKINS, D.L. MOTHERSBAUGH et R.J. BEST, *Consumer Behavior : Building Marketing Strategy,* 10e éd., Boston, Mass., McGraw-Hill/Irwin, 2010. Les résultats relatifs à l'étude de Urbany, Dickson et Wilkie ainsi que ceux de l'étude de Klein et Ford ont été corrigés. Les références des études sont les suivantes : G. KATONA et E. MUELLER, « A Study of Purchase Decision », dans L. CLARK, dir., *Consumer Behavior : The Dynamics of Consumer Reaction,* University Press, 1955, p. 30-87 ; J. NEWMAN et R. STAELIN, « Prepurchase Information Seeking for New Cars and Major Household Appliances », *Journal of Marketing Research,* vol. 9, no 3, 1972, p. 249-257 ; J. CLAXTON, J. FRY et B. PORTIS, « A Taxonomy of Prepurchase Information Gathering Patterns », *Journal of Consumer Research,* vol. 1, no 3, 1974, p. 35-42 ; G.C. KIEL et R.A. LAYTON, « Dimensions of Consumer Information Seeking Behavior », *Journal of Marketing Research,* vol. 18, no 2, 1981, p. 233-239 ; J.E. URBANY, P.R. DICKSON et W.L. WILKIE, « Buyer Uncertainty and Information Search », *Journal of Consumer Research,* vol. 16, no 2, 1989, p. 208-215 ; J.B. FREIDEN et R.E. GOLDSMITH, « Prepurchase Information-Seeking for Professional Services », *Journal of Services Marketing,* vol. 3, no 1, 1989, p. 45-55 ; G.N. SOUTAR et M.M. McNEIL, « Information Search for a Professional Service », *Journal of Professional Services Marketing,* vol. 11, no 2, 1995, p. 45-60 ; L.R. KLEIN et G.T. FORD, « Consumer Search for Information in the Digital Age : An Empirical Study of Prepurchase Search for Automobiles », *Journal of Interactive Marketing,* vol. 17, no 3, 2003, p. 29-49.

17. Voir G. HÄUBL et V. TRIFTS, « Consumer Decision Making in Online Shopping Environments : The Effects of Interactive Decision Aids », *Marketing Science,* vol. 19, no 1, 2000, p. 4-21.

18. On trouvera dans l'ouvrage de James Bettman (*voir la note 11*) une présentation plus détaillée des règles de décision des consommateurs. L'article suivant offre une discussion très complète des mécanismes de prise de décision chez les consommateurs : J.R. BETTMAN, E.J. JOHNSON et J.W. PAYNE, « Consumer Decision Making », dans T.S. ROBERTSON et H.H. KASSARJIAN, dir., *Handbook of Consumer Behavior*, Englewood Cliffs, N.J., Prentice-Hall, 1991, p. 50-84.

19. Voir l'article suivant : A. TVERSKY, « Elimination by Aspects : A Theory of Choice », *Psychological Review*, vol. 79, 1972, p. 281-299.

20. Le lecteur trouvera dans l'ouvrage de Thaler et Sunstein cité à la note 1 une discussion intéressante sur les heuristiques et les biais systématiques. Les ouvrages suivants constituent des références classiques sur le sujet : T. GILOVICH, D. GRIFFIN et D. KAHNEMAN, *Heuristics and Biases : The Psychology of Intuitive Judgment*, New York, Cambridge University Press, 2002 ; D. KAHNEMAN et A. TVERSKY, *Choices, Values, and Frames*, New York, Cambridge University Press, 2000.

21. D. ARIELY, G. LOEWENSTEIN et D. PRELEC, « Coherent Arbitrariness : Stable Demand Curves without Stable Preferences », *Quarterly Journal of Economics*, vol. 118, n° 1, 2003, p. 73-105.

22. Cet exemple est tiré de l'article suivant : A. TVERSKY et D. KAHNEMAN, « Extensional Versus Intuitive Reasoning : The Conjunction Fallacy in Probability Judgment », *Psychological Review*, vol. 90, n° 4, 1983, p. 293-315.

23. On trouvera un excellent exemple de l'utilisation de cette méthode dans l'article suivant : J.R. BETTMAN et C.W. PARK, « Effects of Prior Knowledge and Phase of the Choice Process on Consumer Decision Processes : A Protocol Analysis », *Journal of Consumer Research*, vol. 7, n° 3, 1980, p. 234-248.

24. L'article suivant offre une très bonne présentation de la méthode des tables d'information : J. JACOBY, R.W. CHESNUT, K.C. WEIGL et W. FISHER, « Prepurchase Information Acquisition : Description of A Process Methodology », dans W.D. PERREAULT, dir., *Advances in Consumer Research*, 4, Atlanta, Ga., Association for Consumer Research, 1976, p. 306-314. Une description d'une approche employant des tables d'information produites à partir d'un ordinateur se trouve dans l'ouvrage suivant : J.W. PAYNE, J.R. BETTMAN et E.J. JOHNSON, *The Adaptive Decision Maker*, Cambridge, Cambridge University Press, 1993. Enfin, l'étude présentée dans l'article suivant montre qu'il est possible d'utiliser la méthode des tables d'information en ligne et que les résultats obtenus ne diffèrent pas de ceux issus de la façon traditionnelle : C. PETR et A. HESS-MIGLIORETTI, « La méthode des tables d'information - Un renouvellement grâce à Internet ? », *Décisions Marketing*, n° 57, 2010, p. 19-30.

25. Voir l'article suivant : J.R. BETTMAN et P. KAKKAR, « Effects of Information Presentation Format on Consumer Information Acquisition Strategies », *Journal of Consumer Research*, vol. 3, n° 4, 1977, p. 233-240.

26. L'article suivant présente une excellente discussion de la méthode : J.E. RUSSO, « Eye Fixations Can Save the World : Critical Evaluation and Comparison between Eye Fixations and Other Information Processing Methodologies », dans H.K. HUNT, dir., *Advances in Consumer Research*, 5, Ann Arbor, Mich., Association for Consumer Research, 1978, p. 561-570.

27. Pour en savoir davantage sur les méthodes employées pour étudier les processus de décision, voir l'ouvrage suivant : J.S. CARROLL et E.J. JOHNSON, *Decision Research : A Field Guide*, Newbury Park, Calif., Sage Publications, 1990.

28. Voir l'article suivant : P.L. WRIGHT et F. BARBOUR, « Phased Decision Strategies : Sequels to an Initial Screening », dans M.K. STARR et M. ZELENY, dir., *North Holland /TIMS Studies in the Management Sciences*, 6, Amsterdam, North Holland, 1977, p. 91-109.

29. Voir, par exemple, J.R. BETTMAN, M.F. LUCE et J.W. PAYNE, « Consumer Decision Making : A Choice Goals Approach », dans C.P. HAUGTVEDT, P.M. HERR et F.R. KARDES, dir., *Handbook of Consumer Psychology*, New York, Lawrence Erlbaum Associates, 2008, p. 589-610.

30. Ces deux mécanismes décisionnels ont été présentés pour la première fois dans l'article suivant : J.R. BETTMAN et M.A. ZINS, « Constructive Process in Consumer Choice », *Journal of Consumer Research*, vol. 4, n° 2, 1977, p. 75-85.

31. Ce modèle est décrit dans l'article suivant : A. D'ASTOUS et D. ROUZIÈS, « Selection and Implementation of Processing Strategies in Consumer Evaluative Judgment and Choice », *International Journal of Research in Marketing*, vol, 4, n° 2, 1987, p. 99-110.

32. Voir J.R. BETTMAN, M.F. LUCE et J.W. PAYNE, « Constructive Consumer Choice Processes », *Journal of Consumer Research*, vol. 25, n° 3, 1998, p. 187-217.

33. Les exemples abordés dans cette section sont tirés de l'article de I. SIMONSON, « Get Closer to Your Customers by Understanding How They Make Choices », *California Management Review*, vol. 35, n° 4, 1993, p. 68-84, et de l'ouvrage de D. ARIELY, *Predictably Irrational : The Hidden Forces that Shape our Decisions*, New York, Harper, 2009.

34. Voir E.L. LANDON, « A Model for Consumer Complaint Behavior », dans R. DAY, dir., *Consumer Satisfaction, Dissatisfaction, and Complaining Behavior*, Bloomington, Indiana University, 1977.

35. Voir l'article suivant : R.L. OLIVER, « A Cognitive Model of the Antecedents and Consequences of Satisfaction Decision », *Journal of Marketing Research*, vol. 17, n° 4, 1980, p. 460-469.

36. L'article suivant présente une revue empirique (ce que l'on appelle une méta-analyse) d'une cinquantaine d'études qui ont porté sur la satisfaction des consommateurs: D.M. SZYMANSKI et D.H. HENARD, «Customer Satisfaction: A Meta-Analysis of the Empirical Evidence», *Journal of the Academy of Marketing Science,* vol. 29, nᵒ 1, 1991, p. 16-35. Les résultats qui apparaissent dans cet article confirment le rôle significatif des écarts entre les attentes et la performance pour expliquer la satisfaction.

37. Une méthode intéressante permettant de définir les attentes des consommateurs dans le contexte de l'hôtellerie est présentée dans l'article suivant: L. DUBÉ et M.-C. CERVELLON, «Quand l'acheteur ne fait pas qu'acheter», *Gestion,* vol. 24, nᵒ 2, 1999, p. 66-73.

38. Voir J.E. SWAN et L.J. COMBS, «Product Performance and Consumer Satisfaction: A New Concept», *Journal of Marketing,* vol. 40, nᵒ 2, 1976, p. 25-33.

39. La figure est adaptée d'un exemple présenté dans l'ouvrage suivant: M.D. JOHNSON, *Customer Orientation and Market Action,* Upper Saddle River, N.J., Prentice-Hall, 1998.

40. L'article suivant passe en revue les aspects conceptuels et méthodologiques essentiels pour établir une démarche rigoureuse de mesure de la satisfaction: R. DESORMEAUX et J. LABRECQUE, «La mesure de la satisfaction de la clientèle (MSC)», *Gestion,* vol. 24, nᵒ 2, 1999, p. 74-81.

41. Une méthode d'estimation courante est la régression linéaire multiple. Pour une introduction, voir A. D'ASTOUS, *Le projet de recherche en marketing,* 4ᵉ éd., Montréal, Chenelière Éducation, 2010, chapitre 9.

42. Ces distinctions sont proposées dans l'ouvrage cité à la note 39.

43. Voir L. FESTINGER, *A Theory of Cognitive Dissonance,* Standford, Calif., Standford University Press, 1957. Les applications de cette théorie en comportement du consommateur sont revues dans l'article suivant: W.H. CUMMINGS et M. VENKATESAN, «Cognitive Dissonance and Consumer Behavior: A Review of the Evidence», *Journal of Marketing Research,* vol. 13, nᵒ 3, 1976, p. 303-308. Enfin, l'ouvrage suivant trace l'évolution de la théorie depuis son origine jusqu'à nos jours: J. COOPER, *Cognitive Dissonance: Fifty Years of a Classic Theory,* Los Angeles, Calif., Sage Publications, 2007.

PARTIE 3

LES INFLUENCES EXTERNES

Les influences sociales

CHAPITRE 7

Introduction

Dans son livre intitulé *Les vendredis de Carpentras,* l'anthropologue française Michèle de La Pradelle rapporte les résultats d'une étude d'observation du marché forain de Carpentras, une ville de Provence. Au-delà de la description des mécanismes du marché et des comportements des acteurs qui le composent (les clients, les forains, les touristes, les habitants de la ville, etc.), De La Pradelle nous fait prendre conscience qu'un marché est surtout un espace social. Plus qu'un simple lieu physique où des gens se réunissent pour des motifs divers, habituellement liés à l'achat et à la consommation, un marché est un endroit où les personnes agissent,

> Chacun fait son marché à sa guise – les uns viennent y flâner, en humer l'ambiance, quitte à se laisser piéger par l'occasion, d'autres ont en tête quelques achats précis, et celui-ci accomplit son tour de ville habituel, histoire de saluer ses «connaissances» –, mais tous le font d'une certaine manière ensemble et créent ainsi en commun un événement collectif[1].
>
> **Michèle de La Pradelle**

comme dit l'auteure, «sous le regard des autres». Par là, De La Pradelle entend que les comportements des participants au marché sont influencés par la présence des autres. Cette influence est parfois subtile, comme lorsqu'un consommateur entend une réflexion d'un voisin sur le prix trop élevé des fraises ou que quelqu'un fait remarquer que les pommes de terre sont plus belles à l'épicerie du coin. Elle peut être plus visible lorsque, par exemple, un marchand donne son avis sur la tendreté de telle pièce de viande par rapport à une autre. C'est la raison pour laquelle l'étude du comportement du consommateur s'intéresse à mieux comprendre les influences sociales sur les activités de consommation.

En traitant des influences sociales, ce chapitre aborde un domaine complémentaire à celui des influences individuelles vues dans les chapitres précédents. La société est définie par *Le Petit Robert* comme étant un ensemble de personnes entre lesquelles existent des rapports durables et organisés, généralement institutionnalisés et garantis par des sanctions. Une société se caractérise par sa culture, cet ensemble complexe englobant les connaissances, les croyances, l'art, les normes, les valeurs, la morale, les rites, les rituels et les autres éléments qu'elle inculque à ses membres et qui la distinguent des autres sociétés. La culture est à la fois la colonne vertébrale et l'âme de la société. Celle-ci comporte différents groupes, dont certains obtiennent le statut de groupe de référence, car ils servent de base de comparaison aux individus. Parmi ces groupes de référence figurent les classes sociales, cette stratification qui caractérise l'hétérogénéité évidente des individus d'une même culture dont les conditions de vie, les aspirations, les rôles ainsi que la recherche et l'exercice du pouvoir ne sont pas parfaitement uniformes. On y retrouve également l'entité que constitue l'unité familiale, ce groupe primaire très influent qui inculquera à l'individu son premier véritable apprentissage et conditionnera ses apprentissages futurs. Mais, à travers les interactions sociales et la communication entre les membres d'une société ou d'un groupe, la **dimension symbolique** des comportements et des objets – dont ceux de consommation – occupe une place prédominante.

Ainsi, dans ce chapitre, nous traiterons d'abord du rôle des symboles dans le cadre des interactions sociales et nous illustrerons ensuite les influences sociales interpersonnelles directes sur le comportement de consommation en nous concentrant sur les groupes de référence. Puis, dans le but de mettre en lumière les influences sociales indirectes, nous passerons à l'étude du concept de classe sociale. Notons que l'influence de la culture et celle des sous-cultures seront abordées en détail respectivement dans les chapitres 8 et 9, alors que le chapitre 11 sera consacré à la famille et à son effet sur le comportement de consommation. La figure 7.1 présente le modèle global qui guidera notre présentation, et afin d'entamer l'étude de la dimension symbolique dans les interactions sociales, une illustration en est présentée dans l'encadré qui suit.

FIGURE 7.1 Les influences sociales en comportement du consommateur

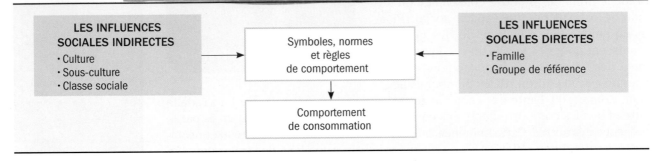

LES INFLUENCES SOCIALES INDIRECTES
• Culture
• Sous-culture
• Classe sociale

Symboles, normes et règles de comportement

LES INFLUENCES SOCIALES DIRECTES
• Famille
• Groupe de référence

Comportement de consommation

LA CIGARETTE POUR LES FEMMES : UN FLAMBEAU DE LA LIBERTÉ

Dans la préface du livre *Propaganda,* écrit par le grand spécialiste des relations publiques Edward L. Bernays et paru en 2008, Normand Baillargeon raconte en détail l'un des succès les plus retentissants de ce spécialiste : avoir amené les femmes américaines dans les années 1920, suivies par les femmes du monde entier jusqu'à la fin du XXe siècle, à fumer en usant de la symbolique de la cigarette comme « flambeau de la liberté ». Il raconte ce qui suit :

« Nous sommes toujours en 1929 et, cette année-là, Georges Washington Hill (1884-1946), président de l'American Tobacco Co., décide de s'attaquer au tabou qui interdit à une femme de fumer en public, un tabou qui, théoriquement, faisait perdre à sa compagnie la moitié de ses profits. Hill embauche Bernays, qui, de son côté, consulte aussitôt le psychanalyste Abraham Arden Brill (1874-1948), une des premières personnes à exercer cette profession aux États-Unis. Brill explique à Bernays que la cigarette est un symbole phallique représentant le pouvoir sexuel du mâle : s'il était possible de lier la cigarette à une

forme de contestation de ce pouvoir, assure Brill, alors les femmes, en possession de leur propre pénis, fumeraient.

La ville de New York tient chaque année, à Pâques, une parade célèbre et très courue. Lors de celle de 1929, un groupe de femmes avaient caché des cigarettes sous leurs vêtements et, à un signal donné, elles les sortirent et les allumèrent devant des journalistes et des photographes qui avaient été prévenus que des suffragettes allaient faire un coup d'éclat. Dans les jours qui suivirent, l'événement était dans tous les journaux et sur toutes les lèvres. Les jeunes femmes expliquèrent que ce qu'elles allumaient ainsi, c'était des « flambeaux de la liberté » (*torches of freedom*). On devine sans mal qui avait donné le signal de cet allumage collectif de cigarettes et qui avait inventé ce slogan ; comme on devine aussi qu'il s'était agi à chaque fois de la même personne et que c'est encore elle qui avait alerté les médias. »

Source : Edward BERNAYS, *Propaganda : comment manipuler l'opinion en démocratie,* préface de Normand BAILLARGEON, Montréal, Lux éditeur, 2008, p. 23.

7.1 Le symbolisme dans les interactions sociales

La communication par symboles

Nous avons déjà mentionné dans les chapitres 2 et 3 sur la motivation et la perception que nous n'achetons pas toujours des produits ou ne recourons pas toujours à des services uniquement pour leur valeur utilitaire – ou même hédoniste –, mais aussi pour leur **dimension symbolique.** Dans le contexte de l'étude des influences sociales, il est intéressant de se pencher de nouveau sur ce phénomène en prenant conscience du fait que, dans nos interactions et nos communications avec les autres, la dimension symbolique des produits et des comportements (de consommation) joue un rôle de premier plan.

Les symboles sont des constructions mentales qui peuvent être simples ou complexes, en fonction du processus de codification qui les sous-tend. Plus le symbole est simple, moins il requiert de traitement cognitif chez l'individu qui le perçoit. Les publicitaires cherchent souvent à intégrer dans leurs messages des symboles simples, afin de faciliter le traitement de l'information par le consommateur et de garantir la formation d'attitudes favorables. Ainsi, le fabricant de boissons gazeuses Pepsi[2] utilise des concepts de publicité simples qui font appel à des vedettes de la chanson ou à des héros sportifs (par exemple, David Beckham). Souvent, leurs publicités ne contiennent pas de texte. Seuls le nom de la marque, le logo et le nom de la vedette apparaissent, nous rappelant, par exemple, que Pepsi = Beckham, Beckham = la perfection, donc Pepsi = le goût de la perfection.

Outre le fait qu'il soit une construction mentale, comme nous l'avons mentionné au chapitre 3, un symbole est un stimulus doté d'un sens appris et d'une valeur partagée par une communauté d'interprétation. Voyons de quelle façon.

La formation des symboles

Les symboles naissent généralement des interactions entre les membres d'un groupe social. Chaque société, culture, sous-culture, classe sociale ou groupe adopte un ensemble de **significations symboliques** partagées par ses membres. Ainsi, pour chacun de ces derniers et par l'intermédiaire du processus de socialisation, les biens de consommation acquièrent une signification, deviennent porteurs d'une valeur symbolique bénéficiant d'un consensus élevé. D'ailleurs, les symboles ne peuvent émerger et acquérir leur sens symbolique social sans un consensus collectif. Ce qui ne nous empêche pas, du reste, de consommer des biens tant pour leur signification publique que pour leur signification privée.

À titre d'exemple, pour la génération qui a précédé les baby-boomers au Québec et qui est considérée comme moderniste, l'acquisition de biens matériels était un symbole de réussite. Cette génération a commencé sa vie en conduisant une Chevette, mais elle a toujours rêvé de posséder une Cadillac pour la montrer aux autres. De la même façon, le port du jean *extralarge* par un grand nombre d'adolescents québécois (hip-hop) peut être interprété comme un signe de non-conformité aux normes sociales et de refus de l'autorité. La possession d'une moto Harley-Davidson est synonyme de liberté, de patriotisme et de machisme[3]. À l'origine, bien des gens considéraient le fait d'acheter par Internet comme un symbole d'avant-gardisme et d'innovation.

Certains comportements, dont ceux de consommation, sont également chargés d'une signification symbolique, jusqu'à devenir parfois des **rituels.** L'échange de cadeaux entre les membres de la famille à l'occasion de Noël, entre amoureux à la Saint-Valentin, la collation des grades au moment de l'obtention d'un diplôme universitaire et l'organisation d'une fête en vue d'un mariage sont autant d'exemples de rituels collectivement admis qui communiquent des valeurs universelles comme l'amour, la fraternité, le sens de la famille et l'accomplissement. Nous aurons l'occasion de revoir les notions de symbole et de rituel dans le contexte des chapitres 8 et 11 traitant de la culture et de la famille.

En guise de complément, nous présenterons un modèle, très connu en comportement du consommateur, selon lequel les symboles sont d'abord transférés à un produit, puis du produit au schème mental du consommateur. La figure 7.2 illustre ce modèle, soit le processus de formation des symboles liés à la consommation. Le monde culturel se présente comme le prisme à travers lequel les individus interprètent ce qui les entoure. Il est formé des normes, des valeurs, des rituels, etc., éléments que nous étudierons aussi au chapitre 8 portant sur la culture. La publicité et la mode apparaissent comme des instruments privilégiés de transfert de signification de notre monde vers les biens de consommation. En fait, non seulement les efforts des publicitaires et des gestionnaires de marketing participent-ils à ce transfert, mais aussi les efforts interpersonnels des *leaders* d'opinion, des groupes marginaux, des journalistes, des personnages de téléséries et de téléromans, voire des magazines, des films et des journaux. C'est ainsi que se crée le sens symbolique d'un produit[4]. Le transfert de signification des biens de consommation aux individus s'effectue au moyen d'actions symboliques et de rituels divers. Il ressort de ce modèle que le sens attribué aux biens de consommation est mouvant.

FIGURE 7.2 Le processus de formation des symboles de la consommation, selon McCracken (1986)

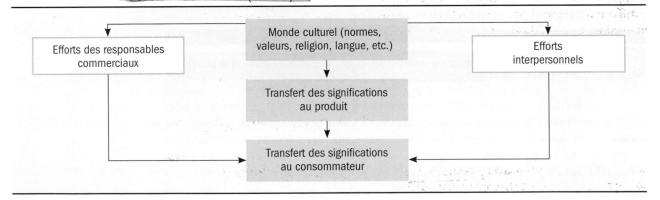

Bien que le symbolisme des produits prenne naissance sur le plan socioculturel, il est récupéré sur le plan individuel. En effet, une fois formés, les symboles sociaux seront employés par chacun dans ses interactions sociales pour influencer les impressions laissées aux autres, renforcer son concept de soi, signifier son appartenance ou son désengagement vis-à-vis d'un groupe particulier, soutenir ses différents rôles sociaux (père ou mère, professeur ou étudiant, citoyen, etc.), faciliter l'acquisition d'un nouveau rôle ou statut social, interpréter une situation donnée ou «négocier» celle-ci, pour reprendre un terme clé de la perspective sociologique de l'**interactionnisme symbolique**[5].

Les symboles et le concept de soi

Nous utilisons les symboles pour soutenir notre «soi» (concept de soi). Nous avons déjà eu l'occasion de voir au chapitre 2 comment chacun d'entre nous, de façon plus ou moins conscient, volontaire, efficace, essaie de contrôler les impressions qu'il peut laisser aux autres (perspective théâtrale) et comment chacun utilise la dimension symbolique des produits pour gérer son image.

Les étapes de la communication de son «soi» aux autres par l'intermédiaire d'éléments symboliques peuvent se définir comme suit[6]:

1. Le consommateur adopte un élément (un produit, une marque, un magasin, etc.) qui représente son «soi» et véhicule une représentation de lui-même (cela peut être une représentation idéalisée).

2. Le consommateur espère que son auditoire percevra correctement la nature symbolique de l'élément retenu.

3. Le consommateur souhaite que son auditoire perçoive en lui les mêmes qualités symboliques que celles attribuées à l'élément adopté et qu'il transfère ces qualités à son «soi».

Puisque chaque comportement de consommation peut être interprété comme un signe ou un symbole, le consommateur en fait une récupération stratégique pour renforcer son «soi[7]». Mais pour qu'un produit (une marque) puisse devenir un symbole, encore faut-il que son achat ou sa consommation se remarque, que sa possession et son utilisation impliquent une certaine exclusivité (un produit que tout le monde posséderait ne pourrait plus jouer son rôle d'élément différenciateur, puisqu'il ne distinguerait plus personne) et qu'il projette une image distinctive, voire stéréotypée, de son utilisateur, garante de son pouvoir de communication.

De la même façon, le consommateur peut souligner son appartenance ou désir d'appartenance, son **identification à un groupe,** en achetant, en utilisant et en exhibant les mêmes produits ou les mêmes marques, et en fréquentant les mêmes magasins, qui symbolisent le groupe en question. Il espère ainsi être reconnu comme l'un de ses membres, tant à l'intérieur qu'à l'extérieur du groupe, ou du moins se donner l'illusion d'en faire partie, de vivre son identification au groupe. Dans ce cas, à défaut d'être réellement membre du groupe, il s'en approprie les symboles et, par le fait même, réalise une adhésion imaginaire.

Les produits utilisés dans ce cas jouent le rôle d'emblèmes ou de logos différenciateurs. En ce qui concerne les groupes religieux, la croix rassemble les chrétiens, l'étoile de David[8] distingue les juifs et la main de Fatma[9] est l'emblème des musulmans. Le style vestimentaire a souvent été utilisé par l'individu comme un moyen de signifier son appartenance à un groupe particulier. À titre d'exemples, mentionnons que l'uniforme bleu distingue les policiers, le jaune, les pompiers et le vert, les militaires. La blouse blanche est le symbole d'appartenance au corps médical, alors que le blouson, le pantalon, les bottes de cuir noir et la moto Harley-Davidson sont souvent associés aux motards. Les vêtements que portent les adolescents sont choisis non seulement pour leur fonction utilitaire, mais aussi parce qu'ils sont représentatifs de la relation de ces ados avec un ou des groupes de référence. Ainsi, un adolescent qui porte des vêtements de type *streetwear* signale aux autres qu'il appartient à un groupe, qu'il partage ses valeurs, ou encore qu'il aspire à y appartenir. Pour poursuivre les exemples associés au domaine vestimentaire, la capsule 7.1, à la page suivante, vous offre une présentation de la dimension symbolique de la mode masculine à travers le temps.

La dimension symbolique de la mode masculine au cours des 50 dernières années

Depuis l'histoire ancienne, où le torse nu de l'homme permettait de faire la différence entre l'esclave et son maître, l'habit a toujours servi de symbole, soit pour signifier l'appartenance à un groupe (une classe sociale, un corps professionnel, un rang hiérarchique, etc.) ou encore pour exprimer les valeurs d'un groupe. L'évolution de la mode masculine au cours des 50 dernières années permet d'illustrer ce dernier point.

En effet, le début des années 1960 a été marqué par les grands mouvements de libération nationale dans plusieurs pays, qui se sont exprimés chez les jeunes de l'époque par le désir de changer et de s'affirmer en tant que groupe social à part entière. La mode masculine s'est alors caractérisée par l'apparition, pour la première fois en Europe, du veston sans col et des cravates Cardin portés par les Beatles. Durant ce temps, aux États-Unis, on assistait à l'émergence des vestes droites, des pantalons étroits, des cravates allumettes et des chemises cintrées, bref l'image classique de John. F. Kennedy.

La fin des années 1960 a vu surgir des mouvements révolutionnaires, plutôt tranquilles dans certains pays comme le Canada et les États-Unis, mais plus radicaux dans d'autres, comme la France et la Tchécoslovaquie. Cette période a connu l'émergence de la mode hippie, où les jeans, le manteau long, les tenues folkloriques comme le gilet, l'habit hindou, turc ou afghan sont devenus les symboles d'une jeunesse masculine refusant le conformisme social et la domination de l'esprit matérialiste.

Durant les années 1970, c'est l'esprit sportif qui règne sur les valeurs de la société et qui se retrouve également dans la mode masculine. Les tenues plus décontractées ont vu le jour avec des chemises colorées et sans col, des chandails à col roulé, des tuniques, des pulls longs ceinturés autour de la taille et qui descendent jusqu'à mi-cuisse sur des pantalons devenus de plus en plus collants. C'est pendant cette période que les premiers sacs à main (les pochettes à main) pour hommes sont apparus afin de compenser les poches devenues plus petites et moins utiles. À la fin des années 1970, un produit dérivé de l'habit typique des sportifs a fait son apparition : le *jogging suit*. Il sera utile aussi bien pour faire du sport que pour se détendre à la maison ou se balader à l'extérieur.

Les années 1980 et 1990 confirment les tendances décontractées de l'homme moderne. Les costumes unis ou écossais ont tranquillement laissé la place à des agencements de vestes et pantalons aux couleurs assorties, le t-shirt a remplacé la chemise sous la veste, et les maillots-*shorts* ont commencé à se propager parmi la gent masculine désireuse de se sentir à l'aise même en maillot de bain.

Marquée par un contexte international difficile et une récession économique très grave, la mode masculine des années 2000 à 2009 s'est composé une image très sobre loin des propositions extravagantes et des couleurs vives. La plupart des designs proposés tout au long de cette décennie s'inspirent des styles très classiques avec caban, blouson de cuir, veste de tweed, chemise écossaise, cravate noire et bottes montantes d'inspiration militaire. À partir de 2010, on s'attend à un retour en vogue du nœud papillon, de la veste fanfare, du style *rock star* mégalo et des styles chasseur, terroir et bûcheron canadien.

Sources : Inspiré de «Hommes : des changements tous les dix ans», La Presse, cahier Mode, 27 novembre 1990, C2 ; Yves SCHAEFFNER, «Les 10 tendances homme de l'automne 2009», [En ligne], www. styledevie. sympatico.ca/Modeetbeaute/Styles_automne ; «What's hot ? : les futures tendances masculines 2010», 26 août 2009, [En ligne], www.styleseduction. fr/whats-hot-les-futures-tendances-masculines-2009

Les symboles et les rôles sociaux

Tout au long de sa vie, l'individu est appelé à assumer certaines fonctions, à jouer et donc à maîtriser différents rôles sociaux. Il peut être d'abord étudiant, puis travailleur et enfin retraité, ou encore célibataire, marié, puis veuf ou divorcé. Mais, à une même époque de sa vie, l'individu joue aussi divers rôles, au gré des situations. Il peut être à la fois professeur d'université, père de famille et président d'une association de quartier[10]. La perspective théâtrale présentée dans le chapitre 2 nous a fourni l'occasion d'aborder ce point.

Selon la perspective sociologique de l'interactionnisme symbolique, nous vivons dans un environnement symbolique et interprétons de façon constante les symboles qui nous entourent. La signification conférée à une situation ou à un objet repose sur l'interprétation que nous faisons de ces symboles. Dans un contexte social déterminé, le rôle que nous avons à jouer, incluant un «moi» distinct à activer en conséquence, guide notre comportement tout en étant associé culturellement à un ensemble cohérent de significations, mais aussi à un ensemble de symboles matériels. La présence ou l'absence de ces symboles facilite ou dessert la performance que nous sommes à même de livrer. Ils nous aident donc à soutenir un **rôle social.**

On peut néanmoins avoir une plus ou moins bonne connaissance d'un rôle et une plus ou moins grande confiance dans notre capacité à le jouer. C'est le cas lorsque nous avons un nouveau rôle à jouer parce que nous avons changé de statut social. Le passage d'un statut social à un autre comprend trois grandes phases: le désengagement de l'ancien rôle, puis la phase de transition de l'ancien rôle vers le nouveau, et enfin l'acquisition du nouveau rôle. Le modèle présenté à la figure 7.3 illustre le recours aux symboles par l'individu, qu'il s'agisse d'objets, de comportements, de rituels ou de conventions, pour faciliter son passage d'un statut social à un autre[11].

FIGURE 7.3 Le rôle des symboles dans le processus d'acquisition d'un nouveau statut social, selon Solomon (1983)

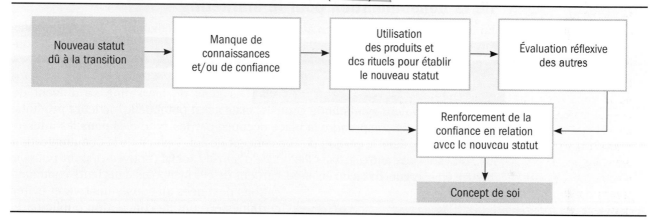

À titre d'exemple, lors de son passage du statut d'étudiant au doctorat à celui de professeur d'université, l'un des auteurs de ce livre s'est départi de son style vestimentaire nonchalant (jeans, t-shirt, chaussures de sport, casquette et sac à dos) pour adopter un nouveau style plus sobre et plus soigné (costume, cravate, chaussures et mallette). Il a cessé d'utiliser les moyens de transport en commun (bus et métro) et résilié son contrat de location d'une chambre en ville, puis s'est acheté une voiture neuve et un condominium situé dans un quartier résidentiel huppé. Le rejet des symboles associés à un statut révolu et l'adoption d'autres symboles interviennent chez l'individu pour renforcer l'acquisition de son nouveau statut et lui permettre de mieux se démarquer de l'ancien.

En fait, moins on a confiance dans sa capacité à assumer un nouveau rôle ou statut social, par manque d'expérience ou d'habileté, plus on s'appuie sur les symboles matériels qui s'y rapportent. D'où l'intérêt manifesté par les jeunes garçons qui quittent le monde de l'enfance pour les produits de rasage, et celui des jeunes filles pour les produits de maquillage, etc. Quant aux oursons et aux poupées, ils sont au mieux relégués dans les placards. Ainsi, dans certaines situations, l'inconfort éventuellement ressenti par l'individu dans un nouveau rôle peut le pousser à adopter plus rapidement certains symboles associés au nouveau statut, dans l'intention de réduire cet inconfort. Des études ont d'ailleurs montré que les finissants du programme de MBA qui pensaient éprouver des difficultés de placement après l'obtention de leur diplôme avaient davantage tendance à utiliser des symboles d'appartenance à la communauté des affaires (costume, cravate, mallette, agenda électronique, etc.) que leurs homologues qui n'appréhendaient pas de telles difficultés[12]. Ajoutés à l'évaluation positive de l'entourage (celle des autres étudiants et des enseignants, dans le cas des étudiants au MBA), ces symboles jouent alors un rôle compensatoire, renforcent la confiance de l'individu et le rendent plus à l'aise dans l'appropriation de son nouveau statut.

Notons que la problématique des symboles dans les changements de rôle a été largement abordée en comportement du consommateur, non seulement dans le cas d'un changement de catégorie d'âge ou d'état civil, mais aussi de culture ou de classe sociale. Certains de ces éléments seront abordés dans les sections ou chapitres à venir.

Les implications des symboles sociaux de la consommation pour le marketing

En marketing, comme nous en avons déjà débattu précédemment, il est crucial de prendre en compte la dimension symbolique des objets de consommation, si souvent rattachée à la notion clé du concept de soi en comportement du consommateur, car elle est l'une des raisons de l'achat de nombreux produits et de la consommation de nombreux services. Les gens de marketing se doivent de connaître la valeur symbolique actuelle, mais aussi potentielle, de leurs produits. Ils se doivent de comprendre la place occupée par les symboles dans les interactions sociales, dans la gestion de son concept de soi (gestion de la communication de son « soi » aux autres), dans l'exercice d'un rôle social (nouveau), pour pouvoir mettre en exergue, de façon éclairée, certains de ces symboles dans leurs communications destinées au consommateur et éviter certaines erreurs de conception publicitaire. Le contenu symbolique d'un objet ou d'un comportement renferme une foule d'informations codifiées à partir desquelles l'auditoire peut inférer et générer des associations[13].

En Amérique du Nord, particulièrement, les personnes riches et célèbres issues du monde des loisirs (cinéma, télévision, musique), du domaine des sports (football, baseball, hockey, golf, tennis) et même de l'arène politique constituent une source d'inspiration incroyable pour les praticiens du marketing en raison des symboles culturels qu'ils représentent et que les membres de la société en général reconnaissent en eux. Ces célébrités agissent d'ailleurs souvent à titre de porte-parole pour promouvoir l'image de telle marque ou de tel produit, comme en témoigne la publicité de Hyundai ci-contre, où apparaît Guillaume

L'utilisation de l'image de Guillaume Lemay-Thivierge pour promouvoir les voitures de marque Hyundai.

Lemay-Thivierge, un acteur bien connu du public-cible de ce fabriquant automobile. Les spécialistes en communication marketing appellent ce phénomène «*endorsment*[14]». Le défi des publicitaires est souvent de réussir à transférer les symboles culturels que véhicule une célébrité aux consommateurs qui utilisent une marque ou un produit. Autre exemple, lorsque l'acteur américain George Clooney, l'un des hommes les plus séduisants au monde, est devenu le porte-parole de la marque de café de prestige Nespresso, les ventes de la marque en question ont bondi de 25 % la première année. Les études de marché montrent que cette grande vedette du cinéma américain et *sex-symbol* de la série de télévision *Urgence* a su conférer un côté séduisant à la marque Nespresso[15].

À ce stade-ci, il est important de mentionner que la réussite commerciale de l'utilisation d'une célébrité comme porte-parole d'une marque n'est pas automatique, mais exige trois conditions. D'abord, la célébrité retenue doit non seulement refléter des symboles précis (par exemple, beauté, jeunesse, intelligence, force, rapidité), mais encore faut-il que ces symboles soient majoritairement partagés par les membres de la société. L'image que les individus se font d'une vedette et les symboles culturels qu'ils lui associent ne sont pas une création mentale instantanée, mais découlent souvent d'un processus de construction qui se déroule sur une bonne partie de sa carrière. C'est ce qui différencie une célébrité (au sens que nous lui donnons ici) d'un modèle anonyme que l'on retrouve couramment dans les publicités. La seconde condition de réussite est que la marque concernée doit elle-même porter des attributs en association parfaite avec les symboles que la publicité cherche à lui associer. Enfin, le processus de transfert symbolique, qui se fait souvent à travers la publicité, doit être adéquatement géré. Selon les spécialistes en communication, ce processus de transfert comporte trois phases :

- La première phase consiste à déterminer la célébrité qui sera retenue comme porte-parole de la marque et les symboles culturels qu'elle porte en elle. Des enquêtes réalisées auprès des utilisateurs de la marque sont souvent utilisées pour trouver, parmi les personnes célèbres, le meilleur des ambassadeurs.

- La seconde phase consiste à faire transférer à travers le message publicitaire la signification de symboles portés par cet ambassadeur au produit lui-même. Le message doit donc être conçu de manière à faire ressortir le plus possible les similarités qui existent entre les caractéristiques de la célébrité et les attributs de la marque.

- La troisième phase vise à faire endosser les symboles portés par les consommateurs. Il s'agit pour les publicitaires de s'assurer que les consommateurs cibles s'approprient les symboles véhiculés par la marque. Lors de cette dernière phase, le porte-parole de la marque devient un genre de superconsommateur ou encore un exemple à suivre et une source d'inspiration pour les consommateurs. Comme on l'a mentionné au début de ce chapitre, ces derniers cherchent eux-mêmes à utiliser des produits pour donner un sens à leur vie, et ces produits font donc partie de leur construction de soi.

En gardant en mémoire ce que nous venons de voir sur le rôle important des symboles dans les interactions sociales, nous poursuivrons avec l'étude des groupes de référence pour enrichir encore notre compréhension des influences sociales sur le comportement de consommation.

A → générique
B → tangible
C → global

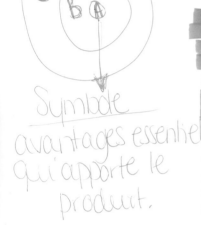

Symbole

avantages essentiels qui apporte le produit.

7.2 Les groupes de référence

Le terme «groupe» renvoie à un ensemble de deux ou de plusieurs personnes qui contribuent mutuellement à l'atteinte d'objectifs individuels ou communs. Nous avons mentionné au début du chapitre que le consommateur évolue au sein de plusieurs groupes sociaux qui exercent sur lui des influences interpersonnelles directes. La force des influences de chaque groupe dépend de ses apparentements avec les groupes de types primaire et secondaire, ainsi qu'avec les groupes de types formel et informel. Présentons chacun d'eux.

En général, les **groupes primaires** se caractérisent par un nombre restreint d'individus concernés, ce qui permet à chaque membre d'avoir des contacts fréquents, d'entretenir des relations continues avec chacun des autres membres, de sorte qu'à l'intérieur de ces groupes, les individus se connaissent habituellement bien. La famille nucléaire, les collègues de travail et les amis illustrent ce type de groupe. À l'opposé et en général, les **groupes secondaires** se définissent par des contacts ponctuels, occasionnels, voire rares, entre leurs membres habituellement nombreux, qui se soldent par des relations impersonnelles. Les associations diverses comme celles de parents d'élèves, les syndicats ou les habitants d'un quartier correspondent à ce genre de groupe. Cependant, lorsque prédominent des relations de bon voisinage, les voisins immédiats peuvent faire partie des groupes primaires d'un individu. Il est certain que l'influence d'un groupe primaire sur le comportement de consommation d'un individu est de loin plus déterminante que celle d'un groupe secondaire.

En outre, l'individu peut être en interaction avec un **groupe formel,** dont la liste des membres est arrêtée, les objectifs précis et le mode de fonctionnement connu. C'est le cas d'une association culturelle, d'un syndicat ou de tout autre groupe social dont les statuts sont clairs. Ce qui n'est pas le cas d'autres groupes, dits informels, comme les amis et les connaissances, où la relation établie avec l'individu reste souple et évolutive. Notons que les spécialistes en comportement du consommateur considèrent les **groupes informels** comme plus intéressants que les groupes formels en matière d'influence sociale, dans la mesure où leur rôle n'est pas déterminé d'avance et peut, par conséquent, être exploité dans un objectif de persuasion et de formation d'attitudes.

Dans ce qui suit, nous allons insister sur un type de groupe particulier, dont le rôle social en comportement du consommateur est admis depuis longtemps : le **groupe de référence**.

Groupe de référence

Tout individu ou groupe d'individus, réel ou fictif, qui influence les croyances, les opinions, les valeurs, les attitudes et les comportements d'un consommateur, en lui servant de référence, de base de comparaison[16].

La notion de groupe de référence

Comme l'appellation «groupe de référence» l'indique, la notion centrale ici est celle de la référence, de la comparaison. Le groupe de référence se distingue par le fait qu'il sert de point de comparaison pour l'individu. Ainsi, un groupe de référence pour une personne ne l'est pas automatiquement pour une autre. De plus, il peut l'être à une période particulière de sa vie, mais ne plus l'être à une autre. La définition retenue fait ressortir le fait que le groupe de référence n'est pas nécessairement une entité physique. Il peut être plus ou moins abstrait (les Québécois, les Français, etc.), voire imaginaire. Même dans le cas où il correspond à une entité physique réelle (par exemple, les collègues de bureau), c'est généralement la représentation mentale que l'on s'en fait qui importe. On peut établir ici un parallèle avec le concept de soi. Nous avons vu que le concept de soi

Influence
Fréquence des contacts.

est une sorte de schéma, une représentation mentale de soi-même, qui peut être descriptive ou idéalisée. Rattachée au concept de soi, il y a une personne en chair et en os. Mais cet état de fait est secondaire, car c'est l'image mentale de soi qui compte. Il en est de même d'un groupe de référence.

Le groupe peut correspondre à un personnage fictif, comme ceux qui sont exploités par les compagnies de céréales pour influencer les enfants. Ainsi, sur le site de la compagnie Kellogg, Sam le Toucan est mis à contribution pour éduquer les enfants sur la forêt tropicale humide. Le recours à un tel personnage de la part de Kellogg n'est certainement pas fortuit.

Dans nos discussions précédentes sur les attitudes et la prise de décision des consommateurs, nous avons beaucoup insisté sur le rôle de l'information. Ainsi, nous avons vu que les attitudes des consommateurs pouvaient être formées, par exemple, à partir de leurs croyances. Ces dernières sont fondées sur des informations. De même, nous avons vu que, dans le processus de décision des consommateurs, des informations de natures diverses pouvaient entrer en ligne de compte. Ce qu'il faut comprendre, c'est que, la plupart du temps, ces données si cruciales au fonctionnement des consommateurs sont filtrées et diffusées par l'environnement social. Le thème du filtrage de l'information renvoie au rôle de garde-barrière de certains. Par exemple, les parents essaient de filtrer l'information à laquelle leurs jeunes enfants sont exposés. La télévision et Internet représentent en ce sens pour eux un véritable casse-tête. Le thème de la diffusion de l'information par l'environnement social nous entraîne vers les concepts forts importants de *leaders* d'opinion et de bouche-à-oreille. Nous aurons l'occasion de traiter des *leaders* d'opinion dans le chapitre 10 qui porte sur les innovations.

Le bouche-à-oreille constitue une source d'information non négligeable pour chaque consommateur. L'information qui y circule lui apparaît plus crédible que celle qui est contrôlée commercialement (publicités, discours des vendeurs). Le bouche-à-oreille est à l'origine des nombreuses rumeurs et légendes urbaines, plus ou moins fondées, qui circulent à propos d'un produit, d'un service ou d'une entreprise. De nombreux sites Internet vous donnent accès à certaines de ces légendes.

Les informations qui se trouvent dans l'environnement des consommateurs sont souvent ambiguës. Les gens qui nous entourent nous aident à les interpréter. Ils nous permettent d'acquérir des perceptions socialement validées. Rappelons-nous que les consommateurs n'aiment guère l'incertitude. Ils veulent afficher des comportements sans équivoque. Les autres leur permettent d'atteindre cet objectif[17]. Prenons l'exemple d'un consommateur qui «découvre» un nouvel accessoire vestimentaire, par exemple un nouveau type de chapeau de pêche. En soi, cette information est ambiguë dans la mesure où ce consommateur ne sait pas si cet accessoire est approprié pour lui. Bien sûr, il peut le trouver joli ou laid. Mais la beauté est déjà quelque chose de très relatif; elle se définit essentiellement à travers les autres et varie selon les cultures, les modes et les époques... Ainsi, certains hommes acceptent difficilement de voir poindre la calvitie alors que beaucoup de jeunes choisissent délibérément de se raser le crâne. Les autres nous permettent de lever ou, du moins, d'atténuer l'ambiguïté associée à beaucoup d'activités de consommation.

Les différents types de groupes de référence

Les groupes d'association (ou d'appartenance) Il est question des groupes auxquels l'individu appartient, auxquels il s'identifie et dont le point de vue et les valeurs constituent son cadre de référence. Citons, à titre d'exemples, les amis

LES LECTEURS D'INFO PRESSE

« Même pour ceux qui évoluent
dans notre métier depuis longtemps,
le monde de la communication reste
un peu "bousculant "... C'est la nature
de la bête, et ça ne changera pas!
Voilà pourquoi je consulte Info Presse,
car lorsqu'on est bien informé, le
progrès peut naître du désordre...
Je le sais, je l'ai essayé ! »

INFO PRESSE
COMMUNICATIONS

L'appétit
des grands
groupes

Une auberge...

45 ans, est président et éditeur du quotidien Le Soleil. Depuis 1896, l'activité principale du Soleil est la poursuite
et le développement d'une presse quotidienne de qualité, faisant rayonner la réalité de la Capitale et de l'est
du Québec auprès des lecteurs de ce vaste territoire.

Une publicité du mensuel Infopresse exploitant le
concept de groupe d'appartenance.

La rencontre
en ligne des
retraités,
préretraités
et boomers !

IL N'Y A PAS D'ÂGE POUR ÊTRE BRANCHÉ !

Chaque mois, près de 100 000 internautes* allumés viennent s'informer et
partager avec d'autres membres de leur communauté. Joignez-vous à eux !

Ce mois-ci sur www.lebelage.ca

> Êtes-vous perfectionniste?
Des trucs pour apprendre à lâcher prise.

> Culture, lecture, cinéma, expositions, théâtre, resto
Quoi faire cet automne?
Partagez vos découvertes ou vos coups de cœur sur le Forum.

> Votre histoire
Les jours raccourcissent, le froid s'en vient, l'automne est
arrivé! Vivement une couverture douillette, un bon feu de
foyer et une tasse de chocolat chaud!
Et vous, que vous rappelle l'automne? Racontez-nous vos
plus beaux souvenirs.

LE BEL ÂGE.CA

* Source: Google Analytics

Une publicité de *Bel Âge magazine* exploitant
le concept de réseau social en ligne.

proches, la famille et les enfants. Ces groupes sont grandement utilisés dans les publicités : les amis dans des messages
publicitaires sur la bière, la famille dans des publicités sur les
assurances ou les médicaments, les enfants dans des publicités pour des catégories de produits les intéressant, comme
la restauration rapide, et même les lecteurs d'un magazine
comme dans le cas du mensuel *Infopresse* (*voir la publicité
ci-contre*). L'avènement de l'Internet comme outil d'information et de communication avec ses nouvelles applications
associées au Web participatif (aussi appelé Web 2.0) a renforcé les réseaux sociaux traditionnels et a permis la prolifération d'un type de réseautage nouveau en ligne. C'est le cas,
par exemple, des réseaux généralistes Facebook et MySpace,
ou encore des réseaux plus spécialisés comme BlackPlanet
pour la communauté de race noire et LeBelAge.ca pour les
aînés (*voir la publicité ci-après*). La capsule 7.2 présente
les réseaux sociaux en ligne, leur définition, leur prolifération
et les avantages qu'ils procurent.

Les groupes d'aspiration Ce sont les groupes auxquels un
individu désire appartenir ou être associé. Il aura tendance,
par conséquent, à imiter leurs comportements, même s'il
n'en fait pas ou pas encore partie. Les groupes d'aspiration
se scindent eux-mêmes en groupes d'anticipation et en
groupes symboliques.

- Les **groupes d'anticipation** sont ceux dont on prévoit faire
  partie dans un proche avenir. On emprunte alors leurs gestes,
  leur vocabulaire, leur style, comme si l'on en était déjà membre.
  Par exemple, les gens d'affaires dynamiques et prospères
  serviront de modèle à plusieurs étudiants à la maîtrise et au
  baccalauréat en administration, les professionnels du marketing seront copiés par des étudiants de l'option marketing
  (qui s'abonneront, par exemple, au magazine *Infopresse*), ou
  encore la communauté culturelle dominante sera imitée par
  l'immigrant désireux de s'intégrer complètement à la société
  d'accueil. Si vous avez été témoin dans votre université d'une
  simulation boursière réalisée par les étudiants, avez-vous
  remarqué les gestes et la tenue vestimentaire de ceux qui
  étaient impliqués ?

- Les **groupes symboliques** renvoient aux groupes que l'on
  envie, mais dont on ne pense pas pouvoir faire partie un jour
  (à notre grand regret). Notre adhésion à de tels groupes (par
  exemple, chanteurs, humoristes, sportifs) reste alors symbolique. Certains s'identifient à Tony Parker, à Serena ou à Venus
  Williams, à Roger Federer ou à Raphaël Nadal, à Sydney Crosby
  ou encore à Lewis Hamilton, d'autres encore se voient évoluant
  sur la glace avec leur équipe de hockey préférée, mais cela ne
  fait pas d'eux des célébrités pour autant. Si le fait d'alimenter
  leurs fantasmes et rêves éveillés ne leur suffit pas, ces vedettes
  leur offrent la possibilité de faire partie de leur *fan club*

(au moyen d'une adhésion réelle) et d'acheter parfois des biens de consommation leur ayant appartenu. La publicité des montres Omega présentée ci-contre exploite la notion de groupe symbolique en faisant cautionner la marque par Anna Kournikova, à l'époque où elle était souvent dans l'actualité sportive. Il semblerait que l'influence sociale des groupes d'appartenance réelle soit plus grande que celle des groupes d'appartenance symbolique.

Les groupes de dissociation Il s'agit des groupes auxquels l'individu ne s'identifie pas et dont il rejette les valeurs et les modes de comportement. L'émergence des hippies à la fin des années 1960 était une expression du refus des valeurs sociales de la société moderne, jugée trop matérialiste et individualiste par certains. Les publicités de marketing social visant à décourager la consommation de drogues et d'alcool exploitent souvent le thème du groupe de dissociation, comme en témoignent des slogans du type « T'es-tu vu quand t'as bu ? » (une invitation à se dissocier de cette image et, donc, du groupe des alcooliques) ou « Nous, on n'a pas besoin de ça » (une affirmation de la part de jeunes du rejet des drogues et des groupes y étant liés).

Le choix de
Anna Kournikova

Star du tennis Anna Kournikova a choisi
la Constellation «Carré» en or 18 carats

Ω **OMEGA**
www.omegawatches.com

Une publicité exploitant le concept de groupe symbolique.

CAPSULE 7.2

Les réseaux sociaux en ligne : être ou ne pas être ? Telle n'est plus la question[18]

Vingt ans après sa démocratisation, Internet comme technologie de l'information et outil de communication continue à fasciner par son étonnante capacité de changer, parfois de façon radicale, le comportement des individus et les agissements des entreprises. L'un des phénomènes reliés à Internet qui concerne particulièrement les spécialistes en marketing est l'émergence des sites de réseaux sociaux (*Social Network Sites*) comme Facebook, MySpace, YouTube, etc. Un site de réseau social est une plateforme du Web qui vise à relier entre elles des personnes qui se connaissent ou qui aimeraient se connaître pour partager des intérêts communs, des contenus communs, des « amis » communs, des applications communes, etc. Dans une telle plateforme, chaque individu développe d'abord un profil de lui-même, qu'il peut rendre accessible (en totalité ou en partie) à d'autres personnes sur le Web, il inscrit ensuite les personnes qu'il connaît et qui font partie du même réseau que lui et enfin il accède à la liste des personnes faisant partie des réseaux de ses « amis » pour les inviter, si elles le désirent, à faire partie de son réseau (Raacke et Bonds-Raacke, 2008). Le concept de réseau social

se base sur la théorie sociale des six degrés, selon laquelle une personne est le contact de six autres personnes. En acceptant de rendre accessible le contenu de sa page personnelle à une autre personne du réseau, l'adhérant lui donne aussi accès au contenu de celles des autres personnes faisant déjà partie de son réseau de contacts, et vice versa. Ce qui offre la possibilité d'élargir les réseaux de contacts de chaque adhérant et d'accroître conjointement le partage commun d'informations personnelles en tout genre.

On considère que les réseaux sociaux font partie de la nouvelle philosophie de gestion sur Internet depuis 2002-2003, après le développement de l'économie numérique, connue sous le nom de Web 2.0 et dont la principale caractéristique est la participation des internautes comme fournisseurs de contenu (images, vidéos, textes, etc.) plutôt que comme simples visiteurs de pages statiques. C'est ce que l'on appelle le Web participatif. Les premières tentatives de création de réseaux sociaux en ligne ont vu le jour avec la naissance du commerce électronique au milieu des années 1990, avec le site de rencontre des camarades de classe (www.classmates.com) en 1995, et celui des hommes d'affaires (www.SixDegrees.com) en 1997. Cependant, les grands développements datent de 2003 avec la création de

MySpace.com, considéré aujourd'hui comme le premier réseau social au monde avec ses 220 millions d'adhérents, de LinkedIn, le plus grand réseau social d'entreprises, de Bebo, le premier réseau en Europe, et de Orkut, le premier réseau social d'Amérique latine. Un engouement envers les réseaux sociaux s'en est suivi avec la création de Flicker, Facebook, Yahoo 360, YouTube, Windows Live Space et les autres. Aujourd'hui, le Web compte plus de 200 sites de réseaux sociaux. Ils sont souvent organisés soit par région (MySpace et Facebook en Amérique du Nord, Orkut et Hi5 en Amérique latine, Bebo et Facebook en Europe, Frendster et Cyworld en Asie), soit part thème (MyChurch pour la religion, YouTube pour les vidéos, Dogster pour les animaux) soit par leur portée privée (LinkedIn) ou publique (MySpace). Notons que plusieurs sites de réseaux sociaux ont été à la base soit de sites de partage de contenu, soit de communautés virtuelles, et qu'ils ont évolué par la suite vers leur statut actuel. Il en a été ainsi de YouTube (partage de vidéos), de Fotolog (partage de photos) et de BlackPlanet (communauté noire).

Du point de vue des spécialistes en marketing et par rapport aux réseaux traditionnels hors ligne, le modèle d'affaires proposé par des sites comme MySpace, Facebook ou LinkedIn procure plusieurs avantages. D'abord, aux personnes physiques (les utilisateurs de ces sites) qui proposent d'afficher leurs profils avec leurs champs d'intérêt, leurs opinions et leurs désirs ainsi que leurs propres réseaux de contacts, ou encore à ceux qui cherchent à établir de nouveaux contacts et à élargir par le fait même leurs propres réseaux et à partager divers contenus (musique, vidéo, images, applications informatiques, etc.). Ensuite, aux entreprises et aux corporations professionnelles et aux organisations en général, soucieuses de renforcer la valorisation de soi de leurs employés ou de leurs clients ou encore de créer un esprit collaboratif entre leurs membres, en leur offrant la possibilité de partager leurs idées, leurs connaissances et leurs expériences concernant la création de nouveaux produits ou l'amélioration de produits existants. Enfin, aux gestionnaires de ces sites de réseaux sociaux qui désirent réaliser des affaires rentables sur le Web. Les sites de réseaux sociaux représentent aussi pour ces concepteurs une source de création de la valeur par les possibilités d'insertions publicitaires, compte tenu des millions de visiteurs qu'ils drainent quotidiennement et dont le nombre ne cesse d'augmenter. Pour plusieurs spécialistes du commerce électronique, les réseaux sociaux en ligne sont en voie de devenir les meilleures plateformes de communication sur le Web, en raison de leur fréquentation de plus en plus élevée par rapport aux autres sites commerciaux tels que les magasins virtuels, les portails, etc.

La figure 7.4 montre l'évolution exponentielle des dépenses publicitaires sur les sites de réseaux sociaux en ligne depuis 2006, et leurs projections jusqu'à 2011 appuient les prédictions de ces spécialistes. Toutefois, au-delà des avantages énumérés, plusieurs risques subsistent, menaçant par conséquent ceux-là mêmes qui en profitent. Parmi ces risques figurent d'abord la violation de la vie privée des personnes qui acceptent de dévoiler une partie d'elles-mêmes, puis l'intrusion de personnes malintentionnées et enfin le vol d'identité[19].

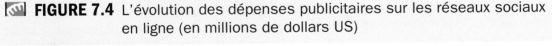

FIGURE 7.4 L'évolution des dépenses publicitaires sur les réseaux sociaux en ligne (en millions de dollars US)

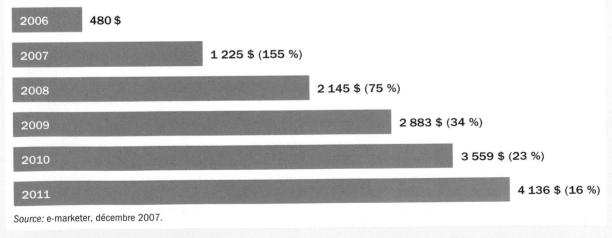

Année	Dépenses
2006	480 $
2007	1 225 $ (155 %)
2008	2 145 $ (75 %)
2009	2 883 $ (34 %)
2010	3 559 $ (23 %)
2011	4 136 $ (16 %)

Source: e-marketer, décembre 2007.

Il est intéressant de constater que, pour un individu, un groupe de référence n'est pas immuable et qu'il peut le renier dans une situation donnée. Par exemple, dans une boutique chic de Fort Lauderdale, un consommateur québécois, voyant arriver deux « spécimens » de son groupe d'appartenance en bermudas et chemises à fleurs, parlant fort et affectionnant particulièrement les jurons, peut décider tout à coup qu'il ne veut pas du tout être associé à la communauté québécoise !

La formation des groupes de référence

Les objets de consommation et la consommation elle-même jouent un rôle important dans la constitution, la définition et la vie des groupes. Certains d'entre eux sont formés sur la base de la consommation. Ils comprennent des membres qui partagent un engagement envers une catégorie de produit (la voile), une marque (Harley-Davidson, Ferrari, *Star Trek*) ou une activité de consommation (le camping). Ces groupes mettent en place des rituels et des modes de communication qui s'appuient sur les produits et les services. Souvent, l'appartenance au groupe requiert de se conformer à un code vestimentaire précis et d'apprendre les symboles qui lui sont associés. Les adeptes de la planche à neige ne s'habillent pas de la même façon que les skieurs même si, dans les deux cas, leurs vêtements doivent leur permettre de se protéger du froid. À l'intérieur de chacune de ces activités, un langage s'est instauré, maîtrisé par les adeptes.

Les influences sociales des groupes de référence

Les groupes de référence peuvent agir de différentes façons pour influencer les consommateurs. On distingue les influences informative, comparative et normative[20]. Le tableau 7.1 présente les trois types d'influences exercées par les groupes de référence et leurs spécificités respectives. Nous allons les examiner à tour de rôle.

TABLEAU 7.1 🔲 Les types d'influences exercées par les groupes de référence[21]

Nature de l'influence	Objectif du consommateur	Caractéristique de la source	Type de pouvoir	Comportement
Informative Comparative Normative	Connaissance Concept de soi Récompense	Crédibilité Similarité Pouvoir	Expertise Référence Coercition	Acceptation Identification Conformité

L'influence informative

Dans certaines situations, les consommateurs cherchent à obtenir de l'**information** leur permettant de prendre de meilleures décisions. Dans ces situations, ceux qui possèdent une expertise peuvent servir de référence[22]. Par exemple, un expert en planification financière peut être consulté avant de faire un choix d'investissement. Comme le montre le tableau 7.1, l'objectif du consommateur est alors la connaissance. Il cherche à s'informer, à se renseigner et à se rassurer. La source est perçue comme étant crédible. Son pouvoir réside dans son expertise. On dit que le consommateur adopte un comportement d'acceptation. De multiples emballages de produits et de nombreuses publicités exploitent le personnage de l'expert ou du groupe d'experts. La plupart des dentifrices sont ainsi reconnus par l'Association dentaire canadienne. Plusieurs publicités font référence à leur cautionnement par les médecins et les pharmaciens. Certains produits pour la peau affichent clairement le fait qu'ils sont recommandés par les dermatologues.

L'influence comparative

Nous avons mentionné auparavant que l'appellation « groupe de référence » est en adéquation avec sa fonction première, à savoir servir de référence, de base de comparaison et exercer une influence de cette nature[23]. Par le processus de comparaison sociale et dans le cadre de ses interactions avec les autres, l'individu apprend, par les réactions à ses propos ou à ses gestes, si ce qu'il dit ou fait reçoit ou non l'approbation sociale. C'est ce que nous avons appelé auparavant la notion de perceptions socialement validées. Mais l'individu apprend aussi en observant ce que font les autres et en les imitant, comme nous l'avons vu au chapitre 4 sur l'apprentissage et la socialisation. Les autres peuvent nous servir de modèles parce qu'ils sont semblables à nous ou parce que l'on voudrait leur ressembler, car ils possèdent un charisme ou un talent que l'on apprécie, admire ou envie, parce que l'on s'identifie à eux, on se reconnaît en eux ou que l'on voudrait être comme eux, ou encore parce que l'on aime se l'imaginer. Plus on s'identifie à un groupe de référence, plus le pouvoir de celui-ci sur nous est fort.

Une belle rencontre...

Une publicité utilisant le consommateur type en guise de technique de persuasion.

Le fait d'adopter les valeurs, les opinions, les comportements (de consommation) de ceux que l'on aime, que l'on admire, que l'on respecte, peut être une façon de rehausser son image de soi. Dans les publicités, on utilise tantôt le consommateur type, avec l'idée de faire jouer sur l'auditoire le pouvoir de ceux qui lui ressemblent, tantôt la célébrité, comme on l'a mentionné précédemment dans le chapitre. Le consommateur type peut prendre les traits, par exemple, d'un jeune ou d'un groupe de jeunes consommant un produit destiné à leur tranche d'âge. Regardez à ce sujet la publicité des produits Infusium 23 ciblant les femmes (*voir ci-contre*), pour qui les problèmes de cheveux sont souvent une source de préoccupation. Pour illustrer le recours à une célébrité, on peut mentionner de nouveau le choix de Guillaume Lemay-Thivierge en tant que porte-parole des voitures de marque Hyundai (*voir à la page 240*) ou encore celui de Anna Kournikova pour la marque de montre Omega (*voir à la page 245*). À noter qu'il est courant au Québec d'utiliser des personnalités locales plutôt que celles d'une autre culture, car les Québécois s'identifient plus facilement à leurs propres célébrités. Dans le processus de comparaison sociale, les autres nous servent aussi à nous évaluer, à nous positionner par rapport à eux. Ce processus alimente la construction de notre concept de soi et de ses différentes facettes (image de soi, image de soi idéale, image corporelle de soi, image corporelle idéale, etc.).

L'influence normative

Le qualificatif «normative» comporte la notion de **normes,** qui sera développée dans le chapitre 8 sur la culture. Néanmoins, nous pouvons déjà mentionner que, dans chaque groupe, on retrouve un ensemble de règles, de standards de conduite, généralement non formels, établis par le groupe, auxquels ses membres sont invités à se plier, sous peine parfois d'exclusion. Ainsi, la communauté des internautes, à ses débuts, avait institué un code de conduite, la «nétiquette», qui enseignait entre autres à ses membres à ne pas écrire en majuscules, puisque ce serait interprété comme quelqu'un qui hurle pour s'exprimer. Plusieurs groupes de référence ont le pouvoir de forcer l'individu à adopter certains comportements. Par exemple, les parents décident souvent des vêtements que les jeunes enfants porteront, de ce qu'ils mangeront, des jouets qu'ils auront, du temps qu'ils pourront passer à écouter la télévision, etc. Les parents ont de l'influence sur leurs enfants parce qu'ils ont, entre autres, le pouvoir de distribuer des **récompenses** et des **punitions.**

Les récompenses peuvent être **d'ordre matériel** ou **d'ordre psychologique.** Dans le domaine de la consommation, les récompenses matérielles ouvrent l'univers du cadeau aux autres et du cadeau à soi, thèmes que nous étudierons plus à fond dans le chapitre 12 sur les influences situationnelles. En outre, nous avons déjà évoqué, dans le chapitre 4 sur l'apprentissage et la socialisation, certaines publicités qui exploitent la récompense psychologique à la suite de l'utilisation d'un produit : par exemple, une personne se fait récompenser par son conjoint ou sa conjointe pour le repas délicieux qu'elle vient de lui offrir, ledit repas ayant été préparé, comme nous en informe le message, grâce à tel ou tel produit. Pour que l'influence normative s'exerce, il faut que la source de l'influence soit perçue comme ayant du pouvoir et qu'il s'agisse d'un pouvoir de coercition. On dit alors que le consommateur se conforme.

S'il est important, en comportement du consommateur, de distinguer les trois façons majeures par lesquelles s'exerce l'influence des groupes, il faut néanmoins prendre conscience du fait que ces différents types d'influences peuvent s'entrecroiser. Toutefois, il est important de noter que les groupes de référence n'ont pas nécessairement la même influence sur tous les achats du consommateur. Par exemple, les groupes sont moins susceptibles d'avoir une influence dans le cas de l'achat de produits banals, peu complexes, qui ne signifient pas grand-chose pour les consommateurs. Par ailleurs, ils peuvent avoir une influence tant sur la catégorie de produit acheté (Dois-je ou non m'acheter un téléphone cellulaire ?) que sur la marque (Dois-je choisir Fido ?).

La recherche a montré que deux variables sont importantes pour déterminer l'influence du groupe de référence dans l'achat d'un produit et le choix d'une marque : le type de produit (de nécessité/de luxe) et le type de consommation (privée/publique).

En ce qui concerne le type de produit, puisque nous ne pouvons nous passer des produits de nécessité, on s'attend à ce que les groupes de référence aient peu d'influence sur ce type d'achat. Par contre, dans le cas des produits de luxe, le désir de posséder de tels biens (iPhone 32G, écran plasma, etc.) sera vraisemblablement influencé par les autres. En ce qui concerne le type de consommation, étant donné que les produits consommés en public offrent aux autres l'occasion d'observer nos choix et donc de les juger – et par ricochet, de nous juger –, on peut s'attendre à ce que les autres exercent une influence sur de tels choix. Par contre, celle-ci devrait être moins forte en matière de produits destinés à une consommation privée.

En combinant les deux variables «type de produit» et «type de consommation», on obtient quatre catégories de produits, pour lesquelles les influences sociales des groupes de référence sur l'achat du produit, d'une part, et sur l'achat de la marque, d'autre part, sont différentes. La figure 7.5 illustre les quatre situations possibles en fournissant des exemples de produits pour chacune d'entre elles[24].

FIGURE 7.5 Les influences des groupes de référence selon le type de produit et le type de consommation

De quel type de produit s'agit-il?	Comment le produit est-il consommé?		Influence sur l'achat du produit
	En privé	En public	
Produit de nécessité	Matelas, médicaments, désodorisant, réservoir d'eau chaude, ampoules électriques, etc.	Vêtements montre, automobile, chaussures, etc.	Faible
Produit de luxe	Lecteur de CD, couverture électrique, spa, etc.	Caméra vidéo, vélo de montagne, skis, raquette de tennis, etc.	Forte
	Faible	Forte	
	Influence sur le choix de la marque		

La conformité et la sensibilité des consommateurs à l'influence sociale

Selon la théorie du pouvoir social d'Herbert Kelman, il existe trois principales raisons à la **conformité** d'un individu à un groupe. La première relève de l'influence normative reconnue à un groupe qui, de par son pouvoir de récompense et de punition, engendre l'acquiescement de l'individu membre. Dans ce cas, celui-ci essaie tout simplement d'éviter les punitions et d'obtenir des récompenses du groupe. La deuxième raison repose sur le fait que l'individu désire être associé au groupe auquel il s'identifie très fortement; il copie donc les comportements des membres du groupe. Enfin, la troisième raison est que l'individu membre partage les valeurs du groupe. On parle alors d'intériorisation.

Il est certain que tous les individus ne subissent pas de la même façon cette pression à la conformité. C'est d'abord une question de personnalité et de besoins d'appartenance et de reconnaissance, de confiance en soi, plus ou moins forts selon les personnes. Ne parle-t-on pas d'individus conformistes et d'individus anticonformistes? C'est aussi une question de degré d'attachement au groupe et de son importance pour la personne. Ainsi, les adolescents sont particulièrement influencés par leurs pairs. C'est également une question de degré de cohésion, de taille du groupe. Cela peut être aussi une question de culture. Nous aurons l'occasion de débattre du thème individualisme/collectivisme en tant que base de différenciation des cultures au chapitre 8.

Un phénomène mérite de retenir notre attention : il s'agit de la **réactivité psychologique**[25]. Un individu qui ressent une forte pression sociale et perçoit que sa marge de liberté est menacée peut adopter un comportement inverse à celui qui est escompté par le groupe exerçant la pression. On parle donc d'un effet boomerang accompagnant le phénomène de réactivité psychologique. Dans le domaine de la consommation, un vendeur trop pressant, par exemple, pourrait engendrer ce genre de réaction. Bien souvent, les adolescents font des choix contraires à ceux qui sont attendus ou souhaités par leurs parents parce qu'ils sentent leur marge de liberté menacée et qu'ils veulent s'affirmer. D'ailleurs, lorsque le Bureau laitier a décidé de séduire les adolescents, n'a-t-il pas choisi un slogan exploitant ce besoin d'indépendance, d'autonomie, d'affirmation de soi : « Je bois mon lait, quand et comme ça me plaît » ?

Étant donné que tous les consommateurs ne sont pas aussi sensibles à l'influence des groupes de référence, on peut concevoir cette sensibilité comme un trait de personnalité. Des recherches ont porté sur la mesure de la sensibilité à l'influence sociale. Une échelle très connue a été proposée en 1989 par des chercheurs américains. Il s'agit d'une série de 11 affirmations à propos desquelles la personne déclare son degré d'accord ou de désaccord et qui mesure deux dimensions : l'influence sociale informationnelle (énoncés 1, 4, 7 et 10) et l'influence sociale normative (énoncés 2, 3, 5, 6, 8, 9 et 11). L'encadré ci-dessous présente une application de cette échelle de mesure dans le cadre d'une étude portant sur le cinéma et réalisée auprès d'un échantillon de 120 étudiants québécois[26]. Cette étude a permis de faire ressortir trois résultats intéressants. D'abord, les hommes semblent plus sensibles à l'influence sociale que les femmes, du moins dans ce domaine. Ensuite, les étudiants plus âgés (26 à 29 ans) sont plus sensibles à l'influence sociale que les plus jeunes (21 à 25 ans). Enfin, les consommateurs qui consultent beaucoup les critiques de cinéma semblent plus sensibles à l'influence sociale que ceux qui les consultent peu. Ces résultats, obtenus dans le contexte social québécois, confirment les résultats obtenus jusque-là par les chercheurs en comportement du consommateur dans d'autres contextes.

UNE ÉCHELLE DE MESURE DE LA SENSIBILITÉ À L'INFLUENCE SOCIALE DANS LE DOMAINE DU CINÉMA

1. Avant d'aller au cinéma, je consulte souvent les autres afin qu'ils m'aident à choisir le meilleur film.

Tout à fait en désaccord   **1**   **2**   **3**   **4**   **5**   **6**   **7**   Tout à fait en accord

2. Si je cherche à être comme quelqu'un, j'essaie habituellement d'aller voir les mêmes films que lui.

Tout à fait en désaccord   **1**   **2**   **3**   **4**   **5**   **6**   **7**   Tout à fait en accord

3. Il est important pour moi que les films que je vais voir plaisent aux autres.

Tout à fait en désaccord   **1**   **2**   **3**   **4**   **5**   **6**   **7**   Tout à fait en accord

4. Pour me rassurer dans le choix de mes films, je m'informe souvent des films que les autres vont voir.

Tout à fait en désaccord   **1**   **2**   **3**   **4**   **5**   **6**   **7**   Tout à fait en accord

5. Je vais rarement voir un nouveau film avant d'être sûr(e) que mes amis approuveront mon choix.

Tout à fait en désaccord   **1**   **2**   **3**   **4**   **5**   **6**   **7**   Tout à fait en accord

6. Je m'identifie souvent aux autres en allant voir les mêmes films qu'eux.

Tout à fait en désaccord   **1**   **2**   **3**   **4**   **5**   **6**   **7**   Tout à fait en accord

7. Si je connais très peu un film, je prends souvent des renseignements auprès de mes amis.

Tout à fait en désaccord   **1**   **2**   **3**   **4**   **5**   **6**   **7**   Tout à fait en accord

8. Quand je vais au cinéma, je choisis généralement les films qui, à mon avis, seront approuvés par les autres.

Tout à fait en désaccord   **1**   **2**   **3**   **4**   **5**   **6**   **7**   Tout à fait en accord

9. J'aime connaître les films qui font bonne impression sur les autres.

Tout à fait en désaccord   **1**   **2**   **3**   **4**   **5**   **6**   **7**   Tout à fait en accord

10. Avant d'aller voir un film, il m'arrive fréquemment de rassembler de l'information à son sujet auprès de mes amis ou de ma famille.

Tout à fait en désaccord   **1**   **2**   **3**   **4**   **5**   **6**   **7**   Tout à fait en accord

11. Je satisfais mon sentiment d'appartenance en allant voir les mêmes films que les autres.

Tout à fait en désaccord   **1**   **2**   **3**   **4**   **5**   **6**   **7**   Tout à fait en accord

7.3 Les influences sociales et les éléments périphériques

Notre discussion de l'influence sociale a adopté jusqu'à maintenant une perspective cognitive. On voit la personne comme étant l'objet d'influences diverses. Elle interprète les informations, les analyse et, sur cette base, elle fait ce qu'elle croit être le mieux en se référant au comportement d'autres personnes. Il existe sur l'influence sociale une autre perspective fondée sur une approche très différente, où la probabilité d'influence ne dépend pas de la qualité des arguments employés par les autres personnes, mais plutôt d'éléments qui, tout en faisant partie de la situation d'influence, ne sont pas véritablement centraux. Le psychologue Robert Cialdini s'est beaucoup intéressé à l'incidence de différents éléments d'une situation d'influence, non directement liés à des informations pertinentes pour la personne qui fait l'objet d'une tentative d'influence et qui ont un effet important sur la probabilité de succès de la tentative d'influence. Pendant trois ans, par l'intermédiaire d'une méthode d'observation participante, il a étudié les diverses stratégies qu'utilisent les «influenceurs» (notamment les vendeurs) pour persuader les gens. Il a réuni ses observations dans un ouvrage intitulé *Influence, Science and Practice,* où il présente sept grands principes utilisés par les influenceurs pour persuader les gens de s'engager dans des comportements divers : acheter, voter, donner de l'argent, etc.[27]. Ces sept principes sont décrits ci-après.

Le principe d'automaticité

Le principe d'automaticité est sans doute le principe le plus fondamental. Cialdini mentionne que, tant chez l'être humain que chez plusieurs espèces animales, les comportements se déroulent de façon mécanique. Il suffit d'un signal pour que nous nous engagions automatiquement dans des actions prédéfinies. Cependant, contrairement aux animaux où les programmes sont hérités génétiquement, chez l'être humain, les programmes sont appris.

Ce type de comportement mécanique a été qualifié de «non réfléchi» (*mindless*) par la psychologue Ellen Langer. Dans une étude fréquemment citée, elle a montré que nous nous engageons souvent dans des actions de façon automatique, sans réfléchir, parce qu'un élément de l'environnement déclenche un programme automatique[28]. Par exemple, elle mentionne que nous cédons généralement à une influence lorsqu'on nous offre une ou des raisons valables. Ainsi, si vous faites la file quelque part, il y a davantage de probabilités que vous laissiez passer une personne si celle-ci vous explique qu'elle est pressée que si elle ne fournit aucune raison.

Un autre exemple d'automaticité est celui qui concerne les jugements de qualité à partir du prix. Cela est particulièrement le cas lorsque la qualité est difficile à juger et que seule l'information sur le prix est disponible.

Le principe de cohérence et d'engagement

La plupart des gens aiment paraître cohérents et logiques. Certaines théories de la psychologie sociale comme la théorie de la dissonance cognitive (Festinger), la théorie de la balance (Heider) et la théorie de la perception de soi (Bem) sont centrées sur l'idée que les gens sont motivés à demeurer cohérents parce que l'incohérence est inconfortable. Du point de vue de l'influenceur, le besoin de cohérence peut s'avérer une arme très efficace. L'idée est que si l'on réussit à convaincre une personne de s'engager quelque peu dans la direction souhaitée, on peut l'amener à poursuivre plus loin dans cette direction simplement parce qu'elle s'est engagée à le faire et que son besoin de cohérence l'amène à continuer. Une technique très efficace pour persuader une personne d'accomplir un acte (par exemple, verser de l'argent à une bonne cause) consiste à lui demander d'abord une faveur moins importante, mais cohérente avec l'acte en question. Cette technique du «pied dans la porte» repose sur l'idée que si la personne s'est engagée, il y a de fortes probabilités qu'elle poursuive dans la voie de cet engagement pour paraître cohérente.

Le principe de réciprocité

Vous connaissez le dicton «Un service en attire un autre». Il illustre en fait un comportement très répandu chez les humains, celui de la réciprocité. Au cours du processus de socialisation, on apprend qu'une règle de comportement importante est celle de «rendre la pareille». Si une personne nous donne quelque chose, nous aide, nous rend service, on se sent redevable et on prend les moyens pour rendre la pareille. Cette règle permet à l'espèce humaine d'entretenir des relations de confiance et des échanges mutuellement bénéfiques. Du point de vue de l'influenceur, ce principe peut s'avérer une arme d'influence très efficace dans la mesure où une petite faveur peut entraîner, de la part de celui qui la reçoit, une faveur encore plus grande. Une technique de persuasion très intéressante et opposée à la technique du pied dans la porte est celle dite de la «porte dans la figure». Il s'agit cette fois de faire une requête importante, suivie d'une requête plus raisonnable. Sachant que la première requête sera refusée, l'influenceur semble faire une concession à la personne en lui demandant une chose moins exigeante. La personne se sent alors redevable, ce qui augmente les probabilités qu'elle accepte la requête plus raisonnable. La technique des cadeaux ajoutés (*that's-not-all*) est également efficace. Il s'agit d'ajouter un petit cadeau à une offre afin de convaincre la personne

Pour Noël, offrez

LOU LOU

Un cadeau original, facile et économique!

Vous recevrez en cadeau un magnifique cadre photo!*

Ce superbe cadre photo rose apportera une touche de gaieté à votre bureau ou votre étagère et vous permettra de conserver sous les yeux ceux qui vous tiennent à cœur!

Carte de souhaits gratuite!

16 X 16 cm

Gâtez celles que vous aimez toute l'année!

OFFREZ UN ABONNEMENT-CADEAU!
10 numéros et votre cadre photo pour seulement 19,95 $ (+taxes)

RAPIDE ET EFFICACE:
www.louloumagazine.com/amie
PAR TÉLÉCOPIEUR: (514) 721-6799
PAR LA POSTE: ABONNEMENTS-CADEAUX
C.P. 11738, succ. Centre-ville, Montréal (Québec) H3C 6R9

LOULOU LE MAGAZINE AVANT LES MAGASINS

◆ **ROGERS**™ Votre monde. Maintenant.

*DANS LA LIMITE DES STOCKS DISPONIBLES.

Une offre d'abonnement au magazine *LouLou*.

d'accepter («Ce n'est pas tout! Vous obtenez en plus...»). Cette pratique est très répandue dans les émissions de téléachat. La publicité du magazine *LouLou*, présentée ci-contre, l'exploite d'une manière particulière.

Le principe de validation sociale

Nous avons discuté précédemment de la recherche de validation sociale. Les gens ne savent pas toujours comment agir dans un contexte social donné. Une façon efficace de savoir ce qu'il faut faire en toute occasion est de se fier aux autres. Si vous voulez savoir ce qui est correct, renseignez-vous sur ce que les autres pensent. Cela ne veut pas dire que les gens ne pensent pas par eux-mêmes. Cependant, dans les situations où il y a une certaine ambiguïté, les autres peuvent s'avérer une source d'information fort utile. Une illustration très intéressante de ce principe de validation sociale est fournie par les rires préenregistrés entendus dans les émissions d'humour. Nous ne sommes pas dupes; nous savons que ces rires ont été préenregistrés. Cependant, cela fonctionne dans la mesure où le fait d'entendre rire les autres nous convainc que c'est drôle. Une autre illustration est le cas d'un attroupement (par exemple, autour d'un étalage ou dans la rue). Immédiatement, on est porté à aller voir ce qui se passe, car il y a peut-être là quelque chose d'intéressant.

Le principe d'autorité

Dans nos sociétés modernes, il s'exerce une très forte pression sur les gens pour qu'ils se conforment à l'ordre établi. Qui oserait défier un policier en train de lui dresser une contravention? Qui oserait refuser de présenter devant la classe l'exposé exigé par le professeur? Qui oserait négliger l'avertissement d'un préposé au stationnement de garer sa voiture ailleurs? Il est des circonstances où nous avons tellement bien appris à nous conformer à l'autorité qu'il nous est possible d'accomplir des choses que nous n'aurions jamais imaginé pouvoir faire simplement parce qu'une personne représentant l'autorité nous l'a demandé. Les spécialistes du marketing connaissent bien le principe d'autorité. Ils s'en servent pour augmenter le pouvoir des vendeurs, par exemple en leur donnant des titres comme «expert-conseil» ou «gérant adjoint». Pour augmenter l'impression d'autorité, on demande parfois au vendeur de se faire accompagner par le directeur du marketing ou le président lui-même.

Le principe de rareté

Le principe de rareté est très ancien dans l'histoire du genre humain: ce qui est rare a une plus grande valeur. Une façon efficace d'augmenter l'apparente valeur de quelque chose est donc de lui associer un caractère de rareté: «quantité limitée», «c'est le dernier qu'il me reste!». Le principe s'applique à toutes sortes de cas. Par exemple, une information qui n'est pas l'objet d'une large diffusion est considérée comme ayant plus de valeur. Avez-vous déjà vu cette annonce pour le café

Le Choix du Président, où deux personnes présentes dans une salle jettent un œil sur la cafetière presque vide ? Chacune d'elles fait comme si de rien n'était. Soudain, l'une se lève et l'autre s'empresse de la faire trébucher afin de l'empêcher d'aller vider la cafetière.

Le principe de sympathie

Nous avons déjà abordé le thème de la sympathie au chapitre 4, lorsque nous discutions de l'apprentissage par modelage. Il s'agissait alors de mettre en évidence les caractéristiques d'une personne qui font en sorte que l'on décide de la prendre pour modèle. Nous poursuivons donc l'étude du thème de la sympathie. Comment peut-on refuser quelque chose à une personne sympathique ? Voici sans doute la plus connue de toutes les armes d'influence. Puisqu'il n'existe pas toujours de liens amicaux *a priori* entre l'influenceur et celui ou celle qui est l'objet d'une tentative d'influence, on peut tenter de «paraître» sympathique. La sympathie peut être obtenue au moyen de l'attrait physique, de la similitude, des compliments ou encore de la coopération. Ainsi, chez un concessionnaire d'automobiles, une cliente peut être influencée dans sa décision d'achat par la beauté du vendeur, par son désir de posséder une voiture semblable à celle exposée, par les compliments du vendeur sur sa tenue vestimentaire ou encore par le rôle de conciliateur que celui-ci peut jouer devant un gérant qui, pour sa part, endosse le rôle du méchant qui ne cède sur aucun point.

7.4 Les classes sociales

L'histoire de l'humanité nous apprend que le phénomène de **stratification** ou de classes sociales a toujours caractérisé la vie des sociétés, se poursuivant encore de nos jours. Dans les différentes sociétés, on distingue généralement les systèmes sociaux ouverts des systèmes sociaux fermés. Dans les premiers, l'individu peut passer d'une classe sociale à une autre et accéder à un statut social plus élevé en usant de moyens comme l'éducation, le travail ou le mariage alors que, dans les seconds, l'individu n'a aucune possibilité d'effectuer ce passage. C'était le cas par exemple du système de discrimination raciale de l'apartheid. Toutefois, avec la croissance sociale dont les sociétés ont bénéficié, à des degrés divers il est vrai, la stratification sociale est, d'une façon générale, moins prononcée qu'autrefois (moins formelle dans certains cas). Son influence demeure cependant encore présente dans le comportement de consommation des individus à travers les styles de vie, les valeurs et les symboles qui se trouvent associés à chaque classe[29].

La notion de classe sociale a été initialement avancée par plusieurs auteurs en science politique et en sociologie dans le but d'expliquer l'évolution des sociétés. La lutte des classes, la hiérarchie sociale, l'aristocratie, la bourgeoisie, le prolétariat, la noblesse et les castes, tous ces termes sont le fruit de la réflexion de ces spécialistes, mais ils nous intéressent moins dans cet ouvrage. Dans notre cas, la notion de classe sociale sera abordée sous l'angle de la consommation, et nous essayerons de la définir en ce sens.

De par sa nature, l'expression «classes sociales» implique l'existence d'une hiérarchie, ce qui signifie que certaines personnes bénéficient d'un statut supérieur, et d'autres, d'un statut relativement inférieur. Toutefois, même en dehors du phénomène de castes propre à certaines sociétés, cette stratification sociale ne doit pas toujours être perçue comme un phénomène discret touchant des groupes mutuellement exclusifs, où les limites entre les classes apparaissent évidentes. Plusieurs auteurs, bien que défendant l'idée d'un phénomène continu, préfèrent utiliser sa représentation sous la forme d'un système de classification discret à des fins pratiques, c'est-à-dire pour mieux comprendre le phénomène et en mesurer les effets sur le comportement de consommation des individus.

L'idée de classes sociales, en théorie, s'accorde fort bien avec le concept de **segmentation.** Il reste à savoir si, en pratique, cette idée conserve sa pertinence et si les segments (classes) ainsi constitués regroupent bien des individus aux perceptions, aux attitudes et aux comportements homogènes. Car, ce qui nous intéresse en comportement du consommateur, c'est justement le rôle de référence de la classe sociale quant aux attitudes, aux produits, aux comportements à adopter ou à rejeter. En effet, chaque classe sociale est caractérisée par ses propres symboles de consommation, auxquels une personne peut recourir, comme nous l'avons vu précédemment, pour affirmer son appartenance (ou son désir d'appartenance) à cette classe, ou pour afficher son détachement (ou son désir de détachement) de celle-ci.

La stratification sociale et le nombre de classes

Étant donné que le concept de classe sociale est à la base un concept continu, il est certain que sa transformation en une échelle discrète comportant un nombre de catégories bien défini présente certaines difficultés, d'autant plus que les spécialistes ne s'entendent pas tous sur le nombre idéal de catégories reflétant de manière significative les différentes strates d'une société. Une revue des travaux réalisés jusqu'à présent montre que les premières stratifications font référence à trois classes sociales: haute, moyenne et basse. Pour plus de rigueur, d'autres approches ont introduit des subdivisions supplémentaires pour passer à quatre, cinq, six, voire neuf classes sociales différentes. Toutefois, il faut être conscient du fait que le **nombre de classes** et, par conséquent, le degré de différenciation et de discrimination entre les classes diffèrent énormément d'une société à l'autre, selon le degré d'équité sociale qui existe. Ce dernier est étroitement lié au niveau d'expansion économique d'une société, à son système politique, mais aussi à son histoire et à sa culture, donc à ses normes et à ses valeurs dominantes. Ainsi, la stratification sociale des États-Unis fait ressortir six classes sociales, dont les classes extrêmes (très basse et très élevée) représentent une faible proportion par rapport aux autres. Ce qui n'est pas le cas dans les pays d'Amérique latine, où la classe très basse représente une très grande partie de la population. Le modèle social japonais affiche une stratification composée de trois classes, parmi lesquelles la classe moyenne représente plus de 70 % de la population[30]. On a montré que les stratifications sociales sont plus élaborées dans les pays moins développés, dans les monarchies et les dictatures, et dans les sociétés plus traditionnelles.

Le tableau 7.2 présente quatre types de classifications (à trois, cinq, six et neuf groupes) comportant des niveaux de subdivision différents[31].

Dans l'étude de l'influence de la classe sociale sur le comportement de consommation, la détermination du nombre de subdivisions ne semble pas présenter autant de problèmes que celui de la désignation des individus à une classe déterminée. À cette étape, la question fondamentale qui se pose est plutôt celle de définir les critères pertinents qui permettent non seulement de regrouper les individus ayant un prestige social similaire, mais aussi et surtout les individus qui partagent des modes de vie et des comportements de consommation assez homogènes.

TABLEAU 7.2 Quelques exemples de stratification sociale

Classification à 3 groupes	Classification à 5 groupes	Classification à 6 groupes	Classification à 9 groupes
		Haute-Haute	Haute-Haute
Haute	Haute		Haute-Moyenne
	Haute-Moyenne	Haute-Basse	Haute-Basse
		Moyenne-Haute	Moyenne-Haute
Moyenne	Moyenne		Moyenne-Moyenne
		Moyenne-Basse	Moyenne-Basse
	Basse-Moyenne	Basse-Haute	Basse-Haute
Basse	Basse		Basse-Moyenne
		Basse-Basse	Basse-Basse

Les critères de stratification sociale

Trois grands types de critères ont été retenus pour déterminer la position d'une personne dans une structure sociale donnée: les critères subjectifs, les critères de réputation et les critères objectifs.

Le premier type de critère fait référence à la perception propre à l'individu du prestige et du statut dont il bénéficie dans une société. Selon cette approche, une façon de mesurer l'appartenance à une classe est de demander à un consommateur de s'autopositionner. On peut alors lui poser la question suivante: «Si l'on vous propose d'utiliser l'un de ces trois qualificatifs pour désigner la classe sociale à laquelle vous appartenez, laquelle choisissez-vous: la classe haute, la classe moyenne ou la classe basse?»

Le deuxième type de critère de classification fait référence à la perception des autres pour mesurer l'appartenance d'une personne à une classe sociale donnée. Il s'agit, dans ce cas, de faire appel à un groupe de juges experts qui connaissent bien le statut et les conditions des personnes que l'on désire classer ainsi que la structure de la société dans son ensemble. On demande aux juges leur avis de classement. On peut ensuite procéder soit avec la règle de la majorité des avis, soit avec la méthode du consensus.

D'un point de vue fondamental, les deux premiers types de critères paraissent très intéressants. Ils font appel à des éléments subjectifs qui pourraient expliquer de façon significative le comportement des individus. Mais de façon pratique, leur mise en application pose des problèmes de validité de mesure et, partant, soulève des doutes quant aux résultats du classement. Pour cette raison, la plupart des spécialistes en comportement du consommateur recommandent la troisième approche de classification sociale, plus objective, qui fait référence à des critères tels que le revenu, le niveau d'éducation, l'occupation professionnelle, la résidence ou la combinaison de plusieurs de ces critères. Ces éléments sont présentés ci-après.

Le revenu

Selon le critère du revenu, la classe sociale se définit selon les ressources financières dont les individus disposent[32]. Bien que facile à mesurer, ce critère pose des problèmes sur le plan de sa mise en œuvre. En effet, les ressources financières diffèrent d'une personne à une autre selon le taux d'imposition de même que selon la provenance des fonds – salaire, rente ou héritage – et, enfin, selon leur nature – liquidités, richesse mobilière ou immobilière. Dans tous les cas de figure, l'estimation pose des difficultés réelles.

Dans le premier cas, le différentiel de taux d'imposition entre les provinces, les villes ou les villages peut conduire à des classifications différentes selon que l'on utilise les montants de revenu bruts ou nets. Dans le deuxième cas, pour un niveau de revenu comparable, le salarié qui occupe un emploi stable (par exemple, un médecin) n'est pas nécessairement dans la même situation que le rentier qui perçoit le loyer d'un immeuble d'habitation ou les dividendes d'un portefeuille d'actions, ni même dans celle de la personne qui, du jour au lendemain, jouit d'un héritage considérable. En effet, comme les styles de vie, les valeurs et les statuts dans la société de ces trois types de personnes sont différents, ils devraient entraîner des comportements de consommation différents. Par conséquent, ces personnes ne devraient pas se retrouver dans les mêmes classes sociales.

Dans l'utilisation du critère financier, la provenance du revenu pourrait parfois être plus importante que son niveau lui-même dans la détermination du statut social.

Dans le troisième cas cité, les liquidités diffèrent sensiblement des richesses mobilières ou immobilières par rapport à deux éléments importants : l'estimation de leur niveau et l'implication sur le plan du comportement de consommation. Ainsi, si l'estimation des liquidités pose peu de problèmes, celle des produits mobiliers et immobiliers constitue un véritable casse-tête. En effet, en plus des divergences qui peuvent exister dans l'évaluation d'une propriété suivant qu'elle est le fait d'un employé municipal, d'un expert en assurances ou d'un spécialiste de la construction, la valeur d'une propriété peut varier avec le temps. Les fluctuations de l'offre et de la demande qui définissent le marché de l'immobilier, ajoutées au phénomène de spéculation, expliquent ces variations. La valeur future d'une propriété immobilière n'est jamais garantie. Un développement commercial et urbain tel que la construction d'une station d'épuration des eaux ou d'un aéroport peut bouleverser complètement la donne. Pour ce qui est des valeurs mobilières, par exemple les actions détenues dans le capital d'une entreprise, il suffit de penser à la crise financière qui a frappé à la fin de 2008 et dont on subit encore les conséquences aujourd'hui pour comprendre la volatilité de leur estimation. Sur un horizon de moyen à long terme, leur valeur peut devenir insignifiante.

Pour toutes ces raisons, plusieurs spécialistes en comportement du consommateur recommandent le recours à d'autres critères de classification sociale, à savoir le niveau d'éducation, l'occupation professionnelle et le lieu de résidence.

Le niveau d'éducation

Le niveau d'éducation est un critère de stratification sociale fortement corrélé avec le niveau de revenu, dans la mesure où un plus haut degré d'avancement dans les études offre à l'individu la possibilité de postuler pour des emplois mieux rémunérés et de s'intégrer dans les organisations à des échelons plus élevés. C'est le cas, par exemple, de la fonction publique et des universités, où la structure des salaires est organisée selon un classement en catégories et en échelons. Les diplômes universitaires et l'expérience antérieure jouent un rôle important dans l'obtention d'un meilleur positionnement sur la grille salariale. Pour l'individu, un plus haut degré d'avancement dans les études devrait permettre aussi une plus grande ouverture d'esprit, une meilleure capacité d'analyse et un volume de connaissances plus important, ce qui constitue plusieurs atouts pour un comportement de consommation éclairé.

Pour mesurer le niveau d'éducation dans la population, Statistique Canada utilise dans ses études la classification suivante :

- Études primaires ou secondaires seulement ;
- Études collégiales seulement ;
- Études universitaires.

Le tableau 7.3 présente la répartition de la population âgée de 25 à 64 ans selon le plus haut niveau de scolarité atteint, dans le Canada en général et dans quelques provinces en particulier, telles que le Québec, l'Ontario, le Nouveau-Brunswick et la Colombie-Britannique (recensement de 2006).

TABLEAU 7.3 La répartition de la population âgée de 25 à 64 ans*

	Canada	Québec	Ontario	Nouveau-Brunswick	Colombie-Britannique
Total	**17 382 115**	**4 238 825**	**6 638 330**	**408 210**	**2 284 470**
Aucun certificat, diplôme ou grade	15,4 %	17,0 %	13,6 %	21,0 %	12,5 %
Études secondaires ou équivalent	24,6 %	21,0 %	25,0 %	26,0 %	26,0 %
Apprenti ou école de métier	12,0 %	18,0 %	8,8 %	12,5 %	12,0 %
Études collégiales seulement	20,0 %	17,5 %	22,0 %	21,0 %	19,5 %
Études universitaires	28,0 %	26,5 %	30,6 %	19,5 %	30,0 %

* Selon le plus haut niveau de scolarité atteint, au Canada et dans certaines provinces en 2006 (données sur un échantillon de 20 % de la population).
Source : Statistique Canada, Scolarité – Faits saillants en tableau, Recensement de 2006.

L'occupation professionnelle

L'occupation professionnelle est un indicateur très proche de ceux du revenu et du niveau d'éducation. Il est couramment utilisé pour positionner de façon adéquate les personnes dans des classes sociales. Ce critère est considéré par les spécialistes en comportement du consommateur comme le critère qui permet le mieux de différencier les personnes appartenant à des classes distinctes. Il est intéressant de noter que, bien souvent, l'une des premières questions que nous pose une personne rencontrée pour la première fois est « Que faites-vous dans la vie ? », et elle s'attend (curieusement, quand on y pense) à une réponse concernant notre emploi. On peut avancer que la réponse que nous fournirons à cette question influencera énormément la façon dont notre nouvel interlocuteur nous percevra.

Il existe une classification socioprofessionnelle comportant simplement trois catégories : col blanc, col gris et col bleu. Mais il y a aussi d'autres classifications plus détaillées qui présentent, par exemple, les catégories professionnelles suivantes : cadre supérieur, professionnel, travailleur autonome, employé, ouvrier et artisan. Plusieurs travaux en sociologie ont cherché à classer les occupations professionnelles selon le prestige. Il ressort de l'une de ces études que les emplois qui bénéficient d'un statut social plus élevé sont les médecins, les avocats, les professeurs universitaires, les psychologues et les architectes, alors que dans les emplois à statut social faible, on trouve les serveurs et les fermiers[33].

Sans faire allusion à une hiérarchie quelconque des occupations professionnelles, Statistique Canada utilise la classification suivante :

- Gestion ;
- Affaires, finances et administration ;
- Sciences naturelles et appliquées et professions apparentées ;
- Secteur de la santé ;
- Sciences sociales, enseignement, administration publique et religion ;
- Arts, culture, sports et loisirs ;
- Vente et services ;
- Métiers, transport et machinerie ;
- Professions propres au secteur primaire ;
- Transformation, fabrication et services d'utilité publique.

Le tableau 7.4 présente la répartition de la population active expérimentée âgée de 15 ans et plus selon les professions au Canada et dans quelques provinces telles que le Québec, l'Ontario, le Nouveau-Brunswick et la Colombie-Britannique (recensement de 2006).

Il est certain que le statut professionnel d'une personne, qui dépend en bonne partie de son niveau d'éducation et influence grandement son niveau de revenu, détermine son positionnement dans les différents échelons de la stratification sociale.

La résidence

De tout temps, l'**aménagement urbain** des villes et des villages a été organisé de telle sorte que chaque quartier regroupe des personnes qui partagent globalement des conditions socioéconomiques et des styles de vie similaires. À Montréal, par exemple, les quartiers d'Outremont et de Westmount sont connus pour abriter la classe sociale la plus élevée de la ville. On y trouve des médecins, des avocats, des chefs d'entreprise, des ministres, etc., contrairement au quartier Hochelaga-Maisonneuve, généralement habité par des personnes de classes sociales basses comprenant bon nombre de gens à faible revenu et de chômeurs.

En matière de résidence, les bases de la classification sociale sont de deux ordres : le quartier et le type de résidence. Le premier ordre fait référence à l'emplacement géographique, à la disponibilité des services communautaires (école, garderie, centre commercial, centre sportif, parc, etc.), aux caractéristiques du voisinage, etc. Le second ordre prend en considération la valeur et les spécificités de la résidence en question (maison, condominium ou appartement, superficie, nombre de pièces, jardin, piscine, etc.).

TABLEAU 7.4 La répartition de la population âgée de 15 ans et plus*

	Canada	Québec	Ontario	Nouveau-Brunswick	Colombie-Britannique
Population active totale	**17 146 135**	**4 015 200**	**6 587 575**	**382 965**	**2 226 380**
Sans profession[a]	1,6 %	2,1 %	1,7 %	1,6 %	1,5 %
Toutes les professions[b]	16 861 185	3 929 675	6 473 735	376 980	2 193 115
Gestion	9,6 %	8,9 %	10,0 %	7,8 %	10,5 %
Affaires, finance et administration	18,0 %	18,2 %	18,0 %	18,0 %	17,1 %
Sciences naturelles et appliquées et professions apparentées	6,6 %	6,5 %	6,9 %	5,2 %	6,3 %
Secteur de la santé	5,4 %	6,0 %	5,0 %	6,4 %	5,5 %
Sciences sociales, enseignement, administration publique et religion	8,0 %	9,1 %	8,1 %	7,3 %	8,1 %
Arts, culture, sports et loisirs	3,0 %	3,2 %	3,0 %	2,0 %	3,5 %
Ventes et services	24,0 %	23,2 %	23,4 %	26,0 %	25,3 %
Métiers, transport et machinerie	15,0 %	14,8 %	14,0 %	16,4 %	15,5 %
Professions propres au secteur primaire	4,0 %	2,5 %	2,4 %	5,1 %	4,0 %
Transformation, fabrication et services d'utilité publique	6,0 %	6,6 %	7,0 %	5,8 %	4,2 %

*Selon les professions au Canada et dans certaines provinces.

a : Chômeurs de 15 ans et plus qui n'ont jamais travaillé à un emploi salarié ou à leur compte ou qui ont travaillé la dernière fois avant le 1er janvier 2005 seulement.

b : S'entend de la population active expérimentée : comprend les personnes qui étaient occupées et les personnes en chômage qui avaient travaillé à un emploi salarié ou à leur compte depuis le 1er janvier 2005.

Source : Statistique Canada, *Emplois – Faits saillants en tableau*, Recensement de 2006.

Les critères mixtes

Il existe également des indices de classification sociale des individus intégrant simultanément un mélange de plusieurs critères dans une même et unique mesure. Ces critères mixtes offrent l'avantage de pouvoir réduire les déformations que pourrait engendrer l'utilisation d'un seul critère tel que le revenu, le niveau d'éducation, l'occupation professionnelle ou la résidence. En effet, une personne disposant d'un revenu très élevé et ayant hérité d'une résidence parentale située dans le quartier populaire dans lequel elle a grandi et choisi d'habiter (pour des raisons affectives) pourrait poser des problèmes de classification selon que l'on utilise le critère du revenu ou celui de la résidence. Des problèmes de classification peuvent surgir aussi dans le cas d'une personne analphabète et sans emploi qui gagne une somme considérable à la loterie et décide d'habiter dans un quartier chic de la ville. L'intégration de plusieurs critères ne peut donc qu'améliorer la qualité des résultats de la classification sociale des individus.

De toutes les mesures mixtes de la classe sociale, l'**indice de Warner**[34] est la mesure la plus connue en comportement du consommateur. Il s'agit d'une mesure pondérée qui intègre les critères socioéconomiques suivants : l'occupation professionnelle (importance 4), la source du revenu (importance 3), le type de résidence (importance 3) et la qualité du voisinage (importance 2). Chaque critère est composé de sept niveaux allant du statut social le plus élevé au statut le plus faible. La somme des scores obtenus pour chaque critère (échelons allant de 1 à 7), pondérée par l'importance de chaque critère, permet de classer une personne dans l'une des six classes sociales prévues à cet effet, à savoir : aristocratie, et classes haute, moyenne-haute, moyenne-basse, basse-haute et basse-basse.

Un autre **indice mixte** du même genre a été proposé par **Coleman**[35], qui intègre d'autres critères tels que le niveau d'éducation, le revenu, le prestige de la profession du responsable de la famille et le quartier de résidence. Contrairement à l'indice de Warner, celui de Coleman n'utilise aucune pondération, mais fait appel au jugement de l'intervieweur dans l'évaluation des deux derniers critères, à la suite de discussions avec la personne à classer. Le statut social est alors généré en faisant la somme des scores obtenus pour chacun des critères.

L'influence de la classe sociale sur les comportements de consommation

Le concept de classe sociale a intéressé les spécialistes en comportement du consommateur dans la mesure où il permet de réaliser une **segmentation de marché** efficace. En effet, les critères sociodémographiques pertinents tels que le revenu, le niveau d'éducation, l'occupation professionnelle et la résidence sont facilement mesurables. En outre, les travaux effectués en comportement du consommateur font clairement ressortir le lien entre la classe sociale et l'adoption de valeurs, de styles de vie et de modes de comportement reliés à l'extravagance et à la compensation grâce à l'achat de certains produits.

Ainsi, la classe située au sommet de la hiérarchie sociale, souvent constituée de familles bien établies qui ont grandi dans la richesse et sont à la tête de grandes entreprises, privilégiera des valeurs liées au respect de soi, et parfois même des valeurs plus traditionnelles. Ses membres seront souvent affiliés à des clubs sélects et participeront à des œuvres de bienfaisance. Dans leur comportement de consommation, ils chercheront la discrétion en évitant les achats extravagants, puisqu'ils sont connus et n'ont pas besoin d'affirmer leur statut social auprès des autres. On trouve ci-contre une publicité des magasins de la SAQ, dont la clientèle appartient à la classe élevée ou aisée de la société.

Ce n'est pas le cas pour la classe formée des nouveaux riches qui, eux, privilégieront des valeurs telles que l'estime de soi. Pour affirmer le nouveau statut auquel ils ont accédé, ils chercheront à se faire remarquer par des achats extravagants et des activités très visibles. On les verra rouler dans des voitures sport décapotables, s'habiller chez les meilleurs couturiers, porter les bijoux les plus chers, réserver les meilleures loges des théâtres et salle de concerts, etc.

Le groupe qui correspond à la classe moyenne élevée, souvent formé de familles avec enfants et de personnes ayant réussi leur vie professionnelle par l'effort et le travail laborieux, privilégie souvent des valeurs liées à l'autoréalisation et au respect des autres. Certains favoriseront aussi des valeurs d'estime de soi. Ils travailleront toujours plus fort pour mieux réussir et gravir les différentes marches de l'échelle sociale, les succès antérieurs étant leur principale source de motivation. Leur comportement est en même temps orienté vers la famille par leur investissement dans l'éducation de leurs enfants, et vers l'exhibition de leur réussite et de leur ascension sociale au moyen de dépenses extravagantes, à l'exemple du groupe précédent. Ils prennent goût à la reconnaissance sociale. Ne pouvant accéder à des niveaux supérieurs, les membres de ce groupe peuvent recourir à des achats compensatoires à travers lesquels ils cherchent à remplacer l'avancement social réel par le recours à des symboles associés aux classes supérieures, tels qu'une maison luxueuse, une voiture coûteuse, certaines activités de loisirs, etc.[36] Ce comportement permet à la personne de combler une frustration ou un sentiment d'échec.

Une publicité des magasins de la SAQ, dont la clientèle appartient à la classe élevée de la société.

Pour ce qui est du groupe situé entre les niveaux moyen et bas, il est souvent formé par des personnes dont la situation financière est précaire et l'emploi instable, comme c'est le cas des ouvriers et des employés de soutien. Ils privilégieront des valeurs liées à la sécurité et investiront dans l'épargne. Cependant, pour sortir de leur isolement social, ils auront tendance à investir dans des moyens de divertissement tels que la télévision et les jeux de société.

Le groupe situé au bas de l'échelle sociale, composé principalement des chômeurs non qualifiés et des assistés sociaux, aura un comportement marginal qui consiste à vivre au jour le jour en se livrant à des dépenses non réfléchies et à des achats impulsifs.

Depuis une dizaine d'années, certaines entreprises de recherche en marketing, tant au Canada qu'ailleurs dans le monde, se sont illustrées par leurs travaux visant à présenter une segmentation de marché basée sur la classe sociale.

Chaque segment est alors décrit à partir de dimensions sociodémographiques, mais aussi de comportements de consommation. Les résultats obtenus sont par la suite intégrés à des données géographiques qui permettent de localiser sur une carte la présence des différents segments dans les régions, les villes et même dans les secteurs de dénombrement (qui correspondent à des codes postaux donnés).

Au Canada, la segmentation Psyte de la firme Compusearch illustre ce type de segmentation. À partir des données sociodémographiques et des comportements de consommation, 60 segments ont été déterminés, puis regroupés dans 15 groupes sociaux classés selon leur statut.

Le tableau 7.5 présente la liste des 60 segments ainsi que leur importance parmi les ménages au Canada. Notons que la segmentation Psyte a retenu 12 segments propres au Québec que l'on ne retrouve pas dans le reste du Canada. Pour chaque segment, la firme Compusearch détient une information détaillée (250 variables environ) de natures démographique, géographique et comportementale. Le tableau 7.6, à la page 266, montre un exemple de certaines informations particulières que l'on pourrait obtenir relativement à un segment. De plus, la figure 7.6 ci-dessous illustre la façon dont la localisation géographique d'un groupe pourrait être présentée aux utilisateurs des résultats de cette segmentation.

FIGURE 7.6 Un exemple de la localisation géographique, dans les RMR de Montréal, d'un groupe social issu de la segmentation Psyte

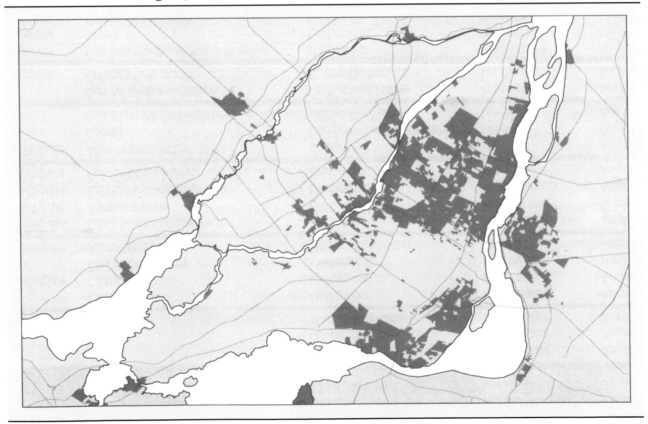

TABLEAU 7.5 La liste des 60 segments Psyte de la firme Compusearch comportant leur nom, leur importance au Canada et leur profil démographique

Segments Psyte® – Québec 1995 : Les groupes majeurs et leurs segments

R1	Familles confortables rurales		Ménages
R1	Segment 11	L'élite boréale	0,15 %
R1	Segment 22	Nouvelle frontière	0,24 %
R1	Segment 26	Rustiques et prospères	0,09 %
R1	Segment 34	Moto-cross et 4 X 4	0,04 %
R1	Segment 37	Le cœur agricole du Québec	4,06 %
R1	Segment 38	Fermes des Prairies	0,01 %

U2	Ethnies urbaines		Ménages
U2	Segment 21	Europa	1,28 %
U2	Segment 25	Mosaïque asiatique	0,02 %
U2	Segment 41	Tours multiethniques	0,12 %

U3	Gens seuls et couples âgés urbains		Ménages
U3	Segment 28	Sédentaires et traditionalistes	0,28 %
U3	Segment 33	Les tours dorées	0,91 %

U4	Jeunes célibataires urbains		Ménages
U4	Segment 20	Jeunes professionnels urbains	1,94 %
U4	Segment 29	La bougeotte en ville	0,40 %
U4	Segment 36	Jeune *Intelligentsia* urbaine	1,01 %
U4	Segment 40	Enclaves universitaires	1,03 %
U4	Segment 51	Jeunes célibataires en ville	0,32 %
U4	Segment 56	La vie de bohème	2,80 %

T2	Cols gris de petites villes		Ménages
T2	Segment 31	Villes victoriennes	0,35 %
T2	Segment 35	Locataires en région	0,49 %
T2	Segment 39	Jeunes et moins jeunes locataires	0,00 %
T2	Segment 44	Jeunes cols gris	0,31 %
T2	Segment 46	Petites villes paisibles	0,22 %

R2	Le bas de l'échelle rurale		Ménages
R2	Segment 43	Le *blues* de l'agriculture	0,45 %
R2	Segment 47	Chasse et pêche	0,33 %
R2	Segment 49	Villages des Maritimes	0,07 %
R2	Segment 50	Familles nombreuses campagnardes	1,12 %
R2	Segment 52	Le *blues* du Québec rural	5,56 %
R2	Segment 55	Vieilles fermes canadiennes	0,02 %

U1	Élite urbaine		Ménages
U1	Segment 1	L'*establishment* canadien	0,11 %
U1	Segment 2	Les opulents	0,27 %
U1	Segment 4	La bourgeoisie urbaine	1,08 %

S1	Banlieue opulente		Ménages
S1	Segment 3	Les cadres de banlieue	0,98 %
S1	Segment 6	Hypothéqués en banlieue	0,20 %
S1	Segment 7	Technocrates et bureaucrates	1,82 %
S1	Segment 9	Asiatiques aisés	0,06 %

S2	Familles aisées de banlieue		Ménages
S2	Segment 5	*Boomers* et ados	0,07 %
S2	Segment 8	Banlieue familiale stable	0,97 %
S2	Segment 15	Notables de la place	0,31 %
S2	Segment 16	Les bungalows	0,79 %

S3	Gens seuls et couples âgés de banlieue		Ménages
S3	Segment 10	Parents seuls en banlieue	0,47 %
S3	Segment 12	Brie et Chablis	0,44 %
S3	Segment 17	Intellectuels aux tempes grises	0,94 %

S4	Jeunes familles de banlieue		Ménages
S4	Segment 14	Banlieues satellites	0,04 %
S4	Segment 23	Jardins d'enfants	0,17 %

T1	Aisés des petites villes		Ménages
T1	Segment 13	La crème des cols bleus	0,04 %
T1	Segment 19	Les *boomers* des villes	0,08 %
T1	Segment 27	Nouvelles périphéries des villes	0,14 %

S5	Banlieues du Québec		Ménages
S5	Segment 18	Participaction Québec	3,03 %
S5	Segment 24	Les maisons de ville du Québec	5,36 %
S5	Segment 30	Mélange Québec	10,50 %
S5	Segment 32	Familles traditionnelles francophones	9,34 %

U5	Cols gris du Québec		Ménages
U5	Segment 42	Euro-Québec	4,02 %
U5	Segment 45	Les escaliers extérieurs du Québec	7,31 %
U5	Segment 53	Aînés des petites villes du Québec	8,28 %
U5	Segment 54	Citadins vieillissants du Québec	1,33 %
U5	Segment 57	Mosaïque urbaine du Québec	7,07 %

U6	Le bas de l'échelle urbaine		Ménages
U6	Segment 48	Survie au centre-ville	0,02 %
U6	Segment 58	Pensionnés âgés	1,02 %
U6	Segment 59	Défavorisés du centre-ville	1,69 %
U6	Segment 60	Tours grisonnantes	0,46 %

Source : Compusearch Micromarketing données & systèmes, Blackburn/Polk Vehicle Information Services, Print Measurement Bureau, Statistique Canada.

TABLEAU 7.6 🌐 Quelques exemples de renseignements relatifs à un segment Psyte

Segment 18 : Participaction Québec (3,03 % des ménages)

Chefs de ménage jeunes ou d'âge moyen, à la tête de familles franco-canadiennes nombreuses. Fréquemment détenteurs de diplômes d'études collégiales. Occupations variées, mais dans la couche supérieure. Souvent deux revenus par foyer. Généralement propriétaires de maisons de ville ou unifamiliales récentes, situées en banlieue. Physiquement et socialement très actifs.

Démographie	Moyenne segment %	Moyenne canadienne %	Indice
Éducation			
Diplôme universitaire	15,8	14,0	113
Cours universitaires	9,2	11,8	78
Collégial	29,9	23,6	127
Secondaire	34,9	35,3	96
Moins que secondaire	10,2	14,1	72
Occupation			
Administration	14,3	11,0	130
Autres cols blancs	28,0	24,9	113
Cols bleus	27,9	32,0	87
Cols gris	41,5	38,8	107
Sans emploi	7,7	10,8	71
Femmes au travail	66,0	58,7	113
Type de famille			
Ménage 1 personne	9,2	22,8	41
Ménage avec enfants	58,2	37,3	156
Enfants (0-5)	24,9	25,4	98
Enfants (6-14)	42,6	36,0	118
Enfants (15 +)	32,5	37,5	87
Parents seuls	9,0	13,2	68
Chef de ménage			
15-24 ans	2,2	4,6	47
25-34 ans	25,4	21,8	116
35-54 ans	56,1	40,0	140
55-64 ans	9,9	14,1	70
65 + ans	6,4	19,3	33
Langue parlée à la maison			
Anglais	6,7	69,6	10
Français	91,9	22,4	410
Autre	1,4	7,7	18
Immigration	9,6	15,2	24
% immigrants après 1981	11,0	10,1	109
Revenu par ménage 1991			
< 20 000 $	9,6	19,3	50
20 000 $ – 34 999 $	14,1	17,2	82
35 000 $ – 49 999 $	22,2	15,5	143
50 000 $ +	50,6	29,2	173
Revenu moyen (1994) ($)	57 081,9	46 206,1	124
Revenu personnel > 100 000 $	**0,2**	**0,7**	**29**
Habitation			
Bungalows	79,1	69,7	132
App. 5 + étages	0,3	9,5	3
Autres	20,3	28,0	72
Loués	14,2	35,3	40
Propriétaire occupant	85,9	63,5	135
Mobilité			
A déménagé après 1990	11,1	16,8	66

Préférences	Indice
Automobile	
Pontiac Le Mans	403
Hyundai Sonata	349
Chevrolet Lumina APV	324
Toyota Tercel	297
Volkswagen Passat	269
Produit	
Mélange à gâteau	187
Boivent du vin	185
Shampoing Sélection Salon	178
Détergent lave-vaisselle	149
Repas congelés diététiques	136
Boivent bière en fût	147
Yogourt	143
Jeux vidéo	135
Achètent billets de loterie	120
Média	
Filles d'aujourd'hui	160
Téléromans	155
Musique rock classique	150
Regardent ski à la télé	134
Écoutent le palmarès	138
Activités	
Ski alpin	228
Cyclisme	189
Restaurants haut de gamme	165
Tennis	165
Natation	160
Couture	154

Source : Compusearch Micromarketing données & systèmes, Blackburn/Polk Vehicle Information Services, Print Measurement Bureau, Statistique Canada.

Au terme de ce chapitre, qu'avons-nous appris?

Nous avons appris que :

- chaque consommateur est influencé par les autres qu'il influence à son tour par ses actions, ses comportements, ses paroles, ses idées, ses suggestions, ses commentaires, ses activités, etc.

- dans les interactions et les communications des consommateurs avec les autres, la dimension symbolique des produits et des comportements, acquise au moyen du processus de socialisation, joue un rôle de premier plan.

- les symboles rattachés aux produits et aux comportements aident à renforcer le concept de soi et à soutenir les rôles sociaux, ces symboles pouvant être récupérés dans des communications publicitaires.

- les groupes de référence comprennent les groupes d'association ou d'appartenance, dont on est membre, les groupes d'aspiration, dont on souhaiterait devenir membre, et les groupes de dissociation, dont on ne veut pas faire partie.

- les groupes de référence exercent trois types d'influence, à savoir une influence informative, exercée principalement par les experts, une influence normative, associée à un système de récompenses et de punitions, et une influence comparative, qui renvoie à leur fonction première de comparaison et parfois de modelage.

- les consommateurs n'ont pas tous la même sensibilité à l'influence des groupes de référence de telle sorte que cette sensibilité peut être vue comme un trait de personnalité.

- la classe sociale est une stratification des membres d'une société en plusieurs groupes pouvant servir de base de segmentation.

- trois grands types de critères ont été retenus pour déterminer la position d'une personne dans une structure sociale donnée : les critères subjectifs, les critères de réputation et les critères objectifs, les critères mixtes de Warner et de Coleman se distinguant parmi ces derniers.

Questions de révision et de réflexion

1. En quoi l'étude des influences sociales vient-elle compléter celle des processus de perception, de motivation, d'apprentissage, de mémorisation, de décision et celle des attitudes et des émotions ?

2. Qu'entend-on par groupe de référence ?

3. Nommez les différents types de groupes de référence.

4. Quels sont vos principaux groupes de référence ?

5. Appartenez-vous à des communautés virtuelles ? Si oui, lesquelles ? Sont-elles toutes du même type ?

6. Quels sont les trois principaux types d'influences des groupes de référence ? Quels types de pouvoirs leur sont associés ?

7. Dans la pratique du bouche-à-oreille, quels sont les motifs qui, selon vous, animent l'émetteur ? le récepteur ?

8. Trouvez une rumeur et présentez-la.

9. Trouvez une légende urbaine et présentez-la.

10. Citez des exemples de symboles d'appartenance à un groupe.

11. Expliquez la dimension symbolique d'une maison, d'une voiture.

12. Comment les symboles se forment-ils ? Expliquez le modèle de McCracken.

13. Quels sont les différents rôles que jouent les symboles dans nos interactions avec autrui ? Expliquez chacun d'eux au moyen d'exemples.

14. Comment peut-on définir une classe sociale ?

15. Pourquoi faut-il étudier les classes sociales en comportement du consommateur ?

16. Associez-vous certains magasins à une classe sociale particulière ? Pourquoi ? Développez.

17. Associez-vous certains magazines à une classe particulière ? Pourquoi ? Précisez.

18. Discutez des trois grands types de critères de stratification sociale. Quels sont les critères dits « objectifs » ?

19. Quels problèmes le critère du revenu pose-t-il pour établir une stratification sociale ?

20. Quel est l'intérêt d'un indice de stratification sociale mixte ? Citez deux exemples d'un tel indice.

JEEP*

Aux États-Unis, la marque de véhicules Jeep organise certaines manifestations particulières, dont des *jamborees* Jeep, des camps Jeep et Jeep 101. Les *jamborees* sont des rallyes régionaux, les camps, des rallyes nationaux, et Jeep 101, une course. Tous ces événements exploitent la conduite hors route dans des paysages grandioses et offrent des activités complémentaires liées à un style de vie, par exemple des *barbecues* ou des présentations de l'histoire de Jeep. Ces événements attirent de nombreux amateurs de la marque, propriétaires potentiels, nouveaux ou fidèles. Pour certains fidèles, l'achat d'un véhicule Jeep est une tradition familiale qui se transmet depuis plusieurs générations. Tous ces types de propriétaires sont encouragés à amener avec eux des amis ou des membres de leur famille. D'habitude, la plupart des participants aux *jamborees* ou aux camps,

n'ayant jamais pratiqué la conduite hors route, se demandent avec anxiété si leur présence ne sera pas incongrue parmi les autres participants. Mais ces néophytes se rassurent rapidement lorsque les vétérans leur fournissent des conseils et de l'aide pour franchir certains passages difficiles du trajet. Sont également présents à l'événement des instructeurs de la marque qui prodiguent informations, conseils et explications, par exemple sur certaines manœuvres à exécuter pour éviter que les roues ne tournent dans le vide ou encore sur une conduite non préjudiciable à l'environnement, valeur à laquelle Jeep souhaite être associée. Les propriétaires de Jeep apprennent à se connaître. À la fin de l'événement, certains échangent leurs adresses. Ils apprennent aussi à connaître des représentants de la marque présents aux manifestations comme des instructeurs ou des ingénieurs.

QUESTIONS

1. Nommez les différents types de groupes de référence exploités par la compagnie Jeep.

2. Illustrez les trois types d'influence sociale (informative, comparative, normative) que peuvent exercer ces groupes.

3. Illustrez le transfert de signification au produit, puis au consommateur en appliquant le modèle de McCracken aux manifestations particulières organisées par la marque Jeep.

4. Comment les principes de réciprocité et de sympathie peuvent-ils jouer entre les différents acteurs présents à ces manifestations?

---

* Ce cas s'inspire de l'article de J.H. McALEXANDER, J.W. SCHOUTEN et H.F. KOENING, «Building Brand Community», *Journal of Marketing*, vol. 66, nº 1, 2002, p. 38-54.

Notes

1. Michèle de LA PRADELLE, *Les vendredis de Carpentras*, Paris, Fayard, 1996.

2. Pour en savoir plus sur Pepsi et sa stratégie de communication, visiter le site suivant : www.pepsi.ca

3. M.R. SOLOMON, « The Role of Products as Social Stimuli : A Symbolic Interactionism Perspective », *Journal of Consumer Research*, vol. 10, décembre 1983, p. 319-329. Pour en savoir plus sur les motos Harley-Davidson et leur signification, visiter le site suivant : www.harley-davidson.com

4. G. McCRACKEN, « Culture and Consumption : A Theorical Account of the Structure and Movement of the Cultural Meaning of Consumer Goods », *Journal of Consumer Research*, vol. 13, 1986, p. 71-84 ; R.H. HOLMAN, « Product as Communication : A fresh Appraisal of a Venerable Topic », dans B.M. ENIS et K.J. ROERING, dir., *Review of Marketing*, Chicago, American Marketing Association, 1981, p. 106-119.

5. G.H. MEAD, *Mind, Self and Society,* Chicago, University of Chicago Press, 1934.

6. E.L. GRUBB et H.G. WOHL, « Consumer Self-Concept, Symbolism, and Market Behavior : A Theoretical Approach », *Journal of Marketing*, vol. 31, octobre 1967, p. 22-27.

7. S.J. LEVY, « Symbols for Sale », *Harvard Business Review,* vol. 37, juillet-août 1957, p. 117-124 ; S.J. LEVY, « The Symbolic Analysis of Companies, Brands and Customer », *Twelfth Annual Albert Wesley Frey Lecture,* University of Pittsburg, PA, avril 1980 ; voir l'article cité à la note 3.

8. Pour en savoir plus sur l'étoile de David, visiter le site suivant : http://fr.wikipedia.org/wiki/%89toile_de_david

9. Pour en savoir plus sur la main de Fatma, visiter le site suivant : filoumektoub.free.fr/maghreb/fatima/maindefatma.htm

10. J.W. Schouten, « Personal Rites of Passage and the Reconstruction of Self », dans R.H. HOLMAN et M.R. SOLOMON, dir., *Advances in Consumer Research,* 18, Provo, Utah, Association for Consumer Research, 1991, p. 49-51.

11. Voir l'article cité à la note 3.

12. Voir l'article cité à la note 3.

13. R.W. BELK, « An Exploratory Assessment of Situational Effects in Buyer Behavior », *Journal of Marketing Research,* vol. 11, mai 1974, p. 156-163 ; R.W. BELK, K.D. BAHAN et R.N. MAYER, « Developmental Recognition of Consumption Symbolism », *Journal of Consumer Research,* vol. 9, juin 1982, p. 4-12.

14. Pour plus de détails sur le concept d'« *endorsment* », consulter les articles suivants : G. McCRACKEN, « Who is the Celebrity Endorser ? Cultural Foundations of the Endorsement Process », *Journal of Consumer Research,* vol. 16, décembre 1989, p. 310-321 ; T.B. HEATH, M.S. McCARTHY et D.L. MOTHERSBAUGH, « Spokesperson Fame and Vividness Effects in the Context of Issue-Relevant Thinking : The moderating Role of Competitive Setting », *Journal of Consumer Research,* vol. 20, n° 4, 1994, p. 520-535 ; D.T. BRIAN et M. BUSLER, « The Match-Up Hypothesis : Physical Attractiveness, Expertise, and the Role of Fit on Brand Attitude, Purchase Intent and Brand Beliefs », *Journal of Advertising,* vol. 29, n° 3, 2000, p. 1-13.

15. Pour plus d'exemples sur le concept d'« *endorsment* », visiter le site suivant : www.lapubquetuveux.fr/endorsement.html

16. C.W. PARK et V.P. LESSIG, « Students and Housewives : Differences in Susceptibility to Reference Group Influence », *Journal of Consumer Research,* vol. 4, septembre 1977, p. 102-110.

17. L.L. ORICE, L. FEICK et R. HIGIE, « Preference Heterogeneity and Coorientation as Determinant of Perceived Informational Influence », *Journal of Business Research,* novembre 1989, p. 227-242 ; G. MOSCHIS, « Social Comparison and Informal Group Influence », *Journal of Marketing Research,* août 1976, p. 237-244.

18. Pour plus de détails sur le phénomène des réseaux sociaux en ligne, consulter les articles suivants : R.M. GUO, « Annual Review 2008, Cyberlaw : Note : Stranger Danger and the Online Social Network », *Berkeley Technology Law Journal,* n° 23, 2008 ; T. O'REILLY, « What is Web 2.0 ? Design patters and business models for the next generation of software », *O'Reilly,* 30 septembre 2005 ; J. RAACKE et J. BONDS-RAACKE, « MySpace and Facebook : Applying the Uses and Gratifications Theory to Exploring Friend-Networking Sites », *CyberPsychology & Behavior,* vol. 11, n° 2, 2008.

19. Visiter le site suivant : www.e-marketer.com

20. L. FESTINGER, « A Theory of Social Comparison Processes », *Human Relations,* vol. 7, mai 1954, p. 117-140.

21. B.J. CALDER et R.D. BURNKRANT, « Interpersonal Influences on Consumer Behaviour : An Attribution Theory Approach », *Journal of Consumer Research,* vol. 4, n° 1, 1977, p. 29-38.

22. Voir l'article cité à la note 16.

23. G.P. MOSCHIS, « Social Comparison and Information Group Influence », *Journal of Marketing Research,* vol. 13, août 1976, p. 237-244.

24. W.O. BEARDEN et M.J. ETZEL, « Reference Group Influence on Product and Brand Purchase Decisions », *Journal of Consumer Research,* vol. 9, n° 2, 1982, p. 183.

25. J.W. BREHM, *A theory of psychological reactance,* New York, Academic Press, 1966.

26. A. D'ASTOUS et N. TOUIL, « Consumer Evaluations of Movies on the Basis of Critics Judgments », *Psychology and Marketing,* vol. 16, n° 8, 1999, p. 677-694.

27. R.B. CIALDINI, *Influence : Science and practice,* New York, Harper/Collins, 1988. Un sommaire des principes d'influence de Cialdini est présenté dans l'article suivant : R.B. Cialdini, « Interpersonal Influence » dans S. SHAVITT et T. BROCK, dir., *Persuasion : Psychological Insights and Perspectives,* Boston, Allyn & Bacon, 1994, p. 195-217.

28. E. LANGER et H. NEWMAN, «The Role of Mindlessness in a Typical Social Psychological Experiment», *Personality and Social Psychology Bulletin,* vol. 5, 1979, p. 295-299.

29. D.E. ALLEN et P.F. ANDERSON, «Consumption and Social Stratification: Bourdieu's Distinction», dans C.T. ALLEN et D. ROEDDER JOHN, dir., *Advances in Consumer Research,* vol. 21, 1994, p. 70-73.

30. M.K. MOOIJ et W. KEEGAN, *Advertising World Wide,* Englewood Cliff, N.J., Prentice-Hall, 1991, p. 96.

31. R.P. COLEMAN, «The Continuing Significance of Social Class to Marketing», *Journal of Consumer Research,* décembre 1983, p. 265-280; L.W. WARNER, M. MEEKER et K. EELLS, *Social Class in America: Manual of Procedure for the Measurement of Social Status,* New York, Harper and Brothers, 1960.

32. S.J. MILLER, «Source of Income as a Market Descriptor», *Journal of Marketing Research,* vol. 15, 1978, p. 129-131; J.H. MYERS, R.R. STANTON et A.F. HAUG, «Correlates of Buying Behavior: Social Class *vs.* Income», *Journal of Marketing,* vol. 35, octobre 1971, p. 8-15; J.H. MYERS et J.F. MOUNT, «More on Social Class *vs.* Income as Correlates of Buying Behavior», *Journal of Marketing,* vol. 38, avril 1973, p. 71-73.

33. S. GILLIAN et J.H. CHO, «Socioeconomic Indexes and the New 1980 Census Occupational Classification Scheme», *Social Science Research,* vol. 14, 1980, p. 142-168.

34. Voir l'article de Warner, Meeker et Eells (1960) cité à la note 31.

35. Voir l'article de Coleman (1983) cité à la note 31.

36. S. GRØNNO, «Compensatory Consumer Behavior: Elements of a Critical Sociology of Consumption», dans P. OTNES, dir., *The Sociology of Consumption: An Anthology,* Atlantic Highlands, N.J., Humanities Press International, 1988, p. 65-68.

La culture et la consommation

Introduction

Vous vous levez au son d'un radio-réveil, d'un réveil téléphonique ou de la sonnerie de votre montre. Combien de fois regardez-vous celle-ci dans une journée? Consultez-vous votre agenda et vos courriers électroniques sur votre ordinateur ou sur votre téléphone mobile? Vous avez sans doute accumulé de nombreux produits pour vous aider à gérer votre temps, à être à l'heure, à épargner de précieuses minutes (four à micro-ondes, lave-vaisselle, aliments précuits, prélavés). Dans la société nord-américaine, ne pas perdre son temps ou, mieux encore, en gagner semble être une préoccupation de tous les instants, voire une obsession pour beaucoup d'entre nous. L'ère étant à la performance et à l'efficacité, la notion de temps est plus que jamais d'actualité et, en tant que ressource rare, le temps est devenu le «luxe suprême». Pourtant, les populations d'Amérique latine, d'Afrique, du Moyen-Orient et d'Asie ont une autre vision du temps, envers lequel elles adoptent une attitude beaucoup plus désinvolte. Pour elles, le fait de prendre son temps constitue une grande marque de sagesse, alors que pour les Nord-Américains que nous sommes, le temps, c'est de l'argent. Si notre culture influence notre conception du temps, elle exerce également une influence notoire sur notre comportement de consommation. Nous avons vu dans le chapitre précédent que l'individu évolue à l'intérieur de groupes sociaux avec lesquels il est en continuelle interaction. Les groupes culturels font partie de ceux qui façonnent son comportement. C'est à l'étude du domaine fascinant que constitue la culture que nous allons nous livrer maintenant.

> La clé de la culture est dans notre nature, la clé de notre nature est dans la culture.
>
> **Edgar Morin**

La compréhension du lien entre culture et consommation prend de l'importance dans un monde où le commerce entre les cultures occupe une place prépondérante dans les activités des entreprises modernes, qu'elles soient petites ou grandes, qu'elles opèrent dans le domaine des biens de grande consommation ou dans celui des services[1]. Si la croissance du commerce international s'explique par la chute des barrières tarifaires, par la saturation du marché domestique de la plupart des pays occidentaux et par la recherche de nouvelles occasions de profit, elle se traduit aussi par la mobilité croissante des individus entre les pays du monde. Dans ce monde que les spécialistes en gestion internationale qualifient de **village global,** les similarités entre les consommateurs, plus que les différences, deviennent une composante importante dans la prise de décision en marketing. McDonald's, avec ses 31 600 restaurants disséminés partout dans le monde, est l'exemple type de cette orientation mondiale, cherchant à tirer profit de la situation en minimisant les différences culturelles qui caractérisent les consommateurs provenant de cultures diverses.

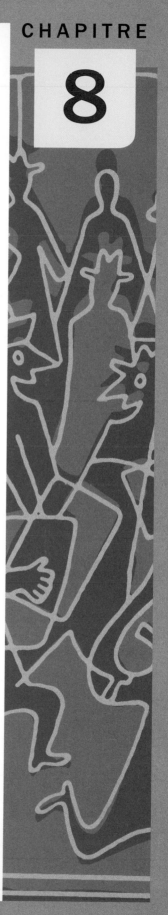

À cette vision mondiale s'oppose la vision multiculturelle, selon laquelle, au-delà des décisions économiques comme celles de l'Organisation mondiale du commerce (OMC), des gestes politiques comme la chute du mur de Berlin ou encore des mouvements d'intégration comme la zone de libre-échange Canada–États-Unis–Mexique (ALENA) ou l'Union européenne (UE), les différences culturelles de langue, de religion, de normes et de valeurs sont encore réelles, et leur incidence sur les comportements de consommation ne peut être ignorée par les responsables en marketing. Les attitudes des producteurs de boissons gazeuses PepsiCo[2] ou de détergents Unilever[3] confirment la pertinence des stratégies internationales basées sur une adaptation presque totale des politiques de marketing à la réalité culturelle des consommateurs de chaque pays. Ajoutons à cela qu'une des tendances qui se dessine dans le monde actuel est la créolisation, une stratégie d'adaptation employée par le consommateur lui-même pour expérimenter une autre culture sans nier la sienne. En effet, la créolisation réfère à des pratiques du consommateur qui lui font combiner des éléments de tradition de consommation locale à des éléments de tradition de consommation issus d'autres cultures[4].

Nous tenterons, tout au long de ce chapitre, de faire état des principales connaissances accumulées jusqu'à maintenant sur la culture et le comportement des consommateurs. Avant de définir la culture, nous présenterons d'abord brièvement l'évolution de son champ d'études. Nous aborderons par la suite ce que certains chercheurs entrevoient comme les principales composantes de la culture et que d'autres qualifient plutôt de canevas culturels. Valeurs, normes, mythes et légendes, rituels, signes et symboles, langue et religion seront alors à l'honneur. Puis, nous nous intéresserons à l'influence des stéréotypes liés à l'image d'un pays. Nous nous consacrerons ensuite à la présentation d'études culturelles comparatives positivistes de comportements de consommation. Nous insisterons également sur les problèmes méthodologiques de ce type de recherche, avant de présenter une approche différente dans l'étude de la culture en comportement du consommateur et qui gagne en popularité : l'approche ethnographique.

8.1 La culture : un concept de psychologie et d'anthropologie

L'évolution du champ d'études de la culture en comportement du consommateur

Jusqu'à la fin des années 1970, les chercheurs en comportement du consommateur ont largement puisé dans le domaine de la psychologie cognitive et de la psychologie sociale pour expliquer les répercussions des facteurs psychologiques et psychographiques sur les comportements de consommation. Les facteurs culturels étaient alors considérés comme un terme résiduel dans l'explication d'un tel comportement.

Ce n'est qu'à la fin des années 1970 et au début des années 1980 que des développements conceptuels et méthodologiques commencent à voir le jour, portant sur l'influence de la culture sur les comportements de consommation[5]. Ce revirement d'intérêt de la part des chercheurs, qui s'est confirmé durant les années

1980 et 1990, s'explique par le souci des universitaires et des professionnels de s'adapter, d'une part, à l'internationalisation croissante des activités des entreprises, s'étendant désormais au-delà des frontières locales, régionales ou nationales, et, d'autre part, à l'hétérogénéité croissante des marchés domestiques devenus de plus en plus cosmopolites en raison des flux migratoires continus.

Il nous faut préciser qu'en psychologie cognitive, la reconnaissance de l'influence de la culture sur des processus cognitifs tels que la catégorisation ou sur la construction du soi s'est renforcée de plus en plus avec les années. En psychologie sociale, deux sous-champs d'études se sont dessinés : la socialisation et l'acculturation. Le premier s'intéresse à l'apprentissage de l'individu dans sa culture d'origine, alors que le second porte sur l'évolution de l'individu dans des cultures autres que celle de son pays d'origine.

Dans le domaine de l'anthropologie, où le concept de culture a pris naissance, deux approches conceptuelles principales se sont dégagées : l'approche symbolique et l'approche structurale. Dans la première, la culture est considérée comme un système de valeurs et de sens partagés par un groupe d'individus. La seconde est attribuable à l'anthropologue Lévi-Strauss, selon qui « derrière la culture se cachent des structures mentales universelles ». La culture est envisagée en tant que manifestation de la structure inconsciente de l'esprit humain[6].

Les différentes conceptualisations en psychologie et en anthropologie ont largement contribué à la formation de plusieurs tendances en marketing et en comportement du consommateur en ce qui concerne l'étude de la culture. On retrouve ainsi plusieurs grands thèmes abordés sous cette bannière, comme l'apprentissage ou la socialisation (*voir le chapitre 4*), le symbolisme dans la consommation (*voir les chapitres 3 et 7*), les différences internationales et transculturelles, les valeurs culturelles et le comportement des sous-cultures (*voir le chapitre 9*), ainsi que différentes méthodologies. Des études positivistes privilégiant la mesure de variables et la précision de la nature du lien statistique qui les unit côtoient présentement des études interprétatives adoptant une approche holistique et recourant à des méthodes de type ethnographique. Nous essayerons de rendre compte de cette diversité d'approches.

Une définition de la culture

En dépit du volume de connaissances résultant de sa nature multidisciplinaire, la culture reste une notion **abstraite** pour laquelle 164 définitions ont été recensées[7]. Force est de constater qu'aucune d'entre elles n'a jamais fait l'unanimité parmi les sociologues, les psychologues ou les historiens[8]. Pour certains, la culture fournit à ses membres un style de comportement, un mode de communication, des connaissances, des croyances et surtout des normes qu'ils doivent respecter et des valeurs auxquelles ils s'associent. Elle les incite à adopter des comportements particuliers tout en leur en interdisant d'autres. En marketing, les chercheurs qui s'intéressent aux influences culturelles retiennent souvent la définition de Tylor[9] :

> Ensemble complexe qui englobe les connaissances, les croyances, l'art, la loi, la religion, le langage, la morale, les coutumes, les normes, les valeurs et toutes les autres aptitudes de l'être humain en tant que membre de la société.

Cependant, le fait de présenter la culture au moyen de cette liste d'éléments apparaît fortement réducteur, voire trompeur, aux yeux de chercheurs tels Arnould, Price et Zinkhan[10]. Ils proposent de définir la culture comme suit :

> La culture est constituée de canevas dynamiques d'action et d'interprétation qui permettent au membre d'une culture de se comporter d'une manière acceptable par les autres membres de cette culture. Les normes, les valeurs, les coutumes, les rituels, les mythes et le langage non verbal constituent des exemples d'un tel canevas.

Un ensemble d'études regroupées sous l'appellation de « théorie de la culture du consommateur » s'intéresse, entre autres, à des questions de recherche telles que celle-ci : comment l'émergence de la pratique dominante de la consommation reconfigure-t-elle les canevas culturels d'action et d'interprétation, et vice versa[11] ? Nous conserverons donc aussi en mémoire cette conception émergente de la culture en comportement du consommateur qui fait de celui-ci un « producteur » de culture.

Les spécificités de la culture

Les chercheurs privilégiant une vision plus traditionnelle de la culture en comportement du consommateur et en marketing avancent que la culture possède quatre propriétés de base qui expliquent son rôle régulateur au sein d'une société. Elle est dite globale, partagée, transmissible et évolutive[12].

La notion de culture globale

D'abord, la culture est dite **globale** dans la mesure où elle comprend tous les éléments tangibles et intangibles qui participent à la vie d'une société. Ces éléments peuvent être classés en trois composantes.

La composante matérielle Il s'agit des éléments tangibles et directement observables de l'environnement culturel d'une société. On fait généralement la distinction entre les biens de consommation tels que la nourriture, les vêtements, les moyens de transport et la musique, et les biens technologiques ou encore les moyens de production comme les machines, les outils et les technologies de l'information. La composante matérielle acquiert dans chaque culture un sens particulier qui permet aux individus, d'une part, de s'associer ou encore de se désengager d'une culture donnée et, d'autre part, d'exprimer leur appartenance ou leur opposition à cette même culture. À titre d'exemple, dans la culture arabo-musulmane, le fait de s'abstenir de consommer des boissons alcoolisées ou du porc est perçu comme un signe d'association à cette culture, et le port du *tchador*, voile opaque, par les femmes est considéré comme un signe d'appartenance à ladite culture. De par sa nature tangible, la composante matérielle est la plus facile à mesurer pour caractériser une culture donnée.

La composante mentale Elle réfère aux opinions et aux idées communément partagées par la majorité des membres de la société. Il s'agit donc d'éléments intangibles de l'environnement culturel qui englobent les croyances, les attitudes, les normes et les valeurs des gens. Bien qu'elle soit difficile à cerner et à mesurer avec certitude, la composante mentale demeure néanmoins celle qui caractérise le plus une culture donnée et qui la distingue de façon significative des autres cultures[13].

La composante comportementale Elle englobe l'ensemble des actes, des traditions et des rituels reliés à certains éléments matériels et mentaux d'une culture.

Elle correspond à la façon d'acquérir et d'utiliser les biens matériels, et aussi à la façon d'exprimer ses croyances, ses normes et ses valeurs.

La notion de culture partagée

La deuxième propriété de base de la culture est le fait qu'elle soit **partagée** ou **collective.** La culture existe afin d'apporter aux membres d'une société une réponse aux problèmes que pose l'environnement pour satisfaire leurs besoins vitaux (psychologiques, personnels et sociaux). Elle donne un sens à la vie (normes, valeurs, croyances, etc.), mais ce sens n'existe et n'a de valeur que si la majorité des membres de la société y adhère.

La notion de culture apprise et transmissible

La culture est également **apprise** et doit donc être **transmissible** afin d'assurer sa pérennité, ce qui constitue la troisième propriété de base. En effet, les gens ne naissent pas avec une culture, ils l'acquièrent à travers un processus de socialisation, nécessairement basé sur la communication. Les différentes formes de communication comprennent le langage verbal et le langage non verbal. Les langages «cachés» comprennent aussi bien les vêtements portés que les gestes accomplis ou encore la distance physique maintenue entre deux personnes qui conversent.

Les agents de socialisation correspondent à trois principales formes d'apprentissage: formel, informel et technique[14]. L'apprentissage formel est imposé par la famille, qui est l'agent de socialisation le plus important; celle-ci offre un modèle de comportement qu'elle cherche à transmettre à travers l'éducation des enfants. L'apprentissage informel correspond à celui que développe l'individu sur la base de l'observation, en imitant le comportement des autres. L'apprentissage technique est un apprentissage plus ou moins voulu et recherché par l'individu auprès de certaines institutions telles que l'école, l'université, le club sportif, le club artistique ou culturel, etc. Dans un environnement cosmopolite comme celui du Québec et du Canada, rappelons que tout individu apprend la culture de sa société d'origine; il s'agit là de la socialisation[15]. Toutefois, certaines personnes ou certains groupes de personnes, comme les immigrants, se trouvent volontairement ou involontairement impliqués dans un processus d'apprentissage d'une culture autre que celle de leur société d'origine; on parle alors d'acculturation[16]. Il est à noter que les immigrants fortement acculturés ont tendance à consommer des produits artistiques et culturels typiquement québécois (par exemple, spectacles d'humoristes, galeries d'art, théâtre, cinéma, etc.) pour s'associer à la nouvelle société et accélérer ainsi leur processus d'intégration.

La notion de culture évolutive

La quatrième propriété de la culture est sa nature **évolutive.** En fait, elle doit être ainsi afin de préserver son adaptation au monde qui l'entoure et continuer à satisfaire les besoins de ses membres. À l'exemple d'une espèce, une culture doit évoluer si elle ne veut pas être menacée d'extinction et même disparaître. Les besoins, les perceptions, les attitudes, les valeurs et les comportements de ses membres évoluent (plus ou moins rapidement) parce que l'environnement change. Citons, par exemple, les changements de la structure démographique, l'apparition de nouvelles ressources, la création de nouvelles technologies, l'influence des autres cultures (de plus en plus manifeste avec les moyens de communication actuels), etc. Ainsi, l'apparition du four à micro-ondes (nouvelle technologie), combinée au fait que les deux conjoints travaillent le plus souvent à l'extérieur et manquent de temps, comme nous l'avons

Une publicité montrant l'évolution culturelle de l'intérêt pour les produits qui simplifient la vie.

indiqué dans l'introduction, ont influencé les attitudes des gens envers les plats précuisinés ou congelés et les aliments de préparation facile. La publicité sur les produits Arctic Gardens présentée ci-contre souligne l'intérêt pour ces produits. Le problème environnemental de la couche d'ozone a changé certaines de nos perceptions et modifié nos habitudes de consommation (par exemple, le fait d'utiliser les bâtons antisudorifiques plutôt que les vaporisateurs).

Par ailleurs, l'arrivée de la technologie Internet a instauré de nouveaux modes de communication comme le courrier électronique (hotmail, yahoo, gmail), la téléphonie mobile (Skype, MSN), les réseaux sociaux en ligne (Facebook, MySpace, Twitter), mais aussi une nouvelle source inépuisable d'information en tout genre (Google, Bing), et surtout une nouvelle façon de vendre et d'acheter des produits et des services appelée «commerce électronique» (Amazon, eBay, RBC Banque en direct). En conséquence, les chercheurs et les praticiens en marketing doivent suivre et, si possible, essayer d'anticiper ces changements en ajustant leurs intérêts de recherche (pour les universitaires) et leurs actions (pour les professionnels) en vue d'une meilleure satisfaction des besoins des consommateurs. La croissance soutenue, observée ces dernières années, de la communication publicitaire sur Internet aux dépens de la publicité traditionnelle à la télévision, à la radio ou de celle imprimée dans les journaux et les magazines montre bien le souci des agences de communication un peu partout dans le monde de s'adapter aux changements culturels apportés par Internet, comme l'illustre le tableau 8.1.

TABLEAU 8.1 🌐 La croissance des dépenses publicitaires dans le monde (en % des dépenses totales) selon les supports utilisés

	2006	2007	2008	2009*	2010*
Télévision	37,5 %	37,4 %	37,5 %	37,3 %	37,0 %
Journaux	28,4 %	27,1 %	25,6 %	24,5 %	23,3 %
Magazines	12,5 %	12,1 %	11,7 %	11,4 %	11,1 %
Internet	6,8 %	8,6 %	10,2 %	11,9 %	13,8 %
Radio	8,2 %	8,0 %	7,9 %	7,7 %	7,5 %
Extérieur	6,2 %	6,5 %	6,6 %	6,8 %	6,8 %
Cinéma	0,5 %	0,5 %	0,5 %	0,5 %	0,5 %

* Les données pour 2009 et 2010 sont des prévisions établies par l'auteur.

Source : Tiré de www.eMarketer.com, d'une publication de ZenithOptimedia, octobre 2008.

Nous avons mentionné précédemment que les valeurs culturelles, les normes, les mythes et les légendes, les rituels, auxquels s'ajoutent également les objets de consommation sacrés et profanes, les signes et les symboles culturels, la langue et la religion, constituent des canevas culturels d'action et d'interprétation qui peuvent différer par leur contenu d'une culture à une autre. Nous nous attarderons maintenant sur chacun de ces canevas culturels.

8.2 | Les valeurs culturelles

Un rappel du concept des valeurs

Nous avons vu au chapitre 2 sur la motivation qu'une valeur est une croyance forte de l'individu selon laquelle un mode de conduite ou d'existence particulier lui est personnellement et socialement préférable à un autre mode opposé ou réciproque[17]. L'individu acquiert de telles croyances soit dans sa culture d'origine, soit dans d'autres cultures qu'il fréquente. Certains spécialistes en sociologie utilisent l'analogie de l'iceberg pour distinguer, d'une part, les aspects visibles et tangibles de la culture constitués par les comportements directement observables, notamment ceux de consommation, et, d'autre part, les composantes centrales cognitives formées des valeurs et des croyances. Les premiers constituent la pointe de l'iceberg alors que les secondes en seraient la partie immergée.

Les concepts de valeurs culturelles et de systèmes de valeurs culturelles ont été largement utilisés comme variables explicatives du comportement de consommation des individus par les chercheurs en sociologie et en marketing ayant une vision positiviste de la culture[18]. À l'heure actuelle, leurs efforts s'orientent essentiellement vers la mise au point de mesures plus adéquates des systèmes de valeurs, et vers leur utilisation en tant que base de segmentation des marchés culturellement hétérogènes[19]. En effet, contrairement aux autres bases de segmentation, celle qui est centrée sur les valeurs culturelles présente des avantages certains dans la mesure où, dans le système cognitif des individus, les valeurs sont plus stables et constituent une plateforme plus large que les attitudes. Pour ces chercheurs positivistes, les valeurs déterminent les attitudes et les comportements et, par conséquent, fournissent une meilleure compréhension et permettent de mieux prévoir les réactions des consommateurs dans chaque culture.

Quatre principaux instruments de mesure ont été créés jusqu'à maintenant, à savoir le système de valeurs RVS (*Rokeach Values System*) de Rokeach[20] (*voir le chapitre 2*), la liste des valeurs selon les domaines motivationnels de Schwartz[21], le système de valeurs et de styles de vie VALS (*Values And Life Styles*) de Mitchell[22] (*voir le chapitre 2*), et la liste des valeurs LOV (*List Of Values*) de Kahle[23].

Le système de valeurs de Rokeach

Le premier instrument est le système de valeurs de Rokeach (RVS). Rappelons qu'il est composé de 18 valeurs instrumentales (ou modes de conduite désirés) et de 18 valeurs terminales (ou états d'existence désirés), que l'individu classe par ordre d'importance (*voir le tableau 2.3, page 55*). Outre le fait qu'il a été conçu dans un environnement américain, cet instrument offre l'avantage d'avoir été validé dans d'autres contextes culturels, notamment en Australie et en Nouvelle-Guinée[24], en Israël[25], au Viêtnam[26], en Inde[27] et en Grande-Bretagne[28]. En utilisant l'instrument de Rokeach, on a pu, par exemple, distinguer trois groupes de consommateurs d'énergie domestique qui partagent des valeurs culturelles différentes : les économes, les statiques et les dépensiers[29].

La liste de valeurs de Schwartz

À partir des valeurs instrumentales de la liste de Rokeach, une structure psychologique, qui est à l'origine de la formation des valeurs culturelles, a été proposée par Schwartz[30]. Cette structure reflète sept principaux domaines de motivation chez l'individu : 1) l'amusement et le plaisir, 2) la sécurité, 3) l'ambition, 4) l'autoréalisation, 5) la conformité, 6) la sociabilité, et 7) la maturité. Ces domaines peuvent être classés en trois catégories selon leur portée, qu'elle soit individuelle (domaines 1-3-4), collective (domaines 5-6) ou mixte, c'est-à-dire un mélange des deux premières catégories (domaines 2-7). À partir de ces domaines motivationnels, une autre mesure des valeurs a été mise en avant, laquelle comprend 56 valeurs, qui sont présentées dans le tableau 8.2, accompagnées de leurs domaines d'appartenance respectifs. Des procédures de validation transculturelles réalisées dans 45 pays semblent donner des résultats encourageants. Cependant, la lourdeur de l'instrument de mesure proposé, en raison du nombre élevé d'items, demeure la principale limite de son utilisation à plus grande échelle dans les travaux de recherche en comportement du consommateur.

TABLEAU 8.2 Les 56 valeurs de Schwartz (1992) et leurs domaines d'appartenance[31]

Les 11 domaines motivationnels des valeurs	
1. L'autoréalisation	**7.** La conformité
2. La stimulation	**8.** La tradition
3. L'hédonisme	**9.** La spiritualité
4. L'accomplissement	**10.** La bienveillance
5. Le pouvoir	**11.** L'universalité
6. La sécurité	

LES VALEURS TERMINALES	LES VALEURS INSTRUMENTALES
L'égalité (11)	Un monde de beauté (11)
L'harmonie personnelle (9, 11, 6)	La justice sociale (11)
Le pouvoir social (5)	L'indépendance (1)
Le plaisir (3)	Être modéré (6, 8)
La liberté (1)	La loyauté (10, 7)
Une vie spirituelle (9)	L'ambition (1)
Le sens de l'appartenance (6)	L'ouverture d'esprit (11)
L'ordre social (6)	L'humilité (8, 7)
Une vie excitante (2)	La hardiesse (2)
Un sens à la vie (9, 11)	La protection de l'environnement (11)
La politesse (7)	L'influence (4, 5)
La fortune (5)	Le respect des parents et des personnes âgées (7, 8)
La sécurité nationale (6)	Choisir ses propres buts (1)
Le respect de soi (4, 1)	La santé (6, 3)
L'échange de services (6)	Être capable (4)
La créativité (1)	Accepter son sort dans la vie (8, 9)
Un monde en paix (11)	L'honnêteté (10)
Le respect des traditions (8)	Préserver son image publique (5, 6)
Un amour profond (10, 11)	L'obéissance (7)
L'autodiscipline (7)	L'intelligence (4, 1, 11)
Le détachement (9)	Être serviable (10)
La sécurité familiale (6)	Profiter de la vie (3)
La reconnaissance sociale (5, 4, 6)	Être pieux (8, 9)
L'harmonie avec la nature (11, 9)	Être responsable (10, 7)
Une vie variée (2)	La curiosité (1, 2)
La sagesse (11)	Le pardon (10)
L'autorité (5)	La réussite (4)
L'amitié authentique (10)	La propreté (6,7)

Le système de valeurs et de styles de vie de Mitchell

Le troisième instrument de mesure est le système de valeurs et de styles de vie de Mitchell, plus connu sous le nom de VALS, et dont la méthodologie a été mise au point en 1983 par la firme de consultation américaine SRI International[32]. Il s'agit d'une mesure propre au contexte culturel américain, qui trouve ses origines dans la théorie de la hiérarchie des besoins de Maslow[33]. Cet instrument utilise une grille de 34 questions mesurant les attitudes générales et particulières des gens, de même que certaines de leurs caractéristiques démographiques. Comme nous l'avons vu dans le chapitre 2, VALS permet de définir 8 segments ayant des styles de vie différents : les innovateurs, les penseurs, les performants, les pragmatiques, les conservateurs, les jeunes loups, les réalisateurs et les laborieux. Les caractéristiques de ces segments sont résumées dans le tableau 2.4, à la page 56. Conçue initialement pour le marché américain, l'approche VALS commence à être utilisée dans d'autres pays, notamment au Japon, où elle a été exploitée pour mieux connaître la communauté virtuelle des utilisateurs d'Internet[34].

La liste des valeurs de Kahle

La liste de valeurs (LOV) est le quatrième instrument mis au point en marketing pour mesurer les valeurs des consommateurs. Il s'agit d'une généralisation transculturelle de l'approche du système de valeurs et de styles de vie (VALS). Cet instrument a été élaboré par Kahle[35] en réduisant le premier instrument de mesure RVS à neuf valeurs (de type strictement instrumental) que l'individu peut facilement classer selon l'importance qu'il accorde à chacune d'elles.

La principale vertu de cet instrument est qu'il est simple et efficace dans la mesure où, avec un nombre aussi limité de valeurs, il est possible, d'une part, de retrouver facilement les segments dégagés à partir du système VALS et, d'autre part, de couvrir globalement les sept domaines de motivation proposés par Schwartz et Bilsky[36] et expliquant la formation des valeurs humaines. L'encadré ci-contre présente la liste des neuf valeurs qui composent cet instrument.

Les neuf valeurs de la liste LOV de Kahle[37]

- L'amusement et la joie de vivre
- Être respecté
- La quête de sensations fortes
- L'épanouissement personnel
- Le sentiment d'appartenance
- La recherche de sécurité
- Le sens de l'accomplissement
- La volonté d'établir des relations chaleureuses avec les autres
- Le respect de soi

Utilisant la liste des neuf valeurs LOV en guise d'outil de segmentation, plusieurs études réalisées en comportement du consommateur ont pu dégager des groupes d'individus qui partagent des systèmes de valeurs identiques. L'une de ces études, menée aux États-Unis, a permis de cerner quatre groupes, dont les caractéristiques culturelles sont présentées à la figure 8.1, page suivante. Ces groupes sont qualifiés ainsi : conservateurs, fonctionnalistes, dynamiques et hédonistes. Une autre étude portant sur le marché du tourisme à Toronto propose les cinq groupes de consommateurs suivants : les traditionalistes, les *statu quo*, les modernes, les transitionnistes et la génération X[38]. Enfin, une étude récente réalisée au Québec, qui s'est intéressée à la réaction des consommateurs par rapport aux nouveaux produits dans plusieurs cultures, fait ressortir trois groupes de consommateurs : les hédonistes, les dynamiques et les conservateurs, les premiers étant le groupe le plus innovateur. Ces résultats confirment ceux de plusieurs travaux antérieurs[39].

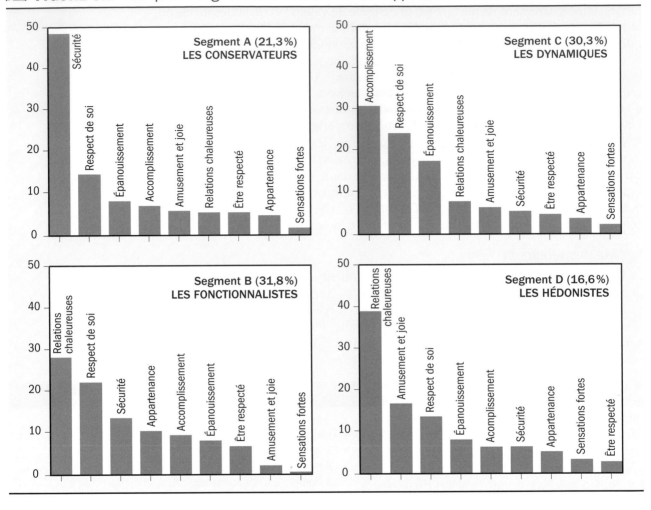

L'étude de Hofstede

Dans une étude de grande envergure, Hofstede a distingué quatre dimensions culturelles s'appliquant à la façon dont diverses cultures traitent de problèmes fondamentaux comme la relation à l'autorité, l'attitude envers l'incertitude et le risque, les implications sociales de l'appartenance à chacun des sexes ainsi que la relation entre l'individu et le groupe[41]. Une cinquième dimension liée à l'orientation temporelle a été ajoutée dans une étude réalisée sur les pays d'Asie et d'Extrême-Orient[42]. Voici une présentation plus détaillée de ces dimensions :

- la **distance hiérarchique** correspond au degré auquel les individus occupant différents niveaux de pouvoir interagissent entre eux ;
- l'**évitement de l'incertitude** exprime le degré auquel les consommateurs répugnent à l'incertitude et à l'ambiguïté de leur environnement, et cherchent à s'en prémunir ;
- la **masculinité/féminité** indique le degré auquel les rôles masculins et féminins sont clairement délimités et le degré de dominance des valeurs masculines ou des valeurs féminines ;

- l'**individualisme/collectivisme** exprime le degré auquel le bonheur de l'individu prime celui du groupe, et le degré auquel les individus s'identifient à eux-mêmes plutôt qu'au groupe auquel ils appartiennent, privilégient l'intérêt personnel par rapport à celui du groupe et cherchent l'autonomie plutôt que l'interdépendance avec le groupe;
- l'**orientation à long terme** fait référence à l'horizon temporel qui sert de cadre aux actions des individus. Dans les cultures ayant une orientation à long terme, les relations d'affaires n'ont généralement de sens que lorsqu'elles s'inscrivent dans la durabilité. Des relations personnelles doivent d'abord être nouées.

Plusieurs pays de divers horizons culturels et géographiques ont été par la suite évalués, mais uniquement par rapport aux quatre premières dimensions, lorsqu'il s'agissait d'études effectuées avant l'élaboration de la cinquième dimension. Ces études ont abouti aux résultats présentés dans le tableau 8.3. Il apparaît ainsi que des pays comme le Canada, les États-Unis, la Grande-Bretagne et l'Australie se caractérisent par des cultures nationales très individualistes, où la distance hiérarchique est faible. À l'opposé, on trouve un autre groupe de pays, marqué par des cultures nationales très collectivistes, où la distance hiérarchique est forte: le Guatemala, l'Équateur et Singapour en font partie.

TABLEAU 8.3 🐾 L'évaluation de 50 pays par rapport aux quatre dimensions de la culture nationale de Hofstede[43]

Pays	Indices			
	Distance hiérarchique	Évitement de l'incertitude	Individualisme	Masculinité
Afrique du Sud	49	49	65	63
Allemagne de l'Ouest	35	65	67	66
Argentine	49	86	46	56
Australie	36	51	90	61
Autriche	11	70	55	79
Belgique	65	94	75	54
Brésil	69	76	38	49
Canada	39	48	80	52
Chili	63	86	23	28
Colombie	67	80	13	64
Corée du Sud	60	85	18	39
Costa Rica	35	86	15	21
Danemark	18	23	74	16
Équateur	78	67	8	63
Espagne	57	86	51	42
États-Unis	40	46	91	62
Finlande	33	59	63	26
France	68	86	71	43
Grande-Bretagne	35	35	89	66
Grèce	60	112	35	57

TABLEAU 8.3 L'évaluation de 50 pays par rapport aux quatre dimensions de la culture nationale de Hofstede[43] (*suite*)

Pays	Indices			
	Distance hiérarchique	Évitement de l'incertitude	Individualisme	Masculinité
Guatemala	95	101	6	37
Hong-Kong	68	29	25	57
Inde	77	40	48	56
Indonésie	78	48	14	46
Iran	58	59	41	43
Irlande	28	35	70	68
Israël	13	81	54	47
Italie	50	75	76	70
Jamaïque	45	13	39	68
Japon	54	92	46	95
Malaisie	104	36	26	50
Mexique	81	82	30	69
Norvège	31	50	69	8
Nouvelle-Zélande	22	49	79	58
Pakistan	55	70	14	50
Panama	95	86	11	44
Pays-Bas	38	53	80	14
Pérou	64	87	16	42
Philippines	94	44	32	64
Portugal	63	104	27	31
Salvador	66	94	19	40
Singapour	74	8	20	48
Suède	31	29	71	5
Suisse	34	58	68	70
Taïwan	58	69	17	45
Thaïlande	64	64	20	34
Turquie	66	85	37	45
Uruguay	61	100	36	38
Venezuela	81	76	12	73
Yougoslavie	76	88	27	21
Région Afrique de l'Est*	64	52	27	41
Région Afrique de l'Ouest**	77	54	20	46
Pays arabes***	80	68	38	53
Moyenne	57	65	43	49
Écart type	22	24	25	18

* Éthiopie, Kenya, Tanzanie et Zambie.

** Ghana, Nigeria, Sierra Leone.

*** Arabie Saoudite, Égypte, Émirats arabes unis, Irak, Koweït, Liban et Libye.

Note : Cette étude a été réalisée avant la réunification de l'Allemagne (3 octobre 1990) et la dissolution de la Yougoslavie (4 février 2003).

De l'avis de plusieurs spécialistes en comportement du consommateur, c'est la dimension individualisme/collectivisme qui domine largement, dans la mesure où elle touche directement plusieurs caractéristiques de l'individu telles que la construction du soi, le rôle des autres, les valeurs et le style de vie, les éléments de motivation et le comportement de consommation[44]. Le tableau 8.4 résume ces principales influences.

TABLEAU 8.4 La dimension individualisme/collectivisme et les caractéristiques personnelles[45]

	Individualisme (États-Unis, Canada, Australie)	Collectivisme (Hong-Kong, Taïwan, Japon)
La construction du soi	Le soi est défini par les attributs internes et les traits personnels.	Le soi est défini par les autres, la famille, l'entourage, les amis.
Le rôle des autres	Les autres entraînent l'évaluation du soi : les standards de comparaison sociale sont sources de (dé)valorisation du soi.	Les autres entraînent la définition du soi : les relations avec les autres définissent le soi et influencent les préférences personnelles.
Les valeurs	Elles sont fondées sur la séparation du soi et sur l'individualisme.	Elles sont fondées sur l'interdépendance et la recherche de l'établissement de relations chaleureuses avec les autres.
Les éléments de motivation	Ce sont la focalisation sur la différenciation et le besoin relatif d'être unique.	Ce sont la focalisation sur la similarité et le besoin relatif d'être confondu avec la masse.
Le comportement	Il reflète les préférences et les besoins personnels de l'individu.	Il est influencé par les préférences et les besoins des autres.

L'une des préoccupations de recherche positiviste liées au concept de cultures nationales en comportement du consommateur concerne l'établissement d'une validation transculturelle des modèles existants et l'estimation de leur qualité prédictive. Le modèle des routes centrale et périphérique, lié à la formation des attitudes en publicité et que nous avons abordé au chapitre 5, a fait l'objet de plusieurs travaux de ce genre[46]. Rappelons qu'il préconise l'existence chez le consommateur de deux modes de traitement de l'information publicitaire : un traitement central, où le consommateur scrutera de façon détaillée les éléments pertinents du message pour obtenir une évaluation finale, et un traitement périphérique, où le consommateur se basera sur des indices simples tels que l'attrait de la source pour arriver à une évaluation finale (*voir la figure 5.5, page 164*). Ce sont les niveaux de motivation, d'aptitude et d'intérêt qui guideront le consommateur vers le choix d'un mode de traitement plutôt qu'un autre.

Deux principales questions se posent alors : les modèles tels que celui décrit plus haut, élaborés dans une culture individualiste comme celle des États-Unis, s'appliquent-ils aux cultures collectivistes comme celles du Japon, de la Chine ou de la Corée ? Un message publicitaire créé dans une culture individualiste peut-il être aussi efficace dans la formation et le changement des attitudes s'il est diffusé dans une culture collectiviste, et vice versa ? À propos de la première question d'universalité, il apparaît que la structure duale du modèle existe aussi bien dans les cultures individualistes que dans les cultures collectivistes. Pour ce qui est de l'efficacité transculturelle des messages publicitaires, les études réalisées avec des groupes de consommateurs d'origines culturelles variées font ressortir des différences importantes en matière de préférences relatives à chaque traitement.

Dans les cultures individualistes, les consommateurs semblent préférer le mode de traitement central alors que, dans les cultures collectivistes, c'est le mode de traitement périphérique qui est privilégié. D'un point de vue stratégique, les publicités diffusées dans les contextes culturels individualistes devraient alors avoir un contenu informatif plus élaboré, une argumentation plus riche, et porter sur les attributs pertinents du produit, alors que, dans les contextes collectivistes, les publicités devraient être axées sur des éléments comme la crédibilité de la source. Des travaux réalisés jusqu'à maintenant, il ressort aussi des différences culturelles importantes en matière d'incitatifs (par exemple, humour, peur, sexe, famille, morale, etc.) et de persuasion en publicité. Les consommateurs de cultures différentes ne perçoivent pas de la même façon la pertinence des stimuli intégrés dans un message. Alors que les consommateurs des cultures individualistes sont plus sensibles à des incitatifs qui font référence aux bénéfices personnels et aux arguments économiques, ceux des cultures collectivistes sont plutôt sensibles à des incitatifs reliés à la famille, aux relations interpersonnelles et à l'intérêt communautaire, d'où la nécessité d'établir des stratégies de persuasion qui correspondent aux orientations de chaque culture.

Rien de suspendu à mon miroir.

Pas de petit chien en peluche collé sur ma vitre arrière.

Ni d'autocollant au titre accrocheur.

De la simplicité et du bon goût.

Voici ma voiture.

LA CHRYSLER 300M 2001
Un style élégant, des performances impressionnantes et une finition habituellement associée à des voitures qui coûtent les yeux de la tête. La Chrysler 300M 2001 vous est offerte avec la protection de 5 ans/100 000 km sur le groupe motopropulseur et l'assistance routière courant la même période. Pour plus d'information, composez le 1 800 361-3700.

CHRYSLER

Une publicité d'une automobile dans un contexte culturel individualiste.

On présente ci-contre une publicité de Chrysler diffusée en Amérique du Nord, où la stratégie de persuasion adoptée dans le message utilise le concept de soi. Une question intéressante se pose : de tels éléments de persuasion auraient-ils été aussi efficaces dans un contexte culturel collectiviste comme en Amérique latine ou en Chine ? Une étude récente présente une classification des pays selon leur sensibilité à des messages publicitaires utilisant des incitatifs reliés à la rationalité et à l'émotion. Le résultat de cette classification est illustré à la figure 8.2. Ainsi, les publicités qui utiliseraient la rationalité seraient plus efficaces en Belgique et en Italie, alors que celles qui miseraient sur les émotions seraient plus efficaces en France et à Hong-Kong.

Une étude portant sur le processus de création de nouveaux produits a montré que des notions telles que la distance hiérarchique, la masculinité et l'aversion au risque agissent négativement sur l'étape d'initiation, et positivement sur la phase d'implantation, alors que des éléments comme l'individualisme/collectivisme agissent positivement sur la phase d'initiation de la conception de nouveaux produits, et négativement sur la phase d'implantation[47]. Mentionnons également que le cadre de Hofstede peut s'avérer un outil utile pour prédire le comportement des consommateurs[48]. Dans une étude récente où des données ont été recueillies auprès de cinéphiles résidant dans quatre pays, soit l'Autriche, le Canada, la Colombie et l'Italie, on a montré que des différences sur le plan de certains comportements de consommation cinématographique, comme l'appréciation des

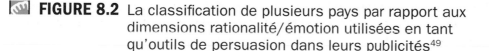

FIGURE 8.2 La classification de plusieurs pays par rapport aux dimensions rationalité/émotion utilisées en tant qu'outils de persuasion dans leurs publicités[49]

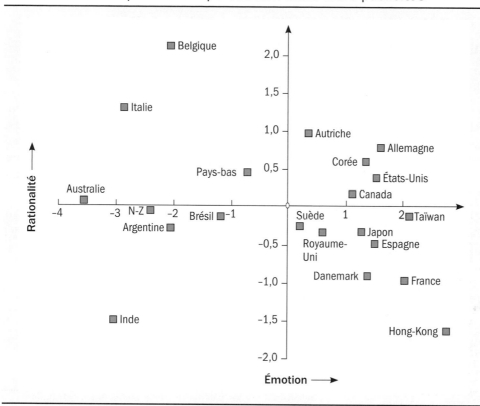

genres de film, l'intérêt envers le cinéma et la consultation des critiques, étaient expliquées en partie par trois valeurs culturelles de Hofstede, soit la distance hiérarchique, l'évitement de l'incertitude et l'individualisme[50].

Par ailleurs, plusieurs voix de spécialistes en marketing se sont élevées pour remettre en cause l'utilisation de l'approche de Hofstede en comportement du consommateur. La principale critique porte sur la validité opérationnelle du modèle proposé, notamment parce qu'il prône l'orientation macro, alors que la notion de culture nationale est mise de l'avant aux dépens d'une approche beaucoup plus micro centrée sur les caractéristiques de l'individu. Une première étude récente, réalisée sur un groupe de consommateurs américains, a mis clairement en évidence le manque flagrant de la validité de construit pour les quatre dimensions du modèle ainsi qu'un problème majeur de fidélité lorsque ces concepts s'appliquent à l'échelle des consommateurs pris individuellement[51]. Une autre étude réalisée sur un échantillon de jeunes Américains et Sud-Coréens en relation avec leur comportement vis-à-vis de certaines marques d'équipement sportif arrive à des conclusions qui confirment les limites de l'approche de culture nationale de Hofstede. Les résultats de cette étude montrent qu'il existe un lien positif et très significatif entre, d'une part, le caractère collectiviste des consommateurs et, d'autre part, leur loyauté et l'importance qu'ils accordent à la marque, et ce, indépendamment de leur origine nationale[52]. Le collectivisme/individualisme serait alors un trait de caractère personnel qui existe aussi bien chez les consommateurs américains que chez leurs homologues sud-coréens. À l'ère de l'Internet, de la globalisation des marchés et de la migration des peuples, les notions de stéréotype, d'identité et de culture nationale seraient de plus en plus floues et de moins en moins vraies.

L'évolution des valeurs culturelles et leur influence sur le comportement de consommation

La culture est évolutive, les valeurs culturelles aussi. La capsule 8.1 offre une illustration de l'évolution des valeurs au fil du temps.

Certains groupes de personnes, qui privilégient un système de valeurs particulier, deviennent parfois démographiquement ou économiquement plus importants. Ils peuvent alors imposer aux autres groupes une tendance qui devient la référence ou l'élément qui caractérise la culture dans son ensemble. Le tableau 8.5 présente les résultats de plusieurs études qui ont cherché à analyser l'évolution des valeurs dominantes en Amérique du Nord, depuis les années 1960 jusqu'à nos jours.

Historiquement, le phénomène d'évolution des valeurs a marqué non seulement l'Amérique du Nord, le Canada ou le Québec, mais aussi d'autres régions du monde. Au Japon, par exemple, la société a connu entre les années 1980 et 1990 une transformation radicale sur le plan des valeurs dominantes, ce qui a eu un effet direct sur le comportement de consommation des Japonais. Jusqu'à la fin des années 1980, les Japonais avaient l'attitude très conservatrice d'un style de consommation

---

CAPSULE 8.1

L'évolution des valeurs au Québec

Dans un numéro de la revue *Commerce* paru à l'aube du troisième millénaire*, on découvre à la lecture d'avis d'experts québécois du monde de la communication et du marketing que le consommateur de demain sera culturellement animé de valeurs hédonistes, financièrement endetté et technologiquement branché. Jean-Marc Léger, président de la firme de sondage Léger Marketing, en fait la preuve par cinq révolutions : la révolution démographique, avec la domination croissante de la génération X, née entre 1965 et 1975, qui a grandi parallèlement à la démocratisation croissante du domaine de l'informatique ; la révolution économique, où les consommateurs auront le désir de se venger de la crise économique qui a frappé partout dans le monde, et notamment au Québec durant la décennie 1990, en se lançant dans le plaisir, à la limite aveugle, de consommer ; la révolution technologique, avec l'avènement des technologies de l'information et surtout du réseau Internet, que bien des gens considèrent comme le moyen idéal de s'informer et de magasiner en toute liberté ; la révolution du savoir, qui suscitera chez le consommateur un désir d'accroître son traitement cognitif de l'information diffusée dans le marché ; enfin, la révolution des valeurs, où le consommateur aura de plus en plus tendance à tirer plaisir de son acte d'achat.

En 2007, un sondage de Léger Marketing réalisé pour le compte de la Société d'habitation du Québec (SHQ) et portant sur les valeurs des Québécois est venu confirmer certaines de ces tendances et en clarifier d'autres**. Tout d'abord, il ressort que parmi les six grands enjeux présentés aux Québécois, le vieillissement de la population (34 %) est celui qui préoccupe le plus les gens, suivi des inégalités sociales (32 %), des changements climatiques (7 %), de la sécurité des biens et des personnes (6 %), du phénomène du « pas dans ma cour » (6 %) et, finalement, de l'intégration des immigrants (5 %). Ensuite, selon les résultats du même sondage, la santé (55 %), la jouissance de la vie (18 %) et la vie de famille (18 %) viennent aux trois premiers rangs des valeurs fondamentales des Québécois, bien devant la religion (3 %), l'emploi (3 %), l'argent (2 %) ou la vie sociale (1 %). Enfin, et en relation avec le domaine de l'habitation, le Québécois de 2010 serait donc un consommateur plus expérimenté, plus hédoniste, plus stressé financièrement, plus pressé, plus écologiste et plus mobile.

* M. CHEVALIER, « Le consommateur de demain : plaisir, dettes et Internet », *Commerce*, n° 101, 21 novembre 2000, p. 58.
** « Valeurs et tendances en habitation au Québec : Volet auprès des ménages », étude réalisée par Léger Marketing pour le compte de la Société d'habitation du Québec, septembre 2007.

TABLEAU 8.5 L'évolution des valeurs en Amérique du Nord[53]

Rang	Années 1960	Années 1970	Années 1980	Années 1990
1	Monde de paix	Sécurité familiale	Nouveauté	Tradition
2	Sécurité familiale	Monde de paix	Futur	Passé
3	Liberté	Liberté	Prestigieux	Confortable
4	Joie et bonheur	Estime de soi	Un monde meilleur	Durable
5	Estime de soi	Joie et bonheur	Richesse	Satisfaction
6	Sagesse	Sagesse	Tape-à-l'œil	Vrai
7	Égalité	Sens de l'accomplissement	Fine pointe	Patrimoine
8	Préservation	Confort personnel	Avant-gardisme	Classicisme
9	Confort personnel	Amitié sincère	Bonne forme	Bien-être
10	Sens de l'accomplissement	Préservation	Nutrition	Santé

traditionnel, où l'on considère le riz comme un produit sacré et sa consommation comme un rituel religieux. Durant les années 1990, avec l'avènement de la génération des *yuppies,* l'ouverture sur les produits importés d'Europe et d'Amérique a été telle que 61 % de la demande de parfums et 34 % de celle des produits cosmétiques ont été couvertes par des produits étrangers. Petit à petit, en matière d'habillement et de restauration, le jeans bleu de Levi's et le hamburger de McDonald's ont pris la place de produits traditionnels, jusque-là ancrés dans les valeurs de la population, comme le kimono et le riz. Cette tendance va en s'accentuant, puisqu'une étude réalisée entre 1995 et 1996 auprès de 171 commerçants japonais montre que 40 % d'entre eux prévoient une croissance des ventes des produits importés.

Étant donné qu'elles relèvent d'un système de valeurs, il apparaît opportun de nous attarder maintenant sur les notions de normes, de mythes et de légendes, et de rituels, autant de canevas culturels d'action et d'interprétation et d'éléments potentiels de différences culturelles.

8.3 Les normes

Chaque culture s'est dotée d'un ensemble de normes, sur la base desquelles elle peut se distinguer d'une autre. Les normes correspondent à un ensemble de **prescriptions** régissant la vie en société. Elles définissent des règles de comportement. En tant que groupe, la culture exerce une influence normative (dont nous avons parlé au chapitre 7 sur les influences sociales), établit des règles de conduite, un guide pour l'action. Ainsi, à l'intérieur d'une culture, certains comportements jugés appropriés ou utiles sont encouragés, voire récompensés, alors que d'autres, vus comme inacceptables ou nuisibles, sont découragés et même punis. Bien qu'il existe plusieurs types de normes, on peut distinguer les normes qui sont exprimées clairement (*enacted norms*) de celles qui sont plus secrètes (*crescive norms*) et ne se révèlent que dans l'interaction soutenue avec les membres de la culture dont elles sont issues.

Les lois et les règlements

Les lois et les règlements sont des normes formalisées, facilement accessibles. Dans le contexte du commerce international, il est bon de se rappeler que les lois diffèrent d'un pays à l'autre. Leur champ d'application concerne aussi bien l'étiquetage des produits, les normes de sécurité alimentaire, les méthodes d'enquête, la publicité, l'affichage publicitaire, les jeux et les concours, etc. Le non-respect des lois est sanctionné. Au Québec, si vous roulez à gauche, brûlez un feu rouge, dépassez la limite de vitesse permise ou conduisez avec des facultés affaiblies, vous risquez, si l'on vous arrête, de recevoir une contravention, voire de séjourner en prison. Toutefois, si vous roulez à gauche en Grande-Bretagne, en Australie ou au Japon, vous aurez le comportement approprié.

Les coutumes et les conventions

Les coutumes et les conventions font partie des normes implicites et plus « cachées » d'une culture. Les coutumes se transmettent de génération en génération. Elles dérivent d'une façon traditionnelle de faire les choses, tel le déroulement de certaines cérémonies, de certaines activités fondamentales. Elles sont pratiquées par la plupart des membres de la société, cependant que leur origine et leurs raisons d'être peuvent avoir sombré dans l'oubli collectif. Au Québec, les gens ont coutume de prendre trois repas par jour : le matin au saut du lit, le midi et le soir, aux environs de 17 ou 18 heures. En France, les gens se mettent à table le soir vers 20 heures. En Espagne et en Grèce, le repas du soir est encore plus tardif. Dans les mariages à l'église, la coutume veut que ce soit le père de la future mariée qui accompagne celle-ci à l'autel, et qu'elle sorte au bras de son époux à la fin de la cérémonie. Dans d'autres cultures, comme en Tunisie, c'est la belle-famille qui va chercher la future mariée chez ses parents pour l'amener à la maison de leur fils, ce dernier venant par la suite la rejoindre pour leur première nuit de noces, un geste qui symbolise la consommation du mariage et qui déclenche le début des festivités du mariage.

De même, dans certains pays, le partage des tâches entre les conjoints relève de la coutume. Dans certaines cultures, l'homme s'occupe des activités et des tâches en dehors de la maison alors que la femme assume la responsabilité des travaux à l'intérieur. Dans d'autres cultures, la coutume dans ce domaine peut être plus ou moins remise en question, modifiée ou abandonnée par suite de la pression qu'exercent certains membres désireux d'instaurer une autre façon de faire. Rappelez-vous la publicité de la marque de couches pour bébés Pampers, dont le message initial était : « Bébé est au sec, maman est aux anges. » Ce message a changé avec l'évolution des rôles et des coutumes en Amérique du Nord et l'entreprise a ajouté, à la suite du premier message : « ... papa aussi », afin de faire valoir qu'il incombe autant au père qu'à la mère de changer les couches du bébé. Cette publicité aurait certainement suscité un effet de surprise dans d'autres cultures.

Les conventions culturelles concernent aussi la gestion de la vie quotidienne des individus en tant que membres de la société. Elles touchent, par exemple, à l'étiquette : Comment se saluer ? Quel présent apporter aux hôtes lorsqu'on est invité à un souper ? À quelle heure arriver ? Comment se tenir à table ? Comment s'adresser à son interlocuteur ? Elles ont également trait à l'espace à conserver entre deux personnes au cours d'une conversation. Alors que, dans les pays anglo-saxons, on maintient une distance « respectable », dans les pays latins, on se tient plus près. Dans certaines cultures, on se salue en se faisant signe de loin, dans d'autres, on se serre la main, dans d'autres encore, on se laisse aller dans les bras l'un de l'autre, on se fait la bise une, deux, trois et même quatre fois, selon l'occasion. Tandis que certaines cultures, par exemple en Orient, considèrent l'embrassade entre hommes comme un geste de salutation banal, d'autres cultures confèrent à ce même geste une signification symbolique différente : celle d'une relation intime particulière. La compréhension des coutumes et des conventions permet aux entreprises de s'épargner bien des déboires et des faux pas dans les marchés étrangers.

8.4 Les mythes et les légendes

En tant que traditions populaires transmises oralement de génération en génération, les mythes et les légendes font partie du folklore d'une culture. Les mythes sont des histoires qui expriment elles aussi les valeurs clés d'une société. Ils fournissent également des explications sur l'origine des modèles de comportement. Selon *Le Petit Robert,* le mythe est un « récit fabuleux, transmis par la tradition, qui met en scène des êtres incarnant, sous une forme symbolique, des forces de la nature, des aspects de la condition humaine ». Les mythes réfèrent au surnaturel, au sacré. Les dieux, les surhommes, les superhéros en sont des figures courantes. Qui ne connaît pas les personnages mythiques du père Noël (dont nous devons l'apparence actuelle à la compagnie Coca-Cola), de Batman et de Superman qui ont inspiré, entre autres, bien des films ? Plusieurs produits ont utilisé l'image emblématique de Batman dans leur publicité, notamment la carte de crédit Master Card, la chaîne de magasins Zellers, la barre de chocolat Snickers, la chaîne de restauration rapide McDonald's et la boisson gazeuse Coke Diète. Superman a été récupéré, quant à lui, par la compagnie Pepsi-Cola et rebaptisé pour l'occasion Pepsiman en prenant au Québec les traits de l'humoriste Claude Meunier. Il a aussi été employé en version modèle réduit par la compagnie Nature's Path pour promouvoir les céréales biologiques EnviroKidz (*voir la publicité ci-haut*). La publicité sur la Turquie présentée ci-contre fait référence, quant à elle, aux cités mythiques de Troie, Pergame, Éphèse, Milète, Aphrodisias, Didyme.

Très apparentée au mythe, la légende est une « représentation de faits ou de personnages, souvent réels, déformés ou amplifiés par l'imagination collective, une longue tradition littéraire ou une invention poétique ». La légende est ordinairement fondée sur un fait historique. Celle de Robin des bois (récupérée, par exemple, dans une publicité présentant la voiture Buick Century comme « le butin de

Une publicité utilisant le mythe de Superman pour promouvoir les céréales biologiques EnviroKidz.

Une publicité qui fait référence aux cités mythiques de la Turquie antique.

Le gâteau aux fruits :
une histoire aussi longue que sa digestion !

Sous un aspect pour le moins anodin, l'humble gâteau aux fruits du temps des fêtes recèle un passé historique aussi riche que les ingrédients qui le composent. En effet, les premières miettes de gâteau aux fruits datent de l'Empire romain. On le retrouve ensuite au Moyen Âge lorsque les Croisés l'emportaient dans leurs bagages. C'est d'ailleurs à cette période qu'il prend sa forme actuelle et qu'on lui adjoint du miel et des épices, histoire de le sucrer un peu. Nous imaginons le désespoir des Croisés, au milieu du désert de Palestine, confrontés à une multitude de gâteaux aux fruits... pas un seul verre de lait en vue ! C'est peut-être à la suite de ces événements que bien des chansons à boire parlent de chevaliers et de pichets de vin, histoire d'oublier ces années de soif et ce goût persistant de noix. Mais l'apogée du

gâteau aux fruits reste sans conteste à l'époque victorienne (1837-1901) lorsque la reine Victoria attendit un an avant de manger un gâteau reçu en cadeau, en signe de modération et de bon goût.

Il n'est donc pas étonnant de constater que, de nos jours encore, ce dessert jouisse d'une grande popularité. C'est autour de ce gâteau que fusent les « Joyeux Noël » et autres classiques de la Nativité. Mais si ce dessert clôture le repas de façon magistrale, c'est que vous aurez pris soin d'amener vos invités à un état de ravissement culinaire proche de l'extase grâce à la sauce Veloutée au poulet de Cordon Bleu. Prise en tournemain, cette sauce au goût exquis est idéale pour rehausser vos plats de tous les jours et vos mets des grandes occasions. Cette délicieuse sauce s'apporte à merveille, fait des miracles pour la dinde, le poulet et le poisson, et est une solution simple pour une période de l'année reconnue pour être compliquée.

ÉCONOMISEZ
20¢
à l'achat de toute saveur de **Sauces** *Cordon Bleu*.

Tout cuit dans le bec

Une publicité qui fait référence aux légendes de la période médiévale.

Robin des bois ») et celle du roi Arthur ne vous sont sans doute pas totalement inconnues. Le Moyen Âge fascine, comme en témoignent les Médiévales de Québec, tenues au cours des années 1990, le jeu de rôles Donjons et dragons, les spectacles dédiés aux joutes médiévales et le château médiéval de sire d'Howard dans les Laurentides. La publicité de Cordon Bleu ci-contre y fait aussi référence.

La distinction entre le mythe et la légende peut comporter un certain flou : du fait du lien supposé entre la légende et les faits historiques, on peut avoir tendance à considérer les récits qui correspondent à ses propres croyances comme des légendes, alors que des histoires comparables, mais apparentées à d'autres traditions, seront classées comme des mythes[54]. Vous avez probablement entendu parler de la légende du monstre du Loch Ness ou, plus près de nous, de celle de Ponik hantant le lac Pohénégamook. En fait, bon nombre de lacs ont leur monstre attitré, et leur légende ne laisse pas les touristes indifférents. Vous connaissez sans doute très bien la légende de la chasse-galerie. On peut dire qu'elle a été utilisée et adaptée sans réserve par toutes les sphères de la communauté culturelle. Au Québec, la chasse-galerie est présentée dans des romans, des nouvelles, des contes pour enfants, des manuels scolaires, en musique, en peinture et en sculpture. Mais c'est peut-être sa récupération par la compagnie de bières de dégustation Unibroue qui a le plus retenu votre attention, puisque l'étiquette et la publicité de la bière La Maudite présentent des bûcherons dans leur canot volant, clin d'œil appuyé à la légende. La capsule 8.2 présente l'importance et la diversité des mythes et des légendes autochtones.

CAPSULE 8.2

Les mythes et les légendes autochtones

Dans la tradition des nations autochtones du nord-est de l'Amérique, les mythes et les légendes font partie intégrante de l'héritage culturel. Ils étaient principalement transmis d'une génération à une autre au moyen de la communication orale par les contes. La parole et la mémoire suppléaient l'absence de l'écriture et de l'imprimerie pour assurer la pérennité de la culture autochtone à travers ses événements, son histoire, ses souvenirs et son patrimoine.

Ces mythes et légendes étaient principalement racontés lors de cérémonies et de festins qui rassemblaient un vaste auditoire. Cela permettait, d'une part, d'augmenter les possibilités de leur rétention par les gens et, d'autre part, de créer un sens d'identification commun chez les Autochtones.

Les mythes et les légendes autochtones font souvent intervenir des animaux, comme le castor, le loup, le renard et l'ours, qui font preuve de valeurs humaines ou présentent des attitudes et des comportements plus humains que les véritables humains. Ils jouent également un rôle dans l'éducation et l'apprentissage culturel des enfants.

Source : Site Web des Autochtones : www.autochtonesaucanada.gc.ca

Outre les mythes et les légendes, les fables et les contes constituent d'autres formes narratives. Au chapitre 4, nous vous avons présenté une publicité récupérant la fable de Jean de La Fontaine «La Cigale et la Fourmi», que nous vous invitons à revoir.

8.5 Les rituels culturels

Du brossage de dents à l'échange de cadeaux, de la cérémonie du mariage à la célébration de Noël, de Pâques, de l'Action de grâce[55], de la Saint-Valentin, de l'Halloween[56] ou d'une autre fête, les rituels culturels sont nombreux[57]. À l'exemple des normes, des mythes et des légendes, ils expriment des valeurs, quelquefois à connotation religieuse. Bien qu'ils tendent à être répétés périodiquement, ils se différencient des habitudes par un plus grand niveau de conscience, une plus grande implication personnelle dans la suite de comportements effectués. Ils sont aussi imprégnés d'une plus grande charge symbolique et affective[58]. Sur le plan culturel, on trouve les **rituels d'échange** : nous n'échangeons pas seulement des cadeaux (d'anniversaire, de Noël, de remerciement, etc.), mais aussi des biens, des cartes de souhaits en tout genre (vœux de bonne année, de prompt rétablissement, etc.), des renseignements, de l'argent. Dans certaines cultures comme la culture japonaise, l'échange de cartes professionnelles relève du rituel. Ces rituels permettent de communiquer et de créer, d'entretenir, de souligner, de renforcer des liens entre les gens. Ils ont donc une valeur symbolique et une valeur fonctionnelle.

N'avez-vous jamais pendu la crémaillère pour marquer votre arrivée dans un nouvel appartement ou une nouvelle maison? Dans ce cas, il s'agit d'un **rituel de possession.** Vous soulignez ainsi le fait d'être devenu l'heureux propriétaire ou locataire des lieux. Vous souvenez-vous de l'annonce télévisée suivante pour la Grand Am? Une femme téléphone à sa voisine: «Viens chercher ton mari, il lave encore ma Grand Am», lui dit-elle. Il est sous-entendu que le voisin aimerait tellement être propriétaire de ce véhicule qu'il s'en donne l'illusion en prenant soin de la voiture et en se livrant ainsi à un rituel de possession. Mentionnons qu'il existe aussi des **rituels de désinvestissement,** comme dans le cas où l'on se départit d'un bien en le donnant ou en le revendant et que l'on souhaite alors faire disparaître la signification qu'on lui avait donnée.

Les **rituels d'entretien** ou de soins sont également nombreux. Par exemple, certains attachent beaucoup d'importance à leur voiture et lui prodiguent de nombreux soins (comme dans l'exemple précédent). D'autres accordent une attention soutenue à leur pelouse. Nous avons mentionné dans le chapitre 3 que la majorité des Québécois traquent le pissenlit, symbole d'une pelouse mal entretenue. En France et dans d'autres cultures, le pissenlit est vu comme étant décoratif et sert à l'occasion dans la composition de salades. On lui reconnaît également certaines propriétés curatives. D'une façon générale, le rapport à la nature peut varier énormément d'une culture à l'autre et donner naissance à différents comportements et rituels. Chacun de nous prend un soin minimum de lui-même, de son enveloppe corporelle, non seulement parce que la société nord-américaine entretient le culte du corps (beaucoup plus que dans d'autres cultures), mais aussi parce que les membres de notre société s'attendent à un minimum d'hygiène de notre part. D'ailleurs, pour nombre d'entre nous, le rituel de la douche figure au programme quotidien du matin et s'achève par l'utilisation de déodorant corporel. Pour certains, prendre un bain est vu comme un rituel qui débarrasse le corps et l'esprit des impuretés et du poids des soucis, et dont on sort transformé. De nombreux produits nous sont offerts à titre d'éléments de soutien à ces rituels. Pour le bain, par exemple, outre les différentes substances que vous pouvez ajouter à l'eau de votre baignoire pour transformer celle-ci en minicentre de thalassothérapie ou de balnéothérapie, on vous propose des chandelles et autres accessoires. Mentionnons aussi que la mode actuelle est au spa.

Les **rites de passage** représentent un autre type de rituel. Ils dénotent symboliquement un changement de statut de l'individu : passage de l'enfance à la vie adulte ; passage de la vie étudiante au marché du travail ou d'un niveau d'études à un autre, comme dans le cas de votre bal de finissants universitaire ; passage de la vie à la mort, comme dans le cas des funérailles[59]. Selon les cultures, ces rituels se déroulent de diverses façons et soulignent différentes valeurs, différentes conceptions de la vie et de la mort. Quant à la cérémonie du mariage, elle exprime, entre autres, le passage du statut de célibataire au statut matrimonial. La majorité de ces rites exploitent de nombreux objets, biens et services. La capsule 8.3 présente un rituel très populaire en Amérique du Nord en général, et au Québec en particulier : le bal des finissants.

| CAPSULE 8.3 |

Le bal des finissants : un triple saut

Le bal des finissants est un rituel visant à célébrer la fin des études dans une institution, que ce soit à l'école secondaire, au collège ou à l'université. Il s'agit d'une pratique typiquement anglo-saxonne qui consiste à organiser une fête que les filles et les garçons considèrent comme extrêmement importante, et pour laquelle ils se préparent avec beaucoup de minutie. Le choix de la robe, des chaussures et de la coupe de cheveux pour les unes, et celui du complet, de la cravate et des souliers pour les autres, est souvent une décision nécessitant une forte implication. Sous les signes de l'excès et de l'excentricité, les budgets sont souvent dépassés, de même parfois que les principes de la moralité. Selon une présidente de comité des finissants, les dépenses varient de 600 $ à 2 800 $ pour une fille et de 650 $ à 2 900 $ pour un garçon, selon les choix arrêtés. Pour les filles, le symbolisme du bal des finissants renvoie à des contes et légendes comme le conte de Cendrillon ou la légende de l'impératrice Sissi, ou encore à des rituels comme la montée des marches au Festival de Cannes ou à la soirée des Oscars à Hollywood. Le bal des finissants est aussi l'occasion ultime de se réunir entre amis d'une même classe avant que chacun prenne son chemin dans la vie. L'esprit de fête laisse beaucoup de place à une sorte de passion remplie d'un mélange de bonheur et de chagrin, de joie et de pleurs. Le bal des finissants correspond aussi au passage d'une étape à l'autre dans la vie de l'individu, que celui-ci souhaite marquer. Un sentiment d'accomplissement avec l'obtention du diplôme, et un sentiment d'autoréalisation accompagné de ceux de liberté, d'autonomie et de responsabilité imprègnent ce genre de passage.

Source : Inspiré de « Plus qu'une belle robe : le bal des finissants revêt une dimension de rite de passage », *Le Nouvelliste,* 26 mai 2001.

En matière de rituels culturels, la liste semble sans fin. Nous avons vu que ceux-ci peuvent être privés ou publics, individuels ou collectifs, religieux ou laïcs. Dans maintes cultures, le sport donne lieu à plusieurs rituels : la Coupe du monde de soccer (football) en France, en Italie ou au Brésil, la Coupe Stanley et la Formule 1 au Québec, le Super Bowl aux États-Unis. Nous débattrons ci-dessous de leur dimension sacrée. Il est à noter que nous aborderons les rituels familiaux dans le chapitre 11 portant sur la famille.

8.6 Le sacré et le profane

Vous faites peut-être partie des gens pour qui les vacances, c'est « sacré ». Vacances sacrées, famille sacrée, etc., il y a, pour chacun d'entre nous, des êtres, des événements ou des expériences, des lieux, des temps, des objets que nous considérons comme sacrés, même s'ils n'appartiennent pas à la sphère religieuse[60]. Dans ce cas, nous les avons **sacralisés,** c'est-à-dire que nous les avons fait sortir du domaine de l'ordinaire, de la vie quotidienne, et nous les traitons avec respect, nous les vénérons. D'objets profanes, ils ont été élevés au rang d'objets sacrés. Par exemple, certains se comportent par rapport au sport comme s'il était devenu pour eux une nouvelle religion. Pas question alors de manquer un match de leur équipe ou de leur joueur préféré, puisqu'il s'agit pour eux d'un événement sacré. Pour d'autres, certaines fêtes religieuses, comme Noël, ont été désacralisées ou sécularisées. Ils considèrent qu'en les rendant trop commerciales, on les a vidées de leur signification symbolique et de leur dimension sacrée originales.

Au Québec, la diffusion de la finale de la Coupe Stanley mobilise une bonne partie de la population, et le phénomène est encore plus marquant lorsqu'il implique l'équipe des Canadiens de Montréal. Les matchs sont souvent suivis en groupe, avec une ferveur et une passion parfois démesurées. Ils s'apparentent à l'occasion à un rituel religieux (demandez à un profane, qui suit à la télévision pour la première fois ce type d'événement avec un groupe de partisans, ce qu'il pense des spectateurs autour de lui). Dans l'aréna, on se lève avant le début du match pour entendre les hymnes nationaux. Se retrouver seul pour regarder les matchs peut sembler à certains une triste expérience. À l'occasion de ces événements sacrés, les médias, les commerçants de produits-souvenirs des équipes finalistes, les bars sportifs ou ceux qui s'improvisent comme tels pour l'occasion, se mobilisent. Les fabricants de produits comme la bière, les jus de fruit, les croustilles ou les céréales saisissent l'occasion de s'afficher en tant que commanditaires ou de présenter des promotions visant à faire mousser leurs ventes. Chez les fanatiques du hockey, la victoire de l'équipe favorite est ressentie comme une victoire personnelle, et la défaite est vécue avec autant d'émoi. Rappelez-vous les émeutes qui ont parfois accompagné les victoires du Canadien à Montréal, ou encore l'euphorie qui a gagné la population de la ville de Québec quand leur ancienne équipe, les Nordiques de Québec, devenue l'Avalanche du Colorado, a remporté la coupe Stanley. Ce genre de débordement (plus ou moins important) se rencontre partout dans le monde. Cependant, à chaque pays sa frénésie (son sport fétiche).

Par ailleurs, certaines personnes excellent tellement dans leur activité qu'elles finissent par accéder dans l'esprit de leurs *fans* au rang d'idoles. Elles deviennent alors sacrées, et leur influence en tant que *leaders* d'opinion est manifeste. Ce fut ou c'est le cas de certains sportifs comme le boxeur Mohammed Ali, le joueur de hockey Maurice Richard, de basket-ball Michael Jordan, de soccer Maradona, de golf Tiger Woods, ou encore des artistes comme la chanteuse Céline Dion, des peintres comme Claude Monet, Picasso, et même des *leaders* politiques comme le président John F. Kennedy, le *leader* noir Nelson Mandela et plus récemment Barack Obama.

Coutumes, conventions, mythes et légendes, rituels, éléments sacrés, sont tous empreints de symbolisme à des degrés divers, comme nous avons été à même de le constater. Dans la prochaine section, nous nous attarderons particulièrement sur cette dimension par la voie du langage non verbal et du langage verbal.

8.7 Le langage non verbal et le langage verbal

La culture apparaît comme un canevas d'interprétation du monde qui nous entoure. Chaque comportement, dont celui de consommation, peut être interprété comme un signe ou un symbole[61]. **Signes et symboles** font partie du langage d'une culture et de son système de communication. Un symbole peut être non verbal (une couleur, une forme, un chiffre) ou verbal (un mot).

Les signes et les symboles non verbaux

Les gens d'une même culture partagent un ensemble de significations symboliques qui facilitent la communication entre eux. Ils ont appris à décoder correctement les gestes, les éléments qui les entourent, ce qui rend leur environnement moins menaçant, plus prévisible. Dans la culture nord-américaine, lorsque vous hochez la tête de haut en bas, cela veut dire que vous acquiescez. Lorsque vous levez le pouce au bord de la route, les conducteurs savent que vous souhaitez être pris à bord de leur véhicule. Si vous faites ce dernier geste devant vous, et non de côté, à la fin du discours d'un conférencier, ce sera pour lui signifier votre appréciation. Lorsqu'on vous présente à une personne, vous échangerez sans doute une poignée de main avec elle. Vous pourrez également serrer la main de quelqu'un pour conclure un accord et symboliser votre entente.

Un même élément peut symboliser et exprimer de nombreuses choses, et ce ne sont pas forcément les mêmes d'une culture à une autre. Pensez à la couleur blanche ou noire (comme nous l'avons vu dans le chapitre 3 sur la perception). Pour certaines cultures, le noir est la couleur du deuil alors que, pour d'autres, c'est le blanc. Dans certaines cultures, le rouge signifie l'amour, dans d'autres, c'est surtout l'emblème du sang et de l'esprit révolutionnaire. Si l'on s'intéresse aux fleurs, on peut remarquer qu'en France, le chrysanthème est utilisé principalement pour fleurir les tombes et constitue l'un des symboles de la fête de la Toussaint (jour des Morts). En revanche, le myosotis est aussi appelé «ne m'oubliez pas» en français, «*forget me not*» en anglais et «*vergissmeinnicht*» en allemand, ce qui en fait dans chacun des cas une fleur du souvenir. Les animaux ont également une valeur symbolique qui peut différer selon les cultures. Le castor est le symbole du Canada, le koala, celui de l'Australie, et la vache est sacrée en Inde. En France, en

Grande-Bretagne et dans d'autres pays de l'Union européenne principalement, la vache peut être «folle», depuis quelques années, et symboliser aux yeux de bien des gens davantage que le danger alimentaire.

Parmi les autres symboles culturels figurent les drapeaux, les hymnes nationaux, certains types de vêtements, de coiffes, etc. Les drapeaux ont une valeur symbolique et contiennent des emblèmes qui définissent un pays, un État, une province ou une région du monde. Ainsi, on reconnaît le Québec par la fleur de lys bleue, le Canada par la feuille d'érable rouge, la Suisse par la croix rouge, Israël par l'étoile de David, le Liban par le cèdre vert et l'Union européenne par la roue d'étoiles jaunes. Les drapeaux nationaux sont souvent introduits dans des publicités pour indiquer l'origine du produit ou de la marque. Ils sont utilisés par les consommateurs en guise d'attributs pour juger de la qualité des produits importés ou, par les gestionnaires qui exercent leurs activités dans les marchés internationaux, comme des éléments de persuasion lorsqu'ils s'adressent à des consommateurs animés de valeurs nationalistes ou à la recherche d'exotisme. La stratégie de communication de la marque canadienne de vêtements et accessoires Roots, où le nom du pays ainsi que le slogan «Fièrement faite au Canada» apparaissent clairement, fait appel à la fierté nationale des consommateurs cibles.

Ajoutons à ces signes et symboles culturels les superstitions qui engendrent certains comportements; par exemple, éviter de prendre de grandes décisions un vendredi 13, ne pas passer sous une échelle ou entrer dans un endroit en utilisant le pied droit sont des comportements propres à certaines cultures. Une compréhension adéquate des signes et des symboles culturels permet à une entreprise, dans sa communication avec des marchés étrangers (mais aussi domestiques), de lier stratégiquement ses produits à ces signes et symboles, de coder adéquatement ses messages et d'éviter des interprétations ou décodages erronés par les récepteurs concernés, ce qui pourrait avoir des conséquences néfastes.

Les symboles verbaux

La langue est bien sûr une dimension importante du langage d'une culture et de son système de communication. Elle engendre elle aussi des significations partagées par les membres d'une même culture (symboles verbaux). Des différences de langue, d'une culture à une autre, impliquent des différences de style de communication susceptibles de toucher le comportement des consommateurs[62].

Dans sa structure, la langue témoigne de la façon de penser des individus dans une culture. Lorsqu'on s'adresse à autrui dans la langue anglaise, on ne fait pas la distinction entre le singulier et le pluriel, ce qui n'est pas le cas en français avec les pronoms «tu» et «vous». Il en est de même avec le japonais et l'arabe, où les pronoms «tu» et «vous» peuvent être en outre utilisés pour signifier le rang social de l'interlocuteur. Dans certaines langues, comme l'arabe ou l'espagnol, on fait aussi la distinction entre les pronoms «tu» et «vous» de genre féminin et ceux de genre masculin, pour distinguer l'homme de la femme dans la communication.

La connaissance de la langue permet de bien comprendre le fonctionnement d'une culture et, tout comme la maîtrise des signes et des symboles non verbaux, rend donc plus efficaces les actions commerciales, principalement celles qui sont liées à la publicité[63]. En effet, par définition, une communication marketing est un ensemble d'informations codifiées dans un message, transmises à travers un support médiatique et destinées à un groupe cible qui doit les décoder selon les mêmes clés de codification. Ainsi, une affiche publicitaire écrite en japonais n'aura sans doute pas de signification pour un lecteur francophone, dans la mesure où elle ne déclenchera aucun processus de traitement cognitif du message. Pour qu'il soit plus persuasif, le message devra donc être traduit.

Toutefois, l'expérience en marketing international a montré que la traduction d'un message n'est pas souvent la solution recommandée, dans la mesure où la langue n'est qu'une dimension du message parmi d'autres[64]. Il reste d'autres dimensions du message liées à ce que nous avons vu précédemment sur les signes, les symboles et les normes. Ainsi, les personnages, les scènes, la musique, les couleurs peuvent ne pas coïncider avec les schémas cognitifs des individus d'une culture différente de celle pour laquelle a été conçu le message. Par exemple, la traduction pour le public québécois d'un message publicitaire télévisé britannique pour une voiture Rolls Royce ne suffirait pas pour que ce message soit efficace. Dans le message original, la voiture est munie d'un volant situé à droite et circule sur la voie de gauche, ce qui est radicalement opposé à la situation ayant cours au Québec, comme nous l'avons souligné auparavant.

Par ailleurs, dans un monde où les consommateurs sont devenus bilingues et même trilingues, la problématique de la langue devient encore plus complexe en raison des interactions possibles entre les schèmes conceptuels des différentes langues et les caractéristiques propres à chaque individu, notamment sa maîtrise des langues et son attachement à chacune d'elles. Une étude récente, réalisée à Montréal auprès d'un groupe de Chinois parlant aussi l'anglais, a cherché à comparer l'efficacité des publicités présentées dans la langue d'origine par rapport à celles présentées en anglais. Les résultats ont révélé que les publicités de langue anglaise bénéficiaient auprès de ces consommateurs d'un avantage systématique en ce qui a trait à la crédibilité de la source et engendraient une plus grande efficacité dans la formation d'attitudes positives envers les marques publicisées[65].

En comportement du consommateur, la langue en tant que composante d'une culture intervient aussi sur le plan du traitement cognitif et affectif des noms de marque. En effet, la marque est un nom exploité dans une langue qui peut, lorsqu'il est utilisé dans une autre langue, soit ne rien signifier, soit provoquer des réactions négatives chez le consommateur. On se demandera toujours comment General Motors a pu décider de commercialiser sa voiture Nova[66] au Mexique, sachant que cela signifie en espagnol «ne fonctionne pas», ou encore comment Colgate-Palmolive a pu retenir le nom de Cue[67] pour son dentifrice destiné au marché français alors que ce terme y est considéré comme vulgaire et, enfin, comment Alcatel[68] a pu garder son nom de marque pour ses produits vendus en Arabie Saoudite alors que celui-ci signifie en arabe «l'assassin».

Pour contourner la barrière de la langue, certaines multinationales ont modifié le nom de la marque en l'adaptant à chaque contexte culturel. C'est le cas de Johnson et Johnson, qui a commercialisé son détergent Mister Clean sous le nom de Monsieur Net au Québec, sous celui de Monsieur Propre en France et sous celui de Meister Prooper en Allemagne. C'est aussi le cas de la marque de shampoing Pert, commercialisée pour le public francophone du Québec sous le nom de Prêt.

D'autres entreprises ont misé sur des noms de marque standards, pouvant facilement être prononcés dans différentes langues, sans véhiculer de connotation défavorable chez les consommateurs. C'est le cas de Coca-Cola, McDonald's, Esso, Marlboro, Kodak, 3M, Visa, Nike ou de toute autre marque qui se qualifie de mondiale. Pour éviter les problèmes ainsi que les coûts d'adaptation de leur message à la langue des pays où elles exercent leurs activités, de nombreuses entreprises mettent de plus en plus de l'avant leur logo plutôt que leur nom. Le « M » de McDonald's, le tigre d'Esso et la « coche » de Nike en sont des illustrations.

8.8 La religion

Avant d'entamer la discussion sur l'influence de la religion, lisez le texte de l'encadré ci-dessous pour vous plonger au cœur du sujet.

La religion est l'un des éléments clés de la culture dans la mesure où elle agit directement et à plusieurs niveaux sur le comportement de consommation de l'individu, de même qu'elle conditionne la langue, la famille et l'éducation[69]. La connaissance des croyances religieuses d'un groupe peut donc fournir une connaissance profonde de sa culture. La place qu'occupe la religion dans le quotidien des gens peut varier aussi bien dans le temps que dans l'espace géographique. Il suffit de comparer la situation au Québec pendant les années 1950 et 1960 où la religion était omniprésente, avec celle d'aujourd'hui où son influence se fait nettement moins sentir; ou encore d'évoquer le cas d'un pays comme l'Iran où l'État est fondé sur les lois religieuses, par opposition à un pays comme la France qui, dans sa Constitution, se définit comme un pays laïc, conservant une entière neutralité envers toute religion.

UN VOL À BORD D'AIR FRANCE-KLM

Manon, une collègue de travail de l'un des auteurs de ce livre, racontait récemment ce qui suit: «Lors de mon dernier circuit touristique dans l'est de la Méditerranée, au cours duquel j'ai pu visiter l'Égypte, le Liban, la Jordanie et Israël, plusieurs choses m'ont marquée, dont une que je n'oublierai jamais. Sur le vol de la compagnie Air France-KLM en direction de Beyrouth, qui devait par la suite continuer sur Oman, puis Tel-Aviv, au moment de servir le repas, l'hôtesse de l'air a pris le soin de vérifier auprès de chaque passager s'il voulait que son plat soit *halal* ou *casher*. Lorsqu'elle est arrivée à ma hauteur, ne sachant quoi lui répondre, je lui ai demandé de m'expliquer la signification de ces termes. C'est à ce moment-là que j'ai appris que la compagnie Air France-KLM, par souci d'adaptation et de respect envers les normes religieuses de ses passagers musulmans et juifs, s'y conformait en servant de la viande autre que le porc et provenant de bêtes (bœuf, mouton, poulet, etc.) ayant été abattues selon un rituel précis, propre à chacune de ces deux religions (ah! si le porc du Québec le savait!). De plus, en évitant le porc, mais aussi les fruits de mer (interdits de consommation dans la religion juive) dans les repas qu'elle sert sur cette ligne, il semble que la compagnie aérienne en question arrive à trouver des compromis économiquement rentables dans la satisfaction de ses clients de différentes confessions. De retour à Montréal après ce magnifique voyage, j'ai commencé à remarquer des choses auxquelles je n'accordais pas d'attention auparavant, comme les petits magasins d'alimentation de la rue Sainte-Catherine qui affichent en gros la mention *halal* sur leurs enseignes, ou encore la chaîne de restauration rapide Amir, le rayon du magasin IGA du centre commercial Alexis-Nihon qui propose un rayon de produits exclusivement *casher*.»

Les règles de conduite

Sur le plan du comportement du consommateur, la religion intervient par l'intermédiaire des normes, des valeurs et des fêtes religieuses[70]. Le premier élément qui intéresse le gestionnaire en marketing soucieux de comprendre le comportement de consommation d'un groupe religieux donné est constitué par les **règles de conduite** imposées à ses membres. Ces règles diffèrent d'une religion à une autre et touchent principalement et de façon importante les produits consommés par les individus.

À titre d'exemple, la religion juive impose plusieurs règles à ses fidèles[71] :

- l'interdiction de consommer des fruits de mer, de la viande de porc, de cheval, de lapin, des oiseaux de proie de même que tout carnivore ;
- l'obligation de manger uniquement de la viande de mammifères, de ruminants dont le sabot est fendu ;
- l'obligation que les bêtes soient abattues selon un rite *casher* ;
- l'interdiction de consommer du levain pendant la fête de Pâque (la *Pessah*) ;
- l'obligation de jeûner le jour du Grand Pardon (*Yom Kippour*).

L'islam, quant à lui, est venu imposer d'autres règles de consommation telles que[72] :

- l'interdiction de consommer de l'alcool et de la viande de porc, de s'adonner à l'usure ou aux jeux de hasard ;
- l'obligation de consommer de la viande qui provient exclusivement de bêtes abattues selon un rituel conforme à des normes strictes (*halal*) ;
- l'obligation d'observer le *ramadan,* qui prescrit l'abstinence de nourriture et de boisson durant un mois, entre le lever et le coucher du soleil ;
- l'obligation pour les femmes d'adopter un style vestimentaire très strict[73].

La figure 8.3 présente une carte distribuée par la compagnie aérienne Air France-KLM avec chacun de ses repas, sur les vols à destination de pays musulmans comme le Maroc, la Tunisie ou la Turquie.

FIGURE 8.3 Une carte qui atteste de la conformité aux normes de la religion musulmane des repas servis sur certains vols d'Air France-KLM

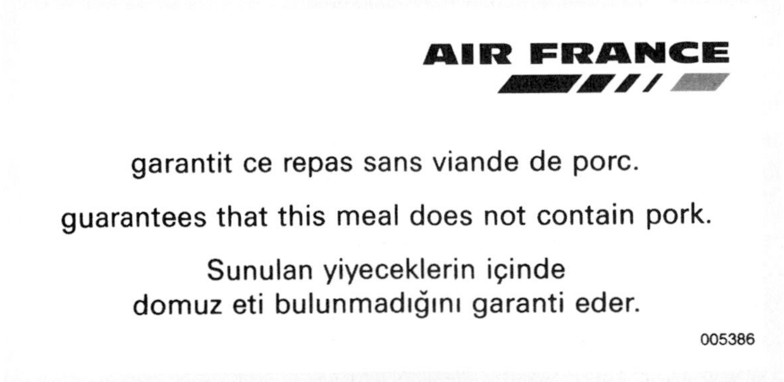

AIR FRANCE

garantit ce repas sans viande de porc.

guarantees that this meal does not contain pork.

Sunulan yiyeceklerin içinde domuz eti bulunmadığını garanti eder.

005386

La religion catholique, moins exigeante que les deux autres religions monothéistes mentionnées précédemment, présente tout de même quelques règles strictes de consommation, notamment l'interdiction de consommer de la viande et du gras animal pendant les 40 jours qui précèdent la fête de Pâques (le carême). Mentionnons toutefois que peu de Québécois suivent ces règles aujourd'hui. De son côté, la religion hindoue impose à ses pratiquants l'interdiction de consommer de la viande bovine et l'adoption d'un style vestimentaire particulier.

Il n'y a aucun doute que les normes propres à chaque religion généreront des comportements de consommation différents d'une culture à une autre. Le gestionnaire en marketing se doit d'être conscient de l'existence de ces normes afin de les respecter et d'éviter de commettre des erreurs monumentales. Un exportateur de viande porcine doit très bien analyser les caractéristiques religieuses du groupe de consommateurs qu'il cherche à rejoindre, pour estimer la compatibilité de son produit avec celles-ci. La multinationale McDonald's a dû adapter son offre de repas aux normes religieuses dans des pays musulmans comme le Maroc et l'Égypte. En Israël, des entreprises comme Coca-Cola, McCain et Campbell ont mis sur le marché des produits *casher* qu'elles commercialisent en conformité avec les normes de la religion juive. Au milieu des années 1990, la chaîne de restauration rapide Poulet frit Kentucky (PFK) a fait face, en Inde, à de virulentes attaques de la part des groupes de pression religieux qui cherchaient à réduire la prolifération de la consommation de viande dans leur pays[74].

La tradition et les valeurs

La religion influe aussi sur le comportement de consommation des individus dans une culture à travers la **tradition et** les **valeurs** qu'elle leur inculque. Historiquement, la tradition religieuse francophone au Québec repose sur le catholicisme, qui préconise le dur labeur, le sens de l'économie, un mode de vie simple, le collectivisme, l'obligation envers la famille et l'hospitalité. Cette tradition se retrouve dans la plupart des autres religions monothéistes, notamment le judaïsme et l'islam. Aujourd'hui, la présence de cette tradition et de ces valeurs varie énormément d'une société à une autre. Des études ont montré qu'en Amérique du Nord, le sens de l'économie a laissé la place au plaisir et à la joie de la consommation, et que le sens de l'obligation envers la famille a disparu petit à petit à la faveur d'un éclatement familial caractérisé par un nombre important de familles monoparentales et de plus en plus de parents divorcés.

Dans plusieurs pays musulmans, le collectivisme, d'un côté, et le mode de vie simple, de l'autre, sont en train de disparaître tranquillement, laissant place à un individualisme croissant et à un mode de vie de plus en plus sophistiqué. La disparition de la tradition religieuse et l'apparition de nouvelles valeurs modifient énormément le comportement de consommation des individus. C'est ainsi qu'en Amérique du Nord, les dépenses moyennes d'un consommateur n'arrêtent pas de croître, à une vitesse comparable à celle de son endettement.

Les fêtes et les rituels

Le troisième type d'influence de la religion sur le comportement des consommateurs s'exerce par les **fêtes et** les **rituels** qui lui sont associés. Les fêtes de Noël et de Pâques chez les chrétiens, la fin du mois du jeûne (*Aïd-el-Fitr*) et le jour du sacrifice (*Aïd-el-Adha*) chez les musulmans, et enfin le Nouvel An (*Rosh ha-Shana*), la Pâque (*Pessah*) et le jour du Grand Pardon (*Yom Kippour*) chez les juifs illustrent encore une fois l'incidence de la religion sur le comportement des consommateurs. Aujourd'hui, les fêtes religieuses sont devenues, dans la plupart des pays, des événements commerciaux synonymes de dépenses importantes (d'où le sentiment chez certains de leur désacralisation, comme nous l'avons indiqué plus haut). À l'occasion de ces fêtes, les consommateurs sont plus portés aux dépenses, moins sensibles au prix et plus attentifs aux actions commerciales de publicité, de promotion et de marchandisage. Des études récentes montrent qu'au Québec, certains commerçants font jusqu'à 80 % de leur chiffre d'affaires annuel entre le 1er décembre et le 15 janvier. Pour les gestionnaires en marketing, la période des fêtes religieuses est devenue dans plusieurs pays le moment propice au lancement de nouveaux produits, à l'ouverture de nouveaux magasins ou à l'essai de nouveaux concepts.

8.9 L'influence des stéréotypes liés à l'image d'un pays

L'histoire du commerce international montre qu'avec le temps, chaque pays acquiert une **réputation internationale** dans la fabrication de certains produits. Cette réputation sert de déterminant de la qualité des produits pour les consommateurs des différents pays[75]. Prenons la France, qui est aujourd'hui réputée pour son vin, son fromage, ses grands couturiers, ses produits cosmétiques et ses parfums. Les grandes maisons de couture, de produits cosmétiques et de parfums utilisent en fait une double signature: celle de leur marque – Lancôme, Cacharel, Christian Dior – et la mention «Paris» en dessous. L'Allemagne est reconnue pour ses voitures, le Japon pour ses produits électroniques, l'Italie pour ses chaussures et sa mode vestimentaire, les États-Unis pour leurs produits de haute technologie.

Une publicité utilisant la réputation d'une région géographique pour mettre en valeur l'image d'une marque.

Un pays peut donc devenir une référence symbolique, et le fait, pour un produit, d'y être fabriqué peut induire une perception de supériorité dans la tête du consommateur. Cependant, il est important de garder à l'esprit que l'influence d'un pays varie selon la réputation de ce dernier et la sensibilité des consommateurs aux valeurs nationalistes ou exotiques, et que ces variables seront confrontées à d'autres critères de décision d'achat tels que le prix. La publicité ci-contre montre comment le constructeur automobile nord-américain General Motors utilise la réputation d'une région géographique pour rehausser l'image de sa marque Cadillac aux yeux de ses clients cibles.

Les travaux réalisés en comportement du consommateur montrent que la réputation de divers pays diffère d'un produit à un autre et d'un consommateur à un autre, suivant la nationalité de celui-ci. Le tableau 8.6 présente les perceptions de 190 consommateurs québécois à propos de 13 pays en ce qui concerne la fabrication de produits de consommation en général. Ces résultats confirment les conclusions de nombreux travaux faisant ressortir clairement la mauvaise réputation des pays moins développés par rapport à celle des pays développés[76].

Quand ces perceptions sont partagées par un nombre élevé de consommateurs, elles contribuent à la formation d'un stéréotype national: une conception plus ou moins véridique que les consommateurs entretiennent à propos d'un pays. Ainsi, on associe à la France la douceur de vivre et la qualité du vin, le luxe des produits de beauté et des parfums; à l'Italie, la frivolité du design des produits de mode; à l'Allemagne, la rigueur et la robustesse des voitures; au Japon, la précision et la perfection des produits électroniques; aux États-Unis, la haute technologie des produits informatiques. À l'inverse, à d'autres pays correspondent des images négatives de main-d'œuvre non qualifiée, de nonchalance en matière de contrôle

TABLEAU 8.6 Les perceptions de 190 consommateurs québécois à propos de 13 pays en ce qui concerne la fabrication des produits

EN GÉNÉRAL			
Pays développés		Pays moins développés	
Pays	Évaluation	Pays	Évaluation
Japon	7,8	Corée du Sud	5,5
Allemagne	7,0	Brésil	4,9
États-Unis	6,7	Mexique	4,8
Canada	6,8	Maroc	4,2
France	5,7	Inde	4,1
Italie	6,0	Russie	3,7
Belgique	5,9		
Moyenne	6,4	Moyenne	4,3

Note : Les valeurs des échelles varient de 1 (mauvais) à 9 (excellent).

de la qualité et de produits très bon marché. Il s'agit du Mexique, du Pérou, du Maroc et de la plupart des pays en voie de développement. La notion de stéréotype évolue dans le temps, puisque des pays comme le Japon et la Corée du Sud, qui étaient au début des années 1970 des acteurs marginaux du marché mondial de l'automobile, sont devenus aujourd'hui des références grâce à des marques comme Honda, Toyota, Hyundai et Daewoo. L'un des principaux facteurs de changement des perceptions des consommateurs demeure l'expérience avec les produits.

Pour un même produit, le rôle de l'image du pays et des stéréotypes diffère d'un consommateur à un autre selon ses valeurs nationalistes et la recherche de certaines dimensions exotiques. Plusieurs études ont montré que les consommateurs favorisent automatiquement les produits fabriqués dans leur propre pays. Ainsi, les Canadiens ont tendance à surévaluer leurs produits par rapport aux produits importés de même catégorie[77]. Cet effet est inversé dans le cas des consommateurs des pays moins développés, qui sont plus à la recherche d'exotisme et ont tendance à sous-évaluer les produits nationaux.

Aujourd'hui, la compréhension des effets du pays d'origine est devenue encore plus complexe en raison de la mondialisation croissante des activités des entreprises internationales. Ainsi, le constructeur allemand Volkswagen fabrique au Mexique ses voitures Jetta destinées au marché américain, le manufacturier d'équipement sportif Nike produit 99 % de ses chaussures de sport en Asie et la plupart des constructeurs de voiture japonais ont déménagé leurs installations en Amérique du Nord et en Europe, à la recherche de certains avantages certes économiques, mais aussi symboliques. Comment le consommateur évalue-t-il les produits d'une certaine origine nationale qui sont montés ou fabriqués dans un autre pays ? La recherche dans ce domaine est encore récente et les généralisations s'avèrent prématurées.

8.10 Les études culturelles comparatives des comportements de consommation

La comparaison des consommateurs de différents pays met en évidence l'existence de **différences** importantes en matière de réactions cognitives, affectives ou comportementales. Ainsi, une étude réalisée en 1985 auprès d'un échantillon international de 10 000 personnes composé d'Américains, d'Européens et de Japonais révèle qu'en ce qui concerne les marques les plus connues, seule Coca-Cola se retrouve dans les trois groupes culturels. L'étude montre aussi que les Américains mémorisent davantage les marques de produits alimentaires[78], et les Européens, les marques de voitures[79], alors que les Japonais retiennent plus les marques de produits électroniques et de haute technologie[80].

En matière de consommation de produits de base comme la nourriture, l'habillement, l'essence et l'énergie, l'éducation et autres[81], il ressort aussi certaines différences importantes entre les pays quant à la part de budget allouée par les consommateurs à des produits particuliers. D'abord, sur les dépenses totales, celles qui sont consacrées à la nourriture dans son ensemble apparaissent plus élevées dans des pays comme la Pologne (67%), les États-Unis (57%), le Gabon (51%) et la Norvège (48%). Ensuite, c'est à l'Irlande et aux États-Unis que revient la palme des plus grosses dépenses touchant l'habillement et les chaussures avec 10% des dépenses totales. En matière de produits énergétiques, les dépenses sont relativement plus élevées en France, en Tunisie et en Irlande avec plus de 15% du total des dépenses. Enfin, si la France semble se différencier des autres pays au chapitre des dépenses individuelles liées à la santé (13%), le Brésil, le Canada et le Japon se démarquent, quant à eux, en ce qui a trait aux dépenses relatives à l'éducation avec des pourcentages respectifs de 34%, 23% et 21%.

Une enquête récente portant sur la perception qu'ont les adolescents du phénomène social qui consiste à être «branché» révèle des différences importantes entre les pays. Alors que, pour les Italiens, la signification donnée renvoie au fait d'avoir un style, pour les Argentins, il s'agit d'avoir un style original, pour les Espagnols, d'être conscient de son propre style et d'y être fidèle, pour les Brésiliens, d'adopter la bonne image et d'être *relax*, pour les Chinois, de connaître ses propres goûts et, enfin, pour les Américains, de se démarquer des autres sans trop d'efforts[82].

Une étude comparative entre la France et les États-Unis concernant cette fois l'adoption des innovations a montré que les Américaines adoptent plus rapidement les innovations que leurs homologues françaises[83]. Dans le même domaine de l'adoption et de la diffusion des innovations, une autre étude précise que les Européens sont plus sensibles aux moyens de communication commerciaux (c'est-à-dire à la publicité et à la promotion), alors que les Américains sont davantage sensibles aux moyens de communication interpersonnels (le bouche-à-oreille et la pression sociale).

Dans le domaine des technologies de l'information et de la communication (TIC), la plupart des publications récentes révèlent l'existence de différences considérables entre les pays du globe, que l'on qualifie communément de fracture numérique. En ce qui concerne l'utilisation d'Internet par les individus, le rapport de compétitivité mondiale reliée aux TIC publié en 2008 et plusieurs autres études révèlent l'ampleur de ces différences internationales. D'une part, dans des pays comme la Norvège, les Pays-Bas, la Suède, la Corée du Sud, le Japon, les États-Unis et le Canada, le taux de pénétration dépasse 70% de la population totale. D'autre part, vingt ans après la démocratisation d'Internet, plus d'une trentaine d'autres pays n'arrivent pas encore à atteindre le seuil des 10 % d'utilisateurs comme c'est le cas pour l'Inde, le Salvador, l'Égypte et les Philippines. Aussi, au sein même des pays très avancés dans le domaine des TIC, d'autres différences peuvent intéresser les spécialistes en marketing: premièrement, le nombre d'heures mensuelles moyennes passées sur Internet, qui est de 45 heures au Canada, 32 heures aux États-Unis, et 27 heures aux Pays-Bas et en Suède; deuxièmement, le pourcentage de personnes dans la population qui s'informent sur Internet pour se procurer un produit ou un service; troisièmement, les personnes qui décident d'effectuer des transactions d'achat sur Internet et que les spécialistes en commerce électronique qualifient d'acheteurs en ligne. La figure 8.4 illustre bien les différences internationales dans ce domaine. De cette figure, il ressort clairement que, même si les pourcentages de personnes qui font leur magasinage et leurs achats en ligne varient d'un pays à un autre, le rapport entre l'achat et le magasinage est presque le même pour tous les pays présentés. En moyenne, une personne sur deux parmi celles qui s'informent sur Internet finit aussi par acheter en ligne, tandis que l'autre interrompt son processus ou fait son achat dans les magasins traditionnels. Pour les spécialistes en commerce électronique, la première ferait partie du groupe des acheteurs en ligne, alors que la seconde appartiendrait au groupe des acheteurs hors ligne informés.

FIGURE 8.4 La situation du magasinage et de l'achat en ligne dans certains pays avancés

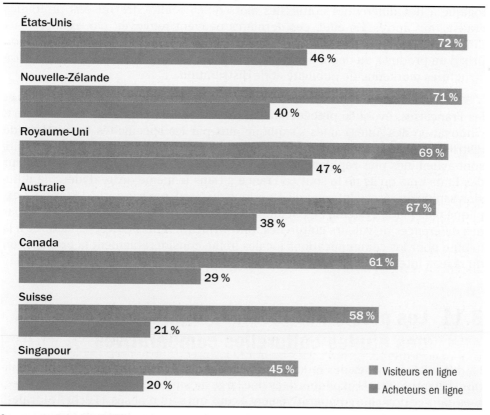

Source: e-marketer.com (2009).

Afin de saisir encore plus les différences internationales relativement aux éléments récents issus du Web participatif 2.0, vous pouvez lire la capsule 8.4 qui s'intéresse au phénomène des réseaux sociaux en ligne comme Facebook ou MySpace, et leur propagation à travers le monde.

Une revue des études réalisées dans le domaine du comportement du consommateur portant sur la reconnaissance des différences et des similarités internationales révèle que la majorité des travaux épouse un objectif purement descriptif. En effet, les auteurs prennent généralement des échantillons dans deux ou plusieurs pays et testent ensuite leurs différences ou leurs similarités sur des variables de comportement telles que l'innovation, la recherche de l'information, le style d'achat, la sensibilité envers les incitatifs publicitaires, l'aversion au risque ou l'implication dans les produits de mode. Les auteurs cherchent très rarement à expliquer les causes réelles (structurelles ou culturelles) des différences observées, car ils sont surtout intéressés à savoir s'ils seront ou non obligés d'adapter leurs actions marketing en changeant de pays, ou de chercher un groupe de pays homogènes permettant d'appliquer la même stratégie.

Dans les études positivistes comparatives menées à l'échelle internationale, la culture a toujours été considérée comme une variable indépendante explicative du comportement de consommation[84]. Les tenants de ces études supposent qu'en comprenant les éléments culturels qui relient l'individu à son environnement, tels que la religion, la langue, la famille, la culture nationale et les stéréotypes, il est possible de comprendre d'importantes différences et similarités d'ordre national ou culturel dans le comportement de consommation. Cependant, des différences de comportement ont trop souvent été attribuées de manière simpliste et tautologique à des différences culturelles alors qu'en réalité, les raisons profondes étaient tout autres. En effet, ces dernières peuvent renvoyer, par exemple, aux dimensions structurelles reliées au contexte de consommation (disponibilité ou prix d'un produit), au degré de développement d'un marché ou à l'état des infrastructures marketing de publicité et de distribution.

Ainsi, une analyse approfondie de l'étude comparative entre les Américaines et les Françaises, évoquée précédemment, montre que la plus grande ouverture à l'innovation des Américaines s'explique plus par les spécificités du système de distribution aux États-Unis que par leurs valeurs culturelles. En effet, les produits sont acheminés plus rapidement dans les différents points de vente à l'intérieur des États-Unis qu'ils ne le sont en France[85]. Dans le même ordre d'idées, la diffusion rapide du réseau Internet en Amérique du Nord, par rapport à l'Europe, s'explique plus par le système de téléphonie qui caractérise les deux régions que par des différences de valeurs culturelles. Une tarification plus élevée et facturée à la minute pour les communications locales freine considérablement la propagation du réseau Internet sur le continent européen.

8.11 Les problèmes méthodologiques des études culturelles comparatives

La difficulté de mener des études comparatives dans un environnement international et interculturel explique, dans une large mesure, la rareté des travaux effectués dans ce domaine comparativement à ceux qui sont réalisés à l'échelle locale[86]. En effet, la comparaison de deux groupes de consommateurs par rapport à un

Les réseaux sociaux en ligne : une comparaison internationale

Bien que le phénomène des réseaux sociaux en ligne ait vu le jour aux États-Unis, avec Facebook et MySpace, sa propagation vers les autres pays du continent américain mais aussi vers les autres continents n'a pas tardé. C'est encore une fois la preuve que la mondialisation des marchés n'est pas un mythe mais bel et bien une réalité. Dans ce village global, il est évident que certains pays vont prendre le *leadership* dans l'adoption d'un tel phénomène alors que d'autres resteront à la traîne.

L'analyse des statistiques obtenues en 2008[*] fait ressortir un premier groupe de pays : à sa tête, les États-Unis d'Amérique, qui comptent déjà 43 millions de membres des réseaux sociaux en ligne (23 % de la population). D'autres pays de ce groupe connaissent aussi une forte présence sur ces réseaux, notamment la Chine (39 millions), la Grande-Bretagne (10,6 millions), le Japon (12 millions), l'Inde (11,8 millions), le Brésil (11,4 millions), la Corée du Sud (9,4 millions) et l'Allemagne (8,6 millions). Pour ce premier groupe de pays, la grande taille de leur population explique en grande partie leur forte présence sur les réseaux sociaux en ligne, et ce, pour certains d'entre eux, en dépit d'une faible pénétration des réseaux sociaux et de l'Internet en général au sein de leur population, comme c'est le cas pour la Chine (4,5 % pour une population de 1,3 milliard) et l'Inde (1,8 % pour une population de 1,1 milliard).

Les données obtenues pour 2008 font ressortir un deuxième groupe de pays dont la taille de la population est relativement faible mais le taux de pénétration des réseaux sociaux

équivalent, voire supérieur à celui des États-Unis. C'est le cas de pays comme la Hollande (36 % de la population présente sur les réseaux sociaux en ligne), l'Australie (21 %), le Canada (21,7 %), le Danemark (21,9 %), Taïwan (25,8 %), l'Espagne (19,7 %) et Hong Kong (21,4 %). Pour ce deuxième groupe de pays, deux raisons peuvent expliquer la présence relativement forte de leur population sur les réseaux sociaux en ligne : d'une part, la forte pénétration d'Internet (et donc de ses différentes applications) et, d'autre part, le caractère hétérogène cosmopolite et multiethnique de leur population et leur besoin de communiquer avec leurs amis et les membres de leur famille à l'étranger. Le troisième groupe serait formé du reste des pays, dans lesquels la pénétration des réseaux sociaux parmi les populations reste moyenne ou très limitée. C'est le cas en Afrique, au Moyen-Orient et dans certains pays en Asie. Plusieurs raisons expliquent un tel retard : d'abord, la pénétration encore très faible d'Internet (elle-même expliquée par d'autres facteurs tels que le niveau d'éducation très bas, les infrastructures reliées aux TIC limitées, etc.) ; ensuite, la volonté politique de limiter le réseautage de tout genre pour des questions de sécurité et de contrôle des libertés publiques.

Par ailleurs, les données de la fréquentation des neuf principaux sites de réseaux sociaux sur les cinq continents, présentées dans la figure 8.5[**], révèlent l'existence d'une segmentation internationale intéressante pour les entreprises soucieuses de rejoindre des clients à l'étranger. Alors que MySpace et Facebook semblent être très populaires en Amérique du Nord, on trouve surtout Orkut et Hi5 en Amérique latine, Bebo en Europe et Friendster et Cyworld en Asie du Sud-Est.

FIGURE 8.5 La répartition géographique des sites de réseaux sociaux les plus fréquentés

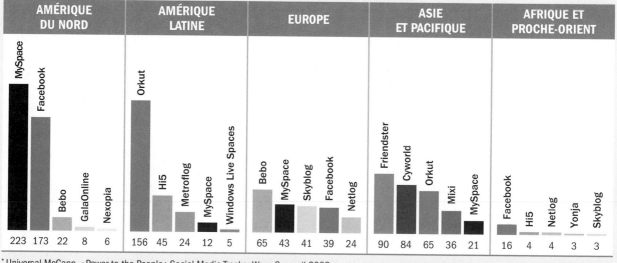

AMÉRIQUE DU NORD					AMÉRIQUE LATINE					EUROPE					ASIE ET PACIFIQUE					AFRIQUE ET PROCHE-ORIENT				
MySpace	Facebook	Bebo	GalaOnline	Nexopia	Orkut	Hi5	Metroflog	MySpace	Windows Live Spaces	Bebo	MySpace	Skyblog	Facebook	Netlog	Friendster	Cyworld	Orkut	Mixi	MySpace	Facebook	Hi5	Netlog	Yonja	Skyblog
223	173	22	8	6	156	45	24	12	5	65	43	41	39	24	90	84	65	36	21	16	4	4	3	3

[*] Universal McCann, « Power to the People : Social Media Tracker Wave 3 », avril 2008.
[**] Valleywag, août 2007, Datamonitor.

élément quelconque nécessite généralement une base commune et une **équivalence** qui nous permettent de juger de leur similarité ou de leur différence, sans quoi toute comparaison devient vide de sens logique et non fondée. Dans une étude comparative internationale ou transculturelle, le chercheur doit prendre en considération plusieurs niveaux d'équivalence. Ceux-ci sont reliés aux constructions mentales ou aux phénomènes analysés, à la mesure de ces phénomènes, à l'échantillonnage retenu dans les études et aux méthodes de collecte des données[87]. Les chercheurs en marketing abordent souvent les études internationales ou interculturelles selon une approche « EMIC » ou « ETIC ».

L'approche EMIC Elle consiste à élaborer, pour chaque contexte culturel, une méthodologie de recherche adaptée aux spécificités de celui-ci. Cette approche suppose que les phénomènes d'attitude et de comportement sont exprimés de façon unique dans chaque culture. Ainsi, à titre d'exemple, une mesure d'attitude mise au point dans un pays ne pourrait pas être utilisée dans un autre pays. Dans une étude comparative des cultures individualistes et des cultures collectivistes portant sur l'attachement des consommateurs aux objets qui les entourent, des chercheurs américains ont dû utiliser deux méthodologies complètement différentes : la technique d'enquête dans le cas de la culture individualiste (États-Unis) et l'observation et la prise de photos dans le cas de la culture collectiviste (Niger)[88].

L'approche ETIC Contrairement à l'approche EMIC, l'approche ETIC vise à élaborer une méthodologie universelle pour étudier les similarités et les différences entre pays ou cultures. Cette approche suppose que les phénomènes d'attitude et de comportement étudiés ont le même sens dans les divers systèmes sociaux. La liste de valeurs LOV[89] est un exemple d'instrument mis au point pour mesurer les systèmes de valeurs dans des environnements sociaux différents, contrairement aux échelles RVS[90] ou VALS[91], conçues spécialement pour mesurer le système de valeurs dominant aux États-Unis. L'histoire de la recherche en comportement du consommateur révèle que la plupart des outils ont été initialement créés aux États-Unis, et qu'on les a utilisés par la suite dans d'autres contextes socioculturels, en supposant *a priori* leur validité transculturelle[92].

Finalement, les études comparatives en comportement du consommateur visent souvent à faire ressortir les différences plutôt que les similarités de comportement entre les consommateurs de plusieurs pays, ou encore les stéréotypes nationaux. Le but est de voir jusqu'à quel point une entreprise doit adapter les stratégies de marketing, déjà mises au point pour le marché local, aux facteurs structurels et culturels qui expliquent les différences internationales. Cependant, depuis le début des années 1980, on a remarqué l'émergence en marketing international d'une philosophie qui suscite de plus en plus l'intérêt des responsables en entreprise et des chercheurs universitaires partout dans le monde. Il s'agit de la notion de mondialisation, qui consiste à voir le monde dans sa totalité comme le marché potentiel de l'entreprise. Cette dernière doit alors chercher à découvrir les similarités plutôt que les différences de comportement entre les consommateurs des divers pays[93].

Pour répondre aux exigences d'une telle philosophie, la recherche internationale a pris en compte une nouvelle perspective : la segmentation intermarchés[94]. Les tenants de cette approche de segmentation présument que, dans chaque pays, il existe un segment de marché qui présente plus de similarités avec un segment d'un autre pays qu'il ne peut en partager avec les autres segments de son propre pays. Nous reviendrons à cette perspective au chapitre 9 consacré aux sous-cultures.

8.12 L'approche ethnographique de la culture en comportement du consommateur

Nous avons mentionné précédemment que plusieurs types d'approches méthodologiques coexistent actuellement dans l'étude de la culture en comportement du consommateur[95]. L'ethnographie, une de ces approches, gagne en popularité, et ce, tant parmi les chercheurs que parmi les professionnels en comportement du consommateur et en marketing[96]. Dans un premier temps, l'ethnographie a servi aux anthropologues pour décrire les cultures éloignées. Cependant, au cours du XXe siècle, elle est devenue un outil très utilisé, particulièrement par les sociologues. L'intérêt de son usage dans divers domaines n'a cessé de croître. Par exemple, en comportement du consommateur, cette discipline a aidé à comprendre les rituels de consommation de l'Action de grâce ou la consommation de la culture de l'Ouest américain, mais aussi la culture de consommation de *Star Trek* ou la sous-culture de consommation des motards[97]. Les deux derniers exemples illustrent d'ailleurs comment l'étude d'un groupe, en tant que culture, sous-culture ou microculture de consommation, peut se faire aussi par l'intermédiaire d'une étude ethnographique.

L'ethnographie n'est pas seulement une forme de collecte de données. Elle vise à clarifier les multiples façons dont une culture, une sous-culture ou une microculture construit les comportements et les expériences de ses membres et se construit à travers ceux-ci. La collecte des données se fait en situation réelle, dans un contexte culturel particulier et sur une longue période, car l'ethnographie favorise une observation participante du chercheur et son immersion prolongée afin de comprendre les interactions entre les membres au sein de la culture, de la sous-culture ou de la microculture étudiée. Le chercheur enregistre le fruit de son observation dans un journal de bord. Il utilise en fait de multiples sources de données : l'observation participante et, à titre complémentaire, l'observation mécanique (vidéos, photos, bandes magnétiques, etc.), et les entretiens non structurés et structurés[98].

Dans l'approche ethnographique utilisée pour comprendre une culture, une sous-culture ou une microculture, en comportement du consommateur, les approches EMIC et ETIC constituent deux moments de l'interprétation des données. L'approche EMIC permet de rendre compte de la signification subjective de l'expérience telle qu'elle est vécue par des membres de la culture étudiée. L'approche ETIC, quant à elle, permet au chercheur de proposer une lecture de la signification culturelle de cette expérience à une échelle mondiale[99].

L'étude de type ethnographique sera également abordée dans les chapitres 10 et 12 portant sur l'adoption et la diffusion des innovations et sur les influences situationnelles, ce qui permettra de témoigner encore davantage de l'ampleur de son intérêt, de plus en plus reconnu, en comportement du consommateur.

Nous avons appris que :

- la compréhension des influences culturelles sur le comportement du consommateur prend de l'importance dans un monde où le commerce entre les nations occupe une place prépondérante dans les activités des entreprises modernes.

- la culture, un concept difficile à cerner, englobe, pour certains chercheurs, les connaissances, les croyances, l'art, les lois, la religion, la langue, la morale, les coutumes, les normes, les rituels et les valeurs. Pour d'autres, cependant, ces éléments constituent des canevas d'interprétation et d'action.

- pour comprendre une culture, il est pertinent de se concentrer sur les valeurs qu'elle inculque, les styles de vie qui en découlent, et sur leur évolution dans le temps.

- les dimensions relevées par Hofstede, qui peuvent différer d'une culture à une autre, sont la distance hiérarchique, l'évitement de l'incertitude, la masculinité/ féminité et l'individualisme/collectivisme, auxquelles s'est ajoutée par la suite l'orientation à long terme.

- les normes, qui constituent un ensemble de prescriptions régissant la vie en société, forment un autre élément de la culture qui peut influencer le comportement des consommateurs, soit de manière explicite à travers les lois et les règlements, soit de façon plus implicite à travers les coutumes et les conventions sociales.

- les mythes et les légendes, en tant que traditions populaires transmises oralement de génération en génération, expriment souvent les valeurs clés d'une société.

- les multiples rituels auxquels s'adonnent les individus sont aussi, selon certains chercheurs, des canevas culturels d'action et d'interprétation.

- chaque culture possède des êtres, des événements, des lieux, des temps ou des objets de consommation qu'elle dépouille de leur caractère ordinaire, profane, pour leur donner un caractère sacré, source de vénération et de respect.

- la culture, en tant que canevas d'interprétation, favorise certaines significations que l'on donne au monde qui nous entoure, chaque comportement de consommation pouvant alors être interprété comme un signe ou un symbole permettant de communiquer entre les membres d'une société.

- la langue est un élément important d'une culture dans la mesure où elle influence la façon de penser et de communiquer des individus, de même que le traitement cognitif et affectif de l'information commerciale et non commerciale utile à la prise de décision.

- la religion, à travers ses normes, ses valeurs et ses fêtes, constitue bien souvent un des éléments clés d'une culture, dans la mesure où elle touche directement plusieurs comportements de consommation, en même temps qu'elle conditionne d'autres éléments culturels comme la langue, la famille et l'éducation.

- chaque pays, avec le temps, acquiert une certaine réputation (bonne ou mauvaise) dans la fabrication de certains produits, réputation que les consommateurs utilisent en tant que déterminant symbolique de la qualité d'un produit.

- des différences importantes subsistent entre les consommateurs des pays de la planète, tant sur le plan des dimensions cognitives que sur le plan des dimensions affectives ou conatives, en dépit des voix affirmant qu'il existe une tendance à une plus grande similarité dans les comportements de consommation.

- plusieurs difficultés méthodologiques caractérisent la recherche positiviste sur le comportement de consommation et la culture, notamment les questions reliées à l'équivalence de constructions mentales, de mesure et d'échantillonnage, ces difficultés se soldant par l'adoption d'une approche de standardisation (approche ETIC), d'une approche d'adaptation (approche EMIC) ou d'une approche hybride.

- l'approche ethnographique gagne en popularité dans l'étude d'une culture, d'une sous-culture ou d'une microculture, alors qu'elle combine l'immersion prolongée du chercheur et son observation participante à des sources de données complémentaires telles que les entretiens non structurés et structurés.

Questions de révision et de réflexion

1. Qu'entend-on par « culture » ?

2. La compréhension du concept de culture peut-elle servir à une entreprise qui ne fait pas de commerce international ?

3. Quelles sont les disciplines qui ont marqué l'étude de la culture en comportement du consommateur et comment l'ont-elles influencée ?

4. Citez quelques éléments de la composante matérielle de la culture québécoise. Certains, parmi eux, ont-ils valeur de symbole ?

5. Une culture est nécessairement évolutive. Commentez cette phrase.

6. Quelle différence faites-vous entre socialisation et acculturation ?

7. Quels sont les quatre principaux instruments de mesure des valeurs ?

8. « La compréhension du système de valeurs est une donnée incontournable pour qui veut saisir le sens d'une culture en particulier. » Commentez cette affirmation.

9. La dimension individualisme/collectivisme peut servir à différencier les cultures. Donnez deux exemples, l'un d'une culture plutôt axée sur l'individualisme et l'autre, d'une culture plutôt orientée vers le collectivisme. Comment cette dimension peut-elle agir sur la conception d'une communication persuasive efficace ?

10. Dans un message publicitaire, l'efficacité des incitatifs reliés à la rationalité ou aux émotions dépend du pays visé. Commentez cette affirmation.

11. Discutez des différentes facettes du système de communication et de langage d'une culture. En quoi leur maîtrise par les entreprises peut-elle être utile ?

12. Sur le plan de l'habillement, nommez des vêtements traditionnels qui vous apparaissent comme des symboles culturels d'un pays. Au chapitre de l'alimentation, énumérez les plats ou les produits alimentaires traditionnels nationaux de quelques pays. Dans quel genre d'annonce publicitaire pourrait-on en faire un usage pertinent ?

13. Le rapport à la nature peut différer d'une culture à une autre. Quelle peut être l'incidence de ce rapport sur les comportements de consommation ?

14. Dans l'un de ses messages publicitaires, la Maison Cousin, boulangerie spécialisée du Québec, présente une corbeille remplie des morceaux d'une baguette de pain encore chaude (fumante), reposant sur une serviette blanche sur laquelle figure une représentation de la tour Eiffel avec, à l'arrière-plan, un fromage. Jugez de la pertinence de cette publicité à la lumière du chapitre que vous venez de lire.

15. Comment expliquez-vous que Vuitton, entreprise qui exerce ses activités dans le secteur des produits de luxe, offre les mêmes produits de par le monde ? Cela sous-entend-il que l'on peut se passer, dans ce secteur, d'ajuster les messages publicitaires selon la culture de la cible visée ? Trouvez, si cela est possible, des publicités de parfum qui appuient vos propos.

16. La bicyclette a-t-elle la même signification symbolique partout dans le monde ?

17. Discutez d'une coutume abandonnée et de la raison, selon vous, de son abandon.

18. Discutez d'une coutume qui perdure et de la raison, selon vous, de cet état de fait.

19. Êtes-vous sensible à l'origine de certains produits ? Lesquels et pourquoi ?

20. Qu'est-ce qu'un rituel ? À quels rituels principaux vous livrez-vous ou vous êtes-vous déjà livré ? Quels sont les produits de consommation utilisés dans leur réalisation ? De quel type est chacun de ces rituels ?

21. Comment un journal quotidien peut-il exploiter la notion de rituel dans sa publicité ?

22. Comment un fabricant de barres chocolatées peut-il récupérer le thème du «sacré» dans ses messages publicitaires?

23. Comment mythes, légendes et contes sont-ils exploités dans le monde de la consommation?

24. Quelle est l'influence de la religion sur les activités de consommation?

25. Quels sont les problèmes méthodologiques liés aux études positivistes comparatives interculturelles en comportement du consommateur? Expliquez les approches EMIC et ETIC.

26. Expliquez en quoi consiste une approche ethnographique visant à étudier une culture.

Cas

Slim-Fast Optima

Objectif principal du cas : comme pour tout le chapitre sur les influences culturelles, ouvrir l'étudiant à d'autres cultures que la sienne.

Remarque : Étant donné que divers programmes universitaires étudiants prévoient des échanges internationaux, nous recommandons que ce cas soit traité en équipes multiculturelles afin de rendre l'exercice plus vivant et plus bénéfique.

Contexte

Il est facile de constater l'obsession des Nord-Américains à l'égard de la minceur et du contrôle de leur poids. Les consommateurs canadiens et étasuniens valorisent la minceur à un point tel qu'ils font vivre une industrie évaluée à plusieurs millions de dollars par année et en croissance permanente. Les consommateurs préoccupés par leur poids achètent des pilules, des potions, des livres et des programmes pour perdre du poids. Citons, par exemple, le programme de Weight Watchers, le régime Cambridge, le régime de Beverly Hills, celui de Montignac il y a quelques années, ainsi que les régimes au riz, à l'eau, au martini et au pamplemousse... La culture nord-américaine a même été jusqu'à créer des aliments diététiques pour chiens ! De plus, les consommateurs ont demandé et obtenu des appareils de gymnastique et des cours de conditionnement physique multiples, des restaurants où l'on sert de la cuisine diététique ainsi que des boissons gazeuses, des aliments et des édulcorants pauvres en calories. L'émission télévisée *Mademoiselle Swan,* où les concurrentes acceptent de subir plusieurs interventions de chirurgie esthétique et un entraînement intensif pour maigrir et avoir une plus belle apparence physique, tout comme elles acceptent d'être isolées de leurs familles pendant quatre mois, le temps de la métamorphose, témoigne de ces associations faites entre minceur, beauté, attrait physique et estime de soi.

Slim-Fast Optima

L'entreprise américaine Slim-Fast Food a lancé en 2005 son nouveau produit diététique Slim-Fast Optima sur le marché nord-américain. Elle envisage maintenant de l'introduire sur d'autres marchés. Slim-Fast Optima est une approche nouvelle et plus flexible de l'alimentation diététique personnalisée qui aide la personne à perdre du poids. Elle utilise une combinaison d'aliments courants et d'aliments de marque Slim-Fast, assortie d'un plan d'activités physiques adapté (pour obtenir plus de détails, visiter le site Web suivant : www.slim-fast.com).

La compagnie Slim-Fast Food vous embauche pour estimer les probabilités de succès du lancement de ce nouveau produit dans plusieurs cultures.

Questions

1. Déterminez au moins une culture qui devrait réagir positivement, selon vous, au nouveau produit. Vous discuterez de votre choix en recourant aux notions de valeurs, coutumes, traditions, mythes, religion et autres éléments ou canevas culturels d'action et d'interprétation étudiés dans le présent chapitre.

2. Reprenez la question précédente, mais en utilisant pour exemple une culture qui, selon vous, devrait réagir négativement.

3. À votre avis, les dimensions culturelles de Hofstede peuvent-elles être utiles pour choisir les pays où Slim-Fast Optima pourrait être commercialisé ? Si oui, lesquelles et pourquoi ?

1. J.-P. JEANNET et H.D. HENNESSEY, *Global Marketing Strategies,* 4ᵉ éd., Boston, N.Y., Houghton Mifflin Company, 1998; P.R. CATEORA et J.L. GRAHAM, *International Marketing,* 12ᵉ éd., Chicago, Ill., Irwin, 2005.

2. Pour en savoir plus sur la stratégie de marketing internationale de Pepsi-Cola, visiter le site suivant: www.pepsi.com.

3. Pour en savoir plus sur la compagnie Unilever, visiter le site suivant: www.unilever.com et voir le document SOCIAL. PDF, dans lequel Unilever expose sa stratégie par rapport aux différences sociales et culturelles.

4. Pour en savoir plus sur le concept de créolisation, consulter l'ouvrage suivant: E. ARNOULD, L. PRICE et G. ZINKHAN, *Consumers,* 2ᵉ éd., New York, McGraw-Hill, 2002.

5. B. DUBOIS, «Culture et marketing», *Recherche et applications en marketing,* vol. 2, nᵒ 1, 1987, p. 45-64; R. HOOVER, R.T. GREEN et J. SAEGERT, «A Cross-National Study of Perceived Risk», *Journal of Marketing,* juillet 1978, p. 102-108; E. HIRSCHMAN, «Black Ethnicity and Innovative Communication», *Journal of the Academy of Marketing Science,* vol. 8, printemps 1980, p. 100-108; E. HIRSCHMAN, «American Jewish Ethnicity: Its Relationship to Some Selected Aspects of Consumer Behavior», *Journal of Marketing,* vol. 45, été 1981, p. 102-110; J.M. MUSON et S.H. McINTYRE, «Developing Practical Procedures for the Measurement of Personal Values in Cross-Cultural Marketing», *Journal of Marketing Research,* vol. 16, février 1979, p. 48-52; G. McCRACKEN, «Culture and Consumption: A Theoretical Account of the Structure and Meaning of Consumer Goods», *Journal of Consumer Research,* vol. 13, 1986, p. 71-84.

6. Voir la référence de McCracken (1986) citée à la note 5.

7. A.L. KROEBER et C. KLUCKHOHN, «Culture: A Critical Review of Concepts and Definitions», *Papers of the Peabody Museum of America Archaeology and Ethnology,* vol. 47, nᵒ 1, Cambridge, Mass., Harvard University, 1952, p. 1-223.

8. L.L. LOUDON et A.J. DELLA BITTA, *Consumer Behavior: Concepts and Applications,* 4ᵉ éd., New York, McGraw-Hill, 1993; D.W. HOYER et D. MACINNIS, *Consumer Behavior,* 2ᵉ éd., Boston, N.Y., Houghton Mifflin Company, 2001; M. FILSER, *Le comportement du consommateur,* Paris, Éditions Dalloz, 1994; L.G. SCHIFFMAN et L.L. KANUK, *Consumer Behavior,* 8ᵉ éd., Upper Saddle River, N.J., Prentice-Hall, 2004.

9. E.B. TYLOR, *Primitive Culture,* London, John Murray, 1871.

10. Pour obtenir un complément d'information sur une vision émergente de la culture, voir l'ouvrage cité à la note 4.

11. Pour enrichir vos connaissances sur la théorie de la culture du consommateur, lire E.J. ARNOULD et C.J. THOMPSON, «Consumer Culture Theory (CCT): Twenty Years of Research», *Journal of Consumer Research,* vol. 31, mars 2005, p. 868-882.

12. Voir la référence de Dubois (1987) citée à la note 5, et celles de Loudon et Della Bitta (1993), Hoyer et MacInnis (2001), Filser (1994) et Schiffman et Kanuk (2004) citées à la note 8.

13. W.A. KAMAKURA et J.A. MAZZON, «Value Segmentation: A Model for the Measurement of Values and Values Systems», *Journal of Consumer Research,* vol. 18, septembre 1991, p. 208-218; J.M. MUSON et S.H. McINTYRE, «Developing Practical Procedures for the Measurement of Personal Values in Cross-Cultural Marketing», *Journal of Marketing Research,* vol. 16, février 1979, p. 48-52.

14. Voir la référence de Schiffman et Kanuk (2004) citée à la note 8.

15. F.M. NICOSIA et R.N. MAYER, «Toward a Sociology of Consumption», *Journal of Consumer Research,* vol. 3, septembre 1976, p. 65-75.

16. A.M. GREELEY, «The Success and Assimilation of Irish Protestants and Irish Catholics in the United States», *Scientific Sociological Review,* vol. 72, nᵒ 4, juillet 1988, p. 229-236; D. MONTERO, «The Japanese Americans: Changing Patterns of Assimilation Over Three Generations», *American Sociological Review,* vol. 46, décembre 1981, p. 829-839; M. WALLENDORF et M. REILLY, «Ethnic Migration, Assimilation and Consumption», *Journal of Consumer Research,* vol. 10, décembre 1983, p. 293-302; R. DESHPANDE, W.D. HOYER et N. DONTHU, «The Intensity of Ethnic Affiliation: A Study of the Sociology of Hispanic Consumption», *Journal of Consumer Research,* vol. 13, septembre 1986, p. 214-220; E.C. HIRSCHMAN, «Black Ethnicity and Innovative Communication», *Journal of the Academy of Marketing Science,* vol. 8, printemps 1980, p. 100-118; E.C. HIRSCHMAN, «American Jewish Ethnicity: Its Relationship to Some Selected Aspects of Consumer Behavior», *Journal of Marketing,* vol. 45, été 1981, p. 102-110; H. VALENCIA, «Developing an Index to Measure Hispanicness», dans E.C. HIRSCHMAN et M.B. HOLBROOK, dir., *Advances in Consumer Research,* vol. 12, Provo, Utah, Association for Consumer Research, 1985, p. 118-121; A. D'ASTOUS et N. DAGHFOUS, «The Effects of Acculturation and Length of Residency on Consumption-Related Behaviors and Orientations of Arab-Muslem Immigrants», *Annales du congrès de l'ASAC 1991,* Niagara Falls, 1991, p. 91-101; N. DAGHFOUS et E.J. CHÉRON, «The Impact of Acculturation on the Adoption of New Products in Cosmopolitan Markets», *Proceedings of the 1998 Multicultural Marketing Conference,* Montréal, 1998, p. 502-507.

17. M. ROKEACH, *The Nature of Human Values,* New York, Free Press, 1973.

18. W.A. HENRY, «Cultural Values Do Correlate With Consumer Behavior», *Journal of Marketing Research,* vol. 13, mai 1976, p. 121-127; R.E. PITTS et A.G. WOODSIDE, «Personal Values Influences on Consumer Product Class and Brand Preferences», *Journal of Social Psychology,* vol. 58, 1983, p. 193-198; L.R. KAHLE, *Attitudes and Social Adaptation: A Person-Situation Interaction Approach,* New York, Pergamon,

1984; L.R. KAHLE, « The Nine Nations of North America and the Value Basis of Geographic Segmentation », *Journal of Marketing,* vol. 50, avril 1986, p. 37-47; L.R. KAHLE, S.E. BEATTY et P. HOMER, « Alternative Measurement Approaches to Consumer Values: The List of Values (LOV) and Values and Life Style (VALS) », *Journal of Consumer Research,* vol. 13, décembre 1986, p. 405-409; P.F. KENNEDY, R.J. BEST et L.R. KAHLE, « An Alternative Method for Measuring Value-Based Segmentation and Advertising Positioning », dans L.H. JAMES and C.R. MARTIN Jr, dir., *Current Issues and Research in Marketing,* vol. 11, 1988, p. 130-155.

19. Voir l'article de Kamakura et Mazzon (1991) cité à la note 13 ainsi que les articles suivants: T.P. NOVAK, et B. MACEVOY, « On Comparing Alternative Segmentation Schemes: The List of Values (LOV) and Values and Life Styles (VALS) », *Journal of Consumer Research,* vol. 17, juin 1990, p. 105-109; M. ROKEACH et S.J. BALL-ROKEACH, « Stability and Change in American Value Priorities, 1968-1981 », *American Psychologist,* vol. 44, mai 1989, p. 775-784; W.A. KAMAKURA et T.P. NOVAK, « Value-System Segmentation: Exploring the Meaning of LOV », *Journal of Consumer Research,* vol. 19, juin 1992, p. 119-132.

20. Voir la référence de Rokeach (1973) citée à la note 17.

21. S. SCHWARTZ, « Universals in the Content and Structure of Values: Theoretical Advance and Empirical Tests in 20 Countries », dans M. ZANNA, dir., *Advances in Experimental Social Psychology,* 25, Academic Press, 1992, p. 1-65.

22. A. MITCHELL, *The Nine American Life Styles,* New York, Warner, 1983.

23. L.R. KAHLE, *Social Values and Social Change: Adaptation to Life in America,* New York, Praeger, 1983.

24. N. FEATHER, *Values in Education and Society,* New York, Free Press, 1975.

25. M. MOORE, « Rating Versus Ranking in the Rokeach Value Survey: An Israeli Comparison », *European Journal of Social Psychology,* vol. 5, 1975, p. 405-408.

26. L. PENNER et T. ANH, « A Comparison of American and Vietnamese Value Systems », *Journal of Social Psychology,* vol. 101, 1977, p. 187-204.

27. P. SINKA et O. SAYEED, « Values Systems », *Industrial Journal of Social Work,* vol. 40, 1979, p. 139-145.

28. R. COCHRANE, M. BILLING et M. HUGGS, « British Politics and the Two-Value Model », dans M. ROKEACH, dir., *Understanding Human Values,* New York, Free Press, 1979, p. 179-191.

29. R. ARELLANO, P. VALETTE-FLORENCE et A. JOLIBERT, « Le comportement de consommation d'énergie domestique: une analyse causale », dans *Actes du 4e congrès de l'Association française de marketing,* Montpellier, 5-6 mai 1988.

30. S.H. SCHWARTZ et W. BILSKY, « Toward a Universal Psychological Structure of Human Values », *Journal of Personality and Social Psychology,* vol. 53, n° 3, 1987, p. 550-562; S.H. SCHWARTZ et W. BILSKY, « Toward a Theory of the Universal Content and Structure of Values: Extensions and Cross-Cultural Replications », *Journal of Personality and Social Psychology,* vol. 58, n° 5, 1990, p. 878-891.

31. Voir la référence de Schwartz (1992) citée à la note 21.

32. Voir la référence de Mitchell (1983) citée à la note 22.

33. A.H. MASLOW, *Motivation and Personality,* New York, Harper, 1954.

34. Pour en savoir plus sur les segmentations VALS, visiter les sites suivants: www.sri.com et future.sri.com/VALS/VALSindex.shtml

35. Voir la référence de Kahle (1983) citée à la note 23.

36. Voir les références de Schwartz et Bilsky (1987, 1990) citées à la note 30.

37. Voir la référence de Kahle (1983) citée à la note 23.

38. T. MULLER, « Using Personal Values to Define Segments in an International Tourism Market », *International Marketing Review,* vol. 8, n° 1, 1991, p. 57-70.

39. Voir l'article de N. DAGHFOUS, J.V. PETROF et F. PONS, « The Influence of Values on New Products Adoption: A Cross-Cultural Study », dans *Proceedings of the 1998 Multicultural Marketing Conference,* Montréal, 1999, p. 502-507.

40. Voir l'article de Kamakura et Novak (1992), cité à la note 19.

41. G. HOFSTEDE, « National Cultures in Four Dimensions: A Research-Based Theory of Cultural Differences Among Nations », *International Studies of Management and Organization,* vol. 12, n°s 1-2, hiver 1983, p. 46-74.

42. Pour en savoir plus sur la découverte de la 5e dimension, « l'orientation à long terme », consulter la référence suivante: G. HOFSTEDE et M.H. BOND, « The Confucius Connection: From Cultural Roots to Economic Growth », *Organization Dynamics,* vol. 16, printemps 1988, p. 4-22.

43. G. HOFSTEDE, « Dimensions of National Cultures in Fifty Countries and Three Regions », dans *Explications in Cross-Cultural Psychology,* Lisse, Netherlands, Sweet and Zeiltinger, 1983.

44. H. SANG-PIL et S. SHAVITT, « Persuasion and Culture: Advertising Appeals in Individualistic and Collectivistic Societies », *Journal of Experimental Social Psychology,* vol. 30, 1994, p. 326-350.

45. Ce tableau a été tiré de l'article suivant: J.L. AAKER et D. MAHESWARAN, « The Effect of Cultural Orientation on Persuasion », *Journal of Consumer Research,* vol. 24, n° 3, 1997, p. 315-329.

46. Voir la référence de Aaker et Maheswaran (1997) citée à la note 45; F. ZANDPOUR et K.R. HARICH, « Think and Feel Country Clusters: A New Approach to International Advertising Standardization », *International Journal of Advertising,* vol. 15, n° 4, 1996, p. 325.

47. N. CHERYL et K. SIVAKUMAR, « National Culture and New Products Development: An Integrative Review », *Journal of Marketing,* vol. 60, janvier 1996, p. 61-72.

48. L.M. MILNER, D. FODNESS, et M.W. SPEECE, « Hofstede's Research on Cross-cultural Work-related Values: Implications for Consumer Behavior », dans W.F. VAN RAAIJ et G.J. BAMOSSY, dir., *European Advances in Consumer Research,* vol. I, Provo, Utah, Association for Consumer Research, 1993, p. 70-76.

49. Voir la référence de Zandpour et Harich (1996) citée à la note 46.

50. A. D'ASTOUS, A. CARÙ, O. KOLL et S.-P. SIGUÉ, « Moviegoers' Consultation of Film Reviews in the Search for Information: A Multi-Country Study », *International Journal of Arts Management,* vol. 7, n° 3, 2005, p. 32-45.

51. J. G. BLODGETT, A. BAKIR et G.M. ROSE, « A Test of the Validity of Hofstede's Cultural Framework », *Journal of Consumer Marketing,* vol. 25, n° 6, 2008, p. 339.

52. B. YOO, « Cross-National Invariance of the Effect of Personal Collectivistic Orientation on Brand Loyalty and Equity », *Asia Journal of Marketing and Logistics,* vol. 21, n° 1, 2008, p. 41-57.

53. « Saatchi and Saatchi Report Outlines Trends of the 1990s », *Marketing,* vol. 22, janvier 1991; voir aussi la référence de Rokeach et Ball-Rokeach (1989) citée à la note 19.

54. Pour le flou entourant la distinction entre la légende et le mythe, consulter le site suivant: www.britannica.com

55. M. WALLENDORF et E.J. ARNOULD, « We Gather Together: The Consumption Rituals of Thanksgiving Day », *Journal of Consumer Research,* vol. 18, juin 1991, p. 13-31.

56. R.W. BELK, « Halloween: An Evolving American Consumption Ritual », dans R. POLLAY, J. GORN et M. GOLDBERG, dir., *Advances in Consumer Research,* vol. 17, Provo, Utah, Association for Consumer Research, 1990, p. 508-517.

57. D. ROOK, « The Ritual Dimension of Consumer Behavior », *Journal of Consumer Research,* vol. 12, décembre 1985, 251-264.

58. Voir la référence de McCracken (1986) citée à la note 5.

59. T.G. GABEL, P. MANSFIELD et K. WESTBROOK, « The Disposal of Consumers: An Exploratory Analysis of Death-Related Consumption », dans K.P. CORFMAN et J.G. LYNCH Jr., dir., *Advances in Consumer Research,* vol. 23, Provo, Utah, Association for Consumer Research, 1996, p. 361-367.

60. R.W. BELK, M. WALLENDORF et J.F. SHERRY Jr, « The Sacred and the Profane in Consumer Behavior: Theodicy on the Odyssey », *Journal of Consumer Research,* vol. 16, juin 1989, p. 1-38.

61. S.J. LEVY, « Symbols for Sale », *Harvard Business Review,* vol. 37, juillet-août 1959, p. 117-124; S.J. LEVY, « The Symbolic Analysis of Companies, Brands and Customers », *Twelfth Annual Albert Wesley Frey Lecture,* University of Pittsburgh, Pa., avril 1980; M.R. SOLOMON, « The Role of Producer as Social Stimuli: A Symbolic Interactionism Perpective », *Journal of Consumer Research,* vol. 10, décembre 1983, p. 314-329.

62. Voir l'ouvrage de Jeannet et Hennessey (1998) cité à la note 1 et consulter ces autres références: G.J. TRIFONOWITCH, « Culture Learning/Culture Teaching », *Educational Perspectives: Journal of the College of Education,* University of Hawaii, vol. 16, n° 4, décembre 1977, p. 1-5; R.A. KUSTIN, « A Cross-Cultural Study of a Global Product in Israel and Australia », *International Marketing Review,* vol. 10, n° 5, 1994, p. 4-13.

63. R. TOFFOLI et M. LAROCHE, « Cultural and Language Effects on the Perception of Source Honesty and Forcefulness in Advertising: A Comparison of Hong Kong Chinese and Anglo Canadian », *Proceeding of the Multicultural Annual Conference of The American Marketing Science,* Montréal, 1998.

64. H. VALANCIA, « Point of View: Avoiding Hispanic Market Blunders », *Journal of Advertising Research,* vol. 23, n° 6, 1984, p. 19-22.

65. Voir l'article de Toffoli et Laroche (1998), cité à la note 63.

66. Pour en savoir plus sur la marque de voiture NOVA, visiter le site suivant: http://books.google.com

67. Pour en savoir plus sur la marque de dentifrice Cue, visiter le site suivant: www. frostbytes.com

68. Pour en savoir plus sur la marque Alcatel, visiter le site suivant: www.alcatel.com/consumer

69. P.A. HERBIG, « Handbook on Cross-Cultural Marketing », *The International Business Press,* New York, London, 1997; C.E. HIRSCHMAN, « Religious Affiliation and Consumption Process: An Initial Paradigm », *Research in Marketing,* Greenwich, Conn., JAI Press, 1983, p. 131-170.

70. Voir les références suivantes: Hirschman (1981) citée à la note 5, Jeannet et Hennessey (1998) ainsi que Cateora et Graham (2005) citées à la note 1.

71. Voir la référence de Hirschman (1981) citée à la note 5.

72. Voir la référence de Jeannet et Hennessey (1998) citée à la note 1.

73. Pour en savoir plus sur la culture arabo-musulmane, visiter le site suivant: www.tn.refer.org

74. K. SINGH, « Fried Chicken's Fearsome Foes », *Far Eastern Economic Review,* Hong Kong, vol. 159, 1996, p. 30.

75. A. D'ASTOUS et S.A. AHMED, « The Importance of Country Images in the Formation of Consumer Product Perceptions », *International Marketing Review,* vol. 16, n° 2, 1999, p. 108-125 ; S.A. AHMED et A. D'ASTOUS, « Country-of-Origin and Brand Effects : A Multi-Dimensional and Multi-Attribute Study », *Journal of International Consumer Marketing,* vol. 9, n° 2, 1996, p. 93-115 ; S.A. AHMED, A. D'ASTOUS et S. LEMIRE, « Country-of-Origin Effects in the U.S. and Canada : Implications for the Marketing of Products Made in Mexico », *Journal of International Consumer Marketing,* vol. 10, n°s 1-2, 1998, p. 73-92.

76. Voir l'article de Ahmed, d'Astous et Lemire (1998) cité à la note 75.

77. Voir l'article de d'Astous et Ahmed (1999) cité à la note 75.

78. Pour en savoir plus sur les marques de produits alimentaires retenues par les Américains, visiter les sites suivants :

www.folgers.com
www.kelloggs.com
www.bestfoods.com
www.heinz.com
www.cocacola.com
www.pepsi.com

79. Pour en savoir plus sur les marques de voitures retenues par les Européens, visiter les sites suivants :

www.renault.com
www.vw.com
www.mercedes.com
www.bmw.com
www.volvo.com
www.jaguar.com
www.rolls-royceandbentley.co.uk
www.fiat.fr
www.alfaromeo.com
www.peugeot.com

80. Pour en savoir plus sur les marques de produits électroniques et de haute technologie retenues par les Japonais, visiter les sites suivants :

www.sony.com
www.playstation.com
www.sanyo.com
www.suzuki.com
www.mitsubishi.com

81. World Development Indicators, 2000.

82. Pour obtenir des exemples, visiter le site suivant : www.MTV.com

83. S.P. DOUGLAS, « Cross-National Comparison and Consumer Stereotypes : A Case study of Working and Non-Working Wives in the U.S. and France », *Journal of Consumer Research,* vol. 3, n° 1, 1976, p. 12-20.

84. J.J. BODDEWYN, *Comparative Management and Marketing,* Glenview, Ill., Scott, Foresman & Co, 1969 ; J.J. BODDEWYN, « Comparative Marketing : The First Twenty-Five Years », *Journal of International Business Studies,* printemps/été 1981, p. 61-79 ; voir aussi la référence de Jeannet et Hennessey (1998) et celle de Cateora et Graham (2005) citées à la note 1.

85. S.P. DOUGLAS et C.D. URBAN, « Life-Style Analysis to Profile Women in International Markets », *Journal of Marketing,* vol. 41, juillet 1977, p. 46-54.

86. G. ALBAUM et R.A. PETERSON, « Empirical Research in International Marketing, 1976-1982 », *Journal of International Business Studies,* printemps/été 1984, p. 161-173.

87. H.C. TRIANDIS et J.W. BERRY, *Handbook of Cross-Cultural Psychology : Methodology,* Boston, Allyn and Bacon, 1980.

88. M. WALLENDORF et E.J. ARNOULD, « My favorite Things : A Cross Cultural Inquiry Into Object Attachment, Possessiveness, and Social Linkage », *Journal of Consumer Research,* vol. 14, mars 1988, p. 531-547.

89. Voir la référence de Kahle (1983) citée à la note 23.

90. Voir la référence de Rokeach (1973) citée à la note 17.

91. Voir la référence de Mitchell (1983) citée à la note 22.

92. G. ALBAUM et R.A. PETERSON, « Empirical Research in International Marketing, 1976-1982 », *Journal of International Business Studies,* printemps/été 1984, p. 161-173 ; J.A. MCCARTY, « Current Theory and Research on Cross-Cultural Factors in Consumer Behavior », *Advances in Consumer Research,* vol. 16, 1989, p. 127-129.

93. T. LEVITT, « The Globalization of Markets », *Harvard Business Review,* vol. 61, mai/juin 1983, p. 92-102 ; J. WHITELOCK et C. PIMBELT, « The Standardisation Debate in International Marketing », *Journal of Global Marketing,* vol. 10, n° 3, 1997, p. 45-67.

94. Voir la référence de Cateora et Graham (2005) citée à la note 1.

95. K.M. EKSTRÖM, « Revisiting the Family Tree : Historical and Future Consumer Behavior Research », *Academy of Marketing Science Review,* vol. 1, 2003, p. 1-29.

96. Pour en savoir plus sur l'approche ethnographique, consulter les références suivantes: P. ATKINSON et M. HAMMERSLEY, *Ethnography: Principles in Practice,* 2e éd., London, New York, Routledge, 1995, p. 323; D. GÉRIN-LAJOIE, «L'approche ethnographique comme méthodologie de recherche dans l'examen du processus de construction identitaire», *Canadian Modern Language Review,* vol. 59, nº 1, septembre 2002; D. LEONARD-BARTON, E. WILSON et J.F. RAYPORT, «Spark Innovation Through Empathic Design», *Harvard Business Review,* novembre-décembre 1997, p. 102-113; J. VAN MAANEN, *Representation in Ethnography,* Newbury Park, Calif., Sage Publications, 1995.

97. Pour une étude des rituels de consommation lors de l'Action de grâce, revoir la référence citée à la note 55; pour une étude de la consommation de l'Ouest américain, lire R.W. BELK et J.A. COSTA, «The Mountain Men Myth: A Contemporary Consuming Fantasy», *Journal of Consumer Research,* vol. 25, décembre 1998, p. 218-240; pour lire sur la consommation de *Star Trek,* consulter l'étude de R.V. KOZINETS, «Utopian Enterprise: Articulating the Meanings of Star Trek's Culture of Consumption», *Journal of Consumer Research,* vol. 28, 2001, p. 67-88; pour en savoir plus sur la sous-culture de consommation des motards, voir la référence suivante: J.W. SCHOUTEN et J.H. MCALEXANDER, «Subcultures of Consumption: An Ethnography of The New Bikers», *Journal of Consumer Research,* vol. 22, juin 1995, p. 43-61.

98. Pour en savoir plus sur les différentes sources de données dans une ethnographie, consulter E.J. ARNOLD et M. WALLENDORF, «Market Oriented Ethnography: Interpretation Building and Marketing Strategy», *Journal of Marketing Research,* vol. 31, 1994, p. 484-504.

99. Pour approfondir le double aspect EMIC-ETIC des études ethnographiques, voir l'article cité à la note 98.

L'influence des sous-cultures

Introduction

Nous avons vu au chapitre 8 que le consommateur s'imprègne de la culture de la société dans laquelle il évolue, c'est-à-dire qu'il se familiarise avec les valeurs, les normes, les rites et les rituels, la langue, les symboles culturels, la religion et tout autre élément qui caractérise une culture donnée, ce qui influencera de façon notable son comportement. La citation qui introduit ce chapitre, tirée du site de l'Association des agences de publicité du Québec, est une bonne illustration du caractère déterminant de la compréhension de ce phénomène lorsqu'on désire réussir sur un marché. La culture dicte à l'individu la manière de vivre en société. Elle le guide notamment dans le choix des produits qu'il consomme, dans les croyances et les attitudes qu'il forme, et même dans les connaissances qu'il acquiert. Or, il se trouve que cet apprentissage n'est pas homogène parmi les membres d'une société, donnant lieu à la formation de groupes de consommateurs ayant des comportements similaires entre eux mais différents des autres groupes. D'où le concept de **sous-culture**.

Pour se faire comprendre des Québécois, un annonceur doit donc leur parler comme s'il était lui-même québécois.

Sous-culture

Segment d'une même société qui s'identifie lui-même ou est identifié par les autres à un groupe distinct[1], ayant des comportements qui lui sont particuliers[2], des caractéristiques culturelles (normes, valeurs, symboles, etc.) différentes de celles du groupe dominant ou de celles des descendants légitimes des fondateurs de la nation prédominante[3].

Les consommateurs qui adhèrent aux normes et aux valeurs d'une culture peuvent néanmoins adopter, de façon plus pointue, celles d'une sous-culture qui se trouve à l'intérieur de la première. Il n'est pas exclu qu'une culture soit considérée elle-même comme une sous-culture d'une culture plus large. C'est le cas des Canadiens français et des Canadiens anglais, qui sont des sous-cultures de la culture canadienne, laquelle est elle-même une sous-culture de la culture nord-américaine qui, à son tour, peut être considérée comme une sous-culture de la culture occidentale. Les entreprises qui exercent leurs activités dans des marchés culturellement hétérogènes expriment un besoin urgent de mieux comprendre les comportements de consommation des différentes sous-cultures qui y vivent, afin d'adapter leurs actions commerciales en conséquence. La segmentation de ce type de marché apparaît souvent comme la meilleure des solutions[4]. Il s'agit alors de trouver la base de segmentation qui soit la plus favorable à ces entreprises pour rendre plus efficace leur gestion marketing, notamment leurs politiques de produits et de services, de prix, de distribution et de communication.

Les sous-cultures peuvent être présentées sous plusieurs dimensions. Certaines relèvent de l'origine ethnique, qu'elle soit raciale, nationale ou religieuse – par exemple, les Noirs aux États-Unis, les Italiens ou les Juifs au Canada, les anglophones au Québec. D'autres sous-cultures font référence à l'âge (les personnes âgées), à l'orientation sexuelle (la communauté homosexuelle de Montréal), au revenu (les démunis[5]) ou encore à un champ d'intérêt (les internautes[6]). Dans ce chapitre, nous avons choisi de mettre l'accent sur certaines sous-cultures qui apparaissent importantes dans le contexte canadien : les groupes ethniques, les personnes âgées et les personnes démunies.

9.1 Les groupes ethniques

Un **groupe ethnique** peut être défini comme un groupe de personnes ayant pour caractéristiques communes une origine nationale, linguistique, religieuse ou raciale non conforme à la norme établie par les individus qui se réclament des descendants légitimes des fondateurs de la nation prédominante[7]. La référence ethnique d'un groupe fait donc appel à une ou à plusieurs des trois dimensions que sont la race, la religion et la nationalité. Un groupe **racial** est formé d'individus qui possèdent des caractéristiques biologiques similaires à l'intérieur du groupe, et distinctes des autres groupes. Au Canada, les minorités raciales les plus importantes sont les Noirs et les Asiatiques. Par ailleurs, un groupe **religieux** est composé d'individus qui partagent une confession différente de celle partagée par le groupe dominant, ou reconnu comme tel par la Constitution du pays. Au Canada, les communautés juives et musulmanes sont les plus présentes à côté du groupe chrétien dominant. Enfin, la dimension **nationale** d'un groupe renvoie au pays de migration d'origine. Au Canada, les personnes d'origine italienne constituent le groupe d'immigrants le plus ancien. C'était aussi le groupe le plus nombreux jusqu'à récemment.

Le paysage ethnique canadien

Les 20 dernières années ont été marquées au Canada par l'émergence d'un nouveau phénomène que l'Europe occidentale et les États-Unis connaissent depuis plusieurs décennies : le développement de marchés cosmopolites. Un **marché cosmopolite** est un groupement de consommateurs possédant des origines ethniques différentes. En supposant que chaque ethnie projette au moins un système de valeurs dominant, ce groupement de consommateurs constitue alors un marché culturellement hétérogène. Depuis le début des années 1990, la croissance démographique de la société canadienne repose plus sur l'immigration que sur la natalité, et cette situation va en s'accentuant. Ainsi, de 2001 à 2006, le taux de croissance de la population issue de l'immigration a été de 27,2 %, soit cinq fois plus que le taux enregistré pour l'ensemble de la population, qui n'était alors que de 5,4 %[8]. Lors du recensement de 2006, les immigrants représentaient 19,8 % de la population canadienne, soit 6,2 millions de personnes, ce qui correspond à une augmentation du nombre d'immigrants de 14,6 % par rapport à 2001. Également, en 2006, presque 6,15 millions des 31 millions de Canadiens ont déclaré avoir ou utiliser une langue maternelle (c'est-à-dire la première langue apprise à la maison) autre que le français ou l'anglais, ce qui représente une hausse de 30 % par rapport à 2001, et Statistique Canada prévoit qu'en 2017, 20 % de la population fera partie des minorités visibles et que près de la moitié seront des Sud-Asiatiques ou des Chinois. Au niveau pancanadien, notons, à côté des sinophones, la croissance phénoménale des groupes ethniques de langues pendjabi, arabe et tagalog, due à la hausse des immigrants en provenance d'Asie Mineure, du Moyen-Orient et d'Afrique du Nord. Au niveau de la province du Québec, ce sont surtout les Arabes et les Latino-Américains qui affichent la plus forte croissance parmi les minorités visibles. Le recensement de 2006 a dénombré 181 000 Arabes et 89 500 Latino-Américains, soit une hausse respective par rapport à 2001 de 300 % et 50,4 %. La figure 9.1 donne les proportions en 2006 des immigrants dans la population totale de chaque province. Alors que l'Ontario et la Colombie-Britannique affichent les proportions d'immigrants les plus élevées du pays, le Québec se trouve à la cinquième place, avec 11,5 % de sa population issue de l'immigration.

FIGURE 9.1 La proportion d'immigrants dans la population totale de chaque province

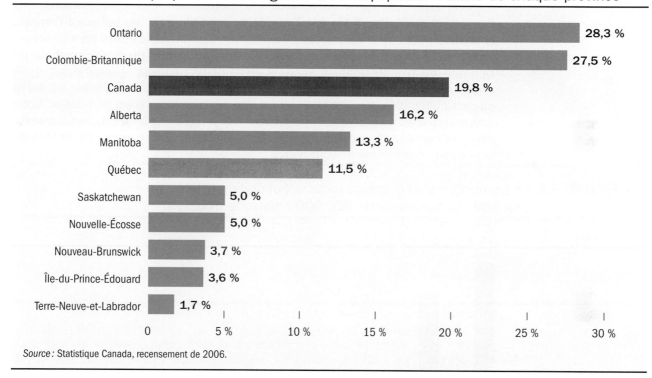

Source : Statistique Canada, recensement de 2006.

Les nouveaux arrivants ont contribué à la diversité culturelle qui caractérise le Canada depuis sa création. Les Autochtones, dont nous avons présenté certaines traditions culturelles au chapitre précédent, ont été les premiers habitants du Canada. Aux membres des Premières Nations et aux Inuits déjà présents se sont ajoutés les Métis après la colonisation du pays. Mentionnons qu'il y a aujourd'hui plus de 53 langues distinctes encore parlées par les Autochtones, qui s'efforcent de maintenir la culture qui leur est propre. Par la suite, des colons venus de France, des îles Britanniques, de l'Allemagne, puis des colons britanniques venus des États-Unis ont aussi participé à la construction du pays. Aujourd'hui, le Canada est considéré comme une véritable mosaïque culturelle, où chaque groupe ethnique est encouragé à préserver ses particularités dans le respect des droits et des obligations prévus par la loi. Cette vision contraste avec le modèle américain du *melting-pot,* où chaque nouveau venu doit perdre sa spécificité culturelle et son identité ethnique au profit d'une identité nationale, tout en donnant le meilleur de lui-même à son nouveau pays[9].

Les immigrants qui arrivent au Canada préfèrent généralement s'installer dans les grandes villes telles que Montréal, Toronto et Vancouver. En 2017, 95 % des minorités visibles seraient installées dans les régions métropolitaines de recensement (RMR). Ils sont en effet attirés par les commodités de la vie offertes aux étrangers, principalement un paysage ethnique plus intégrateur et des occasions d'emploi relativement abondantes. La figure 9.2 illustre la proportion d'immigrants dans la population totale des RMR de 300 000 habitants et plus au Canada. Les chiffres montrent clairement l'attrait évident pour les nouveaux arrivants que représentent des villes comme Toronto (45 % de sa population étant immigrante), Vancouver (39 %), Calgary (23 %) et Montréal (21 %). De manière plus précise, le tableau 9.1 montre la distribution ethnique des cinq plus grandes métropoles canadiennes selon la langue maternelle. On comprend l'importance des concentrations ethniques qui caractérisent ces métropoles : celles des Italiens, des Français et des Arabes à Montréal, ou encore des Chinois et des Italiens à Toronto, et enfin des Chinois à Vancouver. Pour ces néo-Canadiens, les grandes villes reflètent l'image fascinante qu'ils se faisaient de l'Amérique du Nord, symbole de richesse, de luxe, de bonheur social et de haute technologie. Il serait donc préférable, lorsqu'on parle de marché cosmopolite en général et du contexte canadien en particulier, d'étudier des RMR plutôt que des provinces dans leur entier. Nous avons choisi de nous attarder maintenant sur la RMR de Montréal, puisque cette dernière constitue le premier marché cosmopolite au Québec, accueillant 86 % de la population ethnique de la province.

FIGURE 9.2 La proportion d'immigrants dans la population totale des RMR canadiennes de 300 000 habitants et plus

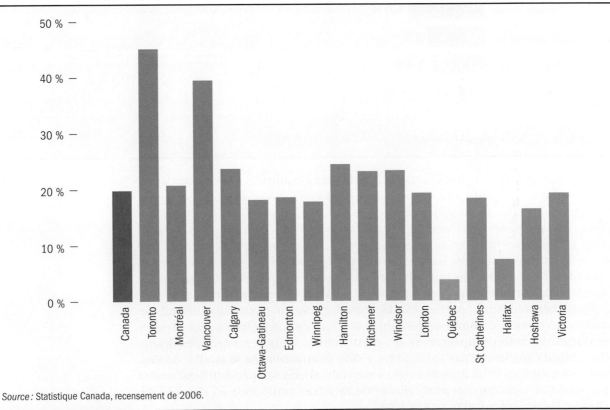

Source : Statistique Canada, recensement de 2006.

TABLEAU 9.1 La répartition ethnique et la taille des principaux groupes dans les grandes métropoles canadiennes

	Montréal	Vancouver	Toronto	Calgary	Edmonton
POPULATION TOTALE	**3 588 520**	**2 097 965**	**5 072 075**	**1 070 295**	**1 024 820**
Origine nord-américaine	1 747 070	296 895	680 990	223 205	204 540
Origine des Îles Britanniques	394 785	753 215	1 331 485	492 045	436 245
Origine française	936 990	138 150	243 670	109 930	131 810
Origine italienne	260 345	76 345	466 155	33 650	28 805
Origines autochtones	85 060	59 110	78 455	41 785	70 120
Origine de l'Asie de l'Est et du Sud-Est	156 135	584 895	843 850	126 895	89 385
Origine de l'Asie du Sud	74 095	208 535	713 630	60 025	41 175
Origine allemande	78 315	203 715	259 020	182 940	196 576
Autres origines ethniques	180 860 (Maghreb et Moyen-Orient) 124 630 (Caraïbes) 83 655 (Amériques latine, centrale et du Sud)	113 270 (Scandinavie) 83 765 (Philippines) 81 725 (Ukraine)	305 625 (Caraïbes) 160 450 (Afrique sub-saharienne) 26 380 (Maghreb et Moyen-Orient)	81 580 (Scandinavie) 76 240 (Ukraine)	144 615 (Ukraine) 67 520 (Pologne)

Source : Statistique Canada, recensement de 2006[10].

La région métropolitaine de Montréal : une dimension cosmopolite

Partagée entre ses deux majorités française et anglaise, Montréal est devenue au cours du XXe siècle une véritable ville cosmopolite[11]. Sa population immigrante est passée de 321 091 en 1961 à 656 060 en 1996, puis à 740 355 personnes en 2006, soit 20,6 % de la population totale. Autrement dit, en 45 ans, la taille de cette population a plus que doublé. À l'exemple de plusieurs centres métropolitains de la planète, tels que Toronto, New York, Miami, Paris, Londres, Dakar ou Hong-Kong, Montréal offre aujourd'hui une diversité culturelle digne du qualificatif de village global.

Le paysage ethnique de la région métropolitaine de recensement (RMR) de Montréal est dominé par la présence de personnes d'origine européenne, qui représentent plus de 50 % de la population. Ce groupe est constitué principalement de Français (26,1 %), de Britanniques (11,0 %) et d'Italiens (7,2 %). Les personnes provenant du Maghreb et du Moyen-Orient, notamment du Maroc, de l'Algérie, de l'Égypte et du Liban, représentent 5 % de la population montréalaise. Enfin, ceux originaires d'Asie de l'Est et du Sud-Est (Chine et Viêtnam), et ceux de l'Asie du Sud (Inde et Pakistan) représentent respectivement 4,3 %, et 2,1 % de la population de la RMR de Montréal.

D'après les données du recensement de 2006, on constate en outre que 80 % des groupes ethniques vivant dans la région métropolitaine de Montréal ont choisi de s'installer dans la communauté urbaine de Montréal (CUM). Par ailleurs, certains arrondissements comme Ville Saint-Laurent et Saint-Léonard affichent un caractère ethnique relativement plus homogène, le premier étant le quartier privilégié par les immigrants en provenance du Maghreb et du Moyen-Orient, alors que le second est le lieu de concentration des Italiens.

En ce qui concerne le profil sociodémographique des communautés ethniques de la région métropolitaine de Montréal, à quelques exceptions près, la tendance générale semble indiquer que la proportion d'hommes est légèrement supérieure à celle des femmes et que celle des personnes qui travaillent dans le secteur manufacturier est relativement plus élevée. Les confessions religieuses sont variées. On y retrouve des catholiques (les Italiens, les Grecs, les Haïtiens, etc.), des protestants (les Irlandais), des juifs (les Polonais, les Français, les Africains du Nord, etc.), des musulmans (les Maghrébins, les Orientaux, les Africains de l'Ouest, etc.) et des bouddhistes (les Indiens, les Vietnamiens, etc.). Le tableau 9.2 trace brièvement le portrait de six grandes communautés culturelles du marché ethnique de la RMR de Montréal, présentées en fonction du pays de migration.

TABLEAU 9.2 Le portrait général de quelques grandes communautés ethniques de la région métropolitaine de recensement de Montréal

Groupe ethnique	Pourcentage dans la population de la RMR de Montréal	Principaux traits du groupe
Français	26,1 %	Il s'agit d'une immigration pionnière essentiellement masculine qui remonte à l'origine du pays. Aujourd'hui, les immigrants venant de la France ont un niveau de scolarité relativement élevé et se dirigent vers des emplois de services, surtout l'enseignement et la santé.
Italiens	7,2 %	Avec une immigration qui remonte à plusieurs siècles, cette communauté a su constituer un réseau économique fermé et quasi autonome. Elle est composée de travailleurs de scolarité moyenne œuvrant dans divers secteurs d'emploi.
Haïtiens	2,4 %	Socialement hiérarchisé et doté d'une forte représentation féminine, ce groupe est fondé sur un premier flot d'immigrants très scolarisés, et d'un second de classe moyenne ou paysanne. Il est en majorité francophone et compte des travailleurs œuvrant surtout dans le secteur de la santé et des services sociaux.
Chinois	2,3 %	C'est l'une des communautés grandissantes des 20 dernières années. Il s'agit d'une population jeune, formée de plus de femmes que d'hommes et en majorité sans aucune appartenance religieuse. 25 % des Chinois sont titulaires d'un grade universitaire et sont plus susceptibles de travailler dans les domaines scientifiques et techniques. La majorité des Chinois éprouvent un sentiment d'appartenance au Canada.
Grecs	1,7 %	L'arrivée des premiers Grecs, provenant de familles aisées, date du début du siècle. Cette communauté est centrée sur les institutions mises en place, qui reflètent leurs valeurs religieuses et leurs traditions. On trouve les travailleurs en grand nombre dans la restauration et l'hébergement.
Libanais	1,4 %	La vague d'immigration la plus forte qui s'est produite depuis 1985 a hissé cette communauté parmi les plus importantes à Montréal. Ses membres ont un niveau d'instruction généralement élevé. La plupart des Libanais travaillent dans le commerce de détail.

De cette vue d'ensemble du marché ethnique montréalais, nous retenons deux caractéristiques majeures : sa taille et son taux de croissance non négligeables. Il est certain qu'un tel marché regorge d'un potentiel intéressant et prometteur, ce qui a d'ailleurs poussé les chercheurs et les professionnels en marketing à s'y intéresser et à étudier ses comportements de consommation. La capsule 9.1, tirée d'un article du journal *Les Affaires,* illustre les occasions d'affaires créées par les tendances démographiques des dernières décennies à Montréal.

CAPSULE 9.1

Les marchés ethniques à Montréal et les occasions d'affaires

Depuis la fin des années 1970, les données démographiques au Québec laissaient croire à une croissance guidée beaucoup plus par l'immigration que par les naissances, poussant ainsi vers une expansion rapide des marchés ethniques. Seulement de 2000 à 2010, la province a enregistré l'arrivée de 400 000 nouveaux immigrants qui sont venus garnir ces marchés. Toutefois, très peu d'hommes d'affaires ont osé s'y aventurer, mais ceux qui l'ont fait ont pris désormais une longueur d'avance.

C'est le cas de monsieur Assaad Abdelnour qui, en débarquant au Québec au début des années 1980, a été l'un des premiers à flairer l'occasion d'affaires qu'engendre cette tendance démographique. Depuis, l'homme d'affaires d'origine libanaise gère à Laval les destinées de Clic Import Export Inc., une entreprise ayant amorcé ses activités par l'importation et la distribution de produits alimentaires recherchés par les communautés culturelles. Selon le vice-président des ventes marketing chez Clic, « les nouveaux arrivants cherchent à se sécuriser au moyen des choses qu'ils connaissent. Et c'est souvent par le ventre que ça commence ». Aujourd'hui, Clic compte 1400 produits à saveur ethnique, emploie plus de 115 personnes, et présente un chiffre d'affaires de plus de 25 millions de dollars, dont la moitié est réalisée auprès des différentes communautés culturelles.

D'autres entreprises québécoises ont emboîté le pas en s'attaquant aux marchés ethniques montréalais devenus de plus en plus hétérogènes. En effet, ce ne sont plus uniquement les Italiens ou les Grecs, venus au milieu du siècle dernier, qui cohabitent avec les communautés francophones et anglophones originaires du pays. L'immigration est devenue multinationale, multilingue et multiconfessionnelle. Aujourd'hui, à Montréal seulement, on dénombre environ 80 communautés différentes. La tâche des entreprises qui visent ces marchés est rendue plus difficile.

Le Centre Avibier, une entreprise de charcuterie fine de Saint-Cyprien, près de Rivière-du-Loup, veut percer le marché ethnique avec ses produits de volaille et de gibier. Elle vend de la pintade aux Portugais, du pigeonneau aux Italiens et de la perdrix aux Chinois. Pour ces derniers, il est indispensable de laisser la tête et les pattes à la volaille, sinon ils n'achèteront jamais le produit.

La maison funéraire Urgel Bourgie opérait normalement, même après l'immigration massive des Italiens et des Grecs. Cela n'a plus été le cas avec l'arrivée des musulmans, des juifs ou des bouddhistes, dont les rites et rituels reliés aux services funéraires sont aussi différents que variés. Pour s'adapter à cette nouvelle réalité, l'entreprise a ouvert cinq complexes dans la région de Montréal. Dans certains, elle a aménagé une salle de nettoyage du défunt selon la foi musulmane, dans d'autres, elle a prévu des tables particulières pour les offrandes faites à Bouddha ainsi qu'au défunt par les familles bouddhistes. En plus, un système de ventilation leur permet, comme le veut la tradition, de brûler en quantité de l'argent de papier à l'intérieur même du salon.

La Fromagerie Cayer de Saint-François-Xavier-de-Brompton, en Estrie, qui fabrique les fromages Farmer et Cheddar pour la compagnie Liberté, reçoit la visite mensuelle d'un rabbin qui s'assure de la conformité des produits fabriqués aux normes *casher* des juifs. Entre autres choses, l'usine doit avoir cessé toute opération pendant 24 heures avant la fabrication du fromage destiné à la communauté juive. Pour la compagnie Liberté, c'est la condition *sine qua non* pour rejoindre la communauté juive de Montréal.

Enfin, dans le domaine des solutions marketing, l'agence publicitaire Ethnique Media se propose d'offrir des services de planification, d'analyse et de gestion des campagnes de communication orientées vers les communautés ethniques à Montréal et à Toronto. En plus d'établir des partenariats stratégiques avec plus de 450 médias ethniques, toutes langues et origines nationales confondues (journaux, revues, chaînes de télévision, radio et médias en ligne), Ethnique Media conçoit aussi ses propres produits, notamment des publications papier, des journaux en ligne, des blogues et des forums sur Internet. Pour l'entreprise, c'est la meilleure façon de s'assurer qu'elle reste toujours près de sa clientèle, de palper le pouls des marchés ethniques et surtout des consommateurs.

Cependant, l'ensemble de ces adaptations en vue de satisfaire les besoins de chaque groupe ethnique implique des coûts. C'est à l'entreprise qui désire s'engager d'en faire préalablement l'analyse de rentabilité.

Sources : M. JOLICŒUR, « Tendances d'un siècle à l'autre », *Les Affaires,* 23 octobre 1999 ; Ethique Media, [En ligne], www.ethniquemedia.ca (Page consultée le 24 mars 2010)

Le comportement de consommation des groupes ethniques

La majorité des recherches sur le comportement de consommation des groupes ethniques a été effectuée aux États-Unis. Ces études s'intéressaient principalement aux Noirs et aux Hispaniques, et très peu aux Asiatiques. Au Canada, ce sont les Canadiens anglais et les Canadiens français qui ont capté l'attention des chercheurs dans ce domaine. On note tout de même quelques travaux portant sur les Italiens, les Grecs, les Français, les Portugais, les Haïtiens et les Arabo-musulmans maghrébins[12]. Signalons que, dans ces recherches, la notion de groupe ethnique est appréhendée de différentes façons. Parfois, la race apparaît en tant que critère d'identification (par exemple, les Noirs), d'autres fois, c'est l'origine nationale qui définit le groupe ethnique (par exemple, les Mexicains) ou encore la confession religieuse (par exemple, les juifs). Nous tenterons, dans les pages qui suivent, de faire ressortir les principales conclusions des travaux réalisés en comportement du consommateur qui portent sur les groupes ethniques aux États-Unis et au Canada.

Les communautés ethniques aux États-Unis

La prolifération des recherches en marketing sur les communautés ethniques aux États-Unis remonte aussi loin qu'à la fin des années 1940. Dès les années 1950, toutes sortes d'industries (alimentaire, automobile, etc.) sollicitent des études de marché sur les Noirs[13]. Cette demande s'est accrue avec l'arrivée des Latino-Américains et des Chinois, qui se sont imposés de manière définitive au tournant des années 1980. Notons que la plupart des chercheurs entreprennent des études comparatives entre les consommateurs américains de souche blanche, d'une part, et ceux de race noire, ou d'origine latino-américaine ou asiatique, d'autre part. Bien que plusieurs d'entre elles fassent ressortir des différences significatives, leurs conclusions sont souvent contradictoires[14].

À cette étape, il est nécessaire de préciser que les tendances de **consommation ethnique** qui ressortent ne se limitent parfois qu'à une catégorie du groupe ethnique. Il serait par conséquent délicat de les attribuer à tous les consommateurs du groupe. Ainsi, les différences de valeurs et de styles de vie qui caractérisent les membres d'un groupe ethnique, ajoutées aux différences sociodémographiques, sont à l'origine de comportements de consommation différents. En fait, la race ou la nationalité est donc apparue comme constituant une explication certes intéressante, mais peu convaincante des habitudes de consommation particulières des groupes ethniques aux États-Unis. De plus, aucune des recherches recensées ne démontre que tous les individus étudiés dans un groupe ethnique s'identifient en tant que membres d'une seule et même communauté. La possibilité de trouver des sous-cultures au sein même des groupes de Noirs, de Latino-Américains ou d'Asiatiques ne peut plus être ignorée.

Le groupe des Canadiens français au Canada

Au Canada, les francophones constituent le plus grand groupe ethnique après les anglophones. L'importance de ce groupe n'a cessé de croître depuis la création du pays en 1867. Aujourd'hui, ce marché représente 21,8 % de la population totale du Canada, et la majorité est concentrée au Québec, au Nouveau-Brunswick et en Ontario. Le tableau 9.3 présente la concentration des francophones dans les différentes provinces, selon les données du recensement de 2006.

TABLEAU 9.3 🐾 L'importance des populations francophone et anglophone au Canada et dans les différents territoires et provinces

Province ou territoire	Anglophones	Francophones	Autres
Canada	**57,2%**	**21,8%**	**21,0%**
Terre-Neuve-et-Labrador	97,6%	0,4%	2,0%
Île-du-Prince-Édouard	93,3%	4,0%	2,7%
Nouvelle-Écosse	92,1%	3,6%	4,3%
Nouveau-Brunswick	64,4%	32,4%	3,2%
Québec	7,7%	79,0%	13,3%
Ontario	68,4%	4,0%	27,6%
Manitoba	74,0%	3,8%	22,2%
Saskatchewan	85,0%	1,6%	13,4%
Alberta	79,1%	1,9%	19,0%
Colombie-Britannique	70,6%	1,3%	28,1%
Territoire du Yukon	84,9%	3,6%	11,5%
Territoires du Nord-Ouest	76,8%	2,3%	20,9%
Nunavut	26,5%	1,7%	72,8%

Source : Statistique Canada, recensement de 2006[15].

L'influence de la **culture francophone** en Amérique du Nord a intéressé plusieurs spécialistes en comportement du consommateur en raison de la particularité de ce groupe. En effet, il constitue à la fois une minorité ethnique à l'échelle du continent ou du pays, et une majorité au Québec, où il représente la culture dominante. Les Canadiens francophones se trouvent ainsi confrontés à deux processus d'acculturation. Dans le premier, ils font face au risque d'assimilation par la culture anglophone alors que, dans le second, ils imposent un modèle de comportement, des normes et des valeurs aux autres groupes ethniques de la province tels que les Italiens, les Grecs, les Maghrébins et les autres. Globalement, les travaux ont montré des différences majeures entre le comportement de consommation des Canadiens français et celui des Canadiens anglais, notamment en ce qui concerne la consommation de certains produits durables et de consommation courante, le style d'achat et les habitudes médias. Ces différences de comportement nécessitent des stratégies marketing de produit, de distribution, de communication et de prix adaptées aux spécificités de chaque groupe[16].

À titre d'exemple, les études réalisées jusqu'à présent en comportement du consommateur rapportent que, comparativement aux anglophones, les francophones ont tendance à :

• consommer moins de produits congelés et de produits précuisinés et à préparer plus de plats sophistiqués ;

- consommer plus de boissons sucrées et alcoolisées et moins de boissons diététiques;
- dépenser plus dans l'achat de vêtements à la mode et de produits cosmétiques et à être plus soucieux de leur apparence physique;
- investir plus dans les équipements électroménagers et les voitures, et moins dans les meubles de maison;
- fréquenter plus les magasins spécialisés et les petits commerces;
- rechercher plus les ventes promotionnelles et les ventes d'entrepôt;
- lire plus les journaux et à regarder moins la télévision;
- avoir une attitude intellectuelle plus théorique que pragmatique;
- choisir leurs loisirs en fonction de leur milieu familial plutôt que professionnel;
- être plus individualistes dans leur comportement social, plus innovateurs et moins conservateurs.

Une étude réalisée en 1996 par Statistique Canada[17] et portant sur les dépenses alimentaires des familles au Canada révèle l'existence de différences significatives entre le Québec à dominance francophone et le reste du Canada à dominance anglophone. Les données montrent que les consommateurs québécois mangent 2,31 fois plus de préparations à base de viande que le reste des Canadiens, 1,67 fois plus de coupes de longe de bœuf et 1,51 fois plus de concombres; ils boivent 1,89 fois plus d'eau embouteillée et ingèrent 1,5 fois plus de gâteries. Par contre, le reste des Canadiens semble consommer 1,72 fois plus de collations à base de céréales, 1,53 fois plus de produits laitiers non courants (boissons chocolatées, fromage pour fondue, etc.), 1,41 fois plus de lait écrémé, 1,36 fois plus de coupes de cuisse de bœuf et 1,32 fois plus de bacon que les consommateurs québécois. Selon les données de la même étude, mises en relation avec les résultats d'enquêtes antérieures menées en 1992 et en 1986, il ressort une évolution notable dans les habitudes alimentaires des Québécois, dont une consommation plus grande de produits comme les pommes de terre congelées, l'eau embouteillée et le yogourt congelé. En contrepartie, on a relevé une baisse dans la consommation de certains produits comme la viande rouge et la margarine. Les préférences alimentaires des Québécois évoluent de plus en plus vers une alimentation saine et plus rapide à préparer.

Une étude réalisée en 2001 auprès de 2 700 Québécois dits « de souche » révèle une certaine évolution dans les valeurs depuis 20 ans, qui se caractérise principalement par un effacement flagrant de la religion et une montée de l'individualisme. L'étude fait ressortir dix principales valeurs, appelées aussi postures mentales, qui caractérisent les Québécois au début du nouveau millénaire, à savoir: fierté, hédonisme, grégarisme, individualisme, besoin de gouvernance, prudence, enracinement, besoin d'identification ethnique, clivage des genres et consommation stratégique. Cette étude met aussi de l'avant des différences significatives entre les Québécois de souche et les Canadiens des autres provinces. La figure 9.3 résume ces différences.

Plusieurs spécialistes ont cherché à mettre au point des **modèles conceptuels** pour comprendre et expliquer les spécificités du comportement des Canadiens francophones. Les premiers modèles tentent de faire ressortir les principales caractéristiques distinguant le plus les francophones des anglophones au Canada. Ces modèles traitent ces deux groupes comme deux groupes homogènes, à l'intérieur desquels les comportements des individus sont semblables. Pour expliquer les particularités des Canadiens français, ces modèles se basent alors sur des

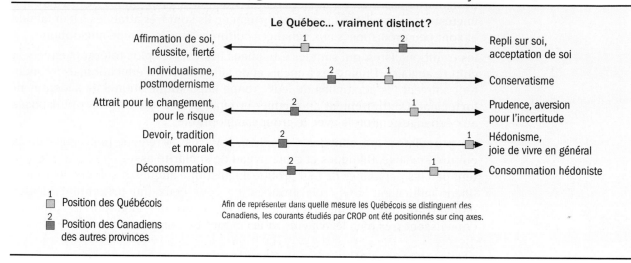

Le Québec... vraiment distinct?

Affirmation de soi, réussite, fierté		Repli sur soi, acceptation de soi
Individualisme, postmodernisme		Conservatisme
Attrait pour le changement, pour le risque		Prudence, aversion pour l'incertitude
Devoir, tradition et morale		Hédonisme, joie de vivre en général
Déconsommation		Consommation hédoniste

1 Position des Québécois
2 Position des Canadiens des autres provinces

Afin de représenter dans quelle mesure les Québécois se distinguent des Canadiens, les courants étudiés par CROP ont été positionnés sur cinq axes.

dimensions reliées aux origines latine, catholique et française[18], ou encore, ils font référence à des traits de comportement particuliers tels que la grande importance accordée à la sensation, le conservatisme et l'indifférence à l'égard des prix, ou enfin, ils utilisent des références historiques et culturelles comme les racines terrienne, minoritaire, nord-américaine, catholique, latine et française[19].

D'autres spécialistes en comportement du consommateur ont critiqué la vision du groupe homogène que l'on associe aux Canadiens français et ont cherché à déterminer des sous-cultures de la culture française au Canada. En se basant sur l'aptitude de l'individu à réagir aux changements et à l'innovation, certains d'entre eux ont ainsi déterminé quatre groupes présentant des systèmes de valeurs et des comportements différents :

- les **inertes**, qui partagent des valeurs et des habitudes très traditionnelles reliées à la foi, à la famille, au travail et à la morale. Ils ont un comportement très conservateur ;

- les **amovibles**, qui ont tendance à chercher à améliorer leur statut social et sont donc capables, pour ce faire, de changement sous la pression de leur environnement. Ils préfèrent souvent manger à la maison et s'amuser en famille ou en groupe ;

- les **mobiles**, qui sont ouverts d'esprit et croient énormément au progrès scientifique et à l'innovation. Ils aiment bien vivre et être à la page comparativement aux autres membres de la société ;

- les **versatiles**, qui sont d'éternels réformistes, toujours à la recherche de nouvelles informations. Ils ont un esprit très critique et sont souvent des innovateurs.

En adhérant à la même idée de l'**hétérogénéité** du groupe des Canadiens francophones, certains chercheurs ont proposé une autre typologie basée sur cinq dimensions comportementales : les interactions sociales, l'identification familiale à travers la langue d'usage, l'attachement à la culture anglaise, l'attachement à la culture française et les attitudes à l'égard des échanges culturels[20]. Trois groupes ont ainsi été déterminés :

- les puristes, qui sont les Canadiens français résistant le plus et de façon consciente à l'influence de la culture anglaise. Unilingues français, d'un niveau de scolarité assez élevé, ils préfèrent fréquenter les personnes de leur groupe linguistique auquel ils s'identifient fortement. Ils sont très attachés à leur famille et sont peu prédisposés aux échanges culturels avec le groupe anglophone;

- les traditionalistes, qui sont les Canadiens français les plus tolérants envers la culture anglaise. Unilingues français et de faible niveau d'éducation, ils fréquentent souvent les personnes de leur groupe linguistique auquel ils s'identifient fortement. Contrairement au premier groupe, ceux-là sont mieux prédisposés aux échanges culturels avec le groupe anglophone;

- les pluralistes, qui sont les Canadiens français fortement imprégnés de la culture anglaise. Bilingues et d'un niveau de scolarité assez élevé, ils fréquentent peu les personnes de leur groupe linguistique auquel, d'ailleurs, ils s'identifient faiblement. Des trois groupes, ce sont ceux qui présentent le plus d'ouverture aux échanges culturels avec le groupe anglophone, dont ils connaissent très bien les valeurs et les modes de comportement.

Les autres groupes ethniques au Canada : les Européens et les Arabo-musulmans

L'immigration européenne, en Amérique du Nord en général et au Canada en particulier, remonte à plusieurs siècles, les Britanniques et les Français étant les premières populations non autochtones du pays. Toutefois, après la Première et la Seconde Guerre mondiale, cette immigration s'est diversifiée avec l'arrivée des Italiens, des Allemands, des Grecs et des Portugais. L'étude du comportement de consommation de ces groupes ethniques a intéressé très peu de spécialistes en marketing. La rareté des travaux s'explique en grande partie par la proximité culturelle de ces groupes avec les groupes anglophone et francophone dominants. Une étude comparative qui porte sur des groupes francophone, anglophone, italien et grec au Canada révèle des différences significatives par rapport aux dimensions de style de vie et de consommation. Pour ce qui est du style de vie, et comparativement aux groupes dominants de la société, les Italiens et les Grecs paraissent plus réticents envers le crédit, plus soucieux des enfants, plus casaniers, peu attirés par les travaux ménagers et très préoccupés par leur santé. En rapport avec certaines dimensions de la consommation, les Italiens et les Grecs s'avèrent très fidèles aux marques qu'ils achètent, plus innovateurs, très attirés par la cuisine et les pâtisseries, mais moins friands d'aliments en conserve[21]. Une étude portant sur le marché ethnique des produits artistiques et culturels à Montréal révèle, chez les Portugais et les Italiens, un attrait relativement élevé envers les arts d'interprétation traditionnels comme les symphonies, l'opéra, les ballets et la musique classique. Quant au groupe des Français de France, il se distingue surtout des autres groupes ethniques étudiés par ses préférences, d'une part, envers les arts d'interprétation populaires tels que le théâtre, les concerts et les spectacles d'humoristes et, d'autre part, envers les arts visuels à travers les galeries, les musées et les expositions[22].

Si l'immigration arabo-musulmane en Europe date du début du siècle, celle qui s'est dirigée vers l'Amérique du Nord en général, et vers le Canada en particulier, est très récente. Ces immigrants sont principalement originaires du Moyen-Orient (surtout des Libanais) et d'Afrique du Nord (Marocains, Algériens et Tunisiens). Précisons d'abord qu'une personne née arabo-musulmane est née simultanément dans une culture et dans une religion. La corrélation entre ces deux dimensions s'avère très élevée. En effet, l'ethnicité arabo-musulmane exerce une grande influence sur le comportement des individus. Ainsi, les valeurs arabo-musulmanes sont promulguées simultanément par les interactions sociales et les instructions religieuses. En Amérique du Nord, les études qui ont porté sur le comportement de ce groupe ethnique sont très rares. Une étude récente réalisée sur le marché ethnique des arts et de la culture à Montréal révèle chez les Libanais et les Maghrébins un certain attrait envers les arts d'interprétation traditionnels comme les symphonies, l'opéra, les ballets et la musique classique, mais un rejet presque total des arts visuels représentés par les galeries, les musées et les expositions[23]. Cependant, la plupart des travaux réalisés font ressortir des divergences de comportement à l'intérieur du groupe arabo-musulman, en fonction du degré d'attachement à la culture d'origine et du degré d'ouverture aux valeurs de la nouvelle société. Nous aurons l'occasion d'en reparler un peu plus loin.

L'acculturation, un processus progressif

Étant donné qu'elles constituent des minorités, les sous-cultures se trouvent volontairement ou involontairement impliquées dans un processus d'ajustement culturel appelé **processus d'acculturation.** Rappelons que l'acculturation est l'apprentissage par une personne, un immigrant par exemple, d'une culture autre que sa culture d'origine[24]. De façon générale, nous pouvons définir l'acculturation comme le processus d'adaptation psychosocial par lequel le membre d'un groupe culturel minoritaire acquiert les valeurs, les normes, les comportements, les attitudes et les habitudes culturelles de son pays d'accueil[25]. Cet apprentissage peut réussir, auquel cas on parle d'assimilation, comme il peut échouer, et on parle alors de contre-acculturation (mentionnons cependant que l'assimilation peut être ressentie comme un danger ou un échec, soit la perte de son identité culturelle). Cependant, l'apprentissage d'une nouvelle culture par un immigrant ne peut s'effectuer sans l'influence des normes et des valeurs enseignées ou inculquées dans sa culture d'origine. En effet, plusieurs années d'éducation culturelle et religieuse ne peuvent être balayées de la mémoire d'une personne par un simple visa d'immigration ou même une attestation de citoyenneté.

Les chercheurs en anthropologie et en comportement du consommateur n'ont pas cessé, depuis les premières vagues d'immigration du début du siècle, de montrer les différences de comportement observées entre des individus appartenant à des groupes ethniques différents, mais également entre des individus d'une même sous-culture ayant des niveaux d'acculturation différents (par exemple, les assimilés *versus* les contre-acculturés[26]). Il a été prouvé que le niveau d'acculturation d'un immigrant n'est pas stable, mais évolue plutôt tout au long de sa résidence dans la nouvelle société[27]. On devrait logiquement s'attendre alors à ce que le comportement d'un contre-acculturé qui vient d'arriver dans une nouvelle société ne soit pas le même que celui d'un autre contre-acculturé qui, lui, y réside depuis un certain nombre d'années. Le comportement de consommation des individus dans une sous-culture semble non seulement dépendre de leur origine ethnique ou de leur niveau d'acculturation, mais aussi de la durée de leur résidence dans la nouvelle société[28].

Il semble que les immigrants en provenance de pays culturellement proches de la société d'accueil s'acculturent plus rapidement à leur nouvel environnement[29].

Aux États-Unis, il a été démontré que les Afro-Américains et les Asiatiques étaient significativement moins acculturés que les Irlandais et les Anglais[30]. En outre, plus le nombre de personnes appartenant à un groupe ethnique est élevé, plus le temps requis pour l'intégration à la culture du pays d'accueil d'un de ses congénères est long. De même, plus le groupe est installé dans un pays d'accueil depuis longtemps, plus ses membres sont susceptibles d'y être fortement acculturés[31]. Cependant, il ne faut pas oublier que le degré d'acculturation n'est pas homogène à travers un groupe ethnique dans son ensemble, mais varie d'un individu à un autre selon ses caractéristiques individuelles, notamment sa personnalité et son ouverture d'esprit[32].

L'influence du niveau d'acculturation sur le comportement de consommation

Les auteurs en marketing semblent être d'accord sur le fait que les activités et les habitudes de consommation des individus provenant de différents groupes ethniques varient selon leur niveau d'acculturation[33]. Pour une concrétisation de leurs propos, nous vous invitons à parcourir l'encadré ci-après.

Le degré d'acculturation d'un individu varie en fonction de son degré d'ouverture à la **nouvelle culture** et de son attachement à sa **culture d'origine.** Les personnes faiblement acculturées se trouvent généralement très attachées à leur culture d'origine, à ses valeurs et à ses normes. Elles refusent souvent la dépendance par rapport à la société d'accueil et placent volontairement des barrières à leur ouverture aux valeurs et aux normes de cette dernière. Les consommateurs faiblement acculturés manifestent leur refus de dépendance par la recherche de produits qui obéissent, dans une large mesure, aux normes et aux valeurs de leur sous-culture. Des recherches suggèrent que les consommateurs ethniques qui s'identifient fortement à leur groupe démontrent une forte préférence pour les produits qui mettent l'accent sur leur identité ethnique et leur héritage culturel[34]. Une étude réalisée auprès d'un groupe de consommateurs arabo-musulmans au Québec fait ressortir chez le groupe faiblement acculturé des préférences élevées pour des produits alimentaires ethniques et un respect plus strict des normes de consommation imposées par sa religion[35].

Plus le niveau d'acculturation augmente, plus l'attachement de l'immigrant à sa culture d'origine diminue. Il se sent alors de moins en moins concerné par les normes et les valeurs de cette dernière. Il éprouvera, par contre, un intérêt croissant à se rapprocher de la société d'accueil en s'associant à ses normes et à ses valeurs. Il aura donc tendance à consommer les produits d'identification de la nouvelle culture ainsi que les produits de prestige qui le valorisent dans la nouvelle société. Une étude réalisée auprès de Mexicains ayant immigré au sud des États-Unis et portant sur un panier de 20 produits de consommation quotidienne montre un profil d'achat d'abord loin de celui de leurs confrères vivant au Mexique et correspondant ensuite, de façon très étrange, beaucoup plus au stéréotype de consommation véhiculé à propos des Américains blancs qu'au profil d'achat des Américains eux-mêmes (le groupe test de l'étude[36]). Les résultats d'une autre étude réalisée aux États-Unis ont permis de conclure que, contrairement aux Hispaniques faiblement acculturés, les Hispaniques fortement acculturés ont une attitude similaire aux Anglo-Américains quant à l'importance accordée aux attributs d'un produit de grande consommation (le dentifrice[37]).

Un des auteurs du présent livre, d'origine maghrébine, raconte ce qui suit :

« Je suis arrivé au Québec il y a 20 ans en compagnie de deux grands amis : Sami et Anis. Il nous arrive parfois de nous rencontrer et de parler des choses de la vie. Ce qui me fascine, c'est que plus les années passent, plus leurs styles de vie prennent des directions opposées, alors que le mien se situe un peu entre les deux. Je vais tenter ici de décrire les grandes lignes du quotidien de chacun, pour illustrer le parcours propre à chacun d'entre nous depuis le jour où nous avons débarqué ensemble, un 26 janvier au soir...

Sami gère aujourd'hui un grand commerce de fruits et légumes du marché Jean-Talon à Montréal et réside à Ville Saint-Laurent, un arrondissement de Montréal connu pour sa forte concentration immigrante d'origine arabo-musulmane. Il partage son appartement avec sa femme Aïcha, qu'il a connue il y a 13 ans dans son pays d'origine, lors de l'un de ses fréquents retours pour passer ses vacances d'été. Là où ils se trouvent, Sami impose à sa femme et à ses enfants de communiquer dans leur langue natale et de respecter strictement les préceptes de la religion musulmane. Sa femme porte le *tchador*, ce voile opaque masquant le visage, signe de la femme musulmane réservée, et ses quatre enfants sont inscrits à l'école arabo-musulmane Imam Ali Ibn Abi Talib de Ville Saint-Laurent pour bien apprendre la langue et la religion des parents, tout en répondant aux exigences du ministère de l'Éducation, du Loisir et du Sport du Québec. Pour faire son épicerie, Sami préfère aller dans les magasins ethniques du quartier Jean-Talon, où il peut trouver non seulement les produits conformes aux exigences de sa religion, comme la viande de bœuf ou de poulet, mais aussi les épices et les ingrédients alimentaires importés de son pays d'origine. Quand je suis invité chez lui, il me sert toujours les plats originaux du Maghreb tels qu'un couscous au poisson, une soupe *harira* ou une salade *mechouia,* qui, pour lui, font partie du quotidien, puisque ni lui ni sa femme, ni même ses enfants, n'ont changé leurs habitudes alimentaires. Chez lui, j'ai toujours l'occasion d'écouter continuellement Radio Tunis ou Radio2M, diffusées sur Internet, de lire certains journaux et revues de la presse maghrébine auxquels il est toujours abonné ainsi que les journaux et revues ethniques distribués à Montréal, et surtout de regarder en direct les chaînes de télévision du Maghreb qu'il capte avec son antenne parabolique dernier cri et son abonnement au bouquet des chaînes de télévisions arabes sur Internet (www.igocolo.com). Vingt ans après son arrivée au Québec, même avec une famille de plus en plus nombreuse, un emploi stable et une situation financière enviable, Sami parle toujours du retour au pays... *Inch Allah,* me dit-il toujours... suivi d'un long soupir.

À l'opposé de cela, en observant Anis, devenu aujourd'hui directeur d'exploitation chez Hydro-Québec, responsable de l'un des secteurs de la ville de Montréal, je remarque dans son comportement social et son comportement de consommation une ressemblance avec mes collègues et amis québécois. Ayant acquis la nationalité canadienne trois ans après son arrivée, il en a profité pour changer de nom et devenir Jean A. Il parle le français avec un bon accent québécois. C'est un fanatique de baseball et de hockey et il ne rate jamais la rencontre annuelle du Grand Prix de formule 1 de Montréal, ce qui lui permet de se remémorer les exploits de son idole Jacques Villeneuve. En décidant de rester au Québec, Anis a rompu tout attachement avec son pays d'origine et est installé aujourd'hui dans le chic arrondissement d'Outremont à Montréal. Tel un Nord-Américain typique, il est, la plupart du temps, soit collé à son BlackBerry, soit en train de naviguer sur Internet pour s'informer ou pour faire des achats ou encore des transactions financières et autres. Toutes les fins de semaine, il va magasiner, accompagné de sa nouvelle conjointe Julie, une Québécoise originaire de Matane, en quête des spéciaux de la semaine, et rentre chez lui très content d'avoir effectué de bons achats. Il s'allonge alors sur son canapé avec sa bière et ses croustilles pour regarder le match de la soirée sur son écran plasma HD qu'il vient d'acquérir à crédit, comme tous ses autres équipements ménagers. Au préalable, il a partagé avec sa femme un bon dîner en tête-à-tête, puisqu'ils ne pensent pas encore à fonder une famille. Le dimanche, en fonction des saisons et du climat, il va faire du ski à Mont-Tremblant avec sa femme, jouer au golf avec ses collègues dans la région de l'Estrie, ou part tout simplement en randonnée sur le mont Sutton.

Quant à moi, je suis professeur d'université, chargé de la gestion de certains programmes de formation. Sur le lieu de mon travail et à l'extérieur de la maison, je revêts le plus souvent le costume et la cravate, j'adopte les attitudes, les gestes, les façons de voir et de parler du système de vie nord-américain. Toujours muni de mon iPhone 3GS et de mon iPad avec accès Internet, je me sens branché dans tous les sens du mot. À midi, je mange dans les restaurants avec mes collègues, avec qui je partage un bon sandwich club ou une poutine, et je parle souvent de l'actualité et de la politique nationale et internationale, et parfois de hockey et de séries télévisées ou de films. Le soir, je revêts fréquemment un habit traditionnel confortable et je quitte, avec le vêtement du jour, la langue française souvent liée au travail pour parler celle de ma culture d'origine avec ma femme, d'origine maghrébine, que j'ai connue il y a 10 ans à l'université où j'enseigne. Aussi bien dans les plats que nous cuisinons à la maison que dans les restaurants que nous fréquentons, nous avons toujours alterné la cuisine maghrébine et la cuisine québécoise, de même que celle des autres pays, à la découverte du monde culinaire. En semaine, nos deux enfants fréquentent l'école publique Île-des-Soeurs. En fin de semaine, ils suivent des cours d'arabe dans une école ethnique de Côte-des-Neiges le samedi et s'entraînent au soccer à Brossard le dimanche. Quand on reçoit chez nous mon ami Sami et sa petite famille, on s'assure d'un cadre typiquement maghrébin, qui va des plats cuisinés avec les ingrédients requis au narguilé au goût de pomme et au thé à la menthe, le tout agrémenté d'un film égyptien que je vais télécharger pour l'occasion sur Internet ou que je vais commander chez mon fournisseur de câble. Souvent, je m'assure d'imprimer la version Internet de certains journaux et revues maghrébins que je laisse traîner sur la table. De la même façon, quand on reçoit chez nous mon ami Anis et sa conjointe, on s'assure de leur offrir un cadre agréable avec un rôti, une grillade ou une fondue, le tout arrosé d'un vin de sélection.

Les trois nouveaux arrivants au Québec que nous étions il y a 20 ans et les néo-Québécois que nous sommes devenus ne sont pas tous animés des mêmes motivations culturelles et n'ont pas, par conséquent, les mêmes comportements. Alors que Sami représente le genre d'immigrant contre-acculturé qui refuse la dépendance à la nouvelle culture et tente de réaliser le retour aux sources dans sa culture d'origine à travers son comportement de consommation, Anis est l'exemple type de l'immigrant complètement assimilé qui s'engage corps et âme dans la nouvelle culture pour adopter complètement ses normes et ses valeurs. Il tire alors ses principes de la nouvelle culture et adopte ses comportements de consommation, au point parfois d'exagérer par rapport même aux personnes originaires de la culture d'accueil. Il devient alors plus royaliste que le roi. Et moi alors, que suis-je ? Certainement ni l'un ni l'autre, mais probablement une partie de l'un et une partie de l'autre... à vous d'en juger. »

Par ailleurs, d'autres études menées auprès de plusieurs groupes ethniques montrent l'incidence notable de l'acculturation sur la consommation de certains produits particuliers, comme les produits de prestige et les nouveaux produits. Les produits de prestige apparaissent comme des symboles qui offrent à l'arrivant dans une nouvelle culture un statut social acceptable et lui permettent d'avoir une bonne image dans la société de résidence[38]. Les consommateurs ayant un niveau d'acculturation élevé manifestent une préférence plus grande pour les produits de prestige, notamment les produits de mode, les marques griffées, tout ce qui suscite généralement du respect et de l'admiration, indépendamment des origines raciales ou ethniques de la personne qui les possède. Cela contribue donc à faciliter l'acceptation et l'assimilation des immigrants par le groupe dominant[39].

Une étude réalisée auprès de plusieurs groupes ethniques au Québec et en France montre l'existence d'un lien positif entre l'acculturation des individus dans leurs sous-cultures et leur prédisposition à adopter les nouveaux produits. L'acculturation croissante pousse le consommateur à chercher à se distinguer des membres de sa sous-culture et à s'ouvrir progressivement aux nouveautés qui apparaissent dans la société d'accueil. Cet immigrant tente, en réalité, de réduire l'écart qui le sépare du groupe dominant dans la société d'accueil. Étant donné qu'ils constituent des nouveautés aussi bien pour le groupe dominant que pour l'immigrant, ces produits représentent en quelque sorte des points communs de référence qui peuvent contribuer d'une manière ou d'une autre à faciliter l'assimilation de l'immigrant désireux de se faire accepter comme membre à part entière de la nouvelle société.

Le tableau 9.4 présente une liste des principaux travaux réalisés de 1983 à 2010 et qui ont porté sur la relation entre l'acculturation et la consommation des produits. De ces travaux, il ressort clairement que le concept d'acculturation joue un rôle important sur le plan du comportement de consommation des individus et que, par conséquent, il constitue une base de segmentation incontournable des marchés ethniques.

TABLEAU 9.4 Une récapitulation des études sur le comportement par rapport aux produits de consommation

Auteurs	Année	Groupes ethniques	Produits de consommation
Wallendorf et Reilly	1983	Hispaniques (Mexicains)	Produits alimentaires
Saegert, Hoover et Hilger	1985	Hispaniques (Mexicains)	Produits courants
Valencia	1985	Hispaniques	Magasinage
Schaninger, Bourgeois et Buss	1985	Canadiens français et anglais	Produits de consommation courante (durables et non durables)
Deshpandé, Hoyer et Donthu	1986	Hispaniques (Mexicains)	Attitudes envers la marque
Kim, Laroche et Joy	1990	Canadiens français et anglais	Produits personnels et alimentaires
D'Astous et Daghfous	1991	Arabo-musulmans	Produits alimentaires et orientations de consommation
Lee et Ro Um	1992	Coréens	Produits d'implication faible et forte
Peñaloza	1994	Hispaniques (Mexicains)	Produits de consommation courante (durables et non durables)
Donthu et Cherian	1994	Hispaniques	Produits et services
Kara et Kara	1996	Hispaniques	Emploi et dentifrice
Laroche *et al.*	1997	Italiens	Produits alimentaires
Vasquez-Parraga, Alonso et Valencia	1998	Hispaniques	Produits américains et latino-américains
Daghfous et Chéron	1998	Canadiens, Français et Africains du Nord vivant au Canada et en France	Adoption de nouveaux produits
Daghfous, Chéron et Hié	1999	Italiens, Français, Antillais, Africains du Nord et de l'Ouest	Produits d'épicerie, magasinage, places de vente
Daghfous et Ndiaye	2001	Sept groupes ethniques	Produits artistiques et culturels
Ueltschy et Krampf	2001	Hispaniques	Satisfaction et sensibilité à la qualité du service
David Wellman	2002	Hispaniques	Aliments congelés
Shelley *et al.*	2004	Chinois	Tabagisme
Laroche *et al.*	2005	Grecs et Italiens	Produits alimentaires
Wilkinson *et al.*	2005	Mexicains	Tabac
Rajagopalan et Heitmeyer	2005	Indiens	Habillement
Ogden	2005	Hispaniques et Anglo-Saxons	Décision d'achat
Podoshen	2006	Juifs	Loyauté à la marque
Shoham, Segev et Ruvio	2007	Hispaniques	Loyauté à la marque et aux magasins
Malaghan	2008	Hispaniques	Services
Rajagopal, Zheng et Kang Lee	2009	Coréens	Sorties dans les restaurants
Daghfous et Basti	2010	Six groupes ethniques	Produits et services informels

L'influence du niveau d'acculturation sur le comportement par rapport aux sources d'information

Au cours du processus décisionnel d'achat, les consommateurs peuvent utiliser (ou sont influencés par) deux sortes de moyens de communication pour obtenir de l'information sur les produits, les marques et les magasins : les moyens de communication commerciaux tels que la publicité dans les journaux, la publicité à la télévision, les promotions, etc., et les moyens de communication interpersonnels tels que le bouche-à-oreille et la pression sociale. Comme dans le cas de la consommation de produits, l'acculturation semble jouer un rôle important dans les perceptions qu'ont les immigrants des différentes sources auxquelles ils sont exposés, dans les médias qu'ils utilisent et dans la recherche d'information qu'ils entreprennent[40].

Une série d'études comparatives réalisées aux États-Unis et portant sur les attitudes à l'égard de la publicité montre que les hispanophones dont le niveau d'acculturation est faible ont tendance à utiliser beaucoup plus les médias de langue espagnole (notamment les stations de radio) et à avoir une attitude plus favorable envers les publicités présentées en espagnol plutôt qu'en anglais[41]. Une autre étude menée auprès de la sous-culture juive aux États-Unis montre que le degré d'identification de l'individu au groupe juif est positivement lié à la quantité d'information utilisée au cours du processus décisionnel d'achat ainsi qu'au rôle des amis et des connaissances[42]. Une étude effectuée auprès d'un groupe arabo-musulman au Québec fait ressortir un lien positif entre l'acculturation et la quantité d'information recherchée, d'une part, et l'utilisation relative des sources publicitaires par rapport aux amis et aux connaissances en tant que sources d'information, d'autre part[43]. Enfin, une étude récente réalisée auprès d'un groupe d'Indiens aux États-Unis confirme l'hypothèse selon laquelle le niveau d'acculturation du consommateur ethnique agit positivement sur ses attitudes favorables envers l'utilisation des normes et des valeurs de la culture d'accueil dans les publicités.

Le tableau 9.5 présente une liste des principaux travaux réalisés depuis le début des années 1980 et qui ont porté sur la relation entre l'acculturation et l'utilisation des sources d'information par les consommateurs ethniques. Ces travaux font ressortir le fait que le concept d'acculturation joue un rôle important dans le processus décisionnel d'achat des individus.

La manière de mesurer le niveau d'acculturation

Une échelle discrète ou continue ? L'acculturation est perçue comme étant un *continuum* ayant deux pôles, l'un où l'individu est contre-acculturé à sa culture d'accueil (faible acculturation) et l'autre où il est assimilé à celle-ci (forte acculturation). Par conséquent, on s'attend à ce que les normes et les valeurs des membres des groupes ethniques se situent entre ceux de leur culture d'origine et ceux de leur culture d'accueil : plus l'individu sera acculturé, plus il progressera vers les valeurs et les attitudes de la société d'accueil[44]. Étant donné qu'un immigrant peut être acculturé à différents niveaux, la mesure de l'acculturation varie donc le long d'une échelle continue. Cependant, il est difficile de déterminer avec exactitude dans quelle mesure l'individu s'est adapté à sa culture d'accueil. C'est pourquoi, afin de faciliter la mesure du niveau d'acculturation, plusieurs auteurs en marketing ont choisi de transformer cette variable en échelle discrète à deux, trois, quatre et même six catégories. Malgré les différents degrés d'acculturation considérés par les chercheurs dans le domaine, aucune méthode standardisée n'est fournie dans la littérature afin de définir ces niveaux[45], en conséquence de

TABLEAU 9.5 Une récapitulation des études sur le comportement par rapport aux médias

Auteurs	Année	Groupes ethniques	Médias
O'Guinn et Faber	1984	Hispaniques	Annonces commerciales à la télévision
O'Guinn et Meyer	1984	Hispaniques (Mexicains)	Stations de radio
O'Guinn, Faber et Meyer	1985	Hispaniques (Mexicains)	Chaînes de télévision
Lee et Tse	1994	Chinois de Hong-Kong	Habitudes de consommation de médias
Khairullah	1995	Indiens	Publicités imprimées
Ueltschy et Krampf	1997	Hispaniques (Mexicains)	Publicités imprimées
Green	1998	Communauté noire	Publicités
Durriya, Khairullah et Khairullah	1999	Indiens	Attitude envers la publicité et intention d'achat
Hyung-Jin et Dominick	2003	Étudiants internationaux aux États-Unis	Degré d'acculturation et émissions télévisées
Yang, Wu, Zhu et Southwell	2004	Chinois	Acculturation et médias (télévision et Internet)
Chen	2005	Chinois	Acculturation et exposition aux médias
Henry	2005	Noirs et Européens	Acculturation et exposition aux médias
Agarwal	2006	Indiens	Acculturation et presse écrite
Podoshen	2006	Juifs	Acculturation et bouche-à-oreille
Trebbe	2007	Turcs	Acculturation et utilisation des médias de masse
Prado et McDowell	2007	Hispaniques	Acculturation et préférences pour les émissions de télévision
Kong	2009	Chinois	Nouveaux médias (Internet)

quoi leur interprétation et leur appellation pourront différer d'une recherche à une autre.

Un concept multidimensionnel En adoptant une optique unidimensionnelle dans la mesure du concept d'acculturation, les spécialistes en comportement du consommateur retenaient des critères comme l'origine ethnique du prénom, la langue d'usage à la maison ou l'identification ethnique[46]. Cette optique semble être définitivement délaissée. Une grande majorité d'auteurs semblent converger vers l'idée que l'acculturation est un phénomène **multidimensionnel.** L'une des dimensions importantes de l'acculturation serait la communication au moyen de la langue d'usage[47]. En effet, les variables de communication comme la préférence et l'utilisation de la langue sont fortement liées au degré d'acculturation, puisque ce processus est accompli à travers les contacts directs et indirects des immigrants avec les membres de la culture d'accueil et avec les médias de masse[48]. En ce sens, la connaissance du français facilite l'installation des immigrants au Québec, alors que la connaissance de l'anglais agit de même en Ontario[49].

En plus des facteurs linguistiques, il semblerait que l'acculturation soit aussi reliée à plusieurs autres dimensions telles que l'identité ethnique, la durée de résidence dans la nouvelle culture, le nombre de voyages effectués au pays d'origine, l'exposition aux médias ou l'implication sociale par rapport à la famille, aux amis, aux collègues de travail et aux associations[50]. Ces variables pourraient alors jouer le rôle de catalyseurs, tout comme elles pourraient freiner le processus d'acculturation de l'individu dans la nouvelle société[51].

Plusieurs mesures tenant compte du caractère multidimensionnel du phénomène d'acculturation ont été conçues par les spécialistes en comportement du consommateur. Aux États-Unis, certains ont proposé une mesure qui intègre les cinq facteurs suivants[52]: 1) la langue utilisée avec la famille; 2) la langue employée avec les personnes autres que la famille; 3) les affiliations et les activités sociales; 4) la familiarité culturelle; et 5) l'identification culturelle et la fierté. D'autres ont considéré l'utilisation de la langue, la fréquentation du lieu de culte, l'âge d'arrivée au pays d'accueil, l'influence de la famille et le sentiment d'appartenance envers le pays d'origine[53]. Au Canada, une première mesure d'acculturation retenue tient compte de facteurs comme l'exposition aux médias de la culture d'accueil et la participation sociale avec les individus originaires du pays hôte[54]. Une deuxième mesure plus globale suggère de retenir les six dimensions suivantes[55]: 1) la situation de l'immigrant, c'est-à-dire son niveau d'éducation, son occupation, son état civil, son statut d'immigrant, etc.; 2) la conformité aux normes et aux valeurs culturelles; 3) les relations avec l'entourage et les groupes d'amis de la même sous-culture; 4) l'implication dans les associations ethniques; 5) le degré de communication interethnique; et 6) le degré d'identification à la culture hôte en comparaison de la culture d'origine. L'encadré qui suit présente l'instrument qui correspond à cette dernière mesure du degré d'acculturation. Il s'agit de 24 affirmations à propos desquelles la personne se prononce par un degré d'accord ou de désaccord en utilisant une échelle à cinq niveaux. Le degré d'acculturation d'une personne est alors obtenu en faisant la somme des scores obtenus à ces 24 affirmations, en tenant compte du sens positif ou négatif de chacune. Notons que cet instrument a été validé empiriquement auprès de plusieurs groupes ethniques au Canada et en France.

Un modèle du processus d'acculturation

Un modèle conceptuel expliquant le phénomène d'acculturation a été proposé[56]. Ce modèle met l'accent sur les caractéristiques individuelles de l'immigrant (profil sociodémographique, langue, date d'arrivée dans le pays d'accueil, identité ethnique, facteurs environnementaux) et sur les agents d'acculturation dans sa culture d'origine et dans la culture d'accueil (famille, amis, médias, institutions commerciales, éducationnelles et religieuses). Ces facteurs jouent un rôle critique dans le processus d'acculturation de l'individu à travers des cycles d'adaptation sur le plan de ses valeurs et de son comportement, ou encore des modifications partielles, ou plus encore des transformations totales de ceux-ci. La profondeur du processus d'acculturation peut alors conduire le nouveau venu dans une culture soit à son assimilation totale, soit à un maintien de ses valeurs issues de sa culture d'origine, mais avec une

UN INSTRUMENT DE MESURE DU DEGRÉ D'ACCULTURATION

Veuillez donner votre avis sur les différentes affirmations présentées ci-dessous. Nous vous demandons, pour chacune des affirmations, d'inscrire le chiffre qui correspond le mieux à votre opinion, de 1 à 5, sachant que 1 signifie «Pas du tout d'accord» et 5, «Tout à fait d'accord».

Le degré d'acculturation est obtenu en faisant la somme des résultats de chacune des affirmations en inversant ceux des questions associées négativement à l'acculturation (où figure le signe –). Le total varie de 24 (niveau d'acculturation minimum) à 120 (niveau d'acculturation maximum).

Dimension 1 : La situation de l'immigrant

1. Un jour, je compte retourner vivre dans mon pays d'origine. (–)
2. Pour moi, le mariage doit se faire avec une personne de ma culture d'origine. (–)
3. J'ai l'intention de rester au Canada. (+)
4. Mon environnement de travail (ou d'étude) est formé en majorité de personnes de ma culture d'origine. (–)

Dimension 2 : La conformité aux normes et aux valeurs culturelles

1. Aujourd'hui, je me comporte totalement selon les valeurs et les normes de la société canadienne. (+)
2. J'aime beaucoup discuter et en savoir davantage sur les normes, les valeurs et les styles de vie de la culture canadienne. (+)
3. Mes enfants doivent nécessairement être éduqués selon les valeurs et les normes de ma culture d'origine. (–)
4. Je tiens à célébrer les occasions et les fêtes culturelles et religieuses de ma culture d'origine. (–)
5. Je tiens à participer activement aux occasions et aux fêtes culturelles canadiennes. (+)

Dimension 3 : La relation avec l'entourage et les groupes d'amis

1. La majorité de mes amis très proches sont de ma culture d'origine. (–)
2. Il est important pour moi d'avoir des amis de ma culture d'origine. (–)
3. Je préfère travailler avec des personnes de ma culture d'origine. (–)

Dimension 4 : L'investissement dans les associations ethniques

1. J'aime bien m'investir dans une association (une organisation ou un club à caractère culturel, religieux, scientifique ou professionnel) qui regroupe des gens de ma culture d'origine. (–)
2. Aujourd'hui, je m'estime fortement investi dans les associations ethniques. (–)
3. J'encourage fortement les individus de ma culture d'origine à s'investir dans les associations ethniques. (–)

Dimension 5 : La communication interethnique

1. J'utilise toujours ma langue maternelle lorsque je suis avec ma famille et mes proches. (–)
2. J'utilise toujours ma langue maternelle lorsque je suis avec ma famille. (–)
3. J'aime regarder et écouter les émissions de télévision et de radio qui sont très appréciées par les Canadiens (hockey, feuilletons, jeux et concours télévisés, etc.). (+)
4. Je m'intéresse beaucoup à l'information nationale canadienne. (+)
5. Je trouve important de consulter les revues ou les journaux de mon pays d'origine. (–)
6. Je préfère consulter les médias (radio, télévision, journaux, magazines) lorsqu'ils sont dans ma langue maternelle. (–)

Dimension 6 : Le degré d'identification ethnique

1. Je m'identifie fortement à ma culture d'origine. (–)
2. Mes amis proches me considèrent souvent comme étant une personne très attachée à ses valeurs culturelles d'origine. (–)
3. Aujourd'hui, je tiens grandement compte de l'éducation et de l'expérience de ma culture d'origine pour me forger une opinion ou donner un avis. (–)

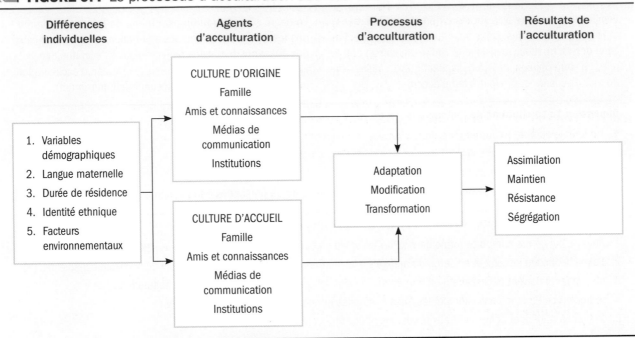

ouverture aux valeurs de la nouvelle société, soit encore à sa résistance à l'acculturation, ou enfin à sa ségrégation volontaire et à son refus des valeurs de la nouvelle culture. La figure 9.4 ci-dessus illustre graphiquement ce processus d'acculturation.

L'identité ethnique et la notion d'ethnicité

L'acculturation n'est pas l'unique facteur culturel retenu par les spécialistes en comportement du consommateur pour comprendre les marchés ethniques. On trouve aussi d'autres concepts tels que l'identité ethnique et l'ethnicité. L'**identité ethnique** est définie comme étant le niveau d'affiliation perçu d'un individu à un groupe ethnique particulier. Il s'agit en quelque sorte du degré de maintien ou de la perte des attitudes, des valeurs et des comportements appris par l'immigrant dans sa culture d'origine[58]. Le degré d'identification ethnique personnel d'un individu détermine, dans une large mesure, son niveau d'implication et de conformité aux normes et aux valeurs du groupe ethnique auquel il appartient et, par le fait même, le degré d'influence que le groupe exerce sur son comportement et sur ses attitudes. La langue parlée, la perception de l'intensité d'identification et l'utilisation de prénoms ethniques représentent certaines des dimensions avancées jusqu'à présent par les spécialistes en comportement du consommateur pour évaluer l'identité ethnique des individus à leurs sous-cultures[59].

En ce qui concerne l'**ethnicité,** elle peut être définie de façon objective ou subjective. La vision objective du concept fait référence aux traits culturels, à l'origine nationale, au pays d'origine, au nom de famille, à la richesse, à la race, au statut social, au pouvoir politique et à la langue de l'immigrant. La vision subjective, quant à elle, présente l'ethnicité comme un phénomène psychologique d'identification d'individus à des regroupements particuliers[60]. Dans cette perspective, la définition subjective de l'ethnicité reflète la volonté des immigrants de s'identifier à un groupe culturel particulier. Qu'en est-il du lien entre l'ethnicité, l'identité ethnique et l'acculturation?

L'ethnicité et l'acculturation sont considérées comme des phénomènes similaires, mais de sens opposés : un niveau élevé de l'une implique un faible niveau de l'autre, et vice versa. La mesure de l'ethnicité, envisagée également comme un *continuum* ayant deux pôles opposés, devrait faire intervenir des dimensions identiques à celles de l'acculturation, mises de l'avant dans la section précédente. Par ailleurs, l'identité ethnique est présentée comme l'une des multiples dimensions de l'ethnicité ou de l'acculturation[61]. En effet, un individu peut conserver son identité ethnique tout en éprouvant un fort sentiment d'appartenance à sa culture d'accueil, puisque les mesures d'identité ethnique réfèrent au maintien et à la rétention de la culture d'origine, tandis que les mesures d'acculturation mettent plutôt l'accent sur l'acquisition de la culture dominante dans la société d'accueil[62].

9.2 Le groupe des personnes âgées : une sous-culture d'âge

En marketing, la variable « âge » a souvent été utilisée pour segmenter le marché de certains produits et services tels que les cosmétiques, les services financiers et le transport en commun, même si cette variable ne peut, à elle seule, expliquer les différences de comportement entre les individus d'un même marché. Outre les personnes âgées, d'autres segments sont souvent cités : les enfants, les adolescents (que nous aborderons dans le chapitre 11 portant sur la famille et la consommation) et les jeunes adultes. Mais les personnes âgées apparaissent comme le groupe qui détermine actuellement les transformations sociales les plus importantes dans les pays occidentaux. Les séniors[63] forment une population de futurs, de jeunes et de vieux retraités qui ont des objectifs communs, en particulier celui de vivre une retraite paisible et heureuse après la rupture avec le monde du travail. Si les chercheurs en comportement du consommateur et en marketing s'intéressent de plus en plus à eux, c'est non seulement pour leurs comportements, mais aussi pour le pouvoir économique qu'ils représentent. Pour ce faire, il a cependant fallu trouver d'abord une façon de les définir, de délimiter ce groupe. Aussi, avant de présenter l'importance démographique et économique du groupe, nous nous intéresserons à le délimiter. Nous en affinerons ensuite notre compréhension par la présentation de son hétérogénéité. Nous nous attarderons enfin sur ses comportements de consommation.

La délimitation du groupe des séniors et l'image du sénior

Plusieurs termes sont utilisés pour qualifier la catégorie de la population à la retraite, en préretraite ou sur le point d'y accéder. Selon que l'on soit démographe, biologiste ou gestionnaire de marketing, on utilise des qualificatifs différents tels que vieux, personnes âgées, troisième âge, aînés ou séniors. Le terme « vieux » a parfois une connotation péjorative. Mais il faut surtout comprendre que la notion de vieillesse est toute relative. Le **vieillissement** d'une population ne peut être évoqué que si l'on constate une augmentation de la proportion occupée par le groupe d'âge élevé par rapport aux autres groupes d'âge plus jeunes de la population. D'où l'importance de circonscrire d'abord ce groupe, en fixant notamment une limite d'âge inférieure, afin d'en estimer la taille et le poids dans la structure démographique d'un marché.

Plusieurs **seuils** ont été évoqués, à commencer par les seuils formels de retraite (60 ans), de préretraite (55 ans) ou de retraite retardée (65 ans), ou encore les seuils informels marqués par des transformations biologiques ou affectant le cycle de vie de la famille, par exemple le départ des enfants de la maison. On peut considérer que le vieillissement physique est un processus biologique continu de modifications de l'organisme, pouvant être renforcé par des influences sociales de mise en retraite ou de départ des enfants de la maison familiale. Cependant, l'appartenance au groupe des séniors repose en bonne partie sur la reconnaissance de soi en tant que personne âgée. C'est cette perception de soi (le concept de soi) qui peut avoir un effet important sur le type de comportement adopté. Dans ce sens, l'âge cognitif apparaît au moins aussi intéressant à prendre en compte que l'âge chronologique. En effet, un professeur d'université de 65 ans pourrait se considérer en pleine possession de sa capacité d'exercer ses fonctions dans la société, alors qu'un travailleur dans une mine âgé de 50 ans seulement pourrait ressentir un certain épuisement physique, qui risque d'influencer sa perception de sa contribution réelle à titre de membre actif de la société.

L'identification personnelle au groupe des séniors peut varier considérablement d'un individu à un autre, en fonction de plusieurs éléments tels que l'état de santé, l'occupation professionnelle, la phase dans le cycle de vie familiale et la perception de dépendance par rapport aux autres membres de la société. On peut rappeler ici que les adolescents des années 1960 (la génération des *baby-boomers*) ont conservé à l'âge adulte (dans les années 1970, 1980, 1990) plusieurs des caractéristiques qu'ils partageaient alors en matière de consommation, notamment une grande « innovativité » et un goût prononcé pour les voyages et les produits exotiques. Ces caractéristiques risquent de perdurer à leur entrée dans la phase séniore, que viennent d'ailleurs de franchir les premiers de leur cohorte au début du millénaire. Toutefois, pour David Foot, professeur en économie, « il serait faux de croire que les *boomers* auront des comportements différents de leurs parents lorsqu'ils seront âgés. Ils sont maintenant dans la cinquantaine et ils font exactement comme eux : ils écoutent plus de musique classique que de rock. Ils préfèrent la culture au sport, et le golf au tennis ». En résumé, la détermination d'un seuil d'âge pour délimiter les séniors apparaît donc difficile. Pour des raisons de commodité, on retiendra l'âge de 50 ans en tant que seuil minimal pour délimiter ce groupe, en reconnaissant cependant son hétérogénéité, ce dont nous traiterons dans une section subséquente.

Néanmoins, une chose est certaine : en communication marketing, l'image du sénior qui est de plus en plus véhiculée contraste avec le stéréotype de la personne âgée, déconnectée, dépassée, dans une forme physique déclinante. La personne séniore mise de l'avant dans la pub apparaît en pleine possession de ses moyens, dynamique, à la page, avec la soif de vivre et de profiter de la vie. On y indique que la vie ne s'arrête pas à 50 ans ou à la retraite, mais commence à ces périodes. Par ses rubriques, le magazine *Le Bel Âge* véhicule aussi l'image d'un sénior actif, informé, branché. D'ailleurs, plusieurs sites Internet lui sont destinés.

Le poids démographique des séniors

Le groupe des séniors est un marché jugé crucial dans l'avenir par les spécialistes en marketing, en raison de son taux de croissance, évalué comme étant le plus élevé de tous les groupes d'âge. Le vieillissement de la population est l'un des phénomènes qui a le plus marqué les changements dans la structure démographique de la plupart des pays développés durant les 20 dernières années, et cette tendance va en s'amplifiant. En effet, l'accroissement de l'espérance de vie fait que la population des personnes âgées est passée de 200 millions en 1950 à 430 millions aujourd'hui. On estime sa taille en 2025 à près de 800 millions. Selon les prévisions de l'Organisation des Nations unies, de 1950 à 2025, alors que la population mondiale aura approximativement triplé, celle des personnes âgées en général aura sextuplé, et celle des vieillards (80 ans et plus) aura décuplé[64]. La figure 9.5 illustre la croissance du phénomène de vieillissement dans le monde en général, et dans les pays développés en particulier, ainsi que le début de la prolifération d'un tel phénomène dans les pays en voie de développement[65].

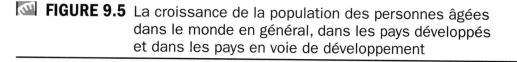 **FIGURE 9.5** La croissance de la population des personnes âgées dans le monde en général, dans les pays développés et dans les pays en voie de développement

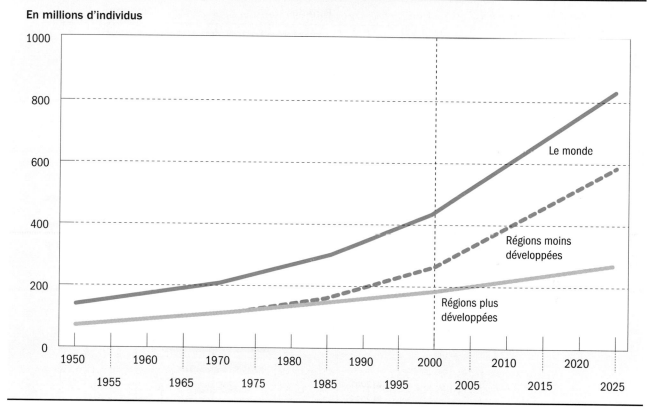

En millions d'individus

Au Canada, et plus particulièrement au Québec, le marché des séniors, qui représente déjà une masse critique considérable, ne peut que s'accroître. L'espérance de vie de la population augmente régulièrement grâce à l'amélioration du niveau de vie, au développement des sciences et de la médecine, au fait qu'il y ait moins de guerres, etc., ce qui conduit automatiquement à un accroissement des effectifs de la population de plus de 50 ans. En un siècle, l'espérance de vie à la naissance a fait un bond extraordinaire, de l'ordre de 30 ans pour les hommes et de 35 ans pour les femmes, pour atteindre 74 ans chez les hommes et 82 ans chez les femmes. Les projections de l'Institut de la statistique du Québec confirment le vieillissement croissant de la population québécoise, avec un âge moyen qui s'établit maintenant à plus de 40 ans, alors qu'il était de 25 ans au début du siècle, et le nombre de personnes âgées de 45 à 54 ans qui passera à plus de 650 000 en

2015, alors qu'il était de 350 000 en 1991. Le bouleversement que connaît la pyramide des âges va nécessiter une adaptation et une augmentation rapides des moyens mis en œuvre, afin que ceux-ci puissent couvrir les besoins croissants d'une population âgée, voire très âgée. C'est une raison supplémentaire pour laquelle les spécialistes en comportement du consommateur devraient montrer un vif intérêt pour ce phénomène. La figure 9.6 présente la pyramide des âges au Québec en l'an 2001, ainsi que les tendances prévues pour les 20 prochaines années[66]. On remarque l'importance croissante de la tranche d'âge des 50 ans et plus, qui est encore plus manifeste chez les femmes.

FIGURE 9.6 La pyramide des âges au Québec en l'an 2001 et les tendances pour 2011 et 2021

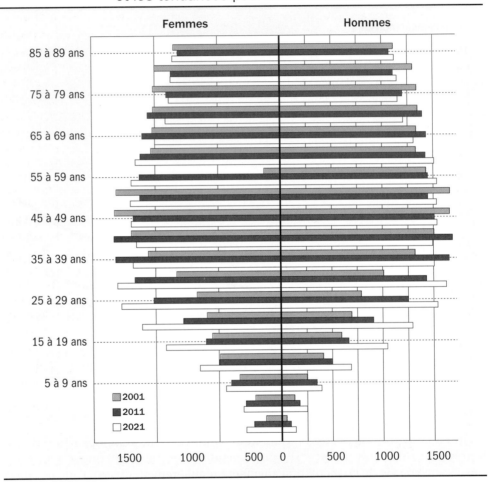

On comprend que le groupe des personnes âgées puisse attirer l'attention, mais il semblerait que les entreprises ne soient pas suffisamment conscientes de ce que David Foot, cité précédemment, surnomme « le pouvoir gris ». La capsule 9.2 fournit dans une première partie des extraits d'une entrevue qu'il a donnée à un magazine. La seconde partie révèle les résultats d'un sondage de Léger Marketing, réalisé en 2007 pour le compte de la Société d'habitation du Québec, quant à l'impact du vieillissement de la population sur le portrait du consommateur d'habitation au Québec.

Le pouvoir gris et son impact sur le portrait du consommateur d'habitation au Québec

Dans une entrevue publiée en août 1995 par *Infopresse*, David Foot, professeur en économie à l'Université de Toronto et auteur du livre à succès *Entre le boom et l'écho*, tire la sonnette d'alarme pour les gestionnaires de marketing et les responsables de publicité en leur demandant de retrouver la raison et de ne pas se laisser emporter par cette nouvelle mode de gestion des marchés, qui fait des valeurs du consommateur le principal déterminant de son comportement. Pour lui, le critère déterminant demeure la démographie, c'est-à-dire l'âge de la population. Selon le professeur Foot, se baser sur les valeurs pour segmenter un marché et chercher à mieux le servir, et oublier l'âge, c'est comme chercher midi à quatorze heures. La raison en est simple : quand on est jeune, on est sensible au prix, car on éprouve des besoins nombreux, mais notre revenu est limité et notre endettement élevé. Par contre, lorsqu'on est plus vieux, les besoins deviennent limités alors que notre revenu est élevé et notre endettement faible. On devient alors sensible au service. L'âge expliquerait alors jusqu'à 80 % du comportement de consommation de la personne.

En partant de l'importance de ce critère, David Foot jette un coup d'œil rapide sur la pyramide des âges au Canada pour affirmer qu'à l'aube du nouveau millénaire, le pouvoir du marché est entre les mains des séniors, représentés aujourd'hui par cette génération de *baby-boomers* d'après-guerre qui a su imposer à la société dans son ensemble un type de comportement particulier. La situation au Québec est d'autant plus significative à cet égard que le taux de natalité y est plus bas que dans le reste du Canada.

David Foot appelle alors les responsables des entreprises à se concentrer sur le groupe des 50 ans et plus, « qui portent des lunettes à double foyer, vont au casino et font des croisières », de leur créer des produits qui leur soient adaptés et de chercher à mieux les servir. C'est ce qu'il appelle le « pouvoir gris ».

Dans son interview, David Foot enfonce le clou en se demandant « à quoi bon investir d'importantes sommes pour rejoindre des marchés en déclin ? Les brasseries font d'énormes efforts pour rejoindre les jeunes. Pourtant, au Québec, ce marché décroît de 20 % par année ».

Un sondage de Léger Marketing, publié en 2007 pour le compte de la Société d'habitation du Québec et portant sur les tendances de l'habitation, montre clairement comment le vieillissement de la population est en train de changer radicalement le portrait du consommateur en habitation. Outre le fait que le vieillissement constitue le souci majeur de la population québécoise (34 %), bien avant les inégalités sociales (32 %), les changements climatiques (7 %) ou la sécurité des biens et des personnes (6 %), ce sondage révèle aussi un intérêt nouveau pour des logements mieux adaptés aux personnes âgées ainsi qu'une préoccupation accrue pour la sécurité. En effet, 42 % de ceux qui souhaitent déménager sont prêts à payer plus cher pour vivre dans un milieu sain et sécuritaire. Les craintes liées au vol (22 %) et aux incendies (23 %) atteignent des niveaux très élevés.

Toutefois, le résultat le plus important en relation avec le vieillissement de la population, dans le domaine de l'habitation, demeure l'arrivée massive d'acheteurs et de locataires de plus en plus expérimentés et donc de plus en plus exigeants. En effet, le sondage nous apprend que près de 60 % des Québécois sont propriétaires de leur résidence principale. Ce taux atteint 67 % en dehors des régions métropolitaines de Montréal et de Québec. Les propriétaires occupent leur résidence depuis plus de 13 ans (près de 7 ans, en moyenne, pour les locataires). Mais plus important encore, ils ont habité en moyenne huit maisons ou logements au cours de leur vie. Leurs attentes en habitation reposent donc sur une expérience solide acquise au fil des années.

Sources : Tiré de l'entrevue avec David FOOT, *InfoPresse*, août 1995 ; LÉGER MARKETING, « Valeurs et tendances en habitation au Québec : volet auprès des ménages du Québec », sondage réalisé pour la Société d'habitation du Québec, septembre 2007, p. 7.

Le pouvoir économique des séniors

Pendant longtemps, vieillesse et pauvreté ont été associées. À présent, il semble que cette catégorie de la population n'ait jamais connu un niveau de vie aussi élevé. C'est le groupe d'âge qui a le plus progressé en matière de revenus au cours des deux dernières décennies, et qui dispose du revenu discrétionnaire le plus élevé de toute la population. En fait, chez les personnes âgées, les dépenses nécessaires reliées au logement, au transport, à l'habillement et à l'achat d'épicerie ont tendance à diminuer plus rapidement que la baisse du

Une publicité de produits d'assurance auto offerts aux séniors.

Une publicité de produits d'assurance voyage offerts aux séniors.

revenu qui survient à la suite d'une mise à la retraite, que celle-ci soit normale ou anticipée. Le déménagement dans des logements plus petits ou dans des centres d'accueil souvent plus commodes, le choix d'un régime de location plutôt que de propriété, le délaissement des moyens de transport personnels au profit du transport en commun plus sécuritaire et, enfin, le suivi d'un régime alimentaire assez strict sont des exemples qui peuvent expliquer la baisse significative des dépenses chez les personnes âgées. Le surplus de revenu dégagé peut alors être utilisé dans des dépenses reliées à des activités de loisir, des voyages, à l'achat de produits de luxe, de produits cosmétiques, d'une auto, ou de tout autre produit ou service qui n'est pas de première nécessité. La publicité ci-contre d'une assurance auto AXA offerte aux séniors pour qu'ils conduisent l'esprit en paix illustre cette réalité. L'âge de la retraite est aussi souvent présenté comme étant celui des voyages, comme en témoigne la publicité d'assurances voyage de la Croix Bleue du Québec présentée ci-après.

L'amélioration constatée du bien-être des personnes âgées, en général, est en réalité principalement engendrée par celle des « jeunes séniors » (les 50-59 ans spécialement). Nous ne devons pas ignorer l'existence d'une catégorie de démunis comprenant, pour sa plus grande part, des veuves âgées vivant seules et dont les allocations de retraite de leur défunt – s'il y en a – suffisent à peine pour couvrir leurs besoins de première nécessité. Mais, d'une façon globale, par leur revenu disponible et leur patrimoine, les séniors dominent largement la pyramide financière des ménages, tant dans les pays industrialisés que dans ceux en développement.

Les statistiques démontrent que la domination financière et patrimoniale des plus de 50 ans ne fait que commencer et qu'elle va s'intensifier dans les 15 années à venir, au moins par un triple effet. Premièrement, l'arrivée des femmes séniores à l'âge de la retraite, ce qui apporte deux pensions de retraite au lieu d'une seule. Deuxièmement, dans les 15 années à venir, des retraites plus élevées malgré les ponctions fiscales, du fait que les salaires de ces personnes auront été plus importants pendant leur carrière que ceux des retraités actuels (il semble que le salaire de retraite d'un père de famille serait probablement équivalent au salaire de son fils à son premier emploi). Troisièmement, la constitution du patrimoine des séniors à une époque où les taux d'intérêt étaient très favorables.

Si, sur le plan économique, le groupe des séniors représente une catégorie de plus en plus riche, à la fois en matière de revenus et de patrimoine, il n'en demeure pas moins un groupe très hétérogène sur cette base, mais aussi par rapport à d'autres dimensions.

L'hétérogénéité du groupe des séniors

Nous avons mentionné précédemment que le groupe des séniors se différencie des autres groupes d'âge de la population de manière assez significative et qu'il constitue en lui-même un segment distinct de la population. Cependant, il serait utopique de penser qu'à l'intérieur de ce groupe, la situation de tous les séniors est identique. En effet, des différences méritent d'être reconnues, puisqu'elles exercent une influence notable sur le comportement de consommation. Bien qu'une mère de famille de 50 ans en pleine activité professionnelle et une veuve retraitée de 75 ans appartiennent au même groupe sénior de la population, elles ne possèdent pas nécessairement les mêmes conditions de vie et, par conséquent, n'affichent pas le même comportement. Une segmentation plus raffinée des personnes âgées permet alors une meilleure compréhension du groupe des séniors. Trois groupes peuvent ainsi être distingués : les 50-59 ans, les 60-74 ans et les 75 ans et plus. Il s'agit ici d'une typologie acceptée par la plupart des spécialistes en comportement du consommateur. Elle correspond à des critères formellement reconnus, comme l'âge de la retraite (60 ans) et la vulnérabilité de l'état de santé (75 ans). Le tableau 9.6 décrit le profil de ces trois groupes d'âge en se basant sur des variables telles que les ressources financières, le sexe, l'état de santé, l'occupation professionnelle et le temps libre.

TABLEAU 9.6 La segmentation du marché des séniors[67]

	50-59 ans	60-74 ans	75 ans et plus
Argent (ressources)	Important revenu disponible Âge d'or de la consommation	Revenu disponible maximum (désendettement total)	Pouvoir et appétit d'achat plus faibles (économique et psychologique)
Sexe	Masse équivalente des deux sexes dans cette classe d'âge	Surreprésentation sensible des femmes (de plus en plus de femmes seules)	Prédominance des femmes (veuves pour la plupart et vivant isolées)
Santé	Très grande majorité en bonne santé (baisse de la vue cependant)	Encore en bonne santé malgré la baisse de la vue, de l'ouïe et de la précision des gestes	Variable la plus influente Accentuation des problèmes précédents
Travail	Hommes : pour la plupart au travail, mais accroissement important du nombre de préretraités (dès 50 ans) Femmes : moins de femmes au travail	Minorité des deux sexes au travail	Retraités
Temps	Du temps libre, mais en quantité modérée	Le plus de temps libre	Beaucoup de temps libre

Toutefois, il est important de mentionner que, si le passage à la retraite ou l'atteinte d'un âge où la santé de la personne devient très vulnérable sont des critères qui laissent croire à un changement majeur dans le comportement d'une personne âgée et expliquent bien le découpage proposé, d'autres événements peuvent influencer le comportement de la personne séniore : le départ des derniers enfants à charge, la cessation d'activités, l'apparition soudaine de problèmes de santé chroniques, l'invalidité, le décès du conjoint, l'arrivée des petits-enfants, etc. À cela, il faut ajouter des critères classiques de segmentation comme le revenu, le niveau d'éducation, le type d'occupation professionnelle, la phase dans le cycle de vie familiale, etc.

Le comportement de consommation des séniors

L'entrée dans la cinquantaine marque souvent pour l'individu l'émergence d'une **attitude** de planification sérieuse de la retraite, ainsi que la reconnaissance définitive de la fin de la jeunesse... mais pas de la vie! Les travaux portant sur le comportement de consommation des personnes âgées ont mis l'accent sur plusieurs thèmes, notamment les questions de traitement de l'information et de prise de décision, les types de dépenses et la fréquentation des points de vente, les problèmes et les champs d'intérêt des consommateurs, l'utilisation des sources d'information et les relations avec les médias.

Les dépenses de consommation des séniors

Les travaux de recherche sur les **dépenses de consommation** des séniors ont révélé que ceux-ci dépensent moins pour la maison et les déplacements. Il n'empêche que de nombreuses résidences sont offertes aux séniors bien nantis en leur faisant miroiter une gamme élaborée de services pour assurer leur indépendance, leur tranquillité, leur sécurité, leur confort et la possibilité de mener une vie de « château ». À cet effet, la publicité des Résidences pour gens retraités Jazz, présentée ci-dessous, est particulièrement éloquente.

Une publicité de résidences destinées aux personnes âgées.

Les dépenses relatives aux soins médicaux augmentent car, avec l'âge, la santé se fragilise malgré tout. D'ailleurs, avec le vieillissement de la population, certaines maladies apparaissent comme des problèmes inquiétants qui iront en s'accentuant. La maladie d'Alzheimer en constitue un exemple flagrant. Pour comprendre la nature des dépenses relatives que le sénior peut devoir engager, il suffit de feuilleter quelques magazines lui étant destinés et d'examiner les publicités que l'on y trouve. Des problèmes oculaires, comme la cataracte, le guettent et peuvent l'empêcher de profiter pleinement de ce qui l'entoure. La capacité de se mouvoir pouvant décliner, certains produits sont proposés au sénior afin de l'aider à préserver ou à reconquérir son autonomie. La capacité auditive pouvant elle aussi diminuer avec l'âge, des prothèses de plus en plus perfectionnées sont offertes sur le marché pour pallier cette déficience, comme en témoigne la publicité ci-contre. Certains fabricants de téléphones cellulaires, comme Emporia, ont même volontairement ciblé le marché des séniors en offrant des téléphones faciles à manipuler par des personnes peu concernées par la convergence numérique et les gadgets. Les téléphones ainsi offerts présentent souvent un design ergonomique avec un grand écran et de grandes touches, une interface ultra simplifiée et seulement les fonctions essentielles, notamment un réglage facile du volume et un accès rapide à des numéros gardés en favoris. En somme, de nombreux produits et services, présentés comme autant de moyens de préserver leur qualité de vie, sont offerts aux séniors d'aujourd'hui.

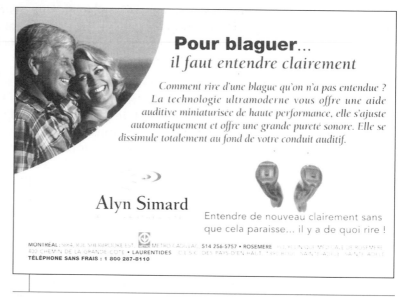

Une publicité de produits destinés à améliorer la capacité auditive des personnes âgées.

Il semble qu'il n'y ait pas de différence dans les dépenses des séniors par rapport aux autres groupes en matière d'alimentation et d'habillement. Une autre enquête met l'accent sur l'hétérogénéité des dépenses dans ce sous-groupe et démontre qu'à partir de l'âge de 65 ans, ceux-ci dépensent moins en alimentation, en habillement, en transport, en alcool et en tabac.

Le traitement de l'information et le processus d'achat des séniors

Au fur et à mesure qu'un individu prend de l'âge, il subit des changements graduels sur plusieurs plans (social, psychologique et physique). Ces changements peuvent affecter sa capacité de traitement de l'information, dont celle de nature commerciale. Dans certaines circonstances, les personnes âgées paraissent avoir plus de difficulté à traiter l'information que les personnes plus jeunes. Les études réalisées en psychologie montrent clairement que l'acquisition de l'information, le temps de réaction et la mémoire diminuent avec l'âge[68], tout comme la capacité à résoudre les problèmes, d'ailleurs, qui décline aussi en fonction du revenu et du niveau d'éducation.

D'autres travaux relatifs à l'utilisation de l'information ont révélé que les femmes âgées n'utilisent pas autant que les femmes plus jeunes les informations sur le prix[69]. Les femmes âgées font plus d'erreurs quand il s'agit de se rappeler le prix des produits et de faire des comparaisons. Les expériences ont montré que les séniors ne traitent pas l'information selon un niveau sémantique profond et que leur vitesse de traitement de celle-ci est plus faible[70]. Plus les personnes âgées sont « matraquées » d'informations, plus il leur est difficile de la traiter convenablement, si on les compare aux plus jeunes. Toutefois, lorsqu'elles sont exposées aux informations sans qu'on les bouscule, on voit alors diminuer, voire disparaître la différence entre elles et les plus jeunes sur le plan du traitement de l'information. Bien que la capacité de fonctionnement de la mémoire – dont la résolution de problèmes – diminue avec l'âge, les personnes âgées essayent de compenser cette perte en utilisant leurs relations interpersonnelles en guise de sources d'information[71]. Il est à noter que, pour les personnes séniores, le jugement et l'expérience personnelle (le vécu), les conseils d'amis et de la famille (les proches) constituent les sources d'information les plus importantes.

Pour effectuer leurs achats, les personnes âgées consultent beaucoup les dépliants et les affichettes (flyers[72]). La plupart des sorties pour aller faire leurs courses ont lieu le matin, afin d'éviter les foules et les encombrements, et surviennent très souvent les jours où s'effectue l'encaissement du chèque de retraite. Pour les séniors, ces sorties offrent une occasion de rencontrer des gens (connotation sociale) et de faire des exercices physiques (marche et récréation[73]). Les habitudes d'achat des personnes âgées sont influencées par leur état de santé. Elles ont moins recours au crédit et sont sceptiques par rapport à l'achat de nouveaux produits. Finalement, les personnes âgées fréquentent surtout les magasins de détail et refusent l'achat par téléphone ou la vente porte-à-porte.

Les travaux liés aux technologies de vente au détail montrent que le consommateur âgé perçoit beaucoup plus d'inconvénients que d'avantages dans l'utilisation des technologies[74]. En contexte bancaire, il y voit une perte de contact personnel ou d'information. Il existe bel et bien une relation négative entre l'âge et l'adoption des technologies. D'après la courbe de Rogers (qui suit la loi normale), les séniors font partie des consommateurs innovateurs tardifs. Ils sont les dernières personnes à adopter un nouveau produit, service ou idée.

Une étude réalisée auprès d'un groupe de personnes âgées a permis de faire ressortir les attributs les plus importants qui interviennent dans leur processus décisionnel d'achat, à savoir, par ordre d'importance : la possibilité de retourner la marchandise, la qualité du produit, le prix attractif et l'existence de rabais intéressants, la taille et le style convenant à leur âge et, enfin, la réputation du magasin. À cela s'ajoutent deux attributs moins importants, mais propres à ce groupe d'âge, soient les promotions spécialement destinées aux personnes âgées et la proximité du lieu de résidence.

Par ailleurs, sur les lieux de vente, les principaux centres d'intérêt des personnes âgées sont la disponibilité des promotions, la gentillesse et l'amabilité du personnel, et l'emplacement des produits. La capsule 9.3 présente une série de recommandations destinées aux magasins qui ciblent cette clientèle, fournies par une entreprise américaine de communication spécialisée dans la clientèle séniore.

En ce qui concerne les médias et les publicités, on peut dire que les personnes âgées y sont plus souvent exposées, du fait de leur temps libre, et qu'une exposition croissante et répétitive aux médias – surtout aux publicités télévisées – pourrait accélérer leur processus de prise de décision. Une enquête réalisée auprès d'un échantillon de personnes âgées dont la tranche d'âge varie de 48 à 93 ans a révélé que les «plus jeunes» préfèrent la télévision alors que les «plus âgées» utilisent autant les journaux que la télévision[75]. Cette même étude a montré que le niveau d'éducation (d'études) jouait un rôle important dans le choix du média et que le journal restait le média le plus utilisé par ceux qui ont fait des études avancées. Toutefois, quel que soit leur niveau d'éducation, les séniors regardent les nouvelles télévisées plus fréquemment qu'ils ne lisent les journaux, et ce, qu'ils soient jeunes, âgés ou très âgés.

Quelques conseils pour mieux servir la clientèle âgée

Après avoir analysé les besoins de la clientèle âgée, l'entreprise de communication américaine Age Wave Inc. recommande ce qui suit aux magasins qui veulent attirer cette clientèle.

Aux épiceries :

- planchers sans reflets et bon éclairage ;
- étiquettes faciles à lire ;
- chariots aux formes mieux adaptées ;
- plus de produits qui tiennent compte de la santé des aînés.

Aux autres magasins :

- mettre l'accent sur le service à la clientèle ;
- regrouper les produits similaires ;
- mieux disposer les produits dans les étagères afin de les rendre plus faciles d'accès ;
- mieux situer les toilettes et les fontaines à l'intérieur du magasin.

Source : Y. LEMAY, « Des consommateurs âgés et avertis s'expriment », FADOQ, 2002.

9.3 Le groupe des démunis : une sous-culture de revenu

La mauvaise répartition des revenus dans une société fait souvent naître des groupes de personnes extrêmement riches ou extrêmement pauvres. Par rapport à la classe moyenne, supposée être le groupe dominant de toute société moderne, ces groupes socioéconomiques connaissent des **conditions de vie** très différentes et adoptent par conséquent des comportements de consommation différents. On parle souvent de société à deux vitesses. Il est important de comprendre le comportement de consommation du groupe démuni de la société, les causes de cet appauvrissement et les facteurs qui influencent son comportement. Que leurs raisons soient philosophiques, stratégiques ou humanitaires, plusieurs organisations s'y intéressent. Il en va ainsi des organisations caritatives comme Centraide, dont les objectifs sont quelque peu différents de ceux des institutions financières, lesquelles étudient le phénomène parce qu'il constitue une base incontournable dans leur stratégie de segmentation du marché[76]. Le problème d'appauvrissement de la population québécoise est devenu un phénomène réel qui mérite que l'on s'y attarde, et qui a d'ailleurs fait l'objet de plusieurs travaux. Dans ce qui suit, nous allons d'abord définir le concept de pauvreté, les dimensions qui le caractérisent et la façon adéquate de le mesurer. Par la suite, nous présenterons brièvement la situation au Québec en général, et celle de la région montréalaise en particulier. Enfin, nous aborderons de façon plus détaillée le comportement de consommation des groupes économiquement défavorisés en nous basant sur les principales études réalisées.

Le concept de pauvreté

Bien que basé sur des éléments économiques, le concept de pauvreté reste très difficile à définir dans la mesure où il s'agit d'une référence à un état ou à une situation où l'individu est **dépourvu du nécessaire.** Dès lors se pose la question de ce qui est nécessaire et de ce qui ne l'est pas. Selon la hiérarchie des besoins de Maslow, les besoins des individus dans une société évoluent d'un niveau de base plutôt physiologique à des besoins plus élaborés de nature psychologique et même sociale (*voir le chapitre 2*). N'étant pas au même niveau de développement, les sociétés d'aujourd'hui ne se situent pas nécessairement au même niveau de besoins. Dans certains pays, se nourrir et être décemment hébergé représentent encore un luxe difficile à atteindre. Dans d'autres, où ces besoins sont généralement comblés, les consommateurs recherchent la satisfaction de besoins plus élevés tels que la réalisation de soi.

Les premiers spécialistes qui se sont intéressés à ce domaine, qu'il s'agisse de chercheurs autonomes ou d'institutions publiques (comme Statistique Canada), ont proposé des mesures unidimensionnelles basées sur les seuls éléments pécuniaires. La pauvreté y est alors considérée uniquement comme une privation monétaire, liée à un seuil de subsistance biologique donné. La détermination de ce seuil fait l'objet de débats houleux entre les principaux acteurs sociaux : les gouvernements, les syndicats et les entreprises. Deux visions s'affrontent : celle d'un seuil absolu et celle d'un seuil relatif à l'accroissement ou à la baisse globale des salaires réels de l'ensemble de la société. La première vision consiste à estimer un seuil minimal qui tient compte des besoins de l'individu pour survivre : on parle alors de mesure absolue de la pauvreté. La seconde vision se traduit par l'estimation d'un seuil prenant en considération les inégalités sociales dans la distribution réelle des revenus : c'est la mesure relative de la pauvreté.

Plusieurs auteurs soulignent que, dans les sociétés développées comme le Canada, la privation économique ne constitue pas la seule dimension de la condition de personne défavorisée. D'autres dimensions doivent être prises en compte, telles que l'accès à la connaissance, à l'information, à la culture, à la santé, à l'équité sociale, à la vie associative, à la politique et aux autres éléments d'épanouissement dans une société[77]. La pauvreté apparaît alors comme un concept multidimensionnel et socialement relatif. En conséquence, d'autres mesures de la pauvreté ont été proposées qui intègrent, outre la dimension pécuniaire, des dimensions reliées au cycle de vie familiale, au niveau d'éducation, au type de profession, et autres conditions de l'individu en tant que membre de la société[78]. Bien que valides, ces mesures demeurent tout de même difficiles à estimer, surtout à l'échelle d'une grande ville ou d'un pays.

Au Canada, comme partout dans le monde, les **indices de pauvreté** utilisés par l'institution nationale de la statistique sont unidimensionnels, puisqu'ils se basent sur le seul critère économique du revenu. Depuis le début des années 1970, Statistique Canada fournit des données sur la population démunie au pays en utilisant une première mesure appelée seuil de faible revenu (SFR) ; depuis la fin des années 1980, il en utilise une deuxième appelée mesure du faible revenu (MFR). Toutes deux sont de type relatif, puisque le seuil de pauvreté est estimé par rapport à la moyenne de la société. Le SFR est décrit comme étant le niveau de revenu auquel une famille a tendance à consacrer une proportion nettement plus importante de son revenu à l'alimentation, au logement et aux vêtements que la famille moyenne dans la population. Au moment de sa création, en 1969, la moyenne de ces dépenses de base dans la population était de 50 %, et il a été estimé que le SFR devrait être situé à 20 points au-dessus de cette moyenne, soit à 70 %. Par conséquent, un ménage est considéré à faible revenu si le pourcentage de ses dépenses en alimentation, en logement et en vêtements dépasse 70 % de son revenu. Bien sûr, le niveau du SFR est révisé périodiquement en fonction de l'évolution au fil du temps de la moyenne des dépenses de base dans la population ainsi que de l'indice des prix à la consommation. Notons que le SFR est calculé sur la base du revenu avant et après impôt, et de façon différenciée selon la taille de la famille et celle de la région de résidence. En effet, ces deux facteurs, en plus du taux d'inflation, influencent directement le niveau des dépenses de base en alimentation, en logement et en vêtements, et doivent par conséquent être pris en compte dans le calcul du SFR. En effet, les dépenses moyennes relatives à ces produits pour une personne seule résidant dans une ville comme Gaspé ne peuvent être comparées à celles d'une même personne vivant seule à Montréal, ni à celles d'une famille de quatre personnes vivant dans la même ville de Gaspé. Bien que Statistique Canada calcule aussi bien les seuils de faible revenu avant impôt que ceux après impôt, elle préfère utiliser les seconds pour ses analyses, dans la mesure où ils reflètent mieux le niveau de vie de la population. Le seuil de faible revenu après impôt pour l'année 2007 est présenté dans le tableau 9.7[79].

TABLEAU 9.7 🐢 Le seuil de faible revenu après impôt, en 2007, selon la population[80]

Taille de la famille	Population de région rurale	Population de moins de 30 000	Population de 30 000 à 99 999	Population de 100 000 à 499 999	Population de 500 000 et plus
1	11 745 $	13 441 $	14 994 $	15 184 $	17 954 $
2	14 295 $	16 360 $	18 250 $	18 480 $	21 851 $
3	17 800 $	20 370 $	22 725 $	23 011 $	27 210 $
4	22 206 $	25 414 $	28 352 $	28 709 $	33 946 $
5	25 287 $	28 940 $	32 285 $	32 691 $	38 655 $
6	28 044 $	32 095 $	35 805 $	36 255 $	42 869 $
7 et plus	30 801 $	33 250 $	39 924 $	39 819 $	47 084 $

En ce qui concerne la mesure de faible revenu (MFR), Statistique Canada fixe le seuil de pauvreté à 50 % du revenu médian (celui qui correspond à 50 % de la population cumulée), corrigé de la taille et de la composition de la famille, selon une échelle d'équivalence. Cette échelle utilise un poids de 1 pour le premier membre de la famille et de 0,4 pour le deuxième, quel que soit son âge. Les autres membres de la famille, à partir du troisième, ont un poids de 0,4 s'ils ont 16 ans ou plus, et de 0,3 s'ils ont moins de 16 ans. Contrairement au SFR, cette mesure ne tient pas compte des différences régionales dans la taille des populations. En 2007, Statistique Canada a estimé la MFR pour une personne seule à 15 179 $ après impôt (qui était de 14 028 $ en 2002 et de 9 885 $ en 1990).

Notons, pour les deux mesures relatives de pauvreté SFR et MFR, une progression positive dans le temps. Cette tendance s'explique en grande partie par la nature même de leur estimation basée sur les revenus moyen et médian qui augmentent continuellement au fil du temps. La figure 9.7 illustre l'évolution du SFR et de la MFR après impôt pour une famille de quatre personnes, de 1992 à 2007[81].

La pauvreté au Québec : aperçu général et comparaison avec le reste du Canada

Bien que la situation de la pauvreté au Québec ait globalement connu une amélioration significative depuis le début des années 1970, elle semble se détériorer depuis le début des années 1990. La figure 9.8 présente l'évolution au Québec du taux de pauvreté des familles et des personnes seules, selon la mesure du SFR avant impôt, de 1973 à 2007[82].

FIGURE 9.7 L'évolution du SFR et de la MFR pour une famille de quatre personnes, après impôt, de 1992 à 2007

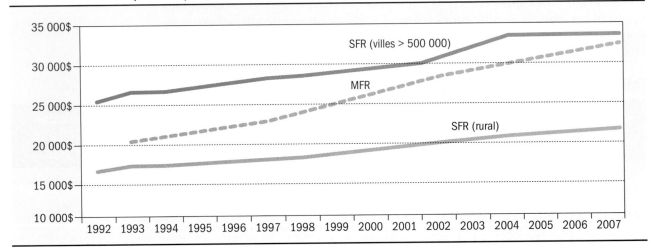

FIGURE 9.8 L'évolution du taux de pauvreté des familles et des personnes seules, selon le seuil de faible revenu de Statistique Canada (base 1986) fondé sur le revenu avant impôt, Québec, 1973-2007

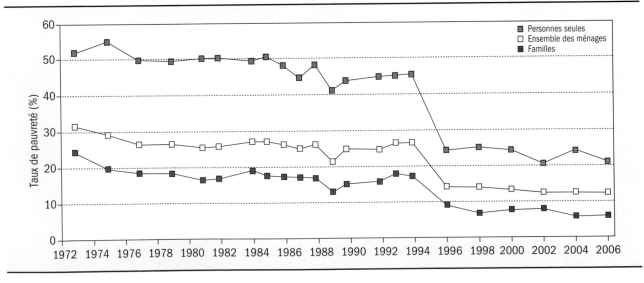

L'analyse des tendances présentées à la figure 9.8 montre clairement une amélioration de la situation économique au Québec, aussi bien pour les personnes seules que pour les familles. À titre d'exemple, de 1973 à 1994, le taux de pauvreté pour l'ensemble des ménages a chuté de 32 % à 26 %, soit un gain total de six points dans l'éradication de la pauvreté. Cette amélioration de la situation, qui s'explique en grande partie par le boum des investissements des années 1970 et 1980, accompagné d'une création massive d'emplois et d'une conjoncture économique nationale et internationale favorable, a connu son apogée en 1989. Là, le taux de pauvreté était à son niveau le plus bas jamais atteint auparavant (21 % pour l'ensemble des ménages, 41 % pour les personnes seules et 13 % pour les familles). Depuis, la tendance s'est renversée avec la crise économique du début des années 1990 et la mise en application du nouveau système de taxation à la consommation, TPS (taxe sur les produits et services) et TVQ (taxe de vente du Québec), auxquelles s'est ajoutée une conjoncture nationale et internationale marquée par l'incertitude et le risque politique. L'avènement du nouveau millénaire, qui a coïncidé avec les événements du 11 septembre 2001, l'éclatement de la bulle technologique en 2002 et la crise financière en 2007, n'a pas apporté d'amélioration à la situation de la pauvreté au Québec. Notons toutefois que la montée croissante de la pauvreté au Québec, bien que généralisée, semble frapper davantage les jeunes, les femmes seules et les familles monoparentales (selon la même source). L'annonce, parue dans un journal gratuit, d'un jeune Montréalais qui vit dans le dénuement total illustre le désarroi de certains Québécois et la précarité de leur situation. Dans cette annonce, on peut lire ce qui suit : « JEUNE HOMME fait ménage, NU, chez toi. Discret, poli, respectueux et gentil ! Gratuit ! Pour dames seulement. Tél. : … »

Comparativement aux autres provinces, la pauvreté au Québec est plus marquée. Selon les dernières études disponibles auprès des autorités concernées, la pauvreté est davantage concentrée au Québec, avec plus du tiers des 2,6 millions de ménages pauvres de l'ensemble du Canada, alors que le Québec ne représente que le cinquième de la population canadienne. Pour ce qui est des autres provinces, la proportion des ménages pauvres correspond de manière proportionnelle à l'importance relative de leurs populations, à l'exception de la province de l'Ontario, qui possède un avantage sur ce plan. Cette dernière compte 31 % des ménages pauvres du Canada, pour une population qui représente 37 % de celle du pays.

Le comportement de consommation du groupe des démunis

Le comportement des consommateurs économiquement démunis reste mal connu par les spécialistes du domaine. Les travaux réalisés sont fragmentés et très peu de généralisations en ressortent. La pauvreté du consommateur influence les différentes facettes de son comportement de consommation. L'effet le plus direct observé concerne son comportement d'achat, soit une certaine compression de ses dépenses, engendrée par les contraintes budgétaires imposées par la situation précaire dans laquelle il se trouve. Nous allons, dans un premier temps, nous livrer à son étude. Mais il existe d'autres répercussions plus sournoises de la pauvreté qui sont, pour la plupart, de nature psychologique, et qui méritent d'être mentionnées. C'est ce que nous verrons dans un deuxième temps.

La compression des dépenses : un effet direct de l'appauvrissement

Dans ses dépenses, le consommateur peut se livrer à trois **types d'achats :** les achats de première nécessité, les achats courants et les achats réalisés à même la partie discrétionnaire du revenu[83]. Il est certain que tout changement de sa situation économique risque d'influencer son comportement d'achat. La précarité d'une situation financière augmente en effet les niveaux de risques financier, matériel et social ressentis par le consommateur dans son processus d'achat. Sa sensibilité au prix, aux promotions de vente et à l'achat utilitaire devient plus grande. Les produits de première nécessité, tels que le logement (loyer ou remboursement de prêt hypothécaire), la nourriture et la santé, correspondent souvent à des frais fixes dans le budget du consommateur. En raison de leur nature, ces dépenses sont peu sensibles aux variations du revenu, ce qui n'est pas le cas des autres achats courants, comme le transport (transport en commun ou voiture personnelle), l'habillement, les loisirs, les vacances, les arts et la culture. La demande pour ces produits semble en effet très élastique selon le revenu des consommateurs, de sorte qu'une variation dans le revenu, un appauvrissement par exemple, engendre automatiquement des compressions élevées. Dans le budget du ménage, on assimile souvent ces dépenses à des frais variables qui dépendent de la situation socioéconomique caractérisant le ménage en question. En ce qui concerne la partie discrétionnaire du revenu des ménages, qui peut être dépensée, selon les choix et les caprices de chacun, dans des placements financiers, des aliments fins, des soins dentaires, un type de voiture en particulier, etc., l'incidence d'une situation financière difficile au regard de la compression des dépenses semble être de moyenne à élevée. Dans ce cas, la compression suit les pulsions et les motivations de chacun plutôt qu'une quelconque rationalité[85]. La figure 9.9 illustre les résultats d'une étude portant sur l'influence de l'appauvrissement sur les compressions de dépenses touchant différents types de produits.

Une étude réalisée au Québec auprès de 3 010 clients d'une institution financière révèle des différences significatives entre sa clientèle aisée et celle qui est démunie. Comparativement à ceux qui ont des revenus élevés, les clients à faible revenu ont un accès limité à la gamme variée des produits et des services financiers de l'institution, notamment à l'emprunt, à l'épargne et aux placements. La figure 9.10 montre clairement les différences entre les deux segments. De cette même étude, il ressort aussi chez la clientèle démunie une plus grande fidélité envers son institution financière, des attitudes défavorables envers les taux d'intérêt et les frais de services et, enfin, une faible utilisation des sources d'information de même qu'un niveau de connaissance limité des services financiers offerts par leur institution.

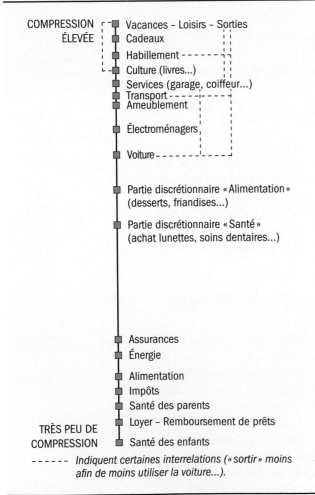

FIGURE 9.9 L'appauvrissement des ménages et la compression des dépenses touchant différentes catégories de produits[84]

COMPRESSION ÉLEVÉE

- Vacances – Loisirs – Sorties
- Cadeaux
- Habillement
- Culture (livres...)
- Services (garage, coiffeur...)
- Transport
- Ameublement
- Électroménagers
- Voiture

- Partie discrétionnaire « Alimentation » (desserts, friandises...)

- Partie discrétionnaire « Santé » (achat lunettes, soins dentaires...)

- Assurances
- Énergie
- Alimentation
- Impôts
- Santé des parents
- Loyer – Remboursement de prêts

TRÈS PEU DE COMPRESSION
- Santé des enfants

------ *Indiquent certaines interrelations (« sortir » moins afin de moins utiliser la voiture...).*

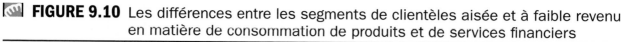

FIGURE 9.10 Les différences entre les segments de clientèles aisée et à faible revenu en matière de consommation de produits et de services financiers

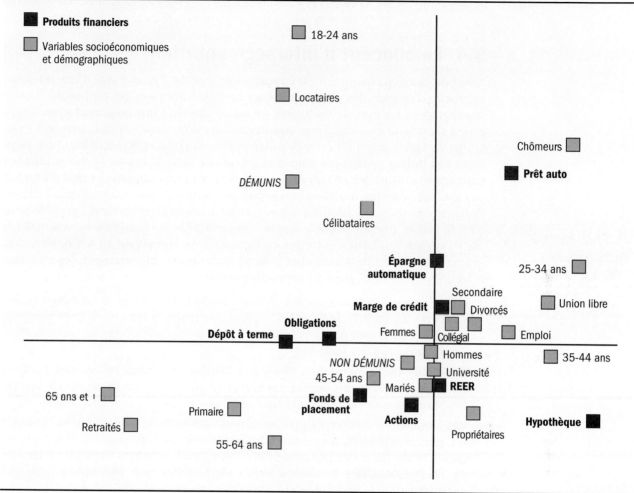

Les effets indirects de la pauvreté

Outre qu'elle agit sur son comportement d'achat relativement à certains types de produits, la pauvreté crée chez le consommateur un déséquilibre qui le pousse à avoir une **réaction émotive défavorable** à toute communication sociale et à toute estime de soi. En effet, l'individu se sent alors rejeté et se rejette lui-même. La personne démunie est souvent mal organisée sur le plan de sa gestion du temps, n'a pas d'activités régulières, a des contacts sociaux limités, n'a pas souvent d'objectifs clairs et ne possède aucun statut et aucune identité respectés et valorisés par les autres membres de la société. Elle entre donc dans un processus de repli social et d'isolement qui influe sur sa personnalité et son estime de soi. Un sentiment de malaise, d'impuissance, de perte de contrôle et de tension s'installe. La personne démunie se tourne alors vers son entourage le plus proche, notamment sa famille et ses amis. L'influence de ces derniers, dans son comportement quotidien, devient importante. Toutefois, les risques de rupture avec cet entourage proche demeurent très probables si la situation précaire perdure, ce qui aggrave la frustration et le désarroi de l'individu. Par comparaison avec la moyenne de la population, les personnes démunies se trouvent souvent retardées dans leur cycle de vie familiale. Elles retournent souvent chez leurs parents, se marient très tard et préfèrent ne pas avoir d'enfants[86].

9.4 Le concept d'intersegmentation

Avant de clore ce chapitre, il est important de signaler l'émergence d'une nouvelle approche d'analyse des consommateurs de différents pays qui rapproche davantage les deux notions de culture et de sous-culture : l'**intersegmentation.** Nous avons signalé au chapitre 8 sur la culture et la consommation que, pendant longtemps, la vision internationale des marchés de la consommation plaçait les pays dans des bulles isolées les unes des autres, en faisant ressortir davantage les différences culturelles et autres qui séparent les consommateurs des différents pays. C'est la vision multinationale que des entreprises comme Pepsi Cola ou Unilever ont toujours adoptée dans leurs approches stratégiques. Parallèlement à cette vision, une autre est apparue, qui considère le monde comme un village global où les similarités entre les consommateurs transcendent les différences, qui ne cesseraient de s'estomper[87]. Ainsi, dans leur comportement, les consommateurs de différents pays adoptent de plus en plus :

- un style vestimentaire commun : le costume et la cravate pour les hommes, les robes ou les pantalons pour les femmes, les jeans et les chaussures de sport pour les jeunes sont devenus la norme, et ce, indépendamment des nationalités, des religions ou des langues ;

- des habitudes alimentaires assez semblables : McDonald's fait des ravages autant dans son pays d'origine, les États-Unis, que dans d'autres pays de grande tradition culinaire comme la France et l'Italie ;

- des innovations technologiques similaires : l'adoption des téléphones cellulaires ou, plus récemment, du réseau Internet dans la presque totalité des pays du globe, et ce, dans des temps de diffusion record, sont des exemples flagrants de l'éclatement des frontières, aussi bien réelles que psychologiques, qui caractérisaient le marché international ;

- des gadgets électroniques (PlayStation Portable, iPod, etc.) : on observe une fascination universelle pour ces phénomènes, aussi bien chez les jeunes Asiatiques, Américains, Européens ou Africains.

Toutefois, ce serait une grave erreur d'appréciation que d'assimiler cette tendance **globale** à l'échelle internationale à une tendance à l'**uniformisation** des cultures, qui risqueraient alors de devenir inodores et incolores en raison de l'absence de contrastes et de différences pour les valoriser. Que l'on parle de style vestimentaire, d'habitudes alimentaires ou de phénomènes de consommation en général, les différences entre les consommateurs existent toujours. Sauf qu'elles semblent caractériser davantage les groupes de consommateurs d'un même pays, par rapport à des similarités qui apparaissent de plus en plus chez des groupes de consommateurs de pays différents. À titre d'exemple, la communauté des internautes regroupe certes des utilisateurs du réseau Internet qui partagent des champs d'intérêt, des normes, voire des valeurs et des styles de vie ; toutefois, ce ne sont pas tous les citoyens d'un même pays qui utilisent cette nouvelle technologie de l'information, et même ceux qui l'utilisent ne s'y intéressent pas tous de la même façon.

Ainsi, une sous-culture, c'est-à-dire un segment d'une même société qui s'identifie lui-même, ou est identifié par les autres, en tant que groupe distinct ayant des comportements qui lui sont propres et des caractéristiques culturelles (normes, valeurs, symboles, etc.) différentes de celles du groupe dominant, peut se manifester. Par ailleurs, cette sous-culture ou ce segment peut se retrouver aussi dans d'autres sociétés et présenter des valeurs, des attitudes et des comportements similaires à ceux du segment identifié dans un autre pays. C'est l'intersegmentation. Des études en marketing international montrent que les consommateurs de grandes métropoles comme Montréal, New York, Paris ou Tokyo ont souvent des styles de vie et des comportements de consommation plus semblables que ceux des consommateurs d'un même pays, selon qu'ils sont d'une métropole ou des zones rurales[88].

D'autres études montrent que, pour une même nouveauté, le groupe des innovateurs, qui affiche souvent une prédisposition d'adoption plus élevée que le reste du marché, existe simultanément dans plusieurs pays. D'un point de vue stratégique, il serait important d'atteindre ces groupes de consommateurs d'un seul coup. Cela permettrait d'abord à l'entreprise innovatrice de viser, dès la phase de lancement, des volumes de ventes tels que son investissement en recherche et développement serait rapidement rentabilisé et, ensuite, de réaliser des parts de marché qui lui permettraient de faire face plus facilement aux actions de la concurrence. L'exemple récent de ce type de stratégie est celui de la firme américaine Apple avec son téléphone intelligent iPhone 3GS qui a été lancé en 2009, dans des délais très rapprochés, en Asie, en Amérique, en Europe et en Afrique, en utilisant la même stratégie de marché : une stratégie d'écrémage, basée sur des prix très élevés, où la cible visée était surtout les segments de consommateurs de différents pays qui sont des mordus de la téléphonie intelligente, qui sont prêts à payer un prix exorbitant pour un téléphone cellulaire et qui veulent être les premiers à l'utiliser. Cette stratégie, qui a connu le succès partout dans le monde, a permis à Apple de rentabiliser rapidement son investissement et lui a facilité la tâche pour concurrencer ses principaux rivaux, Nokia, Sony et LG. Apple avait ainsi la conviction de l'existence du même segment de consommateurs innovateurs dans différents pays, dont seules la taille et l'importance différaient.

Nous avons appris que :

- dans une même société, il existe un segment qui s'identifie lui-même, ou est identifié par les autres, à un groupe distinct ayant ses comportements en propre, des caractéristiques culturelles (normes, valeurs, symboles, etc.) différentes de celles du groupe dominant ou de celles des descendants légitimes des fondateurs de la nation prédominante.

- les 20 dernières années ont été marquées au Canada par l'émergence d'un nouveau phénomène que l'Europe occidentale et les États-Unis connaissent depuis plusieurs décennies : le développement de marchés cosmopolites.

- les immigrants qui arrivent au Canada préfèrent généralement s'installer dans les grandes villes comme Montréal, Toronto et Vancouver. Ils sont en effet attirés par les commodités de la vie offertes aux étrangers, principalement un paysage ethnique plus intégrateur et des possibilités d'emploi relativement abondantes.

- les francophones, au Canada, constituent le plus grand groupe ethnique après les anglophones. L'importance de ce groupe n'a cessé de croître depuis la création du pays.

- le comportement d'un groupe ethnique est certes différent de celui des autres groupes, mais qu'il varie aussi entre les individus du même groupe, en fonction de leur niveau d'acculturation et de leur ethnicité.

- l'acculturation est le processus d'adaptation psychosocial par lequel le membre d'un groupe culturel minoritaire acquiert les valeurs, les normes, les comportements, les attitudes et les habitudes culturelles de son pays d'accueil.

- la variable « âge » a souvent servi pour segmenter le marché de certains produits et services tels que les cosmétiques, les services financiers et le transport en commun, même si cette variable ne peut, à elle seule, expliquer les différences de comportement entre les individus d'un même marché.

- les séniors apparaissent comme le groupe qui détermine actuellement les transformations sociales les plus importantes dans les pays occidentaux, où ils forment une population de jeunes et de vieux retraités ayant des objectifs communs, en particulier celui de vivre une retraite paisible et heureuse après la rupture avec le monde du travail.

- le groupe des séniors constitue une catégorie de plus en plus riche, à la fois sur le plan des revenus et du patrimoine, mais qui n'en demeure pas moins un groupe très hétérogène, tant à cet égard que par rapport à d'autres dimensions.

- le comportement de consommation du groupe démuni de la société, les causes de cet appauvrissement et les facteurs qui influencent son comportement de consommation sont des notions importantes à comprendre.

- le concept de pauvreté reste très difficile à définir, dans la mesure où il s'agit d'une référence à un état ou à une situation où l'individu est privé et dépourvu du nécessaire.

- la privation économique ne constitue pas la seule dimension de la condition de personne défavorisée ; d'autres dimensions doivent être prises en compte, telles que l'accès à la connaissance, à l'information, à la culture, à la santé, à l'équité sociale, à la vie associative, à la politique et aux autres éléments d'épanouissement dans une société.

- l'influence la plus directe de l'appauvrissement sur la consommation est celle qui est observée sur le plan du comportement d'achat, soit une certaine compression des dépenses, engendrée par les contraintes budgétaires imposées par la situation précaire dans laquelle se trouve l'individu.

- d'autres répercussions de la pauvreté, plus sournoises et, pour la plupart, de nature psychologique, frappent les personnes démunies.

- de plus en plus de sous-cultures sont communes à différents pays, donnant ainsi naissance au concept d'intersegmentation.

Questions de révision et de réflexion

1. Qu'entend-on par sous-culture ? Présentez des bases sur lesquelles on peut délimiter des sous-cultures.

2. De quelle façon la compréhension du concept de culture peut-elle nous éclairer en matière de sous-culture ? Pourquoi ne pas se contenter de l'étude de la culture et s'intéresser aussi aux sous-cultures ?

3. Y a-t-il une sous-culture étudiante ? Justifiez votre point de vue.

4. Qu'est-ce qu'un groupe ethnique ? Quels sont les principaux groupes ethniques au Canada ?

5. « Le Canada est une mosaïque culturelle. » Commentez cette phrase.

6. Qu'est-ce qui attire les immigrants vers les grandes villes du Canada ?

7. Discutez des marchés ethniques de Montréal.

8. Quelle évolution la consommation alimentaire du Québec francophone a-t-elle suivie au cours des dernières années ?

9. Qu'entend-on par assimilation ? Par contre-acculturation ?

10. Citez plusieurs dimensions qui entrent dans la mesure du degré d'acculturation d'un immigrant.

11. Comment définit-on et évalue-t-on l'identité ethnique ?

12. Qu'est-ce que l'ethnicité ?

13. La plupart des universités ont acquis une dimension internationale. Profitez-en pour interroger trois étudiants provenant d'autres cultures et demandez-leur de remplir le questionnaire de mesure du degré d'acculturation *(voir l'encadré de la page 341)*. Dans le cadre d'entretiens en profondeur, abordez les thèmes suivants : ce qu'ils mangent, les fêtes qu'ils observent, les journaux et les magazines qu'ils lisent, les sites Internet qu'ils consultent pour connaître l'actualité. Quelle actualité ? Regardent-ils la télévision ? Quelles émissions ? Quels sports les intéressent ? Quels sports pratiquent-ils ? Sur la base de l'information obtenue, jugez de leur degré d'acculturation et de l'influence de celui-ci sur leur consommation de biens et de services. Arrivez-vous aux mêmes résultats que ceux présentés dans le présent chapitre à ce sujet ?

14. Pourquoi les produits de prestige et les nouveaux produits exercent-ils un attrait sur certains immigrants ?

15. L'imposant groupe des *baby-boomers* fait son entrée dans le groupe des séniors. Cela devrait-il accentuer, selon vous, l'évolution des perceptions concernant la retraite ? Quelles implications entrevoyez-vous pour la demande de biens et de services et la communication marketing les concernant ?

16. En quoi le groupe des séniors constitue-t-il un groupe hétérogène ?

17. Les séniors sont-ils tous technophobes, selon vous ? Comment vous représentez-vous le « cybersénior » ?

18. La pauvreté est un concept multidimensionnel. Commentez. Dans cette perspective, l'avènement du réseau Internet a-t-il engendré une plus grande pauvreté de certains individus ?

19. Citez plusieurs effets négatifs de la pauvreté.

20. Définissez le seuil de faible revenu (SFR) et la mesure du faible revenu (MFR) utilisés au Canada. S'agit-il de mesures multidimensionnelles ?

21. Le Québec compte-t-il beaucoup de démunis ?

22. Intéressez-vous à une association caritative qui vient en aide aux démunis et discutez de sa stratégie de communication.

La Banque Royale du Canada et le paysage multiethnique montréalais

Connue pour son approche de proximité avec sa clientèle et consciente du caractère multiethnique de la ville de Montréal et de ses environs, la Banque Royale du Canada s'est fixé l'objectif de mettre en œuvre une stratégie de marketing qui s'adapte le mieux possible à cet environnement particulier.

Pour mieux saisir les spécificités des principales sous-cultures ethniques qui caractérisent son marché cible, la Banque Royale a embauché une agence de communication, Québec pub.

Les résultats de l'étude sont les suivants :

Selon les données du recensement de Statistique Canada de 2006, en plus des groupes francophones et anglophones (principaux constituants de la société canadienne), les groupes des Chinois, des Italiens, des Portugais et des Arabes connaissent une croissance rapide et continue.

La répartition territoriale de ces groupes ethniques s'organise selon une concentration autour de certains quartiers, par exemple l'est de Montréal pour les francophones, l'ouest pour les anglophones, l'arrondissement Saint-Léonard pour les Italiens, l'angle Saint-Laurent et René-Lévesque pour les Chinois, l'arrondissement Saint-Laurent pour les Arabes, etc.

En plus des différences de langue et de religion entre les groupes ethniques qui composent le paysage montréalais, des divergences de valeurs et de styles de vie existent.

Les comportements de consommation de chacun des groupes ethniques en général, et ceux en matière de services financiers en particulier, sont très différents.

Enfin, pour chacune de ces sous-cultures, la communication interpersonnelle ne s'effectue pas selon les mêmes protocoles.

En se basant sur cette étude, l'agence Québec pub se propose d'élaborer un plan de marketing relationnel pour organiser les succursales de la Banque Royale sur le territoire montréalais et elle vous demande de l'assister dans cette tâche.

QUESTIONS

1. À l'aide des données du chapitre et de celles de Statistique Canada, achevez l'analyse sociodémographique du paysage ethnique montréalais au regard des principaux groupes ethniques mentionnés ci-dessus.

2. À l'aide des données du chapitre, de données secondaires (par exemple, études antérieures, articles de journaux) et, dans la mesure du possible, de quelques entrevues auprès de personnes d'origines francophone, anglophone, italienne, chinoise et arabe, déterminez les principaux traits caractéristiques de la culture de chacun de ces groupes et les spécificités de leur comportement de consommation.

3. Établissez, à partir de votre analyse de la situation, les grandes lignes du plan marketing (les 4 P) que l'agence pourrait proposer à la Banque Royale.

Notes

1. J.-C. CHÉBAT, P. FILIATRAULT et M. LAROCHE, *Le comportement du consommateur*, 3ᵉ éd., Boucherville, Gaëtan Morin éditeur, 2003.

2. Voir R.Y. DARMON, M. LAROCHE et J.V. PÉTROF, *Le marketing: fondements et applications,* 5ᵉ éd., Montréal, Chenelière/McGraw-Hill, 1996; C. McNICOLL, *Montréal: une société multiculturelle,* Paris, Éditions Berlin, 1993; ainsi que la référence Chébat, Filiatrault et Laroche (2003) citée dans la note 1.

3. A. LEDOYEN, «Montréal au pluriel: huit communautés ethnoculturelles de la région montréalaise», *Institut québécois de recherche sur la culture, Document de recherche no 32,* 1992; D.I. HAWKINS, R.J. BEST et K.A. CONEY, *Consumer Behavior: Implications for Marketing Strategy,* 9ᵉ éd., Boston, Irwin, 2004; S.Z. RAMIREZ, A. WASSEF, F.A. PANIAGUA et A.O. LINSKEY, «Mental Health Providers' Perceptions of Cultural Variables in Evaluating Ethnically Diverse Clients», *Professional Psychology Research and Practice,* vol. 27, nᵒ 3, juin 1996, p. 284-288.

4. P. AURIER, «Segmentation: une approche méthodologique», *Recherche et applications en marketing,* vol. 4, nᵒ 3, 1989, p. 53-76; Y. WIND, «Issues and Advances in Segmentation Research», *Journal of Marketing Research,* vol. XV, 1978, p. 317-337.

5. Voir la référence de Ramirez *et al.* (1996) citée dans la note 3.

6. Pour des exemples de sous-cultures d'ethnies, d'âge, de revenu, de sexe ou autres, visiter les sites suivants:

   www.harissa.com
   www.club50.fr
   ccmm.multimania.com
   www.afromontreal.com
   www.regionamerique.apf.org
   www.francequebec.asso.fr
   www.tdh.ca
   lonniezone.f2g.net

7. Voir les références de Hawkins, Best et Coney (2004) et Ledoyen (1992) citées dans la note 3.

8. Voir Statistique Canada, Recensement de 2006, [En ligne], www12.statcan.ca/census-recensement/index-fra.cfm

9. Voir la note 2.

10. Voir la référence de McNicoll (1993) citée dans la note 2.

11. Voir les documents de STATISTIQUE CANADA, «Population selon certaines origines ethniques, par régions métropolitaines de recensement (Recensement de 2006)», dernières modifications apportées le 14 juillet 2009. [En ligne], www40.statcan.gc.ca/l02/cst01/demo27g-fra.htm (Page consultée le 28 mars 2010)

12. C. KIM, M. LAROCHE et A. JOY, «An Empirical Study of the Effects of Ethnicity on Consumption Patterns in a Bi-Cultural Environment», *Advances in Consumer Research,* vol. 17, 1990, p. 839-846; M. LAROCHE, C. KIM, M. HUI et M.A. TOMIUK, «Italian Ethnic Identity and its Relative Impact on the Consumption of Convenience and Traditional Foods», *Working Paper Series,* Faculty of Commerce and Administration, Concordia University, août 1997; A. D'ASTOUS et N. DAGHFOUS, «The Effects of Acculturation and Length of Residency on Consumption-Related Behaviors and Orientations of Arab-Muslem Immigrants», *Annales du Congrès de l'Association des sciences administratives du Canada,* Niagara Falls, 1991, p. 91-101; N. DAGHFOUS, E. CHÉRON et I. HIÉ, «Pretest of a model of Acculturation and Grocery Shopping Behavior in Five Canadian Ethnic Subcultures», dans A.K. MANRAI et H.L. MEADOW, dir., *Proceedings of The Ninth World Marketing Congress,* The Academy of Marketing Sciences and The University of Malta, Qawra, Malta, IX, 1999, p. 245.

13. R.A. BAUER et S.M. CUNNINGHAM, «The Negro Market», *Journal of Advertising Research,* vol. 10, nᵒ 2, avril 1970, p. 3-13.

14. E.C. HIRSCHMAN, «Black Ethnicity and Innovative Communication», *Journal of the Academy of Marketing Science,* vol. 8, printemps 1980, p. 100-108.

15. STATISTIQUE CANADA, *Population selon la langue maternelle et les groupes d'âge,* données du recensement de 2006.

16. Voir la référence de Chébat, Filiatrault et Laroche (2003) citée dans la note 1.

17. C. TURCOTTE, «Une étude sur l'alimentation: le consommateur ambivalent», *Le Devoir,* 21 décembre 1998, p. B2.

18. G. HÉNAULT, «Les conséquences du biculturalisme sur la consommation», *Commerce,* vol. 73, nᵒ 9, septembre 1971.

19. J. BOUCHARD, *Les 36 cordes sensibles des Québécois,* Montréal, Éditions Héritage, 1978.

20. Voir la référence de Kim, Laroche et Joy (1990) citée dans la note 12.

21. K.M. HUI, C. KIM, M. LAROCHE et A. JOY, «Psychometric Properties of an Index Measure of Ethnicity in a Bicultural Environment», *Revue canadienne des sciences de l'administration,* vol. 14, nᵒ 1, mars 1997, p. 14-27.

22. N. DAGHFOUS et S. NDIAYE, «Le marché ethnique des arts et de la culture: une étude de segmentation», *Les actes du Congrès de l'Association française de marketing,* Deauville, 22-23 mai 2001.

23. *Ibid.*

24. M.M. GORDON, *Assimilation in American Life: The Role of Race, Religion and National Origins,* New York, Oxford University Press, 1964; M. WALLENDORF et M.D. REILLY, «Ethnic Migration, Assimilation and Consumption», *Journal of Consumer Research,* vol. 10, décembre 1983, p. 292-302; N. DAGHFOUS et E.J. CHÉRON, «The Impact of Acculturation on the Adoption of New Products in Cosmopolitan Markets», *Proceedings of the 1998 Multicultural Marketing Conference,* Academy of Marketing Sciences, 1998, p. 502-507; D.M. STAYMAN et R. DESPHANDE, «Situational Ethnicity and Consumer Behavior», *Journal of Consumer Research,* vol. 16, décembre 1989, p. 361-371; W.-N. LEE et D.K. TSE, «Changing Media Consumption in a New Home: Acculturation Patterns Among Hong Kong Immigrants to Canada», *Journal of Advertising,* vol. 23, nᵒ 1, mars 1994, p. 57-70.

25. S. DOUGLAS et B. DUBOIS, *Culture et comportement d'achat,* Encyclopédie du marketing, 1977; T.C. O'GUINN et T.P. MEYER, «Segmenting the Hispanic Market: The Use of

Spanish-Language Radio», *Journal of Advertising Research,* vol. 23, 1984, p. 9-14 ; Kim, Laroche et Joy (1990) cités dans la note 12 ; L. PEÑALOZA, «Immigrant Consumer Acculturation», *Advances in Consumer Research,* vol. 16, 1990, p. 110-118 ; L. PEÑALOZA, «Atraversando Fronteras/Border Crossing : A Critical Ethnographic Exploration of the Consumer Acculturation of Mexican Immigrants», *Journal of Consumer Research,* vol. 21, juin 1994, p. 32-54 ; d'Astous et Daghfous (1991), cités dans la note 12 ; G.R. SODOWSKY et B.S. PLAKE, «Psychometric Properties of the American-International Relations Scale», *Educational and Psychological Measurement,* vol. 51, n° 1, printemps 1991, p. 207-216 ; McNicoll (1993) cité dans la note 2 ; Lee et Tse (1994) cités dans la note 24 ; M.L. ROSSMAN, «Multicultural Marketing : Selling to a Diverse America», American Management Association, Library of Congress Cataloging-in-Publication Data, 1994 ; B. DE LEON et S. MENDEZ, «Factorial Structure of a Measure of Acculturation in a Puerto Rican Population», *Educational and Psychological Measurement,* vol. 5, n° 1, février 1996, p. 155-165 ; A. KARA et N.R. KARA, «Ethnicity and Consumer Choice : A Study of Hispanic Decision Processes Across Different Acculturation Level», *Journal of Applied Business Research,* vol. 12, n° 2, printemps 1996, p. 22-34 ; L.C. UELTSCHY et R.F. KRAMPF, «The Influence of Acculturation on Advertising Effectiveness to the Hispanic Market», *Journal of Applied Business Research,* vol. 13, n° 2, printemps 1997, p. 87-101 ; Daghfous, Chéron et Hié (1999), cités dans la note 12 ; A.M. WOODWARD, A.D. DWINELL et B.S. ARONS, «Barriers to Mental Health Care for Hispanic Americans : A Literature Review and Discussion», *Journal of Mental Health Administration,* Northbrook, vol. 19, n° 3, automne 1992, p. 224-236 ; A.Z. VASQUEZ-PARRAGA, S. ALONSO et H. VALENCIA, «Hispanic Acculturation : Does the Acculturation of Hispanic Consumers Follow the Assimilation Paradigm of Other Ethnic Groups in the U.S. ? », dans J.C. CHÉBAT et A. BEN OUMLIL, dir., *Proceedings of the 1998 Multicultural Marketing Conference,* Academy of Marketing Sciences, Montréal, Canada, 1998, p. 312-314 ; voir la référence de Chébat, Filiatrault et Laroche (2003) citée dans la note 1.

26. F.C. AKERS, «Negro and White Automobile Buying Behavior : New Evidence», *Journal of Marketing Research,* vol. 5, août 1968, p. 283-290 ; R.A. BAUER et S.M. CUNNINGHAM, «The Negro Market», *Journal of Advertising Research,* vol. 10, n° 2, avril 1970, p. 3-13 ; E.C. HIRSCHMAN, «American Jewish Ethnicity : Its Relationship to Some Selected Aspects of Consumer Behavior», *Journal of Marketing,* vol. 45, été 1981, p. 102-110.

27. A.M. GREELEY, «The Success and Assimilation of Irish Protestants and Irish Catholics in the United States», *Scientific Sociological Review,* vol. 72, n° 4, juillet 1988, p. 229-236.

28. Voir les références de d'Astous et Daghfous (1991) ainsi que Daghfous et Chéron (1998) citées respectivement dans les notes 12 et 24.

29. Voir la référence de McNicoll (1993) citée dans la note 2.

30. G.R. SODOWSKY et B.S. PLAKE, «A Study of Acculturation Differences Among International People and Suggestions for Sensitivity to Within-Group Differences», *Journal of Counseling & Development,* vol. 71, septembre-octobre 1992, p. 53-59.

31. Voir la référence de McNicoll (1993) citée dans la note 2.

32. H. VALENCIA, «Developing an Index to Measure "Hispanicness"», *Advances in Consumer Research,* vol. 12, 1985, p. 118-121.

33. R. DESHPANDE, W.D. HOYER et N. DONTHU, «The Intensity of Ethnic Affiliation : A Study of the Sociology of Hispanic Consumption», *Journal of Consumer Research,* vol. 13, 1986, p. 214-220 ; Hirschman (1981) cité dans la note 26 ; Valencia (1985) cité dans la note 32 ; Wallendorf et Reilly (1983) cités dans la note 24 ; D.Z. KHAIRULLAH, «Acculturation and Its Relation to Asian-Indian Immigrants' Perceptions of Advertisements», *Journal of Applied Business Research,* vol. 11, n° 2, printemps 1995, p. 55-66 ; T.C. O'GUINN et R.J. FABER, «New Perspectives on Acculturation : The Relationship of General and Role Specific Acculturation with Hispanics Consumer Attitudes», *Advances in Consumer Research,* vol. 12, 1984, p. 113-117 ; Daghfous et Chéron (1998) cités dans la note 24.

34. N. DONTHU et J. CHERIAN, «Impact of Strength of Ethnic Identification on Hispanic Shopping Behavior», *Journal of Retailing,* vol. 70, n° 4, 1994, p. 383-393 ; G. CUI, «Marketing Strategies in a Multi-Ethnic Environment», *Journal of Marketing Theory and Practice,* vol. 5, n° 1, hiver 1997, p. 122-134.

35. Voir la référence de d'Astous et Daghfous (1991) citée dans la note 12.

36. Voir la référence de Wallendorf et Reilly (1983) citée dans la note 24.

37. Voir la référence de Kara et Kara (1996) citée dans la note 25.

38. Voir les références de Bauer et Cunningham (1970), Deshpande, Hoyer et Donthu (1986) ainsi que d'Astous et Daghfous (1991) citées respectivement dans les notes 13, 33 et 12.

39. *Ibid.*

40. C. WEBSTER, «The Effects of Hispanic Subcultural Identification on Information Search Behavior», *Journal of Advertising Research,* vol. 32, n° 5, 1992, p. 54-62.

41. Voir la référence de O'Guinn et Faber (1984) citée dans la note 33.

42. Voir la référence de Hirschman (1981) citée dans la note 26.

43. Voir la référence de d'Astous et Daghfous (1991) citée dans la note 12.

44. R.J. FABER, T.C. O'GUINN et T.C. MEYER, «Television Portrayals of Hispanics : A Comparison of Ethnic Perceptions», *International Journal of Intercultural Relations,* vol. 11, 1987, p. 155-169.

45. Voir la référence de Khairullah (1995) citée dans la note 33.

46. Voir la référence de De Leon et Méndez (1996) citée dans la note 25.

47. Voir les références de O'Guinn et Faber (1984), Kim, Laroche et Joy (1990), Woodward, Dwinell et Arons (1992), Kara et Kara (1996), Ueltschy et Krampf (1997) citées respectivement dans les notes 33, 12, 25, 25 et 25.

48. Voir les références de O'Guinn et Faber (1984) ainsi que de Lee et Tse (1994) citées dans les notes 33 et 24.

49. Voir la référence de McNicoll (1993) citée dans la note 2.

50. Voir les références de O'Guinn et Faber (1984), Lee et Tse (1994), Kara et Kara (1996), Laroche, Kim, Hui et Tomiuk (1997), Vasquez-Parraga, Alonso et Valencia (1998) citées respectivement dans les notes 33, 24, 25, 12 et 25.

51. Voir la référence de Peñaloza (1994) citée dans la note 25.

52. Voir la référence de De Leon et Méndez (1996) citée dans la note 25.

53. Voir la référence de Kara et Kara (1996) citée dans la note 25.

54. Voir la référence de Laroche, Kim, Hui et Tomiuk (1997) citée dans la note 12.

55. Voir les références de d'Astous et Daghfous (1991), Daghfous, Chéron et Hié (1999), Daghfous et Chéron (1998) citées respectivement dans les notes 12, 12 et 24.

56. Voir la référence de Peñaloza (1994) citée dans la note 25.

57. *Ibid.*

58. Voir la référence de Hirschman (1981) citée dans la note 26.

59. Voir les références de Valencia (1985), Kim, Laroche et Joy (1990), Donthu et Cherian (1994), Laroche, Kim, Hui et Tomiuk (1997) citées respectivement dans les notes 32, 12, 34 et 12.

60. Voir la référence de Laroche, Kim, Hui et Tomiuk (1997) citée dans la note 12. Le lecteur trouvera dans l'article suivant une excellente discussion du concept d'ethnicité et de la façon dont ce concept a été étudié en comportement du consommateur : N. ÖZÇAĞLAR-TOULOUSE, A. BÉJI-BÉCHEUR, M.-H. FOSSE-GOMEZ, M. HERBERT et S. ZOUAGHI (2010), «L'ethnicité dans l'étude du consommateur : un état des recherches», Recherche et applications en marketing, vol. 24, nº 4, p. 57-76.

61. Voir les références de d'Astous et Daghfous (1991), Daghfous et Chéron (1998), Daghfous, Chéron et Hié (1999), Hui, Kim, Laroche et Joy (1997), Laroche, Kim, Hui et Tomiuk (1997) citées respectivement dans les notes 12, 24, 12, 21 et 12.

62. Pour d'autres illustrations sur le phénomène d'acculturation, visiter le site www.socca.qc.ca/nouveaux_venus.html, destiné aux nouveaux venus au Canada afin d'assurer leur adaptation (acculturation).

63. Bien qu'il soit considéré comme un anglicisme, le terme «sénior» est couramment utilisé en marketing pour désigner le groupe des personnes âgées dans un marché. Ce terme sera donc utilisé dans le reste du texte.

64. ONU, Département de l'information, 1994.

65. *Ibid.*

66. BUREAU DE LA STATISTIQUE DU QUÉBEC, «Projections démographiques du Québec et de ses régions, 1991-2041», 1996.

67. J.P. TREQUER, *Le Senior Marketing*, 2e éd., Paris, Dunod, 1998.

68. I. ROSS, «Information Processing and the Older Consumer : Marketing and Public Policy Implications», dans A. MITCHELL, dir., *Advances in Consumer Research*, vol. 9, 1982, p. 31-39.

69. V.A. ZEITHAML et W.L. FUERST, «Age Differences in Response to Grocery Store Price Information», *Journal of Consumer Affairs*, vol. 17, hiver 1983, p. 402-420.

70. C. COLE et S.K. BALASUBRAMANIAN, «Age Differences in Consumers'Search for Information : Public Policy Implications», *Journal of Consumer Research*, vol. 20, 1993, p. 157-172.

71. *Ibid.*

72. L. COLE, R. JAMES et B.A. GREENBERG, «Apparel-shopping Patterns of the Elderly Consumer», *Journal of Retailing*, vol. 58, 1982, p. 68-89.

73. A.A. ABRAMS, «Canadian Club 50 Year-Old. A Theme Still Strong», *Marketing News*, vol. 5, mars 1982, p. 16.

74. V.A. ZEITHAML et M.C. GILLY, «Characteristics Affecting The Acceptance of Retailing Technologies : A Comparison of Elderly and Non Elderly Consumers», *Journal of Retailing*, vol. 63, 1987, p. 49-68.

75. P.K. CHAFTEZ, H. HOLMES, K. LANDE, E. CHILDRESS et H.R. GLAZER, «Older Adults and the New Media : Utilisation, Opinions, and Preferred Reference Terms», *The Gerontologist*, vol. 38, nº 4, 1998, p. 481-489.

76. J.-F. TRINQUECOSTE, «Un cadre d'analyse du comportement du consommateur chômeur», *Recherche et applications en marketing*, vol. 3, nº 2, 1990, p. 65 ; J.E. CHÉRON, H. BOIDIN et N. DAGHFOUS, «Basic Financial Services Needs of Low-Income Individuals : A Comparison Study in Canada», *International Journal of Bank Marketing*, vol. 17, nº 2, 1999, p. 49-64.

77. Q. WORDON, *Marketing contre pauvreté*, Paris, Les Éditions de l'Atelier, 1993.

78. A.-M. SÉGUIN et M. TERMOLE, «L'appauvrissement des populations suédoises et montréalaises», *INRS Urbanisation*, 1995.

79. STATISTIQUE CANADA, «Les seuils de faible revenu de 2007 et les mesures de faible revenu de 2006», document de recherche, Ottawa, Division de la statistique du revenu, juin 2008.

80. *Ibid.*

81. *Ibid.*

82. GOUVERNEMENT DU QUÉBEC, *La pauvreté au Québec : bref historique et situation actuelle*, Ministère de la Sécurité du revenu, Publication du gouvernement du Québec, novembre 1994 ; «Enquête sur la dynamique du travail et du revenu, Compilation», Institut de la statistique du Québec, novembre 2008.

83. C. DERBAIX, «Décisions économiques, famille et chômage : réflexions sur les conséquences comportementales et affectives», *Recherche et applications en marketing*, vol. 5, nº 3, 1990, p. 53-68.

84. *Ibid.*

85. *Ibid.*

86. *Ibid.*

87. T. LEVITT, «The Globalization of Markets», *Harvard Business Review*, vol. 61, mai-juin 1983, p. 92-102.

88. P.R. CATEORA et J.L. GRAHAM, *International Marketing*, 12e éd., Boston, McGraw-Hill/Irwin, 2005.

L'adoption et la diffusion des innovations

Introduction

Ce chapitre aborde un domaine classique du comportement du consommateur : la réaction des individus aux innovations lancées dans un marché. L'innovation est une création de l'entreprise destinée à un système social précis. Dans le *Dictionnaire Marketing,* Le Golvan précise que « l'innovation n'est en aucun cas un phénomène essentiellement technologique, mais plutôt psychologique et socioculturel, car les conditions de réussite ou d'échec sont de cet ordre[2] ». Le type de nouveauté dépend donc de son incidence sur le style de consommation déjà établi et des caractéristiques du système social en question.

> Le Glamour, c'est le pays où on n'arrive jamais. Je vous drogue à la nouveauté, et l'avantage avec la nouveauté, c'est qu'elle ne reste jamais neuve. Il y a toujours une nouvelle nouveauté pour faire vieillir la précédente[1].
>
> **Frédéric Beigbeder**

Dans le chapitre sur la motivation, nous avons vu que l'individu a besoin de nouveauté, de sensations et d'émotions nouvelles pour éviter l'ennui, mais aussi que trop de nouveauté pouvait le déranger, l'angoisser, voire le faire paniquer. Vis-à-vis d'une innovation, le consommateur pourra ainsi faire preuve d'engouement, comme dans le cas du téléphone iPhone, présenté dans l'encadré de la page suivante. Mais, à l'autre extrémité du spectre des réactions possibles, il pourra aussi opposer de la résistance. La résistance à l'innovation (au changement) a été étudiée par Ram[3]. Parmi les facteurs de résistance à l'innovation, Ram invoque les risques perçus. La plupart des auteurs s'entendent sur la relation inversement proportionnelle entre le risque perçu et la propension des consommateurs à adopter un nouveau produit. Ainsi, dans son étude sur la diffusion des articles ménagers en acier inoxydable, Sheth[4] a trouvé qu'un taux d'adoption rapide est, entre autres, attribuable au faible risque perçu lié à ce type de produit.

Nous avons mentionné dans le chapitre 3 que le risque prend diverses formes : risque physique, psychologique, économique, social ou de performance. Pensons aux risques perçus liés à Internet au moment de son lancement dans le grand public au Québec : peur d'une invasion de sa vie privée, doute quant à la qualité de l'information s'y trouvant, risque perçu quant à sa propre performance pour se brancher et pour naviguer dans Internet, risque financier, etc.

La **diffusion des innovations,** quant à elle, est un phénomène qui touche à de nombreux domaines, comme le montre la définition ci-contre. Avant 1960, l'étude de la diffusion des innovations a été le champ privilégié des économistes[5], de telle sorte que très peu de chercheurs en marketing s'y sont aventurés. Ce n'est qu'à partir des années 1960, en particulier grâce à Rogers[6] et à Bass[7], que de nouvelles approches conceptuelles, mieux structurées et plus pertinentes en marketing, apparaissent. D'abord, dans une approche psychosociologique, Rogers propose un modèle de diffusion des innovations où l'individu, c'est-à-dire l'adoptant éventuel du nouveau produit, est l'unité d'analyse. Dans son modèle, l'auteur aborde tour à tour le processus d'adoption individuelle, les variables susceptibles de l'influencer et la classification des adoptants selon leurs réactions envers les nouveaux produits. En 1983, Rogers a présenté dans un ouvrage unique, intitulé *Diffusion of Innovations,* la synthèse de tous les travaux concernant l'adoption des innovations, y compris les siens. Dans ce domaine, son ouvrage constitue aujourd'hui un document d'enseignement et de recherche de base en marketing[8]. De son côté, Bass a mis en place le premier modèle de base en marketing pour l'ensemble de la théorie de diffusion des innovations. Il a non seulement modélisé analytiquement le phénomène en question, mais il a aussi engagé la recherche en marketing sur plusieurs voies. Depuis, ce modèle a fait l'objet de nombreuses adaptations et extensions, comme nous le verrons plus loin.

Dans ce chapitre, nous ferons le point sur les connaissances actuelles en marketing sur le comportement des consommateurs à l'égard de l'innovation, sans pour autant négliger l'apport considérable des autres domaines tels que l'économie, la sociologie ou la psychologie. Nous allons d'abord définir les concepts d'innovation et de nouveau produit, pour aborder ensuite les processus de diffusion (approche macro) et d'adoption (approche micro) d'un nouveau produit. À

LA RUÉE VERS UN TÉLÉPHONE

La date du 11 juin 2007 signifie quelque chose pour beaucoup d'entre nous. Ce fut le lancement du nouveau téléphone d'Apple, l'iPhone, au prix de 700 $ US. À première vue, il s'agit du lecteur MP3 iPod, auquel Apple a intégré la téléphonie et d'autres fonctions[9].

On se souvient tous de ces longues et interminables queues devant les magasins Apple ou devant les boutiques des opérateurs pour le lancement de l'iPhone. Certaines personnes ont fait le déplacement jusqu'à New York, depuis Montréal, afin d'être parmi les premières à se procurer cette nouveauté.

Depuis cette date, on assiste continuellement à l'apparition de nouvelles versions du téléphone. Le premier modèle commercialisé par Apple à l'été 2007 s'appelait « iPhone EDGE ». Il a immédiatement bénéficié d'un énorme battage médiatique. Sa sortie aux États-Unis a créé un véritable événement. Il a été proposé initialement en deux versions : 4 gigaoctets et 8 gigaoctets. Puis un modèle 16 gigaoctets s'est ajouté à l'offre en février 2008.

L'iPhone EDGE a été progressivement retiré des rayons, en préparation du lancement de l'iPhone 3G, le 11 juillet 2008. Ce nouveau modèle intègre les fonctions de connections wifi, GPS et 3G.

L'iPhone 3G permet de se connecter à n'importe quel moment et de n'importe où, pourvu qu'il y ait un réseau wifi ou que l'on se soit abonné au service 3G de transmission de données.

La multitude de versions d'iPhone proposées par Apple incite les consommateurs à changer constamment de modèle, même si chaque nouveau modèle ne diffère de son prédécesseur que par quelques fonctionnalités ou applications mineures. Tout cela profite en fait principalement à Steve Jobs, le propriétaire de la marque Apple.

Lorsqu'à la fin de 2009, l'iPhone 32 gigaoctets faisait son entrée sur le marché, l'iPhone 3G (8 ou 16 Go) poursuivait sa diffusion un peu partout dans le monde. Jusqu'à quand ? Les utilisateurs en décideront en grande partie.

la fin du chapitre, nous mettrons l'accent sur des éléments particulièrement importants dans le domaine du comportement du consommateur qui touchent les mécanismes interpersonnels de la diffusion des innovations, à savoir l'«innovativité» des individus, les caractéristiques de l'innovateur type et le concept de *leadership* d'opinion.

10.1 Le concept d'innovation et l'importance de la dimension sociale en marketing

La définition du concept d'innovation

Une entreprise peut concevoir une innovation de plusieurs façons. D'abord, par l'acquisition du droit d'exploitation, tel que l'achat d'un brevet (par exemple, les compagnies pharmaceutiques, la marque Life) ou la fabrication sous licence (par exemple, les cigarettes Camel au Canada). Ensuite, par fusion ou absorption de deux ou plusieurs entreprises : par exemple, le constructeur allemand Volkswagen, qui compte dans son groupe les marques Audi et Skoda, signe en août 2009 la fusion avec le constructeur sportif Porsche. Enfin, par la recherche et le développement, lorsque l'entreprise choisit d'investir dans un processus de création de nouveautés destinées à satisfaire des besoins latents ou existants de sa population cible : par exemple, la compagnie 3M, qui a fait de l'innovation sa marque de commerce, le rappelle chaque fois qu'elle annonce le lancement d'un nouveau produit, comme c'est le cas dans la publicité présentée ci-contre. Notons que, dans leurs activités de recherche et développement, les entreprises peuvent recourir à l'approche ethnographique (notamment l'observation directe), que nous avons introduite au chapitre 8 et qui est de plus en plus utilisée dans les études en comportement du consommateur. À titre d'exemple, pour chaque segment de marché visé, la compagnie de jeans Levi's fait appel à un designer pour comprendre et anticiper les tendances en mode vestimentaire. En s'inspirant de l'approche ethnographique, on lui demande d'embrasser totalement le mode de vie de sa clientèle cible en allant dans les mêmes magasins, les mêmes restaurants et les mêmes boîtes de nuit. La capsule 10.1, à la page suivante, présente en deux parties les cabinets de tendance et les bureaux de style ainsi que leur rôle de renifleurs de tendances de la consommation de demain, un peu partout dans le monde.

Une publicité d'une entreprise qui a fait de l'innovation sa marque de commerce.

Avant d'aller plus loin, il importe de bien comprendre que l'acte d'innover – et l'innovation en général – prend souvent des sens différents selon le domaine d'activité du gestionnaire (production/marketing) et selon l'optique d'analyse retenue (objective/temporelle/marché/consommateur). En effet, pour les spécialistes en production, l'innovation est le processus qui permet la création de

CAPSULE 10.1

Les « renifleurs de tendances » : jaune paille ou saumon ?

Chaque saison, les industriels incitent les consommateurs à de nouvelles tentations. Ce chandail mauve qui vous allait si bien l'hiver dernier vous tiendrait aussi chaud l'hiver prochain, mais voilà, il ne sera plus de la bonne couleur. Quand vous verrez du rouge dans les vitrines, dans les magazines, dans la publicité et sur votre meilleur ami, vous serez peut-être tenté d'en acheter et, ce faisant, de rentrer dans le moule de la mode.

Les « cabinets de tendance » existent depuis une trentaine d'années, mais ils ont renforcé leur rôle depuis dix ans. Ils sont sept sur la planète, cinq à Paris, un à New York, l'autre à Tokyo, mais seuls ceux de Paris proposent des « cahiers de tendance ». Les renifleurs de tendances joueraient un rôle de metteurs en scène de nos vies et de nos différences. Leurs prédictions ont toutes les probabilités de devenir réalité, car le jeu est légèrement faussé. Il existe une entente préalable sur les couleurs avec la filière textile. Les cabinets de tendance se rapprochent de ceux qui fabriquent la matière première de telle sorte que, s'ils tombent d'accord sur le jaune paille ou le saumon, on peut être à peu près sûr que cette couleur inondera le marché : chemises, chemisiers, draps, taies d'oreiller, etc. Ceux qui fabriquent des vêtements n'auront pas beaucoup d'autres choix pour réaliser leurs modèles. Comme les créateurs n'aiment pas trop partir d'une feuille blanche, ils s'inspirent beaucoup des cahiers de tendance des cabinets de tendance.

Source: Envoyé spécial, mercredi 18 avril 2001, émission consacrée dans sa première partie aux « renifleurs de tendances ».

Les autres « chasseurs de tendances »

Comment deviner ce qui sera à la mode et pourquoi il en sera ainsi ?

D'autres « renifleurs de tendances » parcourent la planète pour décrypter la société de consommation et imaginer celle de demain. On les retrouve au sein de bureaux de style.

Voici quelques bureaux de style et leur domaines de spécialisation :

- www.nellyrodi.com : spécialisé dans le domaine des tissus, de la lingerie, du prêt-à-porter, du maquillage et de la décoration intérieure ;
- www.promostyl.com : spécialisé dans le prêt-à-porter et les accessoires ;
- www.carlin-groupe.com : touche à tous les secteurs de la mode, du design industriel et des cosmétiques ;
- www.enivrance.com : spécialisé dans le domaine du style alimentaire et des « *concept food* » ;
- www.sachapacha.com : spécialisé dans le domaine de la mode vestimentaire.

Des cabinets d'études comme Sociovision (Sociovision/ cofrem.ca),TNS/Sofres, Ipsos et Sorgem réalisent des enquêtes pour analyser l'évolution des modes de consommation, repérer les codes, les valeurs, les attitudes, les produits et les services qui en semblent les précurseurs.

Source: AGENCE POUR LA CRÉATION D'ENTREPRISES (APCE), [En ligne], www.apce.com/pid912/nouvelles-idees-tendances.html#chasseurs (Page consultée le 1er septembre 2009)

---

nouveautés grâce à la recherche et au développement, alors qu'en marketing, il s'agit du processus qui conduit à la diffusion et à l'adoption de ces nouveautés par un groupe d'utilisateurs potentiels. De plus, même dans l'optique marketing, la dimension nouveauté d'un produit peut être analysée selon cinq critères.

La nouveauté objective[10] Elle évalue le degré de nouveauté d'un produit au regard d'autres produits déjà existants sur le marché (par exemple, la téléphonie par Internet par rapport à la téléphonie traditionnelle[11]).

La nouveauté au fil du temps[12] Elle situe l'innovation eu égard à la date de son introduction sur le marché (par exemple, un maximum de six mois depuis le lancement).

La nouveauté par pénétration du marché cible[13] Elle se fonde sur le taux de pénétration de l'innovation dans le marché (pourcentage de personnes qui l'ont déjà adoptée dans un marché). Les limites fixées sont souvent arbitraires, et l'usage veut qu'un produit bénéficie de l'épithète « nouveau » tant que son taux de pénétration est en deçà du seuil des 10 % du marché potentiel.

L'effet de la nouveauté sur le comportement de consommation[14] L'effet exercé sur les modes de consommation préétablis est le facteur critique permettant de définir le degré de nouveauté d'un produit. Dans ce sens, Robertson propose une catégorisation des innovations en trois groupes :

1. **Les innovations continues :** il s'agit de transformations de produits existants plutôt que de créations. Elles ont souvent une faible incidence sur les modes de comportement en cours (par exemple, les rasoirs à une, deux puis trois lames, le shampoing et revitalisant « formule deux en un »[15] ou encore ce nouveau stylo injecteur d'insuline ClickSTAR présenté ci-contre.

2. **Les innovations dynamiques :** il s'agit de nouveaux produits qui impliquent des changements modérés dans les modes de comportement en cours (par exemple, le lecteur DVD Blu-ray, le rasoir électrique, le téléviseur couleur, l'ordinateur portatif, etc.[16]).

3. **Les innovations discontinues ou révolutionnaires :** cette catégorie touche les produits préalablement inconnus impliquant l'établissement de nouveaux modes de comportement (*voir l'encadré, page suivante*). Ce type d'innovation résulte souvent des changements technologiques ou des combinaisons de technologies préexistantes (par exemple, le téléphone en 1877, l'ordinateur personnel en 1978, le téléviseur noir et blanc en 1939, le téléphone cellulaire, la téléphonie par Internet VoIP, etc.).

Le nouveau stylo injecteur d'insuline réutilisable Clickstar constitue un exemple d'innovation continue.

La nouveauté subjective[17] Le consommateur devrait être le seul à juger du caractère nouveau d'un produit. Selon ce critère, une innovation est une idée, une pratique ou un objet perçu par le consommateur comme étant nouveau, peu importe le temps écoulé depuis son introduction.

Cette dernière approche nous paraît très intéressante à explorer pour deux raisons. Tout d'abord, la vision subjective de l'innovation comme décrite ci-dessus épouse le profil du consommateur tel qu'il est campé dans les premiers chapitres du manuel, à savoir que celui-ci est guidé dans son comportement d'achat par sa perception de la réalité. De plus, l'accroissement du commerce international et des mouvements migratoires a rendu les marchés de consommateurs de plus en plus hétérogènes sur le plan des réactions vis-à-vis des nouveaux produits. La notion de nouveauté devient donc toute relative. Par exemple, l'alcootest jetable, commercialisé en Roumanie depuis la fin des années 1970, est vu comme une innovation révolutionnaire aujourd'hui dans le marché canadien, où il a été lancé il y a quelques années[18] ; le service bancaire de paiement direct *Interac,* considéré comme une nouveauté par les Québécois au début des années 1990, ne l'était pas nécessairement pour les Français résidant au Québec, qui avaient connu ce service 10 ans auparavant dans leur pays d'origine ; le concept de machine à danser, très répandu aujourd'hui chez les adolescents japonais et nord-américains, est totalement nouveau pour leurs homologues européens.

L'examen des bouleversements survenus au cours des 40 dernières années nous fait prendre conscience de la manière dont certaines nouveautés ont transformé radicalement notre style de vie quotidien.

Commençons par le micro-ordinateur, lancé d'abord par IBM au milieu des années 1970 et amélioré ensuite par Macintosh, qui a inventé les icônes et la convivialité, puis par Toshiba, qui a enchaîné avec l'ordinateur portatif. Aujourd'hui, les avancées dans ce domaine ne semblent plus avoir de limites sur les plans de la capacité de stockage et du traitement des données, de la rapidité d'exécution, de la qualité des présentations audiovisuelles, du design (forme, poids, couleur, etc.) et, surtout, des possibilités d'application dans la vie quotidienne. Considéré au début comme l'outil exclusif des scientifiques, le micro-ordinateur est devenu l'ami ou le confident pour certains et, aux yeux de plusieurs, le meilleur moyen pour résoudre de nombreux problèmes reliés au travail (logiciels d'analyse de données, de logistique, de prévisions financières, etc.) ainsi qu'un outil d'organisation personnelle (logiciels de gestion du temps, de planification des dépenses, de traitement de textes, etc.), de communication interpersonnelle (logiciels de communication par courrier électronique, de téléphonie via Internet, etc.) ou simplement de divertissement (logiciels de jeu, de dessin, de traitement des photos, etc.)[19].

Dans le secteur de l'alimentation, la restauration rapide, considérée jusqu'à la fin des années 1970 comme l'apanage des Américains, a connu depuis une prolifération rapide à travers le monde. Lors de son ouverture officielle à Strasbourg, en février 1979, le premier McDonald's était considéré par les Français comme une provocation et une atteinte à leur bon goût. Depuis lors, plus de 1100 autres McDos ont été ouverts dans le pays de la grande tradition culinaire. Comme partout dans le monde, la restauration rapide fait désormais partie du mode de vie urbain[20].

En France également, Danone a inventé en 1984 la mini-bouteille d'Évian pour consommation individuelle[21]. Ni trop grande, ni trop lourde, elle se glisse dans le sac de sport, d'école, etc., aux côtés d'autres produits, notamment le baladeur (*walkman*), ce lecteur de cassettes lancé par Sony en 1979. Il s'agissait des premiers signaux indiquant que la ruée vers les produits portatifs était désormais engagée. Des produits aussi miniaturisés que sophistiqués nous accompagnent désormais partout où nous allons : le lecteur MP3, le téléphone cellulaire 3G du type iPhone ou BlackBerry,

l'ordinateur de poche et, récemment, le livre électronique (*e-book*) sont devenus nos compagnons de route dans le bus, le métro, le parc, l'avion et même dans les salles de cours !

Depuis le milieu des années 1980, les consommateurs ont été pris de frénésie pour les produits « diète », le combat contre le cholestérol et la chasse aux matières grasses. Les rondeurs corporelles, qui étaient la norme, se sont vues remplacées par la minceur et la fermeté du thorax, des fesses et des jambes. Après le succès relatif des régimes alimentaires (Montignac, Weight Watchers, etc.), on assiste à la prolifération des substituts de repas (nutribarres, produits Slim-Fast, etc.) et des produits diététiques à faible teneur en gras ou en sucre (boissons gazeuses, yogourt, margarine, pommes de terre, etc.). Ces nouveaux produits permettent aux consommateurs gourmands de s'abandonner à leur penchant sans éprouver de culpabilité[22].

Les années 1980 ont également été marquées par la révolution technologique du numérique. Fini les disques microsillons et les cassettes audio, et, bientôt, fini les cassettes vidéo VHS et le développement des pellicules photo. Les CD laser, les CD interactifs, les vidéodisques et les minidisques, les caméscopes et les appareils photo numériques ont envahi peu à peu le quotidien des consommateurs et changé leurs façons de se divertir.

Les années 1990 se sont déroulées sous le signe de la propagation rapide des nouvelles technologies de l'information et de la communication (NTIC). Des produits comme Internet, le téléphone cellulaire, l'ordinateur de poche, le téléviseur à écran plasma ou encore l'amalgame de plusieurs de ces produits combinant ces NTIC aux autres technologies du numérique (par exemple, le téléphone cellulaire avec appareil photo intégré) sont devenus de plus en plus courants.

Avec le nouveau millénaire, les innovations technologiques se sont démocratisées mais se sont surtout miniaturisées, facilitant leur manipulation et leur transport, avec des produits comme le lecteur MP3 (par exemple, le iPod), le disque dur amovible (appelé aussi clé USB), le système de navigation GPS, les téléphones de la troisième génération (par exemple, le iPhone ou le BlackBerry) et le livre électronique (*e-book*). Mais c'est surtout sur le plan des services que les nouveautés ont semblé les plus extraordinaires avec la banque électronique (*e-banking*), la téléphonie sur Internet (par exemple, Skype, le téléphone VoIP), la télévision et les vidéos sur Internet, le système de GPS sur téléphone mobile, et plusieurs autres services connexes[23].

Cette réflexion nous entraîne vers une autre classification des innovations, qui vient compléter l'approche subjective mentionnée ci-dessus. Cette nouvelle classification tiendra compte de la réalité des marchés cosmopolites, à l'image de ceux du Canada et du Québec. Les marchés cosmopolites se caractérisent généralement par une très grande mobilité géographique des consommateurs, c'est-à-dire un afflux d'immigrants en provenance d'autres pays et d'autres cultures, économiquement et socialement différents. Cette dynamique culturelle s'accompagne souvent d'un afflux de nouveautés qui viennent enrichir la gamme des produits nationaux déjà existants. Nous considérons alors trois catégories de nouveaux produits, présentées dans un ordre décroissant de nouveauté :

1. Les produits perçus comme des nouveautés tant par la société d'accueil que par les nouveaux arrivants (par exemple, le téléphone offrant un accès Internet au Canada) ;

2. Les produits perçus comme des nouveautés par la société d'accueil, mais déjà connus et adoptés par certains nouveaux arrivants dans leur pays d'origine (par exemple, l'alcootest jetable pour les Roumains émigrés au Canada ou le paiement direct pour les Français qui résidaient au Québec au début des années 1990) ;

3. Les produits déjà connus et adoptés par la société d'accueil, mais perçus comme des nouveautés par les nouveaux arrivants (par exemple, le sirop d'érable ou la motoneige pour un immigrant chinois, maghrébin ou africain).

Notre premier encadré, à la page 370, illustre le cas d'une nouveauté (iPhone 3G) qui succède à une autre nouveauté (iPhone EDGE), bénéficiant ainsi de l'élan de marché créé par la grande réussite de celle qui l'a précédée. Le second encadré, à la page 374, énumère plusieurs nouveautés (micro-ordinateur, restauration rapide, etc.) qui, il y a à peine 40 ans, ne faisaient pas partie du quotidien de millions de consommateurs sur le globe. Pour plusieurs d'entre nous, ces nouveautés sont désormais intégrées à notre routine et paraissent essentielles à nos vies. Leur grande variété illustre de plus la difficulté de formuler une définition simple et unique de la notion d'innovation.

À l'égard de ces nouveautés, la réaction des marchés dans leur ensemble et celle des groupes de consommateurs dans chacun d'entre eux ont été très fluctuantes. Alors que certains nouveaux produits ont connu une diffusion rapide, d'autres ont eu plus de difficulté à être acceptés pour de bon par la société. Nous verrons dans la section suivante que plusieurs raisons expliquent ces différences.

L'adoption et la diffusion des innovations

Jusqu'au début des années 1960, les modèles de diffusion des innovations ont souvent été définis et traités dans les limites du cadre économique. À titre d'exemple, dans une étude empirique portant sur le domaine agricole, Griliches[24] a analysé, pour l'ensemble du marché américain, la diffusion des semences hybrides introduites au début du siècle. L'auteur cherchait à vérifier l'effet de certaines variables macroéconomiques sur la vitesse de diffusion de cette nouveauté. Les résultats obtenus ont montré l'effet notable de plusieurs variables, telles que la densité du marché, le volume de vente moyen par unité de déci-sion, le degré de différenciation relative d'une région par rapport aux autres et, finalement, le degré de complémentarité entre les régions. Pour plusieurs autres économistes[25], la diffusion d'une innovation se réduit en grande partie à un pro-blème économique de maximisation du profit, où la rentabilité (coûts/bénéfi-ces) de l'innovation aux yeux de ses utilisateurs devient le moteur de sa réussite dans un marché.

Contrairement aux travaux effectués en économie, les spécialistes en marketing mènent des recherches de deux types : la diffusion des innovations dans l'ensemble du marché – la perspective de type macro –, et le comportement d'adoption à l'échelle de l'individu – la perspective de type micro. Dans l'approche d'analyse macro, on parle souvent de processus de diffusion dans un marché, alors que dans l'approche micro, on parle surtout de processus individuel d'adoption d'une innovation.

Bien qu'elles soient conceptuellement différentes, les approches d'analyse micro et macro sont complémentaires. D'une part, la diffusion d'un nouveau produit dans un marché est le résultat agrégé de son adoption individuelle par l'ensemble des consommateurs de ce marché ; d'autre part, l'adoption du même produit par une nouvelle personne ne peut se faire sans l'influence de celles qui l'ont déjà adopté. De plus, il apparaît que les facteurs qui influent sur le processus de diffusion sont globalement les mêmes que ceux qui influent sur le processus d'adoption. C'est l'interprétation donnée à ces influences et la façon de les faire ressortir qui peuvent différer.

Nous allons maintenant discuter en détail de la diffusion et de l'adoption des inno-vations, en mettant l'accent sur les facteurs qui influencent chacun des processus.

10.2 Le processus de diffusion : l'approche analytique de type macro

La diffusion d'une innovation est définie comme le processus par lequel une nou-veauté (une marque, un produit, un magasin, une idée, etc.) se propage dans un système social donné. Depuis une trentaine d'années, les modèles de Bass et de Rogers[26] sont considérés comme la base de tous les travaux sur la diffusion des innovations réalisés en marketing. L'approche de Bass implique une agrégation de l'analyse du marché pris dans son ensemble, l'hypothèse sous-jacente étant l'homogénéité des consommateurs. Celle de Rogers présente une catégorisation des consommateurs en plusieurs groupes, selon le moment où ils adoptent une nouveauté. Ces deux approches ont connu par la suite plusieurs autres déclinai-sons. Notons toutefois qu'indépendamment des approches d'analyse suivies, la plupart des auteurs en marketing s'entendent sur une idée unificatrice appuyée par un fait empirique irréfutable : la diffusion d'un nouveau produit dans un système social donné, soit le pourcentage cumulé de personnes qui adoptent une nouveauté, suit au fil du temps une courbe en forme de S. Cette courbe se caractérise par deux points d'inflexion indiquant chacun un changement dans la vitesse d'adoption, et une asymptote correspondant à la limite de la propagation du produit, cette dernière exprimant le potentiel d'adoptants dans le marché.

L'adoption est d'abord lente, évolue ensuite à une vitesse croissante, puis connaît un certain ralentissement pour s'arrêter lorsque le marché est saturé. De la courbe d'adoption cumulée, on peut déduire la courbe de l'évolution au fil du temps du taux d'adoption, c'est-à-dire du pourcentage de personnes qui adoptent une nouveauté à un moment donné. Cette courbe suit la forme d'une cloche (courbe normale), c'est-à-dire qu'elle est d'abord ascendante, atteint un niveau maximum, et devient par la suite descendante.

La figure 10.1 présente des exemples de processus de diffusion de certains produits, comme les modèles PC et PS2/50 d'IBM aux États-Unis, ainsi que le processus de diffusion réalisé jusqu'à maintenant par le réseau Internet sur le plan mondial. Notons bien les formes en cloche et en S des distributions brutes et cumulées des ventes au fil du temps pour les deux modèles IBM, ainsi que l'entrée dans la phase de diffusion rapide pour Internet.

FIGURE 10.1 Des exemples de processus de diffusion de nouveaux produits

A : Modèle d'ordinateur IBM PC aux États-Unis[27]

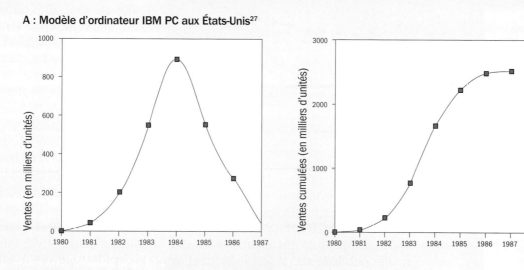

B : Modèle d'ordinateur IBM PS2/50 aux États-Unis[28]

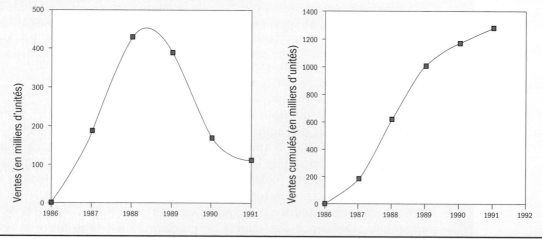

C: Internet dans le monde[29]

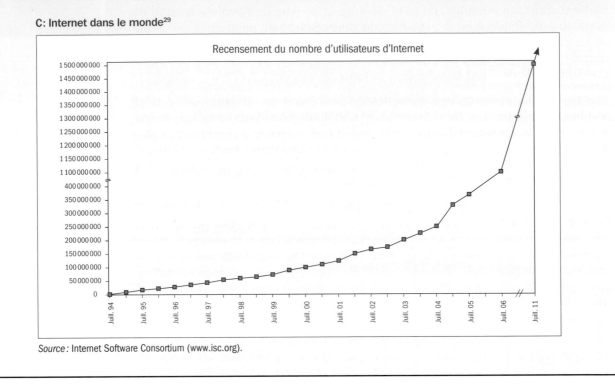

Source : Internet Software Consortium (www.isc.org).

Les innovations continues sont généralement adoptées plus rapidement que les innovations discontinues. D'autre part, certains produits qualifiés de « feux de paille » affichent un rythme d'adoption plutôt fulgurant, suivi d'un désintérêt aussi radical. Pensez aux épinglettes ou au téléavertisseur (*beeper*), qui ont fait fureur pendant un moment. D'autres produits « renaissent de leurs cendres », comme il se produit parfois pour des chansons ou des chanteurs. Ainsi, il y a quelques années, une publicité sur le lait exploitant la chanson *C'est ma vie* d'Adamo a redonné à cette chanson et au chanteur lui-même un souffle nouveau au Québec. C'est aussi le cas de certains produits de la mode comme les pantalons à pattes d'éléphant ou les minijupes, qui ont fait fureur au début des années 1970 et sont revenus en force au milieu des années 1990.

Toutefois, d'un point de vue stratégique, il ne suffit pas au gestionnaire d'un nouveau produit de savoir que la diffusion au fil du temps prend telle ou telle allure. Encore faut-il qu'il puisse fournir une explication à un tel constat et qu'il comprenne qu'il est possible d'influencer l'allure de la courbe. Le gestionnaire pourra ainsi adopter des actions de nature à augmenter les probabilités de succès du nouveau produit. La littérature en cette matière révèle que chaque auteur a tenté à sa façon d'expliquer la dynamique du processus de diffusion des innovations, en faisant ressortir plusieurs variables qui ont un effet sur ledit processus. On peut regrouper ces variables en trois catégories (*voir la figure 10.2*) : la sensibilité des consommateurs aux moyens de communications commerciale et interpersonnelle, l'influence des efforts de *marketing mix* de la firme et, enfin, les influences individuelles et socioculturelles.

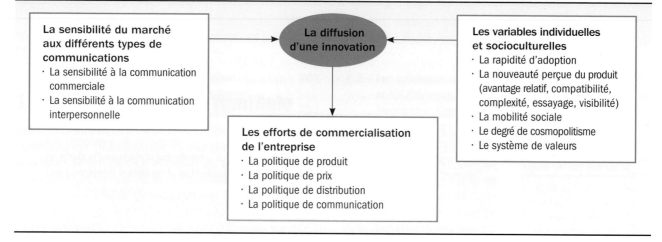

FIGURE 10.2 Les déterminants de la diffusion des innovations

La sensibilité du marché aux différents types de communications
· La sensibilité à la communication commerciale
· La sensibilité à la communication interpersonnelle

La diffusion d'une innovation

Les variables individuelles et socioculturelles
· La rapidité d'adoption
· La nouveauté perçue du produit (avantage relatif, compatibilité, complexité, essayage, visibilité)
· La mobilité sociale
· Le degré de cosmopolitisme
· Le système de valeurs

Les efforts de commercialisation de l'entreprise
· La politique de produit
· La politique de prix
· La politique de distribution
· La politique de communication

La sensibilité du marché aux moyens de communications commerciale et interpersonnelle

La communication est le premier facteur qui a été proposé pour expliquer la diffusion d'une nouveauté dans un marché. Un chercheur américain, Frank Bass, propose en 1969 un modèle d'expansion épidémique où le taux d'adoption au temps *t* est proportionnel à l'adoption cumulée depuis le lancement de l'innovation. Tout au long du processus de diffusion, les adoptants potentiels sont exposés à deux types de communication : la communication directe, qui provient des moyens commerciaux (publicité, promotion, force de vente, etc.), et la communication indirecte, qui résulte des interactions personnelles avec les consommateurs ayant déjà adopté le nouveau produit (le bouche-à-oreille, la pression sociale, etc.). Selon le type de communication considéré, Bass distingue deux principaux groupes d'adoptants : les « innovateurs » et les « imitateurs ». Les innovateurs utilisent les moyens commerciaux en tant que sources d'information sur les nouveaux produits, alors que les imitateurs font davantage appel aux interactions personnelles. L'encadré de la page suivante décrit brièvement le modèle de Bass et ses implications en matière de compréhension de la diffusion des innovations dans les marchés.

Pour confirmer le rôle déterminant de la communication directe et indirecte dans la diffusion des innovations, certains spécialistes en marketing se sont intéressés aux différences qui caractérisent la diffusion d'un groupe de nouveaux produits aux États-Unis et dans certains pays du Sud-Est asiatique comme le Japon, la Corée du Sud et Taïwan, ainsi qu'aux raisons susceptibles d'expliquer ces différences[30]. Selon eux, si des différences existent, elles ne sont que le reflet du style de communication propre à chaque pays. Ils ont constaté que la diffusion de plusieurs nouveautés était plus rapide dans les pays asiatiques – pays caractérisés par des communications interpersonnelles informelles et une communication homogène (entre individus similaires) – qu'aux États-Unis, où le contexte culturel est plutôt formel et la communication très hétérogène (entre individus présentant des profils démographiques et culturels différents).

Dans son modèle, Bass part de l'hypothèse selon laquelle la probabilité d'adoption au temps *T* serait une fonction linéaire de la fréquence cumulée jusqu'au temps *T*. Soit *f* (*T*) et *F* (*T*), respectivement les fréquences d'adoption relative et cumulée au temps *T* ; on peut alors écrire que :

$$\frac{f(T)}{1 - F(T)} = p + q\,F(T)$$

où p = coefficient d'innovation = effet direct des moyens commerciaux ;

q = coefficient d'imitation = effet indirect des interactions personnelles avec les adoptants acquis du marché ;

$F(T) = \int f(t)\,d\,t$ = distribution cumulée.

Soit *N* le nombre d'acheteurs potentiels durant la période pour laquelle la fonction de densité est construite (la durée du processus de diffusion). L'adoption cumulée pour la période [0,*T*] est supposée proportionnelle au taux d'adoption tout au long de la période ; on a alors :

$$X(T) = \int_0 S(t)\,d(t) = N \int_0 f(t)\,d(t) = N\,F(T)$$

où $X(T)$ = ventes cumulées au temps *T* (exprimées en nombre d'acheteurs du produit) ;

$S(t)$ = ventes enregistrées au temps *t* (exprimées en nombre d'acheteurs du produit) ;

N = potentiel d'adoptants.

D'où les ventes à l'instant *t* : $S(t) = N\,f(t) = p[N - X(t)]\,\dfrac{q\,X(t)}{N}\,[N - X(t)]$

Un exemple de rubrique de nouveautés dans un magazine québécois.

L'influence significative des moyens de communication commerciale dans certains marchés pousse les entreprises à faire appel aux médias pour informer les consommateurs des nouveautés, lesquelles sont souvent présentées dans des rubriques spéciales, destinées principalement aux consommateurs ayant les prédispositions les plus élevées à les adopter. La publicité ci-contre donne un exemple de rubrique que l'on trouve dans la revue *Clin d'œil,* touchant des produits de beauté à découvrir.

Les influences individuelles et socioculturelles

Dans une approche sociologique temporelle, Rogers (1962, 1983) propose une catégorisation des adoptants potentiels d'un nouveau produit pour expliquer la diffusion des innovations dans un marché. Cette approche se base sur la rapidité avec laquelle les individus adoptent une innovation, comparativement aux autres membres du même système social. L'auteur distingue cinq groupes d'adoptants : les innovateurs (2,5 % du marché potentiel), qui achètent le nouveau produit dans sa phase d'introduction ; les acheteurs précoces (13,5 %), qui achètent le produit dans sa phase de croissance ; la première majorité (34 %) et la deuxième majorité (34 %), qui constituent la grande part du marché et achètent le produit dans sa phase de maturité ; et, enfin, les retardataires (16 %), qui achètent le produit dans sa phase de saturation ou de déclin.

À titre d'illustration, une étude menée par le CEFRIO en collaboration avec Léger Marketing indique qu'en 2008, plus de 10 ans après son introduction, 43 % des Québécois utilisent Internet pour effectuer des opérations bancaires en ligne, comparativement à 31,1 % en 2004 et 15,9 % en 2001. Le mode de la transaction électronique semble avoir supplanté pour de bon la fréquentation traditionnelle des succursales, et les consommateurs utilisent de plus en plus le site Internet de leur institution financière pour consulter l'état de leur compte, faire des transferts de fonds ou payer leurs factures[31]. Par contre, la même enquête révèle que les Québécois restent encore très minoritaires pour d'autres types de transactions réalisables en ligne comme les placements financiers (REER, placement à terme, achat ou vente d'actions et d'obligations) et l'achat d'assurances (automobile, habitation, vie et autres). En 2008, seuls 6,5 % des adultes québécois ont effectué des placements financiers en ligne et à peine 1,6 % ont acheté des produits d'assurances. La figure 10.3 illustre la classification des adoptants potentiels d'un nouveau produit, telle qu'elle est proposée par Rogers. Les différentes catégories d'adoptants potentiels sont caractérisées par des traits communs, qu'il est possible de regrouper comme suit : les traits socioéconomiques, les traits de personnalité et les traits sociaux. Ces traits varient d'une catégorie d'adoptants à une autre.

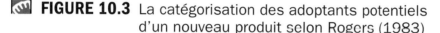 **FIGURE 10.3** La catégorisation des adoptants potentiels d'un nouveau produit selon Rogers (1983)

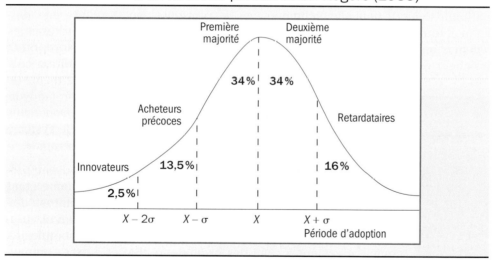

Cependant, Rogers insiste sur le fait que la diffusion d'une innovation dans un système social donné est le résultat de son adoption par chacun de ses membres. Nous avons déjà mentionné que les facteurs qui la touchent ne sont pas essentiellement de nature technologique, mais plutôt de natures psychologique et socioculturelle. La rapidité d'acceptation d'un nouveau produit dépend de la façon dont les consommateurs perçoivent cette nouveauté. Certaines caractéristiques sociales associées au nouveau produit peuvent alors accélérer ou ralentir la vitesse de propagation, sans pour autant modifier la courbe de diffusion (la forme en S restant toujours la même, avec des pentes plus ou moins abruptes). Ces caractéristiques sociales sont l'avantage relatif de la nouveauté, sa compatibilité avec les valeurs en cours, sa complexité, son essai en petites quantités et sa visibilité sociale[32].

Une publicité présentant son produit comme étant supérieur aux autres produits déjà offerts.

L'avantage relatif L'avantage relatif est le degré auquel les consommateurs perçoivent qu'un nouveau produit est supérieur aux autres produits déjà sur le marché. Prenons par exemple le nouvel ordinateur portatif (*laptop*) ultramince Lenovo Skylight lancé en 2010. Outre les fonctions de base offertes dans les autres ordinateurs, il peut être manipulé et transporté facilement à cause de son poids de moins de un kilo et de son format plus mince qu'un paquet de gomme. Il permet aussi d'accéder à Internet grâce à une connexion de type 3G (*voir la publicité ci-contre*)[33]. Autre exemple associé à la marque Apple : le téléphone iPhone 3G. En dehors de sa fonction de base, soit la possibilité de réaliser des appels téléphoniques, il permet d'emmagasiner de la musique, des documents et des films, d'accéder à Internet et de travailler comme devant un écran d'ordinateur (*revoir l'encadré de la page 370*). De fait, plus l'avantage relatif de la nouveauté sera perçu comme important, plus la diffusion de celle-ci pourra être rapide.

La compatibilité La compatibilité est le degré auquel les consommateurs d'un système social donné perçoivent que le nouveau produit est compatible avec les valeurs en cours ainsi qu'avec leurs besoins. Par exemple, le lancement d'une crème épilatoire pour homme à Toronto a connu un échec retentissant à cause de l'incompatibilité de cette nouvelle technique avec les pratiques usuelles du rasage masculin et toute leur symbolique[34]. Certains produits congelés comme les frites et les légumes ont connu un échec total dans plusieurs pays d'Afrique du Nord, où la fraîcheur des aliments demeure une valeur fondamentale dans la tradition culinaire. Dans la publicité présentée ci-contre, on utilise le thème de l'écologie, très en vogue depuis quelques années, pour promouvoir les qualités du nouveau détergent Lessivert de Sunlight. Donc, plus le nouveau produit sera perçu comme compatible avec le système social et les valeurs en cours, plus sa diffusion pourra être rapide.

Une publicité qui utilise le thème de l'écologie pour promouvoir un nouveau détergent à lessive.

La complexité La complexité est le degré auquel un nouveau produit est perçu par la majorité des consommateurs comme étant difficile à utiliser. À titre d'exemple, les ordinateurs Macintosh doivent leur réussite fulgurante dans les marchés américain et européen, durant les années 1980, à leur faible degré de complexité, comparativement à celui des ordinateurs IBM et autres compatibles. L'environnement Windows, principal atout des ordinateurs Mac, n'a pas tardé à être imité, voire amélioré par son principal rival, permettant à ce dernier de bénéficier de cet avantage et de supplanter ainsi Macintosh partout dans le monde. Ainsi, moins le nouveau produit sera perçu comme complexe, plus sa diffusion pourra être rapide.

L'essai L'essai est le degré auquel un nouveau produit peut être testé **en petites quantités.** Par exemple, un consommateur aura plus de facilité à essayer une nouvelle marque de farine transgénique ou un repas congelé qu'une nouvelle marque de congélateur. Dans le premier cas, il peut se procurer une petite quantité du produit alors que dans le deuxième cas, il lui faut acheter le congélateur en entier. Des entreprises comme L'Oréal et Gillette doivent leur réussite au nombre important d'échantillons gratuits offerts par la poste à leurs clients potentiels lors de l'introduction de plusieurs de leurs nouveaux produits. Les consommateurs peuvent ainsi expérimenter plus facilement les nouveautés et juger de leur pertinence, de leur intérêt, de leur attrait, ce qui peut contribuer à accélérer leur diffusion dans le temps. La publicité ci-contre montre comment la firme Kimberly-Clark annonce le lancement de ses nouveaux mouchoirs Kleenex avec lotion et encourage l'essai de son nouveau produit par un bon de réduction éventuellement stimulant pour le consommateur.

La visibilité La visibilité est la facilité avec laquelle le nouveau produit et ses bénéfices peuvent être remarqués, observés, imaginés, décrits ou communiqués aux adoptants potentiels. Par exemple, il est plus facile pour un consommateur de

Une publicité qui utilise les bons de réduction pour encourager l'essai des nouveaux mouchoirs Kleenex-Lotion.

remarquer la trottinette nouvellement lancée sur le marché[35] que le nouveau concept de cinéma maison. Pour le premier, il lui suffit de se promener dans la rue alors que, pour le second, il lui faut nécessairement visiter un magasin de produits électroniques ou un ami qui en possède un chez lui. De la même façon, à cause de leur nature tangible, les nouveaux produits sont souvent plus visibles que les nouveaux services. La réussite du train à grande vitesse (TGV) en France s'explique, en grande partie, par le fait que les voyageurs peuvent remarquer facilement les bénéfices lors d'un déplacement, par exemple de Paris à Marseille: alors qu'il fallait compter dix heures de voyage par le train traditionnel, il n'en faut plus désormais que trois par le TGV. De ce fait, plus il sera facile d'observer les bénéfices d'un nouveau produit, plus sa diffusion pourra être rapide[36].

En résumé, la diffusion d'un nouveau produit dans un marché est plus rapide lorsque ce produit présente des avantages certains pour les consommateurs, qu'il est compatible avec les valeurs en cours, qu'il est simple à utiliser, qu'il peut être essayé en petites quantités et, enfin, que ses avantages sont facilement communicables.

Par ailleurs, d'autres influences de nature socioculturelle ont été mentionnées par les auteurs en marketing pour expliquer la diffusion des innovations: l'hétérogénéité du marché, la mobilité des individus et les systèmes de valeurs dominants. Une étude empirique réalisée avec un groupe de 11 pays et portant sur six types de produits durables montre que, d'un système social à un autre, le cosmopolitisme (l'hétérogénéité culturelle) agit positivement sur la propension à innover des individus, alors que la mobilité sociale agit beaucoup plus sur la propension à imiter. En effet, si le cosmopolitisme réduit les possibilités d'interaction entre les membres d'un système social donné et encourage ainsi l'initiative individuelle, la mobilité, quant à elle, augmente les possibilités d'interaction entre les individus et, par conséquent, l'effet de contagion[37].

En outre, la diffusion d'une innovation semble être aussi le résultat de la motivation des individus d'un système social donné à connaître le monde qui les entoure. L'apprentissage est considéré comme un processus d'échange de connaissances entre l'individu et son environnement, où l'engouement (excitation et joie) est le principal catalyseur. Puisque ce catalyseur est de nature affective, il possède un pouvoir de contagion considérable qui pousse les individus à se copier dans leur comportement et à adopter les mêmes nouveautés. Ainsi, plus l'innovation est compatible avec les tendances de l'environnement changeant, qu'il s'agisse de conception ou de propagation de nouveaux produits, plus sa diffusion est rapide.

L'influence des stratégies de commercialisation de l'entreprise

En reprenant le même constat que les autres auteurs en marketing sur l'allure de la courbe de diffusion, le chercheur américain Thomas Robertson a proposé que la diffusion est le résultat des efforts marketing engagés par l'entreprise, notamment des stratégies de produit, de prix, de communication et de distribution. À titre d'exemple, les attributs mêmes de l'innovation (un des éléments de la stratégie de produit) influeront sur son taux d'adoption au fil du temps, le type de consommateurs susceptibles de l'adopter, le type de système social au sein duquel la diffusion aura lieu et les efforts de marketing nécessaires pour assurer sa diffusion. L'auteur assimile le concept de processus de diffusion au concept plus familier de cycle de vie d'un produit. La seule différence est que la diffusion renvoie au pourcentage d'adoptants potentiels au fil du temps, au sein d'un système social ou segment de marché, tandis que le cycle de vie du produit est basé sur les niveaux absolus de ventes au fil du temps. Pour illustrer le rôle crucial joué par la stratégie de communication retenue, nous pouvons citer la direction de la compagnie Hewlett Packard, qui affirme que la réussite de son modèle d'imprimante Laser Jet 3100, avec photocopieur, télécopieur et numérisateur intégrés, s'explique en grande partie par l'importante campagne de publicité sur supports médiatiques papier (revues, journaux et affiches) et virtuel (page Web[38]). La capsule 10.2 montre que pour faire comprendre une innovation complexe, l'utilisation de métaphores peut se révéler efficace.

CAPSULE 10.2

Comment faire comprendre la nouveauté?

Pour que le consommateur puisse juger de la compatibilité d'une nouveauté avec ses besoins, ses valeurs et son style de vie, pour qu'il soit en mesure d'apprécier les avantages relatifs d'une innovation, encore faut-il qu'il comprenne ce qu'est cette nouveauté. Or, il peut éprouver de la difficulté à se représenter certaines d'entre elles. Par exemple, lorsqu'elles sont très techniques, très nouvelles par rapport à ce qu'il connaît, il peut alors lui manquer le cadre de référence nécessaire à leur compréhension. Pensez à Internet. Comment pouvait-on expliquer cette «nouveauté» au grand public d'une manière simple, accessible? En fait, on a eu recours aux métaphores comme «l'autoroute de l'information», «*surfer* sur Internet», «naviguer sur Internet», pour susciter la curiosité, l'intérêt, mais aussi pour faciliter la compréhension par l'analogie.

Comme nous l'avons vu au début du chapitre, la résistance à l'innovation peut provenir des risques perçus. Faire comprendre la nouveauté, c'est aussi montrer que certains risques qui pourraient être perçus initialement dans une innovation ne sont pas fondés. Prenez l'exemple du nettoyage à sec chez soi. Plusieurs questions se sont sans doute bousculées dans votre esprit : est-ce que la méthode est performante ? Est-ce que cela prend du temps ? Est-ce que ce n'est pas trop compliqué ? Est-ce que c'est économique ? Vous avez peut-être aussi fait le constat suivant : « Cela ne fait pas partie de mes habitudes. » La publicité présentée ci-contre tente de répondre à plusieurs de ces questions, notamment en fournissant la procédure à suivre, ou *script,* afin de vous faire constater la simplicité et la rapidité de l'opération.

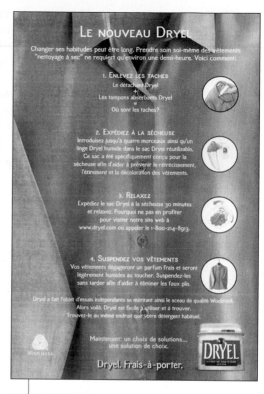

Une publicité offrant une description de la procédure à suivre pour utiliser un nouveau produit de nettoyage à sec.

L'importance des variables de commercialisation a été aussi évoquée par d'autres auteurs en marketing qui ont, pour la plupart, cherché à introduire dans la formulation originale du modèle de Bass de nouvelles variables explicatives de la diffusion des innovations, notamment les éléments de prise de décision marketing reliés au produit, au prix, à la publicité et à la distribution[39].

La variable prix a été intégrée dans plusieurs extensions du modèle de Bass, soit en tant que fonction du temps pondérée par un paramètre de marché, qui est l'élasticité de la demande par rapport au prix pour le nouveau produit, soit en tant que facteur déterminant du potentiel d'adoptants[40].

La variable produit a servi dans des modèles de diffusion tenant compte de générations successives d'un même produit (par exemple, le téléphone iPhone 3G d'Apple). L'idée centrale est que les ventes d'une nouveauté d'une génération donnée proviennent, d'une part, de son adoption par des individus qui n'ont jamais utilisé ce type de produit et, d'autre part, par ceux qui ont déjà utilisé une de ses générations antérieures. D'autres modèles ont retenu le moment de lancement d'un nouveau produit dans un marché en tant que déterminant de la vitesse de diffusion, l'hypothèse sous-jacente étant que la diffusion sera d'autant plus rapide que le moment de lancement est retardé[41].

En 1992, Bass et Krishnan ont proposé à leur tour une généralisation du modèle de Bass, en introduisant dans la formulation initiale du modèle l'effet des variables de décision marketing, notamment le prix et la publicité. Les deux auteurs suggèrent une nouvelle hypothèse selon laquelle la probabilité qu'il y ait adoption au temps *T,* sachant que cette adoption n'a pas encore eu lieu, serait une fonction linéaire des effets directs et indirects de la communication, indexés par le montant de l'effort engagé par l'entreprise à ce moment *T* de la diffusion du nouveau produit. Sachant que $x(T)$ représente la mesure de l'effort, la formulation de base du modèle de Bass devient alors :

$$\frac{f(T)}{1 - F(T)} = [p + q\,F(T)]\,x(T), \text{ où } [0 \le x(T) \le 1]$$

Outre la valeur de gestion du modèle généralisé qu'ils proposent, Bass et Krishnan ont montré empiriquement que le modèle initial de Bass n'est qu'un cas particulier de ce nouveau modèle, où l'effort marketing demeure constant à travers le processus de diffusion du produit (cas où $x(T) = 1$). De ce fait, les auteurs ont donné une explication valable à la similitude des résultats observés dans certaines situations entre les estimations du modèle de Bass et celles des modèles étendus.

10.3 Le processus d'adoption : l'approche de type micro

Les travaux réalisés en marketing sur le thème de la réaction des consommateurs aux nouveaux produits empruntent deux voies : la première vise à comprendre le processus qui conduit l'individu à la décision d'adopter ou non un nouveau produit ; la deuxième tente de segmenter le marché cible afin de déterminer le profil du groupe le plus innovateur, soit celui qui conditionne la réussite de la propagation du nouveau produit dans un marché. Ces deux voies seront explorées dans les sections suivantes.

Le processus individuel d'adoption

Rogers a été le premier auteur à proposer une structure théorique qui explique le processus individuel d'adoption des nouveautés et les variables qui l'influencent. Elle demeure encore aujourd'hui un paradigme de base dans la recherche et l'enseignement en comportement du consommateur. Rogers propose un modèle illustrant la manière dont un individu en arrive à la décision d'adopter ou de rejeter un nouveau produit, à partir du moment où il remarque son existence dans un marché. Ce processus comprend cinq étapes : la connaissance, la persuasion, la décision initiale d'adoption ou de rejet, l'implantation et la confirmation ou le retour sur la décision.

Étape 1 : la connaissance, phase cognitive du processus Le consommateur traite l'information recueillie et simule les effets de l'adoption de l'innovation par une sorte d'essai mental de celle-ci. Pour faire écho à notre propos de la capsule 10.2, à la page 384, le consommateur a pu ainsi s'imaginer « surfant » sur Internet et prenant la vague.

Étape 2 : la persuasion, phase affective du processus Elle correspond au stade où le consommateur parvient à adopter une attitude favorable ou défavorable vis-à-vis de l'innovation.

Étape 3 : la décision initiale, premier niveau de la phase conative Elle pourrait aboutir soit à l'adoption, soit au rejet de l'innovation.

Étape 4 : l'implantation, deuxième niveau de la phase conative Soit le consommateur commencera à tester l'innovation, en l'essayant généralement sur une petite échelle – à condition qu'il ait choisi de l'adopter au cours de l'étape précédente –, soit il assumera les conséquences du manque s'il a choisi de la rejeter.

Étape 5 : la confirmation, troisième niveau de la phase conative L'individu cherchera à renforcer sa décision d'utiliser l'innovation de manière continue ou de la rejeter définitivement. Toutefois, il peut réévaluer sa décision initiale d'adoption ou de rejet s'il est exposé à des messages contradictoires.

L'adoption se définit donc comme l'achat et l'utilisation de façon continue d'une nouveauté. Elle présuppose de la part du consommateur un engagement plutôt qu'un simple essai. Les travaux réalisés en comportement du consommateur montrent que la durée du processus individuel d'adoption dépend de plusieurs facteurs. Au-delà des éléments sociaux de l'innovation déjà évoqués (avantage relatif, compatibilité, complexité, essai et visibilité), nous retiendrons la politique de communication utilisée pour promouvoir le produit, la nature du système social en question, l'étendue des efforts engagés par les agents de changement (c'est-à-dire les *leaders* d'opinion) et la sensibilité des consommateurs à l'innovation, point sur lequel nous nous attarderons plus loin.

La figure 10.4 illustre l'approche de Rogers en ce qui a trait aux différentes étapes du processus d'adoption et aux facteurs qui influencent chaque phase.

FIGURE 10.4 Le processus d'adoption individuel d'un nouveau produit selon Rogers (1983)

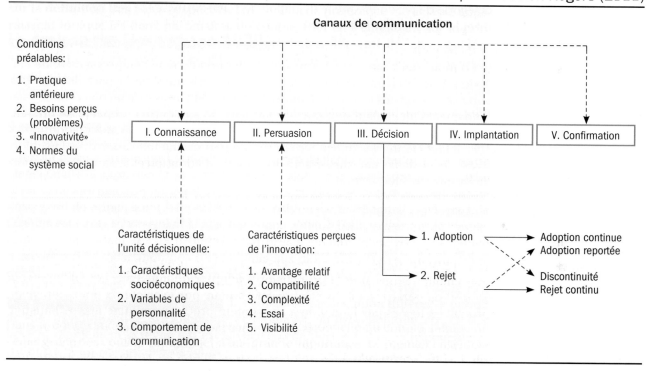

La sensibilité des consommateurs à l'innovation : la propension à l'adoption et le concept d'«innovativité»

Quand on observe le monde qui nous entoure, on s'aperçoit vite que les consommateurs n'ont pas tous la même prédisposition ou propension à adopter un nouveau produit. Rogers précise que la propension à l'adoption, *n* ou «innovativité» (*innovativeness*), agit sur le processus décisionnel de l'individu dans sa première phase, au moment où il prend connaissance de l'existence de la nouveauté, la perception des consommateurs étant sélective. Les auteurs en marketing partagent l'idée selon laquelle les caractéristiques des adoptants, et plus particulièrement leur propension à l'adoption, déterminent la probabilité qu'ils adoptent un nouveau produit à un stade donné de sa diffusion. Les auteurs s'entendent aussi sur le rôle déterminant d'un groupe particulier de consommateurs dont la propension à l'adoption est relativement la plus élevée parmi les adoptants potentiels : les innovateurs. Un nouveau produit ne peut jamais réussir sa propagation dans un marché si cette catégorie de consommateurs « innovateurs » ne l'a pas adopté. Ce sont eux qui, par leur pouvoir de communication, déclenchent le processus de contagion. Toutefois, les spécialistes en marketing ne s'entendent pas sur une définition unique ni sur une mesure universelle de ce concept qu'est la propension à l'adoption. Certains spécialistes définissent la propension à l'adoption comme une sensibilité à la communication commerciale, d'autres comme la rapidité avec laquelle les individus décident d'adopter une innovation, comparativement aux autres membres de la société. Certains parlent de la propension à l'adoption comme d'un trait de personnalité, d'autres comme d'un élément inné chez l'individu. Finalement, certains considèrent que la propension à l'adoption est un phénomène homogène applicable à tous les individus et à tous les produits, tandis que d'autres la tiennent pour propre à chacun et variable selon la catégorie de produits. Quelle définition de l'« innovativité » le gestionnaire devrait-il finalement retenir ?

Bien qu'elle soit adoptée par nombre de spécialistes en marketing[42], l'approche temporelle, qui définit la propension à l'adoption comme l'empressement de l'individu à acheter un produit, a fait l'objet de critiques de la part de bien des auteurs[43]. Selon ces critiques, l'approche temporelle présente un biais conceptuel fondamental découlant de l'analogie faite par Rogers entre le concept de propension à l'adoption et celui de temps relatif – rapidité ou moment – d'adoption. À cela, il faut ajouter les difficultés énormes à réfuter une telle approche, la subjectivité élevée dans la mesure exacte du moment d'adoption et la nature *a posteriori* de l'approche en question.

À partir de ces critiques, trois autres approches ont été proposées, dont nous discuterons maintenant en détail : l'approche de la coupe transversale, l'approche de l'adoption innée et l'approche multidimensionnelle.

L'approche de la coupe transversale a vu le jour au début des années 1970[44]. Ses tenants considèrent la propension à adopter de nouveaux produits comme un trait de personnalité. Sa mesure est obtenue par le calcul du pourcentage de produits adoptés par l'individu à un moment précis, parmi une liste exhaustive de produits nouveaux (choisis par le chercheur). Le tableau 10.1 présente un exemple illustrant la mesure de la propension à l'adoption des technologies de l'information (TI) chez trois individus. Dans cet exemple, Alain s'avère le plus innovateur des trois, suivi par Julie et enfin par Jean, qui, lui, ne semble pas du tout ouvert aux TI. Étant donné sa philosophie de base, l'approche de la coupe transversale s'apparente à l'approche temporelle de Rogers (1962, 1983) et, par conséquent, souffre des mêmes limites conceptuelles et méthodologiques. Outre les difficultés opérationnelles reliées au choix de la liste de produits et à la détermination des nouveautés (en effet, Jean peut être un innovateur par rapport à d'autres types de produits), cette approche comporte une limite fondamentale : elle est censée mesurer un trait de personnalité, qui est le « style novateur » ; or, il se trouve que les répercussions qu'ont les traits de personnalité sur les activités de consommation en général n'ont jamais été définitivement admises par les chercheurs en marketing.

TABLEAU 10.1 Une mesure de la propension à l'adoption des technologies de l'information selon l'approche de la coupe transversale

Dans vos activités quotidiennes, lesquelles des technologies suivantes utilisez-vous de façon courante ?			
Technologie	**Alain**	**Julie**	**Jean**
Lecteur de musique MP3	☑	☑	☐
Ordinateur de poche	☑	☑	☐
Téléphone 3e génération	☑	☑	☐
Téléviseur HD à écran plat	☑	☐	☐
Cadre pour photos numériques	☑	☑	☐
Système de navigation GPS	☑	☐	☐
Livre électronique	☑	☐	☐
Console de jeux portable	☑	☐	☐
Réseaux sociaux sur Internet	☑	☑	☐
Google et autres moteurs de recherche	☑	☑	☐
Achat de produits sur Internet	☑	☐	☐
Transactions de services sur Internet (banque, câble, etc.)	☑	☐	☐
Propension à l'adoption	**12/12**	**6/12**	**0 /12**

Par ailleurs, l'**approche de l'adoption innée** de Midgley et Dowling (1978) présente la propension à l'adoption comme un caractère inné chez l'individu, applicable de manière universelle à tous les nouveaux produits. Il s'agit du degré auquel un individu est globalement réceptif aux nouvelles idées, indépendamment de l'expérience qui lui a été communiquée par son entourage. En raison de son niveau d'abstraction élevé et des difficultés opérationnelles qui en découlent, cette approche nous paraît très limitée sur le plan conceptuel.

L'**approche multidimensionnelle** proposée en 1991 par Goldsmith et Hofacker[45] définit la propension d'un individu à adopter un nouveau produit comme une combinaison de ses caractéristiques innées, de ses traits généraux de personnalité et de certaines composantes de son comportement de consommation. Cette approche présente la propension à l'adoption comme la prédisposition d'un individu à utiliser de manière continue un nouveau produit à un moment précis de sa diffusion. En d'autres termes, il s'agit de l'attitude que l'individu forme à l'égard d'un nouveau produit. Le concept de propension à l'adoption individuelle, tel qu'il est présenté ci-dessus, regroupe les composantes affective, cognitive et conative, utilisées jusque-là de façon fragmentée par de nombreux chercheurs en marketing pour mesurer la propension à l'adoption. Ces trois composantes se découpent ainsi :

1. La composante affective :
   - l'intérêt accordé au produit et à l'information qui lui est associée[46] ;
2. La composante cognitive :
   - l'exposition à l'information reliée au nouveau produit[47] ;
   - l'aptitude à communiquer de l'information utile sur le produit[48] ;
3. La composante conative :
   - la rapidité envisagée pour l'adoption du nouveau produit[49] ;
   - la possession d'objets reliés directement ou indirectement au nouveau produit[50].

En proposant une telle mesure, Goldsmith et Hofacker apportent un appui considérable à l'idée selon laquelle la propension à l'adoption est toujours particulière à une classe de produits, et que la notion d'«innovateur», au sens absolu du terme, n'est qu'illusion. Le tableau 10.2 présente une application de cette mesure au domaine précis des TI, dans le cas de deux personnes affichant des degrés différents de prédisposition à adopter ces technologies.

TABLEAU 10.2 Une mesure de la propension à l'adoption des technologies de l'information selon l'approche multidimensionnelle

Veuillez indiquer votre degré d'accord ou de désaccord avec chacune des affirmations suivantes :					
Affirmation	Pas du tout d'accord				Tout à fait d'accord
1. En général, je suis parmi les premières personnes dans mon cercle d'amis à acheter une nouveauté reliée aux TI quand elle est introduite sur le marché.	✓	2	3	4	✗
2. Si je suis informé qu'une nouveauté reliée aux TI est offerte en magasin, je souhaiterai énormément l'acheter.	✓	2	3	4	✗
3. Comparativement à mes amis, je possède déjà beaucoup de produits reliés aux technologies de l'information.	✓	2	3	✗	5
4. En général, je suis la première personne dans mon cercle d'amis à être informée des nouveautés en matière de TI.	✓	2	3	4	✗
5. J'achèterai une nouveauté reliée aux TI, même si je n'ai pas assez d'information ou si je ne l'ai pas essayée.	✓	2	3	✗	5
6. J'aime acheter une nouveauté reliée aux TI avant les autres.	✓	2	3	4	✗

Les réponses d'Alain sont indiquées par «✗». Les réponses de Jean sont indiquées par «✓».

Si l'on fait le total des scores pour chaque affirmation, Alain obtient 28/30 et Jean, 6/30. Un score plus élevé signifie une prédisposition plus grande à adopter une nouveauté reliée aux technologies de l'information.

Source : Goldsmith et Hofacker, 1991.

Les déterminants de la propension individuelle à l'adoption

De notre revue des travaux portant sur l'approche de type micro, il ressort aussi un intérêt particulier, chez beaucoup de chercheurs en marketing, à comprendre le lien qui existe entre le comportement des adoptants potentiels de nouveaux produits et leurs caractéristiques personnelles de natures sociodémographique, psychographique et culturelle, d'une part, et, d'autre part, les caractéristiques structurelles reliées à l'innovation et aux marchés où elles sont lancées. Cet effort de recherche vise essentiellement à mieux cerner le profil des différents types d'adoptants, en particulier ceux qui ont une forte propension à adopter les nouveaux produits.

Les auteurs partent souvent de l'hypothèse suivant laquelle les différences dans les profils démographique et psychographique des adoptants d'un nouveau produit expliquent en grande partie les disparités observées dans leurs réactions vis-à-vis des nouveaux produits, notamment leur propension à l'adoption. Les autres disparités pourraient s'expliquer par des variables structurelles reliées aux caractéristiques socioéconomiques du marché (le niveau de développement, l'hétérogénéité, etc.) et à celles de l'innovation (le prix, le coût de substitution, la nouveauté perçue, etc.). Le marché potentiel des adoptants d'un nouveau produit pourrait alors être segmenté en fonction de variables telles que l'âge, le sexe, l'occupation professionnelle, le revenu, les valeurs, le style de vie, la réceptivité aux moyens de communications commerciale et interpersonnelle, la sensibilité au prix, etc. La figure 10.5 résume les principaux déterminants du processus individuel d'adoption. Nous verrons, par la suite, les résultats les plus marquants obtenus dans la recherche jusqu'à présent.

FIGURE 10.5 Les déterminants du processus individuel d'adoption des nouveautés

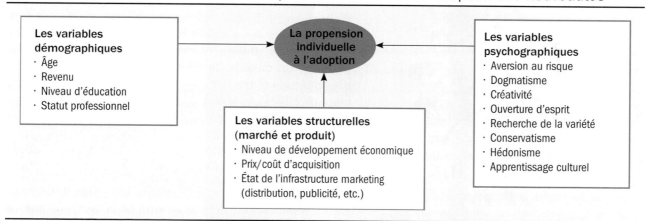

L'influence des variables démographiques

Il existe une grande disparité dans les résultats obtenus d'une étude à l'autre en ce qui a trait aux influences démographiques. Seules les variables *revenu, niveau d'éducation, statut professionnel* et *âge* semblent avoir un lien notable avec le comportement d'adoption des individus[51]. Les consommateurs qui, dans un marché, possèdent une prédisposition plus grande à adopter les nouveaux produits présenteraient globalement le profil de personnes jeunes, dotées d'un statut professionnel, d'un revenu et d'un niveau d'éducation élevés. L'un des vice-présidents de la compagnie de communication canadienne Ned Ad a affirmé récemment que la réussite de ses minipanneaux électroniques de publicité, affichant une animation vidéo de 45 minutes et placés dans les toilettes de cafés, de bistros, de bars et de restaurants à Montréal, à Vancouver et à Calgary, s'expliquerait en grande partie par le caractère innovateur et branché des consommateurs cibles, qui appartiennent globalement à la tranche d'âge des 18-34 ans.

L'influence des variables psychographiques et culturelles

Les travaux réalisés en marketing à propos des influences psychographiques sont plus variés. Les résultats obtenus laissent croire que les consommateurs qui manifestent une forte propension à adopter les nouveaux produits ont généralement tendance à avoir moins peur du risque, à chercher davantage la variété, à être moins dogmatiques, plus créatifs, plus ouverts d'esprit, plus autonomes dans leur approche décisionnelle, et à faire preuve d'expertise dans certains domaines. Les individus très sensibles au risque sont souvent plus fidèles aux marques et aux produits qu'ils utilisent, et sont donc moins susceptibles d'adopter les nouveautés.

Une publicité qui utilise des éléments reliés à la créativité pour promouvoir un nouveau produit.

La créativité est un autre trait de personnalité qui semble agir sur la propension à l'adoption. Dans un contexte de consommation, la créativité est la capacité de l'individu à générer un répertoire cognitif nouveau et plus large lui permettant de résoudre plus facilement les problèmes de décision d'achat en général, et ceux reliés aux nouveaux produits en particulier. Plus le consommateur est créatif, plus il est capable de comprendre l'innovation en tant que concept, et moins la décision de l'adopter ne lui requiert d'effort cognitif et de temps. Il est ainsi en mesure de mieux évaluer les similarités et les différences entre les produits déjà utilisés et ceux nouvellement lancés. La publicité du modèle de téléphone cellulaire Nokia 3330, présentée ci-contre, fait appel au style créatif des consommateurs cibles, aussi bien dans les thèmes abordés (*surfer, ciné, jouer, bouger, resto, sport, amour*) que dans la figure illustrée (palette et peinture d'artiste). Notons qu'un degré élevé de créativité chez l'individu ne mène à l'adoption plus rapide d'un nouveau produit que si les attributs de ce dernier sont jugés supérieurs[52].

Une publication récente montre le rôle important de certaines valeurs personnelles sur la propension à l'adoption de certains produits comme l'agenda électronique, la télévision interactive et le paiement bancaire direct (Interac). Le concept de système de valeurs, qui a été abordé au chapitre 2 sur la motivation et au chapitre 8 sur la culture, nous pousse à croire que, devant un nouveau produit, les consommateurs réagissent différemment selon le système de valeurs auquel ils adhèrent. À titre d'exemple, des consommateurs qui accordent la priorité à des valeurs telles que la sécurité, le sentiment d'appartenance et le respect de soi adopteront généralement un style de comportement conservateur et conformiste par rapport au monde qui les entoure. Plus précisément, les consommateurs de ce groupe devraient manifester de la résistance aux changements qui s'opèrent dans le marché et de l'attachement au style de vie dominant dans la société. Ils devraient alors accorder très peu d'intérêt aux nouveautés et à l'information commerciale qui s'y rapporte, être moins habilités à communiquer de l'information à leur sujet, posséder très peu d'objets qui leur soient directement ou indirectement reliés, et finalement, être très réticents à les adopter. Cela devrait se traduire, sur le plan du comportement des individus de ce groupe, par une faible propension à l'adoption, c'est-à-dire une réaction négative et de la réticence à l'égard des nouveaux produits durant leur phase de lancement. Cette réaction devrait se métamorphoser en réaction positive envers ces mêmes produits une fois que ceux-ci auront atteint une pénétration du marché suffisamment importante à leurs yeux et que, par conséquent, leur utilité aura été reconnue par la société en général. Inversement, lorsque d'autres types de valeurs, telles que les valeurs hédonistes (par exemple, la joie de vivre ou la quête de sensations fortes) sont privilégiées par les consommateurs d'une sous-culture donnée, nous pensons qu'elles influencent positivement leur ouverture aux phénomènes nouveaux, hors du commun, et dont la consommation procure du plaisir et de l'excitation.

Dans une étude transculturelle menée en France et au Canada sur l'adoption des innovations, les auteurs se sont intéressés au phénomène d'acculturation qui touche les nouveaux arrivants. L'acculturation – qui a été abordée en détail dans les chapitres 8 et 9 portant sur la culture et les sous-cultures –, est, rappelons-le, l'apprentissage, par un individu ou un groupe d'individus, d'une culture autre que sa culture d'origine[53]. Les résultats de cette étude montrent qu'il existe des différences dans le comportement d'adoption des innovations entre les consommateurs de niveaux d'acculturation différents. Les personnes faiblement acculturées sont généralement très attachées à leur sous-culture. Elles refusent souvent la dépendance à la société d'accueil et placent volontairement des barrières à l'ouverture sur la nouvelle culture, notamment à sa composante matérielle tangible (les nouveautés, par exemple) et à sa composante mentale intangible (son système de valeurs et ses normes culturelles, par exemple). Les nouveaux consommateurs faiblement acculturés manifestent leur refus de dépendance par une faible propension à l'adoption, c'est-à-dire une faible prédisposition à adopter les nouveaux produits. De plus, ces mêmes individus ont recours plus souvent aux moyens de communication indirects (le bouche-à-oreille, la pression sociale, etc.) en guise de sources d'information pour décider de l'adoption ou du rejet des nouveaux produits.

Par ailleurs, le comportement de consommation des individus à l'intérieur de leur sous-culture évolue selon leur niveau d'acculturation. Au fur et à mesure que le degré d'acculturation augmente, le comportement des individus a tendance à se rapprocher de plus en plus de celui ou de ceux du ou des groupes dominants dans la société d'accueil. L'acculturation croissante pousse le consommateur à se distinguer des membres de sa sous-culture et à s'ouvrir progressivement aux nouveautés du marché, destinées initialement aux groupes dominants. Il démontre alors une meilleure prédisposition à adopter rapidement les nouveautés du marché, un plus grand intérêt à l'information commerciale qui leur est associée, une meilleure capacité à communiquer cette information et, finalement, une plus faible aversion au risque. La propension individuelle à l'adoption s'accroît donc avec le degré d'acculturation.

L'influence des variables structurelles liées au produit et au marché

Les influences structurelles liées au marché et à l'innovation sur la propension à l'adoption ont été abordées au cours de l'étude de l'incidence des dimensions économiques et sociales sur le comportement individuel d'adoption. Ainsi, des caractéristiques économiques telles que le niveau de développement économique, l'état des structures de distribution et des moyens de communication, le prix ou la rentabilité économique de l'innovation, auraient une influence significative sur la prédisposition des individus à adopter les nouveaux produits à un moment donné de leur diffusion. La propension à l'adoption d'un nouveau produit serait également influencée par certaines caractéristiques sociales du produit, notamment le degré de nouveauté perçu.

Selon Maslow[54], le niveau de développement économique d'un système social détermine, dans une large mesure, le type de besoins des individus qui le composent. Dès lors, il est normal que nous nous attendions à ce que les individus qui évoluent dans des systèmes sociaux économiquement prospères présentent une meilleure prédisposition à adopter les nouveaux produits[55]. Ces derniers sont généralement destinés à satisfaire des besoins non vitaux, par exemple des besoins de prestige. De plus, par leur style de vie, ces individus sont déjà en contact avec des technologies de pointe de telle sorte qu'ils acceptent plus facilement les nouveautés de ce type que les individus vivant encore dans un environnement très peu développé sur ce plan. À titre d'exemple, la téléphonie par l'intermédiaire d'Internet est plus susceptible d'être adoptée par des consommateurs canadiens qui disposent déjà d'un accès facile au réseau Internet que par leurs homologues du Niger, où le taux de pénétration du réseau en question est très faible et les infrastructures de télécommunication, peu développées.

Par ailleurs, certaines études réalisées en marketing montrent aussi que la présence de l'infrastructure de marketing au sein d'un système social a tendance à influencer positivement la propension des individus à adopter les nouveautés. En effet, la grande disponibilité des nouveaux produits et l'efficacité des moyens de communication (publicité, promotion, force de vente, etc.) mis en place ne font qu'accroître la prédisposition des gens à adopter les nouveaux produits. À titre d'exemple, une étude réalisée en marketing montre que la forte propension des Américaines à adopter les nouveaux produits, comparativement à leurs homologues françaises, est attribuable en grande partie à la plus grande disponibilité de ces produits aux États-Unis[56]. Cette disponibilité s'explique par une structure de distribution plus efficace aux États-Unis qu'en France. La réussite de la diffusion des organismes génétiquement modifiés aux États-Unis est due, entre autres, à l'action du gouvernement américain qui, en 1993, a légalisé la commercialisation libre de ce type de produits, ce qui n'est pas le cas d'autres pays comme ceux de l'Europe. Une autre étude réalisée au début des années 1970 a fait ressortir une forte corrélation du revenu par habitant et du niveau de vie qui caractérisent un pays avec le nombre d'unités vendues de téléviseurs, de réfrigérateurs et de machines à laver (considérés à ce moment-là comme des produits nouveaux[57]).

En économie, la loi de la demande suppose qu'un prix bas attire généralement un nombre plus élevé de consommateurs. Outre le fait que les innovations moins coûteuses soient accessibles à plus d'adoptants, le risque perçu (surtout économique) de telles acquisitions est souvent moins grand, ce qui augmente la prédisposition des individus à les adopter. À titre d'exemple, un consommateur sera plus disposé à adopter une nouvelle marque de jus de fruits qu'un nouveau modèle de voiture électrique.

10.4 Les mécanismes interpersonnels de la diffusion des innovations : le rôle du *leadership* d'opinion

Influencés ou influençants ? Les *leaders* d'opinion

L'un des concepts les plus intéressants, lorsqu'il est question d'influence sociale par rapport à l'adoption et à la diffusion des innovations, est celui des *leaders* d'opinion. Un *leader* d'opinion est une personne capable d'influencer les autres en matière de consommation. On peut bien sûr être un *leader* d'opinion dans d'autres domaines que la consommation (le sport, la politique, etc.), mais nous nous intéressons ici aux *leaders* d'opinion en matière d'achat de nouveaux biens et services.

Tout le monde a déjà rencontré quelqu'un qui s'y connaît vraiment à propos d'un nouveau produit ou d'un service. Il y a quelque temps, l'un des auteurs, amateur de musique classique, voulait changer sa chaîne stéréo pour une chaîne de haute fidélité. Il a alors demandé conseil à un ami qui enseigne dans la même université. Gilles est un connaisseur en matière de cinéma maison. Laissons-le nous l'exprimer à sa façon :

> [...] j'en sais plus que la moyenne des ours. Je me qualifierais d'amateur très informé, mais pas d'expert. [...] Je lis des articles dans des revues spécialisées, des articles techniques [...]. Pour être capable de juger des appareils de façon intelligente, ça prend des connaissances techniques. C'est pas juste une question d'oreille [...] si tu veux choisir entre deux systèmes de cinéma maison, [...] tu veux réfléchir pourquoi tu aimes plus l'un que l'autre ; quand tu te documentes, tu comprends qu'il y a des raisons pas juste émotives, qu'il y a des raisons techniques qui font que ton choix n'est pas complètement aléatoire.

Gilles possède plusieurs des caractéristiques généralement associées aux *leaders* d'opinion. Voyons en quoi consistent ces caractéristiques.

L'expertise Les *leaders* d'opinion sont des personnes qui ont des connaissances très poussées au sujet des produits et des services qui les intéressent. Contrairement aux sources d'information commerciales telles que la publicité, leurs renseignements sont objectifs, car ils ne représentent pas une ou des compagnies et ne font pas la promotion d'une marque en particulier, à moins qu'ils aient la conviction que cette marque est la meilleure. Ils savent distinguer les bons produits de la « frime » et ils jugent sévèrement ceux et celles qui n'ont pas ce désir d'objectivité.

La consommation soutenue de médias Les *leaders* d'opinion sont des gens passionnés. Ils sont continuellement à l'affût d'information à propos de ce qui les intéresse. Ils visitent des magasins, parlent à des vendeurs, fréquentent des expositions, etc. C'est souvent dans les médias qu'ils trouvent de l'information utile.

L'innovation Parce qu'ils sont passionnés et qu'ils dévorent les médias, les *leaders* d'opinion sont souvent les premiers à être au courant des nouveautés. Ils n'hésitent pas à s'en procurer lorsque l'une d'elles les intéresse, car ils ont confiance en leur jugement, grâce à leurs connaissances poussées.

La communication Les *leaders* d'opinion aiment donner de l'information. Leur rôle de conseiller les valorise beaucoup. En fait, certains *leaders* d'opinion donnent autant d'information qu'ils en recherchent. Ce sont des gens sociables, qui adorent discuter de leurs passions.

La spécialisation Une caractéristique des *leaders* d'opinion est que, généralement, ils sont spécialisés dans un seul domaine. Ainsi, ce n'est pas parce que l'on est un *leader* d'opinion en matière de vêtements qu'on le sera aussi en ce qui concerne les automobiles. On peut cependant être un *leader* d'opinion dans un domaine plus large : la mode, la course (automobile, motoneige), les sports, etc. Il arrive aussi que le *leadership* d'opinion s'étende à des domaines connexes. Par exemple, Gilles s'intéresse aux chaînes hifi parce qu'il aime la musique.

L'identification des *leaders* d'opinion en marketing

Étant donné que les *leaders* d'opinion sont des sources d'information très consultées et qu'ils ont de l'influence sur les consommateurs, il est certain que les responsables du marketing ont tout intérêt à les identifier et à leur envoyer de l'information. Par exemple, les compagnies pharmaceutiques envoient des échantillons de leurs produits aux médecins ; les maisons d'édition envoient leurs nouvelles parutions aux professeurs ; les critiques de musique reçoivent les nouveautés gratuitement ; etc.

Trois méthodes permettent d'identifier les *leaders* d'opinion : la méthode sociométrique, la méthode des informateurs clés et la méthode d'autodésignation. La méthode sociométrique nécessite que l'on interroge un échantillon de consommateurs à qui l'on demande d'indiquer les personnes auprès desquelles ils recherchent de l'information avant de procéder à un achat. Dans la méthode des informateurs clés, on interroge un petit nombre d'experts qui ont pour tâche de désigner les personnes qui leur semblent être les *leaders* d'opinion dans un domaine donné. La méthode d'autodésignation procède à partir d'une échelle administrée à un échantillon de grande taille. Les personnes dont le score de *leadership* est élevé sont qualifiées de *leaders* d'opinion. Une échelle de mesure du *leadership* d'opinion est présentée dans l'encadré ci-dessous.

UNE ÉCHELLE DE MESURE DU *LEADERSHIP* D'OPINION

1. En général, discutez-vous souvent avec vos amis et voisins à propos de _____ ?

Très souvent   **5**   **4**   **3**   **2**   **1**   Jamais

2. Lorsque vous parlez à vos amis et voisins de _____, est-ce que :

Vous donnez beaucoup d'information   **5**   **4**   **3**   **2**   **1**   Vous donnez très peu d'information

3. Durant les six derniers mois, à combien de gens avez-vous parlé de _____ ?

Beaucoup de gens   **5**   **4**   **3**   **2**   **1**   Personne

4. Comparativement à votre groupe d'amis, quelle est la probabilité que l'on vous demande votre avis à propos de _____ ?

Très probable   **5**   **4**   **3**   **2**   **1**   Pas du tout probable

5. Dans une discussion à propos de _____, seriez-vous enclin à :

Écouter les autres   **5**   **4**   **3**   **2**   **1**   Convaincre les autres

6. Dans vos discussions à propos de _____, qu'est-ce qui arrive le plus souvent ?

Vous informez les autres   **5**   **4**   **3**   **2**   **1**   Les autres vous informent

7. Globalement, dans toutes vos discussions avec des amis et des voisins, êtes-vous :

Souvent une source de conseils   **5**   **4**   **3**   **2**   **1**   Jamais une source de conseils

Au terme de ce chapitre, qu'avons-nous appris ?

Nous avons appris que :

- l'acte d'innover, tout comme l'innovation, peut prendre des sens différents et que, parmi ceux-ci, la nouveauté subjective, c'est-à-dire telle qu'elle est perçue par le consommateur, est une vision non dénuée d'intérêt.

- les spécialistes en marketing étudient la diffusion d'une innovation à l'échelle du marché dans son ensemble, selon une perspective macro, alors que d'autres s'intéressent au comportement d'adoption à l'échelle individuelle, selon une perspective micro.

- selon l'approche macro, le pourcentage cumulé de personnes qui adoptent une nouveauté suit au fil du temps une courbe en S, mais que de nombreux facteurs influencent le rythme de diffusion d'une innovation, entre autres des facteurs psychologiques et socioculturels, les efforts de commercialisation de la nouveauté déployés par l'entreprise et la communication entre consommateurs.

- selon l'approche micro, l'adoption d'une nouveauté implique de la part du consommateur un engagement plutôt qu'un simple essai, et que le temps nécessaire à cet engagement relève des profils psychographique et démographique du consommateur, de sa sensibilité à la politique de communication utilisée pour promouvoir le produit, de sa perception de la nouveauté et de bien d'autres facteurs, notamment des facteurs structurels du marché.

- la propension à adopter de nouveaux produits a fait l'objet de plusieurs approches, dont l'approche multidimensionnelle, qui reprend les dimensions cognitive, affective et conative de la perspective tridimensionnelle de l'attitude pour cerner le concept, et souligne que celui-ci est toujours particulier à une classe de produits.

- le rôle des *leaders* d'opinion est primordial dans la diffusion d'une innovation, d'où les efforts mis à les découvrir.

Questions de révision et de réflexion

1. La résistance à une innovation ainsi que l'adoption et la diffusion d'une innovation sont-elles des facettes complémentaires pour étudier le comportement du consommateur en matière d'innovation?

2. À quel type d'innovation correspond le four à micro-ondes? Quels risques perçus du four à micro-ondes ont ralenti sa diffusion?

3. Quels sont les risques perçus du commerce électronique qui ralentissent encore son adoption?

4. « L'innovation n'est en aucun cas un phénomène essentiellement technologique, mais plutôt psychologique et socioculturel. » Commentez cette affirmation en vous référant à l'exemple du commerce électronique.

5. Quels sont les cinq critères utilisés dans l'analyse de la nouveauté d'un produit?

6. Décrivez la courbe standard associée à la diffusion d'une innovation.

7. Quelles sont les différentes catégories d'adoptants potentiels d'un nouveau produit, selon Rogers? Dans quelle catégorie vous situeriez-vous en ce qui concerne l'adoption d'un téléphone cellulaire? Expliquez pourquoi.

8. Exploitez les cinq caractéristiques mises en avant par Rogers pour juger du potentiel, au Québec, du produit suivant: un testament biologique offert par une entreprise japonaise. Celle-ci remet aux survivants un souvenir original du défunt, soit un échantillon de son ADN. (*Source:* La revue *New Scientist,* citée par *L'actualité,* 1er septembre 2000.) Répétez l'exercice pour le commerce électronique.

9. Quels sont les effets du cosmopolitisme et de la mobilité sociale sur la diffusion des innovations? Peut-on les ignorer au cours de l'étude de la diffusion des innovations dans la société québécoise?

10. Pourquoi peut-on décider de retarder le lancement d'un nouveau produit?

11. Le prix a-t-il ou a-t-il eu une influence sur le rythme d'adoption du réseau Internet? Quelle stratégie gouvernementale a été mise de l'avant pour pallier l'éventuel effet négatif du prix?

12. Sur le plan communicationnel, quels sont, selon vous, les problèmes auxquels devaient faire face les gens de marketing au moment du lancement des produits cosmétiques à base de AHA (acides alpha-hydroxy)?

13. Quelles sont les cinq étapes du processus individuel d'adoption d'une nouveauté, selon Rogers? Si vous avez fait récemment l'achat d'un nouveau produit, diriez-vous que vous êtes passé par ces cinq phases? Précisez votre réponse.

14. À la lumière du tableau 10.2 de la page 390, mesurez votre propension à l'adoption des technologies de l'information. Quel est le verdict?

15. Citez des exemples de variables psychographiques susceptibles d'influencer la propension à l'adoption d'un nouveau produit, et expliquez en quoi elles le sont.

16. À la question 7, vous vous êtes classé dans une des catégories proposées par Rogers en ce qui concerne le téléphone cellulaire. Situez-vous maintenant au regard des variables démographiques et psychographiques présentées à la figure 10.5, à la page 391.

17. Expliquez, au moyen d'un exemple original, l'influence des variables structurelles sur la propension individuelle à l'adoption.

18. Dans un publireportage, le numéro de janvier 2001 du magazine *Châtelaine* conviait ses lectrices à faire partie d'un panel destiné à faire l'essai gratuit d'un nouvel hydratant et à en parler à leurs amies. On précisait que les résultats du panel seraient publiés dans un prochain numéro. Dans le numéro suivant, on rappelait l'existence du panel et on invitait de nouvelles lectrices à commander des échantillons gratuits pour en faire elles-mêmes l'essai. Que pensez-vous de cette stratégie, utilisée par de nombreux magazines, qui consiste à faire tester de nouveaux produits par leurs lectrices et à divulguer les résultats obtenus par ce panel d'« expertes » ? À qui profite cette stratégie, selon vous ?

19. Trouvez-vous que, dans la société nord-américaine, le rythme de diffusion des innovations est trop, pas assez ou suffisamment élevé ? Les produits deviennent-ils obsolescents trop, pas assez ou juste assez rapidement ? Y a-t-il trop, pas assez ou suffisamment de nouveaux produits ? Commentez.

Cas

La révolution d'Apple : le iPod

Après 1948 et la naissance du disque microsillon, le monde de la musique a connu plusieurs révolutions, dont celle de la cassette magnétique, lancée en 1964, ou celle du disque compact (CD), lancé en 1983. La dernière révolution en date est l'apparition du lecteur MP3 iPod d'Apple. Selon bon nombre d'experts, cette innovation signe l'arrêt de mort du disque en général, qu'il soit microsillon ou compact. En janvier 2005, la société Apple compte 5,3 millions d'utilisateurs pour son nouveau gadget qui, depuis son lancement, a été l'objet d'améliorations constantes grâce à l'ajout de nouvelles options. En 2004, les ventes du iPod ont enregistré une croissance de 558 %. Historiquement, si la cassette a connu le même engouement en raison de son prix (moins cher par rapport au microsillon) et s'il en est allé de même pour le CD en raison de sa qualité sonore (largement supérieure au microsillon et à la cassette), les raisons de la diffusion rapide du iPod sont tout autres. Il y a d'abord la propagation du réseau Internet et les possibilités grandissantes de téléchargement gratuit de musique. Notez qu'au Québec, un CD sur deux est téléchargé gratuitement à partir du réseau Internet (*voir les sites* kazza.com *et* napster.com). On se rappellera toujours les larmes versées par Wilfred Le Bouthillier, premier gagnant, en 2003, de l'émission *Star Académie,* lorsqu'il a appris que son disque avait été mis à la disposition du public sur le Web une semaine avant sa sortie officielle. Cette fuite aurait-elle permis de simuler un lancement virtuel pour mieux réussir le lancement officiel ? Toujours est-il que 50 000 disques ont été vendus en 10 jours.

Dotée d'une vision à moyen et long terme, la maison Archambault, qui distribue 76 % de la musique produite au Québec, a décidé d'investir en 2005 dans un magasin virtuel alimenté à partir d'un répertoire de 250 000 titres. Elle facture au consommateur 0,99 $ le titre. Une telle solution, certes financièrement avantageuse pour les amateurs de musique, leur permet surtout de résoudre le problème consistant à se voir imposer des titres dont ils ne veulent pas et qu'ils doivent pourtant payer quand ils achètent un disque, lequel contient la sélection de titres privilégiée par le distributeur. Les études montrent que le taux d'insatisfaction à l'égard des titres enregistrés sur un disque est d'environ 50 %. La distribution à l'unité permettra donc au consommateur de payer uniquement les titres de son choix, et au distributeur de mettre sur le marché une sélection de qualité.

Outre qu'il sert de baladeur aux mélomanes nomades, le iPod offre l'avantage de se brancher directement à l'ordinateur personnel. En 35 ans à peine, ce dernier est passé de « nouveauté » à outil banal. En plus de se brancher sur Internet, le disque dur de l'ordinateur peut servir à stocker de la musique, tout comme on stocke des livres dans sa bibliothèque. On téléchargera alors sur le iPod uniquement la musique du moment. Durant les trois premières années qui ont suivi le lancement du iPod, Apple a apporté diverses améliorations (innovations continues) à son concept initial, telles qu'une capacité plus élevée de stockage (jusqu'à 60 gigaoctets) ou encore un lecteur photo ainsi que des accessoires-gadgets tels que la commande à distance et le branchement sur la radio de l'auto. Au moment de son lancement, le prix du iPod ne dépassait jamais le seuil de 499 $ CA, quelle que soit sa capacité de stockage.

Au Québec, pour lancer son premier iPod ainsi que les versions qui ont suivi, Apple a utilisé deux approches promotionnelles : le *leadership* d'opinion et les moyens de communication.

La première approche a consisté à recourir à des *leaders* d'opinion. Apple a d'abord décelé chez les étudiants des cégeps – un marché cible pour les baladeurs numériques – des *leaders* sociaux tels que les présidents de classe, les capitaines d'équipe sportive et les meneuses de claques. Les *leaders* sociaux ont été recrutés dans des cégeps différents sur le plan géographique et dans des villes-tests choisies à l'avance comme Montréal, Laval, Québec, Rimouski, Chicoutimi et Trois-Rivières. On a demandé à ces *leaders* sélectionnés de se joindre à un groupe témoin pour évaluer le nouveau baladeur numérique et pour savoir si les propriétés de ce nouveau produit pouvaient satisfaire aux critères des étudiants et se révéler un succès.

La deuxième approche utilisée par Apple a été de recourir aux moyens commerciaux de communication. Apple a ainsi adopté une stratégie de communication énergique, reposant sur une vaste campagne d'affichage publicitaire (panneaux extérieurs et étalages spéciaux sur les lieux de vente), sur des opérations de relations publiques en marketing direct ainsi que sur une publicité massive dans Internet, en s'associant aux grands sites Web marchands tels que eBay et Future Shop.

QUESTIONS

1. En vous référant aux facteurs d'adoption des innovations, expliquez ceux qui, selon vous, ont permis le succès du iPod. Pouvez-vous en proposer d'autres?

2. Comment évaluez-vous la stratégie de marketing qu'Apple a utilisée pour appuyer le lancement de son iPod? Auriez-vous recommandé une autre stratégie? Si oui, laquelle?

3. Quel avenir peut-on prédire au iPod, selon vous, tant au Québec que dans le monde, et quels facteurs pourraient augmenter les chances de réussite future d'Apple sur les différents marchés?

Notes

1. F. BEIGBEDER, *99 francs,* Paris, Grasset, 2000, p. 17.

2. Y. LE GOLVAN, *Dictionnaire Marketing: Banque, Assurance,* Dunod, Paris, 1988, p. 65.

3. Voir S. RAM, «A Model of Innovation Resistance», dans M. WALLENDORF et P. ANDERSON (dir.), *Advances in Consumer Research,* 14, Provo, UT, Association for Consumer Research, 1987, p. 208-212.

4. J.N. SHETH, «Perceived Risk and Diffusion of Innovations», dans J. ARNDT (dir.), *Insights into Consumer Behavior,* Boston, Allyn & Bacon, 1968, p. 173-188.

5. Voir, à titre d'exemples: Z. GRILICHES, «Hybrid Corn: An Explanation in the Economics of Technological Change», *Econometrica,* vol. 25, n° 4 (1957), p. 501-522; E. MANSFIELD, «Technical Change the Rate of Imitation», *Econometrica,* n° 29 (octobre 1961), p. 741-766.

6. E.M. ROGERS, *Diffusion of Innovations,* New York, The Free Press, 1962.

7. F.M. BASS, «A New Product Growth Model for Consumer Durables», *Management Science,* n° 15 (janvier 1969), p. 210-215.

8. Consulter des références telles que: G.L. LILIEN, P. KOTLER et K.S. MOORTHY, *Marketing Models,* Englehood Cliffs, NJ, Prentice-Hall, 1992; W.L. WILKIE, *Consumer Behavior,* 4e éd., New York, John Wiley & Sons, 1994.

9. Pour en savoir plus sur le téléphone iPhone d'Apple, visiter le site suivant: www.apple.com/ca/iphone

10. H. BARNETT, *Innovation: The Basis of Cultural Change,* New York, McGraw-Hill, 1953.

11. Pour en savoir plus sur l'avantage de la téléphonie par Internet comparativement à la téléphonie traditionnelle, visiter les sites suivants: www.sit.ulaval.ca/logi/presteleconf/tmat.htm et www.hottelephone.com

12. P. CONVERSE, «Marketing Innovation: Inventions, Techniques, Institutions», *New Direction in Marketing,* vol. 9, n° 3 (1965), p. 330-333.

13. W. LAZER et W. BELL, «The Communication Process and Innovation», *Journal of Advertising Research,* septembre 1966, p. 2-10.

14. T.S. ROBERTSON, *Innovative Behavior and Communication,* New York, Holt, Rinehart & Winston, 1971.

15. Pour en savoir plus sur l'avènement des détergents écologiques, du shampoing et revitalisant «formule deux en un» et de Febreze, désodorisant pour tissus, visiter les sites suivants: www.lorealparis.ca/fr/haircare et www.febreze.com/new_products.html

16. Pour en savoir plus sur l'avènement de la brosse à dents électrique, du rasoir électrique, du téléviseur couleur et de l'ordinateur portatif, visiter les sites suivants: www.blu-ray.com et www.csd.toshiba.com/cgi-bin/tais/pd/pd_ch_families.jsp

17. E.M. ROGERS, *Communication Strategies for Family Planning,* New York, The Free Press, 1973; E.M. ROGERS, «New Products Adoption and Diffusion», *Journal of Consumer Research,* mars 1976, p. 290-301.

18. Pour en savoir plus sur l'alcootest jetable, visiter le site suivant: www.alcotest.medical-2000.com

19. Pour en savoir plus sur l'historique et le futur des micro-ordinateurs et obtenir quelques exemples de lancement de nouveaux modèles Compaq et Apple, visiter les sites suivants: www.malexism.com/medias/ordinateurfutur.html et www.apple.com/ca/fr/press/9704/6500-300.html

20. Pour en savoir plus sur la restauration rapide, visiter le site suivant: www.mcdonalds.com/corp.html

21. Pour en savoir plus sur Danone et Evian, visiter le site suivant: www.evian.fr

22. Pour en savoir plus sur la diète, visiter les sites suivants: www.cyberdiet.com, http://yourtotalhealth.ivillage.com, www.slimfast.com et www.thecocacolacompany.com

23. Pour en savoir plus sur le développement du numérique, visiter le site suivant: www.dvdreview.com

24. Voir la référence de Griliches (1957) citée dans la note 5.

25. Voir les travaux d'auteurs tels que: L.D. HIEBERT, «Risk, Learning and the Adoption of Fertilizer Responsive Seed Varieties», *American Journal of Agricultural Economics,* novembre 1974, p. 764-768; P. STONEMAN, «Intra-Firm Diffusion, Bayesian Learning and Profitability», *Economic Journal,* n° 91 (juin 1981), p. 375-388; G. FEDER et G.T. O'MARA, «On Information and Innovation Diffusion: A Bayesian Approach», *American Journal of Agricultural Economics,* février 1982, p. 141-145; R. JENSEN, «Adoption and Diffusion of an Innovation of Uncertain Profitability», *Journal of Economic Theory,* n° 27 (1982), p. 182-193.

26. Voir les références de Bass (1969) et Rogers (1962) citées dans les notes 6 et 7.

27. B.L. BAYUS, «Length of Product Life Cycles», *Journal of Product Innovation Management,* n° 11 (1994), p. 300-308.

28. Voir la référence de Bayus (1994) citée à la note 27.

29. Pour en savoir plus sur l'évolution de l'adoption d'Internet dans le monde, visiter le site suivant: www.isc.org/ds

30. H. TAKADA et D. JAIN, «Cross-National Analysis of Diffusion of Consumer Durables», *Journal of Marketing,* vol. 55, n° 2 (1991), p. 48-54.

31. Pour plus de détails, voir le rapport Netendances 2008, *L'utilisation d'Internet au Québec,* réalisé par le CEFRIO en collaboration avec Léger Marketing.

32. Pour une illustration des influences individuelles et socio-culturelles dans le cas précis de l'adoption de la banque électronique, consulter l'article de M. TAN et T.S.H. TEO, «Factors Influencing the Adoption of Internet Banking», *Journal of the Association for Information Systems,* vol. 1, n° 5 (2000), p. 1-42.

33. Pour en savoir plus sur ce produit, visiter le site suivant: http://shop.lenovo.com

34. Pour en savoir plus sur la crème épilatoire, visiter le site suivant: www.beautenews.com

35. Pour en savoir plus sur la trottinette récemment lancée sur le marché, visiter le site suivant: www.micro-mobility.com

36. Pour en savoir plus sur le train à grande vitesse (TGV), visiter le site suivant: www.tgv.com

37. H. GATIGNON, J. ELIASHBERG et T.S. ROBERTSON, «Determinant of Diffusion Patterns: A Cross Country Analysis», *Marketing Science,* n° 8 (1990), p. 231-247; S. WHELAN, «Uneven Diffusion of Innovation Within the International Cellular Telecommunication Market: Lesson for Irish Firms», *Irish Marketing Review,* vol. 16, n° 1 (2003), p. 25-30.

38. Pour en savoir plus sur la réussite du modèle d'imprimante Laser Jet 3100 de Hewlett Packard, visiter le site suivant: www.hp.ca

39. F.M. BASS, «The Relationship Between Diffusion Rates, Experience Curves, and Demand Elasticities for Consumer Durable Technological Innovations», *Journal of Business,* n° 53 (1980), p. 51-61; F.M. BASS et T. KRISHNAN, «A Generalization of Bass Model: Decision Variable Considerations», *Working Paper Series,* The University of Dallas, School of ManagemenT, 1992; E. DOCKNER et S. JORGENSEN, «Optimal Advertising Policies for Diffusion Models of New Product Innovations in Monopolistic Situations», *Management Science,* n° 34 (janvier 1988), p. 119-130; R.J. DOLAN et A.P. JEULAND, «Experience Curves and Dynamic Demand Models: Implications For Optimal Pricing Strategies», *Journal of Marketing,* n° 45 (hiver 1981), p. 53-62; D. HORSKY et L. SIMON, «Advertising and the Diffusion of New Products», *Marketing Science,* vol. 2, n° 1 (1983), p. 100-110; D. JAIN, «Marketing Mix Effects on the Diffusion of Innovations», *Working Paper,* Northwestern University, Kellog Graduate School of Management, 1992; S. KALISH, «A New Product Adoption Model with Price, Advertising, and Uncertainty», *Management Science,* vol. 31, n° 12 (1985), p. 1569-1585; B. ROBINSON et C. LAKHANI, «Dynamic Price For New Product Planning», *Management Science,* n° 10 (juin 1975), p. 113-122.

40. Voir les références de Kalish (1985) ainsi que de Robinson et Lakhani (1975) citées dans la note 39.

41. Voir la référence de Takada et Jain (1991) citée dans la note 30.

42. J. ARNDT, «Role of Product-Related Conservations in the Diffusion of a New Product», *Journal of Marketing Research,* n° 4 (1967), p. 291-295; R.A. MITTELSTAEDT, S.L. GROSSBART, W.W. CURTIS et S.P. DEVERS, «Optimal Stimulation Level and the Adoption Decision Process», *Journal of Consumer Research,* n° 3 (juin 1976), p. 84-94; E.M. ROGERS et F.F. SHOEMAKER, *Communication of Innovations,* New York, Free Press, 1971; D. SCHMITTLEIN et V. MAHAJAN, «Maximum Likelihood Estimation for an Innovation Diffusion Model of New Product Acceptance», *Marketing Science,* n° 1 (1982), p. 57-78.

43. D.G. MIDGLEY et G.R. DOWLING, «Innovativeness: The Concept and its Measurement», *Journal of Consumer Research,* n° 4 (mars 1978), p. 229-242; R.E. GOLDSMITH et C.F. HOFACKER, «Measuring Consumer Innovativeness», *Journal of the Academy of Marketing Science,* vol. 19, n° 3 (été 1991), p. 209-221.

44. Voir à titre d'exemples: J.O. SUMMERS, «Generalized Change Agents and Innovativeness», *Journal of Marketing Research,* n° 8 (1971), p. 313-336; W.R. DARDEN et F.D. REYNOLDS, «Backward Profiling of Male Innovators», *Journal of Marketing Research,* n° 11 (1974), p. 75-88; R.T. GREEN et E. LANGEARD, «A Cross-National Comparison of Consumer Habits and Innovator Characteristics», *Journal of Marketing,* n° 39 (1975), p. 34-41; C.W. KING et G.B. SPROLES, «Predictive Efficacy of Psychopersonality Characteristics in Fashion Change-Agent Identification», *Proceedings of the American Psychological Association,* Washington, DC, American Psychological Association, 1973; S.A. BAUMGARTEN, «The Innovative Communicator in the Diffusion Process», *Journal of Marketing Research,* n° 12 (1975), p. 12-18.

45. Voir la référence de Goldsmith et Hofacker (1991) citée dans la note 43.

46. Dimension retenue par les auteurs: J.H. ROBERTS et G.L. URBAM, «Modeling Multiattribute Utility Risk, and Belief Dynamics for New Consumer Durable Brand Choice», *Management Science,* n° 34 (février 1988), p. 167-185; R. CHATTERJEE et J. ELIASHBERG, «The Innovation Diffusion Process, in a Heterogeneous Population: A Micro-Modeling Approach», *Management Science,* vol. 36, n° 9 (septembre 1990).

47. Dimension retenue par les auteurs: voir les références de Rogers dans la note 6 et de Rogers et Schoemaker dans la note 42.

48. Dimension retenue par les auteurs: E.C. HIRSCHMAN, «Black Ethnicity and Innovative Communication», *Journal of the Academy of Marketing Science,* n° 8 (printemps 1980a), p. 100-118; voir les références de Rogers dans la note 6 et de Rogers et Schoemaker dans la note 42.

49. Voir les références de Arndt (1967) et de Mittlestaedt *et al.* (1976) dans la note 42, de Rogers (1962, 1983) dans les notes 6 et 26, de Rogers et Schoemaker (1971) et de Schmittlein et Mahajan (1982) dans la note 42.

50. Voir les références de Baumgarten (1975) et de Darden et Reynolds (1974) citées dans la note 44; H. GATIGNON et T.S. ROBERTSON, «A Proposal Inventory for New Diffusion Research», *Journal of Consumer Research,* n° 11 (mars 1988), p. 849-867; voir la référence de Green et Langeard (1975) citée dans la note 44; E.C. HIRSCHMAN, «Innovativeness, Novelty Seeking, and Consumer Creativity», *Journal of Consumer Research,* n° 7 (1980b), p. 283-295; voir les références de King et Sproles (1973) et de Summers (1971) citées dans la note 44.

51. W.O. ADCOK Jr., E.C. HIRSCHMAN et J.L. GOLDSTUCKER, «Bank Credit Card Users: An Updated Profile», dans W.D. PERREAULT Jr. (dir.), *Advances in Consumer Research,* ACR, Atlanta, 1977; M.C. GILLY et V.A. ZEITHAML, «The Elderly Consumer and Adoption of Technologies», *Journal of Consumer Research,* n° 12 (décembre 1985), p. 351-353; voir la référence de Robertson (1971), citée dans la note 14; voir la référence de Rogers et Schoemaker (1971) citée dans la note 42; K.R. UHL, K.R. ANDRUS et L. POULSON, «How are Laggards Different? An Empirical Inquiry», *Journal of Marketing Research,* n° 7 (février 1970), p. 51-54.

52. Voir la référence de Hirschman (1980a) citée dans la note 48.

53. M.M. GORDON, *Assimilation in American Life: The Role of Race, Religion and National Origins,* New York, Oxford University Press, 1964; D. MONTERO, «The Japanese Americans: Changing Patterns of Assimilation Over Three Generations», *American Sociological Review,* n° 46 (décembre 1981), p. 829-839; R. SCHOEN et L. COHEN, «Ethnic Endogamy Among Mexican-American Grooms: A Reanalysis of Generation and Occupational Effects», *American Journal of Sociology,* vol. 86, n° 2 (1980), p. 359-366; M. WALLENDORF et M. REILLY, «Ethnic Migration, Assimilation and Consumption», *Journal of Consumer Research,* n° 10 (décembre 1983), p. 293-302.

54. A.H. MASLOW, *Motivation and Personality,* New York, Harper, 1954.

55. Voir M.P.P. DEKIMPE et M. SARVARY, «Global Diffusion of the Technological Innovations: A Coupled Hazard Approach», *Journal of Marketing Research,* n° 36 (février 2000), p. 47-59; ainsi que les articles de Whelan (2003) et de Gatignon et Robertson (1988) cités respectivement dans les notes 37 et 50.

56. Voir la référence de Green et Langeard (1975) citée dans la note 44.

57. Voir Z.E. SHIPCHANDLER, «A Cross-Country Study of Annual Unit Sales and Ownership Patterns of Three Consumer Durables (TV Sets, Washing Machines, Refrigerators)», thèse de DBA non publiée, Indiana University, 1972.

Le comportement du consommateur en famille

Introduction

En matière de marques et de produits, il n'est pas rare que nos goûts dépendent beaucoup d'expériences vécues dans notre enfance. Vous souvenez-vous, par exemple, des marques de céréales, de beurre d'arachide, de pain ou de ketchup qui se retrouvaient sur la table, au moment des repas de vos jeunes années? Aujourd'hui, quelles marques trouve-t-on encore dans vos placards? Certaines ont-elles traversé les années avec vous?

> *Si la théorie de l'évolution est vraie, comment se fait-il que les mères de famille n'aient toujours que deux mains?[1]*
>
> **E. Dassault**

À plusieurs reprises dans cet ouvrage, nous avons eu l'occasion d'évoquer l'influence de la famille sur le comportement du consommateur. Milieu de vie essentiel au cœur de nos sociétés, la famille oriente plusieurs de nos comportements, y compris certaines de nos perceptions, habitudes, connaissances ou croyances en matière d'achat. Nous allons nous attacher dans ce chapitre à mieux saisir pourquoi la compréhension des rôles multiples de la famille est essentielle à la réussite des entreprises dans la plupart des marchés de grande consommation. Les bouleversements que la famille a connus au cours des dernières décennies ne rendent que plus nécessaire cette compréhension. Après avoir défini les diverses formes de la famille contemporaine et décrit quelques grands traits de son évolution au Canada, nous évoquerons successivement les étapes du cycle de vie familiale, rappellerons l'importance de la cellule familiale en tant qu'agent de socialisation et, enfin, mettrons en perspective les rôles et les stratégies adoptés par les membres de la famille dans leurs activités de consommation quotidiennes ou dans le cadre d'une prise de décision d'achat.

11.1 Le concept de famille

Chacun de nous apporte à la question «Qu'est-ce qu'une famille?» une réponse presque nécessairement entachée d'une forte connotation affective. Cette constatation est, en soi, une preuve de l'importance que celle-ci revêt. Dans les sections qui suivent, nous nous attarderons aux multiples formes actuelles de la famille ainsi qu'à ses frontières. Nous examinerons également une définition de ce concept.

La famille dans tous ses états

Si l'importance de la famille est un fait général et bien établi, la réalité familiale que vivent beaucoup de nos contemporains en Amérique du Nord présente des formes variées. Les diverses définitions de la famille proposées en sciences sociales tiennent compte de cette grande diversité des types de familles. Le tableau 11.1 présente une classification simple de ces types.

TABLEAU 11.1 Une classification des types de familles

Type de famille	Définition sommaire
1. Famille nucléaire	**1.** Homme et femme avec ou sans enfant
2. Famille élargie	**2.** Famille nucléaire à laquelle s'ajoutent grands-parents, oncles, tantes, cousins, certains amis...
3. Famille monoparentale	**3.** Un seul parent avec un ou des enfants
4. Famille reconstituée ou recomposée	**4.** Adulte divorcé, séparé ou veuf qui s'unit avec un autre adulte, accompagné ou non d'enfants issus d'unions précédentes
5. Famille homosexuelle	**5.** Couple de même sexe, avec ou sans enfant
6. Communauté ou groupe en guise de famille	**6.** Plusieurs couples ou amis vivant ensemble, avec ou sans enfant
7. Famille substitutive	**7.** Types de familles suivants : **a)** famille d'accueil **b)** personne seule avec ses « souvenirs » **c)** animal considéré comme membre de la famille

Dans ce tableau, sept types de familles ont été définis. Il est toutefois possible de parvenir à des classifications beaucoup plus complexes. Ainsi, pour les seules familles reconstituées, certains auteurs vont jusqu'à distinguer 48 profils ! Les lois canadiennes en vigueur ne reconnaissent toutefois que quatre types de familles : nucléaire, élargie, monoparentale et reconstituée (que ces unions soient sanctionnées ou non par le mariage). Certaines typologies distinguent l'union de fait comme un type de famille à part entière. Ce type n'a pas été retenu ici, parce qu'il ne se fonde pas sur des indicateurs d'ordre comportemental et qu'une situation d'union de fait peut se trouver dans l'un ou l'autre type de famille. Cette distinction semble plutôt reposer sur des motifs juridiques ou religieux.

Les études menées en marketing sont souvent centrées sur le premier type de famille, dite **nucléaire.** La nécessité de prendre en compte d'autres formes de familles apparaît pourtant de plus en plus évidente, tant pour les chercheurs que pour les gestionnaires. Le cas des familles homosexuelles ou d'appartenance ethnique minoritaire est notamment encore trop rarement considéré, même si leur importance est grandissante. En 2005, le Canada est ainsi devenu le quatrième pays au monde à reconnaître légalement le mariage de conjoints de même sexe. Enfin, les phénomènes de recomposition et d'éclatement de la cellule familiale, à la suite d'un divorce par exemple, sont souvent négligés eux aussi malgré leur importance majeure, à la fois en ce qui concerne le nombre de familles concernées et l'incidence potentielle sur les processus d'achat et de consommation. En 2008, Statistique Canada a établi à 38 % le risque de divorce pour les mariages récents. La situation au Québec est singulière sur ce plan, avec un risque de 48,4 %[2].

Des frontières familiales mouvantes

Au-delà des chiffres, il importe de retenir que la famille n'est pas seulement un conglomérat ou un regroupement d'individus. Elle est un **système complexe** qui relie, à divers degrés de parenté (parents, grands-parents, frères et sœurs, oncles et tantes, etc.) ou de proximité (membres par alliance, parrains et marraines, amis, voisins, etc.), un ensemble de personnes qui peut s'avérer assez vaste[3]. La figure 11.1 représente, sous la forme de cercles concentriques, les diverses couches autour desquelles s'organise la vie en famille. On trouve, dans la première couche ou le premier cercle, le noyau de la famille proprement dit. Ce noyau est formé des parents et des enfants, s'il y en a. Ce premier cercle constitue ce que l'on nomme souvent la famille nucléaire. Si l'on ajoute à ce cercle les personnes dont le lien de parenté est très étroit (grands-parents, frères et sœurs, oncles et tantes), on définit un milieu familial plus large, la famille dite élargie. D'autres cercles familiaux peuvent être tracés au-delà de ces deux premiers noyaux. Plus on s'éloigne du premier cercle, plus la proximité des liens de parenté tend à s'atténuer pour finir par englober l'ensemble des personnes qui se trouvent associées intimement au groupe familial, parfois en dehors de tous liens de parenté, même par alliance.

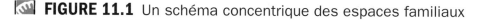

FIGURE 11.1 Un schéma concentrique des espaces familiaux

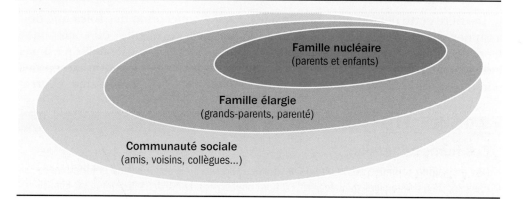

Moins centrée sur les valeurs et les préoccupations religieuses, la famille actuelle tend de plus en plus à se redéfinir autour du partage ou de l'expression affective, et à s'accommoder d'une certaine indépendance de ses membres. Il semble ainsi que l'on passe progressivement d'une famille subie à une famille choisie, occasion de diverses rencontres et retrouvailles, mais dégagée d'obligations strictes, même s'il est vrai qu'au sein de certaines communautés culturelles, la définition et les rôles traditionnels de la famille sont plus marqués. Au Québec, par exemple, il est de plus en plus fréquent de choisir un parrain ou une marraine qui n'a pas de lien de parenté avec le père ou la mère de l'enfant. Une façon comme une autre de faire entrer dans le cercle familial des personnes choisies en vertu de simples affinités. Ne vous est-il pas un jour arrivé de déclarer, en parlant d'une

Une publicité qui met en avant la qualité de l'accueil dans des résidences, lesquelles peuvent finir par constituer une véritable famille élargie pour certains résidants.

personne particulièrement chère à vos yeux: «C'est comme un frère pour moi» ou bien «C'est comme une seconde mère»? Ces expressions sont de bonnes illustrations de l'ouverture des espaces familiaux décrits plus haut. Beaucoup de gens considèrent pour ainsi dire leurs animaux familiers, voire des personnages de téléroman, comme des membres de leur famille. Lisez la capsule 11.1 à ce sujet. Les compagnies qui jouent sur le thème de la famille dans leurs communications marketing ne sont pas rares. Regardez par exemple la publicité du groupe Longpré sur les résidences pour personnes âgées, présentée ci-contre. Avec le slogan «La famille Longpré. Chez nous, vous serez chez vous», ne cherche-t-on pas à entretenir l'idée d'être accueilli dans une famille élargie et dans une résidence «familiale»?

Une définition de la famille

L'Institut Vanier de la famille propose une définition synthétique de la famille, qui se lit comme suit:

> Toute association de deux personnes ou plus liées entre elles par des liens de consentement mutuel, la naissance, l'adoption ou le placement et qui, ensemble, assument la responsabilité de diverses combinaisons de certains des éléments suivants: entretien matériel et soins des membres du groupe; ajout de nouveaux membres par le biais de la procréation ou de l'adoption; socialisation des enfants; contrôle social des membres; production, consommation et distribution de biens et de services; satisfaction des besoins affectifs, amour.

Derrière cette définition se profile une certaine conception des rôles que doit assumer chacun des parents pour être «un bon père de famille» ou «une bonne mère de famille». Encore une fois, cette conception, assez traditionnelle, n'est pas indépendante d'un certain **contexte culturel.** De façon générale, on attend des parents qu'ils prennent soin de leurs enfants, ce qui signifie les nourrir,

---

CAPSULE 11.1

Ces héros de famille!

Des émissions comme *Star Académie* ou *Occupation Double* occupent une grande place dans l'univers des familles québécoises. D'abord phénomène télévisuel, elles ont rapidement fait couler de l'encre et rempli les pages des magazines, des journaux et des sites Web. Certaines de ces émissions sont même devenues de véritables rendez-vous, attendus année après année! Quelle est la clé de leur succès? Une bonne part de l'explication tient sans doute au fait que tous les membres de la famille, parents et enfants, se rassemblent devant le petit écran pour suivre assidûment les aventures de leurs candidats préférés. Ces candidats leur ressemblent tellement qu'ils finissent par entrer dans la vie de chaque famille ou de chaque communauté pour devenir des points de référence, sinon des modèles, ce qui constitue sans doute une autre raison du succès de ces émissions. La vie quotidienne ou les prestations des candidats sont ainsi souvent l'occasion de discussions ou d'échanges passionnés. Ceux-ci deviennent de véritables héros qu'il sera possible, dans le cas de *Star Académie,* d'applaudir en spectacle et d'écouter en achetant l'album de l'année, chaque membre de la famille en reprenant les refrains. Disque d'or assuré!

les protéger, leur procurer un toit, veiller sur leur santé, les soigner le cas échéant et leur témoigner des marques d'affection. La définition proposée fait également référence au rôle d'éducateurs, de modèles (rôle dont nous avons déjà parlé au chapitre 4 sur l'apprentissage et sur lequel nous reviendrons plus tard), et au contrôle que peuvent exercer les parents sur leurs enfants. Ce qui n'est pas sans rappeler le pouvoir normatif des groupes. On peut penser aussi aux rôles des parents en tant que «garde-barrières» en matière d'information. Les publicitaires ont su exploiter cette réalité depuis longtemps. Ainsi la publicité de Desjardins ci-contre campe-t-elle le personnage de la «bonne mère» qui doit jongler avec de nombreuses tâches.

Une publicité qui présente le personnage de la «bonne mère» devant jongler avec de multiples obligations.

11.2 La famille canadienne en chiffres

Comme nous venons de le voir, il y a aujourd'hui plusieurs façons de «vivre en famille». Cette diversité pose des défis à tous ceux qui s'efforcent de comprendre la famille, que ce soit dans une perspective sociologique, psychologique, ou afin de mieux cerner l'incidence des comportements familiaux sur la dynamique des marchés. Les portraits de la famille canadienne que dressent périodiquement divers organismes gouvernementaux (par exemple, Statistique Canada ou l'Institut de la statistique du Québec) n'échappent pas à ces problèmes de définition de la famille. Une certaine prudence est donc de mise lorsqu'on désire exploiter les données de ces organismes à des fins d'analyse de marché, ces derniers fondant leurs travaux sur une définition assez orthodoxe de la famille. Étant donné qu'ils sont souvent les seuls disponibles, ces chiffres demeurent toutefois des instruments précieux pour un gestionnaire, même s'ils ne présentent pas, nous le répétons, le tableau le plus fidèle de la réalité.

Statistique Canada définit la famille comme suit: «Couple actuellement marié (avec ou sans enfants jamais mariés des deux conjoints ou de l'un d'eux), couple vivant en union libre (avec ou sans enfants jamais mariés des deux partenaires ou de l'un d'eux) ou parent seul (peu importe son état matrimonial) demeurant avec au moins un enfant jamais marié.» C'est à partir de cette définition qu'il convient de considérer les chiffres et les tendances suivantes. Divers constats se dégagent du recensement réalisé par Statistique Canada en 2006[4]. Au début de 2010, il est possible d'affirmer que les tendances alors observées se sont confirmées.

- Les couples mariés continuent de former le groupe le plus nombreux (68,6 %) bien que leur proportion ait constamment diminué au cours des 20 dernières années.
- Pour la première fois en 2006, les familles formées de couples sans enfants (42,7 %) étaient plus nombreuses que celles avec des enfants (41,4 %).
- La taille des ménages n'a cessé de diminuer au cours du dernier siècle. En 2006, on dénombrait trois fois plus de ménages d'une seule personne (26,8 %) que de ménages comptant cinq personnes ou plus (8,7 %).

- Le nombre de couples de même sexe a augmenté de 32,6 % de 2001 à 2006, une croissance plus de cinq fois supérieure à celle observée pour les couples de sexe opposé (+5,9 %).

- Le nombre de familles formées de couples en union libre a grimpé de 18,9 % de 2001 à 2006, ce qui représente plus de cinq fois le taux de croissance de 3,5 % des familles formées de couples mariés et plus du double du taux de croissance de 7,8 % observé pour les familles monoparentales.

- En 2006, le Québec conserve la tête du peloton pour ce qui est de l'union libre : plus du tiers des couples de la province optent pour ce type d'union (34,6 %), une proportion nettement supérieure à celle que l'on observe dans les autres provinces et les territoires (13,4 %).

- Le nombre de familles monoparentales dont le chef est un homme a augmenté de 14,6 % dans les cinq années précédant 2006, soit plus du double du taux de croissance observé chez les familles monoparentales dont le chef est une femme (+6,3 %).

- Une proportion grandissante d'enfants âgés de 4 ans et moins ont une mère dans la quarantaine, de plus en plus de femmes choisissant d'avoir leurs enfants plus tardivement. En 2001, 7,8 % des enfants âgés de 4 ans et moins avaient une mère dont l'âge variait de 40 à 49 ans. En 2006, cette proportion avait augmenté à 9,4 %.

- La proportion de jeunes adultes âgés de 20 à 29 ans qui habitent chez leurs parents continue de croître, poursuivant ainsi la tendance à la hausse des 20 dernières années. En 2006, 43,5 % des jeunes adultes vivaient chez leurs parents, une augmentation appréciable par rapport au pourcentage de 32,1 % observé deux décennies plus tôt.

Si la famille peut sembler un refuge contre l'adversité pour beaucoup de nos contemporains, elle n'est pas pour autant coupée du monde. C'est un point important dont il faut se souvenir. Les nouvelles réalités sociales et économiques de nos sociétés sont ainsi au cœur des transformations que subit la famille aujourd'hui. Trois de ces transformations méritent d'être évoquées : la diversification des types de familles, l'évolution qui s'opère au sein de la famille sur le plan de la communication et des rapports interpersonnels, et, en relation avec le point précédent, la représentation sociale et culturelle de la cellule familiale elle-même.

Le constat de la diversification des types de familles semble s'imposer en premier lieu avec évidence : si la famille traditionnelle demeure toujours majoritaire, d'autres types de familles ne peuvent plus être considérés comme des cas marginaux. Il s'agit notamment, selon la typologie proposée auparavant, des familles monoparentales, recomposées et substitutives. Nous avons vu précédemment que ces nouvelles réalités étaient encore trop souvent négligées par les gestionnaires lorsqu'ils définissent leurs stratégies de commercialisation ou de communication. Au sein de familles aux formes plus diverses, la dynamique même de la communication familiale évolue peu à peu. Les **rôles traditionnels** tendent à s'estomper alors que de nouveaux réseaux d'influence se dessinent. Ainsi, la présence prolongée d'adolescents ou de jeunes adultes influe souvent sur la façon dont sont prises certaines décisions ou consommés certains produits. De plus, le vieillissement de la population et la prise en charge par les enfants devenus adultes de leurs parents très âgés laissent présager une autre transformation sur le choix des produits consommés. Un dernier point doit être évoqué, celui de l'évolution des valeurs attachées à la famille. Sur ce plan, l'accent n'est plus tant mis sur l'importance des normes et des devoirs à respecter que sur la valorisation de la qualité affective des relations.

11.3 Le cycle de vie familiale

Au-delà d'une distinction entre différents types de familles, la définition des groupes familiaux est difficilement envisageable sans que soit prise en compte leur évolution dans le temps[5]. Le concept de **cycle de vie familiale** permet de rendre compte de cette dynamique de la vie familiale. À l'image de celui d'un produit, ce cycle de vie a surtout valeur de métaphore. Il s'agit d'une représentation commode et utile de la construction de la cellule familiale au moyen d'un certain nombre de stades. Outre le vocable «stades», on peut désigner les diverses formes prises par la famille dans le temps par les termes catégories ou étapes.

De manière chronologique, **six étapes** ou **stades** sont usuellement distingués en marketing: le **célibat,** les **unions nouvelles** (jeunes couples sans enfants), la **maisonnée bruyante** (jeunes couples avec enfants dépendants), la **maisonnée active** (couples plus âgés dont certains des enfants exercent une activité professionnelle), la **maisonnée calme ou le nid vide** (couples plus âgés dont les enfants ont quitté la maison) et, enfin, les **survivants** (individus âgés, veufs ou célibataires, vivant seuls). La publicité de la Banque Nationale du Canada présentée ci-contre s'adresse explicitement à des personnes appartenant à une maisonnée calme.

La figure 11.2, à la page suivante, illustre l'influence du cycle de vie de la cellule familiale sur ses activités d'achat et de consommation, à partir de quelques postes de dépense souvent privilégiés à chaque étape. L'évolution de ces dépenses tend à suivre une courbe en forme de U inversé (les dépenses ayant tendance à être supérieures en milieu de cycle et inférieures aux extrémités), et celles-ci sont très influencées par la présence de jeunes enfants. Soulignons en dernier lieu que ce cycle classique d'évolution de la vie familiale est évidemment touché par l'instabilité plus grande du milieu familial d'aujourd'hui. Un divorce, un remariage ou une nouvelle union, préludes à une recomposition de la famille, peuvent modifier sensiblement l'évolution de la cellule de départ. La présence de plus en plus fréquente d'un enfant unique au sein de maintes familles a aussi une influence sur la distribution des dépenses familiales au fil du temps[6]. Autre facteur de changement, la tendance qu'ont de nombreuses personnes non encore mariées ou divorcées à privilégier le célibat pour de plus longues périodes et, parfois, à revendiquer cet état comme un véritable choix de vie.

Cycle de vie familiale

Suite de phénomènes qui permet de décrire de façon linéaire les stades que traverse la famille au cours de son évolution dans le temps.

Selon les âges de la vie, les besoins des consommateurs changent, comme le montre cette annonce.

FIGURE 11.2 Le schéma du cycle de vie familiale

Célibataires	Union nouvelle	Maisonnée bruyante	Maisonnée active	Nid vide	Survivants
Produits et activités de loisirs	Produits et activités de loisirs	Immobilier	Vacances familiales	Activités de loisirs et voyages	Services de santé
Produits électroniques	Voyages	Ameublement	Restauration rapide	Repas et réceptions	Logement
Petits électro- ménagers	Repas et réceptions	Gros électro- ménagers	Éducation	Produits de loisirs	Services à domicile
Articles de mode	Petits ameublements	Produits pour enfants	Transport	Bijouterie et cosmétiques	Restaurants
Automobile		Services financiers et assurances	Services légaux	Rénovations	
		Services de santé			

Source : R.E. WILKES, « Household Life-Cycle Stages, Transitions, and Product Expenditures », *Journal of Consumer Research*, vol. 22, juin 1995, p. 27-42.

Maintenant que nous avons vu ce qu'est une famille et décrit la réalité cana-dienne au moyen de statistiques, nous examinerons la dynamique de décision et de consommation familiale. Pour ce faire, commençons par une illustration, pré-sentée dans l'encadré ci-dessous.

LE CINÉMA À LA MAISON !

Depuis la naissance de leurs enfants Jeanne et Christophe, la famille Hébert habite la même maison, en banlieue sud de Montréal. Jeanne a maintenant 10 ans et Christophe, 14 ans. Tous deux participent à une foule d'activités avec leurs amis. Andrée, leur mère, a récemment proposé de faire entrer le cinéma dans la maison. Un gros projet, puisqu'on prévoit réaménager l'ensemble du sous-sol... Andrée pense secrètement que, depuis quelque temps déjà, les enfants s'éloignent beaucoup de la maison. Même les repas familiaux sont souvent pris à la va-vite et de façon désorganisée. Elle espère que le cinéma à la maison permettra à la famille Hébert de se retrouver de nouveau, un peu plus souvent, autour d'une activité commune. Andrée a parlé de ce souci à son mari, Robert, mais n'a jamais fait part aux enfants de cette intention cachée. Heureusement, l'enthousiasme d'Andrée pour ce projet a rapidement été communicatif ! Jeanne en a déjà parlé à ses amies, et des projets de folles soirées se dessinent. Christophe et son père ont consulté des articles de magazines présentant des comparaisons entre diffé-rents systèmes de cinéma maison. Ils se sont même rendus ensemble dans une grande surface locale où l'on propose de nombreux produits audiovisuels. Christophe a étonné son père par ses connaissances dans le domaine de l'électronique. Lui-même était loin d'imaginer toutes les possibilités qui sont aujourd'hui offertes sur le marché. Pour le réaménagement du sous-sol, c'est une autre affaire. Robert est un bricoleur passionné et il a en tête une foule de projets qu'il a hâte de partager avec son fils. Robert estime que, depuis que Christophe ne joue plus au hockey – et cela fait bien cinq ans ! –, ils n'ont jamais autant parlé et passé de temps ensemble. Il a même parfois du mal à recon-naître son fils tant il semble avoir grandi vite. Décidément, Andrée connaît son petit monde et elle a toujours de bonnes idées !

11.4 La famille en tant que lieu de consommation et de socialisation

La famille est un creuset au sein duquel se tissent des relations denses. Au-delà de la seule consommation de produits et services, des décisions importantes s'y prennent et des apprentissages s'y réalisent. Nous tenterons ici de mieux comprendre ce rôle particulier joué par la cellule familiale.

La famille en tant que lieu de consommation

L'étude de la famille en tant que lieu ou unité de consommation peut être considérée sous l'angle de deux approches principales. Selon la première, la dynamique familiale en matière de consommation et de décision doit s'analyser comme un tout. La famille (ménage) apparaît alors comme une unité de consommation en soi. On s'intéresse aux biens et aux services qu'elle consomme en tant qu'entité globale. Les approches économiques globales de l'achat familial ou celles qui sont liées à l'étude du cycle de vie de la famille, dont nous venons de parler, s'apparentent souvent à ce premier type d'approche. On peut aussi chercher à dissocier les biens et les services consommés par toute la famille (par exemple, un équipement électronique du type décrit dans l'encadré précédent, une voiture, une maison, la location d'un chalet pour les vacances, un repas au restaurant ou une journée dans un parc d'attractions) des biens et des services consommés par chacun des membres de la famille (par exemple, des vêtements ou des magazines). Bien entendu, ce que chacun consomme, tant à l'intérieur qu'à l'extérieur du foyer, ce que chacun dit et fait, peut avoir une influence sur la consommation et les décisions prises à titre individuel par les autres membres de la famille. C'est précisément là l'objet de la seconde approche qui, plutôt que de considérer le comportement de consommation de la famille au seul niveau agrégé, s'attache à mieux comprendre les multiples interactions s'exerçant entre les membres de la famille. La cellule familiale est alors vue comme un milieu privilégié d'échanges, un creuset où il devient possible d'observer le jeu des influences de chacune des personnes qui la composent sur le processus de consommation.

La famille en tant que productrice de symboles

Dans cet ouvrage, nous avons abordé à maintes reprises la dimension symbolique des objets de consommation. Il est intéressant de remarquer combien la famille est un milieu propice à la production – ou reproduction – de cette dimension symbolique, par exemple au moment des différentes réunions familiales qui sont aussi des occasions de consommation. On peut notamment penser ici à certains **rituels** tels que les anniversaires et les fêtes religieuses. Noël au Québec, l'Action de grâce aux États-Unis, le *Yom Kippour* ou la fête du mouton (*Aïd-el-Kébir*) dans les communautés de culture juive ou musulmane, sont autant d'occasions de se retrouver. Ces réunions contribuent également à la construction, à la préservation ou à la confirmation de l'identité familiale, en lui permettant de s'affirmer à la fois en tant que groupe distinct et partie d'un ensemble social ou culturel plus large. Ces réunions ne se font pas toujours sans heurts, ce que vous rappellent chaque année des magazines aux titres très éloquents comme «Au secours, la famille arrive!» De nombreux articles de la presse populaire font ainsi le portrait

Une publicité de la Fondation Marie-Vincent, qui vient en aide aux enfants québécois de moins de 12 ans victimes de maltraitance et plus particulièrement d'agression sexuelle.

de certains invités trouble-fête et vous suggèrent différentes façons de vous en débarrasser élégamment… peut-être grâce au refrain désormais célèbre de Lynda Lemay : « J'veux pas de visite ! » Les anniversaires sont souvent célébrés en famille et donnent aussi lieu à des rituels, depuis l'échange de cadeaux et la présentation du gâteau d'anniversaire avec ses traditionnelles bougies jusqu'à la prise en photo de la personne fêtée s'époumonant à les éteindre après avoir fait un vœu. Il existe également des rituels plus particuliers : le gigot d'agneau du dimanche pour une famille, les vacances à Ogunquit ou au Nouveau-Brunswick pour une autre, la lecture d'une histoire au petit dernier ou la cérémonie de son bain chaque soir à heure précise, etc. Ces occasions s'accompagnent bien entendu de multiples achats, en particulier dans les domaines suivants : produits alimentaires, articles de décoration, cadeaux, services de transport et de télécommunication. Bien des publicités exploitent ces rituels, plus ou moins intimes et privés, mais toujours fort nombreux. L'annonce de la Fondation Marie-Vincent, présentée ci-contre, nous rappelle que, malheureusement, ces habitudes heureuses ne sont pas le lot de toutes les familles.

La famille en tant qu'agent de socialisation

La famille est l'un des lieux privilégiés de la communication entre générations. Quand un enfant accompagne ses parents dans un magasin, qu'il partage leurs repas et, plus globalement, leur vie, il apprend mille et une choses en les interrogeant, en exprimant ses opinions et désirs, mais aussi par la simple observation de ce qui se passe autour de lui[7]. Connaissances, valeurs, habitudes et préférences sont ainsi transmises d'une génération à l'autre. Nous avons déjà parlé de **socialisation** dans les chapitres précédents, et en avons également fait mention dans la définition synthétique que nous avons retenue de la famille. Rappelons qu'on peut définir la socialisation du consommateur comme le processus par lequel un individu acquiert des compétences, des connaissances et des attitudes relatives au domaine de la consommation. Le processus de socialisation ainsi défini correspond à la fois à un **apprentissage social et cognitif** de la personne.

La **famille**, l'**institution scolaire**, les **médias de masse** et les **groupes de référence** (pairs) représentent les quatre agents principaux de socialisation. La famille ne constitue donc que l'un des agents de socialisation influents. Elle semble toutefois tenir un rôle clé quant à la socialisation de l'enfant sur le plan de la consommation. En effet, c'est généralement d'abord dans un contexte familial que l'enfant peut se confronter à l'espace de la consommation, un des premiers véritables « territoires adultes » au sein duquel il est susceptible d'agir. Dans une optique traditionnelle, le rôle de la famille en cette matière a souvent été réduit à sa seule dimension instrumentale. Certaines études tendent toutefois à démontrer que ce rôle ne se limite pas à la transmission de savoir-faire rationnels et immédiats, mais inclut aussi la bonne gestion d'un budget d'achat, la compréhension des prix ou encore les implications de tel ou tel type de contrat.

La transmission de certaines attitudes matérialistes, motivations ou préférences plus larges s'y intègrent également (par exemple, les vêtements appropriés dans différentes situations ou les magasins à fréquenter et ceux à éviter). En regardant agir leurs parents, en discutant ou en gérant l'argent de poche qui leur est alloué, les enfants se préparent peu à peu à leur rôle de consommateur adulte[8].

Ce qui est appris dans le cadre familial correspond donc à la fois à des compétences particulières liées à la consommation et à un savoir plus global sur les modes sociaux de comportement. Comment doit-on se comporter face à un vendeur au discours agressif, par exemple? Ce dernier type de connaissances, transmis surtout par l'entremise de la socialisation familiale alors que l'enfant, très jeune, a encore peu d'occasions d'avoir des contacts indépendants avec l'extérieur, est un facteur déterminant de ses comportements ultérieurs. Cette vision «en cascade» de l'influence de la famille dans la socialisation de l'enfant par rapport à la consommation demeure solidement ancrée en marketing. Diverses études viennent toutefois nuancer ce schéma d'analyse des influences entre générations, faisant le constat de l'apparition de plus en plus fréquente d'un phénomène de socialisation à rebours, comme l'illustre la figure 11.3[9]. Au Québec, ce phénomène se manifeste, par exemple, dans l'art culinaire ou en matière de respect de l'environnement. Ainsi, une femme de quarante ans pourrait initier sa mère à la cuisine méditerranéenne à l'huile d'olive alors que cette dernière s'en tenait traditionnellement à l'emploi du beurre et de la crème. Quant au respect de l'environnement, combien d'enfants ayant appris certaines notions à l'école amènent-ils leur famille à les appliquer dans leur vie quotidienne? Le secteur des nouvelles technologies de l'information est aussi un domaine où les enfants ont pu et peuvent encore influencer leurs parents sur leurs façons de faire et leur consommation.

FIGURE 11.3 Les circuits bidirectionnels de socialisation dans la famille d'aujourd'hui

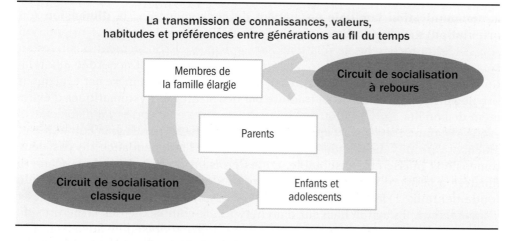

Dans un premier temps, jusqu'à l'âge de 12 ans environ, la relation dans le sens parents-enfants est prépondérante. L'enfant intègre une nouveauté qui lui est largement imposée. En revanche, dès qu'il acquiert une certaine autonomie, ne serait-ce que sur le plan informationnel, dès qu'il se lie de manière directe à un groupe extérieur à la famille, principalement les amis et l'établissement scolaire, ou de manière indirecte, par l'intermédiaire des médias par exemple, le processus de socialisation se complexifie et tend à devenir **bidirectionnel.** Le rythme de l'évolution de notre société, dont l'une des manifestations les plus remarquables est le dynamisme de l'introduction sur les marchés de nouveaux produits et services, semble parfois mieux intégré par l'enfant ou l'adolescent. Les parents, soucieux en général de rester «branchés» sur les nouvelles tendances sociales et technologiques, peuvent voir dans leurs enfants des agents efficaces de rapprochement de cette évolution. Du coup, le rapport de socialisation s'inverse parfois, les enfants et les adolescents «socialisant» leurs parents autant qu'ils apprennent d'eux. Les parents utilisent alors les contacts avec leurs enfants en vue d'acquérir ou de maintenir les habiletés nécessaires pour assumer de façon aussi efficace que possible leur rôle de consommateurs dans un marché dont l'évolution s'avère toujours plus rapide. Pensez, encore une fois, à ce qui se passe autour de l'ordinateur familial lorsque l'un des parents tente, en regardant par-dessus l'épaule de son jeune, de comprendre la manière de naviguer efficacement sur les autoroutes de l'information ou de commander tel ou tel produit en ligne. Pensez également aux échanges qui peuvent s'instaurer entre une mère et sa fille adolescente lorsqu'elles vont toutes deux magasiner afin de renouveler leurs garde-robes. Dans ces cas, il est souvent difficile de dire qui socialise qui… Alors que, dans l'encadré de tout à l'heure, Robert espérait pouvoir apprendre à son fils les rudiments du bricolage, nous avons pu constater que, dans le domaine de l'électronique, c'est surtout lui qui écoutait Christophe avec étonnement! En alimentation, en revanche, domaine soumis à un rythme d'évolution plus lent ou à des ruptures moins nettes, la mère tend à exercer une influence toujours forte sur le jeune enfant.

Les modes de communication et d'échange dans la famille

On peut distinguer deux dimensions essentielles pour décrire les structures de la **communication familiale** en matière de consommation : la **dimension (ou orientation) sociale** et la **dimension (ou orientation) conceptuelle**[10]. L'orientation sociale est la recherche de relations harmonieuses et socialement positives au sein du foyer. Dans ce contexte, une grande importance est accordée aux relations parents-enfants. Le rôle expressif souvent associé à la mère est également privilégié, même si cela doit se traduire par des stratégies systématiques d'évitement de conflits. L'orientation conceptuelle, quant à elle, correspond aux efforts entrepris afin de favoriser l'apprentissage par l'enfant d'un savoir autonome et efficace à propos du monde extérieur. Bien que l'indépendance de ces deux dimensions puisse être discutable, en les croisant deux à deux de la manière illustrée à la figure 11.4, on définit quatre **modes de communication familiale** fondamentaux : 1) le **laisser-faire,** et les modes 2) **consensuel,** 3) **pluraliste** et 4) **protecteur.** Il s'agit là bien sûr d'archétypes, la complexité des structures de communication au sein de la famille ne pouvant être représentée fidèlement par une catégorisation aussi peu nuancée. Cet effort de formalisation a toutefois son intérêt. Ainsi, des études ont permis de confirmer son apport potentiel pour la compréhension des processus de socialisation relatifs à la consommation, notamment en ce qui a trait à la présence de différences importantes au regard des connaissances acquises par les enfants selon le mode de communication privilégié dans leur famille[11].

	Orientation sociale faible	Orientation sociale forte
Orientation conceptuelle faible	**LAISSER-FAIRE** Les enfants font leurs apprentissages de façon indépendante sans réel échange avec leurs parents.	**PROTECTEUR** Les parents privilégient l'harmonie à tout prix et s'efforcent d'éviter les conflits sur les sujets de consommation.
Orientation conceptuelle forte	**PLURALISTE** Les parents discutent volontiers des sujets de consommation et encouragent leurs enfants à exprimer librement leur avis.	**CONSENSUEL** Les parents discutent volontiers, mais s'efforcent de trouver des points d'accord entre tous afin d'éviter les conflits.

11.5 Le foyer en tant que lieu de décision[12]

Nous avons déjà étudié le processus décisionnel du consommateur, en soulignant la multiplicité des démarches suivies et la variété des décisions liées au choix d'un produit ou d'une marque. Nous abordons avec la famille la dimension collective de ces décisions. L'étude des processus décisionnels dans la famille fait appel à deux types d'approches : la perspective fonctionnaliste et la perspective interactive.

La perspective fonctionnaliste

Dans une perspective fonctionnaliste, la dynamique de la décision d'achat dans un cadre familial se résume à un processus de résolution de problèmes divisé en plusieurs étapes s'inscrivant dans un cadre structuré et linéaire. L'accent est principalement mis sur l'influence, en matière d'achat, de la répartition des rôles au sein de la famille, réduite bien souvent au couple. Ce **processus décisionnel** s'organise alors autour de rôles bien définis (**déclencheur, prescripteur, informateur, décideur, acheteur,** etc.[13]). L'élément clé de la dynamique décisionnelle réside dans le mode de différenciation de ces rôles. Au sein de la famille, les théories fonctionnalistes adoptent souvent le sexe pour principal critère de différenciation. Parmi les divers courants théoriques, les économistes semblent être les seuls à fonder cette différenciation des rôles sur l'inégalité de la rémunération ou des ressources. Les tenants des autres approches fonctionnalistes se bornent souvent à constater cette différenciation et à la décrire comme le produit de normes culturelles ou sociales, sans apporter de réelles justifications quant à l'émergence de telles normes. La perspective duale, qui introduit une dichotomie entre le rôle

Une campagne de nature sociale qui mise beaucoup sur la participation commune des parents et des enfants à des activités extérieures.

instrumental/objectif (masculin) et expressif/affectif (féminin), a connu beaucoup de succès. Bien que les racines biologiques éventuelles d'une telle différenciation semblent peu évidentes, il n'en demeure pas moins que, dans l'étude des processus décisionnels au sein de la famille en général ainsi que des conflits et de la prise de décision dans le couple en particulier, de nombreuses recherches prennent pour point de départ cette différenciation des rôles selon le sexe.

La perspective interactive

Selon une optique interactive, la décision d'achat est plutôt vue comme une construction, née de l'interaction entre les différents membres de la famille. La prise en compte de ce contexte d'interaction et de sa dynamique représente souvent un défi réel au cours d'une étude de marché. Un certain nombre de chercheurs se sont néanmoins intéressés à la compatibilité des différents objectifs des membres de la famille relativement à une situation d'achat, ce qui leur a permis de dégager trois catégories de décision : le **consensus** (c'est-à-dire la définition d'un terrain d'entente commun), l'**accommodement** (c'est-à-dire l'acceptation de certains compromis) et la **prise de décision *de facto*** (c'est-à-dire la présentation de la décision comme un fait accompli).

Prenons l'exemple de la famille Beaudoin, composée de Pierre, le père, et de Mireille, la mère, ainsi que de Jérémie et de Viviane, leurs deux adolescents âgés respectivement de 15 et 17 ans. Cette famille s'apprête à changer de voiture. Illustration d'un consensus : toute la famille discute de quelques modèles qui ont retenu l'attention de chacun des membres et, sans difficulté, un choix est arrêté qui plaît suffisamment à tout le monde. Illustration d'un accommodement : les discussions vont bon train entre les parents, Mireille et Pierre, et leur adolescente, Viviane, qui ne s'entendent pas sur le type de voiture qu'ils aimeraient respectivement. Viviane finit par se rallier au choix des parents après avoir obtenu la promesse que, dès qu'elle aurait son permis de conduire, son père lui prêterait de l'argent pour qu'elle puisse acheter une voiture d'occasion à son goût. Illustration de la décision *de facto* : Pierre et Mireille arrivent un soir à la maison dans une nouvelle voiture qu'ils présentent à leurs enfants comme étant leur dernier achat.

Au regard de ces trois catégories de décision, les chercheurs ont mis en évidence différentes **stratégies d'action** ou de conciliation privilégiées par les membres de la famille, en revenant paradoxalement à l'idée de structure des rôles ou en empruntant à la théorie des jeux et aux recherches sur la décision de groupe. Cette optique les a conduits à placer la notion de conflit au cœur de leurs préoccupations. L'encadré ci-après montre l'application concrète de cette idée, il y a quelques années, par l'entreprise de distribution de produits ménagers et d'ameublement IKEA.

Les conflits et la dynamique de la prise de décision dans le couple

Le premier objectif des études concernant la prise de décision dans le couple a souvent été d'établir l'influence relative de chacun des partenaires. Les questions posées sont alors : Qui domine ? Pour quels types de décisions ? À quelles étapes du processus ? Sous quelles conditions une décision collégiale (syncrétique) est-elle susceptible d'apparaître ? L'effet important du type d'achat envisagé ainsi que de l'étape du processus de décision sur le rapport d'influence dans le couple a ainsi été maintes fois démontré[14].

À l'occasion de la Saint-Valentin, IKEA a offert des séminaires gratuits sur les bonnes relations dans les couples. Les dirigeants d'IKEA Canada avaient en effet constaté, grâce à un sondage, que 59 % de leurs clients se disputaient avec leur conjoint avant, pendant ou après une visite chez IKEA. «Décorer une maison signifie habituellement harmoniser deux styles différents et même deux manières d'acheter», affirmait Laurence Martocq, directrice des relations publiques. «Cela cause souvent des points de friction dans un couple. Nous sommes désolés que cela se produise chez IKEA.» Des ateliers sur les relations de couple ont ainsi été offerts dans les magasins de Montréal et de Toronto le 14 février !

Source : IKEA, [En ligne], www.ikea.com/ms/fr_CA/about_ikea/press_room/press_release/national/sleep_newsrelease.html (Page consultée le 23 mars 2010)

Les types de conflits

Quatre types de conflits sont traditionnellement mis en évidence : les conflits de **préférence intraclasse, interclasses,** les **désaccords de principe** et ceux portant sur la **définition des rôles respectifs.** Les conflits de préférence intraclasse apparaissent lorsque les deux partenaires du couple, tout en s'entendant sur le principe même de l'achat générique, ont une appréciation différente des choix qui leur sont offerts. Par exemple, un conflit apparaît entre Andrée et son mari, Robert, quant au choix à faire entre plusieurs marques de systèmes de cinéma maison. À l'inverse, les conflits de préférence interclasses reflètent l'existence d'un désaccord sur le projet d'achat générique lui-même, celui-ci étant souvent l'objet, à côté d'autres projets tous envisageables mais pas simultanément, d'une certaine priorisation ou hiérarchisation. Ainsi, pour reprendre la première illustration, un conflit pourrait naître entre Robert et Andrée, celle-ci privilégiant l'achat d'un système de cinéma maison alors que lui, à la suite de ses visites en magasin, préférerait maintenant transformer son sous-sol en salle de sport. Comme son nom l'indique, le désaccord de principe correspond à une opposition inconditionnelle de la part de l'un des conjoints relativement à un achat donné. Enfin, il peut arriver que le couple, tout en s'entendant sur un projet d'achat précis, ne parvienne pas à se mettre d'accord sur la répartition des rôles relatifs aux différentes étapes du processus décisionnel. Par exemple, qui devra négocier avec le vendeur ?

Les principaux facteurs de conflit

Dans le contexte de l'analyse de la dynamique décisionnelle du couple, l'étude de l'émergence des conflits est un sujet d'une grande importance. Le premier ensemble de facteurs d'apparition de conflit correspond aux **caractéristiques mêmes du couple,** principalement en ce qui a trait à la stabilité et à la qualité des relations familiales. Au sein de ce premier ensemble, il est possible de citer les facteurs suivants : le **degré d'homogamie,** c'est-à-dire l'appariement socioculturel des conjoints, le **degré de satisfaction relativement à l'union,** les **attitudes et croyances à l'égard de la définition des rôles** et le **statut d'emploi des conjoints.** Parallèlement à ces caractéristiques du couple, des facteurs **circonstanciels** peuvent également affecter en profondeur la nature des conflits en matière de décisions d'achat. Par exemple, en ce qui concerne les facteurs liés au cycle de vie de la famille, il peut s'agir de la **venue d'un premier enfant,** du **passage de l'aîné à l'adolescence,** du **départ du dernier enfant** ou d'un **départ à la retraite.** La **perte ou** le **changement de statut d'emploi** ainsi que les **changements de domicile** forment un autre ensemble de facteurs qui ne dépendent pas strictement de l'évolution au fil du temps de la cellule familiale. Les caractéristiques propres à la décision sont enfin susceptibles d'expliquer l'apparition de certains conflits. Parmi ces caractéristiques, on note les différences de perception du risque et de niveau d'implication des conjoints relativement à la décision, le coût du produit, le caractère routinier ou non de l'achat ainsi que la convergence relative des sources d'information.

L'apparition de conflits décisionnels dans le couple doit être vue comme l'expression «manifeste» de certains désaccords entre conjoints autour d'une décision d'achat[15]. L'existence de tels désaccords peut demeurer latente; elle ne se traduit donc pas toujours par l'émergence de conflits. La situation de décision agit en fait souvent comme un catalyseur transformant le désaccord latent en conflit manifeste. À l'occasion d'une décision d'achat, chaque conjoint, bon gré mal gré, est contraint de prendre position. C'est dans ces circonstances que s'élaborent également différentes stratégies de résolution ou de réduction du conflit.

Les stratégies de résolution des conflits

Deux grands types de stratégie de résolution des conflits peuvent être dégagés : l'**évitement** et la **résolution**. L'évitement consiste à échapper à l'expression manifeste du désaccord. Trois catégories ou modes d'évitement sont à envisager. Le premier mode est celui de l'**évitement instrumentalisé**. Dans ce cas, grâce à la structuration des rôles et à la définition de sphères d'action exclusives dans le couple, on tente d'éviter l'émergence de conflits trop aigus. Le **partage des sphères d'influence** peut reposer tant sur les connaissances ou les compétences relatives de l'un et l'autre conjoint que sur l'adhésion à une certaine norme socioculturelle. La **gestion de budgets discrétionnaires** particuliers participe également de cette forme d'évitement. Le deuxième mode est celui de l'**évitement délibéré**. Dans ce cas, l'un des conjoints décide simplement de ne pas s'impliquer dans le processus de prise de décision. L'**évitement inconscient,** quant à lui, est le résultat d'un processus dans lequel les conjoints tendent à présumer implicitement de la relative convergence de leurs points de vue.

En ce qui concerne les modes de **résolution du conflit,** trois catégories principales peuvent également être évoquées. Pour ce qui est de la première catégorie, la décision à prendre est considérée avant tout comme un **problème à résoudre.** Le couple s'efforce alors d'élaborer des stratégies lui permettant d'en arriver à la meilleure solution pour le foyer. Les stratégies de **persuasion** correspondent, quant à elles, à la volonté d'un conjoint d'obtenir l'**assentiment** de l'autre par l'exercice d'une pression pouvant prendre différentes formes (appui fondé sur des compétences réelles ou présumées, chantage affectif, culpabilisation, mise en situation de nonchoix). Enfin, à l'inverse des stratégies précédentes, les méthodes de **marchandage** supposent la recherche de solutions par le compromis, l'un recherchant l'assentiment de l'autre grâce à diverses concessions ou compensations.

11.6 L'influence des enfants et des adolescents sur la prise de décisions économiques dans la famille

De nombreuses familles comptent en leur sein des enfants ou des adolescents. La présence de ceux-ci a des incidences tout à fait particulières, notamment en ce qui a trait aux prises de décisions économiques. Nous envisagerons successivement l'impact possible des enfants puis des adolescents sur ces décisions.

L'influence des enfants

De nombreux auteurs s'accordent sur l'importance de l'influence de l'enfant sur les décisions familiales d'achat[16]. Cette convergence de vues n'existe toutefois pas lorsqu'on aborde la question des divers modes d'exercice de cette influence. Malgré le caractère contradictoire des études menées, un certain nombre de points saillants apparaissent toutefois, qui permettent de décrire les grandes lignes de ces formes d'influence. Il semble ainsi que, selon les **styles de communication** privilégiés dans la famille, les **caractéristiques de la famille**, le **type de produit** et l'**étape du processus** de décision, les modes d'influence de l'enfant seront différents. La détermination d'un certain poids d'influence, dans divers domaines de décision, a longtemps orienté les recherches menées sur ce sujet. Or, il importe sans doute moins de comprendre ce poids relatif que la dynamique des stratégies de persuasion. La prise en compte de cette dynamique oblige, bien sûr, à intégrer au schéma d'étude une dimension temporelle ou chronologique nouvelle. Le fait de mettre ainsi l'accent sur les processus a des incidences méthodologiques majeures, mettant particulièrement en exergue les démarches qualitatives d'étude.

En ce qui a trait aux produits concernés, les enfants semblent posséder d'autant plus d'influence que leur implication à l'égard d'un produit est forte. Sur ce point, les analyses ne diffèrent guère de celles menées auprès d'adultes ou d'adolescents. Il convient toutefois de remarquer qu'à l'exception du domaine des loisirs, lorsque les produits ou les activités ne leur sont pas destinés *a priori*, et quel que soit leur degré d'implication réel, l'influence des enfants tend à diminuer beaucoup. Au regard des étapes de décision, l'influence de l'enfant est définie au moyen de **certains rôles** (**instigateur, prescripteur, influenceur**). Si l'enfant est assez rarement le décideur ultime, son influence potentielle au chapitre de l'instigation et de la pression semble évidente. Le type de famille au sein de laquelle évolue l'enfant a bien sûr une incidence certaine sur l'importance et la nature de ses modes d'influence. Ainsi, le caractère recomposé ou non de la famille, l'absence d'un parent, le bien-être économique ainsi que la présence de conflits ouverts ou latents entre conjoints sont susceptibles d'agir sur les modes d'influence de l'enfant. Enfin, certains parents se montrent plus influençables que d'autres ou privilégient des modes de communication plus ouverts à l'apport des enfants.

Le cas des adolescents

Les définitions de l'adolescence, contrairement à celles de l'enfance, sont multiples. Cette multiplicité reflète la grande diversité des visions de cette période de transition entre l'enfance et l'âge adulte. Si l'adolescence, en tant que fait biologique, semble bien inscrite dans la réalité même du cycle physique de la vie, l'expression culturelle et psychosociale de ce phénomène diffère fortement selon les sociétés et les époques historiques considérées. Les sociologues privilégient ainsi une définition de l'adolescence en tant que « culture », née historiquement du report de l'entrée sur le marché du travail salarié. L'approche sociologique de l'adolescence est aussi très marquée par les théories portant sur la définition des rôles sociaux. Cette période de la vie est en effet caractérisée par une transition des rôles et des statuts assumés par la personne. Alors que ces rôles étaient définis par les adultes dans la période de l'enfance, l'adolescence est le moment où s'élabore le répertoire des rôles sociaux de l'individu. Cette évolution, non dépourvue de paradoxes, correspond à une certaine discontinuité qui peut être parfois difficile à vivre. Les définitions de l'adolescence en psychologie font ainsi référence à l'adolescence en tant que période de transition, accompagnée de tumultes et de changements de comportement radicaux.

Si les définitions de la période de l'adolescence sont nombreuses, de manière concrète, elles font en général référence à une même structure chronologique. On s'accorde sur le fait que l'adolescence correspond à la période de la vie qui se situe **de 11 à 18 ans,** une distinction pouvant être introduite entre la **préadolescence (de 11 à 14-15 ans)** et l'**adolescence tardive (de 15 à 18 ans).** Moment de transition entre l'enfance et l'âge adulte dans les sociétés occidentales, l'adolescence est donc une période au cours de laquelle la personne se définit progressivement par l'acquisition de divers comportements, compétences, connaissances et attitudes en relation avec la pluralité de ses rôles sociaux, y compris ceux liés à la consommation. L'adolescence est aussi une période où l'individu affirme progressivement son autonomie et recherche une certaine forme de reconnaissance sociale.

Cette conquête de l'autonomie se traduit de plus par l'acquisition, sinon d'une indépendance financière, du moins de la capacité à disposer à sa discrétion d'une certaine somme d'argent. Le rapport entre l'allocation d'argent de poche et l'acquisition de savoir-faire chez l'enfant ou l'adolescent vis-à-vis de la consommation a été souligné par de nombreuses études[17].

La première forme d'influence qu'exerce l'adolescent au chapitre de la consommation familiale tient en premier lieu à sa seule **présence.** En effet, l'arrivée d'un enfant dans la famille, puis son évolution jusqu'à la fin de l'adolescence s'accompagnent nécessairement d'un certain nombre de changements fondamentaux dans les achats et les modes de prise de décisions économiques de la famille. Ces changements touchent autant la nature des différents achats effectués – et la répartition des budgets – que les structures et les formes des rapports décisionnels au sein du couple ou de la famille dans son ensemble. Au-delà de cette influence demeure la question de l'incidence effective de l'adolescent au sein du processus de décision, quelle que soit l'étape du processus décisionnel en cause. **L'adolescent peut-il être considéré dans cette perspective comme un acteur à part entière de la décision?** S'il tend à exercer une certaine influence sur le choix de divers produits, la place de l'adolescent dans la prise de décisions apparaît souvent marginale. Les aspects financiers de la décision sont, en particulier, ceux pour lesquels l'adolescent est le moins concerné. Il est intéressant de noter que ces observations concordent avec celles obtenues dans l'étude de l'influence des enfants sur les prises de décisions économiques dans la famille. Comme dans le cas de l'enfant, cette influence semble en fait cantonnée au domaine de l'achat de produits dont l'usage lui est réservé. L'adolescent exerce ainsi une plus grande influence en ce qui a trait au choix de la marque, du style ou des aspects esthétiques de différents produits ou services[18]. L'importance des marques commerciales quant à l'affirmation de son identité propre et à son appartenance à différents groupes est enfin considérable.

Rejoindre les adolescents, c'est aussi bien souvent mobiliser d'autres formes de communication, par exemple les réseaux sociaux.

Au terme de ce chapitre, qu'avons-nous appris ?

Nous avons appris que :

- la famille peut aujourd'hui revêtir des formes multiples. En fait, les familles non traditionnelles, recomposées ou non, prennent une importance grandissante dans nos sociétés. Nous avons également noté qu'il existait plusieurs définitions de l'entité familiale, depuis celles, étroites, ne considérant que la famille nucléaire, jusqu'à celles, beaucoup plus larges, recouvrant des réalités plus complexes de l'existence familiale.

- la famille, quelle que soit la diversité actuelle de ses formes ou de ses définitions, représente toujours une unité de vie essentielle ; il est difficile de comprendre la dynamique des comportements de consommation, en particulier en ce qui concerne la prise de décision et la socialisation, sans tenir compte de cette réalité familiale.

- sur la question des comportements de consommation de la cellule familiale, il est utile de considérer son évolution au fil du temps. La réunion de deux personnes célibataires, la venue d'enfants, le départ de certains de ces enfants puis le décès d'un conjoint sont des événements qui rythment habituellement la vie ou l'histoire d'une famille, et ils ont des conséquences importantes sur la nature des dépenses engagées par cette famille.

- les mécanismes de socialisation se complexifient, si bien qu'il n'est pas rare d'assister à des effets de socialisation à rebours. Dans de telles situations, ce sont les enfants ou les adolescents qui tiennent le rôle d'agents de socialisation. Les domaines de l'électronique et du logiciel ou encore celui de la mode sont particulièrement propices à l'émergence de ces nouveaux rapports.

- les modes de communication privilégiés par la famille agissent sur les prises de décision et le rôle joué par la cellule familiale en tant qu'agent de socialisation. Les conflits et la dynamique de décision dans le couple dépendent notamment de la manière dont sont structurés les échanges entre partenaires. Que l'on considère cette dynamique selon une optique fonctionnaliste ou interactive, les stratégies d'influence demeurent les mêmes et doivent, pour prendre tout leur sens, être considérées dans le contexte d'une « histoire » familiale.

- l'influence des enfants dans la famille, au chapitre des prises de décision d'achat, est bien réelle, même si elle se manifeste souvent de manière indirecte sous la forme d'incitations (avis), de pressions ou de prescriptions. Lorsque les produits sont destinés à l'usage exclusif de l'enfant, son influence est toutefois beaucoup plus directe et, souvent, assez déterminante.

- les adolescents représentent de nos jours un groupe de consommateurs disposant d'un pouvoir d'achat considérable. Plus indépendants du cercle familial que les enfants, ils accordent, au moment de faire un achat, une attention particulièrement grande aux marques, qui semblent dans bien des cas constituer les signes de ralliement des groupes qui composent la « société adolescente ».

Questions de révision et de réflexion

1. Selon vous, les images du père et de la mère ont-elles évolué dans la société québécoise au cours des dix dernières années ? Comment ces images sont-elles aujourd'hui employées en publicité par les annonceurs ?

2. Qu'entend-on par «famille élargie» ? Citez un type de produit ou de service (autre que les exemples donnés) qui pourrait exploiter (ou qui exploite) ce concept dans une annonce publicitaire, et expliquez de quelle manière.

3. Beaucoup de gens considèrent leurs animaux de compagnie comme des membres à part entière de la famille. Citez des produits et des services offerts pour prendre soin de ces précieux compagnons.

4. Vous avez sans doute déjà feuilleté des brochures de voyage, par exemple celles de Vacances Air Canada ou de Vacances Transat. S'y préoccupe-t-on de la famille, du cycle de vie de la famille ?

5. Le nombre de célibataires allant en augmentant, quelles répercussions cette situation peut-elle, selon vous, entraîner sur les biens et les services proposés aux consommateurs ?

6. Citez plusieurs rituels familiaux. À quoi servent-ils ? À quels rituels familiaux vous adonnez-vous ? À quel rituel êtes-vous particulièrement attaché et pourquoi ?

7. De nos jours, certains enfants ont des agendas fort remplis : leçons de piano, de violon ou de dessin, séances d'entraînement de hockey, de patinage ou de natation, camps d'été spécialisés axés sur l'apprentissage des échecs, des langues étrangères ou de l'informatique. Quelles sont, à vos yeux, les incidences possibles de cet état de fait sur les prises de décisions économiques dans la famille ?

8. Discutez de l'influence de la publicité et de la télévision sur l'enfant ainsi que du rôle du milieu familial à cet égard.

9. Décrivez les quatre types de conflits liés à la prise de décision dans un couple.

10. Sur quels types d'achats enfants et adolescents exercent-ils principalement une influence ?

Une curieuse décision

C'est la première fois que Valérie, âgée de 11 ans, a la chance de passer la nuit chez Émilie, son amie du même âge. Après un après-midi bien rempli, un souper préparé tout spécialement à leur intention par la maman d'Émilie et un bon film romantique, c'est à présent l'heure des confidences. Valérie, assise sur le matelas de camping installé dans la chambre d'Émilie, évoque certains de ses projets. Une chose la tracasse tout particulièrement. Les vacances d'été approchent rapidement, et ses parents ont bien l'intention de passer leurs deux semaines de congé à l'Île-du-Prince-Édouard. Valérie déteste le golf au moins autant que le vert de la campagne. Quant à la plage, sans son groupe de copains et copines, où est l'intérêt? Émilie comprend tout à fait son amie. Dans son cas, les parents ont projeté de se rendre sur la Côte-Nord, dans un terrain de camping situé au milieu de nulle part. *A priori,* vraiment pas beaucoup de choses excitantes à afficher sur Facebook!

Valérie fait part de ses intentions à Émilie. Elle et son frère Louis (13 ans) ont la ferme intention de persuader leurs parents de louer au moins quelque chose près de la plage de Cavendish. Ils espèrent retrouver là-bas une ambiance plus jeune. Surtout, Louis désire que son ami Jean-Sébastien fasse partie du voyage. L'idée de partager un bout de son été avec le séduisant et sympathique Jean-Sébastien ne déplaît certainement pas à Valérie!

Émilie écoute son amie Valérie sans pouvoir s'empêcher de l'envier. Bien sûr, Valérie lui avoue que les discussions sur les projets de l'été sont souvent assez animées entre les membres de sa famille, mais Émilie, elle, sera forcée d'aller sur la Côte-Nord avec son insupportable frère Max (5 ans), qui lui fera certainement la vie dure. Et puis, contrairement à Valérie, pas question d'emmener un ou une camarade. Peut-être pourrait-elle convaincre sa mère de consentir à une telle demande, mais elle craint que cette idée ne plaise pas du tout à Gérard, le nouveau conjoint de sa maman. Bien sûr, Max est impossible, mais l'ambiance dans la famille est habituellement agréable, et Émilie se dit qu'il serait dommage de venir y semer un possible sujet de discorde. Alors que Valérie sort de son sac à dos de nombreux dépliants décrivant les multiples activités que propose l'Île-du-Prince-Édouard, se jurant de convaincre – après une lutte acharnée s'il le faut – ses parents d'inscrire certaines de ces activités à leur agenda, Émilie demeure songeuse. Nul doute que son été s'écoulera un peu trop paisiblement. Pourtant, il y aurait sûrement bien des choses à découvrir sur la Côte-Nord. Comment en convaincre sa famille sans froisser quiconque?

Questions

1. Selon la typologie présentée des modes de communication et d'échange dans la famille, à quel type de famille Émilie et Valérie appartiennent-elles respectivement?

2. Quelle est, selon vous, l'incidence possible de ces modes différents d'échange sur la consommation de produits et de services touristiques?

3. Quel peut-être l'impact des médias sociaux sur ces modes d'échange?

Notes

1. Citations françaises, [En ligne], www.citations-francaises.fr/Si-la-theorie-de-l-evolution-est-vraie-comment-se-fait-il-que-les-meres-de-famille-n-aient-toujours-que-deux-mains-citation-119123.html

2. A.-M. AMBERT, *Divorce : faits, causes et conséquences*, Ottawa, Institut Vanier de la famille, 2009.

3. C.B. BRODERICK, *Understanding Family Process : Basics of Family Systems Theory*, Newbury Park, Calif., Sage Publications, 1993.

4. STATISTIQUE CANADA, [En ligne], www12.statcan.ca/census-recensement/2006/as-sa/97-553/p1-fra.cfm

5. R.E. WILKES, «Household Life-Cycle Stages, Transitions, and Product Expenditures», *Journal of Consumer Research*, vol. 22, juin 1995, p. 27-42.

6. A. MATHUR, G.P. MOSCHIS et E. LEE, «A Longitudinal Study of the Effects of Life Status Changes on Changes in Consumer Preferences», *Academy of Marketing Science Journal*, vol. 36, n° 2, 2008, p. 234-246 ; G.P. MOSCHIS, «Life Course Perspectives on Consumer Behavior», *Academy of Marketing Science Journal*, vol. 35, n° 2, 2007, p. 295-307.

7. E.E. MACCOBY, «The Role of Parents in the Socialization of Children : An Historical Overview», *American Psychologist*, vol. 28, 1992, p. 1006-1017.

8. M. RIBADEAU-DUMAS, «L'influence de la communication familiale sur les savoir-faire de consommation de l'enfant : une synthèse», *Actes du XIᵉ Congrès de l'Association française de marketing*, Reims, 1995, p. 339-375.

9. E.S. MOORE-SHAY et R.J. LUTZ, «Intergenerational Influences in the Formation of Consumer Attitudes and Beliefs about the Market Place : Mothers and Daughters», dans M.J. HOUSTON, dir., *Advances in Consumer Research*, vol. 15, Provo, Association for Consumer Research, 1988, p. 461-467.

10. G.P. MOSCHIS, «The Role of Family Communication in Consumer Socialization of Children and Adolescents», *Journal of Consumer Research*, vol. 11, mars 1985, p. 898-913.

11. K.M. PALAN, «Relationships Between Family Communication and Consumer Activities of Adolescents : An Exploratory Study», *Journal of the Academy of Marketing Science*, vol. 26, n° 4, 1998, p. 338-349.

12. J.W. GENTRY, A. BURNS et P. BALLOFFET, «La prise de décision dans la famille : une bibliographie sélective (1980-1990)», *Recherches et applications en marketing*, vol 5, n° 3, 1990, p. 69-85.

13. D.S. LEVY et C. KWAI-CHOI LEE, «The influence of family members on housing purchase and decisions», *Journal of Property Investment & Finance*, vol. 22, nᵒˢ 4/5, 2004, p. 320-338.

14. R. MAKGOSA et J. KANG, «Conflict Resolution Strategies in Joint Purchase Decisions for Major Household Consumer Durables : A Cross-Cultural Investigation», *International Journal of Consumer Studies*, vol. 33, n° 3, 2009, p. 338-348 ; C. SU, K.Z. ZHOU, N. ZHOU et J.J. LI, «Harmonizing Conflict In Husband-Wife Purchase Decision Making : Perceived Fairness and Spousal Influence Dynamics», *Academy of Marketing Science Journal*, vol. 36, n° 3, 2008, p. 378-394 ; N. RAZZOUK, V. SEITZ et K.P. CAPO, «A Comparison of Consumer Decision-Making Behavior of Married and Cohabiting Couples, *The Journal of Consumer Marketing*, vol. 24, n° 5, 2007, p. 264-274.

15. H.L. DAVIS et B. RIGAUX, «Perception of Marital Roles in Decision Making Processes», *Journal of Consumer Research*, vol. 1, n° 1, 1974, p. 51-61 ; S. COMMURI et J. W. GENTRY, «Resource Allocation in Households with Women as Chief Wage Earners», *Journal of Consumer Research*, vol. 32, n° 2, 2005, p. 185-195.

16. J. BRÉE, *Kids Marketing*, Paris, EMS, 2007.

17. S.E. BEATTY et S. TALPADE, «Adolescent Influence in Family Decision Making : A Replication with Extension», *Journal of Consumer Research*, vol. 21, septembre 1994, p. 332-341.

18. K.M. PALAN et R.E. WILKES, «Adolescent-Parent Interaction in Family Decision Making», *Journal of Consumer Research*, vol. 24, 1997, p. 159-169.

Les influences situationnelles

Introduction

Parce que la culture nord-américaine place souvent l'individu au centre de ses préoccupations, on a tendance à négliger l'influence manifeste de l'environnement sur nombre de nos comportements de consommation. Bien entendu, les actes ou comportements d'un individu ne sont pas «déterminés» par l'environnement extérieur physique, social ou culturel, mais ils n'en sont pas non plus entièrement indépendants. En ce sens, on peut affirmer que ces comportements sont contingents. Philippe Delerm nous rappelle ainsi qu'un même produit peut prendre un sens très différent selon le moment, le lieu ou le moyen choisi pour le présenter.

Parfois, on vous offre des loukoums dans une boîte de bois blanc pyrogravée. C'est le loukoum de retour de voyage ou, plus aseptisé encore, le loukoum-cadeau-du-dernier-moment. C'est drôle, mais on n'a jamais envie de ces loukoums-là. [...] Non, le loukoum désirable, c'est le loukoum de la rue. On l'aperçoit dans la vitrine : une pyramide modeste mais qui fait vrai, entre les boîtes de henné, les pâtisseries tunisiennes vert amande, rose bonbon, jaune d'or. La boutique est étroite, et pleine à craquer du sol au plafond[1].

Philippe Delerm

12.1 L'influence de l'environnement sur les comportements d'achat

La notion d'environnement

Qu'est-ce que l'environnement ? Une façon de le définir consiste à distinguer le consommateur (ce qui est moi) des caractéristiques physiques qui l'entourent (ce qui n'est pas moi). Imaginer le consommateur dans un contexte qui, bien sûr, lui est extérieur, mais qui peut influer de manière sensible sur ses comportements ou ses décisions permet sans doute de mieux aborder cette question. La situation représente alors la position d'un consommateur telle qu'elle est définie par un ensemble de contraintes extérieures, ou, autrement dit, de facteurs de **contingence**[2]. Ces facteurs ont une influence sur les décisions de la personne, sur son mode de consommation, mais également sur son apprentissage, comme l'illustre la capsule 12.1, à la page suivante.

CAPSULE 12.1

Des bulles et des hommes

Pour Clotaire Rapaille, chaque produit comporte un code, presque au sens génétique du terme. C'est ce code qui oriente notre façon de considérer ou de consommer tel ou tel produit. Culturellement déterminé, le code d'un produit est solidement ancré et même *imprimé* en nous alors que nous sommes encore enfants. La situation dans laquelle on apprend à connaître tel ou tel produit paraît en effet déterminante, comme nous l'avons vu au chapitre 4 sur l'apprentissage. Avec la truculence qui le caractérise, Clotaire Rapaille donne l'exemple suivant : la relation à l'alcool des Américains et des Français est très distincte. L'explication de cette différence réside, selon cet auteur, dans la façon dont les uns et les autres apprennent à apprécier les produits alcoolisés. Les jeunes Français, en grande majorité, découvrent l'alcool très tôt dans le contexte de situations familiales festives, où on leur permet de tremper les lèvres dans un verre de champagne ; la consommation d'alcool est ainsi associée aux retrouvailles, au partage et à la fête. Les jeunes Américains, eux, s'adonnent souvent à la consommation d'alcool beaucoup plus tardivement et hors du cadre familial. Leurs premières expériences, largement abusives, se déroulent entre amis et tournent parfois, dans les heures qui suivent ou le lendemain matin, au cauchemar assorti d'un solide mal de tête. L'alcool se trouve ainsi associé à la perte de contrôle de soi, au malaise physique et à l'influence du groupe (les pairs dont nous avons parlé dans le chapitre 11). Une différence de situation de première consommation qui, pour l'auteur, aura des conséquences à long terme sur la manière dont est perçu ou considéré le produit.

Source : C. RAPAILLE, *Culture codes : comment déchiffrer les rites de la vie quotidienne à travers le monde*, Paris, Lattès, 2008.

Situation

Interprétation faite par le consommateur de son environnement à un moment particulier.

Compte tenu de la multiplicité des facteurs en jeu et de leur influence indéniable, toute **situation** ne peut apparaître qu'unique et singulière. Une réalité que connaissent particulièrement bien les personnes œuvrant dans le domaine des services. Au-delà de cette évidence, le défi posé aux gestionnaires en marketing est de cerner les contraintes ou les facteurs qui ont l'incidence la plus forte et la plus régulière sur les consommateurs. Cet exercice est essentiel si l'on désire comprendre leurs comportements. Notons enfin que l'interprétation faite par l'individu de son environnement à un moment donné importe souvent davantage que l'état réel de cet environnement[3]. Ainsi, c'est la **perception** de la situation qui prime.

Pour mieux saisir le caractère particulier de chaque situation, nous vous invitons à lire l'encadré ci-après.

Quelques facteurs de contingence

Dresser la liste de toutes les caractéristiques qui définissent l'environnement des consommateurs représente une tâche impossible, étant donné leur abondance. Mieux vaut essayer de les classer en un ensemble fini de catégories. On en distingue communément cinq, présentées ci-dessous à l'aide d'exemples concrets.

L'environnement physique Le fait de fréquenter un lieu de magasinage ou un point de services agréable ou désagréable, de bien comprendre les indications permettant de s'y repérer ou, au contraire, de s'y perdre, aura une influence sur les comportements d'achat.

Victor a bien dû passer cette porte une bonne centaine de fois. En effet, tout en étant un consommateur raisonnable, il aime se rendre une fois par semaine à cette succursale de la Société des alcools du Québec située à une dizaine de minutes de chez lui pour choisir un bon vin. Les produits du Beaujolais ont en général sa faveur. Déguster une bonne bouteille le samedi soir avec Catherine, son amie de cœur, est presque devenu une tradition ! Ce soir, cependant, ils ne seront pas seuls : les parents de sa dulcinée seront là. En fait, le repas aura lieu chez ces derniers... C'est la première fois que Victor rencontrera les parents de Catherine dans un contexte aussi formel, et puisqu'il sait que son beau-père est un amateur de vin, il tient à faire bonne figure en lui offrant une bouteille digne de l'occasion. Lui qui habituellement fait un choix très facilement peine cette fois à se décider. Il est vrai qu'il compte y mettre beaucoup plus d'argent qu'à l'ordinaire. Voilà donc trois fois qu'il demande conseil au personnel de la succursale. Il opte finalement pour un bordeaux, en espérant de toutes ses forces que ce choix sera le bon !

L'environnement social La famille, les groupes (les pairs), mais également le contexte social et les rôles ou statuts qui sont associés à ce contexte (par exemple, le fait d'être reçu en tant qu'invité ou membre de la famille) constituent des facteurs de contingence importants. C'est ce que montre l'encadré ci-dessus.

Le temps, la saison ou la durée On désigne par là l'influence potentielle de la saison, l'heure de la journée qui nous prédispose ou non à tel ou tel achat ainsi que le besoin de remplacement d'un article à la suite de son usure (cycle d'achat).

Le type de tâche à réaliser On magasine souvent dans un but déterminé, par exemple pour organiser un repas familial, préparer un départ en vacances ou offrir un cadeau pour un mariage, ce qui agit évidemment sur nos décisions d'achat. Ces situations d'usage seront explicitées plus longuement au cours de ce chapitre.

Les dispositions personnelles Le fait de se sentir heureux ou triste, fatigué ou dans une forme éclatante, affamé ou repu, peut avoir une influence sur nos activités de magasinage et sur les choix alors effectués. Avez-vous remarqué, par exemple, que lorsque vous avez faim, vous avez tendance à remplir davantage votre panier d'épicerie ?

Les facteurs extérieurs qui agissent sur le consommateur sont donc nombreux et les formes d'influence qu'ils exercent (influence due à leur seule présence, anticipation de réactions de la part de tiers, cœrcition, etc.) peuvent aussi être multiples. Il est donc utile, dans ce contexte, d'avoir recours à un modèle, de façon à ordonner ces éléments et à pouvoir mieux saisir les mécanismes sous-jacents à l'exercice de ces formes d'influence.

Un modèle d'influence

Selon Georges Katona[4], le comportement dépend de l'action combinée de trois éléments : les deux premiers sont propres à l'environnement et renvoient aux conditions favorables, d'une part, et aux circonstances pressantes, d'autre part ; le troisième réfère à la personne elle-même, puisqu'il s'agit de ses **attitudes.**

Au Québec, les rigueurs du climat constituent la toile de fond de nombreuses annonces.

En effet, ce sont les attitudes qui conditionnent, filtrent ou organisent en partie la perception de l'environnement par l'individu. On compte, parmi les exemples de conditions favorables, les hausses de revenu ou l'augmentation de la capacité d'emprunt. Quant aux circonstances pressantes, on peut citer le mariage d'une personne, sa mise en ménage, la naissance d'un enfant ou le décès d'un proche. L'annonce de BMW (*voir la publicité ci-contre*) met en valeur la fiabilité de la marque lorsque les conditions météorologiques rendent les routes périlleuses.

Il est possible de proposer une écriture mathématique simple du modèle de Katona, sous la forme suivante :

$$C = f(CF, CP, A)$$

où C représente le comportement ; CF, les conditions favorables ; CP, les circonstances pressantes ; A, les attitudes de la personne.

12.2 Les applications marketing

Nous nous sommes attachés jusqu'ici à décrire, dans leurs grandes lignes, les principales sources d'influence situationnelle qui s'imposent au consommateur. Un modèle d'influence intégrateur nous a aussi permis de mieux comprendre ces mécanismes. Dans cette section, nous distinguons trois sources particulières d'influence liées à la situation du consommateur : 1) l'effet de la situation économique actuelle ou anticipée ; 2) l'incidence du contexte d'achat en magasin ; 3) le rôle des situations d'usage.

La situation économique

Traditionnellement, en marketing, les gestionnaires se préoccupent beaucoup du « **vouloir d'achat** » des consommateurs, parfois au détriment de la question de l'accès aux produits ou services. La situation économique plus ou moins favorable d'un consommateur, c'est-à-dire son **pouvoir d'achat** (une fois pris en compte son style de vie, car deux individus ayant un revenu identique peuvent avoir des profils de consommation fort différents), est pourtant un élément qui influe fortement sur sa façon de consommer et qu'il convient donc de ne pas négliger[5]. Par ailleurs, nous avons eu l'occasion de voir précédemment que le concept de classe sociale est, encore de nos jours, pertinent en marketing. La classe sociale à laquelle appartient un individu, tout comme le style de vie, a des conséquences profondes sur son profil de consommation. Au sens strict, toutefois, on ne peut affirmer que la bonne santé financière d'une personne ou d'un ménage soit à elle seule la cause de certains achats ; en revanche, une détérioration de cette situation aura un effet souvent immédiat et puissant sur la décision de renoncer à divers achats ou de les différer dans le temps. C'est ce qu'illustre l'encadré suivant intitulé « Une bien mauvaise nouvelle ».

Voilà trois ans qu'Octave travaillait au sein de cette compagnie de haute technologie de la région d'Ottawa. Trois ans de forte croissance pour cette entreprise, trois ans d'évolution professionnelle soutenue pour Octave, qui l'avaient amené à concevoir les plus beaux projets pour lui et sa famille. Sur la table de la cuisine, au cœur de cette nouvelle maison dont ils avaient tant rêvé, il y a aujourd'hui cette tache blanche, la lettre annonçant à Octave la perte de son emploi à la suite de l'effondrement des activités de la compagnie Flop.com. Bien sûr, il pense ne pas avoir trop de difficulté à se trouver un nouveau poste. Mais, d'ici là, de nombreux projets seront mis en veilleuse. Les vacances dans le Maine seront remises à plus tard, de même que l'achat d'un nouveau sofa et le remplacement de la deuxième automobile, qui en aurait pourtant bien besoin. On se concentrera sur le paiement de l'épicerie, de l'hypothèque et du prêt de la première automobile. Pour les vacances, à défaut de plage, des randonnées dans le parc de la Gatineau et quelques séjours à La Ronde réjouiront les enfants.

Il est donc indéniable que la situation économique relative des consommateurs influe assez fortement sur leurs comportements d'achat, en particulier en ce qui concerne les biens durables (automobile, habitation, équipement électroménager, etc.). Ce qui importe toutefois, c'est non seulement la situation présente des individus ou des ménages, mais aussi leurs **anticipations** à l'égard de cette situation dans le futur. Les étudiants universitaires ont ainsi un profil de consommation ou des préférences en matière d'activités, de produits ou de marques qui, en général, ont peu de rapport avec leur situation économique du moment. Ces comportements, à première vue aberrants, s'expliquent pourtant facilement si l'on se souvient que ce qui importe ici, c'est moins l'état présent de leurs revenus que la manière dont ils anticipent leur situation financière. De nombreuses entreprises ont d'ailleurs compris ce principe et misent sur la confiance en l'avenir en proposant aux étudiants des conditions de prêt très avantageuses. Les économistes, abondamment relayés par la presse d'affaires, attachent une grande importance à ce que l'on nomme l'**indice de confiance des consommateurs** (ou des ménages). Si cet indice pointe vers le bas, chacun craint un ralentissement économique à plus ou moins brève échéance, et lorsqu'il remonte, chacun considère sans doute que l'avenir est prometteur. À la limite, il est possible de considérer qu'une grande inquiétude des consommateurs, en ayant notamment pour conséquence un ralentissement de la demande, précipite la crise redoutée! Un phénomène que les analystes ont souvent évoqué à la suite de la profonde crise économique survenue à l'automne 2008.

Le contexte d'achat: l'atmosphère en magasin

Philip Kotler[6], celui que l'on a parfois nommé le «père du marketing», a proposé une typologie pour décrire l'environnement de magasinage, le type d'environnement sans contredit le plus étudié en marketing. Selon Kotler, on peut définir quatre dimensions sensorielles de cet environnement: la dimension visuelle (couleurs, luminosité, taille, formes), la dimension auditive (volume, stridence), la dimension olfactive (odeurs, fraîcheur) et la dimension tactile (douceur, rugosité, température). Ces composantes permettent de circonscrire ce que l'on appelle l'**atmosphère** d'un environnement commercial (par exemple, d'un magasin ou d'un centre commercial).

L'influence de l'atmosphère est un sujet d'une importance majeure pour les commerçants. En effet, en comprenant mieux les facteurs environnementaux qui agissent sur le comportement des consommateurs, les commerçants ont la possibilité de définir des stratégies visant à créer des expériences de magasinage et d'achat agréables. Un environnement favorable, dont on aurait éliminé les irritants, est susceptible d'inciter les consommateurs à passer plus de temps dans les magasins ou les points de services et, peut-être, à dépenser davantage[7]. Une étude québécoise[8] a d'ailleurs permis de déterminer près d'une quarantaine de motifs d'irritation éprouvés par les consommateurs lorsqu'ils magasinent (mauvaises odeurs, pression des vendeurs, files d'attente, etc.). L'étude a aussi montré que le degré d'irritation perçu varie selon le type de variable environnementale et selon le sexe et l'âge des personnes. Selon cette étude, les consommateurs étaient notamment irrités par les mauvaises **odeurs.** On sait depuis longtemps que les odeurs influencent les perceptions des consommateurs en stimulant diverses réactions émotives, négatives ou positives. Nous avions fait remarquer au chapitre 3 sur la perception qu'une odeur de pain frais dans une épicerie peut stimuler l'appétit et favoriser l'achat d'autres produits. Les effluves suaves de parfums dans un magasin, quant à eux, suffisent souvent à créer une forte impression, et chacun s'accorde à reconnaître qu'une voiture neuve dégage une odeur bien particulière, en général plaisante. En fait, on commence à peine à entrevoir les possibilités d'influence des odeurs sur le comportement des consommateurs. Il s'agit d'un domaine où la recherche est toutefois difficile à mettre en œuvre : l'odorat est un sens très complexe, et l'appréciation de telle ou telle odeur est souvent chargée d'une connotation culturelle.

La **musique** est un facteur environnemental qui a aussi intéressé les chercheurs en marketing, probablement parce qu'elle permet de créer facilement diverses ambiances. Nous avons mentionné au chapitre 3 que certaines combinaisons de caractéristiques musicales comme la modalité (mineure, majeure), la tonalité (*do, ré,* etc.), le tempo, le rythme, l'harmonie et l'intensité du son peuvent produire des émotions diverses. On a ainsi pu montrer que le tempo musical a des effets marqués sur le temps passé à magasiner. Par exemple, une étude a permis de constater une augmentation notable des ventes lorsqu'on faisait jouer une musique lente plutôt que rapide[9]. Si l'on souhaite que le temps passé dans un établissement soit le plus court possible (par exemple, dans un contexte de restauration rapide), un tempo rapide semble en revanche le plus approprié. Bien entendu, il faut tenir compte des préférences des clients et de la situation. Par exemple, une musique énergisante (techno ou rap) est sans doute appropriée dans une boutique de vêtements pour jeunes, mais elle ne l'est pas dans une librairie. En somme, le type de musique doit être choisi selon les objectifs commerciaux visés, le type de magasin et les préférences des clients.

La figure 12.1 présente un modèle général de l'influence de l'atmosphère d'un magasin sur les réponses des clients. Ce modèle est élaboré à partir de la définition de cinq groupes de **stimuli** d'atmosphère : les **variables extérieures** (signes extérieurs, taille de l'édifice, style architectural, etc.), les **variables intérieures générales** (planchers, couleurs, musique, lumière, etc.), les **variables de design** (espace, disposition de la marchandise, salles d'essayage, etc.), les **variables de décoration** (images, photographies, étalages, etc.) et les **variables humaines** (caractéristiques des autres clients, tenue vestimentaire des employés, affluence, etc.). Notons que le modèle présenté postule une influence de ces stimuli non seulement sur les clients, mais aussi sur les employés qui sont en contact avec ceux-ci[10].

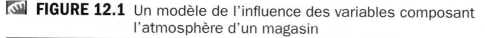

FIGURE 12.1 Un modèle de l'influence des variables composant l'atmosphère d'un magasin

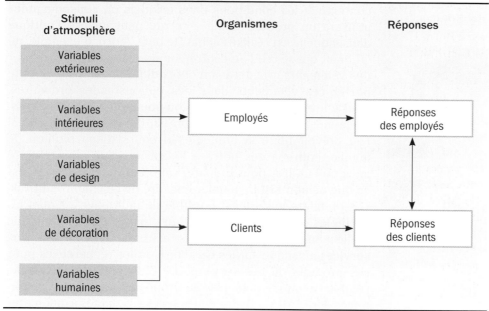

Nous constatons ici que les variables humaines renvoient notamment aux caractéristiques des autres clients. L'influence des autres sur notre perception d'une situation, dans un espace de service restreint, est souvent déterminante. C'est ce que nous rappelle la capsule 12.2 intitulée « Faire la file ».

CAPSULE 12.2

Faire la file

Vous décidez de sortir en couple ce soir et choisissez d'aller dans un de vos restaurants préférés du centre-ville. Bien sûr, vous n'aimeriez pas avoir à faire la file ou à attendre de longues minutes avant de prendre place à une table ou d'être servis. Vous ne souhaiteriez sans doute pas non plus vous retrouver absolument seuls dans ce restaurant. Les autres clients participent également à l'ambiance générale, après tout ! On peut donc constater que, dans le domaine des services, la situation et l'environnement prennent souvent une grande importance, et peuvent être difficiles à maîtriser par les gestionnaires. Dans le cas des files d'attente, une étude portant sur les services bancaires a montré que le sentiment d'avoir attendu prime, chez de nombreux consommateurs, sur le temps objectif de l'attente elle-même... Les auteurs de cette étude font remarquer à juste titre qu'il est bien rare qu'un client consulte sa montre au moment d'entrer dans une file et d'en sortir ! Ce qui conditionnera sa perception du temps d'attente – est-il acceptable ou non ? –, c'est plutôt une multitude d'éléments, parmi lesquels se trouvent au premier chef les sentiments ressentis. Le fait de jouer sur les facteurs environnementaux, par exemple de nouveaux moyens de présentation visuelle ou interactifs*, est une manière de façonner des situations favorables pour les consommateurs et de réduire ainsi l'effet d'éventuels irritants. Observez la banque, le restaurant ou le supermarché de votre quartier ; vous constaterez vite que des efforts considérables sont souvent déployés (avec un succès inégal toutefois) afin de créer des impressions favorables et de dissiper chez vous d'éventuels motifs d'irritation.

*Une étude portant sur un des nouveaux moyens est présentée dans l'article de S.K. PLATT et J.-C. CHEBAT, « Do digital communication networks make a difference ? », *American Bankers Association Banking Journal*, vol. 100, n° 5, 2008, p. 44-46.

Source : J.-C. CHEBAT et P. FILIATRAULT, « The impact of waiting in line on consumers », *International Journal of Bank Marketing*, vol. 11, n° 2, 1993, p. 35-40.

Air Transat, une compagnie aérienne attirant une clientèle presque exclusivement touristique, met ici en scène la beauté du monde, un argument de poids pour ce type de clientèle.

Une invitation à boire du lait au chocolat à tout moment!

Les situations d'usage

Les situations d'usage ou de consommation désignent le contexte et les conditions dans lesquels un consommateur utilisera un produit donné[11], ce qui peut inclure l'optique dans laquelle est réalisé l'achat (le but). À titre d'exemple, un étudiant qui se rend au centre commercial pour se procurer des vêtements orientera son choix différemment s'il compte porter ces vêtements dans des circonstances ordinaires, pour une entrevue d'embauche ou pour son bal de finissants. De la même façon, le choix d'un vin différera sans doute si l'on prévoit boire la bouteille au cours d'une réunion de famille, l'offrir à des hôtes à l'occasion d'un souper entre amis ou l'utiliser pour préparer un bœuf bourguignon! C'est ce que démontrait le premier encadré de ce chapitre intitulé «La première fois». Il est possible de multiplier à l'infini les exemples de ce type. La situation d'usage exerce donc une réelle influence sur les décisions relatives aux produits et aux services ainsi que sur les caractéristiques recherchées pour ces produits ou ces services. Le Club Med, par exemple, semble l'avoir bien compris en proposant une variété de formules offrant des activités et des services adaptés à différentes situations : si vous partez en célibataire, avec des adolescents ou avec un bébé de quelques mois, certains clubs vous seront plus particulièrement recommandés parce qu'ils présentent des caractéristiques aptes à vous satisfaire.

Pour une entreprise, le fait d'inventorier les situations d'usage les plus courantes de ses produits ou de ses services peut la conduire à une segmentation sur la base de ces situations. Chaque situation (segment) peut exiger un produit ou un service différent, ou encore une version particulière de ce produit ou de ce service[12]. C'est ainsi qu'apparaissent des occasions de marché et de nouveaux produits ou services. Pour rester dans le domaine des voyages, on a rapidement compris, dans le secteur du transport aérien, l'intérêt qu'il y a à distinguer les voyages d'affaires des voyages d'agrément, les gens d'affaires recherchant certains services précis, depuis l'enregistrement jusqu'à l'arrivée à destination, alors que les familles ont probablement d'autres attentes (par exemple, activités pour distraire les enfants avant le départ et à bord de l'avion). Toutefois, n'oublions pas que les gens d'affaires éprouvent parfois l'envie de profiter eux-mêmes d'une échappée touristique.

Le concept de situation d'usage peut aussi être utilisé à des fins de **positionnement** ou de **repositionnement** de produit[13]. En effet, certaines catégories de produits se trouvent parfois associées fortement à certaines situations, à un point tel que cette association devient un véritable frein à leur développement dans le marché. Le fait de multiplier les occasions de consommation ou d'usage d'un produit est une stratégie courante de la part de nombreuses entreprises qui désirent élargir un positionnement perceptuel trop étroit. Ainsi, l'orange a été longtemps associée au petit-déjeuner avant d'être repositionnée par une campagne publicitaire en tant que produit naturel pouvant aussi servir de collation. Sous forme de jus, à l'exemple des autres jus et cocktails de fruits, l'orange est maintenant largement associée à une pause santé (à consommer où et quand cela nous chante). Ces nouvelles situations d'usage, que les consommateurs définissent selon leur bon vouloir et au gré de leurs fantaisies, répondent bien à leurs désirs d'autonomie, d'indépendance et de liberté. Dans le même ordre d'idées, la publicité sur le lait au chocolat présentée à la page précédente vous incite à en consommer, peu importe le lieu, peu importe le moment. Quant à la publicité de la Fédération des producteurs de lait, ci-contre, elle est extraite d'une campagne à l'occasion de laquelle des annonces ont été placées, de façon souvent surprenante, dans les endroits les plus variés.

En ce qui concerne les nouveaux produits, les références publicitaires faites à leurs situations d'usage servent à attirer l'attention sur ces produits, à susciter l'intérêt du consommateur, mais aussi à aider celui-ci à mieux saisir la pertinence de leur caractère innovateur. Il en va ainsi de la publicité du produit Clorox, qui vous fait entrevoir les multiples usages de ces serviettes désinfectantes et nettoyantes, dans un style de communication particulier, comme si l'on captait sur le vif de mini-tranches de vie d'une famille: «Oups! Un petit dégât de sauce à spaghetti…», «Qui a mis la grenouille sur le comptoir?», «Faut-il vraiment que tu rempotes tes plantes ici?»

En 2009, la Fédération des producteurs de lait du Québec et Cossette lancent une offensive publicitaire sous le thème «[Cet endroit] est réservé aux amateurs de fromages d'ici».

Vous avez sans doute déjà vu des annonces télévisées présentant une nouvelle voiture, équipée de quatre roues motrices ou d'une traction intégrale, dans une mise en situation, c'est-à-dire roulant sur un chemin cahoteux, boueux, rocailleux ou sur une route accidentée, afin de faire la démonstration de la performance de la technologie employée dans sa construction. Sur l'illustration présentée ci-contre, la famille de lubrifiant bien connue Jig-A-Loo s'agrandit de nouveaux produits, chacun étant défini pour un emploi qui lui est propre.

La diversification des situations de consommation traditionnellement associées à certains produits a parfois conduit à repenser ceux-ci afin de mieux les adapter à de nouvelles situations d'usage. En ce sens, le concept de situation apparaît comme une notion utile pour alimenter le processus de création de **nouveaux produits**[14]. Reprenons l'exemple des jus de fruits. Pour faciliter leur consommation,

Répondre à de multiples usages est souvent l'occasion d'innovations de produit pertinentes.

Bien associer un produit à différentes situations contribue souvent à son succès de vente.

des formats individuels, facilement transportables, ont vu le jour. Autre exemple, le fromage La vache qui rit, qui, pour mieux répondre aux besoins des consommateurs au moment de l'apéritif, a pris la forme de mini-cubes. Ceux-ci ont été baptisés, pour la circonstance, du nom évocateur d'« apéricubes ». On peut également citer les céréales, que l'on a sorties de leur bol pour augmenter les occasions de les consommer, ce qui a donné naissance à la barre de céréales, un produit que l'on peut désormais emporter où l'on veut – pour le consommer l'après-midi au bureau, le matin dans les transports en commun ou à n'importe quel autre moment. Un responsable du marketing a bien entendu tout intérêt à présenter un produit dans le cadre d'un rituel, puisque chaque possibilité de céder à ce rituel est aussi une occasion d'usage du produit. Plus simplement, mais avec beaucoup d'à-propos, la boîte des biscuits Leclerc ci-contre met en scène, sous une forme amusante et pertinente pour la clientèle recherchée, différentes activités sportives au cours desquelles la dégustation d'un tendre biscuit est certainement bienvenue.

12.3 Le magasinage en ligne

Nous avons évoqué à maintes reprises dans cet ouvrage le fait que la croissance des inforoutes et de leurs contenus commerciaux ouvre un nouveau champ d'information, d'échanges et de consommation. Les chiffres récents sur la fréquentation du réseau Internet révèlent que la pénétration d'Internet au Canada est passée de 72 % à 78 % entre 2004 et 2007. Un chiffre impressionnant ! On peut considérer que le magasinage en ligne, sans rien modifier des fondements du comportement du consommateur, représente néanmoins une situation nouvelle qui implique un certain ajustement de ses comportements[15]. L'utilisation d'un médium électronique, la distance introduite avec le produit ou le commerce ainsi que le contexte particulier de navigation ont bien évidemment une grande influence sur l'expérience de magasinage en ligne. Pensons aux bouleversements qu'engendrera bientôt pour un grand nombre de personnes la possibilité d'accéder à leurs sites préférés à partir de leur poste de télévision. Le consommateur ne sera plus seul désormais devant son écran : l'ordinateur, souvent relégué au sous-sol, fera son entrée dans le salon, et les interactions en famille se multiplieront à la faveur de la navigation. Il en résultera une situation bien différente de celle que nous connaissons aujourd'hui et dont nous présentons un exemple dans l'encadré ci-après. Cela ne sera pas sans conséquence sur les pratiques de mise en marché, y compris sur le plan de la gestion du service ou du suivi après-vente ainsi que de l'image de marque[16].

Il existe une multitude d'études comparant les comportements des acheteurs virtuels à ceux de ces mêmes acheteurs lorsqu'ils se trouvent dans un contexte commercial plus traditionnel. Le schéma présenté à la figure 12.2 reprend le modèle classique de la prise de décision d'achat, en soulignant les apports possibles du

Yves et Sarah doivent choisir une destination pour leurs vacances imminentes. Frank, leur fils de 15 ans, participe également aux discussions familiales à ce sujet. Alors que ses parents collectionnent les cahiers spéciaux de leurs quotidiens favoris et les brochures publicitaires des agences de voyages, Frank concentre ses recherches dans Internet, d'où il a déjà tiré beaucoup de renseignements. Comme il n'est pas facile de naviguer à trois dans le réseau, et que, du reste, l'appareil se trouve en territoire privé (!) dans la chambre de Frank, ce dernier imprime l'information pertinente qu'il trouve. Pour partager cette information et, qui sait, convaincre ses parents de l'attrait des destinations qu'il affectionne particulièrement, il a décidé d'afficher les pages imprimées sur le frigo. Une autre version du « réfrigérateur branché », que certains fabricants d'appareils électroménagers nous promettaient il y a quelques années !

Web à chacune des étapes ou des activités qui composent le modèle. Les situations dans lesquelles se place le consommateur semblent, encore une fois, très différentes dans le cas du magasinage traditionnel et dans celui du magasinage en ligne. N'oublions pas enfin que l'internaute n'est pas un être virtuel et qu'il se livre également à des activités de magasinage traditionnel. En fait, son processus de décision s'apparente bien souvent, du moins en ce qui a trait aux produits correspondant à une forte implication, à un mélange de ces deux modes de magasinage. Le consommateur, dans ce contexte, tente de tirer le meilleur parti des deux mondes, en fonction de son orientation de magasinage et du type de produit convoité. La compréhension de cette nouvelle réalité est indispensable aux entreprises afin qu'elles puissent définir avec succès des stratégies de commercialisation adaptées. Proposer des produits ou des services dans Second Life ne peut se faire sur le même mode que dans un contexte de commerce de détail traditionnel. C'est ce que met clairement en évidence la capsule 12.3. Notons enfin qu'au cours de la campagne présidentielle de 2009 aux États-Unis, l'équipe de Barack Obama a bien compris ce fait, elle qui, peut-être pour la première fois, a su exploiter avec une réelle pertinence tout le potentiel et l'agilité des réseaux sociaux.

FIGURE 12.2 L'apport possible des inforoutes au processus de décision d'achat

DÉTERMINATION DU BESOIN	Bannières publicitaires, lettres d'information, groupes de discussion virtuels, agents intelligents, etc.
RECHERCHE D'INFORMATION	Moteurs de recherche, sites spécialisés, conseils en ligne, etc.
ÉVALUATION	FAQ, obtention d'échantillons ou de « démos », outils comparatifs, groupe de discussions en ligne, etc.
ACHAT	Commande en ligne ou chargement direct, obtention de liste de revendeurs, suivi de livraison, etc.
POST-ACHAT	Assistance à la clientèle en ligne, lettres d'information, dépannage interactif, groupes de discussion, etc.

CAPSULE 12.3

Le temps des consommateurs

Le temps est une dimension importante des situations dans lesquelles se déroulent les achats ou le magasinage des consommateurs. Une dimension de plus en plus importante dans un monde qui semble avoir souvent fait de la vitesse son credo. On distingue trois segments principaux relativement à cette dimension : les utilitaristes, les actifs et les hédonistes. Les utilitaristes détestent magasiner, si bien qu'ils tentent de minimiser le temps passé dans les magasins. Une clientèle sans doute précieuse pour de nombreux sites de commerce électronique, surtout si l'on se rappelle que celle-ci est formée en bonne partie de personnes plutôt jeunes et de professionnels. Réussir à retenir cette clientèle exigeante pose aussi un défi en ce qui a trait à la gestion de l'atmosphère des lieux de consommation. Les actifs, plus âgés, adorent pour leur part les aubaines et sont prêts à se lancer dans de véritables chasses, même si celles-ci peuvent s'avérer longues et laborieuses. Les hédonistes, quant à eux, aiment magasiner, analyser et comparer les différents produits offerts. Ces deux derniers segments semblent accorder beaucoup d'intérêt à la recherche d'information sur les produits et services, et ils sont prêts à y consacrer le temps nécessaire. On trouve aujourd'hui sur les inforoutes une multitude d'outils permettant la collecte de cette information, voire, dans certains cas, la comparaison entre divers produits offerts. L'univers virtuel apparaît comme un nouvel univers de consommation où s'échange une grande quantité d'information. Cette information, désormais partagée, modifie évidemment le rapport de pouvoir entre entreprises et consommateurs, définissant ainsi de nouvelles relations, dans un nouvel environnement.

Source : J. NANTEL, *Le temps des consommateurs,* présentation faite lors du 30ᵉ anniversaire MBA-HEC, Montréal, 2000.

La « netnographie »

Pour les gestionnaires en marketing, le développement du réseau Internet n'a pas que des incidences commerciales. Le Web est un espace au sein duquel les consommateurs échangent beaucoup d'information et vivent des expériences, que celles-ci se rapportent ou non au domaine de la consommation. La richesse de ces échanges en ligne a rapidement attiré l'attention des personnes s'occupant de recherche en marketing. Il est bien sûr possible de faire remplir des questionnaires en ligne. Malgré tout l'intérêt que peut représenter ce mode de collecte, il ne s'agit là que d'une utilisation très limitée et instrumentale du réseau Internet. Des professionnels de la recherche, provenant tant du monde des affaires que des universités, ont commencé à définir une approche de recherche en ligne couramment nommée la « netnographie[17] ». Ce mot-valise est issu du rapprochement de deux termes : le réseau Internet (*Net*), d'une part, et l'ethnographie, d'autre part. Dans les chapitres précédents, nous avons discuté de certains principes et aspects de l'approche ethnographique. Il s'agit ici d'appliquer ces principes au monde virtuel, un monde qui fait souvent fi des contraintes et des tabous habituels, sur le plan de l'expression à tout le moins. Les blogues, les forums de discussion, les lieux de rencontre des communautés virtuelles, tels YouTube, Facebook et Twitter, ainsi que les multiples échanges de textes, de films, de photos et de sons qui y ont lieu (y compris grâce à la téléphonie mobile) se révèlent souvent d'une grande richesse. L'application des méthodes ethnographiques à ce qui peut être vu comme un nouveau territoire en perpétuel renouvellement semble tout à fait indiquée pour exploiter cette richesse virtuelle et améliorer notre compréhension des comportements et des phénomènes de consommation actuels.

12.4 Quelques cas particuliers

Outre les multiples cas précédemment cités qui ont une forte incidence sur le comportement d'achat, la prise de décision ou la recherche d'information des consommateurs, il existe d'autres situations qui, pour être plus particulières, n'en sont pas moins déterminantes. Nous en évoquerons ici deux types : le cas du bris de produit et de la rupture de stock[18] ainsi que le cas de l'échange de cadeaux et du cadeau à soi.

Les bris de produit et la rupture de stock

Quand prenez-vous la décision de changer votre téléviseur ? Votre automobile ? Votre laveuse ou votre sécheuse ? Une étude a démontré que 60 % des acheteurs prennent la décision de magasiner un électroménager après la panne majeure d'un appareil vétuste. Dans ce cas, un événement (la défectuosité d'un produit) déclenche assez directement un acte d'achat, même si ce produit s'apparente à la catégorie des biens durables et qu'il représente un investissement non négligeable pour une famille. Étant donné que ces appareils sont jugés indispensables, on les remplace souvent très vite. Cela est d'autant plus important sur le plan commercial que le marché des électroménagers, par exemple, est essentiellement un marché de remplacement. L'encadré ci-dessous montre le réel défi, sur les plans de l'image et de la fidélité, que représente pour bien des marques cette influence particulière du bris d'équipement sur la prise de décision de remplacement.

PERTES ET FRACAS

Charles et Maria ont à peine franchi le seuil de la porte qu'un curieux bruit se fait entendre. Un bruit de succion, suivi d'une série de tac-tac des plus inquiétants. Lorsque Maria entre précipitamment dans la maison pour voir d'où vient ce bruit, la première chose qu'elle remarque, c'est l'épaisse fumée qui a envahi la cuisine. Après plus de dix années de bons et loyaux services, le lave-vaisselle vient de rendre l'âme. Elle l'avait acheté en promotion lorsque Charles et elle ont emménagé dans cette maison. Depuis, aucun problème. Mais là, comme leur confirmera le réparateur le lendemain matin, il n'y a plus rien à faire ! Les dégâts sont trop importants, leur assure le spécialiste après avoir procédé à une inspection. Un peu remués par ces nouvelles et par la facture substantielle de remise en état des lieux, Charles et Maria décident d'aller magasiner un nouveau lave-vaisselle le jour même. Le vendeur leur vante les mérites de différents appareils, leur faisant miroiter des conditions de financement telles qu'il semble n'y avoir aucune raison d'en différer l'achat. Mais lorsqu'il leur propose un lave-vaisselle de la même marque que celui qu'ils possédaient, Maria et Charles crient à l'unisson : « Pas question ! » L'accident de la veille est frais à leur mémoire, et Charles a encore la facture du réparateur dans sa poche. Bien que le vendeur les assure qu'il s'agit là d'un modèle offrant un rapport qualité-prix imbattable, ils n'en démordent pas et orientent leur choix vers un autre modèle de style européen.

La rupture de stock est sans doute un cas moins spectaculaire que le précédent. Le type de situation qui nous intéresse ici survient lorsqu'un commerce ne peut vous fournir un produit, pourtant annoncé, alors que vous ne pouvez pas vraiment en différer l'achat. Considérons à cet effet l'encadré ci-dessous.

Louis vient brusquement de se souvenir qu'il ne reste que trois jours avant l'anniversaire de Marlène. Il a déjà décidé, il y a quelques semaines, de lui acheter un magnifique ouvrage sur la Patagonie, ce coin perdu au sud du continent dont rêve son épouse depuis de nombreuses années. Marlène lui a d'ailleurs fait comprendre sans ambages que tel était son désir. Au cours de sa pause-déjeuner, il a enfin l'occasion de se brancher sur le site de sa librairie virtuelle préférée. Une recherche rapide lui indique qu'il peut en effet recevoir un livre dans un délai de 48 heures. Malheureusement, l'ouvrage qu'il cherche n'est plus offert et ne le sera pas avant trois semaines. Louis décide donc d'explorer d'autres sites, sans plus de résultats. La visite en personne de quelques librairies du centre-ville ne s'avère guère plus fructueuse. Il doit se rendre à l'évidence : cet ouvrage est introuvable pour le moment. L'anniversaire de Marlène approche, et il est impensable d'y arriver les mains vides. La veille de ce jour mémorable, Louis finit d'envelopper son cadeau : un foulard tissé par des Indiens Mapuches, originaires de cette région, accompagné du bon de commande de l'ouvrage en question sous forme de chèque-cadeau.

De nombreux consommateurs expérimentent le type de situation décrit dans cet encadré. Les fêtes de Noël semblent un moment propice à ce genre de dilemme, que l'on résout habituellement en dirigeant son choix vers un autre produit que celui annoncé ou en « doublant » l'achat prévu (en achetant un autre produit en attendant que soit disponible celui que l'on désirait initialement). À tel point que des groupes de défense des droits des consommateurs ont déjà soupçonné certaines enseignes d'utiliser délibérément cette stratégie !

L'échange de cadeaux et le cadeau à soi

De nombreux experts estiment à plus de 10 % des ventes au détail la proportion représentée par les achats de cadeaux. Il s'agit donc d'une situation dont l'incidence économique est importante. Au cours de certaines périodes, les fêtes de fin d'année, par exemple, des commerces réalisent près de la moitié de leurs ventes annuelles en seulement quelques semaines ! Outre ce poids économique, l'échange de cadeaux est une situation où le jeu des influences sociales et culturelles est flagrant.

Belk a ainsi défini quatre fonctions essentielles de l'échange de cadeaux dans les cultures occidentales[19] :

- le cadeau est un vecteur de **communication** : en offrant un cadeau à une personne, nous lui remettons non seulement un bien, mais lui adressons également un message symbolique (bienvenue, affection, amitié, respect, etc.) ;
- le cadeau est un vecteur de **lien social** : le fait de remettre un présent à une personne consiste aussi à entretenir un lien avec elle selon des règles assez bien établies de réciprocité ;
- le cadeau représente une **valeur économique** : un cadeau sert également à répondre à un besoin précis de la personne qui le reçoit ; c'est le cas, par exemple, des listes de mariage ou de naissance ;
- le cadeau est un vecteur de **socialisation** : par les cadeaux que nous faisons aux enfants, notamment, nous les confortons dans certains rôles sociaux (cadeaux masculins ou féminins distinctifs), renforçons certains comportements (cadeaux-récompenses) et marquons certains passages (cadeaux de première communion).

Au cours de la dernière décennie, de nombreux chercheurs en marketing se sont intéressés aux différentes situations d'échange de cadeaux. Cet intérêt s'explique moins par l'importance économique de ce domaine que par l'apport potentiel de la compréhension de ces situations à l'étude plus générale du comportement du consommateur. L'échange de cadeaux semble en effet constituer un véritable révélateur des influences sociales qui s'exercent dans le domaine de la consommation sur le choix d'un produit ainsi que du contenu symbolique de celui-ci, considéré comme un éventuel soutien à la communication ou à la consolidation de liens sociaux. Pensez aux efforts que vous déployez lorsque vous décidez d'offrir un objet à une personne importante à vos yeux. Vous prenez sans doute le temps de réfléchir à ses goûts, à ses désirs et à ses besoins. Vous choisissez aussi un cadeau conforme à la circonstance, d'un prix approprié, et qui sera peut-être un clin d'œil à la nature de vos relations, à leur état présent, etc. Il s'agit là d'un ensemble de tâches que vous faites sans doute avec plaisir, d'autant plus que la remise d'un cadeau, dans la plupart des civilisations, comporte implicitement une attente de réciprocité de la part du donneur. Au soir du 24 décembre, ou au petit matin du 25, selon votre tradition familiale (les cadeaux sont fréquemment associés à des événements sociaux qui sont autant d'occasions de retrouvailles), on assiste certainement à un véritable échange entre personnes qui offrent et reçoivent mutuellement des cadeaux.

Le temps des fêtes représente une période de vente cruciale pour la plupart des commerçants.

Le cadeau à soi représente enfin un cas intéressant. On s'offre un cadeau pour différentes raisons : se récompenser d'un succès, se consoler d'un échec, marquer en secret une étape franchie ou simplement s'offrir un petit plaisir. Beaucoup de commerces de services en tirent d'ailleurs profit : pensons aux instituts de beauté ou aux salons de coiffure.

Une nouvelle fois, nous sommes à même de constater que les circonstances qui entourent l'achat d'un produit affectent fortement, et parfois de manière déterminante, le comportement du consommateur.

Nous avons appris que :

- les comportements des consommateurs sont influencés en partie par les situations dans lesquelles ils se trouvent au moment de leur décision d'achat ou de la consommation d'un produit.

- l'environnement physique et social, le temps, le type de tâche à réaliser et les dispositions personnelles forment un ensemble de facteurs de contingence qui définissent les caractéristiques particulières de chaque situation dans laquelle se trouve le consommateur.

- pour bien comprendre les actions des consommateurs, il est important de tenir compte de l'action combinée de l'environnement et de la perception ou de l'interprétation de cet environnement par la personne. Les attitudes du consommateur conditionnent, filtrent ou organisent cette perception.

- la situation économique présente et à venir (anticipée) des consommateurs modifie leurs comportements, tout comme le contexte d'achat et les situations d'usage.

- la gestion de l'atmosphère des magasins a particulièrement retenu l'attention des chercheurs en marketing au chapitre du contexte d'achat. Une bonne compréhension des éléments qui composent l'atmosphère d'un magasin rend possible la manipulation de ces éléments afin de contrôler l'environnement d'achat ou de consommation et, ainsi, d'orienter favorablement les actions des consommateurs.

- le concept de situation d'usage peut être utilisé à des fins de positionnement et conduire, dans certains cas, à la modification de produits existants ou au développement de nouveaux produits.

- le magasinage en ligne représente une nouvelle situation d'achat séduisant un nombre grandissant de consommateurs. La distance qu'introduit ce médium électronique avec le produit et le contexte particulier de la navigation constituent des situations nouvelles qui nécessitent une adaptation parfois difficile des comportements.

- les échanges de cadeaux représentent non seulement un secteur économique important, mais également un domaine qui met en évidence de manière tout à fait intéressante les propriétés symboliques de nombreux produits. Ceux-ci jouent en fait un rôle de révélateur de l'importance des situations au moment de la décision d'achat. Outre sa valeur économique, le cadeau s'avère en effet à la fois un vecteur de communication symbolique et un soutien du lien social et de la socialisation.

1. Comment peut-on définir une situation ? Nommez cinq facteurs de contingence permettant de décrire une situation.

2. Vivez-vous selon vos revenus actuels ou vos revenus anticipés ?

3. Pensez à votre magasin préféré. Quel type d'atmosphère y règne-t-il ? Qu'est-ce qui participe à la composition de son atmosphère ? Répondez aux mêmes questions au sujet du centre commercial que vous fréquentez le plus souvent.

4. Qu'entend-on par situation d'usage d'un produit ? En quoi ce concept peut-il être utile aux fins de segmentation et de positionnement ? Trouvez des exemples autres que ceux présentés dans ce chapitre.

5. Pourquoi diffuse-t-on des messages publicitaires portant sur les piscines en mars et non en novembre ?

6. Exploitez le concept de situation d'usage pour dresser un inventaire de différents types de porte-bagages pour la voiture. Faites de même avec le produit « montre » et avec les services de restauration.

7. Énumérez quelques produits de diverses catégories qui sont particulièrement bien adaptés à la situation du « pique-nique » ou qui ont été créés à cet effet.

8. Quelles différences peut-on trouver entre le magasinage dans Internet et le magasinage traditionnel ? Pour quel type d'objet magasinez-vous dans Internet et pourquoi ? À cette fin, mobilisez-vous vos contacts au moyen de réseaux sociaux en ligne tels que Facebook ou MySpace ? Quelles y sont vos principales sources de frustration ?

9. Quelles sont les quatre fonctions essentielles des cadeaux, selon Belk ?

10. À Noël, pourquoi, selon vous, un nombre non négligeable de personnes préfèrent-elles offrir des chèques-cadeaux plutôt que des cadeaux plus traditionnels ?

11. Dans quelles circonstances peut-on décider de se faire un cadeau à soi-même ? Quel est le dernier cadeau que vous vous êtes offert ? À quelle occasion ?

12. Pourquoi, selon vous, existe-t-il un tel engouement pour les sacs décoratifs de tailles diverses qui font office d'emballages-cadeaux (pour une bouteille de vin, mais aussi pour n'importe quel autre produit) ?

Cas

Jobboom.com: l'une des premières réussites québécoises sur le Net*

Précurseurs sur bien des aspects, les stratèges ayant orchestré la campagne de lancement de Jobboom ont découpé celle-ci en trois temps. Il leur a d'abord fallu choisir un slogan simple. Les gestionnaires justifient ainsi la phrase retenue *Vous pourrez toujours dire non*: «Le slogan interpelle le groupe cible que nous visons, les gagnants. Il repose sur une composante importante, congruente aux valeurs du groupe cible. Les employés au Québec [...] savent qu'ils sont responsables de leur propre carrière. Il s'agit des nouvelles valeurs du milieu du travail. Ce qui était également important pour nous, c'était d'avoir une approche québécoise, près des gens d'ici, afin d'exacerber un sentiment d'appartenance».

Compte tenu du faible budget disponible, l'équipe retient l'idée de représenter des situations loufoques liées au marché de l'emploi qui seront autant d'illustrations caricaturales des problèmes qu'une personne peut rencontrer au travail, et qui peuvent amener chez elle un désir de changement. Afin de s'assurer que ces mises en scène, même exagérées, touchent une corde sensible, les membres de l'équipe se sont inspirés de situations aberrantes qu'ils ont eux-mêmes connues.

La campagne de lancement de Jobboom.com a connu trois grandes vagues: de janvier à mai 2000, de septembre à décembre de la même année et de janvier à mai 2001. En janvier 2000, trois énormes panneaux identiques sont installés en bordure de quelques autoroutes achalandées menant au centre-ville de Montréal. Trois annonces à la radio, diffusées aux heures où les travailleurs sont en déplacements, viennent renforcer l'impact de la campagne d'affichage. C'est toutefois la visibilité obtenue dans le quotidien *La Presse* qui constitue le point d'orgue de cette campagne. Un bandeau aux couleurs de Jobboom apparaît en effet en première page du quotidien, et un second est placé à côté de l'en-tête de la section «Carrières et professions». Une publicité pleine page est enfin insérée régulièrement à l'intérieur du journal, garantissant une grande visibilité auprès de l'ensemble des lecteurs. Des publicités imprimées de plus petit format sont aussi diffusées dans divers journaux et magazines. Bien entendu, la communication en ligne n'est pas absente de cette stratégie. Des bandeaux menant à Jobboom.com en un simple clic sont insérés dans différents sites. Le site de Jobboom lui-même est réorganisé de manière à refléter clairement les éléments distinctifs du logo visuel.

Au cours de la deuxième vague publicitaire, une campagne radio plus extensive et une d'affichage sur les autobus sont mises en place. En parallèle, des cartes postales gratuites sont distribuées dans des restaurants, cafés et bistros du centre-ville de Montréal où se retrouve la clientèle potentielle de Jobboom.com. Le même concept des situations loufoques est alors repris, mais exécuté différemment afin de donner à la campagne un air plus underground. Dans la troisième vague, la campagne d'image est soutenue par des publicités télé reprenant le même thème.

Questions

1. Selon vous, l'approche des gestionnaires lors du lancement de Jobboom est-elle appropriée au regard des comportements de navigation et de consommation actuels des internautes?

2. Que pensez-vous d'une stratégie qui mobilise des médias traditionnels afin d'amener les gens... en ligne?

3. Les décisions prises par l'équipe en 2000 pourraient-elles être de la même nature aujourd'hui? Sinon, en quoi différeraient-elles?

   Consultez le lien www.jobboom.com pour obtenir des informations sur ce site ainsi que sur son support magazine.

---

* Extraits d'un cas produit par Pierre BALLOFFET, Linda PÉPIN et Isabelle DESLAURIERS sous l'égide de la Chaire de commerce électronique RBC Groupe Financier (HEC Montréal).

1. P. DELERM, *La première gorgée de bière et autres plaisirs minuscules,* Paris, Gallimard, 1997, p. 48-49. (Coll. «L'arpenteur»)

2. R.W. BELK, «Situational Variables and Consumer Behavior», *Journal of Consumer Research,* vol. 2, n° 3, 1975, p. 157-164.

3. P. KAKKAR et R.J. LUTZ, «Situational Influence on Consumer Behavior: A Review», dans H.H. KASSARJIAN et T.S. ROBERTSON, dir., *Perspectives in Consumer Behavior,* 3e éd., Glenview, Ill., Scott Foresman, 1981, p. 204-214.

4. G. KATONA, «Psychology and Consumer Economics», *Journal of Consumer Research,* vol. 1, juin 1974, p. 1-8.

5. R.T. CURTIN et C.J. GORDON, «Coping with Economic Adversity», *Advances in Consumer Research,* vol. 10, n° 1, 1983, p. 175-181.

6. P. KOTLER, «Atmospherics as a Marketing Tool», *Journal of Retailing,* vol. 49, hiver 1973-1974, p. 48-64.

7. M.J. BITNER, «Servicescapes: The Impact of Physical Surroundings on Customers and Employees», *Journal of Marketing,* vol. 56, avril 1992, p. 57-71.

8. A. D'ASTOUS, «Irritating Aspects of the Shopping Environment», *Journal of Business Research,* vol. 49, n° 2, 2000, p. 149-156.

9. R.E. MILLIMAN, «Using Background Music to Affect the Behavior of Supermarket Shoppers», *Journal of Marketing,* vol. 46, n° 3, 1982, p. 86-91.

10. Ce modèle est adapté de celui présenté dans l'article suivant: L.W. TURLEY et R.E. MILLIMAN, «Atmosphere Effects on Shopping Behavior: A Review of the Experimental Evidence», *Journal of Business Research,* vol. 49, n° 2, 2000, p. 193-211.

11. N. DAWAR, S. RATNESHWAR et A.G. SAWYER, «The Use of Multiple Methods to Explore Three-Way Person, Brand and Usage Context», dans J. SHERRY et B. STERNTHAL, dir., *Advances in Consumer Research,* vol. 19, n° 1, 1992, p. 116-122.

12. R.K. SRIVASTAVA, «Usage-Situational Influences on Perceptions of Product-Markets: Theoretical and Empirical Issues», *Advances in Consumer Research,* vol. 8, n° 1, 1981, p. 106-111.

13. A. RIES et J. TROUT, *Positioning: The Battle for your Mind,* 2e éd., New York, McGraw-Hill, 2001, 213 p.

14. G.L. URBAN et J.R. HAUSER, *Design and Marketing of New Products,* 2e éd., Englewoods Cliffs, N.J., Prentice Hall, 1993, 701 p.

15. G.L. GEISSLER et G.M. ZINKHAN, «Consumer Perceptions of the World Wide Web: An Exploratory Study Using Focus Group Interviews», dans J.W. ALBA et J.W. HUTCHINSON, dir., *Advances in Consumer Research,* vol. 25, 1998, p. 386-392.

16. B. MÜLLER et J.-L. CHANDON, «The Impact of Visiting a Brand Website on Brand Personality», *Electronic Markets,* vol. 13, n° 3, 2003, p. 210-221.

17. R.V. KOZINETS, «The Field Behind the Screen: Using Netnography for Marketing Research in Online Communities», *Journal of Marketing Research,* vol. 39, n° 1, 2002, p. 61-72.

18. V.S. FOLKES, «Consumer Reaction to Product Failure: An Attributional Approach», *Journal of Consumer Research,* vol. 10, n° 4, 1984, p. 398-409.

19. R.W. BELK et G.S. COON, «Gift Giving as Agapic Love: An Alternative to the Exchange Paradigm Based on Dating Experiences», *Journal of Consumer Research,* vol. 20, n° 3, 1993, p. 393-417.

La consommation et la société

Introduction

Dans sa chanson *Foule sentimentale*, Alain Souchon n'appelle pas explicitement à la régulation des marchés, bien sûr. Il se fait toutefois le chantre du sentiment de beaucoup de citoyens-consommateurs qui jettent aujourd'hui un regard critique sur la société de consommation qui les entoure et dont ils se considèrent parfois les victimes. Pour reprendre les paroles de la chanson, «on nous inflige des désirs qui nous affligent» est une habile formulation qui résume le sentiment d'un nombre grandissant de personnes.

Pour Hutton (*voir la capsule 13.1*), cette logique omniprésente de la consommation en vient à dénaturer beaucoup de domaines d'activité qui en sont pourtant *a priori* fort éloignés.

> *Oh la la la vie en rose*
> *Le rose qu'on nous propose*
> *D'avoir les quantités d'choses*
> *Qui donnent envie d'autre chose*
> *Aïe on nous fait croire*
> *Que le bonheur c'est d'avoir*
> *De l'avoir plein nos armoires[1]*
>
> **Alain Souchon**

CAPSULE 13.1

Une métaphore dangereuse?

Dans son ouvrage, James G. Hutton s'en prend aux effets néfastes que peut susciter l'application inconsidérée de la métaphore de la consommation à une multitude de domaines d'activité. Selon cet auteur, le fait d'assimiler les étudiants, les patients ou les fidèles d'une foi religieuse à des «consommateurs» produit un effet négatif indéniable. Même si, à première vue, cette comparaison peut sembler profitable à la fois aux institutions et aux personnes qui les composent ou qu'elles servent, il n'en est rien. Entraînées par la logique clientéliste qui, toujours selon l'auteur, sous-tend cette métaphore, ces institutions risquent, à terme, de perdre de vue leur raison d'être et leur mission véritable. Il en est ainsi des universités qui, employant à profusion l'expression «clientèle étudiante», connaissent aujourd'hui, entre autres, des problèmes récurrents d'assiduité ou d'inflation des notes, et finissent par s'éloigner de leur rôle véritable en oubliant que le fait d'enseigner implique aussi parfois celui de savoir déplaire. Dans une optique plus générale, d'après Hutton, si la société nord-américaine d'aujourd'hui n'est guère plus heureuse qu'en 1950, malgré une augmentation considérable de la richesse matérielle collective, c'est en partie à cause de cette dérive qui coïncide avec une perte de repères sociaux ou culturels essentiels.

Source: J.G. HUTTON, *The Feel-Good Society*, West Paterson, N.J., Pentagram Publishing, 2005.

Arrivés au terme de cet ouvrage, nous nous intéresserons aux mouvements consuméristes. Il s'agit là d'un thème incontournable du domaine de la consommation. C'est aussi l'occasion de poser un regard critique sur ce qui a été dit précédemment et de faire état de préoccupations éthiques qui concernent nécessairement les gestionnaires en marketing. Cela est d'autant plus important que, nous le verrons dans ce chapitre, les mouvements consuméristes, qui proposent une critique plus ou moins radicale de la société de consommation, connaissent un nouvel essor et s'affirment avec diversité et efficacité, entre autres grâce à l'avènement des nouvelles technologies. La crise économique et sociale profonde vécue depuis l'automne 2008 accentue encore ces perspectives critiques et parfois radicales.

Dans ce chapitre, nous nous attarderons d'abord à définir ce que l'on entend par consumérisme et nous retracerons les grandes lignes du développement de ce mouvement, au Québec et ailleurs. Cet historique se poursuivra par une description des nouvelles facettes du consumérisme. Nous nous pencherons par la suite sur les organismes publics et privés de protection du consommateur au Canada. Enfin, nous tenterons d'élargir notre propos en examinant la question de la responsabilité sociale des entreprises et des consommateurs, abordant pour terminer le thème des comportements de consommation compulsifs ou dépendants.

Consumérisme

Tentative d'organisation des consommateurs (la demande) au sein de différents mouvements ou organismes publics ou privés. L'objectif est d'établir un nouvel équilibre dans les relations entre consommateurs et entreprises (l'offre) grâce au pouvoir ainsi obtenu.

13.1 Le consumérisme

Compte tenu de la grande diversité des formes actuelles et passées des mouvements consuméristes ainsi que de leurs histoires multiples selon les pays et les marchés, il est utile de définir d'abord ce que l'on entend habituellement par « **consumérisme** », parfois appelé, au Québec, « consommateurisme ».

La perspective consumériste correspond à celle adoptée par les **mouvements de défense des consommateurs,** que ces mouvements soient institutionnalisés ou non. Son étude nous permet d'examiner le regard que les consommateurs portent sur eux-mêmes par l'entremise de ces institutions ou mouvements. D'une certaine façon, cette perspective représente la voix des consommateurs et contribue activement à structurer et à discipliner les marchés. Les consommateurs sont en effet des acteurs ou des composantes à part entière du domaine de la consommation. Ils assument ce rôle non seulement par leur comportement individuel, mais également par le truchement de leur organisation, plus ou moins formelle. Cette organisation trouve principalement son expression dans les mouvements, les groupes de pression ou les institutions de défense de leurs droits et intérêts. Leur expression directe à travers différents sites d'appréciation, forums, blogues ou réseaux sociaux participe d'un même mouvement. Ces formes de forum *ad hoc,* comme celles que l'on trouve dorénavant sur Internet, peuvent donc être considérées comme des manifestations nouvelles du consumérisme. Par le biais de ces diverses formes d'organisation et de leur expansion, les consommateurs expriment une certaine vision d'eux-mêmes, du domaine de la consommation dans son ensemble et du rôle, plus volontaire et critique, qu'ils désirent y tenir.

Le magazine *Time* a mis en vedette le nouveau pouvoir des consommateurs par sa couverture marquant l'année 2006.

Quelques traits propres au mouvement consumériste

Au-delà de la diversité de leurs formes et de leurs parcours, les mouvements consuméristes présentent un certain nombre de traits caractéristiques assez constants.

Un produit de la société de consommation

Les mouvements consuméristes naissent et croissent, de manière générale, au sein de sociétés ou de marchés où le degré d'industrialisation est assez élevé. Il existe bien sûr certains mouvements de défense des droits des consommateurs dans les pays en voie de développement, mais leur action y est souvent très marginale et indistincte de l'action politique à proprement parler. L'émergence du consumérisme semble ainsi liée à l'évolution des sociétés dites de consommation.

La recherche d'un contre-pouvoir

La définition du consumérisme indique clairement que son propos est d'établir un **équilibre des relations** entre les entreprises présentes sur le marché (l'offre) et les consommateurs (la demande). Pour y parvenir, il apparaît souvent impératif de regrouper et d'organiser ces consommateurs isolés de façon à leur permettre d'entreprendre des actions concertées et de bénéficier de l'action planifiée d'institutions de représentation. C'est à cette condition que peut se constituer un rapport de forces. Il n'est donc guère étonnant que nombre de mouvements consuméristes se trouvent liés à certains mouvements syndicaux, pour lesquels l'exercice efficace de ce pouvoir est également l'une des conditions d'existence.

Une tendance à l'institutionnalisation

Dans bien des cas, les mouvements consuméristes naissent du rapprochement de la volonté d'individus épars, qui tentent d'organiser un contre-pouvoir et de devenir ainsi des acteurs à part entière du marché. Leurs efforts débouchent à terme sur la mise en place d'organismes, publics ou non, qui prennent officiellement en charge la défense des droits des consommateurs sous leurs différentes formes (information sur les biens et les services, contrôle de la qualité des produits, participation à la définition de l'arsenal juridique approprié, application des lois et des règlements, médiation, etc.). L'Office de la protection du consommateur (OPC) est un bon exemple de ce type d'organisme au Québec. Nous y reviendrons plus loin. Certains considèrent cette **institutionnalisation** comme un succès des mouvements consuméristes, qui voient ainsi leurs demandes enchâssées dans des lois dont l'application dépend en partie de l'action d'organisations reconnues par l'État ; d'autres considèrent qu'il existe là un piège, cette reconnaissance coïncidant souvent avec une certaine bureaucratisation (sinon une compromission) du mouvement, dont la combativité se trouve ainsi émoussée.

Un peu d'histoire[2]...

Pour rendre compte de l'évolution historique des mouvements consuméristes, nous avons choisi de recourir à quelques images. Elles n'illustrent que les étapes les plus saillantes qu'ont connues ces mouvements, par ordre chronologique et principalement en Amérique du Nord. Les quatre **images** retenues sont celles du **consommateur victime,** du **consommateur apprenti,** du **consommateur militant** et du **consommateur autonome et client.** Le tableau 13.1, à la page suivante, qui présente ces quatre images, est divisé en trois parties. La première propose un certain nombre de publications et d'événements qui semblent avoir marqué

TABLEAU 13.1 🔲 L'historique du mouvement consumériste : points de repère

1900-1920 Le consommateur victime	1920-1960 Le consommateur apprenti	1960-1980 Le consommateur militant	1980-2010 Le consommateur autonome et client
Publications et événements			
Sinclair (1906) : *The Jungle*	Chase & Schlink (1927) : *Your Money's Worth* Kallet & Schlink (1933) : *100 000 000 Guinea Pigs* Scandale de la sulfinamide (1937) Sondage Gallup sur l'essor du consumérisme Packard (1957) : *The Hidden Persuaders*	Carson (1962) : *Silent Spring* Nader (1965) : *Unsafe at Any Speed* Caplovitz (1967) : *The Poor Pay More* Scandale de la thalidomide (1962) Retrait du DDT	Étude de Lewis Harris (1983) *Consumer's Reports* *50 (60) millions de consommateurs* *Protégez-Vous* Beigbeder (2000) : *99 F* Hutton (2005) : *The Feel- Good Society* Waridel (2005) : *Acheter, c'est voter*
Avancées dans le domaine juridique et institutionnel et facteurs principaux			
Interstate Commerce Act (1887) Sherman Antitrust Act (1890) National Consumers League (1899) Pure Food and Drug Act (1906) Food and Drug Administration (FDA – 1906) Federal Trade Commission (FTC – 1914)	Consumer's Research Inc. (1929) Food, Drug & Cosmetic Act (1938) Wheeler-Lea Amendment (1938) Association canadienne des consommateurs (1947) Flammable Fabrics Act (1953) Dies Commission (1954) Automobile Information Disclosure Act (1958)	Keffauver-Harris Amendment (FDCA – 1960) J.F. Kennedy and G. Ford Addresses (1962 et 1975) Institut national de la consommation (INC – 1966) Office de la protection du consommateur (OPC – 1971) Vote du projet de loi 45 et adoption de la Loi sur la protection du consommateur	Déréglementation du secteur aérien aux États-Unis Réduction du budget de la FTC Rationalisation de l'OPC Création de groupes de dis- cussion entre usagers sur l'autoroute électronique Essor du courant alter- mondialiste Choc économique et social de l'automne 2008
Perspectives			
Mise sur pied d'organismes de protection et de contrôle	Renforcement du filet de protection et de contrôle Accent mis sur l'information et l'éducation	Action des groupes de pression et politisation du mouvement consumériste	Marginalisation du mou- vement consumériste traditionnel Institutionnalisation

l'évolution du mouvement consumériste depuis son origine jusqu'à nos jours. La deuxième partie indique les principales avancées réalisées sur le plan juridique et institutionnel. C'est en effet dans le domaine juridique que les acquis des mouvements consuméristes trouvent finalement leur traduction. La dernière partie relate différentes perspectives d'évolution du mouvement consumériste. Les caractéristiques essentielles de l'évolution de ce mouvement, selon chacune des images choisies, sont également indiquées de façon sommaire.

L'image du consommateur vu comme une victime

L'image du consommateur victime semble s'imposer pour illustrer la période allant du début du xxe siècle aux années 1920, période qui marque la véritable naissance du consumérisme, dans la lignée de l'essor des mouvements progressistes. Dans un contexte de marché ayant comme devise *Caveat emptor* (Consommateur, prends garde), les droits des consommateurs ont souvent été bafoués. En effet, le respect de ces droits par les entreprises dans un marché encore peu structuré et peu discipliné n'apparaît pas alors comme une réelle préoccupation, notamment pour les premiers grands groupes industriels. Cependant, même à cette époque, la défense des droits des consommateurs n'est pas une idée tout à fait nouvelle en Amérique du Nord. Dès les origines de l'Union, la Constitution des États-Unis avait prévu l'introduction de lois et de règlements afin d'organiser les échanges sur les marchés. Jusqu'au début du siècle, la protection dont peut jouir le consommateur américain se limite toutefois le plus souvent aux réparations ou aux dédommagements qu'il lui est possible d'obtenir grâce aux tribunaux en vertu du traditionnel droit anglo-saxon portant sur les contrats.

Dès son apparition, le mouvement consumériste se heurtera à plusieurs difficultés qui, dans une certaine mesure, sont encore présentes aujourd'hui. Fidèles aux grands principes du libéralisme économique énoncés par Adam Smith, beaucoup de politiciens et de législateurs américains estiment ainsi que l'intervention de l'État dans l'économie doit être réduite au minimum. L'action des groupes consuméristes n'est donc pas justifiée, ni justifiable. La parution en 1906 de l'ouvrage de Upton Sinclair, intitulé *The Jungle*[3], marque cette période. Nous verrons un peu plus loin que la publication d'ouvrages manifestes a souvent eu une influence déterminante sur la progression du mouvement consumériste, particulièrement aux États-Unis. L'ouvrage de Sinclair, qui dénonçait l'état lamentable des conditions sanitaires dans les abattoirs de la ville de Chicago, a suscité un grand émoi populaire. Des réformes d'importance caractérisent cette période, que ce soit à l'échelon fédéral ou à celui des États. L'objectif poursuivi, sous la pression de l'opinion publique, est la mise sur pied d'un arsenal législatif complet ainsi que d'organismes de protection et de contrôle. Ce mouvement participe de celui, plus global, de structuration progressive – et parfois laborieuse – des marchés de consommation nord-américains. La création de la Food and Drug Administration (FDA) en 1906 et celle de la Federal Trade Commission (FTC) en 1914 sont, dans ce contexte, des événements d'une importance majeure.

Il convient ici de souligner que le filet de protection constitué à cette époque demeure malgré tout encore mince et, sous bien des aspects, nettement insuffisant. Il marque cependant le début véritable d'un mouvement qui, sous diverses formes et avec certains reculs, traversera le siècle et contribuera à sa manière à l'établissement de nouveaux rapports sur les marchés entre entreprises et consommateurs. À cette époque, le mouvement consumériste est étroitement lié aux courants politiques qui se manifestent autour des thèmes progressistes alors en vogue. Il n'est donc pas encore organisé sous la forme de groupes de pression autonomes, et l'indépendance de son action est loin d'être assurée.

L'image du consommateur vu comme un apprenti

La deuxième image évoquée pour caractériser l'évolution du mouvement consumériste, durant la longue période s'étendant de la fin des années 1920 au début des années 1960, est celle du consommateur considéré comme un apprenti. Au cours de cette période, les organisations gouvernementales et, dans une moindre mesure, les associations consuméristes privilégieront une approche mettant résolument l'accent sur l'éducation du consommateur. L'objectif est alors de doter le consommateur des capacités et des connaissances nécessaires pour agir de manière éclairée. On ne naît pas consommateur, on le devient! Dans le contexte d'un marché qui se complexifie et d'une société de consommation qui prend son essor, il paraît en effet de plus en plus difficile d'assumer de façon rationnelle son rôle ou sa fonction de consommateur. De manière générale, cette vision cherchant à améliorer la condition des consommateurs en Amérique du Nord recevra un écho tout à fait favorable tant de la part des gouvernements que de certains groupes consuméristes.

Aujourd'hui encore, cette vision exerce son influence; ainsi, on élabore toujours des programmes d'éducation et on déploie encore des efforts pour rendre accessible aux consommateurs une information sans laquelle la maîtrise de leur rôle demeure illusoire. Le succès de cette approche s'explique peut-être en partie par le fait qu'elle ne heurte pas les préjugés idéologiques, présents tant chez les tenants du libéralisme économique classique que chez ceux prônant une intervention étatique plus forte dans le domaine économique. Bien entendu, en s'imposant, cette image du consommateur apprenti vient se superposer à celle du consommateur victime. De nombreux mouvements consuméristes, particulièrement les groupes proches du monde syndical, demeurent ainsi, au cours de la même période, fortement attachés à cette première image du consommateur victime.

Une fois encore, la publication de différents ouvrages marquera profondément cette période. Ces ouvrages n'auront cependant pas autant d'influence que l'événement qui, en 1937, causera un véritable séisme dans le domaine de la consommation: le scandale de la sulfinamide, alors qu'une centaine de personnes décéderont après avoir absorbé cet élixir, commercialisé sans avoir fait l'objet d'études préalables. Cette tragédie aura pour conséquence l'ajout, à l'arsenal législatif existant, de nombreux éléments juridiques. C'est aussi à la suite de ce drame que les organismes de défense des consommateurs commenceront enfin à s'organiser sur le plan institutionnel. En 1947, l'Association canadienne des consommateurs est créée. Aux États-Unis, l'organisme Consumer's Research Inc. est fondé dès 1929. De graves dissensions internes provoqueront l'éclatement de cet organisme, ce qui donnera naissance à un organisme concurrent, la Consumer Union, dont la revue *Consumer's Reports* fait figure de référence encore de nos jours. Les circonstances à l'origine de la naissance de la Consumer Union ne sont pas dénuées d'intérêt, car elles révèlent un changement important dans le développement du mouvement consumériste. C'est en effet à ce moment que l'on voit poindre une image du consommateur qui dominera au cours des années 1960: celle du consommateur militant. L'extrait suivant, tiré d'un article paru dans le premier numéro de *Consumer's Reports,* est à ce titre éloquent:

> Les directeurs de *Consumer's Reports* ne pensent pas que leur tâche se borne à fournir des informations qui permettent d'économiser quelques pennies, ou même quelques dollars, en achetant une marque plutôt qu'une autre. On ne maintiendra jamais un niveau de vie décent pour le consommateur simplement en faisant des rapports sur la qualité et le prix des produits. Toute l'information technique au monde ne donnera pas assez de nourriture à la famille de l'ouvrier [...]. La seule façon de les aider matériellement est [...] de les aider, dans leur combat en tant qu'ouvriers, à obtenir un salaire honnête[4].

Ce texte illustre ce que quelques-uns appelleront une dérive des mouvements consuméristes, tandis que d'autres parleront de leur nécessaire politisation.

Avec de tels discours, et dans le climat qui règne alors aux États-Unis, la Consumer Union subit le sort de nombreux autres groupes populaires et se retrouve, en 1939, devant le comité Dies, un comité du Congrès ayant pour mission d'enquêter sur les activités antiaméricaines, ou réputées pour telles. Il a fallu 14 ans au comité Dies pour laver la Consumer Union de tout soupçon à cet égard. L'histoire de la Consumer Union est symptomatique de l'évolution et de la radicalisation du mouvement consumériste dans son ensemble.

L'époque de la croissance des mouvements consuméristes, illustrée par l'image du consommateur considéré comme un apprenti, s'est donc traduite par un renforcement du filet de protection et de contrôle qui avait commencé à se constituer à l'époque précédente. L'accent a été mis avant tout sur l'information et l'éducation du consommateur. Un sondage Gallup effectué sur l'essor du mouvement consumériste à la fin de cette époque démontre la vitalité de ce mouvement. Les revers et les avatars qu'ont subis les groupes consuméristes au cours de leur évolution ne semblent donc pas avoir alors trop entamé leur popularité.

L'image du consommateur vu comme un militant

La politisation du mouvement consumériste apparaît clairement, bien avant le début des années 1960. C'est cependant au cours de la période 1960-1980 que cette évolution se concrétisera pleinement et que les mouvements consuméristes bénéficieront de l'appui populaire le plus net. En 1966, l'American Federation of Labor – Congress of Industrial Organizations (AFL-CIO) inscrit ainsi la protection du consommateur dans ses priorités d'action. L'image du consommateur considéré comme un militant se veut une illustration de cette évolution parfois assez radicale, notamment aux États-Unis. Non seulement les organismes de défense des droits des consommateurs se politisent et se lient à divers mouvements de revendication, mais ils invitent chaque consommateur, par la voie d'un appui à des campagnes de boycottage et par ses gestes quotidiens, à participer à ce mouvement et à en devenir un acteur. Plusieurs éléments sont susceptibles d'expliquer le succès du mouvement consumériste au cours des années 1960 et 1970. On peut, entre autres, citer la force des mouvements de revendication et d'émancipation à cette époque animés par les enfants du *baby-boom,* la présence successive de deux administrations démocrates, ou encore l'évolution globale de la société américaine depuis le New Deal[5], ainsi que la qualité obstinément médiocre des produits et services offerts.

En 1969, un article paru dans le *Wall Street Journal,* journal peu susceptible d'entretenir des sympathies gauchistes, affirme:

> Les toits prennent l'eau, les chemises rétrécissent, les jouets blessent, les radios ne produisent aucun son [...] y a-t-il quelque chose de bien fait aujourd'hui? [...] Le prix n'y fait rien: les produits chers tombent en morceaux, ne fonctionnent pas ou ont des pièces manquantes, avec la même régularité que les produits bon marché [...]. Nos reporters ont interrogé les Américains d'un océan à l'autre: la qualité des marchandises est pire que jamais[6].

Au-delà de cette référence anecdotique, différents ouvrages marqueront cette période. Parmi ceux-ci, le livre de Vance Packard publié en 1957 et intitulé *The Hidden Persuaders*[7] a eu une grande influence. À titre d'exemples, on peut aussi évoquer le livre de Carson, *Silent Spring*[8], celui de Ralph Nader, *Unsafe at Any*

Speed[9], ou encore l'ouvrage de Caplovitz, *The Poor Pay More*[10]. Nader est un auteur et activiste qui a eu, jusqu'à tout récemment, une influence considérable sur l'évolution du mouvement consumériste. Ces différents ouvrages, en mettant l'accent sur les dangers liés à l'utilisation ou à la production de certains produits (Nader), à des pratiques de gestion discutables (Packard) ou encore aux effets pervers de la société de consommation (Caplovitz), ont entretenu la force du mouvement consumériste et contribué, à leur manière, à mobiliser les consommateurs.

La période étudiée ici est de nouveau marquée par un renforcement de l'arsenal législatif et les droits du consommateur énoncés par John F. Kennedy en 1962 apparaissent comme l'avancée la plus déterminante de cette période aux États-Unis (*voir ci-après l'énoncé de ces droits*). Cette percée annonce également, d'une certaine façon, la dérive institutionnelle (ou la bureaucratisation) du mouvement consumériste qui s'opère dès le début des années 1970 et qui caractérise encore ce mouvement de nos jours. Ainsi, au Québec, au tournant des années 1970, est adoptée la Loi sur la protection du consommateur et naît l'Office de la protection du consommateur. En France, on assiste à la création de l'Institut national de la consommation. Aux États-Unis, le discours prononcé par Kennedy énonce quatre **droits fondamentaux** des consommateurs : le **droit à la sécurité,** le **droit d'être informé,** le **droit de choisir** et le **droit d'être entendu.** Par la suite, d'autres droits fondamentaux s'ajouteront à cette première liste : le droit à l'éducation, proposé par Richard Nixon et énoncé par Gerald Ford en 1975, le droit de recours, ou encore le droit à un environnement favorisant une bonne qualité de vie. L'énoncé de ces droits représente d'une certaine façon une véritable consécration pour le mouvement consumériste et annonce également, encore une fois, l'intégration de ce mouvement aux discours politiques et sa reconnaissance sur un plan institutionnel. Cette évolution institutionnelle des mouvements consuméristes formera la trame de leur histoire au cours de la période suivante.

L'image du consommateur autonome et client

La période la plus récente de l'évolution du mouvement consumériste, qui va de 1980 à aujourd'hui, marque de nouveau, dans l'histoire de ce mouvement, un tournant important, mais complexe à bien des égards. Deux phénomènes paraissent caractériser cette période : l'institutionnalisation toujours plus prononcée du mouvement consumériste, d'une part, et, d'autre part, un certain désengagement des consommateurs vis-à-vis de l'action organisée et politisée quelquefois au profit d'une intervention plus directe et individuelle. L'image choisie pour illustrer cette évolution est celle du consommateur autonome et client. Autonome dans son action et ses décisions, et désormais client dans ses rapports avec les groupes consuméristes, institutionnalisés ou non. Le désengagement relatif des consommateurs ne signifie pas, par ailleurs, leur désintérêt à l'égard du consumérisme. Ce qui a fondamentalement changé, c'est le type d'engagement que semblent aujourd'hui privilégier la plupart des consommateurs : un engagement individuel, hors des clivages idéologiques, et préservant une certaine autonomie de l'individu. Cette évolution est sans doute aussi un signe de maturité, à la fois du mouvement consumériste et des consommateurs eux-mêmes. On peut également y voir une des victoires de ce mouvement, puisque la plupart des consommateurs semblent aujourd'hui se considérer comme aptes à assumer de manière autonome leur rôle dans le domaine de la consommation. Une prise de conscience renforcée par la crise profonde vécue à l'automne 2008 et qui semble coïncider avec un changement des habitudes de consommation les plus nocives, conduisant notamment au surendettement. Il s'agit cependant d'une victoire amère. En effet, la vigueur, au cours des années 1980, de thèses économiques plus libérales ainsi que le mouvement de déréglementation qui les a accompagnées correspondent aussi à des causes possibles de cette nouvelle donne. Sur ce plan, on peut noter un certain recul du consumérisme institutionnel, victime de l'amaigrissement des organismes gouvernementaux. Ainsi, aux États-Unis, le budget de la FTC a fait l'objet de coupes draconiennes durant les deux mandats successifs de Ronald Reagan. Plus récemment, l'Office de la protection du consommateur, au Québec, a également subi des compressions budgétaires importantes se soldant par une réduction des services. Ce que l'on privilégie alors, aux États-Unis en particulier, c'est l'autorégulation de la part des fabricants, des fournisseurs de services et des commerçants, ainsi que le libre jeu des rapports de force sur les marchés.

Au cours des années 1980, les groupes consuméristes qui sont restés fidèles à une ligne de revendication plus dure sont progressivement marginalisés et perdent une grande partie de leur assise populaire. La controverse que suscite l'évolution discutable de certains *leaders* du mouvement consumériste – Ralph Nader devenu, par exemple, un politicien à part entière – alimente parfois cette désaffection. Dans ce contexte, les consommateurs se retrouvent, encore une fois, dans la position de clients à l'égard soit d'organismes – souvent gouvernementaux – garants de leurs droits, soit de publications qui les aident principalement au moment de leur prise de décision. Au Québec, le magazine *Protégez-Vous* est un exemple d'une publication de ce type, avec une diffusion avoisinant les 140 000 exemplaires, ce qui représente une audience tout à fait considérable pour la province. En France, le magazine *50 millions de consommateurs* (devenu *60 millions de consommateurs*) tient un rôle similaire. Aux États-Unis, *Consumer's Reports* demeure la revue la plus importante. Toutefois, les lecteurs de ces différentes revues, quelle que soit l'importance de leur tirage et de leur audience, n'apparaissent plus désormais qu'en tant qu'acheteurs d'un service particulier. Il semble donc que ces différentes publications se réduisent de plus en plus à une fonction de conseil et constituent de moins en moins des organes de représentation ou d'expression des consommateurs. À titre d'illustration du rôle de certains organismes gouvernementaux, nous vous invitons à regarder ci-contre la première page de cette publication de la Régie du bâtiment du Québec, organisme qui renseigne l'acheteur d'une résidence neuve sur la façon d'exercer un recours dans le cas de problèmes avec sa nouvelle maison. De la même manière, vous pouvez examiner la publicité du ministère de la Justice

Une brochure informant le public des risques du travail au noir dans le domaine de la construction.

ci-dessous qui vous invite, si vous êtes sur le point d'acquérir un véhicule usagé, à consulter le Registre des droits personnels et réels mobiliers pour éviter de fâcheuses surprises.

J'aurais dû consulter le RDPRM

N'achetez pas les dettes des autres, consultez le RDPRM.
Avant d'acheter ou de louer à long terme un véhicule, vérifiez s'il est libre de dettes. Pour votre protection.

rdprm.gouv.qc.ca
Montréal : 514 864-4949 • Québec : 418 646-4949 • 1 800 465-4949

AU QUÉBEC, LA JUSTICE EST À VOTRE SERVICE.

Justice
Québec

Une publicité qui invite à la prudence au moment de l'achat d'une voiture d'occasion.

13.2 Le nouveau consumérisme

L'histoire des mouvements consuméristes est bien loin d'être linéaire. Après un relatif sommeil au cours des dernières années, explicable au moins en partie par l'«institutionnalisation» dont nous venons de parler, on assiste à une certaine renaissance de ces mouvements sous de nouvelles formes, à la fois plus souples et plus efficaces.

L'internationalisation et l'élargissement de l'action consumériste

Aujourd'hui, les débats comme ceux concernant la mondialisation des marchés, le partage équitable des richesses sur les plans national et international, ou encore les organismes génétiquement modifiés (OGM) en agriculture, sont repris par différentes associations consuméristes. Même si les perspectives critiques des mouvements consuméristes ont toujours été assez larges, ce qui diffère sans doute aujourd'hui, c'est un cadre de référence de l'action défini à une échelle plus globale ou internationale. Notons que, ce faisant, les groupes consuméristes suivent la tendance des mouvements sociaux qui leur sont proches, mais s'adaptent également à l'évolution des marchés et à la réalité des entreprises transnationales. Si les revendications des altermondialistes demeurent souvent radicales et peu cohérentes, l'action d'un organisme comme Équiterre illustre cette tendance de manière positive.

Moins c'est mieux : un rapport différent à la consommation

On assiste en outre à l'émergence de courants qui proposent, sur la base d'une critique radicale de la société de consommation actuelle, une remise en cause plus globale de cette société et qui promeuvent, dans la foulée, des solutions concrètes afin de «rompre» avec le modèle actuel. Il en va ainsi de la **simplicité volontaire,** un mouvement déjà évoqué au chapitre 2. La capsule 13.2 dépeint sommairement la philosophie de ses adeptes. Au-delà de ce groupe d'adeptes, dont le nombre reste marginal, l'influence grandissante de ce mouvement sur notre société est certaine. De nombreux groupes sociaux ont ainsi adopté certains des principes de ce nouveau minimalisme choisi ou accepté. C'est le cas au Québec des ACEF (Associations coopératives d'économie familiale du Québec), par exemple. Le courant de la simplicité volontaire a fait de la résistance personnelle ou collective à la surconsommation l'un de ses principaux chevaux de bataille. L'intérêt que suscitent aujourd'hui ces thèses en Amérique du Nord est porteur pour les mouvements de défense des consommateurs, qui voient légitimés des éléments présents depuis longtemps au cœur de leur discours. Au-delà de cette légitimation, les ouvrages à grand succès comme *No logo*[11] de Naomi Klein, ou *Votre vie ou votre argent ?*[12], écrit par un ancien conseiller financier de Wall Street (Joe Dominguez) et une ex-actrice (Vicki Robin), renouvellent également un discours qui a pu, parfois, sembler usé, en proposant des solutions pratiques, au quotidien, afin d'établir un rapport différent à la consommation.

CAPSULE 13.2

La simplicité volontaire

Serge Mongeau est souvent considéré au Québec comme le porte-parole d'une nouvelle façon de vivre, celle de la simplicité volontaire. Ce mouvement, si on peut le qualifier ainsi, né aux États-Unis dans les années 1960, semble séduire de plus en plus de citoyens consommateurs dans les grands pays industrialisés. Pour ses tenants, la simplicité volontaire consiste à s'éloigner des pressions de la société de consommation, qui tente de nous convaincre que le bonheur passe nécessairement par l'acquisition de certains biens et services. À leurs yeux, la simplicité volontaire n'est pas un retour à la pauvreté, mais plutôt l'adhésion à un style de vie fondé sur une «sobriété joyeuse». Selon les termes de Serge Mongeau : «Simplifier sa vie, c'est aller à ce qui est important pour nous et laisser tomber le reste. En fait, simplifier sa vie, ça demande beaucoup moins d'argent et, quand on a besoin de moins d'argent, on a moins besoin de travailler, on a plus de temps pour vivre (entre amis), pour faire les choses qui sont importantes : avoir une alimentation saine, faire de l'activité physique, lutter contre le stress, s'épanouir, maintenir un environnement sain...» La simplicité volontaire est donc un choix de vie, qui se double d'une réflexion plus globale sur les conséquences environnementales, psychologiques et sociales d'une consommation que les tenants de cette approche estiment effrénée.

Source : S. MONGEAU, *La belle vie,* Montréal, Les Éditions Écosociété, 2004.

Le consumérisme à l'heure du Web 2.0

Les mouvements consuméristes traditionnels, institutionnalisés ou non, semblent avoir vite compris les avantages associés à l'exploitation d'**Internet** en tant qu'outil d'information et d'échange. Les inforoutes représentent en effet un médium efficace et économique pour diffuser de l'information sous des formats divers, permettre la rencontre de consommateurs ou coordonner certaines actions. La **concertation** est, bien sûr, un élément fondamental pour le succès des actions des mouvements consuméristes. En fait, la force acquise grâce au regroupement de consommateurs est à la base même de l'existence de ces mouvements. En exploitant cet outil, les associations de défense des consommateurs ont trouvé un moyen privilégié de répondre à leur mission. Ainsi, on voit naître de nouvelles formes de l'action consumériste. Certains mouvements activistes, aussi volontaires que décidés, organisent par exemple des «cybermanifestations» au cours desquelles le site d'une entreprise, en général prévenue à l'avance, est assiégé durant une certaine période en signe de protestation contre telle ou telle pratique commerciale ou corporative. L'encadré suivant décrit de telles pratiques qui ont cours au Québec et qui touchent plus particulièrement le marché de l'essence.

L'ESSENCE SOUS HAUTE SURVEILLANCE

Les consommateurs sont nombreux à se plaindre au Québec du niveau élevé du prix de l'essence et de la disparité de ce prix dans les différentes régions de la province. Diverses associations se sont constituées afin de faire pression à la fois sur les entreprises de distribution pétrolière et sur les organismes gouvernementaux nouvellement chargés de la surveillance des pratiques concurrentielles de ces entreprises. Informations sur les prix en temps (quasi) réel, appels au boycottage et autres actions concertées ont rapidement trouvé sur les inforoutes un espace accessible et propice. Un recensement rapide lors de l'écriture de la troisième édition de cet ouvrage nous a permis de repérer pas moins de cinq sites consacrés explicitement à ce sujet... une véritable toile de surveillance des prix et de coordination possible pour l'action concertée de consommateurs branchés !

Ces différentes formes d'«activisme en ligne» ont enfin permis aux groupes qui font de la dénonciation de la pression publicitaire leur principal cheval de bataille de retrouver un nouvel élan. Une association canadienne basée à Vancouver, Adbusters, adepte notamment du mouvement «slow», a acquis une notoriété inattendue grâce à un magazine mensuel disponible en kiosque, un site présentant de nombreux détournements publicitaires et des méthodes qui s'inspirent assez directement de celles du marketing viral. Il en est de même de l'association française Casseurs de pub (*voir la capsule 13.3*). Par leurs critiques radicales, leur humour féroce et leur utilisation efficace de nouveaux moyens de communication ou d'échange, ces initiatives au succès grandissant augurent sans doute positivement de l'avenir de nombreux groupes consuméristes, aujourd'hui limités par

CAPSULE 13.3

Casseurs de pub

La publication d'un livre très cynique par un publicitaire de renom, *99 F* de Frédéric Beigbeder, puis la réalisation d'un film à partir de cet ouvrage, a alimenté de nombreux débats sur la place de plus en plus importante que prend la publicité dans notre environnement... et dans notre vie. Casseurs de pub en France et Adbusters au Canada sont autant de regroupements activistes qui proposent une critique virulente du monde publicitaire et de ses techniques, en mobilisant notamment les ressources du Web de manière assez efficace. Visitez leurs sites (www.adbusters.org et www. antipub.net), vous en serez bientôt convaincus ! À l'opposé, certains événements, comme la présentation à Montréal de «La Nuit de

la pub», réussissent à faire salle comble année après année. Fascination perverse pour les instruments de sa propre aliénation ? Paul Cauchon, journaliste au *Devoir,* reconnaît qu'il s'agit bien là de «l'événement le plus paradoxal de l'année». Peu importe le sens que l'on veut bien leur donner, pour ou contre, ces différentes manifestations témoignent à l'évidence de la portée sociale et culturelle du «produit publicitaire», au-delà même de sa simple justification commerciale. Usant avec outrance du second degré, Beigbeder déclare avoir écrit son livre pour se faire mettre à la porte de son agence, ce qu'il a en effet réussi... et pas seulement au figuré cette fois !

Source: F. BEIGBEDER, *99 F,* Paris, Grasset, 2000.

une approche moins souple. Cette évolution présente bien entendu de nouveaux défis pour les entreprises qui doivent composer avec une clientèle toujours mieux informée et organisée. Il ne faut toutefois pas oublier qu'Internet et les nouvelles solutions interactives (mobiles, par exemple) sont aussi susceptibles de servir de support à l'avènement d'un nouveau **dialogue** entre entreprises et consommateurs. C'est du moins une hypothèse qu'il est aujourd'hui possible de formuler. La présence des consommateurs sur Internet, en deçà de l'action collective, se manifeste en effet aussi sur un plan individuel. Tripadvisor, déjà évoqué au chapitre 6, Facebook et une multitude d'autres sites, s'apparentant à la nébuleuse de ce que l'on nomme aujourd'hui les médias sociaux, permettent aux clients de faire état de leur appréciation de leurs expériences de consommation. De plus en plus d'entreprises intègrent aujourd'hui formellement ces médias sociaux dans le cadre de leur stratégie de communication marketing, en en faisant quelquefois la base même. Les enjeux associés au développement durable font en particulier l'objet de beaucoup d'échanges sur ces nouvelles plateformes interactives de communication. Parfois, ces initiatives prennent un tour inattendu. Comme l'illustre la photographie présentée ci-contre, le site sauvonslapinte.com a ainsi remporté un grand succès auprès de citoyens/consommateurs ayant pris à cœur de sauvegarder ce qu'ils pensaient être un symbole de l'histoire de la ville de Montréal, une histoire aussi faite de… consommation! Une initiative soutenue habilement par la Fédération des producteurs de lait du Québec.

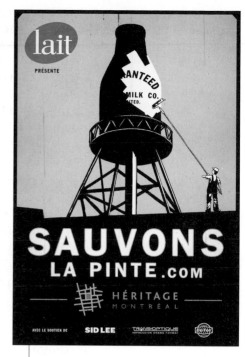

La préservation d'objets publicitaires, devenus artefacts, peut aussi mobiliser les citoyens-consommateurs.

13.3 La protection du consommateur au Canada

Le paradoxe du surchoix

Les consommateurs ont aujourd'hui à leur disposition une pléthore de produits et de services. Dans un tel contexte, on pourrait s'attendre à ce que leur **satisfaction** à l'égard de ces produits et services soit toujours à la hausse. D'autant plus que les déréglementations successives qui ont touché de nombreux marchés – ceux des assurances, des communications ou du transport aérien, par exemple – ont eu pour effet de raréfier de plus en plus les positions de monopole dont pouvaient encore jouir certaines entreprises. Dans une logique de segmentation toujours plus fine, en multipliant le nombre de produits et de services disponibles, les gestionnaires en marketing sont en droit d'espérer que chaque consommateur finisse bien par trouver «chaussure à son pied». La création de larges **banques de données** permettant de mieux cerner les comportements d'achat ainsi que l'essor du **marketing relationnel** sont d'autres facteurs susceptibles de contribuer positivement à une meilleure réponse aux besoins des consommateurs. Pourtant, on constate que le niveau de satisfaction des consommateurs à l'égard des produits et des services qu'ils consomment est loin de s'améliorer. Ici, le succès non démenti d'émissions télévisées telles que *J.E.* ou *La facture* témoigne à l'évidence des préoccupations des Québécois à cet égard. Une des explications de ce phénomène réside peut-être dans la capacité nécessairement limitée des consommateurs à traiter l'information. La **complexification du choix**[13] qui découle de la multiplication des lignes ou des gammes de produits a pour effet de créer de l'anxiété ou une plus grande dissonance. Sous ce rapport, une situation exemplaire est celle du secteur bancaire, et plus particulièrement du domaine des placements financiers. Le choix est aujourd'hui si vaste que de nombreux consommateurs ne s'y retrouvent plus et font montre de bien plus d'inquiétude ou d'appréhension que de satisfaction. Une autre raison de cette insatisfaction endémique réside sans doute dans le regard de plus en plus critique que portent beaucoup de personnes sur la société de consommation elle-même et sur ses avatars (par exemple, produits trop souvent défectueux, personnel pas toujours compétent, sollicitations continuelles, pression publicitaire excessive ou produits et services difficilement comparables).

Les organismes de défense des droits des consommateurs, à l'instar de certains organismes de régulation, ont précisément pour rôle de recevoir et de traiter les plaintes des consommateurs, ou de prévenir celles-ci, en s'assurant du respect des lois et des règlements qui encadrent les marchés. Les entreprises elles-mêmes ne sont pas en reste et s'efforcent, de manière autonome ou au sein de regroupements professionnels, de répondre aux soucis légitimes de leurs clients. Dans la section suivante, nous présentons certains de ces organismes, institutions ou associations professionnelles.

Les organismes de défense des droits des consommateurs au Canada

Si le mouvement consumériste au Canada et au Québec n'a jamais eu ni l'ampleur ni l'impact qu'on lui connaît aux États-Unis, il existe tout de même aujourd'hui une multitude d'organismes ou d'associations qui se préoccupent de la défense des consommateurs au pays. De façon un peu arbitraire et pas toujours exclusive, nous distinguerons ici trois catégories principales qui nous guideront dans notre présentation : les **organismes publics ou gouvernementaux,** les **associations de protection des consommateurs** et les **associations professionnelles** mises sur pied par les acteurs de l'industrie eux-mêmes, souvent dans une perspective d'autorégulation ou d'autodiscipline.

Les organismes publics de défense des consommateurs

L'Office de la protection du consommateur L'adoption du projet de loi n° 45 (aujourd'hui Loi sur la protection du consommateur) par l'Assemblée nationale du Québec en 1971 marque la naissance de l'Office de la protection du consommateur (OPC). Selon ses propres termes, l'Office est chargé, au nom du gouvernement du Québec, de faire appliquer quatre lois[14], dont celle portant sur la protection du consommateur. Les domaines placés sous son autorité regroupent les contrats relatifs aux biens et services, au crédit ainsi qu'aux automobiles et motocyclettes, la réparation d'appareils domestiques, les pratiques de commerce, la publicité et les garanties.

Depuis 1998, l'OPC s'est également vu confier le mandat d'élaborer un programme d'information sur le commerce électronique et de mettre sur pied un programme de certification volontaire des entreprises. Malgré des coupes budgétaires d'importance, l'OPC, qui a été à l'avant-garde de batailles mémorables, dont celle menée en 1972 contre la publicité s'adressant aux jeunes de moins de 13 ans, demeure courageusement actif.

L'énoncé suivant, qui expose la mission de l'Office, reflète bien sa philosophie d'action ou d'intervention :

Mission de l'Office de la protection du consommateur

L'Office de la protection du consommateur surveille l'application des lois sous sa responsabilité, informe collectivement et individuellement les consommateurs, les éduque et reçoit leurs plaintes. De plus, il favorise la concertation des acteurs du marché de la consommation[15].

Cette mission se décline en quatre volets : l'information et l'éducation, la concertation, la surveillance et l'indemnisation.

Le Bureau de la consommation d'Industrie Canada Définissant sa mission de façon moins coercitive, le Bureau de la consommation se consacre principalement à l'information des consommateurs à l'échelle canadienne, ainsi qu'à la réalisation de recherches et d'analyses dans le domaine de la consommation. Selon ses propres termes, son but est de promouvoir un marché efficace qui appuie et fait avancer les intérêts des consommateurs canadiens, et de protéger ces mêmes consommateurs lorsque le marché ne parvient pas à le faire. La conviction affichée ici est que, pour que le secteur des affaires demeure dynamique et concurrentiel, le concours efficace et éclairé des consommateurs est nécessaire.

Le Conseil de la radiodiffusion et des télécommunications canadiennes (CRTC) Établi par le Parlement canadien en 1968, le CRTC est l'autorité publique indépendante de régulation des nombreux aspects du paysage audiovisuel et des télécommunications au Canada. Son objectif essentiel étant d'assurer l'accès de tous les Canadiens à des contenus de qualité, les décisions du CRTC entraînent des conséquences directes ou indirectes importantes, qu'il s'agisse de la distribution des produits audiovisuels, du marché en pleine explosion des télécommunications ou encore de celui de la publicité.

Les associations de protection du consommateur

Option consommateurs D'abord nommée ACEF-Centre, Option consommateurs est une association sans but lucratif vouée à la défense et à la promotion des intérêts des consommateurs du Québec. Cette association concentre ses actions sur l'aide aux personnes défavorisées sur le plan économique (soit le groupe des démunis dont nous avons parlé dans le chapitre 9 sur les sous-cultures). Option consommateurs propose différents services : information, éducation, consultations budgétaires, médiation et mise sur pied de recours collectifs (par exemple, avec succès contre Maple Leaf en 2008 à la suite du risque de contamination de certains produits par la Listeria).

Autres groupes et associations Au Québec, parmi les autres groupes et associations actifs, on peut citer : diverses associations coopératives d'économie familiale (ACEF) ; la Coalition des associations de consommateurs ; l'Union des consommateurs ; Transport 2000, qui se préoccupe de la défense des usagers du transport en commun ; l'Association des consommateurs pour la qualité dans la construction ; le Groupe de recherche en animation et planification économique (GRAPE), qui aide les consommateurs à maîtriser leur situation financière au moyen d'une démarche éducative. L'APA (Association pour la protection des automobilistes), quant à elle, est un organisme canadien sans but lucratif qui se donne pour mission la défense des automobilistes face, notamment, aux constructeurs automobiles, à l'industrie pétrolière ou aux compagnies d'assurance. Hors de la nébuleuse de ces nombreuses associations, les principaux syndicats actifs au Québec, en raison de leur mission et de leur influence politique et sociale, sont amenés fréquemment à prendre position sur des sujets touchant à la consommation et à se prononcer sur les intérêts des consommateurs en général. On peut ici donner pour exemple la prise de position, très hostile, de la Centrale des syndicats du Québec (CSQ) quant à la publicité dans les écoles.

Les associations professionnelles ou d'industrie

En parallèle à la montée des mouvements consuméristes, les entreprises se sont elles-mêmes dotées d'un ensemble de moyens afin d'améliorer et de discipliner leurs pratiques commerciales, soit de façon individuelle, soit à travers différents regroupements sectoriels ou professionnels. Nous présentons ci-après quelques-uns de ces regroupements ou efforts collectifs. Nous aborderons dans la dernière partie de ce chapitre la question de la responsabilisation des entreprises, au-delà de l'action des différents ordres professionnels, très influents dans le secteur des services notamment (professions médicales, juridiques et comptables, par exemple).

L'Association des agences de publicité du Québec et les Normes canadiennes de la publicité L'Association des agences de publicité du Québec (AAPQ), qui regroupe plus de 60 membres correspondant à plus de 80 % du chiffre d'affaires de la publicité réalisée par les agences du Québec, s'est donné pour objectif de contribuer à l'amélioration de la qualité de la publicité, à la sensibilisation du public à l'importance du rôle des agences, et à la définition des règles d'un code d'éthique à l'intention de ses membres. Ces objectifs, au-delà de la promotion immédiate des intérêts économiques des agences, illustrent bien l'importance que revêtent, pour de nombreuses associations professionnelles, les efforts de régulation d'un secteur d'activité par les acteurs mêmes de ce secteur, cela afin de corriger certains dysfonctionnements du marché et, peut-être, de prévenir ainsi une intrusion gouvernementale trop massive ou contraignante. L'association nationale de l'industrie appelée Normes canadiennes de la publicité (NCP) obéit explicitement à ce principe d'autorégulation. Cette association administre le Code canadien des normes de la publicité, principal outil visant l'autoréglementation de cette industrie. Elle reçoit également les plaintes des consommateurs, lesquelles sont examinées et font l'objet de prises de décision par des comités regroupant à la fois des représentants de l'industrie et des consommateurs. Les points marquants du rapport des plaintes contre la publicité en 2008 sont présentés dans l'encadré qui suit.

LES POINTS MARQUANTS DU RAPPORT DES PLAINTES CONTRE LA PUBLICITÉ EN 2008

En tout, 1 119 plaintes de consommateurs, portant sur 778 publicités, ont été reçues. Le nombre de plaintes est en baisse constante depuis les quatre dernières années. Cependant, en analysant les plaintes, les NCP constatent que s'il y a eu moins de plaintes en 2008 qu'en 2007, un nombre grandissant de publicités contreviennent aux normes édictées.

Les principales préoccupations exprimées :

- la publicité destinée aux adultes comportant des descriptions ou des représentations inacceptables ;
- la publicité perçue comme étant inexacte ou mensongère ;
- la représentation de situations pouvant être interprétées comme un encouragement à des pratiques ou à des gestes imprudents ou dangereux.

L'Association canadienne des radiodiffuseurs et le Conseil canadien des normes de la radiotélévision L'Association canadienne des radiodiffuseurs (ACR) est, depuis 1926, la porte-parole nationale des radiodiffuseurs privés du Canada. Elle se donne pour objectif l'amélioration de la qualité des programmes, mais elle contribue aussi à responsabiliser ses membres par rapport à des problématiques qui touchent directement les consommateurs, par exemple la violence à la télévision ou la promotion de la musique canadienne. Né au sein de l'ACR, le Conseil canadien des normes de la radiotélévision (CCNR) est un organisme unique qui, avec l'appui de l'ACR et du CRTC, encourage les radiotélédiffuseurs privés du Canada à s'autoréglementer. Ailleurs dans le monde, de tels regroupements prennent souvent la forme d'organismes gouvernementaux, institués par une loi et disposant de pouvoirs quasi judiciaires. En ce sens, cet organisme est un parfait exemple des efforts conjugués et volontaires des acteurs d'une industrie visant la régulation de celle-ci. En février 2010, l'organisme annonçait toutefois la fin de ses activités à la suite d'une querelle entre les radiodiffuseurs et les câblodistributeurs[16].

À l'exemple des NCP, le Conseil canadien des normes de la radiotélévision (CCNR) définit et met en œuvre un certain nombre de normes ou de codes (le CRTC demeurant toutefois l'ultime responsable de la réglementation), reçoit et traite les plaintes du public, et informe enfin ses membres des nouvelles tendances sociétales. À titre d'illustration, c'est le CCNR qui applique le code concernant les stéréotypes sexuels à la radio et à la télévision. Ce code émane lui-même de l'ACR, après dix années de consultation auprès d'organismes tels que le Conseil consultatif canadien sur la situation de la femme, l'Alliance pour l'enfant et la télévision, le Comité canadien d'action sur le statut de la femme, Évaluation-médias, la Fédération des femmes du Québec, les Canadiens qui s'inquiètent des divertissements à caractère violent (C-CAVE), le Toronto Women in Film and Video, l'Alliance of Canadian Cinema, Television and Radio Artists (ACTRA), la Coalition canadienne contre la pornographie dans les médias, etc. Nous pouvons donc constater que le fait de s'autoréglementer implique aussi l'obligation pour une industrie de composer avec une multitude de groupes de pression!

Le Better Business Bureau® Fondé en 1912, le Better Business Bureau® (3B), fortement implanté aux États-Unis et au Canada, se donne pour objectif de rapprocher consommateurs et entreprises afin de régler leurs éventuels différends. Selon les membres de cet organisme, la grande majorité des problèmes survenant dans les marchés de consommation sont susceptibles de trouver des solutions, acceptables par chacune des parties, grâce à des mécanismes de régulation volontaires et à l'éducation des consommateurs. L'action du Better Business Bureau® s'inscrit dans une perspective assez large recouvrant notamment cinq domaines: la production de rapports sur la fiabilité des entreprises, la résolution de disputes entre consommateurs et entreprises, la promotion de pratiques commerciales correctes en matière de publicité, l'éducation éthique auprès des entreprises et des consommateurs et, enfin, la surveillance d'organismes charitables ou philanthropiques.

Il existe bien sûr de nombreuses autres associations professionnelles. La publicité ci-contre présente, à titre d'exemple, la garantie des maisons neuves de l'Association provinciale des constructeurs d'habitations du Québec (APCHQ), association qui regroupe, comme le mentionne la publicité, 80 % des entrepreneurs actifs dans la construction de maisons neuves au Québec.

Une publicité qui table sur la valeur que représente la garantie d'une association professionnelle.

13.4 Une question de responsabilité pour les gestionnaires?

La responsabilisation des entreprises

Nous avons d'ores et déjà eu l'occasion de décrire les efforts déployés par certaines entreprises afin de discipliner elles-mêmes leur secteur d'activité, efforts qui démontrent clairement qu'elles ne sont pas demeurées passives à la suite de la poussée des mouvements consuméristes. Au fil des années, beaucoup ont su en effet mettre en place un certain nombre de politiques afin de mieux répondre aux besoins de leurs clients et de proposer aux consommateurs une expérience plus satisfaisante. Les références, de plus en plus fréquentes en marketing, à la nécessité d'une définition de **relations mutuellement profitables** avec les marchés sont venues conforter encore ces politiques, qui font alors figure de véritables stratégies relationnelles. Il importe ici de souligner que ce souci de respect du client peut recouper la définition de politiques plus générales, relatives par exemple à la valorisation des employés, au respect de la sécurité et de la santé au travail ou à la protection environnementale, dans un cadre ou non de développement durable. Ces problématiques font également partie des préoccupations de nombreux mouvements syndicaux et consuméristes.

Au-delà de l'existence d'associations professionnelles permettant de coordonner efficacement leurs actions sur les marchés, certaines entreprises se sont donc progressivement dotées, à leur propre niveau (c'est-à-dire de façon individuelle), de mécanismes de surveillance de leurs pratiques commerciales ainsi que de réactions aux plaintes et aux demandes provenant de leur clientèle ou encore de différents groupes de pression. Alors que, par le passé, les interventions dans ce domaine se limitaient souvent à un exercice de relations publiques, le défi pour les entreprises consiste aujourd'hui non seulement à réagir convenablement, mais également à prévenir ces problèmes ou ces crises dans un cadre plus large, en intégrant les préoccupations des consommateurs dans leurs processus de décision, quel que soit le niveau auquel sont prises ces décisions. Dans un marché qui exige davantage de transparence sur tous les plans, le fait d'adopter un double langage devient en effet de plus en plus périlleux. Il y a là un réel défi d'intégration des communications et des actions de l'entreprise eu égard à ses différents publics: clients, gouvernements, groupes de pression, organismes professionnels, employés, fournisseurs, actionnaires, etc.

On constate donc que la **responsabilisation** de l'entreprise ne peut se limiter à la mise en place d'un département de service à la clientèle, de procédures de traitement des plaintes, d'un code d'éthique ou de la mise à disposition d'un numéro 1 800! Cette démarche de responsabilisation, qui ne s'arrête pas encore une fois à l'information des clientèles ni à la mise en œuvre de systèmes purement réactifs, engage en fait l'entreprise dans la nature des liens qu'elle tisse avec l'ensemble de ses partenaires. Comme on touche ici à la formulation même de sa philosophie de gestion, on ne s'étonnera pas de retrouver de plus en plus de préoccupations éthiques, explicitées dans l'énoncé de la mission d'une entreprise, comme en témoigne l'exemple dans l'encadré suivant pour la société Coca-Cola. S'il est possible de considérer de tels propos avec un certain cynisme et de relever les contradictions entre les discours et les actions de certaines entreprises, il n'en demeure pas moins que ces discours témoignent aussi d'une réelle prise de conscience de leur part.

Lorsqu'on évoque la tendance actuelle à la responsabilisation des entreprises et l'émergence d'une forme de **citoyenneté corporative,** il importe enfin de considérer l'importance que prend aujourd'hui la question du traitement de la grande quantité d'information dont elles disposent. Grâce à différents moyens électroniques, il est de plus en plus aisé de conserver les traces des comportements d'achat de grands groupes de consommateurs. Ces bases de données, qui permettent la reconstitution de véritables historiques de consommation, s'inscrivent dans une logique de marketing relationnel. Sources de pouvoir pour les entreprises, leur utilisation implique également de nouvelles responsabilités. Le défi est d'autant plus grand que les consommateurs sont de plus en plus soucieux de l'usage que les entreprises feront de cette information, comme le sous-entendent les avis presque systématiques donnés à ce sujet par les principaux sites de commerce en ligne, sous le titre de « Politiques de confidentialité » ou autres. Ces enjeux se renforcent bien sûr à l'heure où les médias sociaux, de Facebook à Twitter, permettent à un grand nombre de personnes d'accéder à de l'information personnelle.

Une responsabilité à partager

Le citoyen consommateur

Les consommateurs portent également une part de responsabilité lorsqu'ils exercent leurs choix et leurs activités liés au monde de la consommation, ce que leur rappellent d'ailleurs amplement les mouvements consuméristes, dans le cadre d'un discours à la fois informatif et éducationnel. Chacun de nous est ainsi de plus en plus invité à prendre conscience des répercussions de ses actions individuelles à un échelon mondial ou sociétal. La responsabilisation des **citoyens consommateurs** relativement à l'utilisation des différentes formes d'énergie ou leur participation à la collecte sélective des déchets constituent de bons exemples de cette prise de conscience souhaitée. Regardez à cet effet la publicité ci-contre invitant à la lecture de l'étiquette ÉnerGuide. Voyez également à la page suivante la publicité du ministère du Développement durable, de l'Environnement et des Parcs. Toujours à titre d'exemple d'invitation à une consommation plus responsable,

Une publicité qui invite à la lecture d'une étiquette informative.

Cette annonce invite à limiter l'utilisation de pesticides dans l'entretien de ses espaces paysagers.

mentionnons que le consommateur peut aujourd'hui acheter des produits fabriqués avec du bois provenant de forêts « certifiées FSC », une sorte de sceau « écologique » de plus en plus populaire aux États-Unis, mais encore bien timide au Québec. La capsule 13.4, quant à elle, aborde le concept de produit « équitable » avec l'exemple du café. Depuis plusieurs années, les produits dits « équitables » se multiplient. Au-delà du café, du thé, du chocolat ou des bananes, on évoque même un certain tourisme équitable. Dans la capsule, prenez connaissance, à ce propos, de l'opinion de Laure Waridel, la figure de proue de cette tendance au Québec.

Si le marketing relationnel, auquel souscrivent de plus en plus d'entreprises, favorise les relations à long terme plutôt que les relations à court terme de même que l'équité dans la répartition des bénéfices entre les différentes parties de la relation, il met aussi en avant la confiance et le partage des responsabilités entre ces mêmes partenaires. Qu'il soit question de contrefaçon, de vol à l'étalage ou de piratage informatique, les actions des consommateurs sont susceptibles d'entraîner des conséquences majeures pour l'ensemble d'une industrie. C'est le cas, par exemple, avec l'industrie du disque qui doit maintenant se restructurer. Le coût du piratage informatique est considérable, même s'il est impossible de le chiffrer avec précision. D'autres menaces se font également jour, notamment la cybercriminalité et les attaques de virus. Considérant l'ampleur du problème, de nombreuses entreprises mettent aujourd'hui en œuvre des stratégies dynamiques dans le but d'empêcher ces comportements déviants. D'un point de vu gouvernemental, les campagnes menées au Québec contre le travail au noir relèvent sensiblement de la même logique. Nous avons présenté plus haut, à la page 455, la page couverture d'une brochure produite par la Régie du bâtiment du Québec à ce sujet.

CAPSULE 13.4

Acheter, c'est voter

Laure Waridel aime bien citer cette phrase de Victor Hugo : « L'utopie d'aujourd'hui est la réalité de demain. » Il est vrai que cet aphorisme résume bien la ligne d'action de la jeune femme, qualifiée de nouvelle *leader* par plusieurs grands quotidiens et magazines du Canada. L'organisme québécois Équiterre, dont elle est la cofondatrice et présidente, se donne pour mission de promouvoir des choix écologiques et socialement équitables. Le cas du café a retenu son attention de façon toute particulière. S'interrogeant sur la manière de contrer certains rouages commerciaux qui contribuent à accroître les inégalités entre producteurs des pays du Sud et consommateurs des pays développés, Laure Waridel en est arrivée à une conclusion qui, si elle n'est pas nouvelle, a le mérite d'être simple et de constituer aussi l'amorce d'une solution. Cette conclusion ? Les consommateurs détiennent, par les choix d'achat qu'ils font quotidiennement, un pouvoir dont ils peuvent user pour promouvoir un commerce plus équitable. Ces petits gestes finissent par avoir une grande portée. Tel est le pari. Les consommateurs d'aujourd'hui, mieux informés, prennent de plus en plus conscience de l'incidence de leurs activités de consommation sur le reste du monde, que ce soit à l'échelon de leur quartier ou à celui de la planète tout entière. Dans le prolongement de cette prise de conscience, Laure Waridel invite les consommateurs que nous sommes à faire de nos décisions d'achat des choix conformes à notre responsabilité de citoyen. Comme elle le résume si bien : acheter, c'est voter !

Source : L. WARIDEL, *Acheter, c'est voter,* Montréal, Écosociété, 2005.

Les comportements de consommation compulsifs[18]

Au chapitre du partage des responsabilités, certaines situations permettent difficilement de délimiter la part respective de chacun. C'est le cas, par exemple, des situations de consommation ou d'achat compulsif. La consommation compulsive apparaît comme une réponse à une pulsion, à un désir irrépressible d'obtenir, d'utiliser ou d'expérimenter une substance, une activité, un sentiment[19]. Elle conduit l'individu à s'engager dans un comportement répétitif qui, à la longue, peut lui être néfaste. La consommation compulsive touche de nombreux domaines : outre le jeu compulsif, on peut parler d'achat compulsif et même de travail compulsif. On peut aussi parler de dépendance compulsive aux nouvelles technologies : BlackBerry, cellulaires et autres babioles électroniques utilisées en tout lieu, y compris au volant de son véhicule. On y associe également l'abus de substances telles que l'alcool, les stimulants ou les sédatifs, ainsi que maints désordres alimentaires comme l'anorexie ou la boulimie. On parle même maintenant de piratage compulsif ! Les études indiquent que l'achat compulsif correspond à un comportement pérenne qui se traduit par des achats répétitifs, souvent excessifs, apparaissant comme la solution ou l'antidote à une tension, une anxiété, un problème, une dépression ou un ennui, bref, une façon de combler un vide émotionnel[20]. L'objet de la compulsion est le processus d'achat lui-même, et non les produits achetés. À la suite de ces achats, l'individu peut ressentir un certain soulagement, une certaine gratification, de courte durée par ailleurs, mais aussi un sentiment de culpabilité ou de regret. Pour illustrer notre propos, nous vous proposons de lire la capsule 13.5 qui traite de la fièvre des emplettes et de l'importance de la consommation en tant que vecteur d'identité.

CAPSULE 13.5

La dépendance à l'achat

La fièvre des emplettes

« Je suis, avoue Dominique, 40 ans, une spécialiste des foulards. J'ai gâché ma vie à cause des foulards. Chaque jour, je me promets d'arrêter. Et puis le désir me reprend. Avant d'acheter, je souffre, j'hésite, je m'agite. Mais dès que le paquet est prêt, je suis apaisée, même gaie. C'est honteux. J'essaie de résister, mais ma vie est triste quand je n'achète rien. Je n'ai même pas besoin de ces vêtements, qui restent au fond de mon armoire. Il m'est même arrivé de ne pas rapporter chez moi les vêtements que j'avais achetés ! Régulièrement, pour calmer ma honte, j'offre des sacs entiers d'habits aux associations caritatives. » L'achat inutile – le fameux coup de tête – est un caprice auquel on cède avec un plaisir vaguement coupable : l'objet est inutile, le vêtement un peu cher, mais qui regrette vraiment ces petits dérapages ? L'achat compulsif est un achat pour l'achat. Il diffère en cela radicalement des « petites folies » que nous nous autorisons tous. Les acheteurs compulsifs éprouvent, au moment de l'achat, une véritable ivresse de la dépense, comparable au frisson d'angoisse et de plaisir ressenti par le joueur qui risque sa fortune en misant des sommes importantes au casino. L'acheteur compulsif poursuit d'objet en objet l'espoir d'un achat qui pourrait changer sa vie, le rendre heureux ou séduisant à ses propres yeux, comme aux yeux des autres. Il se laisse totalement gagner par la magie de la consommation.

Je consomme donc je suis !

La société de consommation est fondée sur le renouvellement constant d'une sensation de manque et de besoin. Ses propositions d'achats multiples et variées ne connaissent pas plus de limites que l'inventivité des publicitaires. Le sociologue Jean Beaudrillard[21] a critiqué ce sentiment artificiel de besoin, puis de manque, qui emprisonne l'individu dans ce que l'auteur qualifie de véritable «système des objets». Il a démontré à quel point le véritable objectif de la publicité est de suggérer que l'on «ne peut pas vivre sans acheter». La publicité renforce ainsi le poids de la société de consommation et de ce «système des objets» sur l'individu. «Le ludique de la consommation, écrit-il, s'est substitué progressivement au tragique de l'identité...» Un phénomène relatif d'infantilisation également bien illustré par le philosophe Pascal Bruckner dans son ouvrage *La tentation de l'innocence*[22]. Ces sentiments de besoin, puis de manque, avivés par le goût de la nouveauté et la sensibilité aux messages publicitaires, déterminent donc à la fois la fréquence et l'orientation des achats[23]. Un sentiment d'urgence et de nécessité assaille le consommateur: ses achats sont des «occasions à ne pas manquer». Les circonstances de l'achat (acquisition au terme d'une longue négociation ou d'une laborieuse recherche, comme c'est souvent le cas pour les achats importants, surprise d'une découverte presque par hasard au fil d'une promenade pour les achats courants, etc.) et la mise en scène de la vente (ambiance du magasin, attitude des vendeurs, etc.) sont elles aussi déterminantes.

Source: «*L'addiction à l'achat*», *Sciences et Avenir,* avril 2000, nº 122, y compris, en première partie, les propos de Michel LEJOYEUX, psychiatre, hôpital Louis-Mourier, Colombes (France).

Dans une étude[24] portant sur près de 400 adolescents québécois, des chercheurs en marketing sont parvenus à montrer l'influence sur les comportements d'achat compulsif de facteurs relevant à la fois de la personne et de l'environnement. Sur le plan de la personnalité, il semble tout d'abord que les jeunes acheteurs compulsifs soient plus matérialistes, plus envieux, moins généreux et éprouvent plus de plaisir lorsqu'ils magasinent que les consommateurs chez qui ce comportement est rare. L'étude citée démontre également qu'au-delà de facteurs assez intimement associés à la personnalité, l'environnement agit aussi sur ces comportements de façon marquante. Parmi ces influences, on trouve celle des pairs (par exemple, le groupe d'amis), de la famille ou encore des médias, notamment par l'action de la pression publicitaire. Enfin, l'environnement commercial (l'atmosphère du magasin ou les caractéristiques du lieu de magasinage) exerce aussi une certaine influence.

Une compulsion s'accompagne malheureusement souvent de plusieurs autres compulsions. La consommation compulsive est une **dépendance** (*addiction*), c'est-à-dire qu'il y a création d'une assuétude physiologique et psychologique à un produit ou service (ou encore à un processus, comme nous venons de le voir avec l'achat compulsif). Ainsi, certains entretiennent-ils une véritable dépendance à l'égard d'Internet ou des jeux de rôle et de leur Wii.

Les comportements de consommation compulsifs correspondent au côté sombre de la consommation. Dans un livre portant sur le comportement du consommateur, nous ne pouvions brosser un tableau du rapport des individus aux objets de consommation sans aborder cet aspect. C'était d'ailleurs l'invitation que nous avions lancée dans le chapitre d'introduction. Nous pourrions prétendre avoir ainsi bouclé la boucle, mais il faut comprendre que l'étude du consommateur est un sujet sans fin. Nous espérons que vous aurez le goût d'en savoir toujours plus à son propos et que vous ferez des connaissances ainsi accumulées un usage responsable et conforme à l'éthique.

Nous avons appris que :

- le consumérisme représente une forme d'action très importante sur les marchés de consommation dans les pays industrialisés. Il s'agit d'une perspective qu'il importe donc de prendre en considération lorsque l'on s'efforce de comprendre la dynamique de ces marchés. Dans le triangle entreprises-gouvernement-clients, les mouvements consuméristes contribuent par leurs actions à la structuration et à la régulation des marchés, dans le meilleur intérêt des consommateurs.

- le mouvement consumériste, véritable contre-pouvoir, a traversé diverses étapes de croissance en Amérique du Nord, lesquelles correspondent à différentes visions du consommateur. Aujourd'hui, après une institutionnalisation du mouvement et l'obtention de véritables succès sur le plan législatif ou réglementaire, on assiste à l'émergence de nouvelles formes d'action où les avantages des outils interactifs, en matière de communication, de coordination et d'échanges possibles entre consommateurs, sont largement mis à contribution.

- malgré la pléthore de produits et de services maintenant offerts sur le marché, la satisfaction des consommateurs à l'égard de ces produits et services demeure inégale. Au Canada, plusieurs organismes et associations, publics ou non, agissent à dessein non seulement de constituer un meilleur filet de protection, mais également de définir de nouvelles relations, mutuellement profitables, entre entreprises et consommateurs.

- des formes plus radicales de l'action consumériste émergent aujourd'hui. Les associations antipublicitaires telles que Casseurs de pub ou Adbusters en constituent de bons exemples. Un discours sous-tendant une réflexion très critique sur la société de consommation s'impose ainsi de plus en plus. À ce titre, la vivacité du discours du courant altermondialiste est à souligner tout comme les possibilités nouvelles offertes par les médias sociaux.

- les entreprises ne sont pas restées inactives devant cette évolution. Dans des marchés où l'information circule toujours plus facilement, les entreprises ont en effet été amenées à intégrer dans leurs décisions les réactions possibles de ceux-ci. Il y a là une prise de conscience qui n'est pas seulement intéressée, mais représente sans doute un prélude à l'avènement de relations plus responsables entre les diverses parties qui constituent aujourd'hui un marché ouvert et développé, sur les plans économique, social et environnemental.

- les consommateurs portent, eux aussi, une part de responsabilité dans la définition d'un marché présentant de meilleures conditions éthiques. L'ampleur du piratage d'œuvres, musicales ou filmées, ou des achats de produits de contrefaçon sont deux exemples de comportements portant atteinte à la santé d'industries entières (dans ces cas, celles de la musique, du cinéma et du luxe), limitant ainsi d'autant leur capacité d'innovation et pénalisant à long terme, au-delà d'un gain individuel immédiat, l'ensemble des parties en présence.

- les gestes de consommation compulsive représentent le côté sombre de la consommation, soulevant à leur tour la question de ce partage des responsabilités.

Questions de révision et de réflexion

1. Qu'entend-on par consumérisme?

2. Que retenez-vous de l'histoire du mouvement consumériste?

3. Considérez ce texte de la société Nestlé sur la création d'une valeur partagée et dites en quoi, selon vous, cette prise de position est une démonstration de l'adoption d'un comportement responsable par une entreprise?

   «Pour s'assurer un succès durable, une entreprise doit créer de la valeur non seulement pour ses actionnaires, mais aussi pour la société. C'est la création de valeur partagée [...]. Lorsqu'il est question de développement environnemental durable, la création de valeur partagée consiste à préserver l'environnement pour les générations futures [...]. Nous savons qu'une alimentation saine est une priorité pour nos consommateurs et nous cherchons sans relâche des façons d'améliorer nos produits. Comme les consommateurs se préoccupent de plus en plus des acides gras trans, du sodium et du sucre, nous avons reformulé plusieurs de nos produits afin d'en améliorer le profil nutritionnel et de répondre aux besoins de ceux qui veulent faire des choix santé [...]. Chez Nestlé, nous communiquons aux consommateurs les avantages nutritionnels de nos produits de plusieurs façons : au moyen d'information nutritionnelle sur nos sites Web, par l'intermédiaire du Service aux consommateurs et directement sur les emballages [...]. Nous étudions très attentivement les commentaires, plaintes et suggestions des consommateurs de manière à pouvoir répondre le plus possible à leurs attentes et nous leur fournissons l'information sur nos produits, dont ils ont besoin pour faire des choix alimentaires sains[25].»

4. Existe-t-il, selon vous, un équilibre du pouvoir entre les entreprises et les consommateurs? Le développement de nouvelles formes d'organisation et d'action, en ligne notamment, ou par le biais des réseaux sociaux, peut-il donner plus de pouvoir aux consommateurs?

5. L'institutionnalisation des mouvements consuméristes est-elle, selon vous, une bonne ou une mauvaise chose?

6. Depuis maintenant plusieurs années, il est question de «qualité totale» dans la production et de produits exempts de tout défaut. En pratique, les produits que vous achetez sont-ils conformes à cette philosophie? Êtes-vous satisfait des produits et des services mis en marché?

7. Trouvez-vous les étiquettes des produits suffisamment explicites? Y a-t-il un domaine en particulier où vous souhaiteriez trouver davantage de renseignements sur l'étiquette des produits?

8. Qu'est-ce que la simplicité volontaire représente à vos yeux?

9. L'assimilation fréquente des étudiants universitaires à des clients ou consommateurs vous semble-t-elle une évolution souhaitable et bénéfique? Pour quelles raisons ou à quelles conditions?

10. Selon Laure Waridel, «acheter, c'est voter». Êtes-vous d'accord avec cette affirmation? Pensez-vous qu'il puisse s'agir d'une solution généralement suffisante pour définir des rapports plus équitables entre pays développés et pays en voie de développement?

11. D'un point de vue éthique et commercial, que pensez-vous du téléchargement illégal de films en ligne? Les réactions coercitives des grands noms de l'industrie du cinéma vous semblent-elles appropriées? Quelle est la responsabilité réelle des consommateurs à cet égard?

12. Pensez-vous que les remises en cause de la société de consommation actuelle par les nombreux mouvements qui forment le mouvement altermondialiste soient porteuses d'avenir?

Une parole libérée?

« S'il y a quelque chose que le récent débat sur le vaccin contre la grippe A (H1N1) nous a appris, c'est que la "révolution de la parole citoyenne" annoncée depuis quelques années par les tenants de la démocratisation de l'information est bel et bien amorcée. Désormais, tout le monde peut dire n'importe quoi sur n'importe quel sujet en utilisant n'importe quel support. Terminée l'époque où seuls les "professionnels" de l'information avaient le droit de s'exprimer du haut de leur savoir chèrement acquis. Désormais, le micro est ouvert à tout le monde. Toutes les opinions s'équivalent et toutes les idées, même les plus farfelues et les plus dangereuses, ont pignon sur rue. Dans la vaste blogosphère qu'est devenu notre monde, les charlatans les plus déjantés côtoient les spécialistes les plus pointus. Pour chaque étude qui affirme que les vaccins sont inoffensifs, deux autres prouvent qu'ils sont néfastes. Confronté à cet amas de chiffres qui se contredisent, se chamaillent et se renvoient la balle, le citoyen se sent plus perdu que jamais. Comme le dit le politologue Christian Dufour: "Ce n'est pas tout d'être informé. Encore faut-il être formé, c'est-à-dire avoir la formation nécessaire nous permettant de faire le tri dans ce déluge de mots et de chiffres…" Si je ne connais rien en biochimie, comment puis-je me frayer un chemin dans ce labyrinthe infini d'opinions, d'enquêtes, d'études et de statistiques? Comment ne pas perdre la raison dans ce surplus de sens? Avant, c'était simple: les médecins s'occupaient de la santé et les journalistes s'occupaient de l'information. Plus maintenant. Les monopoles ont explosé, les chasses gardées ont disparu et la "parole citoyenne" se fait entendre partout.

L'autorité morale est une valeur en voie d'extinction. L'ado boutonneux de 15 ans qui blogue dans le sous-sol de ses parents (et qui n'a de comptes à rendre à aucune instance) a autant de poids que le journaliste professionnel d'expérience qui peut perdre son boulot si jamais il dit ou écrit une bêtise. Même chose pour le milieu de la pub et des relations publiques. L'entreprise XYZ n'est plus seule à contrôler son image. Elle doit maintenant partager le terrain de la communication avec ses clients, ses adversaires et ses détracteurs, qui s'expriment 24 heures sur 24 sur Facebook ou Twitter. Le hic est que ce combat entre le communicateur professionnel et le blogueur à temps partiel n'est pas une lutte à armes égales. Alors que le premier doit respecter toutes sortes de règles et s'exprimer à visage découvert, le second peut écrire n'importe quoi et faire circuler toutes sortes de rumeurs, de potins et de ragots, bien caché sous le sceau de l'anonymat. [...] Comment voulez-vous gagner, dans cette situation? Vous avez un bras attaché dans le dos, alors que votre adversaire est libre de ses mouvements. Vous devez respecter un code d'éthique (ne pas mentir, par exemple), alors que votre adversaire peut faire n'importe quoi. Les nouveaux médias connaissent un succès auprès des jeunes, car ils ont "libéré" la parole, disent les adeptes des blogues, de Facebook et de Twitter. Libéré? Dans les pays totalitaires, sans aucun doute. Mais dans les démocraties, je dirais plutôt qu'ils l'ont rendue plus sauvage… Ce qui n'est pas toujours une bonne chose. »

Source: R. MARTINEAU, « La parole "libérée" », *Infopresse*, 4 décembre 2009, [En ligne], www2.infopresse.com/blogs/actualites/archive/2009/12/04/La-parole-liberee.aspx (Page consultée le 4 mars 2010)

Questions

1. Consultez cette note d'opinion rédigée par Richard Martineau. Selon vous, le développement de nouveaux outils de communication, tels que les réseaux sociaux, est-il un avantage ou une menace pour les marques commerciales?

2. En tant que gestionnaire en marketing, quelles conséquences en tirez-vous en ce qui concerne vos actions stratégiques présentes ou futures en matière de communication marketing?

Notes

1. A. SOUCHON, extrait de la chanson «Foule sentimentale», tirée de l'album *Foule sentimentale,* [cédérom], Virgin, 1983.

2. P. BALLOFFET, «Les images du consommateur: un essai de relecture chronologique», *Revue canadienne des sciences de l'administration,* vol. 20, n° 3, 2003, p. 234-245.

3. U.B. SINCLAIR, *The Jungle,* New York, Doubleday, 1906.

4. Citation tirée de M. RUFFAT, *Le contre-pouvoir consommateur aux États-Unis: du mouvement social au groupe d'intérêt,* Paris, Presses universitaires de France, 1987.

5. Le New Deal est le nom donné à une série d'initiatives et de programmes mis sur pied par le président Franklin D. Roosevelt ayant pour buts de stabiliser, de réformer et de stimuler l'économie des États-Unis, alors frappée par la grande dépression des années 1930.

6. Traduction libre d'une citation tirée de l'article suivant, dont l'auteur n'est pas identifié: «Buckpassing blues», *Wall Street Journal,* vol. CLXXIV, 3 novembre 1969.

7. V.O. PACKARD, *The Hidden Persuaders,* New York, Pocket Books, 1957.

8. R. CARSON, *Silent Spring,* Boston, Houghton Mifflin, 1962.

9. R. NADER, *Unsafe at Any Speed,* New York, Grossman, 1965.

10. D. CAPLOVITZ, *The Poor Pay More,* London, Collier-MacMillan, 1967.

11. N. KLEIN, *No logo: la tyrannie des marques,* Montréal, Leméac, 2000. Voir aussi la critique de cet ouvrage par Y. ST-JAMES, *Journal of the Academy of Marketing Science,* vol 30, n° 1, 2002, p. 90-91.

12. J. DOMINGUEZ et V. ROBIN, *Votre vie ou votre argent?,* Montréal, Les Éditions Logiques, 1997.

13. G. EASTERBROOK, *The Progress Paradox: How Life Gets Better While People Feel Worse,* New York, Random House, 2003.

14. Loi et règlement d'application de la Loi sur la protection du consommateur; Loi et règlement d'application sur les arrangements préalables de services funéraires et de sépulture; Loi et règlement d'application sur le recouvrement de certaines créances; Loi et règlement d'application sur les agents de voyages.

15. Visiter le site suivant: www.opc.gouv.qc.ca/WebForms/APropos/Mission.aspx

16. Visiter le site suivant: www2.infopresse.com/blogs/actualites/archive/2010/02/22/article-33944.aspx?s=newsletter

17. Traduction libre de: *We are determined not only to make great drinks, but also to contribute to communities around the world through our commitments to education, health, wellness, and diversity. We strive to be a good neighbour, consistently shaping our business decisions to improve the quality of life in the communities in which we do business. It's a special thing to have billions of friends around the world, and we never forget it.* Visiter le site suivant: www.coca-cola.com

18. E.C. HIRSHMAN, «The Consciousness of Addiction: Toward a General Theory of Compulsive Consumption», *Journal of Consumer Research,* vol. 19, septembre 1992, p. 155-179.

19. A. D'ASTOUS, G. VALENCE et L. FORTIER, «Conception et validation d'une échelle de mesure de l'achat compulsif», *Recherche et applications en marketing,* vol. 4, n° 1, 1989, p. 3-16.

20. T.C. O'GUINN et R.J. FABER, «Compulsive Buying: A Phenomenological Exploration», *Journal of Consumer Research,* vol. 16, septembre 1989, p. 147-157.

21. J. BAUDRILLARD, *La société de consommation: ses mythes, ses structures,* Paris, Gallimard, 1974.

22. P. BRUCKNER, *La tentation de l'innocence,* Paris, Grasset, 1995.

23. G. McCRACKEN, «Culture and Consumption: A Theoretical Account of the Structure and Movement of the Cultural Meaning of Consumer Goods», *Journal of Consumer Research,* vol. 13, 1986, p. 71-83.

24. A. D'ASTOUS, J. MALTAIS et C. ROBERGE, «Compulsive Buying Tendencies of Adolescents Consumers», *Advances in Consumer Research,* vol. 17, 1990, p. 306-312.

25. Visiter le site suivant: www.nestle.ch/fr/company/switzerland/bienvenue

Le *Code canadien des normes de la publicité* (extraits)

1. Véracité, clarté, exactitude

(a) Les publicités ne doivent pas comporter d'allégations ou de déclarations, des illustrations ou des représentations inexactes ou mensongères, énoncées directement ou implicitement quant à un produit ou service. Lorsque le Conseil doit attester de la véracité d'un message, il ne s'intéressera pas à la légalité de sa formulation ou à l'intention de l'annonceur. Il considérera plutôt le message tel que reçu ou perçu, c'est-à-dire l'impression générale qui s'en dégage.

(b) Une publicité ne doit pas omettre une information pertinente de façon à être ultimement mensongère.

(c) Tous les détails pertinents se rapportant à une offre annoncée doivent être clairement énoncés et compréhensibles.

(d) Toute exclusion de responsabilité et toute information accompagnées d'un astérisque ou présentées en bas de page, doivent éviter de contredire les aspects importants du message, et doivent être présentées et situées dans le message de manière à être très visibles et/ou audibles.

(e) Tant en principe qu'en pratique, toutes les allégations ou représentations faites dans la publicité doivent être soutenues. Si ce qui vient appuyer une allégation ou une représentation repose sur un test ou sur des données de recherche, lesdites données doivent être bien établies et fiables, et doivent répondre aux principes reconnus en matière de conception et de réalisation de recherche, compte tenu des règles courantes de l'art au moment où elle est entreprise. D'un autre côté, toute recherche doit être économiquement et techniquement réalisable, en prenant en considération les divers coûts rattachés à la conduite des affaires d'une entreprise.

(f) La personne morale qui fait de la publicité engagée doit être clairement identifiée comme étant l'annonceur, que ce soit dans la partie audio ou vidéo de cette publicité ou dans ces deux parties.

2. Techniques publicitaires déguisées

Aucune publicité ne doit être présentée d'une certaine manière ou dans un style qui masque son but commercial.

3. Indications de prix

(a) Aucune publicité ne comportera d'indications de prix ou de rabais mensongères ni de comparaisons irréalistes quant aux prix ni de déclarations exagérées quant à la valeur ou aux avantages du produit ou du service en cause. L'utilisation par un annonceur dans sa publicité des expressions «prix régulier», «prix de détail suggéré», «prix de liste du manufacturier» et «valeur marchande équitable», pour indiquer une économie, induisent le public en erreur, sauf si ces expressions s'appliquent à des prix auxquels cet annonceur a réellement vendu, dans le marché ciblé par sa publicité, une quantité importante du produit ou du service annoncé, et ce, pendant une période de temps raisonnable (telle que six mois), immédiatement avant ou après y avoir fait allusion dans ladite publicité; ou encore, sauf s'il a offert en vente en toute bonne foi le produit ou le service pendant une période de temps importante (telle que six mois), immédiatement avant ou après avoir fait allusion à ces expressions dans sa publicité.

(b) Lorsque des rabais sont offerts, les énoncés les qualifiant, tels que «jusqu'à», «xx de moins» et autres, doivent adopter un caractère d'imprimerie facile à lire, se trouver à proximité des prix mentionnés et, en autant que cela est pratique, les prix réguliers légitimes doivent être cités.

(c) Les prix mentionnés en monnaies autres que canadiennes dans des annonces publiées dans les médias canadiens doivent être désignés comme tel.

4. Appât et substitution

Les publicités ne doivent pas faussement donner à croire aux consommateurs qu'ils ont la possibilité de se procurer les produits ou services annoncés aux conditions indiquées, alors que tel n'est pas le cas. Si la quantité de l'article offert est limitée, ou si le vendeur ne peut combler qu'une demande limitée, cela doit être clairement indiqué dans la publicité.

5. Garanties

Aucune publicité ne doit offrir une garantie sans que ses conditions, ses limites et le nom du garant ne soient clairement indiqués, ou que l'on fasse mention de l'endroit où obtenir cette information.

6. Publicité comparative

La publicité ne doit pas injustement discréditer, attaquer ou dénigrer les autres produits, services, publicités ou compagnies ni ne doit exagérer la nature ou l'importance de différences entre les concurrents.

7. Témoignages

Les témoignages, endossements ou représentations d'opinion ou de préférence doivent refléter l'opinion véritable et raisonnablement actuelle de la personne ou des personnes, groupes ou organisations qui les rendent, et doivent se fonder sur des renseignements adéquats ou une expérience appropriée du produit ou service faisant l'objet de la publicité, et ne doivent pas être autrement trompeurs.

8. Déclarations de professionnels(les) ou de scientifiques

Les publicités ne doivent pas altérer la portée véritable des énoncés faits par des professionnels(les) ou des scientifiques reconnus(es). Les énoncés publicitaires ne doivent pas laisser entendre qu'ils ont un fondement scientifique quand ce n'est pas le cas. Toute allégation ou déclaration scientifique, professionnelle ou jouissant d'une grande autorité, doit se référer au contexte canadien, à moins qu'il n'en soit autrement mentionné de façon claire.

9. Imitation

Aucune publicité n'imitera les textes, slogans ou illustrations d'un concurrent de manière à induire le public en erreur.

10. Sécurité

Les publicités ne doivent pas sans raison, sauf si cela peut se justifier en invoquant des motifs éducationnels ou sociaux, témoigner d'indifférence à l'égard de la sécurité du public en présentant des situations que l'on pourrait, de façon raisonnable, interpréter comme étant un encouragement à des pratiques ou à des gestes imprudents ou dangereux.

11. Superstitions et frayeurs

Les publicités ne doivent pas exploiter les superstitions ou jouer sur les frayeurs pour tromper les consommateurs.

12. Publicité destinée aux enfants

La publicité qui est destinée aux enfants ne doit pas exploiter leur crédulité, leur inexpérience ou leur esprit d'acceptation ni présenter des informations ou illustrations aptes à leur causer un tort physique, émotif ou moral.

La publicité radiotélévisée destinée aux enfants est encadrée de façon distincte par le *Code de la publicité radiotélévisée destinée aux enfants,* administré par Les normes canadiennes de la publicité au Canada anglais. La publicité destinée aux enfants est interdite au Québec par les articles 248 et 249 de la *Loi sur la protection du consommateur* et le Règlement dont la loi est assortie.

13. Publicité destinée aux mineurs

Les produits dont la vente aux mineurs est défendue ne doivent pas être annoncés de manière à être particulièrement attrayants aux personnes qui n'ont pas encore atteint l'âge adulte légal. Les personnes qui figurent dans des publicités portant sur ces produits doivent être clairement des adultes et être perçues comme tels, en fonction de la définition qu'en donne la loi.

14. Descriptions et représentations inacceptables

Il est reconnu que des publicités peuvent déplaire à des personnes, sans qu'elles n'enfreignent pour autant les dispositions de cet article ; et le fait qu'un produit ou un service en particulier puisse offenser certaines personnes ne constitue pas une raison suffisante pour s'objecter à une publicité sur ce produit ou ce service.

La publicité ne doit pas :

(a) tolérer quelque forme de discrimination personnelle que ce soit, y compris la discrimination fondée sur la race, l'origine nationale, la religion, le sexe ou l'âge ;

(b) donner l'impression d'exploiter, tolérer ou inciter de manière réaliste à la violence ; ni donner l'impression de tolérer ou d'encourager expressément un comportement physiquement violent ou psychologiquement démoralisant ; ni encourager expressément ou montrer une indifférence manifeste à l'égard d'un comportement illicite ;

(c) discréditer, dénigrer ou déprécier une personne, un groupe de personnes, une entreprise, un organisme, des activités industrielles ou commerciales, une profession, un produit ou service, tous faciles à identifier, ou tenter de le/les exposer au mépris public ou au ridicule ;

(d) miner la dignité humaine, ou témoigner de façon évidente d'indifférence à l'endroit d'une conduite ou d'attitudes portant atteinte aux bonnes mœurs prédominantes au sein de la population ou encourager de façon gratuite et sans raison une conduite ou des attitudes portant atteinte aux bonnes mœurs prédominantes au sein de la population.

Source : *Le Code canadien des normes de la publicité,* dans Les normes canadiennes de la publicité, [En ligne], www.adstandards.com/fr (Page consultée le 27 avril 2010)

Index

Sources iconographiques

Partie 1 : p. x, *Illustration d'ouverture,* © Corbis.

Chapitre 2 : p. 24, *Illustration d'ouverture,* © Corbis ; p. 28, *Biscuits Dare,* Gracieuseté de Dare Foods Ltd. Concept de Zig Canada ; p. 30, *Crest Pro Santé,* Gracieuseté de Procter & Gamble ; p. 32, *Special K,* Kellogg's Canada inc. ; p. 39, *Région Bas St-Laurent,* Gracieuseté de Tourisme Bas-Saint-Laurent ; p. 40, *Breyer,* Unilever Canada Inc.

Chapitre 3 : p. 79, *Vicks,* Gracieuseté de Procter & Gamble ; p. 81, *Porc canadien,* Gracieuseté de Alberta pork ; p. 82, *Olay quench,* Gracieuseté de Procter & Gamble ; p. 92, *Aéro Singles,* Gracieuseté de Nestlé Canada inc. ; p. 96, *Hydra Sens,* publicité reproduite avec la permission de Schering-Plough Canada inc. et de Laboratoire de la Mer S.A. Tous droits réservés.

Chapitre 4 : p. 116, *Délice Boréal,* gracieuseté de l'Institut Culturel Avataq ; p. 116, *Néolia,* gracieuseté de Summum Beauté International ; p. 121, *Days Inn,* gracieuseté de Days Inns – Canada ; p. 123, *Nestea,* gracieuseté de Nestlé Canada inc. ; p. 130, *WetOnes,* gracieuseté de Energizer Personal Care.

Chapitre 5 : p. 147, *Shredded Wheat,* gracieuseté de Ralcorp Holdings Inc. ; p. 149, *Silhouette,* gracieuseté de Danone ; p. 159, *Pomme du terre du Québec,* publicité réalisée par Über Communications, pommedeterrequebec.com ; p. 160, *Crest Pro-Santé,* gracieuseté de Procter & Gamble ; p. 165, *Office de développement économique et du tourisme du Texas,* Texas Office of the Governor, Economic Development and Tourism, Jim Erickson.

Chapitre 6 : p. 189, *Nestea,* gracieuseté de Nestlé Canada inc. ; p. 189, *Jamieson,* Jamieson Laboratories Ltd. ; p. 193. *Futur Shop,* gracieuseté de Futur Shop ; p. 196, *Oscillococcinum,* marque des Laboratoires Boiron ; p. 197, *amonmeilleur.ca,* gracieuseté de Physical & Health Education Canada.

Chapitre 7 : p. 232, *Illustration d'ouverture,* © Corbis ; p. 240, *Hyundai,* gracieuseté de Hyundai Auto Canada Corp. Agence Tequila communication & marketing ; p. 244, *Couverture de InfoPresse,* © Les Éditions Infopresse, Photo © Jean-François Leblanc/Agence Stock Photo ; p. 244, *Le Bel âge,* Médias Transcontinental ; p. 245, *Anna Kournikova,* Omega Comptoir de Paris ; p. 248, *Infusium,* gracieuseté de Idelle Labs Ltd. ; p. 254, *Magazine LouLou,* novembre 2005, Les Éditions Rogers ; p. 263, *SAQ Signature,* gracieuseté de la SAQ.

Chapitre 8 : p. 278, *Arctic Garden,* gracieuseté de Bonduelle ; p. 286, *Chrysler 300M,* gracieuseté de Chrysler Canada ; p. 291, *ProKidz,* Nature's Path Foods ; p. 291, *Turkish Airlines,* gracieuseté de Turkish Airlines ; p. 292, *Cordon Bleu,* Aliments Ouimet – Cordon Bleu inc. ; p. 302, *Cadillac,* gracieuseté de General Motors of Canada Limited.

Chapitre 9 : p. 348, *Assurances Axa,* gracieuseté d'AXA Assurances inc. ; p. 348, *Croix Bleue,* gracieuseté de Croix Bleue du Québec ; p. 350, *Les résidences Jazz,* gracieuseté d'Investissements Immobiliers Kevlar Inc. ; p. 351, *Alyn Simard,* gracieuseté de Alyn Simard Audioprothésiste.

Chapitre 10 : p. 371, *3M Innovation,* © 3M IPC 1997, gracieuseté de 3M. Toute reproduction doit recevoir l'autorisation écrite de 3M ; p. 373, *ClickStar,* gracieuseté de Sanofi Aventis ; p. 380, *La liste luxe (Clin d'œil),* Laboratoire Larima Ltéé, H&M Hennes & Mauritz, L'Ensemblier (Groupe Gesco 547 Inc.). Reproduit avec la permission de TVA Publications ; p. 193 ; p. 382, *Lenovo Skylight,* gracieuseté de Lenovo Inc. ; p. 382, *Lessivert Sunlignt,* gracieuseté de The Sun Products Canada Corporation ; p. 383, *Kleenex-Lotion,* gracieuseté de Kimberly-Clark Corp. ; p. 385, *Dryel,* gracieuseté de Procter & Gamble ; p. 392, *Nokia,* Nokia.

Chapitre 11 : p. 408, *Les Résidences Groupe Longpré,* gracieuseté de Groupe Longpré ; p. 409, *Desjardins,* Mouvement Desjardins. Photo Luc Robitaille photo inc. ; p. 411, *Banque Nationale,* gracieuseté de la Banque Nationale. Agence Bos. Photo Pierre Manning ; p. 414, *Fondation Marie-Vincent,* reproduit avec l'autorisation de la Fondation Marie-Vincent (www.marie-vincent. org). Photo Pierre Manning ; p. 417, *Vas-y,* reproduit avec l'autorisation de Publications Québec. Agence Bleu Blanc Rouge ; p. 422, *Facebook,* Gilles Mingasson/Getty Images.

Chapitre 12 : p. 430, *BMW xDrive,* gracieuseté de BMW/Lg2 ; p. 434, *Air Transat/Les évadés,* gracieuseté de Air Transat ; p. 434, *Lait au chocolat,* FPLQ/Agence de publicité Nolin BBDO. Photographe Roger Proulx ; p. 435, *Fromages d'ici,* FPLQ/Cossette ; p. 435, *Jig-A-Loo,* Jig-A-Loo Canada Inc. ; p. 436, *Les tendres biscuits,* gracieuseté de Biscuits Leclerc ; p. 441, *Carrefour Angrignon,* gracieuseté du Carrefour Angrignon.

Chapitre 13 : p. 446, *Illustration d'ouverture,* © Corbis ; p. 448, *Couverture du Time,* de Time (25 décembre 2006 – 1er janvier 2007), Time Inc. Tout droit réservé ; p. 455, *Régie du bâtiment du Québec,* gracieuseté de la Régie du bâtiment du Québec ; p. 456, *RDPRM,* reproduit avec l'autorisation du ministère de la Justice du Québec ; p. 459, *Héritage Montréal,* Fondation Héritage Montréal/Sid Lee ; p. 463, *La garantie des bâtiments résidentiels neufs,* reproduit avec l'autorisation de l'APCHQ ; p. 465, *EnerGuide,* © Ressources naturelles Canada, 2010. Tous droits réservés ; p. 466, Ministère du Développement durable, de l'Environnement et des Parcs.